성인예방접종

대한감염학회

VACCINATIONS
FOR ADULTS

3rd Edition

대한감염학회

Vaccinations for Adults

성인예방접종 3판

첫째판 1쇄 발행 | 2007년 10월 25일
셋째판 1쇄 인쇄 | 2019년 9월 9일
셋째판 1쇄 발행 | 2019년 9월 24일

집   필   대한감염학회
발 행 인   장주연
출 판 기 획   김도성
책 임 편 집   안경희
편집디자인   주은미
표지디자인   김재욱
일 러 스 트   김경열
제 작 담 당   신상현
발 행 처   군자출판사(주)
          등록 제4-139호(1991. 6. 24)
          본사 (10881) **파주출판단지** 경기도 파주시 회동길 338(서패동 474-1)
          전화 (031) 943-1888   팩스 (031) 955-9545
          홈페이지 | www.koonja.co.kr

ISBN   979-11-5955-481-0
정가   90,000원

Vaccinations for Adults

성인예방접종

편찬위원

집필진

● **집필진**(가나다순)

강철인	성균관대학교 의과대학	**노지윤**	고려대학교 의과대학
곽이경	인제대학교 의과대학	**류성열**	계명대학교 의과대학
권기태	경북대학교 의과대학	**박경화**	전남대학교 의과대학
권현희	대구가톨릭대학교 의과대학	**박상원**	서울대학교 의과대학
김남중	서울대학교 의과대학	**박선희**	가톨릭대학교 의과대학
김동민	조선대학교 의과대학	**박성연**	동국대학교 의과대학
김민자	고려대학교 의과대학	**박완범**	서울대학교 의과대학
김상일	가톨릭대학교 의과대학	**박윤선**	국민건강보험 일산병원
김성민	인제대학교 의과대학	**박윤수**	국민건강보험 일산병원
김성한	울산대학교 의과대학	**방지환**	서울대학교 의과대학
김양리	가톨릭대학교 의과대학	**배인규**	경상대학교 의과대학
김양수	울산대학교 의과대학	**배현주**	한양대학교 의과대학
김연숙	충남대학교 의과대학	**백경란**	성균관대학교 의과대학
김영근	연세대학교 원주의과대학	**백지현**	인하대학교 의과대학
김우주	고려대학교 의과대학	**서유빈**	한림대학교 의과대학
김의석	서울대학교 의과대학	**손장욱**	고려대학교 의과대학
김지은	한양대학교 의과대학	**송경호**	서울대학교 의과대학
김진용	인천광역시의료원	**송영구**	연세대학교 의과대학
김창오	연세대학교 의과대학	**송재훈**	차 바이오그룹
김충종	이화여자대학교 의과대학	**송준영**	고려대학교 의과대학
김태형	순천향대학교 의과대학	**신소연**	가톨릭관동대학교 의과대학
김현아	계명대학교 의과대학	**신의철**	한국과학기술원
김홍빈	서울대학교 의과대학	**신형식**	국립중앙의료원
김효열	연세대학교 원주의과대학	**양태언**	세계보건기구 라오스 국가사무소

집필진

엄중식	가천대학교 의과대학	**장현하**	경북대학교 의과대학
염준섭	연세대학교 의과대학	**장희창**	전남대학교 의과대학
오명돈	서울대학교 의과대학	**정동식**	동아대학교 의과대학
오원섭	강원대학교 의학전문대학원	**정문현**	제주대학교 의과대학
오홍상	국군수도병원	**정숙인**	전남대학교 의과대학
우준희	울산대학교 의과대학	**정희진**	고려대학교 의과대학
우흥정	한림대학교 의과대학	**조성연**	가톨릭대학교 의과대학
위성헌	가톨릭대학교 의과대학	**조용균**	가천대학교 의과대학
유진홍	가톨릭대학교 의과대학	**진범식**	국립중앙의료원
윤영경	고려대학교 의과대학	**최상호**	울산대학교 의과대학
이동건	가톨릭대학교 의과대학	**최수미**	가톨릭대학교 의과대학
이미숙	경희대학교 의과대학	**최영주**	국립암센터
이상오	울산대학교 의과대학	**최영화**	아주대학교 의과대학
이선희	부산대학교 의과대학	**최원석**	고려대학교 의과대학
이신원	부산대학교 의과대학	**최정현**	가톨릭대학교 의과대학
이은정	순천향대학교 의과대학	**최준용**	연세대학교 의과대학
이재갑	한림대학교 의과대학	**최희정**	이화여자대학교 의과대학
이진수	인하대학교 의과대학	**추은주**	순천향대학교 의과대학
이창섭	전북대학교 의과대학	**한상훈**	연세대학교 의과대학
이 혁	동아대학교 의과대학	**허중연**	아주대학교 의과대학
이효진	가톨릭대학교 의과대학	**홍성관**	차의과대학

발간사

　보건학적인 관점에서 볼 때, 이미 발생한 질병을 치료하는 것보다는 발생하지 않도록 예방하는 것이 가장 효과적인 방법이라는 점은 쉽게 공감할 수 있는 사실입니다. 감염질환은 개인 차원에 국한되지 않고 다른 사람에게 전파될 수 있으며 집단감염으로 발전할 수 있기 때문에 적절한 관리 수단을 이용한 예방이 중요합니다.

　백신의 개발은 인류의 생명을 구한 현대의학의 중요 업적 중 하나이지만, 반면 다양한 도전에 직면해 있습니다. 전세계적으로 고령화가 이루어지고 만성질환과 면역저하 환자가 증가함에 따라 감염질환의 양상이 바뀌었습니다. 기후변화, 환경변화 때문에 지구촌 곳곳에서 다양한 종류의 신변종감염병이 출현하고 있고, 세계화가 진행되면서 이들이 확산될 우려가 커지고 있습니다. 폐렴사슬알균이나 인플루엔자는 백신 항원의 변화 때문에 기존 백신의 사용을 힘들게 하고 있습니다. 결핵, 말라리아 등 인류를 가장 괴롭히는 감염질환에 대한 백신은 아직 개발되어 있지 않습니다. 질병부담이 큰 황색포도알균 등의 세균감염에 대한 백신 개발은 장벽에 부딪혀 있습니다. 예방접종의 이상반응에 대한 일부 사람의 잘못된 인식도 큰 문제입니다. 백신을 만들기 위한 연구와 기술개발도 부족한 상황입니다.

　최근 개발되어 사용 중인 여러 종류의 백신이 있고, 새로 개발되어 사용하게 될 백신도 있습니다. 기존의 백신에 새로운 기술을 접목시켜서 백신의 면역원성을 증가시키고 접종방법, 보관방법을 개선한 경우도 자주 볼 수 있습니다. 이런 추세에 맞추어 많은 양의 연구결과들이 발표되고 있고 임상백신학의 발전이 뒤따르고 있습니다.

　대한감염학회에서 발간하는 성인예방접종 3판에는 기존의 내용을 견고하게 업데이트 하고, 새로운 상황의 변화를 충실히 반영하기 위한 노력이 담겨 있습니다. 진료 현장의 의료인들에게 실질적인 도움이 될 수 있도록 내용을 간결하게 하였고 편리하게 찾아보실 수 있도록 정리하였습니다. 개정판을 통하여 최선의 예방접종이 이루어지고 이를 통하여 국민건강과 사회의 안전을 향상시키는데 기여할 수 있기를 바랍니다. 성인예방접종 발간을 위하여 많은 시간과 노력을 아끼지 않으신 정희진 위원장님을 비롯한 편찬위원회의 위원들께 진심으로 감사드립니다.

대한감염학회 이사장 **김 양 수**

감사의 글

　먼저, 성인예방접종 3판 발간이 당초 예정보다 늦어졌음에도 불구하고 기다려주신 이 책의 집필진과 독자들께 감사를 드립니다. 대한감염학회에서 [성인예방접종] 서책을 만들기로 결정한 순간으로 3판이 나오기까지 12년 동안을 함께 한 입장에서 그간의 시간을 돌이켜 보면 초판보다는 개정판을 만들기가, 또 그 이후 개정 작업이 훨씬 어려운 작업임을 실감하였습니다.

　그럼에도 불구하고, [성인예방접종]을 3판까지 발간하면서 거쳤던 수많은 논의와 고민의 과정이 결국 우리나라 의료진과 보건당국, 그리고 국민들에게도 '백신은 어린아이들만 접종하는 것이 아니다'라는 인식을 심어준 중요한 계기가 되었음에 큰 자부심을 느낍니다.

　작업과정에 직접 참여하신 90명의 집필진과 12명의 편찬위원, 후원과 격려를 아끼지 않으신 김양수 이사장님을 비롯한 학회 임원 선생님들과 저의 까다로운 요구를 묵묵히 수용해준 군자출판사 관계자들께 머리 숙여 감사드립니다. 아울러, 마지막 점검 과정 중 오탈자 찾아내기 작업에 열심히 참여해주신 고려대 감염내과 교수진들에게도 이 기회를 빌어 감사의 말씀을 전합니다.

　백신은 사람이 태어나 성장하고 또 늙어가는 인생의 전 과정에서 필요한 것이며, 백신으로 예방 가능한 감염병으로부터 우리를 보호하는 가장 비용 경제적인 수단임에는 틀림이 없습니다.

　그래서 우리와 같은 감염병 전문가들은 오늘도 머리를 맞대고 2019년 현재, 그리고 향후 수년간 우리나라 성인예방접종은 누구에게 어떤 백신을 우선적으로 접종해야 하는가를 논의하고 있는 것이겠지요.

　저는 [성인예방접종] 3판을 내어놓는 위원회의 한 사람으로서 향후 정부에서 추진하는 국내 성인백신 정책 또한 어린이 예방접종의 성공적 정착에서의 결과를 롤모델로 하여, 근거에 기반한 장기적인 계획의 수립과 수행으로 이어지기를 간절히 희망합니다.

2019년 8월
편찬위원장 **정 희 진**

Contents

SECTION 01

예방접종
개요

General aspects of
vaccinations

SECTION 02

개별 백신

Individual
vaccine

SECTION

03

387

특수 상황에서의 예방접종

Vaccinations for
special situation

Contents

상황별 성인예방접종표

	당뇨병	만성심혈관질환	만성폐질환	만성신질환	만성간질환	항암 치료 중인 고형[암]
인플루엔자[1]						
폐렴사슬알균[2]						
파상풍-디프테리아-백일해[3]						
대상포진(생백신)[4]						
A형간염[5]						
B형간염[6]						
수두[7]						
홍역-볼거리-풍진[8]						
인유두종바이러스[9]						
수막알균[10]						
일본뇌염[11]						
b형 헤모필루스 인플루엔자[12]						

- 연령 기준에 부합하고 면역의 증거(백신 접종력, 과거 감염력, 또는 항체검사 양성)가 없는 경우, 필요성이 강조되는 백신
- 일반적인 권고기준에 따름
- 고려할 필요 없음
- 금기

1. **인플루엔자**: 매년 10~11월에 1회 접종. 단, 항암치료 중인 고형암, 면역억제제 사용, 장기이식, 조혈모세포이식, CD4 < 200/mm³인 HIV 감염[인]
2. **폐렴사슬알균**: 13가 단백결합백신(PCV13)과 23가 다당류백신(PPSV23)을 순차적으로 접종. PCV13은 1회 접종. 65세 이전에 PPSV23을 접종[한] 액누수, 인공와우 삽입 환자는 65세 이후가 되고 이전 PPSV23 접종 후 5년 이상 경과한 경우에 1회 재접종하여 PPSV23을 총 2회 접종. PPSV2[3] 세가 넘으면 2회 접종으로 완료. PPSV23을 재접종 하는 나이가 65세 미만이면, 65세가 넘어 가장 최근 PPSV23 접종 후 5년이 지나 한 번 더 [재] 인공와우 삽입 환자는 PCV13과 PPSV23의 접종 간격 최소 8주
3. **파상풍-디프테리아-백일해**: 소아 표준예방접종 지침에 따라 과거 소아용 디프테리아-파상풍-백일해 백신(DTP) 접종을 받은 18세 이상의 성인[은] 이 중 한 번은 Td 대신 Tdap을 접종. 18세 이상의 성인에서 소아기 DTP 접종을 받지 않았거나, 기록이 분명치 않은 경우, 또는 1958년(국내 DT[P] Td를 접종하였다면 이후 두 번째 혹은 세 번째 일정 중 한 번을 Tdap으로 접종). 이후 매10년마다 Td를 추가접종. 조혈모세포이식 환자는 소아용 [백]
4. **대상포진**: 항암치료 중인 고형암, 면역억제제 사용, 장기이식, 조혈모세포이식, CD4 < 200/mm³인 HIV 감염인, 임신부는 생백신 금기
5. **A형간염**: 고위험군(A형간염 유행지역 여행자나 장기 체류자, A형간염 환자와 접촉하는 자, A형간염바이러스를 다루는 실험실 종사자, 직업적으[로] 고려하여 A형간염의 고위험군이 아니더라도 40세 미만에서는 항체검사결과 없이, 40세 이상에서는 항체검사 후 음성일 경우 백신 접종 권고
6. **B형간염**: B형간염백신 미접종 성인, B형간염 고위험군(HBs항원 양성자의 배우자, 동성애자, 약물남용자, HBs항원 양성자의 가족 접촉자, 발달[장] 만성 간 질환자, HIV 감염인) 중 백신 미접종자는 0, 1, 6개월의 간격으로 3회 접종
7. **수두**: 1970년 이후 출생자, 학생, 군인, 의료기관종사자, 학교 및 유치원 교사, 해외여행자, 고위험군(면역저하자)과 자주 접촉하는 사람, 가임기 [여] HIV 감염인, 임신부는 생백신 금기. 조혈모세포이식 환자는 이식 24개월 이후이고 면역억제제를 중지한 경우에는 접종을 고려할 수 있음
8. **홍역-볼거리-풍진**: 1967년 이후 출생 성인 중 홍역에 대한 면역이 없고 건강한 일반 성인은 적어도 1회 MMR 접종. 홍역 노출 고위험군이거나 [종] 인은 적어도 1회 MMR 접종. 볼거리 노출 고위험군이 볼거리에 대한 면역이 없는 경우 최소 28일 간격을 두고 2회 MMR 접종. 풍진에 대한 면역[이] 생백신 금기. 조혈모세포이식 환자는 이식 24개월 이후이고 면역억제제를 중지한 경우에는 접종을 고려할 수 있음. 의료기관종사자는 출생연도와 [상]
9. **인유두종바이러스**: 26세 이하 성인 여성과 21세 이하 성인 남성은 3회 접종. HIV 감염인을 포함한 면역저하자, 남성 동성애자의 경우 26세까지 접[종]
10. **수막알균**: 고위험군(무비증, 보체결핍 환자, 신입훈련병, 직업적으로 수막알균에 노출되는 실험실 근무자, 수막알균 감염증 유행지역에서 현지인[과] 게 접종하는 경우 2개월 간격으로 2회 접종. 수막알균 감염 위험이 지속되는 고위험군은 5년마다 재접종
11. **일본뇌염**: 고위험군(논, 돼지 축사 인근에 거주하거나 일본뇌염 전파시기에 위험지역에서 활동 예정인 성인, 비토착지역에서 이주하여 국내에 장기[체] 종 또는 불활화백신 3회 접종. 단, 항암치료 중인 고형암, 면역억제제 사용, 장기이식, 조혈모세포이식, CD4 < 200/mm³인 HIV 감염인, 임신부[는]
12. **b형 헤모필루스 인플루엔자**: 고위험군(무비증, 보체 및 면역 결핍, 조혈모세포이식)은 1회 접종하되, 이 중 조혈모세포이식 환자는 3회 접종

암	이식 이외 면역억제제 사용	장기이식	조혈모 세포이식	무비증	HIV 감염		임부	의료기관 종사자
					CD4 < 200/mm³	CD4 ≥ 200/mm³		

임신부는 생백신 금기. 임신부는 임신 주수에 관계없이 10-11월에 접종

한 경우에는 피접종자의 상태에 따라 5년 이상의 간격을 두고 1-2회 PPSV23 재접종. PPSV23의 최초 접종 연령이 65세 미만인 만성질환자, 뇌척수
3의 최초 접종 연령이 65세 미만인 면역저하자와 무비증 환자는 최초 PPSV23 접종 후 5년이 지나서 1회 재접종. PPSV23을 재접종 하는 나이가 65
접종 하여 PPSV23을 총 3회 접종. PCV13과 PPSV23을 순차적으로 접종하는 경우에 서로 간의 접종 간격은 최소 1년. 면역저하자와 뇌척수액누수,

매10년마다 성인용 파상풍-디프테리아 백신(Td) 1회 접종이 필요하며, 성인용 파상풍-디프테리아-백일해 백신(Tdap)을 한 번도 접종받지 않았다면
도입 시기) 이전 출생자의 경우에는 기초접종 3회를 하되, Tdap을 첫 번째로 접종하고 4-8주 후 Td, 이후 6-12개월 뒤 다시 Td를 접종함(첫 번째에
신(DTaP)으로 3회 기초 접종. 임신부는 매 임신 27-36주에 Tdap 접종. 임신 중 Tdap을 접종하지 않은 경우 출산 직후 접종

노출될 위험이 있는 자, 혈액응고 질환자, 만성 간 질환자, 약물 남용자, 남성 동성애자)은 6-18개월 간격으로 2회 접종. 국내 A형간염 유행과 역학을

애자 시설 근무자, 혈액 또는 혈액이 오염된 체액 노출 고위험 의료종사자, 혈액 또는 복막 투석을 포함한 말기신부전 환자, B형간염 토착지역 여행자,

성 중 면역이 없는 사람은 4-8주 간격으로 2회 접종. 단, 항암치료 중인 고형암, 면역억제제 사용, 장기이식, 조혈모세포이식, CD4 < 200/mm³인

증 합병증 발생 위험이 높은 성인이 홍역에 대한 면역 추정 증거가 없다면 최소 28일 간격을 두고 2회 MMR 접종. 볼거리에 대한 면역이 없는 일반 성
없는 성인은 MMR 1회 접종. 단, 항암치료 중인 고형암, 면역억제제 사용, 장기이식, 조혈모세포이식, CD4 < 200/mm³인 HIV 감염인, 임신부는
관하게 면역의 증거가 없다면 2회 MMR 접종

밀접한 접촉이 예상되는 여행자 또는 체류자, 기숙사에 거주하는 대학교 신입생)은 단백결합 백신 1회 접종. 단, 무비증, 보체결핍 환자, HIV 감염인에

거주할 면역이 없는 성인, 일본뇌염 감염 위험이 높은 해외여행자, 일본뇌염 관련 연구를 하는 실험실 근무자)은 약독화 재조합바이러스 생백신 1회 접
생백신 금기.

SECTION

01

예방접종 개요
General aspects of vaccinations

성인예방접종의 필요성

고려대학교 의과대학 **정희진**

질병을 예방하거나 치료하는 여러 기법 중 백신은 가장 안전하고 비용 효과적인 의료형태이다. 수십 년 전부터 활성화된 영유아예방접종 프로그램을 통해 영유아 사망률이 급감하면서 백신은 20세기 가장 위대한 의학적 성과 중 하나로 자리매김하였다. 그럼에도 불구하고 정치적, 경제적으로 취약한 나라에서는 여전히 영유아 예방접종 프로그램이 제대로 진행되지 못하고 있고 그로 인한 영유아 사망률 역시 큰 국제적 문제가 되고 있다.

그러나, 현대과학과 의학의 발달로 인간의 평균수명이 길어지고, 각종 만성병을 가지고도 건강히 살아가고자 하는 개개인의 노력이 더해지면서 백신을 통해 보다 건강한 삶을 영위하고자 하는 바람은 단지 영유아만이 아닌 고령자, 더 나아가 모든 성인에서 삶의 목적이 되었다.

실제, 백신으로 예방이 가능한 질환(vaccine preventable diseases, VPD)이지만 백신을 접종하지 않아서 사망하는 환자들의 절대적 숫자는 영유아보다 성인층에서 훨씬 많아졌다. 미국의 사망률 자료에서 매년 약 200명의 소아가 백신으로 예방 가능한 질병(VPD)으로 사망하는 반면 성인에서는 70,000명이 사망하여 성인에서 백신으로 예방 가능한 질병(VPD)으로 인한 사망이 소아보다 50배 이상 많다고 보고되고 있다.

이런 현상은 고령화라는 시대의 변화와 관련이 있으며, 백신으로 예방 가능한 질병에 이환되고 사망할 가능성이 높은 성인의 절대적 숫자가 많아지는 결과로 나타나고 있다. 따라서 성년기에 적극적인 예방접종 전략을 수립하지 않으면 백신으로 예방 가능한 질병의 사회경제적 부담이 증가할 것이다.

우리나라도 예외가 아니어서, 해가 갈수록 고령자와 성인 중 만성질환자의 비율이 증가하고 있으며 감염질환으로 인한 사망자수 역시 해가 갈수록 고령자를 중심으로 증가하고 있다.

따라서, 성인을 대상으로 한, 보다 적극적이고 체계적인 예방접종 전략이 필요하다.

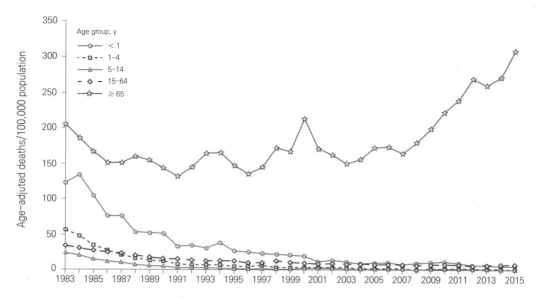

그림 1-1. 감염성 질환으로 인한 연령별 사망률(1983-2015년, 미국)

1. 성인에서 예방접종이 필요한 이유

성인이 예방접종을 해야 하는 이유는 여러 가지가 있으나 대략 여섯 가지 정도로 요약할 수 있다.

첫째, 유소아기에 접종했어야 하는 백신을 전부 또는 부분적으로 접종하지 않은 경우이다. 대표적인 예로 홍역-볼거리-풍진 혼합백신을 들 수 있다. 소아기에 병력이 없고 예방접종을 한 적이 없는 경우, 백신접종을 했더라도 2회가 아닌 1회로 불충분한 접종을 한 경우는 모두 홍역에 취약한 집단이 된다. 우리나라는 2018년 현재 홍역 퇴치국가이지만, 해외유입 등을 통해 산발적인 유행이 발생하고 있어 홍역백신을 접종하지 않았거나 불충분 접종자는 지금이라도 반드시 접종을 완료하여야 한다.

둘째, 백신을 제대로 접종했더라도 시간이 지남에 따라서 방어면역력이 점차 감소하므로 다시 예방접종이 필요한 경우이다. 자연 감염으로 얻은 면역은 오래 지속되지만 백신접종으로 얻은 면역은 시간이 흐르면서 점차 감소한다. 대표적인 예가 파상풍-디프테리아-백일해 혼합백신(Td/Tdap)이다. 이들 백신은 장기면역원성이 불충분한 백신이므로 소아기 기초접종 후 청소년기와 성년기에 걸쳐 10년마다 재접종을 해야만 충분한 면역상태를 유지할 수 있다.

셋째, 감염병 유행의 역학이 변하는 경우이다. 대표적인 예가 A형간염이다. A형간염은 대표적인 선진국형 감염병으로, 후진국이나 개발도상국에서는 어린 나이에 감기처럼 앓고 충분한 면역이 형성되므로 성인에서 현증 A형간염 환자가 발생하는 경우는 매우 드물다. 그러나 상하수도 정비, 위생환경 개선과 함께 소아기에 A형간염바이러스와 같은 수인성 감염병에 노출될 기회가 적어지면, 방어면역이 형성되지 않은 성인들이 증가하게 되어 산발적인 유행이 반복될 수 있다. 성인에서 A형간염에 이환되면 중증경과를 밟게 되는 경우가 적지 않아 성인 고위험군을 중심으로 예방접종을 고려하게 된다.

넷째, 과거에는 없던 새로운 백신이 개발되어 성인에서 호발하는 감염병의 감소효과를 기대하기 때문이기도 하다. 인유두종바이러스 백신이 대표적인 예다. 인유두종바이러스 백신은 소아청소년에게 권장되는 백신이나, 이미 성인이 되어 버린 연령층에서도 효과를 기대할 수 있기 때문에 백신개발 전 청소년기를 보낸 성인층에서도 접종을 통하여 자궁경부암 등 관련 질환의 감소 효과를 기대할 수 있다.

다섯째, 여행이나 직업선택과 관련하여 특정 백신이 필요한 경우도 있다. 현재는 세계가 1일 생활권이 되어 지역적으로 발생하던 풍토성 감염병에 노출될 위험이 과거에 비해 훨씬 증가하였다. 황열 발생국으로 여행 전 황열백신을 접종한다거나 수막알균감염증 유행국가로의 여행 전 수막알균백신을 접종하는 것들이 대표적 예다.

또한 미생물실험실 종사자, 군인, 의료인 등 특정 감염병에 노출될 위험이 큰 집단에 대해서는 특화된 백신권장이 필요하다.

마지막으로 고령자, 만성질환자, 면역저하자의 증가가 성인에서 예방접종이 중요한 또 하나의 이유가 된다. 2000년에서 2050년 사이에 60세 이상 인구는 두 배가 되고 2050년에는 5명 중 1명 이상이 60세 이상이 될 것으로 예상된다. '고령화' 자체만으로도 자연적인 면역노화의 원인이 되기 때문에 여러 감염병의 발생률과 중증도가 연령(예: 인플루엔자, 폐렴사슬알균 감염증, 대상포진 등) 증가에 따라 같이 증가한다. 또한, 만성질환을 앓고 있는 미국 인구의 비율은 65세 이상에서 86%이지만 45−64세에 이미 73%에 달한다. 우리나라도 예외가 아니어서 50−64세 인구의 30%가 한 가지 이상의 만성질환을 보유하고 있다. 고령자가 아니더라도 당뇨, 심부전 등 만성질환을 앓고 있는 성인들 역시 만성질환으로 인한 비특이적 염증반응 때문에 급성감염병에 대한 즉각적 방어체계가 작동하기 어려워 각종 감염병에 대한 감수성이 높아질 수 있다. 또한, 예후 역시 불량하므로 적극적인 예방접종이 필요한 대표적 집단이라고 할 수 있다.

2. 국내 성인예방접종 실태

2006년 대한감염학회와 질병관리본부·대한의사협회가 성인예방접종 목록과 방법에 대한 권장안을 내놓는 등 성인예방접종 분야의 중요성을 강조하기 시작한 이후 성인예방접종에 대한 사회적 관심이 과거에 비해서는 많이 높아졌다.

특히 2009년 신종인플루엔자 대유행 이후 폐렴사슬알균백신이 고령자 국가예방접종사업으로 시작되면서 기존의 인플루엔자 국가예방접종사업과 함께 안정적인 접종시스템과 높은 접종율로 안착하였다. 2017년 현재 65세 이상 고령자에서 인플루엔자백신 접종률은 80% 내외, 폐렴사슬알균(23가 다당류) 백신접종률은 60% 내외로 유지되고 있다. 그러나, 국가예방접종사업에 포함되지 않은 백신과 대상자에서의 접종실태는 보험급여체계에서조차 관리되지 않으므로 여전히 정확히 파악되고 있지 않다.

기본예방접종 중 하나인 성인형 파상풍-백일해 백신 등 성인에서 필요성이 인정되어 여러 선진국에서 국가백신사업으로 포함하고 있는 백신들의 정부지원 또는 보험급여지원에 대한 논의가 필요하겠다.

3. 국내 성인예방접종 활성화를 위해 필요한 노력

국가 차원에서 예방접종 지원프로그램을 아무리 잘 만들더라도 성인예방접종의 필요성에 대해 공급자와 수여자가 제대로 인식하지 못하면 성인예방접종이 제대로 활성화되기 어렵다. 현재는 백신으로 예방가능한 질병부담의 무게가 소아보다는 성인층에 보다 무겁게 실려있는 상황이다. 백신으로 예방 가능한 질병의 부담은 우리 사회에서 상당한 사회적, 경제적 비용으로 이어지기 때문에, 성인예방접종의 필요성을 의료계와 국민들에게 정확히 이해시키고 교육하는 과정이 필요하며, 적절한 예방접종 정책이 잘 실행될 수 있도록 하는 국가 차원의 대책 마련, 인프라 구축이 매우 중요하겠다. 아울러 국민들이 안심하고 백신을 접종할 수 있도록 이상반응 신고/관리시스템을 개선하여 국민 신뢰도를 향상시키려는 정부차원에서의 노력이 병행되어야 하겠다.

참고문헌

1. 대한감염학회. 성인예방접종. 서울: 군자출판사; 2012.
2. 질병관리본부, 대한의사협회, 예방접종심의위원회. 예방접종 대상 전염병의 역학과 관리. 2006.
3. B.W. Ward, J.S. Schiller, R.A. Goodman. Multiple chronic conditions among US adults: a 2012 update. Prev Chronic Dis 2014;11:E62.
4. Choe YJ, Choe SA, Cho SI. Trends in Infectious Disease Mortality, South Korea, 1983-2015. Emerg Infect Dis 2018;24:320-7.
5. G.A. Poland, R.M. Jacobson, I.G. Ovsyannikova. Trends affecting the future of vaccine development and delivery: the role of demographics, regulatory science, the anti-vaccine movement, and vaccinomics. Vaccine 2009;27:3240-4.

백신 면역

한국과학기술원 **신의철**
고려대학교 의과대학 **정희진**

백신접종 후 유도되는 면역반응은 무척 복잡한 일련의 과정으로 나타나며 동일 미생물을 타겟으로 하는 백신이라도 피접종자의 상태나 백신 제형 등에 따라 나타나는 면역반응의 종류와 정도가 다양하다. 백신의 종류나 제형에 관계없이 백신접종 후 면역반응을 거쳐 만들어지는 가장 중요한 결과물은 보호항체(protective antibody) 또는 차단항체(blocking antibody)라 할 수 있다. 백신접종 후 생성된 보호항체는 병원체나 독소에 직접 결합하여 그 작용을 중화시킴으로써 피접종자를 병원체나 독소의 공격으로부터 보호하게 된다. 부가적으로, 병원체가 바이러스인 경우 특이적인 세포독성 T 림프구 (cytotoxic T lymphocyte)를 감작시켜 바이러스에 감염된 세포를 효과적으로 제거함으로써 바이러스의 체내 파급을 차단하는 효과도 기대할 수 있다.

1. 이상적인 백신의 조건

이상적인 백신이란 남녀노소 누구에게나, 가능한 최소의 접종 횟수로, 접종 후 면역이 빨리 유도되고 평생 유지되며, 다양한 변이주에 대한 충분한 교차보호(cross protection)효과를 나타내는 동시에 안전, 안정성이 보장되는 백신을 의미한다. 20세기 이후 많은 백신이 개발되어 사용되고 있지만 이상적인 백신의 조건을 만족하는 백신은 단지 소수에 지나지 않는다.

2. 백신접종의 목적

백신접종의 목표는 피접종자에서 특정 항원에 대한 항체를 효과적으로 유도하여 혈중 또는 특정 작용 부위에서 충분한 수준의 항체를 유지하고 이차적인 항원 자극이 주어지면 재빨리 충분한 양의 항체를 만들어낼 수 있는 기억 B 림프구를 유지하는 것이며, 이를 통해 궁극적으로 질병 발생을 예방하거나 질병의 중증도 및 합병증을 줄이는 것이다. 이와 같은 직접예방효과 이외에도 백신접종을 통한 간접예방효과 역시 기대할 수 있다. 소아에서 폐렴사슬알균백신접종을 함으로써 성인에서의 폐렴사슬알균 감염증이 줄어드는 효과 등이 간접효과의 대표적 예라 할 수 있다.

공중보건학적 측면에서의 백신접종의 목표 중 다른 하나는 개인 수준이 아닌 집단 수준에서의 면역 유도이다. 집단 내에서 전파력이 높은 감염병의 경우, 해당 인구집단 내 특정 병원체에 대한 면역력을 보유한 사람의 수가 충분한 수준으로 유지된다면 궁극적으로 해당 인구집단에서 특정 병원체 감염을 근절시킬 수 있게 되기 때문에 공중보건학적으로 매우 중요한 의미를 갖는다. 이를 군집면역(herd immunity)이라고 하며 1명의 환자가 이차감염자를 만들어낼 수 있는 능력을 뜻하는 재생산자수 (reproduction number)가 1 이하가 될 때 그 병원체에 의한 유행을 근절시킬 수 있다는 이론적인 근거에 기반한다.

3. 백신면역반응에 관여하는 면역체계 및 역할

병원체의 종류와 주 감염병소에 따라 백신접종으로 기대할 수 있는 주요 면역반응이 달라진다. 예를 들어 파상풍독소에 대해서는 혈중 항체역가가 높아야 하고, 콜레라와 같은 장관감염균에 대해서는 높은 장관면역 즉, 높은 점막항체가가 요구된다. 항체가 이외에 세포면역의 형성이 더 중요한 병원체도 있는데 결핵균, 바이러스와 같은 세포내 기생병원체의 경우는 T 림프구에 의한 면역반응이나 대식세포 활성화와 관련된 세포성 면역반응이 잘 유도되는 것이 더 중요하기도 하다.

백신접종의 성패는 '피접종자에서 충분한 보호효과를 기대할 수 있는 면역반응이 장기간 유지되는 가?' 여부에 달려있다. 이러한 백신의 장기면역원성 형성 및 유지에는 인체 내 면역시스템 중 B 림프구, CD4 T 림프구, CD8 T 림프구의 상호 협조가 중요하다(표 2-1).

인체면역시스템의 구성성분중에서 백신의 효과를 가늠할 수 있는 가장 중요한 인자는 항체이다. 감염 또는 백신접종을 통해 체내로 투입된 항원은 B 림프구를 형질세포(plasma cell)로 분화시키고, 분화된 형질세포는 항원특이적인 항체를 생성한다(그림 2-1).

이렇게 생성된 항체는 병원성 미생물이나 독소에 직접 부착하여 중화시킴으로써 이들의 체내 세포 공격을 차단하는 그야말로 1차 방어선의 역할을 하지만 그 외에도 대식세포(macrophage)의 포식작용

표 2-1. 백신면역반응에 관여하는 면역세포의 기능

항체(B 림프구)	• 독소: 항독소기능 – 독소의 활성화부위에 결합하여 독소기능을 차단 • 바이러스: 직접 부착하여 숙주 세포와 바이러스의 결합/세포내 침투를 차단 • 세균(세포외): 대식세포를 통한 세균 포식, 살균과정을 촉진 • 보체시스템을 활성화
CD8 T 림프구	• 세포내 기생 미생물(바이러스 또는 세균 등)에 감염된 숙주세포의 살상 및 제거
CD4 T 림프구	• B 림프구 활성화 및 분화 촉진 • 대식세포 및 CD8 T 림프구 활성화 및 분화 촉진

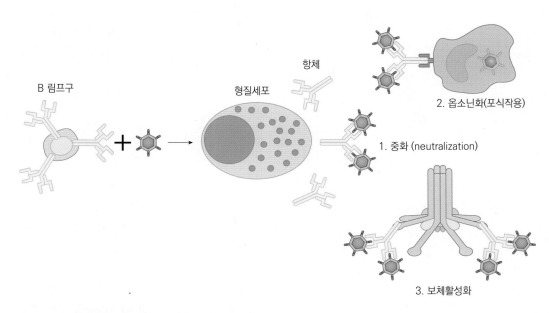

그림 2-1. B 림프구에 의한 항체 생성과 항체의 역활

(phagocytosis)을 촉진(opsonization)시키거나, 보체(complement)시스템을 활성화시켜 병원성 미생물을 체내에서 효과적으로 제거하도록 도와주는 지원병의 역할을 톡톡히 수행한다. T 림프구 중 CD8 T 림프구 역시 세포독성 T 림프구로서 세포내 기생병원체의 제거에 매우 중요한 역할을 하기 때문에 (그림 2-2) CD8 T 림프구를 활성화시킬 수 있는 백신이 그렇지 못한 백신에 비하여 더 큰 백신효과를 기대할 수 있게 한다. 무엇보다도 간과하기 쉬운 것이 CD4 T 림프구의 역할이다. CD4 T 림프구는 시토카인 분비를 통하여 다른 면역세포들의 작용을 도와주기 때문에 도움 T 림프구(helper T lymphocyte)라고도 불린다. CD4 T 림프구의 도움으로 대식세포가 활성화되고 염증반응이 촉진되며 CD8 T 림프구의 활성화도 증진된다. 특히 중요한 점은 CD4 T 세포가 충분히 자극되는 조건(접종자의 상태, 백신 제형 등)에서는 B 림프구에 대한 도움을 충분히 제공함으로써 항체 생산이 가속화된다.

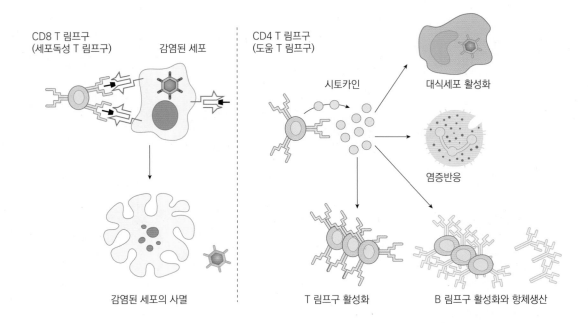

그림 2-2. CD8 T 림프구 및 CD4 T 림프구의 작용과 역활

4. 백신접종 후 면역반응의 단계

1) 비특이적 염증반응단계

(1) 위험신호

가지세포(dendritic cell, DC)는 외부에서 백신항원이 투여되면 이를 인지하여 백신 주입 부위로 이동한다. 항원주위로 모여든 가지세포는 항원을 포식한 후 주변의 림프절로 이동하는데 이 과정 중 세포성숙단계를 거치면서 항원을 세포표면에 제시하고 T 림프구 보조자극인자들을 많이 발현하게 된다. 경우에 따라서는, 백신항원이 림프액을 따라 수동적으로 림프절로 이동된 후 림프절에 존재하는 가지세포에게 포식되는 경우도 있다. 림프절에 도착한 성숙한 가지세포는 항원-특이적인 처녀(naive) T 림프구를 감작시키고 그 결과로 T 림프구는 작동(effector) T 림프구로 분화되고 활성화된다(그림 2-3).

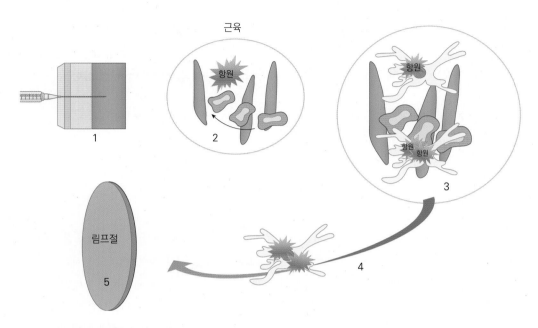

그림 2-3. 백신면역반응의 첫 단계

1: 백신항원의 주입, 2,3: 항원 주위로 가지세포 집결 및 활성화, 염증 반응, 4,5: 항원을 표면에 제시하는 활성화된 가지세포의 림프절 이동 및 림프구 활성화

이러한 일련의 항원인지-자극 과정 중 가장 초기단계에서는 비특이적 염증반응이 관여한다. 투여된 백신 성분 중 항원에 해당하는 PAMPs (pathogen associated molecular patterns), 즉, 세균의 다당류, 지질다당류, 바이러스 RNA나 DNA 등을 가지세포와 같은 항원제시세포의 표면 또는 세포질 내에 위치한 PRRs (pattern recognition receptors)가 인지하게 되면 항원제시세포는 단시간 내에 활성화되어 염증성 시토카인(TNF-α, IL-1, IL-12 등)을 생성·분비하게 된다. 분비된 시토카인은 염증반응을 유도하고 촉진하기도 하지만 다른 한편으로 T 림프구나 B 림프구를 자극하여 항원-특이적인 면역반응이 더 잘 일어날 수 있도록 해 준다. 지금까지 알려진 다양한 PRRs 중 가장 대표적인 것이 바로 톨-유사 수용체(toll-like receptor, TLR)이다. TLR들 중 TLR4는 세균의 지질다당체(lipopolysaccharide, LPS)를 인식하고, TLR3는 바이러스의 dsRNA, TLR9은 비메틸화 CpG DNA를 인식한다. 최근에는 보다 강력한 염증반응을 통한 강력한 백신면역반응을 유도하기 위해 TLR-ligand를 면역증강제로 사용하고자하는 다양한 시도 역시 진행되고 있다.

이렇게 면역반응의 초기 단계에서, 가지세포를 보다 성숙하게(항원을 적극적으로 포식하고 세포표면에 제시하는) 만들어주는 자극신호를 소위 '위험신호(danger signal)'라고 한다. 이러한 '위험신호'를 인식하고 이에 반응하는 과정이 비특이적 염증반응 단계이다. 이 과정 중 염증반응에 관여하는 온갖 면역

세포들이 접종 부위에 모여들기 때문에 백신접종 후 발열, 접종부위 발적, 부종, 통증 등 전신 또는 국소염증반응이 생긴다. 생백신의 경우, 병독성이 없거나 약할 뿐 살아있는 미생물이 접종 부위 및 표적 조직에서 실제 증식을 하기 때문에 불활화백신에 비하여 비특이적 염증반응이 훨씬 심하게 나타나는 것이 일반적이다.

(2) 세포내 백신항원 처리과정

가지세포나 조직 내 대식세포와 같은 항원제시세포에 포획된 백신항원(주로 단백 항원)은 리소솜에 의해 분해되고 항원제시분자인 MHC class II 분자에 펩티드 형태로 결합되어 세포표면에 표현된다(그림 2-4).

세포 내 직접 침투가 가능한 바이러스나 DNA와 같은 형태로 투여된 백신의 경우 세포질 내에서 백신항원이 새롭게 만들어진 후 proteasome에 의해 잘리고 MHC class I 분자에 펩티드 형태로 결합되어 역시 세포표면에 표현된다. MHC class I 분자에 의해 제시된 펩티드는 CD8 세포독성 T 림프구의 활성화를 유도하고, MHC class II 분자에 의해 제시된 펩티드는 CD4 도움 T 림프구 활성화를 유도하여 항체생산 등 다양한 면역반응을 촉진하게 된다(그림 2-4). 한편, 항원제시세포에 의해 포획된 백신항원이 MHC class I 분자에 의해 제시되어 CD8 세포독성 T 림프구의 활성화를 유도하는 경우가 있는데 이를 교차제시(cross-presentation) 또는 교차감작(cross-priming)이라고 한다.

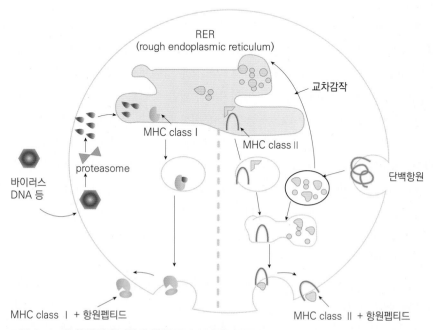

그림 2-4. 항원제시세포에서 항원처리 및 항원제시과정

2) 항체형성

백신접종의 일차적인 목표는 미생물의 공격을 효과적으로 방어할 수 있는 보호항체를 만들어내는 것이고 그런 의미에서 B 림프구는 백신면역반응의 주체라 할 수 있다. 피하나 근육주사, 흡입, 경구투여 등 다양한 경로로 투여된 백신항원은 결국 림프관이나 혈관을 타고 주변 림프절이나 비장에 도착한다. 항원은 림프절이나 비장내 B 림프구 표면의 항원수용체(IgM, IgD)와 결합하여 B 림프구를 활성화시킨다. 활성화된 B 림프구들은 수가 늘어나는 동시에 일부는 형질세포로 분화되고 본격적으로 항원특이항체를 생산해 내게 된다. 이렇게 생산된 항체는 혈중 또는 점막으로 분비 배출되어 같거나 유사한 항원성을 나타내는 미생물 공격에 대한 보호기능을 수행하게 된다. 단, 항원의 화학적 성상에 따라 기대되는 항체의 종류와 수준은 달라진다.

(1) T 세포 비의존형 항체형성과정

B 림프구는 항원자극에 대해 항체를 만들어내는 주체가 되는 면역세포로 항원의 화학적 성상에 상관없이 표면의 항원수용체(IgM, IgD)를 통해 항원을 인지하고 활성화될 수 있다. 일반적으로 이상적인 백신의 조건을 만족하기 위한 항체반응의 주요 결정인자는 IgG나 IgA로의 아이소타입 변환(isotype switching), 친화도 성숙(affinity maturation), 충분한 기억 B 세포의 유도 등을 들 수 있는데, 단백질이 아닌 당지질 또는 다당류 항원은 림프절이나 비장의 외변부(예: marginal zone)에 존재하는 성숙 B 림프구 표면의 항원수용체와 결합하여 B 림프구를 활성화시키지만 T 림프구의 도움을 받지 못하기 때문에 양질의 충분한 항체를 생산해 내지 못한다. 일부는 아이소타입 변환을 통하여 IgG, IgA 항체를 생산하지만 생산되는 대부분의 항체는 IgM이며, 친화도가 낮은 항체를 중등도의 수준으로 만들어내게 된다(그림 2-5, 표 2-2).

표 2-2. B형간염바이러스 혈청학적 표지자의 해석

	T 림프구 의존형 항원	T 림프구 비의존형 항원
항원의 성상	단백	다당류, 당지질류, 핵산 등
항체반응		
isotype switching	가능	제한적
affinity maturation	가능	불가능하거나 제한적 가능
기억 B 림프구	가능	제한적

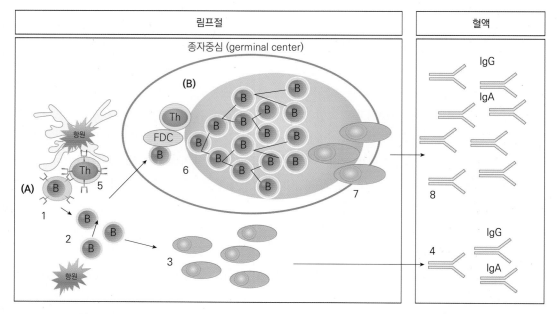

그림 2-5. 항원종류에 따른 항체생성반응

(A) 다당류항원(polysaccharide antigen) 자극에 대한 항체생성과정. 1: 항원이 B 림프구(B) 표면수용체에 결합, 2: B 림프구의 활성화 및 형질세포로 분화, 3-4: low level, low affinity의 IgG, IgM, IgA 생성 및 분비. (B) 단백항원(protein antigen) 자극에 대한 항체생성과정. 1-4과정: 다당류항원에 의한 항체생성과정과 동일, 5: CD4 도움 림프구의 도움으로 항원특이 B 림프구가 종자중심(germinal center)으로 이동, 6: 림프소포 내 도움 T 세포(Tfh)와 가지세포(FDC)의 도움으로 항원특이 B 림프구의 클론성 증식, 7-8: 다량의 항원특이항체 생성

이차적인 기억세포 전환도 불가능하므로 추가접종을 통한 면역반응증가를 기대하기 어렵다. 그럼에도 불구하고 일부의 항원(예: 폐렴사슬알균의 다당류항원 등)은 다수의 동일 에피토프(epitope)가 반복된 형태로 B 림프구와 효과적으로 결합할 수 있기 때문에 T 림프구의 역할이 없이도 비교적 충분한 양의 항체 형성이 가능하다.

(2) T 세포 의존형 항체형성과정

당지질이나 다당류항원과는 달리 단백질 항원은 가지세포나 대식세포와 같은 항원제시세포에 의해 펩티드로 분해, 처리되고 MHC class II 분자에 의해 제시되어 항원-특이 CD4 도움 T 림프구를 감작시킬 수 있다. 또한, 단백질 항원은 항원-특이 B 림프구의 표면에 있는 항원수용체에 결합하여 B 림프구를 활성화시키고 클론성 증식을 유도한다. 이때 항원수용체에 결합한 단백질 항원은 B 림프구 세포 내로 운반되고 항원처리과정을 거쳐 B 림프구의 표면에서 MHC class II 분자에 의해 제시된다. 즉, B 림프구가 항원제시세포의 역할을 하게 되며, 제시된 항원을 항원-특이 CD4 도움 T 림프구가 인식하면 활성화되어 B 림프구의 분화 및 항체 생성에 도움을 주게 된다. 이렇게 동일한 미생물의 항원에 특이적

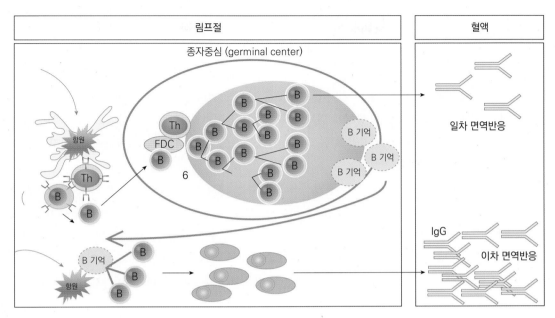

그림 2-6. 기억 B 림프구의 생성

T 세포 의존형 항체생성 과정중 종자중심에서 항원특이항체를 생성하는 형질세포로 분화하지 않은 일부의 B 림프구는 림프절이나 비장의 외변부에 기억 B 림프구로 남아 있다가 동일항원에 재노출 되는 경우 높은 친화력을 갖는 항체를 신속히 다량 만들어내는 형질세포로 분화한다.

인 B 림프구와 T 림프구가 서로의 활성화 및 분화를 유도하면서 상호작용을 하는 과정을 동종 B-T 상호작용(cognate B-T interaction)이라고 하며 성공적인 백신면역 반응에 있어 필수적인 과정으로 이해되고 있다. 동종 B-T 상호작용의 결과로 나타나는 CD4 T 림프구의 도움은 주로 시토카인 및 T 림프구 표면의 CD40L에 의해 이루어지며, CD4 T 림프구의 도움은 B 림프구의 항체반응에 있어 아이소타입 변환, 친화도 성숙, 기억 B 세포 유도 등의 과정에서 필수적으로 작용한다. 즉, 동종 B-T 상호작용에 따른 CD4 T 림프구의 도움 유무가 다당류, 당지질류, 핵산 등의 T 림프구 비의존형 항원에 대한 항체반응과 단백질 항원과 같은 T 림프구 의존형 항원에 대한 항체반응의 특성 차이를 낳게 한다.

　이러한 과정을 좀 더 자세히 살펴보면, 활성화된 CD4 T 림프구에서 분비하는 시토카인은 B 림프구의 증식 및 분화를 촉진하고 실제 효과적으로 작용하는 항체를 생산할 수 있도록 하는 아이소타입 변환(IgM → IgG, IgA 등)을 가능하게 한다. 이때 CD4 도움 T 림프구가 분비하는 시토카인이 어떤 것이냐에 따라 B 림프구가 생산하는 항체의 아이소타입이 다르게 된다. 동종 B-T 상호작용의 결과로 활성화된 B 림프구는 림프절 내에 종자중심(germinal center)을 만들고 종자중심 내부에서 항체의 친화도 성숙 과정을 거치면서 보다 항원결합력이 높은, 양질의 항체로 거듭나게 되고 기억 B 림프구로도 분화

한다. 즉, B 림프구는 림프소포(lymphoid follicle) 내의 가지세포(FDC)에서 제공하는 항원에 의해 지속적인 자극을 받으면서 아이소타입 변환에 그치지 않고 과돌연변이(hypermutation) 과정을 통하여 그야말로 항원에 꼭 맞는 맞춤항체를 생산해내게 된다. 동시에, 장기간 생존이 가능하며 이차적인 항원 노출 시 즉각 항체를 생산해 낼 수 있는 기억 B 림프구를 만들게 된다. 이러한 기억 B 림프구들은 특이항원을 만나면 언제든지 즉각적으로 항체를 만드는 형질세포로 전환할 준비가 된 상태로 혈액 내를 돌며 우리 몸을 보호하게 된다. 이러한 기억 B 림프구의 역할을 이용하여 백신을 1회 접종에 그치지 않고 2회 또는 3회 접종하기도 한다(그림 2-6).

한편, 림프소포 내에서 B 림프구의 항체 생성을 도와주는 CD4 T 림프구의 상세한 특성이 최근에 알려지게 되었다. 이를 소포 도움 T 세포(follicular helper T cell)라고 하는데, 림프소포 내에 특이적으로 존재하면서 ICOS라는 보조자극 수용체를 발현하는 것이 특징이다. 결국 위에서 상세히 기술한 아이소타입 변환이나 친화도 성숙을 유도하는 CD4 도움 T 림프구의 정체가 바로 소포 도움 T 세포로서 이들이 없으면 단백질 항원을 주입하더라도 T 세포 의존형 항체형성 과정이 제대로 일어나지 않게 된다.

3) 기억세포의 생성

(1) 일차/이차 면역(항체형성) 반응 - 기억 B 림프구의 역할

백신접종 후 일차 면역반응은 처녀(naive) B 림프구가 활성화되며 나타나지만 동일 항원의 이차노출에 의한 이차 면역반응은 저장되어있던 기억 B 림프구에 의해 나타난다. 이차 면역반응은 일차 면역반응에 비하여 신속하게 나타나며 이차 면역반응을 통해 만들어지는 항체는 일차 면역반응에 비해 양이 많고 항원특이도도 높은 양질의 항체이다(그림 2-7).

단, 기억 B 림프구가 있어야만 가능하기 때문에 효율적인 이차 항체면역반응이 일어나려면 항원자극으로 활성화된 CD4 림프구의 도움이 반드시 필요하고 따라서 단백질 항원 형태의 백신이 아니면 충분한 이차 항체면역반응을 기대하기 어렵다.

(2) 기억 T 림프구의 기능

대부분(>90%)의 작동(effector) T 림프구는 일주일 내에 소멸되기 때문에 기억 T 림프구의 역할이 백신면역의 유지에 있어 매우 중요하다. 기억 T 림프구는 림프구의 주화성(chemotaxis) 특성을 결정짓는 케모카인(chemokine) 수용체 발현 양상에 따라 중심(central) 기억 T 림프구 및 작동 기억 T 림프구로 나뉜다. 중심 기억 T 림프구는 림프절에 위치하여 동일 항원의 이차노출 시 즉각적인 클론성 증식을 담당하며, 작동 기억 T 림프구는 말초 장기에 위치하여 동일 항원의 이차노출시 시토카인을 분비하는 등 즉각적인 작동의 기능을 담당한다.

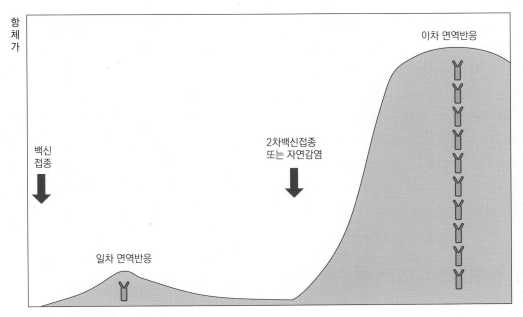

그림 2-7. **백신접종 후 항체반응**

4) 세포독성 T 림프구의 작용과 역할

CD8 세포독성 T 림프구는 백신항원이 항원제시세포 표면의 MHC class I 분자에 펩티드 형태로 결합되어 제시될 때 이를 인지하여 감작 및 활성화된다. 이렇게 백신항원이 MHC class I 분자에 의해 제시되는 경우로는 바이러스 생백신, 바이러스 벡터를 이용한 백신, DNA 백신 등이 있는데 그 중에서도 바이러스 생백신이 가장 대표적인 예라 할 수 있다. 생백신은 말 그대로 살아있는 미생물이 상당기간 동안 접종 부위에서 증식하면서 면역체계를 자극하는 원리를 이용하는 백신이기 때문에 면역학적으로는 불활화백신보다 유리한 측면이 있다. 특히 자연감염과 같은 경로로 접종한 경우에는 접종 부위에서의 국소면역반응이 타 부위에 접종한 불활화백신의 경우에 비해 훨씬 강력하고 장기간 유지될 수 있다는 장점이 있다. 일례로 경구용 폴리오 생백신은 비인두점막의 국소점막항체(IgA) 생성 및 유지에 있어 근주용 불활화백신보다 훨씬 뛰어나다.

생백신의 경우 CD4 T 림프구 및 B 림프구에 의한 항체반응 이외에도 CD8 T 림프구에 의한 세포독성효과를 부가적으로 기대할 수 있다. 생백신의 형태로 투여된 바이러스가 가지세포 등의 항원제시세포 내에서 단백항원을 생성하면 이는 proteasome에 의해 처리되고 MHC class I 분자에 펩티드 형태로 결합되어 항원제시세포 표면에 표출된다. 그러면 이를 인지하는 CD8 T림프구가 활성화되어 세포독성 능을 획득하게 된다. 그러나 단순히 가지세포와 CD8 T 림프구의 결합만으로는 CD8 T 세포가 충분히 활성화되지 못하기 때문에 이 과정 역시 CD4 T 세포의 도움을 필요로 하게 된다. 한편, 대상포진 백신

접종자를 대상으로 한 최근 연구에서 생백신을 투여하더라도 일시적인 바이러스 혈증(viremia)이 일어난 경우에는 CD8 T 림프구가 활성화되지만 그렇지 않은 경우에는 CD8 T 림프구가 활성화되지 않음을 보였다. 이는 생백신이라고 무조건 CD8 T 림프구를 활성화시키는 것은 아니라는 점을 보여주는 결과라 할수 있겠다.

아직 효과적인 백신이 개발되지 않은 인간면역결핍 바이러스(HIV)나 C형간염바이러스의 경우에는 바이러스 항원의 급속한 돌연변이로 인해 보호효과를 갖는 중화항체 생성이 매우 어렵다는 사실이 잘 알려져 있다. 따라서, 인간면역결핍 바이러스나 C형간염바이러스에 대한 백신 개발에 있어서는 중화항체 생성을 목표로 하기보다는 CD8 세포독성 T 림프구의 감작을 목표로 하는 'T세포 백신' 개발이 현실적인 전략으로 고려되고 있다.

5. 면역증강제의 역할

면역증강제(adjuvant)란 백신에 대한 면역반응을 강화시키기 위해 백신항원과 함께 투여하는 물질로 항원 특이적 면역반응을 빠르고 강력하게 유도하며 오랫동안 유지하도록 돕는 역할을 한다. 또한, 면역증강제를 사용함으로써 백신항원의 접종량을 줄이면서도 동일한 수준의 보호항체 생성을 유도할 수도 있으며 백신에 포함된 항원과 유사한 변이항원에 대한 교차면역을 제공하기도 한다. 면역증강제로는 가장 사용 역사가 긴 알룸(alum)을 비롯하여 최근에는 MF59와 같은 스쿠알렌 성분의 면역증강제, TLR4 리간드를 함유한 AS04 등이 사용되고 있다. 면역증강제가 면역반응을 강화시키는 원리로는 첫째, 림프절로의 항원 이동을 촉진시키고, 둘째, 국소염증반응을 증가시켜 소위 '위험신호'를 더 강력하게 만들어 면역세포를 더 강력하게 자극하며, 셋째, 항원으로 하여금 좀 더 장시간 동안 면역세포를 자극할 수 있도록 면역세포에의 항원자극 제공시간을 늘려주는 등 여러 기전이 제시되고 있다.

6. 백신면역반응에 영향을 주는 요인

1) 나이

영유아나 고령자는 면역체계의 미성숙 또는 노화로 인해 건강 성인에서와 같은 백신면역반응을 기대하기 어렵다. 특히 고령자에서는 백신 종류에 상관없이 백신접종 후 항체형성 또는 유지 측면에서 양적, 질적 저하가 나타난다. 또한 나이가 들면서 전체 T 림프구 중 처녀(naive) T 림프구 수가 점차 줄어들고 이전의 여러 감염의 경험으로 인해 기억 T 림프구의 분율이 상대적으로 높아지기 때문에 새로운 항원자극에 반응할 림프구 수도 적어진다. 그리고 기억 T 림프구라 하더라도 고령자의 기억 T 림프구는 세포 수준에서 노화현상을 보여, T 세포 수용체 자극에 의한 클론성 증식능이 하락하여 항원에 대한 반응이 감소하게 된다. 따라서 충분한 항체 또는 T 림프구 반응을 유도할 수 있는 면역증강제를 사용하거나 고용량백신 등 고령자에게 특화된 백신제형들이 속속 개발되고 있다.

2) 기저질환

선천적으로 또는 후천적으로 면역결핍 상태에 있는 환자들은 면역체계에 결함이 있기 때문에 정상적인 백신면역반응을 기대하기 어렵다. 이러한 환자들에서는 백신면역반응에 결함이 있을 뿐 아니라 생백신 투여 시 실제 감염병으로 발현될 수도 있기 때문에 생백신 접종은 금기이다. 그리고, 백신면역반응이 둔화되는 대표적인 집단인 만성 신부전환자 등 만성질환자에서는 백신접종 후 충분한 백신면역반응이 유도되지 않을 수 있으므로 피접종자의 조건에 따른 백신별 면역원성 및 효과에 대해 충분한 정보 확인이 필요하다.

참고문헌

1. Beverley PC. Immunology of vaccination. Br Med Bull 2002;62:15-28.
2. Crotty S. A brief history of T cell help to B cells. Nat Rev Immunol 2015;15:185-9.
3. Goronzy JJ, Weyand CM. Understanding immunosenescence to improve responses to vaccines. Nat Immunol 2013;14:428-36.
4. Koopmann JK, Hammerling GJ, Momburg F. Generation, intracellular transport and loading of peptides associated with MHC class I molecules. Curr Opin Immunol 1997;9:80-8.
5. Kwissa M, Kasturi SP, Pulendran B. The science of adjuvants. Expert Rev Vaccines 2007;6:673-84.
6. Lennon-Dumenil AM, Bakker AH, Wolf-Bryant P, Ploegh H, Lagaudriere-Gesbert C. A closer look at proteolysis and MHC-class-II-restricted antigen presentation. Curr Opin Immunol 2002;14:15-21.
7. Li S, Sullivan NL, Rouphael N, Yu T, Banton S, Maddur MS, McCausland M, Chiu C, Canniff J, Dubey S, Liu K, Tran V, Hagan T, Duraisingham S, Wieland A, Mehta AK, Whitaker JA, Subramaniam S, Jones DP, Sette A, Vora K, Weinberg A, Mulligan MJ, Nakaya HI, Levin M, Ahmed R, Pulendran B. Metabolic phenotypes of response to vaccination in humans. Cell 2017;169:862-77.
8. Linton PJ, Dorshkind K. Age-related changes in lymphocyte development and function. Nat Immunol 2004;5:133-9.
9. MacLennan I, Garcia de Vinuesa C, Casamayor-Palleja M. B-cell memory and the persistence of antibody responses. Philos Trans R Soc Lond B Biol Sci 2000;355:345-50.
10. Medzhitov R, Janeway CA. Innate immunity: impact on the adaptive immune response. Curr Opin Immunol 1997;9:4-10.

백신의 종류

제주대학교 의과대학 **정문현**

백신은 전통적으로 면역원의 성질에 따라 약독화 생백신과 불활화백신으로 대별하였고, 후자는 다시 전세포백신, 분편백신, 아단위백신으로 구분했다. 원인균과 면역원성을 규명하게 되고, 면역 기전에 대한 지식이 늘고, 백신 제조 방법이 발전함에 따라 이제는 반대로 면역원을 만들 수 있게 되면서 제조 방법에 따른 분류가 추가되었다. 현재는 면역원의 성질에 따른 분류와 백신 제조방법에 따른 분류가 혼합되어 사용되고 있다. 백신의 제조뿐만 아니라 안정성 강화, 여러 백신의 조합, 증강제의 강화, 접종방법의 개선, 백신 효능과 안전성의 검증 면에서도 발전하고 있다. 기존에는 주로 감염 질환을 예방하는 것이 주 목적이었으나 치료 목적의 백신과 비감염성 질환인 악성종양, 중독증, 자가면역질환, 알츠하이머 치매에도 적용하려고 하고 있다.

1. 약독화 생백신

불활화백신이나 아단위백신과 달리 생백신(live vaccine), 주로 약독화백신(attenuated vaccine)은 병원성을 줄여 질병을 일으키지 않거나 약하게 일으키고 면역원성이 유지되어 면역을 유발한다. 자연 감염과 비슷한 방식으로 주입 후 균이 증가하면서 면역을 유발하고, 이에 의해 형성된 면역이 주입된 백신의 미생물을 없앨 때까지 항원 자극을 하게 된다. 홍역, 볼거리, 풍진, 수두, 약독화 인플루엔자, 경구 폴리오, 장티푸스(Ty21a), 결핵(BCG)백신 등이 있다.

병독성을 줄이는 방법에는 비자연 숙주 또는 배양 세포에서 계대 배양을 하는 방법(예: A형간염바이러스를 MRC-5 세포에서 계대 배양), 다른 동물에서 유래한 비슷한 병원체를 사용하는 방법(예: 우두바이러스를 사람에 접종하여 두창을 예방), 정상 전파 루트가 아닌 방법으로 투여하는 방법(예: 우두바이러스를 피부로 주사), 변이 주를 이용하는 방법(S. Typhi ; Ty21a) 등이 있다.

면역원이 인체 내에서 증식하므로 항원 자극 기간이 불활화백신에 비해 길고 결과적으로 면역 증강 효과가 우수해진다. 같은 의미이지만 접종 횟수가 적어도 되며, 시간이 지나면서 미생물이 증가하므로 불활화백신을 여러 번 접종한 것과 같은 효과를 보일 수 있다.

단점은, 정상인을 기준으로 약독화시킨 것이므로 면역저하자나 이에 준하는 사람들(임신부, 영아)에게 질병을 일으킬 수 있어 사용이 곤란하고, 정상인에서조차 간혹 질병을 일으킨다. 드물게 약독화 시킨 미생물이 야생형(wild type)으로 변하여 즉 병원성을 회복하여 접종자뿐만 아니라 주변 사람에게 퍼질 우려가 있으며, 이런 현상이 경구 폴리오백신에서 증명된 바 있다.

방사선 조사 포자소체(sporozoite) 말라리아백신도 흥미로운 예라 할 수 있다. 말라리아 원충은 여러 단계를 거쳐 발달하며 각 단계에 여러 항원이 표현되므로 백신 대상 면역원을 선정하기가 어려웠고, 그동안 많은 시도가 있었지만 좋은 예방 효과를 보이는 백신을 만들지 못했다. 약독화시키는 방법의 하나로 새로운 시도가 있는데, 포자소체를 갖고 있는 모기에 소량의 방사선 조사를 하여 포자소체를 약독화 시키는 방법이다. 모기가 사람을 물면, 약독화된 포자소체는 사람의 간세포에 들어가서 어느 단계까지는 발달을 하나 성숙한 간 분열체(hepatic schizont)로는 되지 못한다. 주사로 주입해도 비슷한 효과를 보여, 약독화 포자소체가 말라리아 감염을 막을 수 있을 정도로 충분한 면역을 유발하였다.

2. 불활화백신

불활화백신(inactivated) 또는 사백신(killed whole microorganism vaccine)은 백신 초기부터 사용했던 방법으로, 병원체를 물리적 또는 화학적으로 처리하여 병원성을 없애고 면역원성을 유지한 백신이다. 1890년대 장티푸스, 콜레라, 페스트백신으로 시작하여, 백일해, 사균 인플루엔자, 발진티푸스, 주사용 폴리오, 광견병, 일본뇌염, 진드기매개뇌염, A형간염, 한탄바이러스 백신들이 있다.

병원성을 없애는 방법에는 열을 가하는 방법이 있고, 포름알데하이드, 베타-프로피오락톤, 포르말린, 페놀 등과 같은 화학제로 처리하는 방법이 있다. 이런 물질들로 너무 강하게 처리하면 면역원성이 감소하여 백신의 효과가 떨어지고, 반대로 덜 처리하면 병원성이 남아 감염을 일으킨다.

병원성이 없어 안전하므로, 면역저하자나 이에 준하는 사람들(영아, 임신부)에게도 접종이 가능하며, 거의 모든 병원체에 대해 백신 개발이 가능하다. 단점으로 죽은 미생물이어서 항원 자극이 일시적이고 면역 유발 정도가 낮아 원하는 수준의 면역을 유발하기 위해서는 여러 번 접종을 해야 하며 주기적으로 추가 접종을 해야 한다. 면역원 외 성분들이 많이 포함될수록 이상반응의 빈도가 높아, 점차 전세포 백신은 사용하지 않는 추세이며 분편/아단위백신으로 대치되고 있다.

3. 분편백신, 아단위백신, 바이러스양 입자백신

분편백신(split vaccine) 또는 아단위백신(subunit vaccine)은 전세포백신의 단점 중 하나인 이상 반응을 줄이고자하는 의도에서 개발되었다. 전세포백신에는 불필요한 부분들이 남아 있고 이들에 의해 일부 환자에서 이상 반응이 생기기 때문이며, 면역원성에 관여하는 주요 항원 부위만을 정제하여 백신으로 만들게 되었다. 초기에는 미생물을 에테르나 세제제로 분할한 후 원하는 항원이 있는 부위(분편백신)를 얻었고 정제를 더 해서 원하는 항원(아단위백신)만 남기게 되었다. 재조합 유전자법을 이용하면서는, 미생물로부터 다량의 면역원을 생산할 수 있게 되었고, 백신의 위험이나 비용을 획기적으로 줄일 수 있었다. 정제 과정에서 면역원성이 감소될 수 있으며 이는 면역증강제나 단백결합을 사용하면서 극복하게 되었다.

B형간염백신을 예로 들면, 처음에는 B형간염바이러스(HBV) 보유자의 혈청에서 HBV-가용성 항원(soluble antigen)을 추출하였는데, 감염성이 있는 HBV나 다른 바이러스 유무를 알기 위해, 항원을 추출한 후에도 감염성 여부를 여러 번 확인했어야 했다. 또한 다른 바이러스에 동시 감염되었을 가능성도 있기에 공혈자 선택도 어려웠다. 재조합 유전자법을 사용하는 경우엔 HBs항원을 부호화하는 유전자를 플라스미드에 삽입하고 전후로 촉진(promotor)과 종결(terminator)에 관여하는 유전자와 색인 유전자(indicator)도 삽입한다. 이후 효모에 주입하고, 효모를 배양한 후 효모 표면에는 HBs항원이 발현되므로 효모를 파괴하여 HBs항원을 포함한 배양액을 얻는다. 이후 면역학적 방법, 소수성 상호작용(hydrophobic interaction), 이온교환(ion exchange), 젤 크로마토그래피(gel exclusion chromatography) 등을 거쳐 효모나 배양액에서 유래한 단백을 제거하고 90% 이상의 순수 HBs항원 단백을 정제한다. 이후 알루미늄 면역증강제를 첨가하여 면역원성을 높이고, 최종 효과 실험은 침팬지에 주사해서 면역원성을 확인한다.

면역과 관련되는 항원이 단백인지 다당인지에 따라 면역원성이 달라, 단백 성분이 포함된 경우에는 T세포 의존형 면역이 유발되지만, 다당류만으로 만들어진 경우에는 T세포 비의존형 면역이 관여하여 소아에서 면역 유발이 되지 않고, 기억반응이 형성되지 않아 반복 주사를 해도 면역 형성이 불충분하다(단백결합백신 참조).

4. 톡소이드백신

병원균의 독소에 의한 질환을 예방하기 위해, 변성독소(톡소이드)를 항원으로 사용하는 경우이다. 안전하기는 하나, 일반적으로 면역원성은 전세포백신이나 약독화 생백신보다 낮아서, 여러 번 투여가 필요하다. 파상풍이나 디프테리아가 대표적인 예이다.

5. 다당류백신과 단백결합백신

1) 다당류백신

백신 개발 초기부터 사용한 방법이다. 피막 다당류에 대한 항체가 혈청 살균 작용에 중요한 역할을 함이 밝혀짐에 따라 백신 개발 초기부터 피막 다당류를 면역원으로 사용하였다. 역사적으로 보았을 때 폐렴사슬알균, b형 헤모필루스균 다당류백신을 투여했을 때 성인에서는 면역이 유발되었지만, 2세 이하 소아에서는 항체가 형성되지 않거나 항체 역가가 낮으면서 항체의 지속 기간이 짧았다. 반복 투여했을 때에도 기억 반응이 없었고, 집락균에 대한 효과가 없어 군집면역을 유발하지도 못했다. 다당류만으로는 T세포 의존형 면역을 유발하지 못하기 때문으로 설명한다.

2) 단백결합백신

다당-단백결합백신(polysaccharide-protein conjugate vaccine)은 단백결합백신으로 부른다. 다당류 항원에 단백 운반체를 결합하면 T세포 비의존형 항원에서 T세포 의존형 항원으로 변함이 밝혀지면서 여러 백신이 단백결합백신으로 재탄생하게 되었다. 폐렴사슬알균, 수막알균, b형 헤모필루스균백신이 처음에는 다당류백신으로 사용되다가 단백결합백신으로 점차 대치되고 있다. 백신마다 사용하는 운반체 단백이 다르고 다당류와 단백을 결합하는 방법들도 다르다. 많이 사용하는 단백이 파상풍 톡소이드나 디프테리아 톡소이드 또는 비병원성 변이독소(CRM_{197})들이다. 정제한 다당류 항원을 특정 크기의 항원물질로 분해하여 활성화시킨 후 여기에 톡소이드를 결합하고, 이후 정제하여 백신을 완성한다.

b형 헤모필루스균, 폐렴사슬알균, 수막알균 단백결합백신들은 임상 연구에서도 다당류백신의 단점들을 보완하는 것이 증명되었다. 항체 형성 수준이 다당류백신보다 높고 지속기간 역시 길어진다. 소아에서도 면역을 유발하며, 재접종 시 기억반응으로 항체역가가 더 높게 생성된다. 군집면역효과도 대부분 단백결합백신에서 증명되었다. 우려되는 단점으로 면역원이 아닌 결합단백에 대해 면역이 형성되면, 이후로 접종되는 여러 결합백신의 효과가 감소할 수도 있으리라는 것이지만 임상에서 증명된 바는 없다.

6. 합성단백백신

1) 합성 펩티드백신

미생물 구성 성분 중에서 면역원성을 나타내는 소수의 아미노산으로 구성된 펩티드 혹은 좀 더 긴 단백을 확인한 후 이를 인공적으로 합성하여 백신으로 사용하는 방법이다. 긴 단백은 재조합 벡터를 이용해 만든다. 이후 항원을 정제 분리한 후, 대개 안전성을 높이기 위해 운반체(carrier)와 결합을 한다. 펩티드 합성은 현재는 자동화 기계로 만들 수 있으므로 안정적으로 백신을 만들 수 있고 제조 가격도 저렴하다. 불필요한 물질 주입을 피할 수 있어 이상반응을 최소화할 수 있다. 변이가 심한 미생물의 경우에도 변이된 것을 즉각 반영하여 백신을 변경할 수 있어 대처가 쉽기에 범유행과 같이 시간이 관건인 경우 유용하다. 파상풍이나 디프테리아와 같이 단백 독소가 중요한 기전인 경우 합성단백백신이 유용하며, 열대열 말라리아 예방 목적으로 만들었던 Spf66도 포자소체 항원(circumsporozoite antigen)에 대한 합성단백백신이다.

단점으로는 면역원성이 좋은 펩티드가 모든 미생물에서 밝혀진 것이 아니므로 적용할 수 있는 대상 미생물이 제한적이고, 3차원 구조를 취하지 않는 선형 펩티드이므로 림프구 항원결정인자(epitope)와의 반응을 정확히 예측하기가 어렵고, 면역원성에 관여하는 부위가 2부위 이상이 상호작용을 이루는 것이라면 한 부위에 대한 합성 펩티드는 면역을 유발하는 정도가 낮게 된다. T-세포 자극 정도가 낮아 면역 유발 정도가 낮을 수 있는데, 이를 극복하기 위해서는 면역증강제가 필요하다.

2) 재조합 항원 백신, 재조합 벡터 백신

제조 방법에 따른 명칭으로, 재조합 항원(recombinant antigen)을 이용한 백신은, 백신의 목표가 바이러스인 경우 박테리아나 진균 등에서 증식하면서 바이러스 단백을 표현하며, 이를 정제하여 백신으로 사용하는 방법이다. B형간염 백신이 이 방법으로 제조된 첫 번째 백신이고(분편 백신 참조), 재조합 방법을 사용하면서 낮은 가격으로 공급이 충분히 되면서 개발도상국에서 백신접종이 가능해지고 결과적으로 B형간염 유병률을 현격히 낮추게 되었다.

한 단계 더 진보된 방법이 재조합 벡터(recombinant vector)를 사용한 방법으로, 백시니아바이러스나 카나리폭스바이러스와 같이 사람에 질병을 일으키지 않는 바이러스를 벡터로 사용하는 방법이다. 이들 바이러스에 원하는 DNA을 주입한 후, 이 바이러스를 직접 사람에 감염시키면 바이러스가 증식하면서 바이러스 단백이 표현된다. 이 방법의 장점은 여러 바이러스 단백을 동시에 표현할 수 있으므로, 혼합백신의 효과를 나타낼 수 있다.

3) 바이러스양 입자백신

바이러스양 입자백신(virus-like particle-based vaccine)은, 전체 윤곽을 바이러스 입자와 비슷하게 해서, 면역 단백의 3차원 구조를 유지하게 하여 아단위백신의 단점인 항원성 저하를 최소화한 백신이다. 핵산이 포함되지 않으므로 전염성이 없고, 제조된 바이러스양 입자는 비활성이나 약독화 과정을 거치지 않으므로 면역원성을 유지하기도 쉽다(표현 숙주로 베큘로바이러스를 사용했다면 바이러스 불활화 과정이 필요하긴 하다). 이런 장점에 비해 제조 과정이 아직은 어렵다. 인유두종바이러스 백신이 대표적 예이다.

7. 혼합백신(combination vaccine)

2개 이상의 백신을 조합하는 경우이다. 다른 종류의 백신인 경우도 있고, 같은 질환에서도 다른 혈청형에 대해 각각 백신이 필요한 경우 이를 합친 것도 포함된다. 결합단백이나 벡터를 사용하는 백신에서 단백이나 벡터 자체가 예방 목적이 있다면 이런 백신도 혼합백신에 포함된다.

사용하는 백신의 종류가 많아짐에 따라 접종 수가 너무 많아지므로 불편감이나 예방접종 순응도를 늘리는 것이 주요 목적이다. 2017년 현재 6개의 백신(디프테리아-백일해-파상풍-폴리오에 B형간염과 b형 헤모필루스균)을 함께 투여하고 있다.

이런 혼합백신의 문제점으로, 여러 백신이 혼합되면서 물리적 상호작용이 생길 수 있으므로 이를 최소한으로 해야 하며, 한 가지 백신이 다른 백신의 면역 형성을 저하시킬 수 있는 것이고 실제 사균 백일해백신이 불활화 폴리오백신의 효과를 줄이는 것이 증명되었다. 현재는 제조 회사에서 시판 전에 혼합백신의 효과와 각 백신을 따로 주사했을 때를 비교해서 차이가 없을 때만, 허가가 나고 시판을 하고 있다. 주사 양이 많아짐에 따라 국소 이상반응도 증가할 가능성이 있으며 이를 줄이기 위해 각 백신들을 농축시키기도 한다.

8. 유전자백신, 핵산백신, DNA백신

1992년에 유전자백신에 대한 개념이 처음 보고된 이후 많은 연구들이 뒤를 이었고, 여러 유전자백신이 임상 연구 중이다. 항원을 코딩하는 DNA를 직접 숙주세포에 주입하여 숙주 세포에서 항원을 생성하는 방법이다. 이론적으로는 항원만을 생성하므로 안전하며, 생산 원가가 저렴하고, 상온에서 안정적이므로 수송이나 보관비용을 줄일 수 있어 가격 면에서 유리하고, 항원 생성을 오래 할 수 있으므로 장기간 지속하는 면역을 유발할 수 있다. 숙주 세포에서 항원이 만들어져 숙주세포의 MHC 항원과 함께 림프구와 반응하므로 DNA는 강력한 T세포 매개면역을 유발한다. 또한 새로운 병원균에 의한 유행이 생겨도 이에 대응하기가 쉽다.

DNA를 숙주에 전달하는 방법에는 플라스미드와 결합 후 주입, 바이러스 벡터에 DNA를 삽입 후 감염시키는 방법, 유전자 총(gene gun)을 통한 직접 주사들이 있다. 처음에는 근육(근육 세포)이나 피내(각질 세포)주사로 DNA를 주입하였으나, 세포외 핵산분해효소에 의해 대부분의 주입된 DNA가 분해되고 일부만이 세포내로 들어가기에, 면역이 유발은 되지만 유전자핵내주입(transfection)되는 효율이 낮았다. 유전자 총으로 세포내로 DNA를 직접 주입하면 이전의 주사법에 비해 100–1,000배 적은 양으로도 비슷한 반응을 유발할 수 있기는 하지만, 아직은 식물이나 실험에서만 사용하고 사람에 사용할 만큼 상용화된 제품이 없어 널리 사용되지는 않고 있다. 숙주세포(근육 세포나 각질세포)에서 항원이 만들어진 후 림프구에 표현되는데 관여하는 인자들에 대해서는 아직 밝혀지지 않은 점들이 있고, 이 부분에서 백신의 효율을 높이고자 하는 연구들이 많이 있다.

현재 생각할 수 있는 문제점으로, 주입된 DNA가 숙주의 DNA에 편입되어 발암에 관여할 우려이다. 주입된 DNA에 대한 반응이 숙주의 DNA에도 반응한다면 자가면역질환이 발생할 가능성이 있다. 너무 장기간 항원을 공급하므로 과잉 자극이 되면서 다른 자가면역질환을 유발할 가능성도 생각해 볼 수 있다. 바이러스 벡터를 사용한 경우에는 이런 우려를 줄일 수 있는데 바이러스 증식이 더 이상 이루어지지 않도록 바이러스 유전자 일부를 제거하는 방법이다. 즉, 벡터바이러스 DNA의 일부를 잘라내서 증식하지 못하도록 한 후 여기에 목표로 하는 핵산을 삽입하고, 바이러스 DNA의 잘린 부위를 보충할 수 있는 세포(packing cell line)에서 증식하도록 하여 많은 양의 바이러스를 얻은 후, 사람에게 주사하면 감염이 되면서 목표 DNA를 숙주 세포 내로 전달하지만 더 이상 증식은 되지 않는다. 향후 DNA 대신 mRNA을 사용한다면, 일시적으로 단백을 생성하므로 장기간 감염이나 항원 자극의 우려를 해결할 수 있을 것이다.

9. 항 개별 특이형백신(anti-idiotype vaccine)

항체 반응이 개별특이형 항체와 항 개별특이형 항체의 상호 작용에 의해 이루어진다는 이론에 근거한 백신이다. 개별특이형 백신은, 항원의 항원결정인자(epitope)와 유사한 항체를 만들어 이를 백신으로 이용하는 방법이다. 종양의 경우에는 종양 특이 항원에 반응하는 항체에 해당되고, 종양 특이 항원에 대한 단클론 항체는 치료 목적으로 사용하고 있다. 그림 3-1에서 보이는 것과 같이, 병원체의 항원결

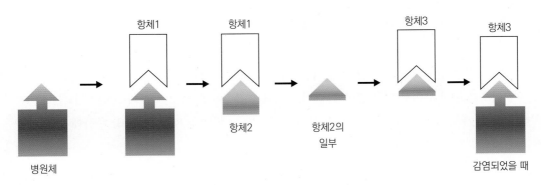

그림 3-1. 병원체를 주입하여 항체 1를 만든 후, 항체 1의 개별특이형에 대해 항체를 만든다. 이렇게 만들어진 항체 2는 병원체의 항원결정인자와 유사한 구조를 갖게 된다. 항체 2의 항원결합부위만을 정제해서 백신으로 만들고 이를 사람에 주사하게 되면 항체 3이 만들어지며 항체 3은 나중에 감염이 되었을 때 병원체를 중화하는 역할을 하게 된다.

정인자에 결합하는 항체 결합 부위인 개별특이형(idiotype)에 대해 항체를 유도하면, 만들어진 항체는 항 개별특이형 항체(anti-idiotype antibody)가 되며 병원체의 항원과 유사한 구조를 갖는다. 이 항 개별특이형 항체를 면역원으로 사람에 주입하게 되면 결과적으로 생성되는 항체는 병원체의 항원결정인자에 반응하게 되므로 병원체를 중화하게 되면서 방어가 가능하게 된다.

항원을 직접 주사하지 않고 항원을 만들어 주사하는 이유는 여러 장점이 있기 때문이며, 대표적으로 면역글로불린을 면역원으로 사용하면 반감기가 길어 지속적인 면역 형성이 가능하다. 현재 임상 연구는 주로 악성종양(흑색종, 림프종)에서 치료 목적으로 진행 중이다.

10. 경구백신

경구 투여 백신이 주목을 받는 이유는, 접종의 편이성이나 비용 문제 외에도, 전신면역과 더불어 점막면역을 유발할 수 있기 때문이다. 즉, 경구백신 투여 후 IgG 생성 외에도 많은 분비 IgA를 생성하게 된다. 또한 구강이나 위장관 점막뿐만 아니라 다른 점막에도 면역을 유발하는 장점이 있다. 현재까지는 주로 점막감염을 예방하는 백신에 사용되었고, 콜레라, 장티푸스, 로타바이러스 생백신들이 대표적인 예이다. 구강뿐만 아니라 점막이 있는 다른 부위(비강 등)로 투여하는 것도 같은 효과를 보일 것으로 생각되고 인플루엔자 생백신이 대표적인 예이지만 경구 투여에 비하면 연구가 적다. 이런 장점에도 불구하고, 점막면역에 관련된 요인들에 대해 모르는 부분들이 여전히 남아 있어 발전이 늦다. 비경구용백신의 경우 면역증강제를 결합하면서 획기적으로 효능을 증진시켰지만, 경구백신은 아직 이 단계도 해결이 되지 않았다.

11. 피부 첩포(patch)를 통한 주입

첩포를 통한 백신 주입은 접종 방법의 개선으로, 전통적 방법인 주사와 경구나 비강 점막 투여 외에 피부에 첩포를 통한 투여도 연구 중이다. 본인이 백신을 접종할 수 있으므로 다수 접종이 필요할 때 신속히 배포가 가능하며, 주사를 피할 수 있어 주사에 따르는 감염을 피할 수 있고, 주사에 따르는 통증을 피할 수 있어 접종이 더 쉬워진다.

12. 첨가제

1) 면역증강제

　면역증강제(adjuvant)는 동시에 투여된 항원 또는 DNA에 대해 면역반응을 증강시키는 물질이다. 사용하는 항원 양을 줄일 수 있으므로 그만큼 더 많은 백신을 생산할 수 있게 된다. 불활화백신이나 약독화 생백신에서는 면역증강제를 첨가하지 않는데, 항원 이외의 성분인 세포벽이나 세포막의 지질다당류(LPS)나 다당류 등이 면역증강제 역할을 하기 때문이다. 증강제의 면역 증강 기전은 명확히 규명되지는 않았지만, 통상 주사한 항원이 주사 부위에서 서서히 유리되게 하여 면역 반응을 증강시키거나, 주사 부위에 염증을 일으키고 항원제시세포(antigen presenting cell)가 염증이 있는 부위로 모이면서 항원과 접촉이 증가하여 면역 증강 효과가 나타난다고 이해하고 있다. 또한 수용성 항원이 알루미늄 염에 흡착되어 입자로 되고 이후 대식세포나 가지세포(dentrite cell)에 탐식되어 항원을 제공하는 것도 관여하리라 생각하고 있다.

　면역증강제에는 미국에서 면역증강제로 인정되어 많이 사용하는 알루미늄염[aluminum hydroxide, aluminum phosphate, alum (potassium aluminum sulfate), mixed aluminum salts]이 대표적이며, 이외에도 오일 현탁액(Freund incomplete adjuvant, MF59 등), 내독소 기반의 면역증강제(monophosphoryl lipid A), 20–40 nm의 나노입자[지질 소포(liposome), 바이로솜, 면역증강 사포닌 복합체]가 있다. MF59는 Chiron사에서 개발한 보강제로 인플루엔자백신(Fluad®)에서 사용되었고, 50–200배 적은 항원 양을 사용해도 항체 역가는 비슷하게 나올 정도로 면역이 증강되었다. 내독소의 monophosphoryl lipid A (MPL)는 내독소의 발열 효과나 독성 효과가 없으면서 항원보강 효과를 보이는 물질이며 멜라노마 치료 백신(Melacine®)에 포함되었다. MPL과 알루미늄염의 복합 면역증강제인 SBAS4를 B형간염 백신으로 사용했을 때 알루미늄염만 사용한 군에 비해 항체 생성 속도가 빨랐다.

　항원마다 면역증강제에 의해 면역원성이 증가하는 정도가 다르므로, 적절한 면역증강제를 선택해서 백신을 제조해야 하며, 면역원성이 증가하는 대신 이상반응의 빈도와 정도가 증가한다. 면역증강제를 포함하는 백신 사용 시 생길 수 있는 국소 이상 반응에는 주사 부위 염증, 육아종 형성, 무균 농양 형성이 있고, 전신반응으로 발열이나 무력감 등이 가능하다. 결국 면역증강제는 적당한 정도의 이상반응 증가를 감수하면서 면역 형성을 증가시키는 역할을 하는 것이다.

　대식세포 근섬유염(macrophagic myofascitis)이 전신 이상반응으로 언급이 되며, 알루미늄염이 포함된 백신 주사 부위에 육아종이 생기고 이에 의한 지속 염증으로 근섬유염이 생길 가능성인데, 아직까지 증명된 바는 없다.

2) 보존제(preservative)

　일회용이 아니고 다용량 바이알에 담긴 백신을 사용하다 보면 박테리아나 진균에 의해 오염될 가능성이 있어 미생물의 성장을 막기 위해 보존제를 사용했고, 특히 냉장시설이 미비했던 시대에는 보존제의 중요성이 높았으며, 미국에서는 다용량 바이알에는 보존제를 포함하도록 규정하고 있다. 오염된 백신을 사용하다가 감염이 되는 것보다는 보존제가 든 백신을 사용하는 것이 이익이기 때문이다.

보존제는 미생물의 성장을 억제하는 물질이라고 정의할 수 있으며, 미국 FDA에서 정의한 성질은, 백신과 균을 20-25℃에서 배양했을 때, 14일까지 접종된 균의 99.9% 이상이 감소하고, 이후 28일까지 균이 증식하지 말아야 한다고 정의하고 있다.

미국에서 사용하는 보존제는 페놀, benzethonium, 2-phenoxyethanol, 티메로살(thimerosal)들이며, 백신에 따라 사용되는 보존제가 다르다. 대표적으로 많이 사용하고 있는 티메로살은 비활성 폴리오백신의 역가를 떨어뜨린다. 페놀은 Pneumovax23®이나 Typhium V1®에 사용되지만 디프테리아 톡소이드를 손상시키는 것으로 보고되어 파상풍-디프테리아 톡소이드에는 사용하지 않는다. 2-phenoxy-ethanol은 주사용 폴리오백신, DTaP 일부 제품에 사용되고 있다.

티메로살은 1930년대부터 사용되어 세계적으로도 가장 널리 사용되고 있으며, 에틸수은(ethylmer-cury)을 포함하고 있었으나 당시에도 심각한 이상반응은 알려지지 않았다. 수은의 신경 독성은 메틸수은에서 알려진 이상반응이고 에틸수은은 신경이상반응과 연관된다는 보고가 없었다. 백신에 포함된 티메로살과 소아 자폐증이나 신경 발달 장애와 연관이 언급이 되면서, 에틸수은의 신경독성에 대한 관심이 늘었다. 자료를 종합한 결과로도 티메로살과 신경독성의 연관을 인정 또는 부정하는 근거는 없다고 하였으나, 일부 상황에서 투여되는 총량이 미국 정부가 인정한 양보다 더 많을 수도 있음이 확인되어, 1999년부터 미국의 여러 보건 관련 기관들이 소아용 백신에서 티메로살의 사용을 중지할 것을 권고하였다. 이후로 제조회사들이 점차 일회용 바이알로 바꾸면서 미국에서는 적어도 7살 이하 소아에게 사용하는 백신에서는 보존제를 사용하지 않고 있으며, 일부 성인용 백신에서만 보존제가 들어 있다. 냉장이 어려운 개발도상국에서는 보존제가 포함된 백신을 사용하는 것이 오히려 더 이익일 수 있다.

3) 안정제

백신을 제조 또는 보관하는 도중 항원성이나 생존력이 감소하는 것을 줄이기 위해 첨가하는 물질들이다. 냉동건조 분말로 만드는 것도 안정성을 높이는 방법이지만, 냉동건조를 시키다 보면 양이 너무 적어져서 육안으로는 확인이 되지 않는 경우도 있어 양을 늘리는 목적도 있다.

첨가하는 안정제로는 당(sucrose, lactose), 아미노산(glycine, monosodium salt of glutamic acid), 단백(사람혈청알부민, 젤라틴)이 사용된다. 원하는 pH를 유지하기 위해 버퍼를 사용하거나 오스몰 농도를 유지하기 위해 염을 첨가하기도 한다.

안정제 중에서는 단백이 문제가 될 수 있는 소지가 있다. 사람에서 추출한 알부민의 경우 바이러스나 프리온 전파의 가능성을 생각할 수 있고, 젤라틴은 소나 돼지에서 추출했으므로 프리온 전파를 가정해 볼 수 있고 알레르기와 관련이 있을 수 있다. 일본에서 일본뇌염백신에 첨가한 젤라틴이 알레르기 발생의 증가와 연관됨이 의심된 적이 있다.

4) 항생제

과거에는 제조 과정에서 세균 오염을 막기 위해 항생제를 사용했으나 현재는 멸균 과정을 철저히 하면서 제조과정에서 항생제 사용은 없다고 할 수 있다. 바이러스 배양에서는 아직도 항생제를 사용하며 streptomycin, polymyxin B, neomycin, gentamicin 등을 사용한다. 페니실린은 소량이어도 아나필락시스와 연관이 되므로 사용을 금하고 있다.

5) 제조 과정의 잔존물들

다양한 방법을 사용하여 백신을 만들고 있고, 이들 과정에서 피할 수 없이 남는 물질들이 있다. 제조 이후 정제 과정에서 대부분 제거를 하지만 실제로 완전히 없애는 것은 불가능하다.

효모에서 만든 재조합 단백백신이나 바이러스백신의 경우, 단백이 남아 있으며 알레르기의 원인이 될 수 있다. 대표적인 예가 유정란에서 바이러스를 키우는 황열, 인플루엔자백신을 계란 알레르기가 있는 환자에게 투여하지 않는 이유이다. 핵산은 남아 있더라도 양이 매우 적어 사람에게 문제를 일으키지는 않는다.

참고문헌

1. Lutwick LL. New vaccines and new vaccine technology. Intect Dis Clin fo North Am 1999;13:1-278.
2. Plotkin SA, Orenstein WA, Offit PA. Vaccines. 6th ed. Philadelphia: WB Saunders & Co; 2012.

예방접종의 일반원칙과 방법

고려대학교 의과대학 **김우주**

백신을 접종하는 의료인은 예방접종의 일반원칙과 방법을 이해하여야 한다. 예방접종의 원칙과 방법은 백신의 과학적 특성, 백신접종의 면역학, 특정 감염병의 역학 및 피접종자의 특성 등을 고려한다. 예방접종의 원칙은 질병의 현재 역학, 백신접종의 이득과 위험에 대한 근거 및 전문가 의견을 바탕으로 한다. 임상과 예방 의학에 정통한 공중보건담당자와 전문가가 예방접종에 따른 이득은 최대로 그리고 위험과 비용은 최소로 하는 기준을 결정하는데 중요한 역할을 한다. 의료인과 피접종자는 백신접종의 시기, 횟수, 적응증, 금기와 주의사항, 그리고 이상반응과 그에 대한 대응 등을 논의해야 한다. 의료인은 피접종자에게 백신접종과 관련된 정보(상반되는 내용 포함)를 제공하여 이해할 수 있도록 도움을 줘야 한다. 의료인과 피접종자(또는 부모)는 백신접종을 증명하는 완전하고 정확한 기록을 남겨야 한다. 각각의 백신접종에 대하여 ① 백신접종일, ② 백신제품명·생산회사·롯트 번호 및 유효기간, ③ 접종부위와 경로, ④ 접종 의료인의 이름·주소 및 직위 등을 기록한다. 또한 의료인은 새로운 백신의 도입과 과학적 근거 발견에 따라 정기 또는 수시로 개정되는 성인예방접종에 대한 최신 권고기준과 지침(질병관리본부 및 전문학회 등)을 이해하여야 한다.

1. 예방접종 일정

백신에 대한 면역반응은 백신 종류, 피접종자의 나이와 면역상태 등 여러 요인의 영향을 받는다. 백신접종 시기(연령)의 결정은 질환과 합병증의 연령특이 위험도, 백신접종에 대한 연령특이반응, 그리고 모체로부터 전달된 항체에 의한 면역반응의 잠재적 간섭 가능성 등에 따른다. 일반적으로 백신의 효과와 안전성이 입증됐고, 해당 질환에 걸릴 위험이 있는 가장 어린 연령군에 백신접종이 권고된다. 백신접종자는 소아, 청소년 및 성인 예방접종일정에 가능한 맞추어 접종한다. 임상연구는 권고된 접종연령 및 다회접종 백신의 접종 간격을 지켰을 때 적절한 방어효과 또는 효능이 발휘됨을 뒷받침하고 있다.

백신접종의 방어효과를 얻기 위한 접종횟수는 백신의 종류와 특성에 따라 다르다. 세포매개면역과 중화항체 모두를 자극하는 백신(예: 약독화 생바이러스백신)은 시간이 지나면서 항체가가 감소하기는 하지만, 보통 장기 면역을 유도한다. 이후 같은 바이러스에 대한 노출이 보통 바이러스혈증 없이 빠른 면역기억(anamnestic) 항체반응을 초래한다. 일부 생백신(예: 홍역, 풍진, 황열백신)은 1회 접종으로 피접종자의 약 90-95%에서 보통 14일 이내에 방어항체를 생성한다. 수두와 볼거리백신은 1회 접종으로 피접종자의 80-85%에서 방어항체가 생성된다. 그러나 홍역-볼거리-풍진(MMR) 또는 수두백신 1회 접종으로 소수(5-20%)의 피접종자는 항체가 생성되지 않으므로 면역생성의 기회를 높이기 위해 2차 접종이 권고된다. MMR의 홍역백신 또는 수두백신의 1차 접종에 항체가 생성되지 않는 피접종자 중에서 97-99%는 2차 접종으로 항체가 생성된다.

불활화백신, 톡소이드, 유전자재혼합백신은 2회 이상 접종해야 충분한 항체반응이 유도된다. 파상풍-디프테리아 톡소이드는 방어항체가를 유지하기 위하여 추가접종이 필요하다. 다당류백신은 T 세포 기억반응을 유도하지는 않지만, 추가접종으로(비록 동일하거나 또는 낮은 항체가를 유도하지만) 방어 기간을 증가시킬 수 있다. 다당류백신에 단백운반체를 접합시키면 T 림프구 의존 면역반응을 유도하여 백신 효과를 높일 수 있다.

2. 예방접종 시기와 간격

적정한 백신접종을 위한 가장 중요한 두가지는 백신접종 시기와 접종 간격이다. 백신을 접종할 때 흔히 접하는 문제로 백신과 항체함유제제(예: 혈액수혈) 또는 생백신(특히 홍역 및 수두 포함 백신)과의 접종 간격, 여러 백신의 동시접종, 동일 백신 간 접종 간격 등이 있다. 표 4-1은 흔히 사용되는 백신의 도스 간 권장 접종간격을 나타내고 있다.

1) 동일 백신의 접종 간격

일부 백신은 1회 접종만으로 충분한 방어항체반응을 유도할 수 있지만, 대부분 백신은 면역유도를 위해 수회 접종을 하는 일차접종시리즈를 거쳐야 한다. 1회 접종으로 충분한 예는 풍진백신과 황열백신이며, 수회 접종이 필요한 예는 폴리오백신, B형간염백신, 백일해백신이 있다. 그리고 어떤 백신은 면역을 유지하기 위해 정기적인 백신 재접종이 필요한데, 예로 장티푸스백신, 파상풍-디프테리아톡소이드가 있다.

면역기억반응이 있기 때문에 백신 도스 사이 권장된 것보다 긴 접종 간격은 일차면역 획득을 위해 1회 도스 이상 접종을 필요로 하는 생백신과 불활화백신에 대한 면역반응을 방해하지 않는다.

마찬가지로 추가접종이 권장 시기보다 늦게 투여되는 경우도 항체반응을 방해하지 않는다. 따라서 일차접종시리즈의 중단 또는 추가접종 간 간격 연장 때문에 전체 백신접종시리즈를 처음부터 다시 시행할 필요는 없다. 예를 들면 불활화폴리오백신 2회 접종 간 간격의 연장은 2차 접종에 대한 항체반응을 증가시킬 수 있다. 그러나 경구 장티푸스(Ty21a)백신은 예외에 해당한다. 경구 장티푸스백신 접종시리즈가 제대로 지켜지지 않은 경우의 영향은 알려지지 않았다. 그러나 경험에 따르면, 장티푸스(Ty21a)

표 4-1. 성인에서 흔히 사용되는 백신의 도스 간 권장 접종간격

백신과 기초접종 횟수	접종연령	다회 기초접종 시 권장접종간격	추가접종간격
A형간염(2회)	12개월 이상	6-18개월	–
B형간염(3회)	출생 이후	1-2차: 4주-4개월 2-3차: 8주-17개월	–
대상포진	50세 이상	–	–
2가 인유두종바이러스(2회 또는 3회)*	9세 이상	1-2차: 4주 2-3차: 5개월	–
4가 인유두종바이러스(2회 또는 3회)†	9세 이상	1-2차: 8주 2-3차: 4개월	–
불활화인플루엔자(9세 미만 첫 접종시 2회)	6개월 이상	4주	매년(6-12개월)
생약독화인플루엔자(9세 미만 첫 접종시 2회)	2-49세	4주	매년(6-12개월)
폐렴사슬알균 단백결합 (접종연령/기저질환에 따라서 1-3회)	생후 6주 이상	8주 이상 (1세 미만은 4주 이상)	연령/기저질환에 따라 다름**
폐렴사슬알균 다당류	2세 이상	–	5년
4가 수막알균 단백결합(Menveo®/Menactra®)†	2개월/9개월 이상	19개월 미만: 8주 이상 19개월 이상: 3개월 이상	7세 미만: 3년 7세 이상: 5년
4가 수막알균 다당류	2세 이상	–	–
파상풍-디프테리아 톡소이드(Td)§	7세 이상	1-2차: 4-8주 2-3차: 6-12개월	10년
파상풍톡소이드, 감량디프테리아 톡소이드 및 무세포 백일해(Tdap)§	7세 이상	–	–

* 9-14세 연령은 6개월 간격(0-6개월) 2회 접종하며, 15세 이상은 3회 접종(0-1-6개월)

† 9-13세 연령은 6개월 간격(0-6개월) 2회 접종하며, 14세 이상은 3회 접종(0-2-6개월)

‡ 백신의 종류와 연령에 따라서 필요한 기초접종 횟수가 다름

§ 7세까지 DTaP 접종을 한 번도 받지 않은 경우에는 3회 기초접종이 필요하며, 첫 1회는 Tdap으로 접종함. 7세 이전에 DTaP 접종력이 있다면 Td 또는 Tdap을 1회만 접종하고 10년 간격으로 Td 재접종(11세 이후 적어도 한 번은 Tdap 접종)

** 생후 11개월 까지 기초접종 완료한 소아: 8주 이상 간격을 두고 생후 12-15개월에 추가접종(건강한 12개월 이상 소아/성인에게는 추가접종을 권고하지 않지만 면역저하자에게는 5년 간격으로 재접종을 권고함)

백신은 마지막 접종으로부터 3주 이내라면 놓친 접종 횟수를 채워 접종시리즈를 마칠 수 있다. 만약 3주 이상 지났다면, 전체접종시리즈를 처음부터 다시 반복해야 된다.

　어떤 경우는 권장 접종간격보다 짧게 수회 백신접종을 해야 되는 경우가 있다. 예를 들면, 피접종자가 예정된 접종일정 보다 늦게 와서 가능한 빨리 일정을 따라 잡아야 하거나 해외여행에 임박하여 접종해야 하는 경우가 있다. 이럴 때 백신 권장 접종간격보다 짧은 기간에 일정을 단축하여 접종을 시행할 수 있다. 모든 경우의 단축된 간격으로 접종된 백신의 임상효과가 평가되지 않았지만, 단축된 접종간격

에 따른 면역반응이 불충분한 방어효과를 나타낼 것으로 예측된다. 최소 간격보다 짧은 간격으로 또는 최소 연령보다 일찍 백신접종이 된 경우(표 4-1), 면역반응 감소와 백신효능의 저하가 초래될 수 있기 때문에 피해야 된다. 일부 생백신의 수회 접종은 폴리오바이러스 1, 2, 그리고 3형과 같이 동일 바이러스의 다른 형들에 대한 면역반응을 유도하기 위해 또는 홍역과 같이 백신의 초기접종에 대한 면역반응의 상승에 실패한 사람에 대한 면역 유도를 위해 권고된다.

2) 서로 다른 백신의 접종 간격

불활화백신은 다른 불활화백신 또는 생백신(아래 예외사항)에 대한 면역반응을 방해하지 않는다. 불활화백신은 다른 불활화백신 또는 생백신과 동시 또는 전, 후 언제든지 접종할 수 있다. 동물과 사람 연구에서 같은 또는 다른 바이러스생백신의 2회 접종 간격이 너무 짧으면, 2차 접종에 대한 면역반응을 방해할 가능성이 있다. 홍역 약독화생백신을 먼저 접종한 경우, 두창백신에 대한 면역반응이 영향을 받을 수 있다는 보고가 있다. 홍역백신의 첫 접종에서 생성된 인터페론이 다음 백신접종에서 백시니아바이러스 증식을 억제하는 것으로 설명되었다. 미국에서 수행된 연구에서 MMR 백신접종 후 30일 이내에 수두백신을 접종받은 사람은 MMR 백신접종 전 또는 30일 이후에 수두백신을 접종받은 사람보다 수두백신 실패(즉, 백신접종자에서 수두 발생)의 위험이 2.5배 높았다. 비강투여 백신이 같은 날 투여되지 않은 다른 생백신에 대한 면역반응에 영향을 끼치는지는 알려지지 않았다. 면역 간섭의 잠재적 위험을 최소화하기 위해 같은 날 투여되지 않은 주사 또는 비강 접종 바이러스생백신은 가능한 4주 이상 간격을 두고 투여되어야 한다. 만약 주사 또는 비강 접종 바이러스생백신이 4주 미만의 간격으로 투여되었다면, 두 번째 투여된 바이러스생백신은 앞선 백신접종 이후 4주 이상 지나서 재투여되어야 한다. 필요한 경우 경구용 생백신은 주사용 생백신과 투여간격에 제한 없이 접종할 수 있다.

3) 서로 다른 백신의 동시 접종

모든 필요한 백신의 동시접종은 소아백신접종프로그램에서 불가피하다. 다른 백신의 동시접종은 피접종자가 추가 백신접종을 위해 내원하는 것이 불확실할 때, 몇 가지 백신으로 예방가능한 감염병 노출이 임박한 경우, 또는 피접종자가 갑자기 해외여행을 떠나야 하는 경우 특히 중요하다. 적절한 접종기회를 놓치지 않도록 하기 위해서 세계보건기구의 예방접종 전략자문그룹(SAGE)은 1회 클리닉 방문 시에 다수백신을 접종하는 방법을 권장한다. 동시 접종되는 다른 백신은 각각 다른 신체 부위에 분리해서 접종해야 한다. 만약 다른 백신을 동시 접종하기 위해 상지와 하지를 모두 이용해야 한다면, 근육주사는 넓적다리 전외측, 피하주사는 어깨세모근을 이용한다. 만약 한 가지 이상 백신접종을 유아 또는 어린 소아의 한쪽 사지에 놓아야 한다면, 보통 근육량이 큰 넓적다리를 이용한다. 같은 사지에 놓는 두 가지 백신의 접종 부위 간격은 국소반응이 겹치는 것을 최소화할 수 있도록 적어도 1인치(2.5 cm) 이상 충분히 떨어져야 한다. 일반적으로 바이러스생백신을 포함한 다른 백신은 안전성과 효과를 감소시키지

표 4-2. 생백신과 불활화백신 사이 접종간격

항원 조합	도스 사이 권장 최소 간격
2개 이상 불활화백신	동시 접종 또는 도스간 접종 간격 무관
불활화백신과 생백신	동시 접종 또는 도스간 접종 간격 무관
2개 이상 비강용 생백신 또는 주사용 생백신	동시 투여하지 않는다면 적어도 4주 접종 간격

않고 동시 접종할 수 있다.

흔히 사용되는 백신의 동시 접종 후 이상반응의 중증도 또는 발생률이 증가됐다는 보고는 없다. 일반적으로 백신의 동시접종은 두 가지 예외를 빼고 면역간섭을 일으키지 않는다. 기능적 또는 해부학적 무비증이 있는 소아에서 수막알균 단백결합백신(Menactra®)이 7가 폐렴사슬알균 단백결합백신(아마도 PCV13도 포함)에 대한 면역반응을 방해하기 때문에 폐렴사슬알균 단백결합백신(PCV)과 Menactra®를 동시 투여해서는 안 된다. 폐렴사슬알균 단백결합백신의 모든 횟수가 먼저 접종되고 마지막 접종 4주 이후에 Menactra®가 접종되어야 한다. 다른 상품명의 수막알균 단백결합백신과 폐렴사슬알균 단백결합백신에서 간섭반응이 발생하는지는 알 수 없다. 폐렴사슬알균 다당류백신(PPSV)이 폐렴사슬알균 단백결합백신에 대한 면역반응을 방해할 수 있으므로, 동시 접종해서는 안 된다. PCV13과 PPSV23 둘 다 접종이 필요한 면역이 억제된 고위험군 환자에서 PCV13을 먼저 접종하고 최소 8주 경과 후에 PPSV23을 접종한다. PCV13과 PPSV23 둘 다 접종이 필요한, 면역 정상인 침습성 폐렴사슬알균 발생의 고위험군 환자 또는 건강한 65세 이상인 사람에서는 우선 PCV13을 접종하고, 1년 후 PPSV23을 접종한다.

3. 백신과 면역글로불린의 투여 간격

백신 면역반응에 대한 면역글로불린의 간섭은 용량에 비례하며, 더 많은 용량의 면역글로불린을 투여 받을수록 간섭의 발생 가능성이 높으며, 더욱 장기간 지속된다. 면역글로불린제제와 백신 투여간 권고된 간격은 면역글로불린과 백신 사이 간섭, 투여된 면역글로불린의 용량, 면역글로불린의 예상 반감기 등 근거에 따른다. 표 4-3, 4-4는 면역글로불린제제와 여러 가지 생백신과 불활화백신 투여간 권고 간격이다.

불활화 및 성분(아단위) 백신은 면역글로불린제제 투여와 동시 또는 전, 후에 접종될 수 있다. 백신과 면역글로불린제제는 서로 다른 부위에 투여되어야 하며, 해당 백신의 권고 표준용량이 투여되어야 한다. 보충 용량을 투여할 필요는 없다.

표 4-3. 항체함유제제와 백신 투여 지침

동시 투여		
항체함유제제와 불활화백신	다른 해부학적 위치에 동시투여 가능 또는 도스간 투여간격에 상관없이 투여 가능	
항체함유제제와 생백신	동시투여 금함	

순차적 투여		도스간 권고 최소간격
첫 번째 투여	두 번째 투여	제제간 최소투여간격
항체함유제제	불활화백신	간격 필요 없음
불활화백신	항체함유제제	간격 필요 없음
항체함유제제	홍역, 볼거리, 풍진, 수두 백신, 그리고 홍역-볼거리-풍진-수두 혼합백신	투여된 항체의 용량에 따라 다름
홍역, 볼거리, 풍진, 수두 백신, 그리고 홍역-볼거리-풍진-수두 혼합백신	항체함유제제	2주

바이러스생백신의 투여 권고는 앞서 언급한 고려사항에 따라 다르다. 면역글로불린제 또는 기타 혈액제제 투여 후 홍역백신 접종은 표 4-4에 있는 간격 동안 연기되어야 한다. 사람 혈액과 면역글로불린제제는 또한 풍진, 볼거리 및 수두 항체를 포함하고 있다. 투여된 수동항체의 용량이 많은 경우, 풍진 생백신에 대한 면역반응을 최대 3개월 동안 방해할 수 있다. 면역글로불린제제가 풍진 생백신과 수두 생백신에 대한 면역반응에 끼치는 영향은 밝혀져 있지 않다. 가능한 면역간섭을 줄이기 위해 표 4-4에 표시된 기간 동안 풍진, 볼거리 및 수두백신 접종을 연기하는 것이 좋다.

MMR 또는 수두백신 접종 직후 면역글로불린제제 투여는 면역반응을 방해할 수 있다. 만약 MMR, 그 성분백신, 또는 수두백신 접종 후 2주 이내에 면역글로불린제제 투여가 필요한 경우, 혈청검사로 면역반응이 입증되지 않았다면 백신 재접종을 표 4-3, 4-4에 표시된 간격 이후에 시행해야 한다. 예를 들면, 수두백신 접종 후 2주 이내에 전혈이 투여됐다면, 혈청검사로 수두백신 초회 접종에 대한 적절한 면역반응이 입증되지 않았다면 전혈 투여 후 적어도 6개월 이후 백신이 재접종되어야 한다.

수동항체가 로타바이러스백신에 대한 면역반응에 끼치는 영향에 대한 자료가 없지만, 로타바이러스 생백신은 항체함유제품을 포함한 어떤 혈액제품의 투여와 동시 또는 전, 후에 투여할 수 있다. 경구폴리오백신(OPV), 대상포진, 및 황열백신에 대한 면역반응이 면역글로불린제제에 의해 방해받지 않는 것으로 증명되었기 때문에 이들 백신은 면역글로불린투여와 상관없이 접종될 수 있다. 경구 장티푸스(Ty21a) 생백신 또한 면역글로불린제제 투여와 무관하게 권고된다. 인플루엔자약독화생백신(LAIV)은 항체함유혈액제제 투여 전, 후 어느 때든 접종될 수 있다.

표 4-4. 항체함유제제 및 용량에 따른 홍역 또는 수두포함백신의 최소 접종간격 권고

제품/적응증	용량(면역글로불린, mg/kg)과 투여경로	항체함유제제 투여후 백신접종전 최소 간격 (개월)
수혈		
세척 적혈구(RBCs)	10 mL/kg (무시할 만함), 정맥주사	없음
적혈구(RBCs), adenine-saline 첨가	10 mL/kg (10 mg IgG/kg), 정맥주사	3
농축 적혈구(헤마토크리트 65%)	10 mL/kg (60 mg IgG/kg), 정맥주사	6
전혈(헤마토크리트 35-50%)	10 mL/kg (80-100 mg IgG/kg), 정맥주사	6
혈장/혈소판 제제	10 mL/kg (160 mg IgG/kg), 정맥주사	7
보툴리눔 면역글로불린 (BIG)	1.5 mL/kg (75 mg IgG/kg), 정맥주사	6
거대세포바이러스 면역글로불린 (CMV-IG)	150 mg/kg 최대량, 정맥주사	6
A형간염 면역글로불린		
접촉 예방	0.02 mL/kg (3.3 mg IgG/kg) 근육주사	3
국제여행, 3개월 미만 체류	0.02 mL/kg (3.3 mg IgG/kg) 근육주사	3
국제여행, 3개월 이상 체류	0.06 mL/kg (10 mg IgG/kg) 근육주사	3
B형간염 면역글로불린	0.06 mL/kg (10 mg IgG/kg) 근육주사	3
정맥내 면역글로불린(IVIG)		
면역결손에 대한 대체치료	300-400 mg/kg 정맥주사	8
면역혈소판감소자반증 치료	400 mg/kg 정맥주사	8
노출 후 수두 예방	400 mg/kg 정맥주사	8
면역저하 접촉자에서 노출 후 홍역 예방	400 mg/kg 정맥주사	8
면역혈소판감소자반증 치료	1,000 mg/kg 정맥주사	10
가와사키병	2 g/kg 정맥주사	11
홍역 예방 면역글로불린, 표준(즉, 비-면역저하 접촉자)	0.50 mL/kg (80 mg IgG/kg) 근육주사	6
호흡기융합세포바이러스 F 단백에 대한 단클론 항체[예; Synagis® (MedImmune)]	15 mg/kg 근육주사	없음
광견병 면역글로불린	20 IU/kg (22 mg IgG/kg) 근육주사	4
파상풍 면역글로불린	250 U (10 mg IgG/kg) 근육주사	3
수두 면역글로불린	125 U/10 kg (60-200 mg IgG/kg) 근육주사, 최대 625 U	5

4. 예방접종 방법

　예방접종에서 개별 백신에 권장되는 접종 방법을 지키지 않으면 백신 효과가 감소하거나 국소이상반응이 증가할 수 있으므로, 백신마다 추천되는 접종 경로로 정확한 양을 접종하도록 한다.

1) 감염 관리 및 무균 접종 기술

　적절한 감염예방 주의 조치를 따르면 백신접종과 관련된 감염의 발생 가능성은 낮다. 의료인과 백신 피접종자 사이에 세균 오염과 미생물 전파를 감소시키기 위해 백신접종 전 손을 비누와 물로 씻거나 알콜 손소독제를 사용하여 깨끗이 한다. 의료인은 손에 개방성 병변이 있거나 잠재적으로 감염성이 있는 체액에 노출될 위험이 있는 경우가 아니면 일반적으로 백신접종에 장갑 착용은 필요하지 않다. 적절한 감염관리지침을 지키지 않으면 혈행성 병원균의 전파 또는 세균감염 및 농양 형성을 초래할 수 있다. 주사부위 피부에 있는 세균에 의해 주사부위 오염이 초래될 수 있다. 주사부위 오염 예방을 위해 주사부위 피부는 isopropyl alcohol (70%) 또는 다른 적절한 소독제로 도포하고 접종하기 전 건조시킨다. 또한 백신접종에 사용되는 주사침, 주사기, 백신 또는 기타 기구가 오염되었다면 병원균의 전파가 일어날 수 있다. 그러한 오염을 예방하기 위해 주사기과 주사침은 반드시 무균 상태여야 한다. 매 접종마다 새로운 주사기와 주사침을 사용한다. 일회용 주사침과 주사기는 한번 사용한 후에는 뜻하지 않은 주사침 자상을 예방하기 위해 표시가 되어 있는, 주사침으로 뚫리지 않는 단단한 상자에 폐기한다. 사용된 주사침을 주사기로부터 제거하려 하거나 뚜껑을 다시 닫는 행위가 의료인에게 상처를 입힐 수 있기 때문에, 주사침은 사용 후 뚜껑을 다시 닫으려 시도하지 말아야 한다. 주사기로부터 주사침을 제거하지 않은 채 통째로 주사침과 주사기는 폐기돼야 한다. 일회용 주사침과 주사기는 멸균해서 다시 사용해서는 안 된다.

　대부분 백신은 주사기에 채워 놓은 후에는 모양에 큰 차이가 없어 잘 구별되지 않는다. 잘못된 백신을 접종하는 경우는 종종 사용 직전 다수의 주사기에 백신 도스를 미리 채워놓는 관행 때문이다. 따라서 백신접종 실수의 위험 때문에 주사기에 백신을 미리 채워놓는 습관은 피해야 한다. 실수를 예방하기 위해, 접종 직전 백신 도스를 주사기에 채운다. 백신접종 때까지 저온유지망(cold chain)과 무균상태가 유지되도록 주의한다. 주사기에 백신을 채우고 나서, 각 주사기에 백신 종류, 롯트 번호, 충전 일자를 표시한 라벨을 부착한다. 주사기에 백신을 채운 같은 사람이 백신을 채운 직후 가능한 빨리 접종한다. 생산회사에서 미리 충전된 주사기가 활성화되고(즉, 주사기 뚜껑이 제거됐거나 또는 주사침이 끼워진) 사용되지 않았다면, 당일 진료를 마칠 때 폐기한다. 마찬가지로 접종자에 의해 백신이 주사기에 채워진 것(즉, 생산회사에 의한 것이 아닌)은 당일 진료를 마칠 때 폐기한다.

2) 접종경로

　개별 백신에 대하여 하나 이상의 접종경로(예; 근육, 피하, 피내, 비강, 및 경구)가 권고되며, 생산회사의 제품라벨에 표시되어 있고, 백신접종심의위원회의 권고기준에 포함되어 있다. 접종경로는 보통 허가 전 백신시험 중에 결정되며, 백신성분, 면역원성 및 안전성에 근거하고 있다.

　백신은 목표로 하는 면역반응을 유도하고, 국소 조직, 신경 또는 혈관 손상이 가장 적을것으로 예상되는 부위에 접종해야 한다. 불필요한 국소 및 전신 이상반응을 피하고, 적절한 면역반응을 확보하기 위해서 백신접종자는 제품설명서에 있는 권장 접종경로를 따라야 한다. 권장된 것과 다른 해부학 부위에 접종하거나 다른 투여경로로 접종할 경우 부적절한 면역반응을 유도할 수 있다. 예를 들면, B형간염 백신과 공수병백신의 면역원성은 어깨세모근 대신 볼기근에 접종하면 현저히 낮다. 면역원성 감소는 접종이 근육이 아닌 피하 또는 심부 지방조직에 이뤄지기 때문으로 추정된다.

　면역증강제 포함백신은 피하 또는 피내 접종이 심한 국소 자극, 경결, 피부 탈색, 염증 및 육아종 형성을 일으킬 수 있기 때문에 일반적으로 심부 근육주사가 권고된다. 피하접종은 국소 신경혈관 손상의 위험을 낮출 수 있으므로 바이러스생백신과 같이 피하접종으로 반응성은 적으나 면역원성이 있는 백신에 대하여 권고된다. 피내접종은 BCG 백신과 한 종류의 불활화 인플루엔자백신(Intanza®/IDflu®)에 대하여 권고된다.

　권고된 백신접종 부위에 큰 혈관은 없기 때문에 백신 또는 톡소이드의 접종 전 흡인(즉, 주사침 삽입 후 백신 주입 전에 주사기 플런저를 끌어당기기)은 필요하지 않다. 또한 주사 시 흡인과정은 특히 유아에서 통증을 유발할 수 있다. 이상적인 주사침 길이는 백신접종 경로와 방법에 따라 다를 수 있다.

(1) 피하주사

　피하주사는 진피 아래와 근육층 사이의 지방조직으로 주사한다. 주사침은 피부의 진피층 아래 조직 내 주입된다. 백신이 근육내로 주사되는 것을 피하기 위해서 엄지와 손가락 사이에 피부와 피하조직을 가볍게 쥐고 근육층으로부터 끌어 올린다. 생성된 피부주름에 약 45도 각도로 주사침을 찔러 넣는다. 피하주사가 권고된 백신은 보통 12개월 이하 영아의 넓적다리 그리고 12개월 이상 사람에게는 세갈래근의 상부 외측 부위에 접종한다. 피하접종은 또한 영아의 세갈래근 상부 외측 부위에 할 수 있다. 주사침의 크기는 대부분의 5/8인치(1.58 cm), 23-25 gauge인 것을 사용한다. 접종 후 주사바늘을 빼고 나서 주사 부위를 마른 솜이나 거즈로 수 초간 가볍게 눌러준다.

(2) 피내주사

　피내주사는 위팔의 어깨세모근 부위나 아래팔의 손발바닥면을 주로 이용한다. 주사침을 아래팔의 장축과 거의 평행하게 하여 주사하고, 주사액이 작은 피부 융기를 만들도록 한다. 주사침의 크기는 25-27 gauge가 권장된다. 피내접종 시 주사되는 항원의 양이 적기 때문에 피하로 주사될 경우 면역반응이 충분하지 않을 수 있다.

BCG, 불활화 인플루엔자백신(Intanza®/IDflu®) 및 두창백신이 피내주사가 허가된 백신이다. 피내 인플루엔자백신은 포장된 3/50인치 미세주사침 주사시스템을 이용하여 접종한다. 두창백신은 독특한 분지침(bifurcated needle)을 위팔의 피부에 수직으로 여러 차례 찔러 피내접종한다. 성공적인 백신접종 은 일차 접종 후 6–8일째에 접종부위에 농포 병변을 초래한다. 백신 재접종 후에 피부반응은 일차 접 종 때보다 감소될 수 있으며, 더욱 빠르게 진행되고 치유된다.

(3) 근육주사

근육주사는 피하조직 아래 근육조직에 주사하는 것이다. 근육주사할 때 신경, 혈관 및 조직 등이 손상받지 않도록 주의한다. 주사침과 피부의 각도를 거의 90도로 유지하여 삽입하여 근육층에 도달하 도록 한다. 피하조직으로 주사를 막기 위해 접종 부위 피부를 엄지와 검지로 팽팽하게 편다. 주사침 크 기의 선택은 투여 백신의 양, 피하조직의 두께, 근육의 크기, 그리고 근육 표층으로부터 백신이 투여되 는 부위까지의 깊이에 따라 다르다. 대부분 백신의 근육주사에 22–25 gauge 주사침이 적합하다. 근육 주사 부위는 영아에서는 넓적다리 전외측의 넙다리네갈래근 덩어리, 영아기 이후 소아 및 성인에서는 위팔 어깨세모근이 보통 권고된다. 소아가 걷기 시작하면 위팔 접종이 권고된다. 이쯤 되면 소아의 위 팔 어깨세모근은 근육주사에 사용될 수 있을 만큼 커진다. 유아 및 어린 소아에서 한쪽 사지에 두 가 지 이상 백신을 접종해야 한다면 넓적다리가 근육량이 많기 때문에 적합한 부위다. 접종부위는 충분히 간격을 유지하여(즉, 1인치 이상), 어떤 국소반응이라도 구별될 수 있도록 한다. 좌골신경에 대한 손상 의 잠재적인 위험 때문에 볼기근 부위는 보통 백신접종에 권고되지 않는다. 이러한 권고는 볼기근에 항 생제 또는 항혈청 주사 후에 초래된 좌골신경 손상 보고들에 기본적으로 근거한다. 현재 소아백신의 볼 기근 접종 후에 직접적인 신경손상 보고는 알려진 바 없다. 볼기근 부위에 접종할 때는 신경 손상을 피 하기 위한 주의를 해야 한다. 엉덩이의 중앙부위는 반드시 피해야 한다. 주사침은 상부 외측 1/4 부위에 앞쪽을 향해서 주입해야 한다(즉, 피부표면을 향해서 뒤쪽 또는 수직이 아니다).

(4) 비강 접종

인플루엔자약독화생백신(LAIV, Flumist®)은 임신부가 아닌 건강한 2–49세 사이의 사람에게 허가되 었으며, 비강내로 접종하는 유일한 백신이다. 접종기구는 각각의 콧구멍에 0.1 mL 분무할 수 있게 하는 용량 분할 클립이 있는 비강 분무기이다. 접종 전 분무기의 끝을 약간 콧구멍내로 삽입한다. 백신바이 러스는 한랭적응, 약독화한 것으로 인플루엔자 증상을 초래하지 않는다. 중증 면역저하자는 인플루엔 자약독화생백신을 접종해서는 안 된다.

참고문헌

1. American Academy of Pediatrics. Red Book: 2009 Report of the committee on infectious disease. 28th ed. Elk Grove Village: American Academy of Pediatrics; 2009.

2. Centers for Disease Control and Prevention (CDC). Epidemiology and prevention of vaccine-preventable diseases. 12th ed. Washington DC: Public Health Foundation; 2011.

3. National Center for Immunization and Respiratory Diseases. General recommendations on immunization: recommendations of the Advisory Committee on Immunization Practices (ACIP). MMWR Morb Recomm Rep 2011;60:1-64.

4. Kroger AT, Duchin J, Vázquez M. General Best Practice Guidelines for Immunization. Best Practices Guidance of the Advisory Committee on Immunization Practices (ACIP). Available at: http://www.cdc.gov/vaccines/hcp/acip-recs/general-recs/downloads/general-recs.pdf. Accessed 21 July 2019.

예방접종 금기 및 주의사항

성균관대학교 의과대학 **백경란**

안전한 백신 접종은 매우 중요한 이슈이다.

백신의 종류와 피접종자의 상태에 따라서 접종으로 인해 얻을 수 있는 이익에 비해 위험이 높을 가능성이 있다면 백신접종을 금하거나 연기해야 한다. 그러나 대부분의 금기나 주의사항은 일시적이며 해당 상황에서 벗어나면 접종 가능한 경우가 많다. 실제 백신접종의 금기사항에 해당되지 않는 상태임에도 불구하고 금기사항으로 잘못 알고 접종을 제한하는 경우가 있다. 따라서 각 백신 및 접종대상자의 상태에 따라 접종을 금하거나 주의해야 하는 사항을 잘 숙지하고 모든 접종대상자에서 접종 전에 확인해야 한다. 설문지 등을 활용하여 선별하는 것이 도움이 될 것이다.

1. 예방접종 금기사항

예방접종의 금기사항(contraindications)은 백신접종으로 인해 심각한 이상반응의 발생 위험이 증가하는 상태로 해당 백신접종은 불가하다. 금기사항은 백신접종을 영구히 할 수 없는 영구적 금기사항(permanent contraindication)과 일시적으로 백신접종을 제한하는 일시적 금기사항(temporary contraindication)으로 나뉜다. 영구적 금기사항에 해당되는 경우는 세 가지로, 첫째, 백신 성분에 대한 심각한 알레르기반응이 있거나 이전 백신접종 후 아나필락시스(anaphylaxis)와 같은 심각한 알레르기반응을 보였던 경우, 둘째, 백일해 백신접종 후 7일 이내에 원인을 알 수 없는 뇌증(encephalopathy)이 발생한 경우, 셋째, 중증복합 면역결핍증(severe combined immunodeficiency) 환아나 장중첩증 병력이 있는 환아에서의 로타바이러스 백신접종이다. 백신접종이 일시적으로 제한되는 일시적 금기사항은, 접종대상자가 임신 중이거나 면역저하 상태일 때 생백신 접종이 금기되는 경우로 이러한 상태를 벗어나게 되면 백신접종이 가능하다.

2. 예방접종 주의사항

예방접종의 주의사항(precautions)은 백신을 접종할 경우 중증 이상반응이 발생할 가능성이 있거나 면역 형성이 저하되는 경우이다. 이러한 상황에서 백신접종을 하는 경우 이상반응이 발생할 수 있으나 실제 이상반응의 발생 가능성은 금기사항에 비해 대개 낮은 편이다. 백신접종의 주의사항은 접종대상자의 상태, 백신의 종류에 따라 달라지며 이러한 경우 해당되는 주의사항이 해결될 때까지 백신접종을 연기하는 것이 바람직하다. 그러나 백신접종으로 인한 이득이 백신접종에 따른 위험을 상회한다고 판단되면 백신접종을 진행할 수 있다. 대부분 백신의 경우 접종대상자가 중등도 이상의 급성 질환을 가지고 있는 경우 백신접종의 주의사항에 해당된다. 따라서 접종대상자가 중등도 이상의 급성 질환을 가지고 있다면 급성 질환이 호전될 때까지 백신접종을 연기하도록 한다. 그러나 환자가 발열을 동반하지 않은 가벼운 감기 등 경증의 질환만 있는 상태라면 백신접종을 연기할 필요는 없다. MMR 백신이나 수두백신의 경우 접종대상자가 최근 11개월 이내에 혈액제제나 면역글로불린을 투여받았다면 백신접종으로 인한 면역 형성을 방해할 가능성이 있어 주의사항으로 분류된다(표 4-4 참조).

3. 특수 상황별 금기사항 및 주의사항

1) 알레르기

특정 백신접종 후 아나필락시스와 같은 심각한 알레르기반응을 보인 경우 해당 백신접종의 금기사항이 된다. 아나필락시스는 IgE에 의해 매개되는 과민반응으로 대개 백신접종 후 수 분 내지 수 시간 내에 발생한다. 아나필락시스가 발생하게 되면 전신적인 가려움증, 입이나 편도의 부종, 호흡곤란, 천명, 저혈압, 쇼크와 같은 증상이 발생할 수 있으며 응급조치가 필요하다. 알레르기반응을 유발할 수 있는 백신 성분에는 동물성 단백, 항생제, 보존제 등 다양한 성분이 있으며, 이 중 계란 단백이 알레르기 반응을 유발할 수 있는 가장 흔한 동물성 단백이다. 따라서 계란 단백에 아나필락시스나 유사 아나필락시스 반응을 보인 과거력이 있는 사람은 제조 과정 중 계란 단백이 포함될 수 있는 백신, 즉, 황열백신이나 인플루엔자백신(세포배양주는 안전함)은 금기이다. 그러나 일반적으로 계란이나 계란으로 만든 제품을 먹을 수 있는 사람이라면 이러한 백신의 접종이 가능하므로 황열백신이나 인플루엔자 백신의 사전 예진 시 계란 섭취에 문제가 없는지를 확인할 필요가 있다. 또한 일부 프리필드시린지(pre-filled syringe)에 담긴 백신의 경우 라텍스 단백을 포함하고 있을 가능성이 있으며, 이론적으로 라텍스에 과민한 사람에게 알레르기반응을 유발할 수 있다. 그러나 실제 백신접종 후 라텍스 단백에 의해 심각한 알레르기반응이 발생한다는 증거는 거의 없다. 다만 안전한 백신접종을 위해 라텍스에 대한 심각한 알레르기반응이 발생한 과거력이 있는 피접종자에게는 라텍스 단백이 포함된 시린지나 바이알에 든 백신을 접종하지 않는 것이 바람직하다.

2) 임신

생백신의 경우 이론적으로 태아 감염의 우려가 있으므로 임신부에게 접종해서는 안 된다. 또한 생백신 접종 후 1–3개월 동안은 임신을 피하도록 한다. 그러나 불활화백신은 금기사항이 아니므로 필요한 경우 접종할 수 있다. 다만 인유두종바이러스 백신의 경우 임신부에서 안전성과 유효성 자료가 부족하기 때문에 임신부에 대한 접종은 하지 않도록 한다. 인플루엔자백신의 경우 임신부에 대한 불활화백신 접종은 임신 주기에 관계없이 권고되나 생백신 접종은 금기에 해당된다. Td나 Tdap은 필요하면 임신부에게 접종할 수 있다. 다만 신생아의 백일해 예방을 위해 Tdap을 접종하는 것이라면 임신 27–36주 사이에 접종을 권고한다.

3) 면역저하자

생백신을 면역저하자에게 접종하는 경우, 비록 약독화백신이긴 하나 살아있는 미생물의 과다증식에 의해 피접종자에게 심각한 이상반응을 유발할 수 있으므로 중증의 면역저하자는 생백신 접종 금기에 해당된다. 불활화백신의 경우 면역저하자라도 접종은 가능하나 접종 후 효과가 충분하지 않을 수 있다. 생백신 접종의 금기가 되는 심각한 면역저하 질환에는 선천성 면역결핍증, 백혈병, 림프종 등이 있다. 심한 면역저하를 유발하는 약물을 복용 중이거나 치료를 받는 경우에도 생백신을 접종해서는 안 된다. 항암제 투여, 방사선 치료, 장기간의 고용량 코르티코스테로이드제 투여 등이 해당된다. 장기간 고용량 코르티코스테로이드제 투여를 받은 경우(prednisone 기준 하루 20 mg 이상 또는 2 mg/kg 이상의 용량으로 2주 이상 투여) 치료 종료 후 적어도 1개월 이후에 생백신 접종이 가능하다. 항암제를 투여받은 환자는 항암제 투여 중단 후 3개월 이상 경과되면 생백신 접종이 가능해진다. 재조합 면역조절제(recombinant human immune mediator/modulator)를 사용하는 환자의 경우 생백신 접종의 안전성에 대한 자료가 아직 충분하지 않기 때문에 이러한 약물을 투여하는 환자는 투여 종료 후 최소 1개월이 경과한 후 생백신을 접종받는 것이 안전하다. HIV 감염인의 경우 에이즈 상태에 있거나 증상이 있는 HIV 감염 상태라면 모든 생백신 접종의 금기에 해당된다. 그러나 증상이 없는 HIV 감염 상태이거나 경한 면역저하 상태(CD4 림프구 분율 > 15%)라면 수두 백신이나 MMR 백신접종은 가능하다. 저용량의 methotrexate (≤0.4 mg/Kg/week), azathioprine (≤3.0 mg/Kg/day), mercaptopurine (≤1.5 mg/Kg/day)을 투여받는 환자의 경우 대상포진 생백신을 접종할 수 있다.

4) 중등도 또는 중증 급성 질환자

급성 질환 중 백신접종을 한다고 하여 백신의 효과가 저하된다거나 백신 이상반응이 증가된다는 근거는 없다. 다만 급성 질환자에게 백신접종을 한 후 백신 이상반응이 발생하면 급성 질환에 대한 진단이나 치료를 복잡하게 만들 수 있다는 문제가 있다. 따라서 중등도 이상의 급성 질환이 있는 환자는 급성 질환이 호전될 때까지 어느 백신이든 접종을 미루는 것이 좋다. 그러나 환자가 발열을 동반하지 않은 감기 등 경증 질환 상태라면 예방접종 효과나 안전성에 문제가 없으므로 백신접종을 연기할 필요는 없다. 최근의 마취나 수술, 입원이 백신 효과에 영향을 미치지 않고 금기사항도 아니므로 입원 중이나 퇴원 시, 또는 퇴원 후 외래 추적진료 시에 예방접종을 시행하는 것은 접종 순응도를 높이는 주요한 전략이다.

참고문헌

1. Centers for Disease Control and Prevention (CDC). Epidemiology and prevention of vaccine-preventable diseases. Available at: https://www.cdc.gov/vaccines/pubs/pinkbook/safety.html. Accessed 31 Oct 2017.
2. Centers for Disease Control and Prevention (CDC). Vaccine recommendations and guidelines of the ACIP: contraindications and precautions. Available at: https://www.cdc.gov/vaccines/hcp/acip-recs/general-recs/contraindications.html. Accessed 31 Oct 2017.
3. Plotkin SA, Orenstein WA, Offit PA. Vaccines. 6th ed. Philadelphia: Elsevier Inc; 2013; 107-12.

백신의 보관과 관리

울산대학교 의과대학 **우준희**

예방접종시 백신을 적절하게 보관하고 관리하는 것은 매우 중요하다. 백신이 권장되는 범위를 벗어나는 온도에 노출되면 역가를 떨어뜨리고 백신이 제공할 수 있는 예방효과를 떨어뜨릴 수 있다. 백신이 잘못 보관되거나 관리된 경우에는 백신을 폐기하거나 재접종해야 하기 때문에 많은 비용이 소요된다. 백신 보관과 취급의 실수로 인해 재접종이 필요한 경우에는 피접종자의 백신에 대한 신뢰를 잃게 된다. 적절한 보관과 취급 과정을 포함하는 백신 관리는 예방접종 실제의 기본이 된다.

1. 백신 보관 및 온도

면역증강제(adjuvant)로 알루미늄염을 함유하고 있는 액상 백신의 경우 냉동하게 되면 영구적으로 백신의 역가(potency)를 잃기 때문에 0℃ 이하의 온도에 보관해서는 안 된다. 약독화 생백신은 살아있는 바이러스를 함유한 백신이므로 높은 온도에 노출될 경우 백신의 역가를 잃어버릴 수 있기 때문에 각 백신별로 적절한 온도에 보관하여야 한다.

1) 냉장보관

불활화백신은 2℃-8℃ 사이, 적정 평균 온도는 5℃의 냉장 온도에서 보관한다. 인플루엔자(LAIV, Flumist®), 로타바이러스(Rotarix®, RotaTeq®), 장티푸스(Ty21a), 황열, 국내에서 유통되고 있는 수두백신류의 약독화 생백신은 냉장 온도에서 보관한다.

2) 냉동보관

냉동고 보관 온도는 −15℃와 −50℃ 사이로 일정해야 한다. MMR 백신은 냉동고 또는 냉장고에서 보관하며, 미국에서 유통되는 수두 및 대상포진 생백신은 모두 냉동 보관하나 국내에서 유통되는 백신은 냉장보관이 가능하다. 문이 하나이면서 냉장고 내 냉동 공간이 포함된 소형 1인용 냉장고는 온도가 매우 불안정하므로 백신보관 용도로 사용하여서는 안 된다.

2. 백신 보관 및 취급 계획서

백신을 접종하는 모든 기관은 평상시 및 응급 상황시 백신의 보관과 취급에 관한 문서로 만들어 유지한다. 원칙과 과정이 문서화되어 있고 모든 직원들이 쉽게 접근할 수 있어야 한다. 평상시 보관 및 취급 계획에는 다음과 같은 일상적인 활동에 관한 지침이 포함된다.

지침은 매년 갱신하도록 한다.

- 백신의 주문 및 인수
- 백신의 보관 및 관리
- 재고 관리
- 변질 가능성이 있는 백신의 관리

백신을 접종하는 모든 기관은 응급 상황시의 백신 회수 및 보관 계획을 가지고 있어야 한다. 이러한 계획에는 백신을 보관할 수 있는 대체(back-up) 장소를 지정하는 것도 포함된다. 대체 장소를 선정할 때 고려할 요소로는 적절한 보관 장비, 온도 모니터 가능성 및 보관 장비의 전력을 유지할 수 있는 대체 발전기 등이다. 대체 장소의 예로 인근 병원, 약국, 장기 요양 시설 등을 고려할 수 있다.

3. 인력 훈련 및 교육

백신을 접종하는 모든 기관에서는 1차 백신관리자를 지정하여 올바른 백신 보관 및 취급을 책임지도록 한다. 1차 백신관리자가 부재시에 이러한 역할을 대신할 수 있는 적어도 한 명의 예비 백신관리자를 지정한다. 백신관리자는 다음 사항을 책임져야 한다.

- 백신의 주문
- 백신 배송의 올바른 수취 및 보관 감독
- 보관 장소 내 백신의 정리
- 보관 장소 내 적어도 1일 2회 온도 측정
- 측정된 온도의 기록표 유지
- 매일 보관 장소를 육안으로 실사
- 재고의 순환 배치로 유효기간이 가장 짧은 백신을 먼저 사용토록 함
- 유효기간을 확인하여 기간이 지난 백신을 폐기하여 환자에게 접종되지 않도록 함
- 잠재적인 적정 온도 이탈에 대한 대비
- 올바른 백신의 배송을 감독

- 보관 장비와 기록의 유지
- 백신 담당 직원이 적절한 훈련을 받도록 함

백신을 취급 또는 접종하는 사람은 백신을 접종하는 기관의 백신 보관 및 취급 정책과 절차에 익숙해야 한다. 백신을 접종하는 직원뿐만 아니라 백신 배송을 하거나 수취하는 직원, 그리고 백신이 보관된 장소에 접근할 수 있는 직원이 모두 포함된다. 백신 정책 및 절차는 문서로 기록되어 모든 직원이 참고할 수 있도록 한다. 임시 직원을 포함하여 백신을 취급 또는 접종하는 모든 신규 직원은 백신 보관 및 취급 교육을 받아야 된다. 새로운 백신이 입고되는 경우와 특정 백신에 대한 보관 및 취급 지침에 변화가 있는 경우엔 직원에 대한 재교육을 시행해야 한다.

4. 백신 보관 장비

백신 보관 장비는 적절한 열교환과 냉각기능 확보를 위하여 백신 보관 장소 주변의 환기가 잘되는 공간에 배치하여야 하며, 벽 및 다른 장비와의 거리를 최소 10 cm 이상 간격을 두고, 바닥에 평형으로 고정하되 2.5–5.0 cm 간격을 두는 것이 바람직하다. 모터는 가리개 등으로 덮지 않도록 한다.

백신 보관 장비(냉동고와 냉장고)는 권장온도가 유지될 수 있도록 주의 깊게 선택해야 되며, 올바르게 사용하여야 하고, 정기적으로 점검하고(필요시 전문적 서비스 포함), 지속적으로 관리해야 한다. 백신 보관에 사용되는 모든 장비에 대한 장부 즉 기록 일지(log book)를 작성, 유지하도록 권장된다. 각각 장비에 대한 연번호, 설치 날짜, 일상 점검(청결 등) 날짜, 수리 또는 서비스 날짜, 그리고 이러한 일을 수행한 회사 또는 사람의 이름 및 연락 정보를 기록하여야 한다. 장비와 함께 따라온 제품설명서나 사용설명서를 장부와 함께 보관한다.

올바른 냉동고와 냉장고를 사용하여 값비싼 백신의 손실을 예방하고 역가가 떨어진 백신의 부적절한 접종을 피해야 한다. 다양한 용량, 형태(예: 독립형, 복합형), 그리고 수준(예: 가정용, 상업용 및 제약용)에 따른 냉동고와 냉장고를 사용할 수 있다. 복합형에 비하여 권장 온도를 더 잘 유지할 수 있기 때문에 독립형 냉동고와 냉동고가 없는 냉장고의 사용이 권장된다. 백신 보관을 위해 사용되는 냉동고 또는 냉장고는 온도조절기와 밀착하여 잘 닫히는 독립적인 외부 여닫이 문을 갖고 있어야 한다. 1년 내내 권장 온도 범위를 유지할 수 있어야 한다. 백신을 보관할 냉동고나 냉장고는 생물학적 제제의 보관을 위한 전용 장비를 사용하는 것이 바람직하고 크기는 1년 중 최대 백신 재고 수량을 포함하기에 충분할 정도로 커야 한다. 성에가 끼지 않거나 또는 자동 성에제거장치가 설치된 기기가 권장된다.

만약 백신 보관을 위해 냉동-냉장 복합 장비가 사용된다면, 냉동고의 온도가 너무 내려가서 냉장고 온도가 권장 온도 범위 이하로 떨어지지 않도록 주의를 기울여야 한다. 냉동칸과 냉장칸에 대하여 각각 독립적인 온도조절기를 설치하도록 한다.

온도계는 올바른 보관 및 취급 절차에 매우 중요한 요소이다. 냉동고와 냉장고 또는 냉장칸은 각각 별도의 온도계를 비치하여야 한다.

5. 온도 모니터

정기적 온도 측정은 올바른 저온유지망(cold chain) 유지에 필수적이다. 냉동고 온도는 −50℃에서 −15℃를 유지하고, 냉장고의 온도는 2℃−8℃ 사이(평균 5℃)가 적절하다. 온도가 권장 범위를 이탈하는 경우 백신의 역가가 떨어지며 이후 낮은 백신효과로 이어질 수 있다. 알림 기능 혹은 연속 자동 온도 모니터 장치가 있다 하더라도, 온도는 하루 2회 오전에 한 번 그리고 일과 종료 후 퇴근 전에 또 한 번 측정하여 백신 보관 관리대장에 기록한다.

온도 기록지는 보관 장소의 문에 붙이고 매일 2회 측정된 온도를 기입한다. 일부에서는 경보음을 울릴 수 있는 지속적인 자동 온도 측정장치를 부착하기도 한다. 손으로 하는 온도 모니터는 눈으로 보관 장소를 점검하고, 필요시 백신을 재배치하고(벽 또는 찬 공기 통풍구로부터 백신을 멀리 이동), 유효기간이 짧은 백신을 확인하고, 유효기간이 지난 백신을 폐기하고, 온도 이탈에 대한 적절한 대응을 할 수 있는 장점이 있다. 보관된 백신이 권장 범위를 벗어난 온도에 노출된 것이 발견되었을 때는 언제나 백신들을 제 위치에 보관하되 방침이 결정될 때까지 "사용하지 말 것"이라 표시하고 분리하여 보관한다. 매일 온도 모니터와 함께 백신 보관단위의 물리적 확인을 시행한다. 확인을 할 때 다음 사항을 포함한다.

- 잠재적인 적정 온도 이탈에 대한 대비가 충분한가?
- 백신이 보관단위 내에 올바르게 위치되었는가?
- 백신이 원래의 박스 내에 포함되어 있는가?
- 백신이 벽, 코일 및 통풍구로부터 멀리 떨어져 보관되어 있고, 문 안에 보관되어 있지 않은 것을 확인하였는가?

6. 백신 재고 관리

백신 재고(vaccine inventory) 점검은 수요에 따른 적정 공급을 위하여 매월 시행하여야 한다. 재고 점검시 적절한 공급이 가능하도록 백신 희석액도 포함되어야 한다. 유효기간이 지난 백신 보관의 위험을 높이는 과다한 백신 재고유지를 피하도록 한다.

따라서 최소 1주 단위로 백신과 희석액의 유효기간을 꼼꼼하게 점검한다. 가장 짧은 유효기간의 백신과 희석액이 먼저 사용되어 유효기간 경과로 인한 낭비를 피할 수 있도록 재고를 회전시킨다. 올바르게 보관, 취급되고 외양이 정상인 다회용 백신 바이알(multidose vial)은 제조회사의 약품 정보에 별다른 언급이 없다면 유효기간 내에 사용될 수 있다. 다회용 백신 바이알이 처음 개봉되면 사용된 날짜를 기입한다. 백신에 따라서는 주사기를 처음으로 찌른 후(예: 다회용 백신 바이알), 희석한 후(희석이 필요한 백신) 또는 제조사에서 유효기간을 단축시킬 필요가 있다고 판단하는 경우에는 특정한 기한 내에 사용하여야 한다. 이러한 기한을 BUD (beyond use date)라고 하며, 바이알에 표기되어 있는 유효기간과 다를 수 있다. 백신에 따라 BUD가 다르며 제품설명서에 적혀 있을 수 있다. 사용하는 백신의 BUD가 있는지, 정확한 시간 제한(날짜, 시간 등)을 제품설명서에서 확인하여야 한다. 유효기간이 지난 백신과 희석액은 사용되어서는 안 되며, 보관단위에서 즉시 제외하여야 한다.

7. 백신접종 준비와 폐기

다회용 백신을 접종할 때에는 접종 직전에 바이알에서 주사기로 백신을 뽑아야 한다. 사용 전에 미리 주사기로 백신을 재어 보관하는 것은 금지한다. 주사기로 백신을 미리 재어 놓으면 접종시 오류 위험이 높아진다. 일단 주사기 안에 들어가면 백신을 분간하기 어렵다. 또한 폐기에 따른 백신 낭비와 보존제를 포함하지 않은 백신의 경우 세균 오염의 가능성이 있다. 만약, 미리 주사기에 재어놓은 백신이 있다면 반드시 권장 온도 범위에 보관하여야 하며, 당일 진료 시간 이내에 사용하거나 폐기하여야 한다.

사용하지 않은 백신 및 희석액은 특정한 조건하에서는 반품할 수 있겠으나, 개봉된 백신, 파손된 바이알과 주사기는 반품될 수 없으므로 관련규정 등을 준수하여 적절히 폐기해야 하며, 제조업체나 유통센터로 반환해서는 안 된다. 사용하지 않은 백신과 첨부용제를 폐기할 경우에는 약사법, 폐기물관리법 등이 정하는 바에 따라 폐기하도록 한다.

참고문헌

1. 식품의약품안전처. 백신 보관 관리 가이드라인. 2015.
2. 질병관리본부. 예방접종 대상 감염병의 역학과 관리. 제5판. 충북:2017.
3. Centers for Disease Control and Prevention (CDC). General recommendations on immunization ---recommendations of the Advisory Committee on Immunization Practices (ACIP). MMWR Morb Mortal Wkly Rep 2011;60:1-60.
4. Centers for Disease Control and Prevention (CDC). Vaccine Storage and Handling. Available at: https://www.cdc.gov/vaccines/pubs/pinkbook/vac-storage.html. Accessed 21 July 2019.
5. Centers for Disease Control and Prevention (CDC). Epidemiology and Prevention of Vaccine-Preventable Diseases. 13th ed. Washington DC: Public Health Foundation; 2015.
6. 대한소아과학회. 예방접종지침서. 제8판 [예방접종의 일반 지침]. 서울: 대한소아과학회; 2015;21-3.

예방접종 이상반응

고려대학교 의과대학 **최원석**

1. 예방접종 이상반응이란?

예방접종 이상반응은 예방접종 후 발생하는 모든 원하지 않은 증상이나 질병을 지칭하며, 실제로 백신이나 접종 과정이 원인이 되어 발생한 것뿐 아니라 우연히 발생한 것까지 모두 포함한다.

2. 예방접종 이상반응 관리의 중요성

백신도 다른 의약품과 마찬가지로 이상반응이 발생할 수 있다. 그러나 다른 의약품에 비해 예방접종의 이상반응 관리는 상대적으로 더 중요하다. 첫째, 예방접종은 일반 치료제에 비해 대상자의 범위가 매우 넓으며 동시에 많은 사람에게 사용된다. 최근에는 새로운 질환을 대상으로 한 백신도 계속 개발되고 있다. 따라서 매우 낮은 발생률의 이상반응이라 하더라도 상당수의 발생 건수를 보일 수 있다. 둘째, 일반적인 치료제가 질환이 있는 환자를 대상으로 하는 데에 비해, 예방접종은 건강한 사람을 대상으로 한다. 질환이 있는 환자들은 치료를 위해 어느 정도의 이상반응을 감수할 수 있으나 예방접종은 경한 이상반응이라고 하더라도 피접종자가 감수하기 어려울 수 있다. 셋째, 예방접종에 대한 신뢰 유지를 위해 이상반응 관리가 중요하다. 예방접종은 많은 감염질환을 예방하여 사람의 수명을 연장시키고 질병부담을 감소시키는데 중요한 역할을 해 왔다. 실제로 예방접종으로 인해 두창은 전 세계적으로 박멸되었으며, 우리나라의 경우 디프테리아나 폴리오와 같은 질환은 수십년간 거의 찾아볼 수 없는 상태가 되었다. 이러한 질환의 억제 상태를 유지하기 위해서는 높은 예방접종률을 유지하는 것이 무엇보다 중요하다. 그러나 백신의 안전성에 문제가 발생하면 백신에 대한 신뢰가 무너질 수 있으며 이는 공중보건학적으로 심각한 문제를 유발할 수도 있다. 넷째, 예방접종은 그 종류에 따라 일정 부분 강제성을 띤다. 국가에서 필수적으로 권고하는 백신의 경우, 우리나라를 포함하여 여러 국가에서 취학 아동을 대상으로 접종 여부를 확인하는 제도를 시행하고 있다. 강제성의 당위성을 유지하기 위해서는 안전성의 담보가 무엇보다 중요하다. 따라서 예방접종 이상반응은 백신의 개발 단계에서부터 수송, 보관, 접종에 이르기까지 전 과정에서 관리가 되어야 하며, 무엇보다 국가적인 관리가 필요한 부분이다.

3. 예방접종 이상반응의 분류

예방접종 이상반응은 발생원인, 발생범위, 발생빈도, 중증도, 예측 가능 여부 등에 따라 다양하게 분류된다.

1) 발생원인에 따른 분류

이상반응은 그 발생원인에 따라 백신 생산품 관련 반응(vaccine product-related reaction), 백신 품질 결함 관련 반응(vaccine quality defect-related reaction), 예방접종 오류 관련 반응(immunization error-related reaction), 예방접종 불안 관련 반응(immunization anxiety-related reaction), 우연한 반응(coincidental reaction)으로 나눌 수 있다(표 7-1).

2) 발생범위에 따른 분류

예방접종 이상반응은 발생범위에 따라 국소반응(local reaction)과 전신반응(systemic reaction)으로 나뉜다. 국소반응은 접종 부위에 발생하는 반응으로, 접종 부위의 통증, 발적, 붓기, 가려움증 등이 포함된다. 전신반응은 접종 부위를 벗어나 증상이 발생하는 것으로 발열, 근육통, 권태감, 발진, 오심, 구

표 7-1. **발생원인에 따른 예방접종 이상반응 분류**(WHO WPRO. Immunization safety surveillance. Guideline for managers of immunization program managers on surveillance of adverse events following immunization, 3rd edition, 2016.)

이상반응 원인	정의
백신 생산품 관련 반응 (Vaccine product-related reaction)	백신 생산품의 고유 성질에 의해 발생하였거나 유도된 이상반응
백신 품질 결함 관련 반응 (Vaccine quality defect-related reaction)	백신 생산 과정 중 품질에 결함이 발생한 백신을 접종하여 발생하는 이상반응. 백신접종도구(주사기 등)의 결함도 포함
예방접종 오류 관련 반응 (Immunization error-related reaction)	부적절한 백신 준비, 처방, 투여, 백신의 생산, 운반, 보관, 접종까지의 과정 중에 오류가 있어 발생하는 이상반응 ① 백신 준비오류: 백신의 운반, 보관, 다루는 과정 중에 적정 온도를 벗어나거나 유효기간이 경과한 경우 ② 피접종자 선별 오류: 접종 금기자에게 접종하거나 권장되는 용량, 횟수 및 일정을 벗어나 접종하는 경우 ③ 백신접종과정 오류: 잘못된 희석액을 사용하거나 의도치 않은 백신을 접종하거나 잘못된 무균술을 사용하여 접종하는 경우
예방접종 불안 관련 반응 (Immunization axiety-related reaction)	예방접종에 대한 불안함으로 인해 발생하는 이상반응
우연한 반응 (Coincidental reaction)	백신 생산품이나 접종 오류, 불안 등과는 무관하게 우연히 발생한 반응

토 등이 포함된다. 아나필락시스(anaphylaxis), 길랭-바레 증후군(Guillain-Barre syndrome), 뇌증 (encephalopathy) 등과 같은 드문 이상반응도 전신반응에 해당된다.

3) 발생빈도에 따른 분류

예방접종 이상반응 중 비교적 흔하게 발생하는 이상반응에는 접종 부위의 통증, 발적, 붓기, 가려움 증 등과 같은 국소이상반응과 발열, 근육통, 권태감과 같은 전신이상반응이 있다. 이와 같은 이상반응 은 대개 예방접종 시 나타나는 면역반응에 의한 것으로 대부분의 백신에서 5-10% 이상의 발생빈도를 보인다. 아나필락시스, 길랭-바레 증후군, 뇌증과 같은 이상반응은 매우 드물게 나타나는 것으로, 백신 에 따라 발생률은 달라질 수 있으나 대개 100만 접종당 1건 미만으로 발생한다.

4) 중증도에 따른 분류

비교적 흔하게 발생하는 예방접종 이상반응은 일상생활에 영향을 주지 않거나 약간의 불편함을 유 발하고, 대개 특별한 조치 없이 수 일 내에 저절로 호전되는 경한 이상반응이다. 이에 비해 아나필락시 스나 길랭-바레 증후군과 같은 이상반응은 매우 드물게 발생하지만 때때로 사망에 이를 정도로 치명적 인 경과를 보이는 중증 이상반응으로 분류된다.

5) 예측 가능 여부에 따른 분류

이상반응 중 국소부위의 통증, 붓기, 발적이나 전신의 발열, 근육통, 권태감과 같이 발생 가능성이 예측될 수 있는 경우 예측된 이상반응(solicited reaction), 그렇지 않은 경우를 예측되지 않은 이상반응 (unsolicited reaction)으로 분류한다.

4. 주요 예방접종 별 이상반응

예방접종 별 이상반응 발생은 조사 방법이나 조사 대상자에 따라 다르게 보고된다. 여기에 기술한 예방접종 별 이상반응은 세계보건기구(world health organization, WHO)의 예방접종 이상반응 발생률 정보 자료(WHO vaccine reaction rates information sheets) 중 성인에 대한 내용을 중심으로 정리한 것이다(참고: http://www.who.int/vaccine_safety/initiative/tools/vaccinfosheets/en/).

1) 인플루엔자백신

불활화 인플루엔자백신 접종 시 가장 흔한 국소이상반응은 통증(10-64%)이며, 대부분 경하고 특별 한 치료 없이 2-3일 내에 소실된다. 여성이 남성에 비해 국소이상반응이 다소 많은 것으로 보고되었다.

분편백신(split vaccine)이나 아단위백신(subunit vaccine)보다는 전세포(whole cell), 면역증강(adjuvant-ed), 피내(intradermal) 백신접종 시 국소반응이 더 흔하다. 고용량 백신의 경우 상용량 백신에 비해 국소반응이 더 많다. 과거 백신 항원에 노출된 적이 없는 경우 발열, 근육통과 같은 전신반응을 겪을 수 있다. 건강한 성인의 경우 백신과 위약을 대조한 연구에서 두 군간 전신반응 발생에 차이가 없었다. 고령자의 경우 고용량 백신을 접종받은 군에서 위약에 비해 전신반응이 더 많이 발생하는 것으로 보고되었으나, 대부분 경하고 3일 내에 소실되는 양상을 보였다. 아나필락시스 발생이 보고되었으나 인과관계에 논란이 있다. 길랭-바레 증후군의 경우 1976년 돼지인플루엔자 백신접종과는 연관성이 있으나 이후 만들어진 인플루엔자백신과의 인과관계는 명확하지 않다. 몇몇 연구에서 인플루엔자백신과 길랭-바레 증후군과의 인과관계를 보고하기도 했으나, 인플루엔자백신 자체보다 인플루엔자 감염으로 인한 길랭-바레 증후군 발생 위험이 4–7배 더 높은 것으로 알려져 있다. 양안충혈, 기침, 천명, 흉통, 호흡곤란, 인후통, 얼굴부종 등의 증상을 특징으로 하는 눈호흡 증후군(oculorespiratory syn-drome)이 캐나다에서 보고된 바 있다. 눈호흡 증후군은 인플루엔자백신 접종 후 2–24시간 내에 발생하고 발생 후 48시간 내에 소실되며 대개 경한 경과를 보이고 특별한 치료를 필요로 하지 않는다. 눈호흡 증후군은 캐나다에서 세 절기 동안 사용된 특정한 두 가지 인플루엔자 백신과 관련되어 있는 것으로 추정되고 있다.

인플루엔자 생백신의 경우 백신주 바이러스에 의한 경한 감염 증상 발생 가능성이 있다. 1회 접종 후 콧물/코막힘(59–63%), 기침(28%), 발열(16–31%), 활력감소(16–23%) 등이 보고되었다. 이러한 증상들은 대개 이후 재접종 시에는 발생하지 않거나 발생률이 감소하였다. 이외에도 구토(10%), 복통(4%), 근육통(14%) 등의 이상반응도 보고되었다. 인플루엔자 생백신의 중증 이상반응으로 천명이나 천식의 급성악화가 보고된 바 있다. 그러나 인플루엔자 생백신과 천명 및 천식의 급성악화와의 인과관계는 논란이 있다. 인플루엔자 생백신 시판 후 조사에서 50만 접종당 1건의 아나필락시스 발생이 보고되었다. 인플루엔자 생백신 접종 후 길랭-바레 증후군과 안면신경마비(Bell's palsy)가 보고된 바 있으나 인과관계는 인정되지 않았다.

2) 폐렴사슬알균백신

폐렴사슬알균 다당류백신(pneumococcal polysaccharide vaccine, PPSV)은 매우 안전한 백신으로 평가된다. 다당류백신 접종 후 국소반응 발생률은 100건당 50건 정도이다. 가장 흔한 이상반응은 접종부위의 통증(60%), 붓기(20.3%), 발적(16.4%)과 두통(17.6%), 권태감(13.2%), 근육통(6.1%)이다. 다당류백신 개발 초기에는 재접종 시 심한 국소반응(Arthus-like reaction)이 보고되었으나 이후 연구에서 4년 이상 간격으로 접종하는 경우 심한 국소반응 발생이 증가하지 않는다고 보고하였다. 65세 이상 고령자의 경우 초회 접종보다 재접종 시 이상반응 발생률이 높다.

폐렴사슬알균 단백결합백신(pneumococcal conjugate vaccine, PCV)의 경우 접종부위 발적은 약

10%에서 발생하며 고열과 같은 전신반응은 드물다. 접종연령 및 접종횟수에 따라 이상반응은 다르다. 성인의 경우, 접종부위 통증이 가장 흔하고 권태감(1/3), 두통 또는 근육통(1/5)과 같은 반응이 발생할 수 있으며, 10명 중 한 명 정도에서 관절통, 식욕저하, 접종부위 발적이나 붓기, 팔운동 제한과 같은 반응이 보고되었다. 오한이나 발진은 20명 중 한 명 정도로 보고되었다. 폐렴사슬알균백신 접종 후 심한 전신 이상반응은 드물다.

3) A형간염백신

접종부위 통증(성인 43-56%), 경결(4%)과 같은 경한 국소이상반응이 주로 보고되었으며, 소아에 비해 성인에서, 두 번째 접종보다는 첫 번째 접종에서 더 흔하다. 경한 전신이상반응으로 두통(성인 16%), 근육통(7%), 식욕감소(8%), 권태감, 발열, 설사, 구토($<5\%$)와 같은 이상반응이 보고되었다. 미국에서 A형간염백신 접종 후 아나필락시스, 길랭-바레 증후군, 상완신경염(brachial plexus neuritis), 횡단척수염(transverse myelitis), 다발성경화증(multiple sclerosis), 다형홍반(erythema multiforme)과 같은 이상반응이 보고된 적 있으나, 백신과의 인과관계는 없는 것으로 평가되었다.

4) B형간염백신

일반적으로 경한 이상반응이 보고되었고 대부분 24시간 내에 소실되었다. 소아보다는 성인에서 경한 이상반응 발생이 더 많은 경향이 있다($<10\%$ vs. 30%). 접종부위 통증(3-29%), 발적(3%), 붓기(3%), 37.7℃ 이상의 발열(1-6%), 두통(3%)이 가장 흔하다. 아나필락시스는 100만 건당 1.1건 정도의 발생률을 보인다.

5) 디프테리아-파상풍-백일해 혼합백신(Td, Tdap)

Td의 경우 후향적으로 조사된 연구에서 접종부위 통증(43%), 팔 운동 제한(14%), 붓기(3.8%), 권태감(5.1%), 발열(1.7%)과 같은 이상반응이 보고되었으며, 접종자의 약 50%에서 한 가지 이상의 이상반응 발생이 확인되었다. 그러나 대부분의 이상반응은 경한 양상을 보였고 중등도 이상의 심한 이상반응은 보다 젊은 피접종자에서 발생하는 것으로 보고되었다. 간혹 심한 국소이상반응(Arthus-like reaction)이 발생하는데, 접종 2-8시간 후에 어깨부터 팔꿈치 부위에 전반적인 통증성 종창의 형태로 나타난다. 이전에 파상풍이나 디프테리아 톡소이드 접종력이 많은 성인에서 주로 발생하며, 이 반응을 경험한 사람은 10년 내에 Td 접종을 피하는 것이 좋다. 전신이상반응으로 두드러기, 아나필락시스, 상완신경염, 길랭-바레 증후군과 같은 이상반응의 보고가 있다. 38℃ 이상의 발열은 3-5%에서 나타난다. Tdap의 경우 주사 부위 통증(66%), 발적(25%), 붓기(21%), 전신의 발열(1.4%), 두통, 권태감, 소화기 증상 등의 이상반응 발생이 보고되었다.

6) 인유두종바이러스백신

접종부위 통증이 흔하며, 최대 80% 정도에서 경험한다. 정상적인 활동을 방해하는 수준의 심한 통증은 약 6%에서 발생한다. 발열, 두통, 어지러움증, 근육통, 관절통, 오심, 구토, 복통과 같은 전신이상반응도 보고되었다. 백신의 종류에 따라 이상반응 발생률에 다소 차이가 있으며, 2가 백신과 4가 백신을 비교한 연구에서는 2가 백신의 국소이상반응 발생이 다소 많은 것으로 보고되었다. 전신이상반응의 경우 두 백신의 발생률은 유사하였으나 권태감과 근육통과 같은 반응은 2가 백신에서 더 많이 보고되었다. 호주에서 4가 백신과 관련하여 보고된 바로는, 아나필락시스 발생률이 100만 접종당 2.6건이었다. 미국, 영국, 이탈리아, 네덜란드 등에서 시행된 조사 결과 추가적인 중증 이상반응의 문제는 확인되지 않았다.

5. 예방접종 이상반응의 인과관계 평가

예방접종과 이상반응의 인과관계를 명확하게 평가하는 것은 쉽지 않다. 따라서 가능한 많은 자료를 바탕으로 인과관계 가능성을 고려해야 한다. 또한 보다 정확한 인과관계 평가를 위해서는 적절한 신고 및 조사체계의 운영, 충분한 검사 및 자료 수집을 포함하는 역학조사가 필요하다. 예방접종 이상반응 인과관계 평가에 있어 다음과 같은 조건을 만족시키는 경우 인과관계 가능성이 높다.

1) 시간적 관계

백신접종 후에 이상반응이 발생해야 한다. 이것은 백신과 이상반응의 인과관계 평가에 있어서 유일한 절대적 기준이다. 만약 해당 이상반응이 백신접종 전부터 발생했다면 백신과의 인과관계는 완전히 배제된다.

2) 백신이 이상반응을 일으켰다는 임상적/실험실적 증거

임상적 혹은 실험실적으로 백신이 이상반응을 일으켰다는 증거를 의미한다. 이러한 증거는 생백신에서 가장 흔히 발견된다. 예를 들어, 수두백신 접종 후 수포성 발진이 발생했을 때, 해당 피부 병변에서 백신주 바이러스가 분리된다면, 이는 백신이 해당 이상반응을 일으켰다는 명확한 증거가 된다.

3) 생물학적 타당성

보고된 이상반응이 백신의 작용방식과 관련된 기존의 이론이나 지식과 부합해야 한다. 물론 새롭게 알려졌거나 매우 드문 이상반응의 경우 명확한 발생기전이 확인되지 않았을 가능성이 있어 생물학적 타당성을 평가하기 어려울 수 있다. 그러나 일반적으로 백신의 작용기전과 관련된 과학적 지식에 부합하지 않는 경우라면 백신과 인과관계가 있을 가능성은 매우 낮다.

4) 연관 강도

적절한 통계적 방법을 통해 분석했을 때 강한 연관성을 보이는 경우이다. 연관 강도가 강할수록 백신과 이상반응 간에 인과관계가 성립할 가능성이 높다.

5) 다른 원인으로 설명 가능성

인과관계 평가에 있어서 백신 이외에도 설명 가능한 다른 합리적 원인은 없는지 충분히 고려해야 한다. 만약 백신 이외에 해당 이상반응을 일으켰을 것이라 설명 가능한 다른 원인이 확인된다면 백신과 해당 이상반응과의 인과관계가 성립할 가능성은 낮아진다.

6) 해당 백신이 유사한 문제를 일으켰을 수 있다는 이전 증거

일반적으로 약물 이상반응의 평가에 있어서 해당 약물을 재투여 하여 동일한 반응이 발생하면 해당 약물이 원인일 가능성이 높다고 판단한다. 백신의 경우도 마찬가지이다. 특히 다회 접종하는 백신에 있어 이전 접종 시에도 유사한 반응이 발생하였다면 이는 백신이 원인일 가능성이 높다.

세계보건기구는 이상반응의 인과관계 평가를 위한 체크리스트(그림 7-1), 알고리즘(그림 7-2) 및 분류(그림 7-3)을 다음과 같이 제시하였다.

I. Is there strong evidence for other causes?	Y N UK NA	Remarks
1. In this patient, does the medical history, clinical examination and / or investigations, **confirm** another cause for event?	☐☐☐☐	

II. Is there a known causal association with the vaccine or vaccination?

Vaccine product

1. Is there evidenc in published peer reviewed literature that this vaccine may cause such an event if administered correctly?	☐☐☐☐	
2. Is there a biological plausibility that this vaccine could cause such an event?	☐☐☐☐	
3. In this patient, did a specific test demonstrate the causal role of the vaccine?	☐☐☐☐	

Vaccine quality

4. Could the vaccine given to thos patient hace a quality defect or is substandard or falsified?	☐☐☐☐	

Immunization error

5. In this patient, was there an error in predcribing or non-adherence to recommendations for use of the vaccine (e.g. use beyond the expiry date, wrong recipient etc.)?	☐☐☐☐	
6. In this patient, was the vaccine (or diluent) administered in an unsterile manner?	☐☐☐☐	
7. In this patient, was the vaccine's physical condition (e.g. colour, turbidity, presence of foreign substances etc.) abnormal when administered?	☐☐☐☐	
8. When this patient was vaccinated, was there an error in vaccine constitution/ preparation by the vaccinator (e.g. wrong product, wrong diluent, improper mixing, improper syringe filling etc.)?	☐☐☐☐	
9. In this patient, was there an error in vaccine handling (e.g. a break in the cold chain during transport, storage and/or immunization session etc.)?	☐☐☐☐	
10. In this patient, was the vaccine administered incorrectly (e.g. wrong does, site or route of administration; wrong needle size etc.)?	☐☐☐☐	

Immunization anxiety (Immunization Triggered Stress Response – ITSR)

11. In this patient, could this event be a stress response triggered by immunization (e.g. acute stress response, vasovagal reaction, hyperventilation or anxiety)?	☐☐☐☐	

II(time). If "yes" to any question in II, was the event within the time window of increased risk?

12. In this patient, did the event occur within a plausible time window after vaccine administration?	☐☐☐☐	

III. Is there strong evidence aginst a causal association?

1. Is there a body of published evidence (systematic reviews, GACVS reviews, cochrane reviews etc.) **against** a causal association between the vaccine and the event?	☐☐☐☐	

IV. Other qualifying factors for classification

1. In this patient, did such an event occur in the past after administration of a similar vaccine?	☐☐☐☐	
2. In this patient, did such an event occur in the past independent of vaccination?	☐☐☐☐	
3. Could the current have occurred in this patient without vaccination (background rate)?	☐☐☐☐	
4. Did this patient have an illness, pre-existing condition or risk factor that could have contributed to the event?	☐☐☐☐	
5. Was this patient taking any medication prior to the vaccination?	☐☐☐☐	
6. Was this patient exposed to a potential factor (other than vaccine) prior to the event (e.g. allergen, drug, herbal product etc.)?	☐☐☐☐	

Y: Yes   N: No   UK: Unknown   NA: Not applicable or Not available

그림 7-1. WHO가 제시한 예방접종 이상반응 인과관계 체크리스트(World Health Organization. Causality assessment of an adverse event following immunization (AEFI): user manual for the revised WHO classification, 2nd edition, 2018.)

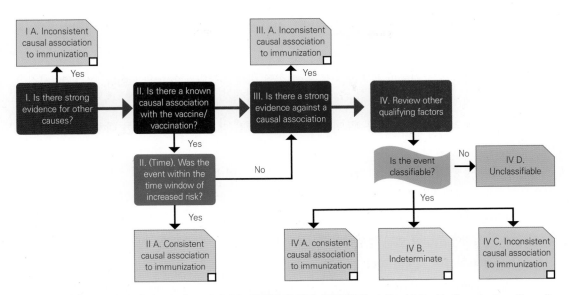

그림 7-2. **WHO가 제시한 예방접종 이상반응 인과관계 평가 알고리즘**(ref: World Health Organization. Causality assessment of an adverse event following immunization (AEFI): user manual for the revised WHO classification, 2nd edition, 2018.)

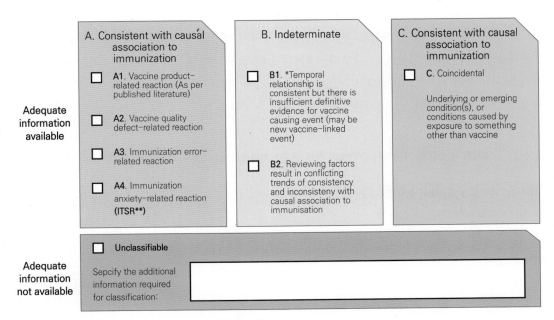

* B1: This is a potential signal and maybe considered for investigation
** Immunization Triggered Stress Response

그림 7-3. **WHO가 제시한 예방접종 이상반응 인과관계 평가 분류**(World Health Organization. Causality assessment of an adverse event following immunization (AEFI): user manual for the revised WHO classification, 2nd edition, 2018.)

6. 예방접종 이상반응의 처치

대부분의 이상반응은 경하며 특별한 치료 없이 수일 내에 소실되는 양상을 보이나, 아나필락시스와 같이 매우 드물게 발생하지만 즉각적인 조치를 취하지 않으면 생명을 위협하는 경우도 있으므로 예방접종을 수행하는 의료인은 예방접종 후 이상반응이 발생했을 때 이에 대한 적절한 대처방법을 알고 있어야 한다.

접종부위의 통증, 발적, 붓기, 가려움증과 같은 이상반응이 발생한 경우에는 주사부위에 냉찜질을 적용하고 정도에 따라 NSAIDs나 아세트아미노펜과 같은 진통소염제나 항히스타민제와 같이 가려움증을 진정시키는 약물을 사용할 수 있다. 접종부위에 미세 출혈이 있는 경우에는 밀착 압박대를 적용할 수 있으며, 지속적인 출혈이 있는 경우에는 두꺼운 거즈를 사용하여 직접 압박을 시행하고 주사부위를 심장보다 높게 유지하여 지혈을 한다.

발열, 두통, 권태감, 발진과 같은 전신반응이 발생하는 경우, 대부분 특별한 처치 없이 휴식과 경과 관찰만으로 호전되며, 정도에 따라 NSAIDs나 아세트아미노펜과 같은 진통소염제 또는 항히스타민과 같은 약물을 사용할 수 있다. 간혹 주사에 대한 두려움이나 통증으로 인해 창백함, 어지러움, 발한, 오심 또는 의식소실과 같은 반응을 보이는 경우도 있다. 넘어지거나 의식이 소실된 상태가 아니라면 일단 피접종자를 수 분 동안 반듯하게 눕거나 무릎 사이에 얼굴을 묻고 앉아 있도록 하며 조이는 옷은 풀고 기도를 유지하도록 해 준다. 차갑고 촉촉한 수건을 환자의 얼굴과 목에 대어주는 것도 도움이 된다. 피접종자가 넘어지거나 의식을 잃은 경우에는 피접종자에게 부상이 발생하지 않았는지 살펴보고, 피접종자의 다리를 올린 상태로 등을 대고 눕도록 한다. 조기에 의식이 회복되지 않는다면 다른 이차적인 문제가 발생한 것은 없는지 살피고 전문 의료진의 도움을 구한다.

표 7-2. 지역사회 예방접종 기관에서 준비해야 하는 응급처치물품(질병관리본부. 예방접종대상 감염병의 역학과 관리 지침. 2017)

지역사회 예방접종 기관에서 준비해야 하는 물품		
• 일차 치료제: 에피네프린 1:1,000 희석액(예: 1 mg/mL); 앰플, 바이알, 프리필드시린지, 에피네프린 자동주사기(예: EpiPen) EpiPen으로 보관하는 경우, 성인용으로 최소 3개(0.30 mg)가 있어야 함 • 이차 선택 치료제: 디펜하이드라민(Benadryl) 주사용(50 mg/mL solution) 또는 경구용 (12.5 mg/5 mL liquid, 25 or 50 mg capsules/tablets)	• 주사기: 에피네프린과 디펜하이드라민(Benadryl) 사용 시 1 cc 와 3 cc, 22 g 와 25 g, 1″, 1½″, 그리고 2″ 바늘 • 알콜솜 • 압박대(tourniquet) • 성인용 airway (소, 중, 대) • 성인용 마스크(one-way valve) • 산소(가능한 경우) • 청진기	• 성인용 혈압계, 특대형 커프 포함 • 설압자 • 펜라이트, 여분용 배터리 (구강 및 인후 검진용) • 초 단위까지 측정 가능한 손목시계 • 휴대전화 또는 바로 사용 가능한 전화

예방접종 이상반응 중 가장 긴급한 대처를 요하는 것은 아나필락시스이다. 아나필락시스는 원인물질에 노출된 후 대개 5–30분 이내 증상이 시작되며, 일부는 1시간 이후에 발생하기도 한다. 따라서 예방접종을 받은 사람은 아나필락시스 발생 가능성을 대비하여 접종 후 의료기관에서 적어도 20–30분간 대기하였다가 귀가해야 한다. 아나필락시스가 발생하는 경우 전신의 가려움증, 발적, 두드러기, 혈관부종, 천명, 호흡곤란, 쇼크, 복통, 심혈관허탈과 같은 증상 및 증후가 나타난다. 아나필락시스 발생이 의심되면 즉시 응급의료시스템(emergency medical system, EMS)을 가동시키고 담당의료진을 통해 환자 상태를 확인한다. 담당의사는 환자 상태를 확인하고 간호사의 보조를 받아 기도확보, 산소공급, 약물 투여 등의 긴급조치를 시행한다. 일차 선택 치료제는 에피네프린이다. 에피네프린은 호흡곤란을 완화시켜주며 적절한 심박출량을 유지시켜준다. 에피네프린은 1:1,000 희석액 0.01 mL/kg/dose를 근주한다. 에피네프린의 성인 용량은 0.3–0.5 mL이며 최대 일회량은 0.5 mL이다. 증상이 지속되는 경우 에피네프린은 5–15분 간격으로 최대 3회까지 투약할 수 있다. 두드러기나 가려움증이 발생한 경우, 디펜하이드라민을 근주하거나 경구용 약제를 사용할 수 있다. 디펜하이드라민의 표준 용량은 1–2 mg/kg이며 최대 일회량은 50 mg이다. 환자가 호흡곤란이 없다면 등을 대고 누운 상태로 유지하도록 하며 호흡곤란이 있다면 머리를 높이고 혈압이 잘 유지되는지 지속적으로 체크한다. 아나필락시스 후 심폐정지가 발생하면 즉각 심폐소생술을 시행한다. 아나필락시스는 매우 드물지만 예고치 않게 발생하기 때문에 예방접종을 시행하는 의료기관에서는 반드시 응급처치물품을 구비하고 있어야 하며(표 7-2) 응급상황에 대비한 훈련 및 후송체계를 마련해 두어야 한다.

7. 예방접종 이상반응 관련 국가관리체계

현재 예방접종 이상반응의 신고와 보상 관련 절차는 해당 백신이 국가예방접종사업(national immunization program, NIP)에 포함되어 있느냐 그렇지 않느냐에 따라 구분되어 관리되고 있다. NIP에 포함된 백신의 경우 질병관리본부의 통합관리시스템이나 예방접종도우미사이트를 통해 인터넷으로 신고하거나 유선으로 보건소에 직접 신고한다(그림 7-4). NIP에 포함되지 않은 백신의 경우 한국의약품안전관리원으로 신고하게 되며 인터넷(www.drugsafe.or.kr), 전화(02–2172–6700), 이메일(kids_gna@drugsafe.or.kr), 팩스(02–2172–6701), 우편(경기도 안양시 동안구 부림로 169번길 30 5층 한국의약품안전관리원)을 이용하여 신고할 수 있다.

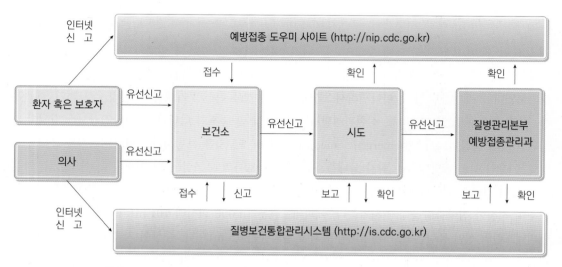

그림 7-4. 국가예방접종 사업 포함 백신 이상반응 발생 시 신고체계
(질병관리본부. 2014년 예방접종 후 이상반응 관리지침서. 2014.)

질병관리본부의 이상반응 감시체계는 1994년 일본뇌염 백신접종 후 사망 사례가 보고된 이후 처음으로 도입하였다. 2000년부터는 EDI (electronic document interchange) 보고 방식을 도입하여 감시체계를 전산화 하였으며, 2001년부터는 의사의 예방접종 이상반응 신고를 의무화하여 감시체계를 법제화 하였다. 2005년에는 의사, 보호자 웹 보고 방식을 도입하여 감시체계를 다양화 하였다. 감시체계를 통해 신고가 접수된 예방접종 이상반응 신고건수는 2010년 741건, 2011년 238건, 2012년 209건, 2013년 345건, 2014년 289건, 2015년 271건으로 2010년 이후 연간 200−700건 내외이다. 그러나 신고된 이상반응이 모두 백신과 인과관계가 인정된 것은 아니기 때문에 신고된 숫자로 정확한 이상반응 발생률을 추정하기는 어렵다. 또한 현재 운영되는 감시체계는 수동적 감시체계이기 때문에, 신고건수는 실제 발생 추정건수의 30% 미만일 것으로 추산되고 있다. 이외에도 신고된 자료의 질이 균일하지 않고 접종 모집단이 충분하지 않은 등의 제한점도 있기 때문에 이를 보완할 수 있는 능동적 감시체계 도입의 필요성이 대두되고 있다.

예방접종 이상반응에 대한 보상제도도 운영되고 있다. 이는 예방접종에 대한 신뢰성을 유지하고 일정 수준의 강제력을 가지는 예방접종의 특성을 감안한 것이다. NIP 대상 백신의 이상반응과 관련하여서는 1995년 예방접종피해 국가보상제도가 도입되어 예방접종피해조사반과 예방접종피해보상전문위원회가 운영되고 있다(그림 7-5). 만약 우리나라 국민이 '감염병의 예방 및 관리에 관한 법률' 제24조 및 제25조 규정에 의한 예방접종을 받은 후 피해가 발생하는 경우, 피해보상신청서를 제출하면 적절한 피해조사 과정 및 예방접종피해보상전문위원회의 심의를 거쳐 보상심의를 하게 된다. 보상심의 기준은 표 7-3과 같다. 심의 결과 보상이 결정되면, 해당 보상금은 보상수급권자에게 지급되도록 되어 있다. 현재

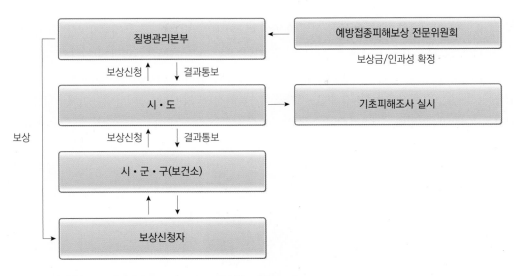

그림 7-5. 국가예방접종 사업 포함 백신 이상반응 피해 국가보상 절차
(질병관리본부. 2014년 예방접종 후 이상반응 관리지침서. 2014.)

보상신청 유효기간은 예방접종 후 이상반응이 발생한 날로부터 5년 이내이며, 진료비 중 본인부담금이 30만 원 이상인 경우 보상신청이 가능하다.

NIP에 포함되지 않은 백신의 경우 이상반응에 의해 피해가 발생하는 경우 식품의약품안전처가 주관하고 한국의약품안전관리원에서 운영하는 의약품이상반응 피해구제 사업을 통해 보상을 받을 수 있다(그림 7-6). 신청대상은 약사법에 따라 2014년 12월 19일 이후부터 발생하는 의약품 이상반응으로 인

표 7-3. 국가예방접종 사업 포함 백신 이상반응 피해 국가보상 심의기준
(질병관리본부. 2014년 예방접종 후 이상반응 관리지침서. 2014.)

관련성이 명백한 경우 (definitely related, definite)	백신을 접종한 확실한 증거를 확보하였고, 이상반응이 출현한 시간적 순서에 근접성이 있으며, 어떤 다른 이유보다도 백신접종에 의한 인과성이 인정되고, 이미 알려진 백신 이상반응으로 인정되는 경우
관련성에 개연성이 있는 경우 (probably related, probable)	백신을 접종한 확실한 증거를 확보하였고, 이상반응이 출현한 시간적 순서에 근접성이 있으며, 어떤 다른 이유보다도 백신에 의한 인과성이 인정되는 경우
관련성에 가능성이 있는 경우 (possibly related, possible)	백신을 접종한 확실한 증거를 확보하였고, 이상반응이 출현한 시간적 순서에 근접성이 있으나 다른 이유에 의한 결과의 발생 역시 백신접종에 의한 개연성과 동일한 수준으로 인정되는 경우
관련성이 인정되기 어려운 경우 (probably not related, unlike)	백신을 접종한 확실한 증거를 확보하였으나, 이상반응이 출현한 시간적 순서에 근접성이 떨어지고, 백신에 의한 가능성이 불명확한 경우
명확히 관련성이 없는 경우 (definitely not related)	백신을 접종한 확실한 증거가 없는 경우나 이상반응이 출현한 시간적 순서의 근접성이 없는 경우 또는 다른 명백한 원인이 밝혀진 경우

하여 피해가 발생한 사람 및 유족이며 피해 유형에 따라 사망일시보상금, 장애일시보상금, 장례비, 진료비 등 4종으로 나누어 보상금을 지급한다. 진료비의 경우 본인부담금이 30만원 이상인 경우가 보상신청 가능한 최소 피해금액으로 되어 있다. 피해구제 신청은 인터넷(www.drugsafe.or.kr) 또는 우편(경기도 안양시 동안구 부림로 169번길 30 6층 한국의약품안전관리원 의약품이상반응피해구제팀)이나 방문신청을 통해 할 수 있다.

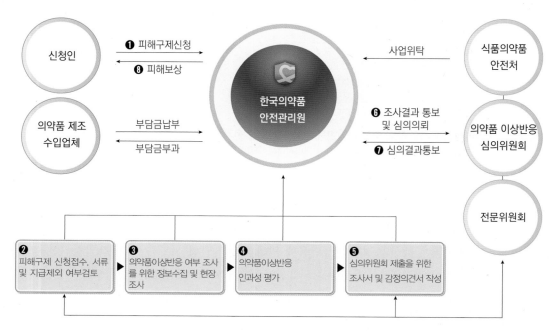

그림 7-6. **의약품이상반응 피해구제 사업 운영체계 및 절차**(한국의약품안전관리원 홈페이지)

참고문헌

1. 대한감염학회. 성인예방접종 2판. 서울: MIP; 2012.
2. 질병관리본부. 2014년 예방접종 후 이상반응 관리지침서. 충북: 2014.
3. 질병관리본부. 예방접종 대상 감염병의 역학과 관리. 제5판. 충북: 2017.
4. 한국의약품안전관리원 홈페이지(www.drugsafe.or.kr)
5. World Health Organization (WHO). Global Vaccine Safety. Available at: https://www.who.int/vaccine_safety/initiative/tools/vaccinfosheets/en/. Accessed 21 July 2019.
6. World Health Organization (WHO). Causality assessment of an adverse event following immunization (AEFI): user manual for the revised WHO classification, 2nd edition, 2018.
7. World Health Organization (WHO) Western Pacific Region (WPRO). Immunization safety surveillance. Guideline for managers of immunization program managers on surveillance of adverse events following immunization, 3rd edition, 2016.

개별백신
Individual vaccine

Chapter 08 공수병

국립중앙의료원 **진범식**
가톨릭대학교 의과대학 **김양리**

1 대한감염학회 접종 권장대상과 시기

가. 노출 전 예방

   1) 공수병 이환 위험이 높은 수의사, 도축업자, 야생동물구조단체 종사자, 사냥꾼, 산림감시원, 유기견 보호 종사자 등 동물 취급자, 광견병 방역업무를 담당하는 공무원/미끼예방약 살포자, 공수병바이러스를 취급하는 실험실 연구자

   2) 해외여행자: 광견병 발생률이 높고 적절한 의료서비스가 제공되지 않는 지역에서 30일 이상 체류하는 경우

나. 노출 후 예방

   1) 너구리 등 광견병에 걸렸을 가능성이 있는 야생동물로부터 교상 등 노출이 있었던 경우

   2) 개, 고양이, 가축에 교상 등 노출이 있었으나 해당 동물을 포획하지 못한 경우

2 접종용량 및 방법

가. 노출 전 예방: 0일, 7일, 28일(또는 21일) 총 3회 어깨세모근에 근육 주사

나. 노출 후 예방

   1) 면역력이 없는 노출자: 교상 등 노출 부위는 즉시 물과 비누로 15분 이상 충분히 세척하고 의료기관을 방문하여 백신을 0일, 3일, 7일, 14일에 한 번씩 총 4회에 걸쳐 어깨세모근에 주사. 제 0일째에 공수병 면역글로불린 20 IU/kg을 교상 상처와 비슷한 깊이로 상처 부위에 가능하면 많이 주사하되 나머지는 백신을 투여하지 않은 어깨세모근에 우선적으로 투여하고 잔량이 있을 경우 엉덩이 큰볼기근에 근육 주사(단, 노출 후 공수병 면역글로불린을 접종하지 않았거나 면역저하자 등에서는 2018년 질병관리본부 공수병 관리지침과 같이 28일에 백신 추가접종)

   2) 면역력이 있는 노출자: 공수병 면역글로불린 주사는 필요없으며 백신만 2회(0, 3일) 근육주사

3 이상반응

- 국소 반응: 주사 부위 통증, 홍반, 가려움증, 부종
- 전신 반응: 두통, 구역, 권태, 미열 등. 드물지만 과민반응, 길랭-바레와 유사한 신경 마비

4 주의 및 금기사항

절대적 금기는 없음

1. 질병의 개요

1) 원인 병원체

공수병(Rabies)은 뇌척수염을 일으키는 급성 바이러스 질환이다. 사람에게 발생한 감염인 경우 '공수병'으로, 동물에서의 감염인 경우 '광견병'으로 칭한다. 공수병바이러스는 *Rhabdoviridae*과 *Lyssavirus* 속에 포함되는 negative-stranded RNA 바이러스로 탄환 모양으로 생겼으며 크기는 180×75 nm이다. 공수병바이러스는 5개의 구조단백을 포함하고 있으며 그 중 바이러스의 외피를 구성하는 당단백은 중화항체를 생성하게 하는 주된 항원 역할을 한다. 공수병바이러스는 4℃에서 수 주간 생존하며 −70℃에서는 수년간 보존되나, 자외선에 쉽게 파괴되고 60℃에서 5분간 가열하면 사멸된다.

2) 역학

공수병은 남극과 일부 유럽국가, 호주, 일본 등을 제외한 전 세계에 걸쳐 발생하는 인수공통질환으로 2015년 기준으로 150여 개 국가가 공수병 발생을 보고한 바 있다. 세계보건기구는 매년 59,000명이 사망하는 것으로 추산하고 있다. 국내에서 공수병은 1960년대에 연간 100여 명의 환자가 발생하였고, 그 이후로는 차츰 줄어드는 양상으로 1984년 이후로는 종식되었다가 1999에 1명을 시작으로 2001년 1명, 2002년 1명, 2003년 2명, 그리고 마지막으로 2004년 1명이 발생하였다(그림 8-1). 공수병은 2010년 '전염병 예방법'이 '감염병의 예방 및 관리에 관한 법률로 개정되면서 제3군 법정감염병으로 지정되었다. 국내 동물에서는 광견병이 꾸준히 발견되어 왔으며 1985년부터 1992년까지 8년간 발생이 없다가 1993년 강원도 철원군에서 재발생한 이래 최근까지 지속적으로 발생해 왔으나 2013년 6건이 발생한 것을 끝으로 2014년부터는 발생하지 않고 있다. 과거 국내 발생은 선진국에서 주로 발생하는 형태의 야생동물에 의한 발생, 즉 산림형 광견병(sylvatic rabies)으로 야생너구리(Raccoon dog, *Nyctereutes procyonoides koreensis*)에 의해 전파되었다. 그 외에도 설치류를 포함한 오소리, 여우, 코요테, 늑대, 스컹크, 박쥐 등이 대표적인 1차 전파체이며, 감염된 가축과 애완동물(소, 말, 당나귀, 개, 고양이 등)도 교상을 통해 사람에게 바이러스를 전달한다. 사람간 전파는 각막, 간, 신장, 폐 이식 등을 통해 장기 수여자에게 발생할 수 있다.

감염된 동물에 물린 경우 타액에 있는 바이러스가 직접 말초신경을 감염시키거나 신경주위 조직을 감염시킨 후 증식하여 신경근이음부에 분포하고 있는 수용체에 결합함으로써 이차적으로 말초신경을 감염시킬 수도 있다. 바이러스는 하루 15-100 mm씩 축색 돌기를 따라 상행하여 뇌와 척수로 들어가며 결국 뇌 신경세포 변성과 괴사를 초래함으로써 증상을 유발하게 된다.

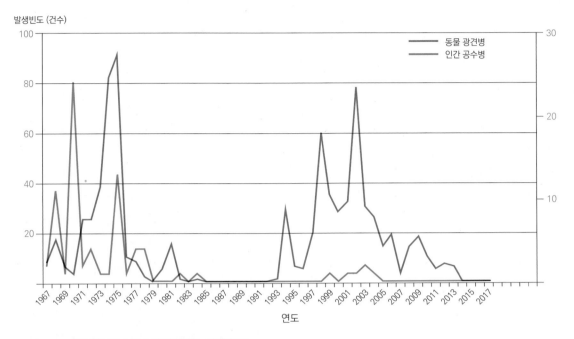

발생빈도 (건수)

동물 광견병
인간 공수병

연도

그림 8-1. **연도별 국내 공수병/광견병 발생현황**

3) 임상적 특징

사람에서 잠복기는 평균 1-3개월(수년에 이르기도 함)로 이는 교상부위, 교상 정도, 교상부위 신경 세포 분포 등에 따라 차이가 난다. 머리에서 가까운 부위를 물리게 되면 잠복기는 상대적으로 짧아진다. 발병 초기에는 불안감, 두통, 발열, 권태감 등의 비특이 증상을 2-7일 정도 보이는데 이때 일부에서는 교상 부위를 중심으로 작열감, 소양감 등을 경험하게 된다. 전구기가 지나면 급성 신경학적 증상을 보이는데 흥분, 지속적 발열, 의식변화, 인후와 경부근육 경련, 자율신경계 항진 등이 나타난다. 임상 증상에 따라 일반적인 격노형과 마비형으로 나뉘는데 30% 정도를 차지하는 마비형은 흥분이나 공수 증상보다는 마비, 근력 약화 증상으로 나타나 진단이 어렵다. 격노형은 급성 신경증상 발생 후 7일 이내(평균 5일), 마비형은 대개 2주 이내에 사망하는데 혼수 증상 후에 나타나는 순환계 허탈이 주 사망 원인이다.

4) 진단

진단은 동물에 물린 병력과 특징적 임상양상으로 가능하다. 환자 사망 이전에 혈청, 뇌척수액, 타액 등에서 항체검사, RT-PCR, 면역형광염색 등으로 바이러스나 항체를 검출하면 진단에 도움이 된다. 확진은 공수병 특이항체를 이용하여 뇌조직에서 공수병바이러스 항원을 검출하거나 조직표본을 관찰하여 신경세포에서 네그리소체(Negri body)를 확인하여야 한다. 또한 전자현미경을 통해 바이러스를 직접 관찰할 수도 있으며 실험동물이나 세포를 이용한 바이러스배양도 진단에 유용하다.

5) 치료

공수병은 임상증상이 일단 발현된 이후에는 치료법이 없기 때문에 필요한 경우 교상 시점부터 가능한 빠른 시간 내에 처치를 시작해야 한다. 처치는 노출된 지역의 광견병 발생 현황, 동물과의 접촉 유형, 동물의 과거 광견병백신 접종 유무, 동물의 행동 양태, 동물 행동 관찰 가능 여부 등에 따라 결정된다.

교상을 입은 경우에는 먼저 상처를 즉시 물과 비누로 15분 이상 철저하게 씻고 소독하여야 한다. 이후 공수병에 대한 예방적 처치여부를 결정하여야 하는데 너구리 등 광견병에 걸렸을 가능성이 있는 야생동물로부터 교상이나 노출이 있었던 경우이거나 개, 고양이, 가축으로부터 교상이나 노출이 있었으나 해당 동물을 포획하지 못한 경우라면 0일, 3일, 7일, 14일에 한 번씩 총 4회에 걸쳐 어깨세모근에 백신을 주사하고 노출 당일에는 공수병 면역글로불린 20 IU/kg을 교상 상처와 비슷한 깊이로 상처 부위에 가능하면 많이 주사하되 나머지는 큰볼기근에 근육 주사한다. 면역력이 있는 교상환자는 공수병 면역글로불린 주사는 필요하지 않으며 2회 (0, 3일)에 걸쳐 백신만 근육주사한다.

2. 백신의 종류

주로 세포배양백신을 사용하는데 human diploid cell vaccine (HDCV), purified chick embryo cell culture vaccine (PCECV), primary hamster kidney cell rabies vaccine (PHKCV), purified Vero cell culture rabies vaccine (PVRV) 등이 있다. 국내에는 PVRV가 주로 사용되고 있는데 한국희귀의약품센터(www.kodc.or.kr)를 통해 구입 가능하다.

3. 백신의 효능 및 효과

백신접종 후 7-10일 이내에 중화항체가 생성되며 수년간 지속된다. 노출 전 백신을 투여 받은 경우 항체가는 1년이 지나면 1-3.5 IU/mL 가 되며 2년이 지나면 약 20%에서 적정 방어 항체가인 0.5 IU/mL 이하로 떨어진다. 그러나 추가접종시 5배 정도의 항체가 상승을 기대할 수 있으며 두 번 추가접종을 하면 면역반응이 빠르게 증가된다. 따라서 기존 면역력이 있는 사람이 공수병 위험에 노출된 경우에는 면역글로불린 투여 없이 0일, 3일 총 2회 추가 백신접종만 실시하면 된다.

클로로퀸을 복용 중인 경우, 면역저하자 등에서는 예방접종효과가 저하될 수 있다. 이런 상태에서 노출 전 예방접종을 시행해야 하는 경우에는 3차례 접종 후 항체가 측정을 고려해야 한다.

4. 적응증

1) 노출 전 예방(pre-exposure prophylaxis, PrEP)

공수병 이환 위험이 높은 수의사, 도축업자, 야생동물 구조단체 종사자, 사냥꾼, 산림감시원, 유기견 보호 종사자 등 동물 취급자, 광견병 방역업무를 담당하는 공무원/미끼예방약 살포자, 공수병바이러스를 취급하는 실험실 연구자, 공수병 노출 후 치료를 제공할 수 있는 적절한 의료시설이 없는 유행 지역 여행자(30일 이상 체류자) 등이 대상이다. 우리나라의 경우는 휴전선 근처에 있는 군인과 야생동물 구조대원 등이 대상에 포함될 수 있다. 이들은 6개월마다 혈청검사를 시행하여 항체가가 0.5 IU/mL 미만인 경우 추가접종을 받아야 한다.

2) 노출 후 예방(post-exposure prophylaxis, PEP)

1993년 국내에서 광견병이 재발생하였으며 2002년에는 경기도 및 강원도의 한강 북부 지역에서 개, 소, 너구리, 고양이 등에서 90여 건의 광견병 발생 보고가 있었다. 2012년과 2013년에는 한강이남 지역인 화성과 수원에서 광견병이 재발생하여 적극적인 방역 대책이 시행되었으며 2014년 이후로는 광견병 발생이 보고되지 않고 있다. 과거에는 광견병이 발생한 이력이 있는 지역을 위험지역으로 지정하여 교상유발 동물의 예방접종 여부 등을 고려하여 노출 후 예방 시행을 결정하도록 권고하였으나 2014년 이후 광견병 이환 동물이 발견되지 않고 있는 점을 고려해 2016년 질병관리본부는 위험지역을 별도로 지정하지 않고 교상유발 동물이 야생동물이 아니고 관찰이 가능한 상황이라면 10일간 광견병 의심 증상을 보이는지 관찰하면서 PEP 시행 여부를 결정하도록 공수병 관리지침을 변경하였다(그림 8-2). 관찰 도중 교상을 유발한 동물이 광견병 의심 증상을 보이거나(폐사 포함) 격리 기간 중 피교상자에게 증상이 발현되면 즉시 노출 후 예방 을 시작하고 농림축산검사검역본부 등 유관기관에 의뢰하여 동물을 신속히 안락사 시킨 후 뇌조직 검사를 시행해야 한다.

5. 투여방법

1) 노출 전 접종

공수병의 위험이 높은 사람들을 대상으로 접종이 권고되며 기본 접종으로 0일, 7일, 28일(또는 21일)

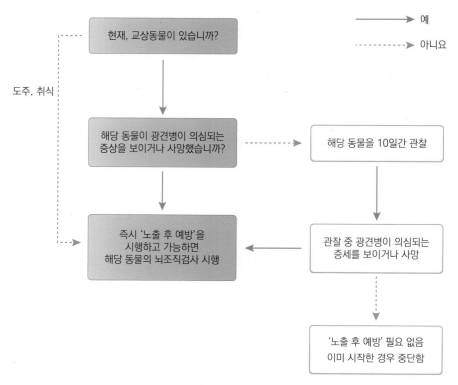

그림 8-2. 노출 후 예방 순서도

총 3회 접종을 실시한다. 국내에서 사용되는 PVRV 제품 설명서에서는 기본 접종 이후 1년째에 추가접종을 하고 그 이후로는 5년마다 추가접종을 권고하고 있다. 그러나, 세계보건기구, 미국 질병통제예방센터 등은 실험실 종사자, 동물 취급자 등 직업적으로 지속적인 노출이 우려되는 경우에만 항체역가 측정 및 추가접종을 권고하고 있다. 또한 세계보건기구는 2018년 그간 축적된 자료를 통해 노출 전 예방접종 권고안을 0일, 7일 2회로 변경하였다. 미국 질병통제예방센터는 아직 3회 접종을 권고하고 있다.

백신은 희석액을 넣고 잘 흔들어서 분말을 완전히 녹인다. 용액 내에 분말 잔여물이 없는 것을 확인한 후 주사기로 백신용액을 추출한다. 준비된 백신을 성인은 어깨세모근에, 소아는 넓적다리근의 앞옆쪽에 근육 주사한다. 국내에 수입된 Verorab®의 경우 1회 1 바이알(0.5 mL)을 주사한다.

2) 노출 후 접종

노출 후 필요한 처치는 상처부위의 소독, 면역글로불린 투여, 그리고 백신접종이다. 교상으로 인한 상처는 즉시 물과 비누로 15분 이상 철저하게 씻고 상처 부위의 소독은 가능하면 70% 알코올이나 포비돈요오드액을 사용하되 상처의 봉합은 7일 동안 피한다. 항생제와 파상풍에 대한 처치도 고려한다. 면역글로불린은 나이에 관계없이 20 IU/kg을 상처와 비슷한 깊이로 상처 부위에 가능하면 많이 주사하고 나머지는 어깨세모근이나 엉덩이에 근육주사한다. 면역글로불린은 백신을 접종한 같은 주사기를 사용하지 말아야 하고 백신과 가능한 먼 쪽(반대편 팔)에 접종한다. 백신 투여시점에 면역 글로불린을 투여받지 못한 경우 첫 백신접종 7일 이내라면 면역글로불린 투여를 고려할 수 있다. 세계보건기구에서는 출혈을 동반하지 않은 긁힘이나 찰과상, 상처가 있는 피부를 동물이 핥는 정도의 비교상 노출 등에서는 백신만 접종하도록 권고하고 있으나 명백한 교상이 관찰되거나 점막 부위에 동물의 타액이 닿은 경우, 박쥐(국내는 발병 가능성 희박)에 노출된 경우는 면역글로불린과 백신을 모두 접종하도록 권고하고 있다.

백신은 노출 후 0일, 3일, 7일, 14일에 한 번씩 총 4회에 걸쳐 근육주사한다. 국내에서 사용 중인 PVRV에 대한 권고는 변경되지 않았으나 미국 질병통제예방센터는 접종 시작 후 14일에 충분한 항체가를 획득된다는 것을 근거로 2010년 7월 HDCV나 PCECV의 노출 후 접종 스케줄을 0일, 3일, 7일, 14일에 한 번씩 총 4회로 조정하도록 권고안을 수정하였다. 단, 후천성면역결핍증이나 림프종과 같은 면역 저하 환자의 경우, 또는 공수병 면역글로불린을 접종하지 못한 경우에는 28일에 5차 접종을 시행하며 면역저하자에서는 백신접종을 완료한 후 2-4주 후에 혈청검사를 실시하여 결과가 0.5 IU/mL 이하이면 추가접종이 필요할 수 있다. 기존 면역력이 있던 사람이 공수병 위험에 노출된 경우에는 면역글로불린 투여 없이 0일, 3일 총 2회 추가 백신접종만 실시하면 된다.

백신의 투여방법으로는 근육주사 외에도 피내 주사가 있는데 PVRV, HDCV와 같은 백신은 0.1 mL 피내 주사시 0.5 mL 근육주사와 동등한 면역력을 형성하는 것으로 보고하고 있다. 광견병의 발생률이 높은 지역의 경우에는 피내 주사가 비용효과 면에서 우월한 것으로 알려져 있지만 국내에서 PVRV의 피내접종 적용에 관한 구체적인 자료는 없다. PVRV 피내요법은 면역억제제를 복용하고 있거나 면역저하자, 심한 상처를 입은 경우에는 시행해서는 안된다.

3) 추가접종

고농도의 바이러스를 다루는 실험실 또는 생산시설 종사자는 6개월마다, 수의사나 진단검사실 종사자 등 고위험군의 경우에는 2년마다 항체가 검사를 시행하여 0.5 IU/mL 이하일 경우에 추가로 백신접종(0.5 mL 1회)을 시행한다.

6. 이상 반응

1) 면역글로불린

주사 부위의 국소 통증과 미열 등 이상반응이 있을 수 있으며, 아나필락시스, 전신 알레르기성 부종, 신증후군과 같은 이상반응도 매우 드물게 보고되고 있다.

2) 백신

접종 부위에 통증, 발적, 부종, 가려움증, 경결 등의 국소 증상을 유발할 수 있고 발열, 오한, 어지럼증, 무력증, 두통, 현기증, 근육통, 관절통, 위장관 장애 등의 전신증상도 유발할 수 있다. 드물게는 발진, 두드러기, 유사아나필락시스반응(anaphylactoid reaction)을 유발한다. 일단 공수병에 대한 예방 처치가 결정된 경우에는 국소 증상이나 경미한 전신 증상으로 인해 접종이 중단되어서는 안 된다. 이런 경우 대부분 소염제, 항히스타민제, 해열제 등으로 조치가 가능하다.

과민반응이 있는 사람에게 백신의 재접종이 반드시 필요한 경우 항히스타민 등의 전처치를 고려해야 한다. 접종 시에는 에피네프린 등 유사아나필락시스반응에 대한 대응을 준비해야 하며 접종 직후부터 주의 깊은 관찰이 필요하다. 접종 도중 아나필락시스나 신경마비 등 중대한 전신반응이 나타날 경우 공수병 발병 위험 등을 면밀히 검토하여 투여 중단 여부를 결정해야 한다.

7. 금기

노출 전 투여의 경우 심한 고열이나 급성 질환이 있거나 진행 중인 만성질환이 있을 때에는 백신접종을 연기하는 것이 바람직하며 이 백신의 구성 성분에 과민반응을 보인 과거력이 있는 사람 역시 접종을 금하여야 한다.

노출 후 접종의 경우 질병에 이환되면 사망률이 높기 때문에 실질적인 금기는 없으며 임신도 금기는 아니다. 만약 심한 알레르기 질환이 있는 경우라면 백신 투여 후 알레르기 반응이 더욱 심해질 수 있기 때문에 항히스타민이나 에피네프린 등으로 전처치를 한다. 스테로이드나 면역억제제를 투여 받는 경우는 항체 생성률이 낮을 수 있기 때문에 백신접종을 완료한지 2–4주 후 항체가를 측정해서 결과가 0.5 IU/mL 미만이면 추가접종이 필요하다.

국내에서 사용되는 PVRV는 neomycin에 대한 과민반응 병력이 있을 경우 주의를 요한다.

8. 국내유통백신

국내에서는 공수병백신과 면역글로불린 용법 및 용량이 기록된 의사 소견서를 가지고 한국 희귀의 약품센터를 방문하면 구입할 수 있다(보험적용이 되는 노출 후 예방접종의 경우 70 kg의 성인이 면역글로불린과 백신을 접종할 경우 외래 진료 기준으로 약품가격 약 150만 원 중 50% 정도를 본인이 부담하게 된다).

국내에 수입된 면역글로불린은 이스라엘 Kamada사에서 제조한 KamRAB®으로 용량은 20 IU/kg (0.133 mL/kg)으로 근주하면 된다. 2–8°C에서 얼지 않도록 냉장 보관한다.

국내에 수입된 백신은 프랑스 Sanofi–Pasteur에서 제조한 Verorab®으로 광견병바이러스를 Vero cell 내에서 배양하여 정제한 불활화백신이다. 분말을 0.4% 염화나트륨 용액 0.5 mL에 희석해서 사용하며 2–8°C에서 냉장 보관한다.

제품명	제조사	용량	접종 일정[§]	
			노출전	노출후
KamRAB® (면역글로불린)	Kamada	20 IU/kg	–	교상 후 즉시 상처 부위에 주사. 잔여량은 어깨세모근 또는 엉덩이근에 근주[§]
Verorab® (백신)	Sanofi-Pasteur	0.5 mL	0일, 7일, 28일 (또는 21일) 총 3회	노출 후 (0일, 3일, 7일, 14일) 총 4회[+]

[§]면역글로불린은 최대한 교상부위에 상처와 비슷한 깊이로 주사하되 전량 접종이 불가능할 경우 나머지는 백신을 투여하지 않은 어깨세모근 또는 엉덩이 큰 볼기근에 근육 주사한다.
[+]면역저하자 또는 공수병 면역글로불린을 접종하지 못한 경우에는 28일에 5차 접종을 시행한다.

참고문헌

1. 질병관리본부. 2016년 공수병 예방을 위한 국내 동물 교상환자 감시 현황. 주간 건강과 질병 2017;10:688-92.
2. 질병관리본부. 2018년도 공수병 관리 지침. Available at: http://www.cdc.go.kr/board.es?mid=a20507020000&bid=0019&act=view&list_no=140826. Accessed 21 July 2019.
3. Anderson LJ, Sikes RK, Langkop CW, Mann JM, Smith JS, Winkler WG, Deitch MW. Postexposure Trial of a Human Diploid Cell Strain Rabies Vaccine. J Infect Dis 1980;142:133-8.
4. Jackson AC. Rabies. Neurol Clin 2008;26:717-26.
5. Lee KK. Outbreaks and Control of Animal Rabies in Korea. Infect Chemother 2010;42:1-5.
6. Park JS, Han MG. General Features and Post-Exposure Prophylaxis of Rabies. Infect Chemother 2010;42:6-11.

7. Use of a reduced (4-dose) vaccine schedule for postexposure prophylaxis to prevent human rabies: recommendations of the Advisory Committee on Immunization Practices MMWR Morb Mortal Wkly Rep 2010;19:1-9.
8. World Health Organization (WHO). Human rabies: 2016 updates and call for data. No 7. 2017;91:77-88.
9. World Health Organization (WHO). Rabies vaccines: WHO position paper - April 2018. Weekly epidemiological record. 2018;16:210-20.

대상포진

고려대학교 의과대학 **최원석**
경희대학교 의과대학 **이미숙**

1 대한감염학회 접종 권장대상과 시기

가. 대상포진 생백신은 60세 이상 성인에게 접종

나. 50-59세 성인은 개별 피접종자의 상태에 따라 대상포진 생백신의 접종 여부를 결정

: 만성통증, 심한 우울증, 기저질환 등으로 인해 대상포진이나 대상포진 후 신경통에 따른 통증에 민감하게 반응할 것으로 예상되는 경우

2 접종용량 및 방법

대상포진 생백신은 어깨세모근 외측부위에 피하주사, 1회 접종

3 이상반응

가. 국소반응: 주사부위 발적, 통증, 종창, 소양증, 혈종

나. 전신반응: 두통, 발열

4 주의 및 금기사항

현재 허가된 생백신의 금기사항은 다음과 같음

가. gelatin, neomycin, 그 밖의 백신 성분에 대해 중증 과민반응을 보였던 경우

나. 선천적 또는 후천적 면역결핍 상태: 백혈병, 림프종, 골수나 림프계 침범 소견이 있는 악성종양 환자, AIDS 환자 또는 증상이 있는 HIV 감염인

다. 고용량 스테로이드(prednisolone 기준 하루 20 mg 이상 용량을 2주 이상 투여)를 포함하여 면역억제요법을 받고 있는 환자

라. 임신부 또는 임신 가능성이 있는 경우

1. 질병의 개요

대상포진(herpes zoster, shingles)은 수두(varicella)를 일으켰던 수두-대상포진바이러스(varicella-zoster virus, VZV)가 초감염(primary infection) 후 후근신경절(dorsal root ganglia)이나 뇌신경절(cranial nerve ganglion)에 잠복해 있다가 재활성화되어 발생하는 질환이다. 수두와 대상포진과의 관련성은 수두에 면역력이 없는 소아가 대상포진 환자와 접촉 후 수두가 발생하는 것이 임상적으로 관찰되면서 1888년 von Bokay에 의해 처음 알려졌다. 이후 1954년 Thomas Weller는 수두와 대상포진의 수포에서 세포배양을 통해 VZV를 분리했다.

1) 원인 병원체

VZV는 *Herpesviridae*과에 속하는 이중가닥 DNA 바이러스이다. 크기는 약 150-200 nm이며 당단백 돌기(glycoprotein spike)가 군데군데 박혀 있는 지질이 함유된 외피로 싸여 있다. 이 외피에 싸여 있는 바이러스만이 감염성이 있으며, 외피에 박혀있는 당단백은 현재까지 gpI, gpII, gpIII, gpIV, gpV 5가지가 알려져 있다. 바이러스 유전체(genome)는 UL (unique long, 105 kb) 분절과 US (unique short, 5.2 kb) 분절로 이루어져 있으며, 각각 말단 반복 염기서열(terminal repeat sequence)을 가지고 있고, 약 75종의 단백질을 만들어 낸다.

2) 역학

대상포진 발생률은 지역이나 연도에 따라 달리 보고되나, 대개 1,000인-년(person-years)당 3-5명 정도이며, 평생 누적 발생률(lifetime cumulative incidence)은 10-30% 정도이다. 미국의 경우, 매년 50만-100만 명의 대상포진 환자가 발생하는 것으로 추정하고 있다. 대만은 대상포진 발병률이 연간 인구 1,000명당 3.2-4.2건으로 매년 약 100만 명의 대상포진 환자가 발생한다고 보고하였다. 국내에서는 2009년 건강보험심사평가원 자료를 분석한 연구 결과, 대상포진 유병률은 연간 인구 1,000명당 7.93-12.54명, 대상포진으로 인한 사회경제적 비용은 연간 7,590억-1조 4,380억 원으로 보고하였다. 2014년 국내에서 수행된 연구에서 대상포진 발생률을 1,000인-년당 10.4건으로 보고하였다(그림 9-1). 우리나라를 포함하여 여러 국가에서 수행된 연구 결과, 최근 수년간 대상포진 발생률이 증가하는 양상인 것으로 보고되고 있어, 향후 대상포진으로 인한 질병부담은 더욱 커질 가능성이 있다.

대상포진은 모든 연령에서 발생할 수 있으나, 주로 50세 이상에서 흔하며 연령이 증가할수록 발병률이 증가한다. 한 연구결과에 의하면 만 35세 미만의 경우 대상포진 발병률은 연간 인구 1,000명당 1.9건인데 비해 만 65세 이상 인구는 연간 인구 1,000명당 11.8건으로 9-10배가량 높은 결과를 보였다. 국내에서 수행된 연구에서도 50세 이상에서 유병률 또는 발생률이 급격히 증가하며, 60-70대에서 가장 환자 수가 많은 것으로 보고하였다.

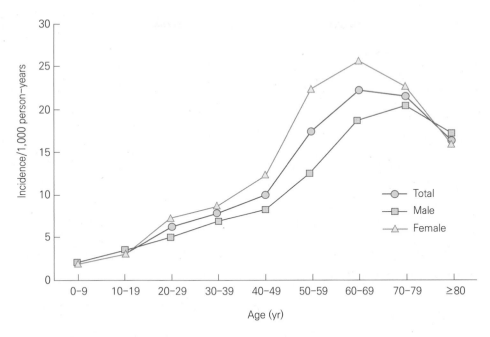

그림 9-1. **국내 대상포진 발생률(2014년)**

잠복감염 상태의 VZV가 재활성화되어 대상포진을 발병시키는 데에 세포매개면역(cell-mediated immunity, CMI) 기능의 저하가 중요한 역할을 한다. 나이가 들면서 나타나는 면역 노쇠, HIV 감염 또는 림프세포증식성 종양, 장기이식 후 면역억제, 항암화학요법, 스테로이드 치료 등이 대상포진 발병의 위험요인이 된다. 계절적 유행은 없으며 재발은 드물어 약 4% 정도에서 나타나고 면역저하자에서 재발이 더 흔한 것으로 알려져 있다.

3) 임상적 특징

대상포진의 임상 경과는 발진 전기, 급성 발진기, 만성기의 세 단계로 나눌 수 있다. 70-80%에서 피부 병변이 시작되기 2-3일 전에 피부분절을 따라 이상한 감각 혹은 통증이 오며(발진 전기), 홍반성 반점구진이 발생하고 빠르게 수포가 형성된다(급성 발진기). 새로운 수포는 3-5일에 걸쳐 생기고 종종 융합이 되기도 한다. 수포는 터져서 궤양을 형성하고, 가피(crust)가 생긴 후(7-10일), 마르게 된다. 증상과 병변은 대개 10-15일이면 소실되나, 일부에서는 1개월 이상 지속되고 통증이 만성화되는 경우도 있다. 대부분 하나의 피부분절만을 침범하지만 소수의 고립된 병변이 인접한 피부분절을 같이 침범하는 경우는 비교적 흔하다. 대개 흉부와 허리 부위 피부분절을 침범하며 제5번 뇌신경(삼차신경)의 첫 번째 또는 두 번째 가지(ophthalmic, maxillary branch)를 침범할 경우 눈꺼풀 부위에 병변이 발생하는 눈대상포진(herpes zoster ophthalmicus)이 나타난다. 무릎신경절(geniculate ganglion)이 침범된 경우 안면신경 마비가 발생하거나, Ramsay-Hunt 증후군(외이도에 통증과 포진 발생, 혀 앞쪽 2/3부분의 미각 소실, 동측의 안면 마비)이 나타난다. 피부 외에도 중추신경계를 침범하여 뇌척수액에서 백혈구증가증이 46%까지 관찰되기도 하며, 환자의 1/3에서 임상증상 없이 뇌척수액에서 VZV 중합효소연쇄반응(polymerase chain reaction, PCR)이 양성이거나 anti-VZV IgG 항체가 양성으로 나타난다. 운동신경(motor neuropathy) 침범도 5-15%에서 발생한다. 환자가 피부 병변 없이 통증만을 호소하는 형태(zoster sine herpete, zoster without herpes)도 드물게 있다고 알려져 있으나 확진은 어렵다.

대상포진의 합병증으로 가장 문제가 되는 것이 대상포진후 신경통(post-herpetic neuralgia, PHN)으로 연령이 많을수록 발생 빈도가 높다. 드물게 뇌염, 척수염, 망막염, 급성 망막괴사, 눈대상포진 후 뇌중풍(stroke)이 발생할 수 있다. 최근 대상포진 환자에서 뇌졸중 발생 위험이 증가한다는 국내외 연구 결과가 보고되기도 했다. 면역저하자에서 대상포진은 종종 중한 경과를 밟으며 파종성 피부병변이나 폐렴, 간염, 뇌수막염 등을 동반하기도 한다.

4) 진단

대상포진은 대개 특징적인 피부 병변을 보고 임상적으로 진단할 수 있으나, 단순포진바이러스 또는 콕사키바이러스 감염증, 접촉성 피부염, 곤충자상 등도 유사한 피부 병변을 보일 수 있으므로 임상적 진단시 주의가 필요하다. 또 면역저하자에서는 피부 병변이 비전형적인 모양으로 나타날 수 있으므로 실험실적 검사가 진단에 도움이 된다. 확진을 위해서는 VZV PCR이 가장 좋은 검사 방법이다. 바이러스 배양도 사용될 수 있으나 민감도가 다소 낮고 결과를 얻기까지 많은 시일이 소요된다는 단점이 있다. 직접형광항체검사법(direct fluorescent antibody test)도 사용될 수 있으나 PCR에 비해 민감도는 다소 낮으며 검체를 수집하고 다루는 데 있어 세심한 주의가 필요하다. Tzank 도말검사에서 다핵거대세포를 관찰하는 것은 도움이 되나 민감도가 다소 낮다.

5) 치료

치료는 크게 항바이러스제 투여와 급성 통증 또는 PHN을 감소시키기 위한 보조요법으로 나눌 수 있다. 이러한 약물치료와 함께 환자 교육이 중요한데, 특히 고령의 환자들이 많으므로 적절한 정신적, 신체적, 사회적 활동을 유지하면서 삶의 질을 높일 수 있도록 격려해야 하며 영양 상태 관리, 피부 병변 관리 및 질병 경과에 대한 교육이 같이 이루어져야 한다.

(1) 항바이러스제

국소요법, 즉 병변에 acyclovir 연고를 도포하는 것은 효과가 없으며 전신적인 항바이러스제의 투여가 필요하다. 특히 환자의 연령이 50세 이상이거나 중등도 또는 중증의 심한 통증이나 발진이 있거나,

체부 이외 부위에 병변이 있는 경우는 전신적인 항바이러스제를 바로 투여해야 한다. 발진 발생 72시간 후 항바이러스제 투여가 효과적인지는 명확하지 않으나, 새로운 수포성 발진이 계속 생기고 있는 경우, 안구, 피부 및 신경학적 합병증이 동반된 경우, 중증의 증상을 보이는 경우는 발진이 생긴 지 72시간 이후라도 항바이러스제를 투여하는 것이 바람직하다. 항바이러스제는 acyclovir (1회 800 mg, 하루 5회), famciclovir (1회 250-500 mg, 하루 3회), valacyclovir (1회 1,000 mg, 하루 3회) 등을 사용한다. 항바이러스제를 경구로 투여할 수 있으나 중증 환자, 면역저하자, 뇌수막염을 동반한 경우는 acyclovir (1회 5-10 mg/kg, 하루 3회) 주사 투여가 필요하다. 항바이러스제는 합병증이 없는 경우 대개 1주 투여한다.

(2) 보조요법

진통제나 스테로이드제, 항바이러스제의 병용투여가 대상포진후신경통의 위험을 줄일 수는 없으나 급성 통증의 조절에 유용할 수 있다. 약제의 종류나 치료방법의 선택은 통증의 정도와 기저질환 그리고 특정 약제에 대한 반응 정도 등을 고려하여 결정한다. 경증 또는 중등도의 통증은 acetaminophen 이나 비스테로이드성 항염증약제의 단독 투여 또는 약한 마약성 진통제와 병용투여를 통해 조절한다. 중등도 또는 중증의 심한 통증일 경우 oxycodone이나 morphine 같은 강력한 마약성 진통제를 필요로 한다. 마약성 진통제를 복용할 수 없거나 진통제에도 반응하지 않는 심한 통증일 경우 gabapentin, pregabalin, nortriptyline 같은 삼환계 항우울제(tricyclic antidepressants), 스테로이드와 병용투여를 고려해 볼 수 있다. 스테로이드는 PHN의 발생 위험을 낮춰주지 못하나, 급성 통증의 조절, 유병기간 단축, 신경학적 합병증 조절 등에 도움이 될 수 있다. 약물치료에 반응하지 않는 통증의 경우 척수강 내 스테로이드 투여, 경피적 전기신경자극(transcutaneous electrical nerve stimulation, TENS), 신경차단 (nerve block), 냉동치료(cryotherapy) 등을 고려한다.

6) 환자 및 접촉자 관리

대상포진의 수포에는 VZV가 있기 때문에, VZV에 대한 면역력이 없는 사람이 대상포진 환자와 접촉하는 경우 VZV가 전파되어 수두를 일으킬 수 있다. 국소적인 대상포진의 경우 수포가 생기기 시작할 때부터 모든 병소에 딱지가 앉을 때까지 전파의 가능성이 있으며, 대개 습기가 있는 병소와 직접 접촉에 의해 전파된다. 따라서 국소 병변이 있는 환자는 심각한 수두 질환의 발생 위험이 있는 사람, 즉 임신부, 미숙아, 면역저하자와 접촉을 제한하고 접촉주의(contact precaution)를 시행한다. 파종성 대상포진의 경우 수두와 마찬가지로 공기전파, 접촉전파 모두 가능하므로 공기주의(airborne precaution)를 시행해야 한다. 격리 기간은 피부발진이 시작된 후 최소 6일 또는 모든 병소에 가피가 앉을 때까지이다.

VZV에 대한 면역력이 없는 사람이 대상포진에 노출된 경우 수두백신과 varicella zoster immune globulin (VZIG)으로 노출 후 예방조치를 시행할 수 있다. 수두백신은 노출 후 3-5일 이내에 접종한다. VZV에 면역력이 없는 사람이 수두백신을 접종받는 경우 수두가 예방되거나 수두가 발생하더라도 증세를 약화시킬 수 있다. VZIG는 노출 후 96시간 이내 투여하며, 감염을 예방하기보다는 증세를 약화시키는 역할을 한다.

2. 백신의 종류

2019년 6월 현재 국내에서 허가 시판되는 대상포진백신에는 ZOSTAVAX® (Merk & Co., Inc.)와 스카이조스터® (SK 바이오사이언스)가 있다.

1) 약독화 생백신

ZOSTAVAX®는 최초로 개발된 대상포진백신으로 2006년 미국에서 처음 허가되었다. ZOSTAVAX®는 약독화 생백신이며, 사용되는 백신주는 수두백신(VARIVAX®)의 백신주와 동일한 Oka/Merk 주이다. 이 백신주는 1974년 Takahashi 등이 수두 환자의 수포액에서 분리한 VZV를 기원으로 하며 이 바이러스를 인체 태생 폐세포(human embryonic lung cell) 배양과 태생 기니피그세포(embryonic gunea pig cell) 배양, 인체 이배체 세포(human diploid cell, WI-38) 배양을 거친 후 MRC-5 세포배양을 거쳐 독성약화(attenuation) 시킨 것이다. ZOSTAVAX®에는 도즈(0.65 mL)당 최소 19,400 PFU (4.29 log10)의 백신주가 들어 있으며 이는 VARIVAX®의 14배 이상에 해당되는 역가이다. 국내에서 사용되는 ZOSTAVAX®는 냉장 상태에서 보관하는 백신으로, 미국에서 유통되는 냉동 보관 백신의 조성과는 다소 차이가 있다. 냉장 보관 백신의 경우 도즈당 백당(sucrose) 41.05 mg, 젤라틴 20.53 mg, 우레아 8.55 mg, 염화나트륨 5.25 mg, L-글루탐산나트륨 수화물 0.82 mg, 인산수소이나트륨 0.75 mg, 인산이수소칼륨 0.13 mg, 염화칼륨 0.13 mg이 포함되어 있다.

스카이조스터®는 ZOSTAVAX®와 유사한 생백신으로 2017년 10월 국내에서 처음으로 허가되었다. 스카이조스터®의 백신주는 Oka/SK주이며 세포주는 MRC-5이다. 도즈(0.5 mL)당 최소 27,400 PFU의 백신주가 들어 있으며, 첨가제로 백당 25.00 mg, 젤라틴가수분해물 12.50 mg, 우레아 1.20 mg, L-글루탐산나트륨수화물 0.55 mg, 에데트산나트륨수화물 0.25 mg, L-시스테인 0.25 mg, 글리신 2.50 mg이 들어 있다.

2) 불활화백신

현재 국내에서는 허가되어 있지 않으나, 새로운 대상포진백신인 SHINGRIX® (GlaxoSmithKline)가 2017년 10월 미국에서 허가되었다. SHINGRIX®가 기존 대상포진백신과 다른 가장 중요한 차이점은 불활화백신이라는 점과 2회에 걸쳐 접종을 받아야 한다는 점이다. SHINGRIX®는 VZV의 표면당단백질

E (glycoprotein E, gE) 항원과 면역증강제(adjuvant)인 AS01$_B$가 결합된 백신이다. gE항원은 VZV를 유전자 조작된 Chinese Hamster Ovary 세포를 배양하여 얻어진다. AS01$_B$는 *Salmonella minnesota*의 3−*O*−desacyl−4'−monophosphoryl lipid A (MPL)와 식물추출물 *Quillaja saponaria Molina*로부터 정제된 사포닌인 QS−21이 리포좀 제형(liposomal formulation)에 결합된 형태로 되어 있다.

3. 백신의 효능 및 효과

1) 약독화 생백신

ZOSTAVAX®의 3상 임상시험은 1998년부터 2001년까지 3년에 걸쳐 총 38,546명의 60세 이상 성인을 대상으로 수행되었다(Shingles Prevention Study, SPS). SPS 연구결과, ZOSTAVAX®는 전 연령에서 대상포진을 51.3%, PHN을 66.5%, 대상포진으로 인한 질병부담을 61.1% 감소시키는 효능을 보였다(표 9-1). 또한 대상포진관련 합병증−이질통증(allodynia), 세균 중복감염, 눈대상포진, 파종성 대상포진, 말초신경마비, 눈꺼풀처짐(ptosis), 흉터형성(scarring), 감각상실−발생도 백신 투여군에서 적게 관찰되었다. 50−59세 성인을 대상으로 ZOSTAVAX®의 예방효능을 평가한 Zostavax Efficacy and Safety Trial (ZEST) 연구 결과는 2012년 발표되었다. ZEST 연구 결과에서 대상포진백신은 50−59세 성인에서 대상포진의 발병을 69.8% (95% CI, 54.1−80.6) 감소시켰다. 그러나 PHN의 경우 발생 건수가 많지 않아 이를 예방하는 효과에 대해서는 평가되지 못했다(표 9-1). ZOSTAVAX®의 장기 예방효과를 분석한 연구에서는 통계적으로 유의한 수준의 예방효과가 5−8년 정도 유지되는 것으로 확인되었다. 실제 임상에서 ZOSTAVAX®의 예방효과를 평가한 연구도 수행되었다. 미국에서 수행된 연구 결과에서 ZOSTAVAX®는 대상포진의 발병을 예방하는 효과가 이전 임상연구와 유사한 수준으로 확인되었으며, 70세 이상 고

표 9-1. ZOSTAVAX®의 효능

임상연구	연령군 (세)	예방 효능, % (95% 신뢰구간)		
		대상포진	대상포진후 신경통	질병부담
Shingles Prevention Study	60-69	64 (56-71)	65.7 (20.4-86.7)	65.5 (51.5-75.5)
	70-79	41 (28-52)	66.8 (43.3-81.3)	55.4 (39.9-66.9)
	≥80	18 (−29-48)		
	60세 이상 전체	51.3 (44.2-57.6)	66.5 (47.5-79.2)	61.1 (51.1-69.1)
Zoster Efficacy and Safety Trial	50-59	69.8 (54.1-80.6)	−*	−*

*ZEST 연구는 대상포진의 발병을 예방하는 효능만 평가하였음

령자 및 만성질환자에서도 유사한 수준의 예방효과를 보고하였다. 국내 인구를 대상으로 한 가교연구는 2012년에 수행되었으며, 이전 임상연구와 유사한 수준의 면역반응 및 이상반응 발생률을 보였다.

스카이조스터®는 3상 임상시험에서 ZOSTAVAX®와 면역원성과 안전성을 비교평가 하였다. 면역원성은 gpELISA와 IFN-γ ELISPOT (enzyme-linked immunosorbent spot) assay를 이용하여 평가하였으며, 스카이조스터® 접종 전과 접종 후 gpELISA의 GMR (geometric mean ratio)은 2.75이었고 ZOS-TAVAX® 대비 GMT (geometric mean titer) 비율은 0.80으로 비열등한 결과를 보였다(그림 9-2). 다만 임상연구에서 대상포진이나 PHN를 직접 예방하는 효능은 확인하지 않았다는 제한점이 있다.

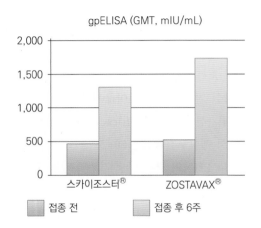
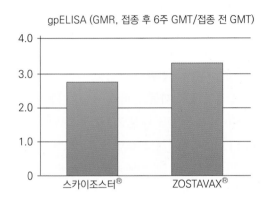

그림 9-2. 스카이조스터®의 면역원성 평가 결과

표 9-2. SHINGRIX®의 효능

연령군 (세)	예방 효능, % (95% 신뢰구간)	
	대상포진	대상포진후 신경통
50-59	96.6 (89.6-99.3)*	100.0 (40.8-100.0)
60-69	97.4 (90.1-99.7)*	100.0 (-442.9-100)
70-79	91.3 (86.0-94.9)	93.0 (72.4-99.2)
≥80	91.4 (80.2-97.0)	71.2 (-51.6-97.1)
70세 이상 전체	91.3 (86.8-94.5)	88.8 (68.7-100.0)

*ZOE-50 연구 결과만을 바탕으로 함. 이외 예방효능은 ZOE-50, ZOE-70 연구 결과를 합하여 분석(pooled analysis)된 것임

2) 불활화백신

SHINGRIX®의 경우, ZOSTAVAX®에 비해 대상포진이나 PHN를 예방하는 효과가 매우 높은 것으로 보고되었다. 50세 이상 성인을 대상으로 수행된 ZOE-50 연구에서는 대상포진 예방효능이 97.2%에 이르는 것으로 보고되었고, 70세 이상 성인을 대상으로 수행된 ZOE-70 연구에서도 대상포진 예방효능은 89.8%에 이르는 것으로 보고되었다. ZOE-50과 ZOE-70을 함께 분석한 결과, 70세 이상 성인에서 대상포진에 대한 SHINGRIX®의 예방효능은 91.3%, PHN에 대한 예방효능은 88.8%였다(표 9-2).

4. 적응증

1) 대상포진 생백신은 60세 이상 성인에게 1회 접종한다.
2) 50-59세 성인은 개별 피접종자의 상태에 따라 대상포진 생백신의 접종 여부를 결정한다. 만성 통증, 심한 우울증, 기저질환 등으로 인해 대상포진이나 대상포진후 신경통에 따른 통증에 민감하게 반응할 것으로 예상되는 경우 접종을 고려한다.

2018년 4월 현재 국내에서 사용 가능한 두 가지 대상포진백신은 모두 생백신이며, 미국에서 허가된 불활화백신은 아직 국내에서 허가되어 있지 않으므로 생백신에 대한 권고만 현재 가능하다. 두 가지 생백신은 모두 50세 이상 성인에서 접종 가능하도록 허가되어 있다. 대한감염학회 성인예방접종위원회는 2012년 60세 이상 성인에 대해, 2014년 50-59세 일부 성인에 대해 대상포진백신접종을 권고하였다. 이후 현재까지의 질병 추이, 백신 사용, 추가 연구 결과 등을 감안할 때 생백신과 관련된 접종 권고는 기존의 권고사항을 유지한다. 60세 이상 성인의 경우, 대상포진의 발생률 및 국내외 질병부담, 백신의 효과 및 비용-효과 분석 결과 등을 감안할 때, 금기사항에 해당되지 않는다면 대상포진 생백신의 접종을 권고한다. 실제 2014년 유 등이 국내에서 수행한 대상포진백신의 비용-효과 분석 결과, 60세 이상 모든 성인에서 대상포진백신접종이 비용-효과적이었으며 65세에 접종하는 것이 가장 비용-효과적이라고 보고하였다. 50-59세 성인의 경우, 개별 피접종자의 상태가 대상포진이나 대상포진후 신경통 발생 시 부담이 더 클 것으로 예상되는 경우 의사의 판단에 따라 접종 여부를 결정할 것을 권고한다. 이는 50-59세의 대상포진 질병부담이 상대적으로 적고, 대상포진 생백신(ZOSTAVAX®)의 장기 예방효과가 제한적이기 때문이다. 미국 예방접종 자문위원회(Advisory Committee on Immunization Practice, ACIP)는 60세 미만 성인의 대상포진백신접종을 권고하지 않는다고 밝혔다. 이는 백신 공급이 제한되어 있고 60세 미만에서 대상포진의 위험이 상대적으로 적다고 판단했기 때문이다. 다만, 우리나라의 경우 대상포진의 질병부담이 외국에 비해 상대적으로 큰 것으로 보고되고 있고 대상포진의 발생이 점차 증가하고 있으며 미국과는 달리 백신 공급이 제한적이지 않다. 따라서 50-59세 연령 인구에서 상대적으로 대상포진의 질병부담이 적다고 하더라도 백신 공급이 제한적이지 않다면 의사의 판단에 따라 접종을 고려할 수 있다.

생백신 중 스카이조스터®의 경우, ZOSTAVAX®와 비교하여 면역원성 및 안전성에 있어 열등하지 않은 결과가 확인되었고 이를 바탕으로 사용이 허가되었으므로 동일한 기준으로 접종을 고려할 수 있다. 다만 실제 질환을 예방하는 효과는 평가되지 않았으므로 이에 대한 추가적인 평가 결과를 주목해 볼 필요가 있다.

불활화백신인 SHINGRIX®의 경우, 2017년 10월 미국에서 처음으로 허가되었으며, 생백신과 달리 2-6개월 간격으로 2회 근육접종한다. 2017년 10월 ACIP 미팅에서 SHINGRIX®의 접종 권고와 관련된 논의가 있었으며, 2018년 1월 MMWR (Morbidity and Mortality Weekly Report)을 통해 50세 이상의 성인에 대해 ZOSTAVAX®보다 SHINGRIX®를 우선하여 접종하도록 권고하였다. 또한 기존에 ZOSTAVAX®를 접종받은 사람 중 면역저하자는 SHINGRIX®를 추가로 접종받도록 권고하였다. 다만 이전 임상연구(ZOE-50와 ZOE-70)에서 중증면역저하자에 대한 효능 평가는 이루어지지 못했기 때문에 이들에 대한 접종 권고는 유보하였다. 아직 우리나라는 SHINGRIX®가 허가되어 있지 않은 상태이나 향후 국내에서도 사용 가능할 것으로 예상된다. 따라서 향후 SHINGRIX®의 국내 허가 여부에 따라 대상포진과 관련된 접종 권고안은 달라질 가능성이 높다.

과거 대상포진 병력이 있는 사람에 대해서도 대상포진백신접종이 가능한지에 대해 다소 이견이 있다. 미국 질병통제센터에서는 대상포진이 드물지만 재발 위험이 있고 대상포진 발생 후 언제까지 대상포진 발병 위험이 감소하는지 명확하지 않으며 환자가 대상포진 병력을 정확히 하지 못할 가능성이 있다는 점을 감안하여 대상포진 병력과 무관하게 대상포진백신접종을 권고하였다. 대상포진백신이 사용되고 있는 다른 국가에서도 대상포진 병력이 있는 사람에 대해 대상포진백신접종을 금하지 않는다. 다만 대상포진이 발병한 환자에게 어느 정도 기간이 경과한 뒤 백신을 접종하는 것이 바람직한지에 대해서는 이견이 있으며, 많은 전문가들은 단기 재발 가능성이 낮고 안전한 예방접종이 필요하다는 점에서 최소 1-2년이 경과한 뒤 대상포진백신을 접종할 것을 권고한다.

대상포진이 젊은 연령에서도 많이 발생한다는 점을 감안하여 50세 이하의 연령층에 대한 대상포진 백신접종 필요성이 제기되는 경우가 있다. 그러나 현재 국내외에서 허가된 백신은 모두 50세 이상에서 사용 가능하도록 허가되었고, 우리나라를 포함하여 대부분의 국가에서 대상포진 발병 위험이 적어도 50대 이후 증가하는 양상을 보이고 있으며, 현재 사용 가능한 대상포진백신의 장기 예방효과가 제한적이라는 점을 감안할 때, 50세 미만에서 대상포진백신접종은 적절하지 않다.

ZOSTAVAX®의 제품설명서에는 23가 폐렴사슬알균 다당류백신(PPSV23)과 동시접종은 금지하도록 기술되어 있다. 이는 ZOSTAVAX®와 PPSV23을 동시접종한 경우 1개월 간격을 두고 접종한 경우에 비해 대상포진백신에 의한 항체가가 낮게 측정되었기 때문이다. 그러나 이후 연구들에서 실제 예방효과에 차이가 없다는 점이 보고되었으며 미국 ACIP에서도 두 백신의 동시접종이 가능하다고 권고하였다. 또한 다른 대부분 백신의 경우에도, 일반적인 백신접종의 원칙을 감안하여 볼 때, ZOSTAVAX®와 동시접종이 가능하다.

5. 투여방법

국내에서 유통되는 ZOSTAVAX®는 동결건조된 흰색의 결정성 건조제제가 들어 있는 바이알의 형태로 되어 있으며 미국에서 유통되는 백신과는 달리 냉장 상태에서 보관하는 백신이다. 백신을 사용하기 위해서는 함께 제공된 주사기내 첨부용제를 백신이 들어있는 바이알에 모두 넣고 완전히 혼합되도록 흔들어 조제한다. 이후 용해액 전량(0.65 mL)을 주사기에 취한 후 어깨세모근 부위에 1회 피하주사한다. 혈관 내 또는 근육주사를 하여서는 안 된다. 백신은 역가 손실을 최소화하기 위해 투여 직전에 냉장고에서 꺼내 조제해야 하며 조제 즉시 투여해야 한다. 조제 후 30분 이내에 사용하지 않은 백신은 폐기해야 한다. 또한 조제된 백신을 냉동보관하면 안 된다.

스카이조스터®는 무색투명한 바이알에 들어있는 동결건조된 흰색의 결정성 건조제제로 되어 있다. 백신은 첨부용제(주사용수)로 녹여 전량(0.5 mL)을 어깨세모근 외측부위에 1회 피하주사한다. 역가 손실을 최소화하기 위해 조제 후 즉시 백신을 투여하며, 조제 후 30분 이내 사용하지 않은 백신은 폐기해야 한다.

6. 이상반응

임상연구를 통해 확인된 ZOSTAVAX®의 이상반응 중 가장 흔히 관찰된 것은 주사 부위에 나타난 발적, 통증, 종창, 소양증, 혈종 등이다. 대부분의 주사 부위 이상반응은 경증이었으며 4일 이내에 소실되었다. 전신적인 이상반응으로는 두통이 가장 많이 관찰되었다. 접종 후 대상포진양 발진이 일부 관찰되었으나 대부분 야생형 바이러스에 의한 경우였고 Oka/Merck 주에 의한 경우로 확진된 예는 없었다. 백신 바이러스의 전파도 증명된 예는 없으나 수두양 발진이 발생한 백신접종자에서 VZV에 대한 감수성이 있는 사람에게로 전파가 일어날 가능성은 있다. ZOSTAVAX® 접종 후 발생한 중증 이상반응 중 백신과 관련 가능성이 있는 것으로 천식 발작과 류마티스성 다발성근육통(polymyalgia rheumatica)이 보고된 바 있다. 국내에서 수행된 ZOSTAVAX® 가교연구 결과에서는 주사 부위의 발적, 종창, 통증이 가장 흔히 관찰된 이상반응이었고, 대부분 경증을 보였으며, 중증 이상반응이나 수두양 발진은 확인되지 않았다. 임상연구를 통해 확인된 스카이조스터®의 이상반응 발생률과 중증도는 ZOSTAVAX®와 차이가 없었다. SHINGRIX®의 경우 임상연구를 통해 접종 부위 통증, 발적, 종창, 전신의 근육통, 피로감, 두통 등의 이상반응이 확인되었다. 이상반응은 50-59세에서 가장 많고 70세 이상에서 가장 적었으며, 심한 이상반응은 1차 접종 때보다는 2차 접종 때 더 많이 관찰되었다. 백신과 관련 가능성이 있는 중증 이상반응으로 림프절염과 고열이 보고되었고, 백신과의 연관성이 충분히 평가되지는 못했지만 시신경 허혈성 신경병증(optic ischemic neuropathy)이 3건 보고되었다.

7. 금기

1) 현재 허가된 대상포진 생백신(ZOSTAVAX®, 스카이조스터®)의 금기사항은 다음과 같다.
   ① gelatin, neomycin, 그 밖의 백신 성분에 대해 중증의 과민반응을 보였던 경우
   ② 선천적 또는 후천적 면역결핍 상태: 백혈병, 림프종, 골수나 림프계 침범 소견이 있는 악성 종양 환자, AIDS 환자 또는 증상이 있는 HIV 감염인
   ③ 고용량 스테로이드를 포함하여 면역억제요법을 받고 있는 환자
   ④ 임신부 또는 임신 가능성이 있는 경우

단, 관해 상태의 백혈병으로 최소 3개월 이상 항암치료나 방사선치료를 받지 않는 환자에서 대상포진백신의 접종이 가능하다. 고용량 스테로이드의 투여는 prednisolone 기준으로 하루 20 mg 이상의 용량을 2주 이상 복용하는 경우를 의미하며, 국소/흡입용 스테로이드 또는 저용량의 스테로이드를 투여 받고 있는 자와 부신기능부전에 대한 대체요법으로서 스테로이드를 투여 받고 있는 경우는 이 백신의 금기 대상이 아니다. 또한 저용량의 면역억제제(methotrexate 0.4 mg/kg/week 이하, aza-thioprine 3.0 mg/kg/day 이하, 6-mercaptopurine 1.5 mg/kg/day 이하)를 투여받는 경우 역시 대상포진백신의 금기 대상에 해당되지 않는다. 재조합 인간면역 조절제(adalimumab, infliximab, etaner-cept 등) 사용 중 대상포진백신접종에 대한 안전성 및 유효성에 대한 자료는 매우 제한적이다. 따라서 재조합 인간면역 조절제를 투여해야 하는 환자에서는 해당 약제 투여 전에 백신을 접종하거나 투여 종료 1개월 후 백신을 접종하는 것이 바람직하다. 항바이러스제(acyclovir, famciclovir, valacyclo-vir) 사용 중인 환자에서는 백신 바이러스의 증식에 영향을 줄 수 있으므로 이러한 약물 사용을 종료하고 적어도 24시간이 경과된 뒤 대상포진백신을 접종받는 것이 바람직하다. 대상포진백신접종 후 태아에 해를 끼치거나 생식능에 영향을 미치는지는 알려져 있지 않으나 VZV 자체가 태아에 유해한 영향을 끼칠 수 있는 것으로 알려져 있으므로 대상포진 백신접종 후 4주간 임신을 피하도록 권고한다. 대상포진백신은 대상포진을 예방하기 위해 개발된 백신으로 대상포진의 치료를 위해 사용되어서

는 안되며 수두백신의 대용으로 사용되어서도 안된다. 또한 중등도 이상의 급성 질환이 있는 경우 일반적인 백신접종의 원칙에 따라 해당 급성 질환이 회복될 때까지 백신접종을 연기하는 것이 바람직하다.

2) SHINGRIX®의 경우 불활화백신이기 때문에 면역기능이 저하된 사람에게도 접종이 가능하다. 미국에서는 백신 성분에 대해 중증 알레르기 반응(아나필락시스)을 보이는 경우를 금기사항으로 기술하고 있다. 다만 향후 국내 허가사항에 따라 금기사항은 달라질 수 있다.

8. 국내유통백신

2019년 6월 현재 국내에서 허가되어 유통되는 대상포진백신은 다음과 같다.

제품명	제조 및 판매사	용량	용법
ZOSTAVAX®	Merk Sharp & Dohme. Corp.	0.65 mL/vial	1회 0.65 mL 피하접종
스카이조스터®	SK 바이오사이언스	0.5 mL/vial	1회 0.5 mL 피하접종

참고문헌

1. 대한감염학회. 성인예방접종. 2판. 서울: MIP; 2012.
2. 유승미. 60세 이상 한국 노인에서 대상포진 백신의 비용-효과 분석. 서울대학교 보건대학원 : 보건학과, 2014.
3. Centers for Disease Control and Prevention. (CDC). Update on recommendations for use of herpes zoster vaccine. MMWR Morb Mortal Wkly Rep 2014;63:729-31.
4. Choi WS, Choi JH, Choi JY, Eom JS, Kim SI, Pai H, Peck KR, Sohn JW, Cheong HJ. Immunogenicity and safety of a live attenuated zoster vaccine (ZOSTAVAX™) in Korean adults. *J Korean Med Sci* 2016;31:13-7.
5. Choi WS, Choi JH, Kwon KT, Seo K, Kim MA, Lee SO, Hong YJ, Lee JS, Song JY, Bang JH, Choi HJ, Choi YH, Lee DG, Cheong HJ. Committee of Adult Immunization; Korean Society of Infectious Diseases. Revised Adult immunization guideline recommended by the Korean Society of Infectious Diseases, 2014. *Infect Chemother* 2015;47:68-79.
6. Choi WS, Noh JY, Huh JY, Jo YM, Lee J, Song JY, Kim WJ, Cheong HJ. Disease burden of herpes zoster in Korea. *J Clin Virol* 2010;47:325-9.
7. Cunningham AL, Lal H, Kovac M, Chlibek R, Hwang SJ, Díez-Domingo J, Godeaux O, Levin MJ, McElhaney JE, Puig-Barberà J, Vanden Abeele C, Vesikari T, Watanabe D, Zahaf T, Ahonen A, Athan E, Barba-Gomez JF, Campora L, de Looze F, Downey HJ, Ghesquiere W, Gorfinkel I, Korhonen T, Leung E, McNeil SA, Oostvogels L, Rombo L, Smetana J, Weckx L, Yeo W, Heineman TC; ZOE-70 Study Group. Efficacy of the herpes zoster subunit vaccine in adults 70 years of age or older. *N Engl J Med* 2016;375:1019-32.
8. Kathleen L, Dooling, Angela Guo, Manisha Patel, Grace M. Lee, Kelly Moore, Edward A. Belongia, Rafael Harpaz. Recommendations of the Advisory Committee on Immunization Practices for Use of Herpes Zoster Vaccines. MMWR Morb Mortal Wkly Rep 2018;67:103-8.
9. Kawai K, Gebremeskel BG, Acosta CJ. Systematic review of incidence and complications of herpes zoster: towards a global perspective. *BMJ Open* 2014;4:e004833.

10. Kim YJ, Lee CN, Lim CY, Jeon WS, Park YM. Population-based study of the epidemiology of herpes zoster in Korea. *J Korean Med Sci* 2014;29:1706-10.

11. Kwon SU, Yun SC, Kim MC, Kim BJ, Lee SH, Lee SO, Choi SH, Kim YS, Woo JH, Kim SH. Risk of stroke and transient ischaemic attack after herpes zoster. *Clin Microbiol Infect* 2016;22:542-8.

12. Lal H, Cunningham AL, Godeaux O, Chlibek R, Diez-Domingo J, Hwang SJ, Levin MJ, McElhaney JE, Poder A, Puig-Barberà J, Vesikari T, Watanabe D, Weckx L, Zahaf T, Heineman TC; ZOE-50 Study Group. Efficacy of an adjuvanted herpes zoster subunit vaccine in older adults. *N Engl J Med* 2015;372:2087-96.

13. Oxman MN, Levin MJ, Johnson GR, Schmader KE, Straus SE, Gelb LD, Arbeit RD, Simberkoff MS, Gershon AA, Davis LE, Weinberg A, Boardman KD, Williams HM, Zhang JH, Peduzzi PN, Beisel CE, Morrison VA, Guatelli JC, Brooks PA, Kauffman CA, Pachucki CT, Neuzil KM, Betts RF, Wright PF, Griffin MR, Brunell P, Soto NE, Marques AR, Keay SK, Goodman RP, Cotton DJ, Gnann JW Jr, Loutit J, Holodniy M, Keitel WA, Crawford GE, Yeh SS, Lobo Z, Toney JF, Greenberg RN, Keller PM, Harbecke R, Hayward AR, Irwin MR, Kyriakides TC, Chan CY, Chan IS, Wang WW, Annunziato PW, Silber JL; Shingles Prevention Study Group. A vaccine to prevent herpes zoster and postherpetic neuralgia in older adults. *N Engl J Med* 2005;352:2271-84.

14. Schmader KE, Levin MJ, Gnann JW Jr, McNeil SA, Vesikari T, Betts RF, Keay S, Stek JE, Bundick ND, Su SC, Zhao Y, Li X, Chan IS, Annunziato PW, Parrino J. Efficacy, safety, and tolerability of herpes zoster vaccine in persons aged 50-59 years. *Clin Infect Dis* 2012;54:922-8.

덩기

순천향대학교 의과대학 **김태형**
가톨릭대학교 의과대학 **유진홍**

---

1 **대한감염학회 접종 권장대상과 시기**

각 국가별로 사용이 승인된 경우, 역학적으로 질병부담이 많은 유행지역에서 중증 덩기바이러스 감염 예방을 목적으로 함. 단, 첫 백신접종 시점에 혈중 덩기바이러스 항체 양성인 사람들에게만 권고함(수정된 2018년 4월 WHO 의견서 근거).

2 **접종용량 및 방법**

유전자조합 키메라 약독화 17D 황열/덩기바이러스 4가백신 ([CYD-TDV], Dengvaxia)
: 0.5 mL로 3회 (0, 6, 12개월)접종

3 **이상반응**

주사부위 통증, 두통, 무력감

4 **주의 및 금기사항**

백신에 심한 알레르기 반응이 있거나, 첫 백신접종 시점에 혈중 덩기바이러스 항체 음성인 사람

---

1. 질병의 개요

1) 원인 병원체

모기가 매개하는 플라비바이러스과(family *Flaviviridae*)에 속하는 덩기바이러스는 발열과 출혈열을 일으킨다. DENV-1, DENV-2, DENV-3, DENV-4의 4가지 혈청형의 유행이 전 세계적으로 알려져 있다. 4가지 혈청형은 유행지역에서 골고루 발견된다. 네 가지 바이러스 혈청형은 아미노산 단계에서 60-75%만 일치하기 때문에 각각의 혈청형은 매우 독립적인 바이러스라고 하겠다. 바이러스 유전체는 positive sense single strand RNA이고 구조단백으로는 백신의 타겟인 premembrane (prM)과 피막(E) 단백이 있다.

2) 역학

전 세계적으로 열대지역과 일부 아열대 지역에서 오래전부터 있었던 감염병으로 추정한다. 20세기 초까지만 해도 미국의 남부지역과 호주까지도 산발적인 유행이 있었다. 2015년 기준 전 세계적으로 320 만 건이 보고된다. 우리나라는 유행지역 귀국자들의 유입 감염 형태로 1995년 이후 보고가 있다. 최초 보고는 스리랑카와 케냐 등지를 여행 다녀온 후 감염된 사례들이고 주로 우리나라 사람들이 자주 여행 하는 태국, 인도네시아, 필리핀 중심으로 매년 200례 이상 보고되고 있다. 뎅기바이러스는 밀림의 생활 사뿐 아니라 사람이 사는 환경에 많이 적응을 한 숲모기들(*A. aegypti, A. albopicus*)에 의해서 사람– 모기–사람으로 이어지는 바이러스 생활사를 유지하기 때문에 열대, 아열대 지역의 도시에서도 많이 발 생한다. 감염을 결정하는 요인은 매개모기의 서식, 우기, 높은 기온이다. 기후의 온난화의 영향으로 매 개 숲모기의 서식지가 바뀌면서 유행지역이 북반구에서는 북상하는 경향이 있다. 뎅기열은 한 가지 혈 청형에 감염이 된 사람들이 해당 혈청형에 대해 한동안 면역이 유지되는 관찰 경험이 있었기 때문에 이 론적으로 백신을 통한 예방이 가능하지만 아직 보편적으로 효과적인 백신이 공급되지 못하였고 몇 가 지 임상연구가 진행 중이다.

3) 임상적 특징

바이러스는 주로 국소 가지세포(dendritic cell)와 단핵구, 림프구를 통해 혈행성 감염을 일으키고 간, 중추신경을 침범한다는 보고가 있다. 대부분은 무증상 감염을 일으킨다. 증상을 일으킨 경우 잠복기는 보통 4–7일(3–14일 구간)이 된다. 가장 특징적인 증상은 갑자기 시작되는 발열이다. 심하게 두들겨 맞 은 것 같은 근육통이 발생한다. 두통과 안와 뒤쪽의 통증이 동반되고 발진은 주로 몸통과 사지의 내측 에 잘 발생한다. 첫 번째 감염 후에는 해당 혈청형의 IgG 항체가 형성되는데 다른 혈청형에 의한 두 번 째 감염이 발생할 때 이 항체들은 사람을 보호하기보다는 오히려 더 심한 출혈열의 증상을 일으키는데 관여한다.

4) 진단

확진 방법은 (1) 실제로 임상에서 쓰지 않지만 바이러스를 직접 분리하는 방법, (2) RT–PCR (reverse transcriptase polymerase chain reaction), (3) 혈청검사로 뎅기특이항체(IgM Ab–capture enzyme– linked immunosorbent assay), (4) 신속 NS1 항원 단독, 또는 항원 항체(IgM/IgG) 검사가 있다. 우리나 라에서 진단의 제한점은 신속검사가 보편적으로 가능하지 않다는 점과 보건환경연구원을 통해서만 검 사가 가능하다는 점이다.

5) 치료

치료는 특이적인 항바이러스 치료제는 없고 2009년 WHO 지침을 기반으로 보존적 치료를 권고한다. 의료자원이 취약한 나라의 경우는 집단적인 환자가 발생하였을 경우 중증도에 따라서 우선적으로 입원치료를 할 사람들을 분류하는 것이 중요하다. 주된 치료는 isotonic solution 수액치료를 기반으로 한 쇼크와 출혈열에 대한 치료이다. 아스피린에 의한 라이증후군 보고가 있기 때문에 아스피린은 쓰지 않고 출혈을 악화시킬 수 있는 비스테로이드항염증약제(NSAIDs)의 사용도 피해야 한다.

6) 환자 및 접촉자 관리

모기 외의 수단으로 감염이 매개된 사례나 접촉이나 호흡기를 통한 대인감염은 알려진 바가 없으므로 격리가 필요하지 않으나 의료기관 내에서 감염환자의 체액에 노출된 경우 의료진이 감염된 사례가 있으므로 혈액매개감염에 대한 주의가 필요하다.

2. 백신의 종류

플라비바이러스 중에는 황열바이러스에 대한 약독화 생백신이 가장 먼저 개발되었고 이를 기반으로 사노피 파스퇴르사는 1999년 키메라 바이러스 기술로 일본뇌염백신을 개발하였으며 이 기술로 2000년 이후에는 뎅기백신이 개발되었다.

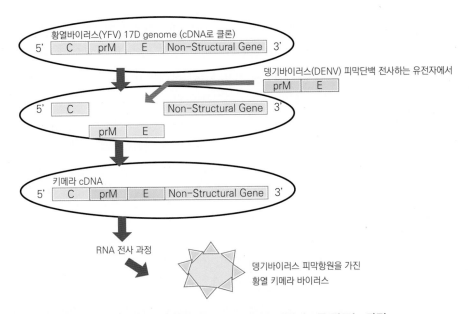

그림 10-1. 뎅기백신 개발을 위한 황열바이러스의 키메라 바이러스를 만드는 과정 (Guy B등의 종설 그림에서 인용)

1) 유전자조합 키메라 약독화 17D황열/뎅기바이러스 4가백신(Recombinant Chimeric live-attenu-ated Yellow fever 17D/Tetravalent Dengue virus Vaccine [CYD-TDV], Dengvaxia®, 사노피파스퇴르사 제조): 17D 황열바이러스의 피막단백을 각각의 4가지 혈청형의 뎅기바이러스로 치환한 키메라 바이러스로 만든 최초의 약독화 생백신이고 두 개의 대규모 임상연구 결과 이후 일부 동남아시아와 남미에서 승인되었다.

2) 그 밖의 백신들은 아직 임상연구가 충분하게 검증되지 않았다.

3. 백신의 효능과 이상반응

1) 유전자조합 키메라 약독화 17D황열/뎅기바이러스 4가백신 ([CYD-TDV], Dengvaxia®)

(1) 최초의 대규모 3상 연구는 2011년 동남아시아 5개국 즉, 인도네시아, 말레이시아, 필리핀, 태국, 베트남에서 10,275명의 2-14세 건강한 어린이들을 대상으로 무작위 위약 대조연구였다. 대상자들은 0, 6, 12 개월에 3회 접종을 받았고 마지막 접종 후 28일 이후 어떤 혈청형이든지 바이러스가 증명된 증상이 있는 뎅기바이러스 감염이 발생하는지를 25개월까지 경과를 관찰하였다. 백신효능(vaccine efficacy)은 56.5% (95% CI 43.8-66.4)였고, 중대 이상반응은 각각 실험군 62%, 대조군 38%로 주로 접종 후 28일 이내 다른 감염과 외상 등이었다. 이 백신의 안정성에 대한 비슷한 임상연구들을 취합한 결과에 따르면 백신 투여군은 이상반응의 빈도가 높았고 문진한 이상반응 중 가장 흔한 것은 주사부위 통증, 두통, 무력감이었으나 아나필락시스반응이나 신경계 이상반응은 보고되지 않았고 통상 백신을 맞는 연령군에서 나타나는 일반적인 백신 이상반응의 수준을 넘지는 않았다. 뎅기바이러스 감염 중 출혈열에 대한 백신 효능은 1회 이상 접종한 경우 80%, 3회 모두 접종한 경우 88.5%로 다행히 더 심한 형태의 질병을 예방하는데 유용하다. 이로써 유행지역에서 의미가 있는 전반적 백신효능과 안전성이 증명되었지만, 백신의 효능은 대상자 어린이들 가운데에서도 나이에 따라서 차이가 난다. 2-5세의 백신효능은 33.7%이고 12-14세는 74.4%라서 실제로 더 많이 뎅기바이러스 감염에 노출되고 더 심하게 앓게 되는 더 어린 나이군에서 효능이 떨어지는 것이 제한점이 된다. 따라서 이 백신은 전적으로 뎅기바이러스 감염에 노출된 바가 없는 매우 어린 나이 군에서 1차적인 백신면역을 유도하는 효능은 제한적이지만, 커가면서 여러 뎅기바이러스 감염에 노출되었던 어린이들에게 기존의 형성된 면역을 강화(booster)하는 효능이 더 뚜렷하다고 추정한다. 이러한 관찰은 출혈열에 대한 백신 효능에서도 나타난다. 나이와 상관없이 뎅기바이러스에 노출된 과거력이 있는 경우 출혈열에 대한 백신효능은 74.3%인 것에 비해서 한 번도 감염된 바가 없는 군에서는 35.5%이다. 한편 혈청형에 따른 효능은 차이가 난다. DENV-2에 대한 효능은

DENV-3, DENV-4에 비해서 못한 것으로 확인되었으나 9.2%밖에 되지 않았던 2b상 연구의 결과보다는 개선되었다.

중남미에서도 동남아시아 연구와 같은 설계로 콜롬비아, 브라질, 멕시코, 푸에르토리코, 온두라스에서 같은 해 2011년에 진행되었다. 20,869명의 9–16세 건강한 어린이를 대상으로 하였고 백신효능은 60.8% (95% 신뢰구간 52.0–68.0)으로 비슷하였다. 이상반응의 빈도는 차이가 없었고 이 연구에서도 백신은 중증 출혈열 예방에 더 효능이 있었다. 혈청형별 백신효능은 DENV-1 50.3%, DENV-2 42.3%, DENV-3 74.0%, DENV-4 77.7%로 역시 DENV-2의 백신 효능이 열등하다.

위 두 연구와 이전의 2b상 연구 성적을 기반으로 3–6년 장기간 경과 관찰을 하였을 때 역시 일부 기간의 예외가 있었지만 입원을 줄이는 효능이 있었다. 전 세계 인구의 40%가 위험 속에 살고 있는 이 감염병의 질병부담을 고려할 때 56.5–60.8%라는 백신효능과 특히 입원을 예방하는 것에 대한 우월한 효능(80.3%)은 유행국가에 한해서는 국가예방접종 프로그램으로 도입할 것인가의 논의에 충분하게 긍정적인 근거가 된다.

그러나 백신 연구에 참여했던 대상자 중 2–5세까지 나이군에서는 효능의 제한점뿐 아니라 입원이 눈에 띄게 증가한 것이 관찰되었다. 다양한 나이군을 대상으로 증례대조연구를 진행한 결과, 첫 백신 시점에 뎅기바이러스 혈청 검사가 음성인 9–16세 나이군의 뎅기바이러스 감염에 의한 입원은 백신을 접종받지 않은 군에 비해서 41%가 증가하였다. 그 결과 나이군에 상관없이 과거 뎅기바이러스에 노출되지 않은 집단에서의 백신접종은 안전하지 못하다고 알게 되었다.

4. 적응증

유전자조합 키메라 약독화 17D황열/뎅기바이러스 4가백신(CYD-TDV, Dengvaxia): 2016년 2월 WHO는 역학적으로 질병부담이 많은 유행지역에 한해서 건강한 9세 이상의 어린이에게 사용을 권고한다는 최초 의견서(position paper)를 발표하였다. 이 백신이 더 어린 나이의 어린이나 뎅기바이러스에 노출되지 않았던 집단에서 효능이 낮았기 때문에 9세 이상이고 인구집단의 혈청학적 뎅기바이러스 양성률이 50–70% 이상인 지역에서 백신의 적절한 백신 효능을 기대할 수 있을 것으로 기대하였다. 그러나 이어지는 연구결과 첫 백신 시점에 혈청학적 뎅기바이러스 음성인 대상자들의 입원 증가로 백신의 안전성 문제가 제기되었기 때문에 2018년 4월 WHO는 9세 이상이라는 나이 제한 언급을 삭제하고 첫 백신 시점에 혈청학적 뎅기바이러스 양성인 사람, 즉 과거 뎅기바이러스에 노출이 있었던 사람에서만 중증 뎅기바이러스 감염의 예방을 기대할 수 있다고 의견서를 수정하여 발표하였다. 지금까지 알려진 백신효능의 제한점과 안전성을 고려할 때 유행지역 출신이 아닌 여행자들에게 보편적으로 이를 권고할 만한 근거는 부족하고 특히 안전하지 못하다.

5. 투여방법

유전자조합 키메라 약독화 17D황열/뎅기바이러스 4가백신 (CYD-TDV, Dengvaxia®): 0.5 mL로 3회 (0, 6, 12개월) 접종한다. 황열백신, DTaP-IPV/Hib, MMR등의 일반적인 어린이 예방접종과 병용투여를 해도 이상반응이나 효능에서 문제가 되지 않았다.

6. 국내유통백신

현재 국내 유통백신은 없다.

참고문헌

1. 찬주, 김혜랑, 김민자. A Case of Imported Dengue Hemorrhagic Fever. Korean J Infect Dis 1995;28:403-6.
2. Capeding MR, Tran NH, Hadinegoro SR, Ismail HI, Chotpitayasunondh T, Chua MN, Luong CQ, Rusmil K, Wirawan DN, Nallusamy R, Pitisuttithum P, Thisyakorn U, Yoon IK, van der Vliet D, Langevin E, Laot T, Hutagalung Y, Frago C, Boaz M, Wartel TA, Tornieporth NG, Saville M, Bouckenooghe A; CYD14 Study Group. Clinical efficacy and safety of a novel tetravalent dengue vaccine in healthy children in Asia: a phase 3, randomised, observer-masked, placebo-controlled trial. Lancet 2014;384:1358-65.
3. Chen LH, Wilson ME. Transmission of dengue virus without a mosquito vector: nosocomial mucocutaneous transmission and other routes of transmission. Clin Infect Dis 2004;39:e56-60.
4. Choi MH, Choo EJ, Kim TH, Jeon MH, Park EJ, Shin DW, Yi SH, Choi JH. Four Cases of Dengue Fever-Dengue Hemorrhagic Fever and Domestic Literature Review. Infect Chemother 2008;40:350.
5. Crevat D, Brion JD, Gailhardou S, Laot TM, Capeding MR. First Experience of Concomitant Vaccination Against Dengue and MMR in Toddlers. Pediatr Infect Dis J 2015;34:884-92.
6. Gailhardou S, Skipetrova A, Dayan GH, Jezorwski J, Saville M, Van der Vliet D, Wartel TA. Safety Overview of a Recombinant Live-Attenuated Tetravalent Dengue Vaccine: Pooled Analysis of Data from 18 Clinical Trials. PLoS Negl Trop Dis 2016;10:e0004821.
7. Guy B, Guirakhoo F, Barban V, Higgs S, Monath TP, Lang J. Preclinical and clinical development of YFV 17D-based chimeric vaccines against dengue, West Nile and Japanese encephalitis viruses. Vaccine 2010;28:632-49.
8. Hadinegoro SR, Arredondo-Garcia JL, Capeding MR, Deseda C, Chotpitayasunondh T, Dietze R, Muhammad Ismail HI, Reynales H, Limkittikul K, Rivera-Medina DM, Tran HN, Bouckenooghe A, Chansinghakul D, Cortés M, Fanouillere K, Forrat R, Frago C, Gailhardou S, Jackson N, Noriega F, Plennevaux E, Wartel TA, Zambrano B, Saville M; CYD-TDV Dengue Vaccine Working Group. Efficacy and Long-Term Safety of a Dengue Vaccine in Regions of Endemic Disease. N Engl J Med 2015;373:1195-206.
9. Halstead SB. Dengue virus-mosquito interactions. Annu Rev Entomol 2008;53:273-91.
10. Halstead SB. Dengue. Lancet 2007;370:1644-52.
11. Kim B-N. How to diagnose dengue fever in Korea. J Korean Med Assoc 2014;57:624.
12. Sabchareon A, Lang J, Chanthavanich P, Yoksan S, Forrat R, Attanath P, Sirivichayakul C, Pengsaa K, Pojjaroen-Anant C, Chokejindachai W, Jagsudee A, Saluzzo JF, Bhamarapravati N. Safety and immunogenicity of tetravalent live-attenuated dengue vaccines in Thai adult volunteers: role of serotype concentration, ratio, and multiple doses. Am J Trop Med Hyg 2002;66:264-72.
13. Simmons CP, Farrar JJ, Nguyen v V, Wills B. Dengue. N Engl J Med 2012;366:1423-32.
14. Sridhar S, Luedtke A, Langevin E, Zhu M, Bonaparte M, Machabert T, Savarino S, Zambrano B, Moureau A, Khromava A, Moodie Z, Westling T, Mascareñas C, Frago C, Cortés M, Chansinghakul D, Noriega F, Bouckenooghe A, Chen J, Ng SP, Gilbert PB, Gurunathan S, DiazGranados CA. Effect of Dengue Serostatus on Dengue Vaccine Safety and Efficacy. N Engl J Med 2018;379:327-40.
15. Villar L, Dayan GH, Arredondo-Garcia JL, Rivera DM, Cunha R, Deseda C, Reynales H, Costa MS, Morales-Ramírez JO, Carrasquilla G, Rey LC, Dietze R, Luz K, Rivas E, Miranda Montoya MC, Cortés Supelano M, Zambrano B, Langevin E, Boaz M, Tornieporth N, Saville M, Noriega F; CYD15 Study Group. Efficacy of a tetravalent dengue vaccine in children in Latin America. N Engl J Med 2015;372:113-23.
16. World Health Organization (WHO). Dengue vaccine: WHO position paper - July 2016. Wkly Epidemiol Rec. 2016;91(30):349-64.
17. World Health Organization (WHO). WHO Guidelines Approved by the Guidelines Review Committee. Dengue: Guidelines for Diagnosis, Treatment, Prevention and Control: New Edition. WHO Guidelines Approved by the Guidelines Review Committee. Geneva: World Health Organization World Health Organization 2009.

두창

서울대학교 의과대학 **박완범**
서울대학교 의과대학 **오명돈**

1 대한감염학회 접종 권장대상과 시기

가. 증식 가능 백시니아바이러스 또는 증식 가능 백시니아주에서 유래된 재조합 백시니아바이러스 또는 인체에 감염 가능한 다른 orthopoxvirus를 배양하거나, 감염된 동물을 직접 다루는 모든 실험실 인력

나. 아래 의료진에서 개별 임상 판단에 따라 투여

    1) 백시니아바이러스 감염 환자를 현재 치료하거나 치료할 것으로 예상되는 의료진

    2) 증식가능 백시니아바이러스에 제한된 접촉(드레싱 등 오염된 재료)을 하는 의료진

    3) 적절한 감염예방법을 준수하는 두창백신 투여 인력

다. 생물학전에 노출될 위험이 있는 군인

라. 그 외 두창발생 고위험군으로 간주되는 경우

2 접종용량 및 방법

생백신(약 0.0025 mL)을 분지침(bifurcated needle)의 두 가닥 바늘사이에 묻혀서 상완의 피부에 15회 찌름

3 이상반응

가. 피부병변: 종두습진(eczema vaccinatum), 진행성 백시니아(progressive vaccinia), 전신성 백시니아(generalized vaccinia)

나. 뇌병증과 뇌염

다. 심장 이상반응: 심근심낭염

라. 자가접종(auto-inoculation): 눈, 얼굴, 입술, 성기

4 주의 및 금기사항

가. 면역저하자

나. 아토피 피부염, 활동성 피부박탈상태(exfoliative skin condition) 등 피부질환이 있는 경우

다. 1세 미만

라. 임신부나 수유부

마. 두창백신 성분에 심각한 과민증이 있는 경우

바. 기저 심장질환(관상동맥질환, 심근병)이 있는 경우

사. 3개 이상의 주된 심장위험인자(고혈압, 당뇨, 고지혈증, 가족력, 흡연)가 있는 경우

아. 가족내 피부질환자, 면역저하자, 임신부, 1세 미만 영아가 있는 경우

1. 질병의 개요

1) 원인 병원체

두창바이러스(variola virus)는 *Poxviridae* 과, *Orthopoxvirus* 속에 속하는데 이에는 백시니아바이러스(vaccinia virus), monkeypox virus, cowpox virus 등이 있다. Poxvirus genome은 약 200 nm 직경을 갖는 벽돌모양의 구조로 이중 가닥의 DNA 단일분자로 구성되어 있다.

Orthopoxvirus는 일반적으로 사람세포와 영장류 세포에서 가장 잘 자라지만 다른 종의 배양 세포에서도 잘 자라며 사람을 감염시키는 네 가지 바이러스(두창바이러스, 백시니아바이러스, cowpox virus, monkeypox virus)를 세포배양 과정에서 구분하기는 쉽지 않다. 10–12일된 병아리 배아의 융모요막에서 배양하면 종별로 특징적인 소견이 생겨 종을 구분할 수 있으며 최근에는 PCR 방법으로 이들을 구분할 수 있다.

2) 역학

인간은 자연계 두창바이러스의 유일한 보유숙주이다. 두창바이러스는 무증상의 감염상태로 존속하지는 않으며 재활성화되지도 않는다. 공기 중에 방출된 바이러스는 일반적으로 48시간 안에 불활화되지만 열, 건조, 추위와 일반적인 소독제에는 강한 편이다. 두창바이러스는 41℃에서 증식을 멈추고 55℃에서 30분간 가열하면 불활화된다. 두창바이러스와 백시니아바이러스는 영하 180℃에서 냉동 건조시키면 감염력을 유지할 수 있다.

감염된 사람의 구강, 비강, 또는 인두의 점막에서 배출된 비말을 흡입하여 자연감염이 발생하는데, 적은 수의 virion을 흡입해도 감염될 수 있다. 오염된 의류와 담요 같은 오염 물질에 직접 접촉해도 감염될 수 있고, 드물지만 호흡기를 통해 먼 거리의 감염도 가능하다.

3) 임상적 특징

평균 잠복기는 10–12일(6–22일)이다. 자궁내 감염 등 비호흡기 감염 시 호흡기 감염보다 잠복기가 짧고, 백시니아 면역글로불린을 투여 받아서 부분면역을 가진 경우나 항바이러스제를 투여 받은 경우 잠복기가 길어진다. 잠복기 동안에는 전염성이 없으며 증상이 발생하거나 구강 점막진(enanthem)이 생기면서부터(주로 발진 발생 24시간 전) 딱지와 가피가 생길 때까지 전염력을 갖는다. 점막진 발생 시점부터 발진 발생 후 10일째까지 가장 바이러스 배출량이 많으며 밀접한 접촉 시 전염률은 37–88%이다.

일반적으로 전형적인 발진이 나타나기 전에 전구증상이 48–72시간 동안 지속된다. 갑자기 발생한 발열과 오한을 시작으로 요통, 두통과 권태감이 흔히 발생하고 드물게 구역, 구토, 복통과 섬망이 동반된다. 소아는 경련을 할 수도 있고 소화기 점막을 침범한 경우 설사가 발생할 수도 있다. 때때로 일시적인 홍반성 또는 점상출혈 발진이 12시간 이상 지속되어 홍역으로 오진되기도 한다.

두창은 증상의 심한정도에 따라 variola major와 variola minor로 나누고, variola major는 발진 모양과 임상경과에 따라 전형적(ordinary), 편평형(flat), 출혈형(hemorrhagic), 변형형(modified), variola sine eruptione형, 다섯 종류로 구분한다. 예방접종을 받지 않은 경우, 대부분(약 89%)은 전형적 두창으로 나타나며 치사율은 30% 정도이다. 편평형 두창은 6.7%에서 발생하지만 사망률은 96%로 매우 높다. 출혈형은 2.4%에서 발생하며 주로 임신부에서 흔하고 96%가 사망하는데 피부와 소화기관의 과도한 출혈이 사인이다. 변형형은 이전에 예방접종을 받은 경우 주로 발생하는데 사망하는 경우는 없으며, 발진이 적고 비전형적이며 병변의 진행도 빠르다. Variola sine eruptione형은 발진이 없는 경우로 인두형, 유사독감형, 호흡기형이 있다. 이전에 예방접종을 받은 사람에서 발생하며 호흡기형은 치명적일 수 있다.

4) 진단

유행지역에서는 전구증상으로 나타나는 발열, 전형적인 깊은 발진(원심성 분포를 하며 몸의 어디든지 모두 같은 단계의 피부병변)으로 대부분 진단할 수 있다. 수두는 가장 흔하게 두창과 혼동되는 질환이며, 출혈형 두창은 초기에 수막알균 균혈증, 급성 백혈병 또는 약물 독성 등으로도 자주 오인된다.

직접면역형광법 또는 중합효소연쇄반응(PCR)으로 varicella zoster virus 감염(수두)을 배제해야 한다. 수두검사가 음성이면 수포액이나 농포액, 또는 딱지에서 PCR 검사로 poxvirus DNA를 확인하거나 전자현미경 검사로 바이러스 입자를 확인하여 poxvirus를 진단할 수 있다.

두창바이러스, 백시니아바이러스와 monkeypox virus 간의 감별에는 환자의 노출력과 바이러스의 성장 속도가 도움이 된다. 특히, PCR 검사법은 orthopoxviruses의 감별과 빠른 진단에 효과적이며 보관된 검체도 이용할 수 있는 장점이 있다.

5) 치료

두창의 치료는 보존적 치료가 주된 방법이다. Cidofovir는 두창바이러스나 백시니아바이러스, monkeypox virus에 일부 효과가 있을 수 있어 이러한 바이러스에 노출 후 예방을 위해서, 또는 두창이나 백신 합병증의 치료를 위해서 사용할 수 있으나 사람에 대한 임상시험 자료는 없다.

2. 백신의 종류

백시니아바이러스를 사용한 두창백신은 1-4세대로 나눌 수 있다. 전통적인 1세대 생백신은 Lister 균주와 New York City Board of Health (NYCBH, Dryvax 백신) 균주를 소에 접종하여 생산하므로 소로부터 사람으로 전파되는 인수공통전염병의 위험성이 높았다. 세포배양기술을 활용한 2세대 백신은 NYCBH를 parental strain으로 한 ACAM2000이 대표적이며 Lister 균주를 이용한 Elstree BN 등이 있다. 2세대 백신은 제조공정이 소에서 세포로 바뀌었을 뿐 1세대 백신 바이러스를 그대로 사용했기 때문에 백신효과 입증이 쉬웠던 반면 1세대 백신과 비슷한 수준의 이상반응을 유발할 수 있다. 따라서 약독화 생백신인 3세대 백신과 바이러스의 일부 DNA나 단백만을 이용한 4세대 백신이 개발되고 있다. 3세대 백신 균주인 MVA (the modified vaccinia virus Ankara)는 독일에서 병아리배아의 섬유아세포를 이용하여 생산되었고 이상반응이 적어서 기존 1, 2세대 백신을 접종할 수 없는 면역저하자에서도 사용할 수 있을 것으로 기대하고 있으며 근래 면역저하자 대상의 2상 임상연구가 활발히 진행되었다. 다른 약독화 균주인 LC16m8 균주는 Hashizume 등이 1970년대 Lister 균주를 토끼 신장세포에서 저온으로 배양, 개발하여 1973-1976년 일본에서 100,000명 이상의 유아에서 별 이상반응 없이 접종하였다. 1980년에 일본에서 두창예방접종이 종결되었다가 2002년부터 Kaketsuken에서 LC16-KAKETSUKEN 이름으로 생산을 시작하여 3,468명을 대상으로 한 임상시험에서 그 효과를 입증하여 2013년에 ACAM2000과 함께 WHO 비축 백신으로 추천되었다. 또 다른 약독화백신에 사용된 NYVAC 균주 (modified Copenhagen strain)에는 배양세포에서 바이러스를 복제하는 데 불필요한 약 50-200개 백시니아바이러스 유전자가 소실되어 있다. 이러한 유전자 소실은 동물에서 병독성을 감소시켰으나 Lister 나 Dryvax 균주와 비교해 사람에서 항체형성 능력이 떨어지는 것으로 보고되었다. 마지막 3세대 백신 균주인 dVV-L은 Lister 균주에서 uracil-DNA-glycosylase 유전자를 제거하여 만들었다. 동물실험에서 MVA와 유사한 면역 반응과 안전성을 보였다. 4세대 백신은 주로 B5, L1, A33, A27과 같은 항원에 대한 유전자와 단백을 활용하여 제작되고 있으며 Monkeypox 바이러스를 감염시킨 영장류 실험에서 효과가 있었다는 연구들이 있다. 이러한 3, 4세대 백신은 현재 두창 환자가 없기 때문에 그 유효성을 확실히 평가할 수 없다.

1980년 세계보건기구가 두창의 소멸을 선포한 이후 우리나라도 1993년 두창을 제1종 법정전염병에서 제외하였다. 이후 생물테러 등의 위험성이 커져 2001년 제4군 법정전염병으로 다시 지정하였고 국내에서도 두창백신을 개발하여 임상시험을 진행하였다. MRC-5 세포 배양시스템과 NYCBH 백시니아바이러스 주를 사용하여 CJ에서 개발한 2세대 백신이 국내에서 수행된 임상 시험에서 유효성과 안전성이 입증되어 2008년 12월 31일에 식약처의 시판 허가를 받았다.

3. 백신의 효능 및 효과

두창백신 접종 후 획득되는 방어 기전은 아직까지 완전히 알려지지는 않았지만 체액면역이 세포면역보다 중요한 듯하다. 백신접종 후 중화항체와 적혈구응집소억제 항체는 약 10일경부터 검출되어 2주 후에는 거의 모든 접종자에서 검출되며, 보체고정 항체는 반수 이하에서 생성된다. 1차 접종 후 중화항체는 약 95%에서 생성되며 거의 20년 이상 유지되는데 두창으로부터 보호하는 데 필요한 항체역가는 알려져 있지 않다. 백신의 유효성을 평가한 가족 내 접촉연구에서 접종한 사람에서 감염자와 접촉 시 두창 발생을 91-97% 감소시켰다. 1차 백신접종 후 항체 반응은 자연감염보다 4-8일 빨리 나타나는데 이러한 결과는 두창에 노출 후 또는 감염 2-3일 후에도 백신접종을 할 경우 질병의 경과를 완화시키거나 치명적인 결과를 피할 수 있음을 시사한다. 재접종 시에는 이러한 항체 반응이 7일 내에 보다 빠르게 나타난다. 1967년 전까지 재접종을 매 3-10년마다 해야 한다고 알려져 있었으나 이후 연구는 혈청학적 근거는 없지만 백신면역이 보다 오래 지속될 가능성을 시사했다. 유럽에 유입된 680예의 variola major 에서 백신접종을 안한 사람들의 치사율은 52%였지만 10년 내에 백신접종을 한 사람은 1.4%, 20년 내 접종자는 7%, 20년 이전 접종자는 11.1%를 보였다.

두창백신 접종 후 접종부위 병변을 조절하는 데에는 체액면역보다 세포면역이 중요한 역할을 한다는 연구결과가 발표되기도 하였다. 두창백신 후 세포면역은 1차 접종 후 2일째부터 활성화되어, 거의 평생 지속되는 것으로 알려져 있다.

4. 적응증

생물무기와 관계된 군인에 대한 접종을 제외하고 기초접종으로서 두창백신은 1980년대 모든 나라에서 중단되었는데, 아직도 orthopoxvirus를 다루는 실험실 종사자나 동물 사육사에게는 접종을 지속하고 있다. 최근, 미국 예방접종 자문위원회(Advisory Committee on Immunization Practices)는 orthopoxviruses에 직업적으로 노출되는 실험실 종사자나 의료진에 대한 두창백신 투여 적응증을 발표하였다. 이번 지침에서는 증식가능(replication-competent) 바이러스와 증식결핍(replication-deficient) 바이러스로 분류하였으며, 연령이나 위험군의 모든 대상자에게 추천하는 category A와 개별적인 임상판단에 따라 추천하는 category B로 나누었다. Category A에는 증식가능 백시니아바이러스 또는 증식가능 백시니아주에서 유래된 재조합 백시니아바이러스 또는 인체에 감염 가능한 다른 orthopoxvirus (두창바이러스, monkeypox, cowpox)를 배양하거나, 오염 또는 감염된 동물을 직접 다루는 모든 실험실 인력을 지정하였다. Category B에는 1) 백시니아바이러스 감염 환자를 현재 치료하거나 치료할 것으로 예상되는 의료진, 2) 증식가능 백시니아바이러스에 제한된 접촉(드레싱 등 오염된 재료)을 하는 의료진, 3) 적절한 감염예방법을 준수하는 두창백신 투여 인력을 포함하였다. 우리나라에서도 두창발생의 고위험군에 해당하는 실험실 종사자나 생물테러에 대응하여 폭로지역에 들어가는 보건요원, 오염제거 작업을 하는 사람, 두창 환자를 진료할 의료인에게 접종을 추천하고 있다.

증식가능 백시니아바이러스 또는 증식가능 백시니아주에서 유래된 재조합 백신니아바이러스를 다루는 실험실 인력은 10년마다 재접종을 받아야하며, 더 병독력이 높은 orthopoxvirus (예; 두창바이러스, monkeypox)를 다루는 경우에는 3년마다 재접종이 추천된다. 증식결핍 바이러스나 증식결핍 바이러스에서 유래된 재조합 바이러스를 취급하는 경우에는 재접종은 추천되지 않는다.

5. 투여방법

두창백신은 접종 방법이 다른 백신들의 접종 방법과 매우 다르기 때문에 사전에 훈련을 받은 의료인이 접종하여야 하며, 피내주사, 피하주사, 근육주사 또는 정맥주사 해서는 안된다. 피부 소독을 하면 소독제가 백신에 포함된 바이러스를 죽여 백신 효과가 떨어질 수 있기 때문에 피부 소독을 하지 않고 백신을 접종한다. 분지침(bifurcated needle)을 바이알에 담가서 백신(약 2.5 mm³)을 무균적으로 취한다. 접종은 상완의 삼각근 부위에 경피로(percutaneous route) 접종한다. 접종할 피부를 평평하게 당겨서 잡고, 분지침을 15회, 빠른 속도로 피부에 수직으로 찌른다. 분지침이 찌르는 피부의 지름은 15 mm 이내로 하며, 10–20초 이내에 피부에 피가 맺혀야 한다. 백신접종 부위는 딱지가 앉을 때까지 드레싱을 잘하여 신체 다른 부위나 타인에게 바이러스가 전파되는 것을 막아야 한다.

6. 이상반응

1) 피부 병변

다양한 종류의 피부발진이 발생하는데 대부분 문제되지 않으나 종두습진(eczema vaccinatum)과 진행성 백시니아(progressive vaccinia)는 치명적일 수 있다.

(1) 종두습진(eczema vaccinatum)

활동성 또는 비활동성의 습진이나 아토피피부염이 있는 사람에서 백신접종 후에 발생하는데 2–35/100만 명꼴로 발생한다. 잠복기는 약 5일 정도이다. 발열과 전신 림프절증을 동반하며 심하면 수분과 전해질 손실을 일으켜 사망에 이르게 할 수도 있다.

(2) 진행성 백시니아(progressive vaccinia)

가장 심한 피부 합병증으로 1–7/100만 명꼴로 발생한다. 면역저하자에서 주로 발생하는데 접종 부위가 아물지 않고 염증의 전형적인 증상이 나타나지 않는다. 이차 병변은 몸 전체에 걸쳐서 나타난다. 공인된 치료법은 없으나 백시니아 면역글로불린과 두 가지 항바이러스제(cidofovir와 ST–246)로 치료한 사례가 있다.

(3) 전신성 백시니아(generalized vaccinia)

면역이 정상인 사람에서 접종 부위로부터 전신으로 바이러스가 퍼지면서 접종 6-9일 후에 발생하는 피부병변이다. 40-200/100만 명꼴로 발생한다. 고열과 몸살이 동반되지만 특별한 치료없이 회복된다.

2) 뇌병증과 뇌염

두창백신 접종 후 뇌병증과 뇌염은 가장 심각한 이상반응이며, 3-9/100만 명꼴로 발생한다. 뇌병증은 뇌부종, 수막의 림프구 침윤, 신경절의 퇴행성변화, 혈관주변의 출혈 등의 특징적 소견을 보이는데 접종 6-10일 후 갑자기 심한 발열과 경련이 생기고 흔히 편측부전마비와 실어증이 발생한다. 수일 내에 사망하는 경우도 있고 생존한다고 하더라도 완전히 회복하는 경우는 드물어 지능저하나 마비 같은 후유증을 남긴다. 뇌염은 정맥주변의 수초탈락과 미세아교세포 증식의 특징을 보이는데 주로 2세 이상에서 발생한다. 유럽에서 미국보다 발생률이 높은데 이러한 차이는 백신 균주의 차이에 의한 것으로 NYCBH 균주(미국)가 Lister 균주(유럽)보다 병원성이 낮은 것을 시사한다.

3) 심장 이상반응

2003년 미군에서 두창백신 접종을 받은 450,000명의 군인 중에 35 (0.008%)명에서 심근(심낭)염이 발생하였다. 발열, 피로, 근육통과 흉통이 접종 후 7-12일 사이에 발생하였고 심전도에서 ST분절의 변화와 심장 효소의 상승 소견을 보였다. 백신접종과 관련된 협심증, 심근경색 등도 보고된 바 있다.

4) 자가접종(auto-inoculation)

두창바이러스가 최초 접종부위에서 몸의 다른 부위나 다른 사람에게 전파되는 것이다. 100-600/100만 명꼴로 발생하며, 어린이에서 많이 발생한다. 흔한 발생 부위는 외음부, 회음부와 눈꺼풀이며, 대부분 특별한 치료 없이 호전된다. 때로는 눈꺼풀의 바이러스 감염이 백시니아 각막염으로 진행하기도 한다.

7. 금기

세계보건기구는 두창 유행지역에서는 백신접종의 금기증은 없다고 홍보하는데 이는 두창 감염에 의한 위험이 백신 합병증의 위험보다 크고, 대부분의 백신은 의학적 문제(습진 또는 면역억제제 복용 등)를 갖지 않은 경우에 시행하기 때문이다. 유행지역이 아닌 지역에서는 백신접종의 금기증은 다음과 같다.

1) 면역저하자

무감마글로불린혈증, 저감마글로불린혈증, 여러 가지 종양과 에이즈 등의 선천성 또는 후천성 면역결핍질환을 가진 사람은 치명적인 백시니아로 흔히 진행하기 때문에 두창백신을 접종받을 수 없다. 암치료나 이식한 장기를 유지하기 위해 면역억제제(TNF inhibitor 포함)를 사용하거나 또는 전신 스테로이드 (2주 이상 prednisolone ≥2 mg/kg 또는 ≥20 mg/d) 치료를 하는 경우에도 두창백신접종은 금기이다.

2) 습진, 아토피 피부염 등 피부질환

과거나 현재, 습진이나 아토피 피부염 등 피부질환(화상, 농가진, 대상포진, 단순헤르페스, 심한 여드름, 심한 기저귀습진, 건선, 모낭각화증 포함)을 가진 사람은 백신접종 후 종두습진의 발생 위험이 있다. 다른 피부질환의 경우도 피부병변이 소실된 후 백신접종을 하는 것이 좋다.

3) 1세 미만 영아, 임신부, 수유부

두창백신은 1세 미만의 영아에서 금기이다. 임신부는 원칙적으로 두창백신접종을 하지 않으며, 가임기여성은 백신접종 전에 임신가능성 여부를 확인하고 백신접종 후 4주 내에는 임신을 피할 것을 추천하고 있다. 그러나 치명적인 백시니아 발생은 드물기 때문에 임신부에서 우연히 백신접종을 했다고 중절수술을 할 필요는 없다. 백신접종 후 바이러스가 모유를 통해 얼마나 나오는지 알지 못하지만 수유부에서 두창백신 접종은 일반적으로 권장되지 않는다.

4) 심장질환자

이전 두창백신 경험 없이 ACAM2000을 투여받은 환자에서 심근심막염의 발생 위험이 높았으며 기존 심질환이 있거나 심질환의 위험인자가 많은 경우 더 심한 경과를 보이는 경향이 있었다. 이에 따라 증상유무에 관계없이 기저심질환(관상동맥질환, 심근병)이 있는 환자는 응급이 아니라면 두창백신은 금기이며, 세 개 이상의 심장병 위험인자(고혈압, 당뇨, 고지혈증, 직계친척 중 50대 심장병, 흡연)가 있는 환자도 이전 두창백신 경험이 없다면 금기에 해당한다.

5) 다른 금기증

두창백신성분(polymixin B sulfate, neomycin sulfate 등)에 심각한 과민증이 있는 경우, 일부 염증성 안질환을 갖는 경우에도 백신접종을 금한다. 일부에서는 급성 또는 만성질환을 앓는 경우에도 백신접종을 금할 것을 추천하고 있다. 집안 식구 중에 피부질환자, 면역저하자, 임신부나 1세 미만 유아가 있는 경우에 바이러스가 이들에게 전파되면 심각한 이상반응이 발생할 위험성이 있으므로 두창백신접종을 피하는 것이 바람직하다.

8. 국내유통백신

제품명	제조사	용법/용량
씨제이세포배양 건조두창백신주	씨제이제일제당	동결건조 백신이 든 바이알에 첨부용제 0.5 mL 중 0.3 mL를 첨가하여 혼합한 후 투명 또는 약간 흐린 정도의 무색 또는 담황색의 액체임을 확인. 분지침을 이용하여 접종함.

참고문헌

1. Breman JG, Henderson DA. Diagnosis and management of smallpox. N Engl J Med 2005;346:1300-7.
2. Earl PL, Americo JL, Wyatt LS, et al. Immunogenicity of a highly attenuated MVA smallpox vaccine and protection against monkeypox. Nature 2004;428:182-5.
3. Edghill-Smith Y, Golding H, Manischewitz J, et al. Smallpox vaccine-induced antibodies are necessary and sufficient for protection against monkeypox virus. Nat Med 2005;11:740-7.
4. Gordon SN, Cecchinato V, Andresen V, et al. Smallpox vaccine safety is dependent on T cells and not B cells. J Infect Dis 2011; 203:1043-53.
5. Greenberg RN, Hay CM, Stapleton JT, et al. A randomized, double-blinded, placebo-controlled phase II trial investigating the safety and immunogenicity of modified vaccinia ankara smallpox vaccine (MVA-BN) in 56-80-year-old subjects. Plos One 2016;11:e0157335.
6. Greenberg RN, Hurley MY, Dinh DV, et al. A multicenter, open-label, controlled phase II study to evaluate safety and immunogenicity of MVA smallpox vaccine (IMVAMUNE) in 18-40 year old subjects with diagnosed atopic dermatitis. PLoS One 2015;10:e0138348
7. Hahon, N. Cytopathogenicity and propagation of variola virus in tissue culture. J Immunol 1985;81:426-32.
8. Supplemental recommendations on adverse events following smallpox vaccine in the pre-event vaccination program: recommendations of the Advisory Committee on Immunization Practices (ACIP). MMWR 2003;52:282-94.
9. Jang HC, Kim CJ, Kim KH, et al. A randomized, double-blind, controlled clinical trial to evaluate the efficacy and safety of CJ-50300, a newly developed cell culture-derived smallpox vaccine, in healthy volunteers. Vaccine 2010;28:5845-9.
10. Nakano JH. Human poxvirus diseases. In: EH Lennette, ed. Laboratory Diagnosis of Viral Infections. New York: Dekker; 1985;401.
11. Overton ET, Stapleton J, Frank I, et al. Safety and immunogenicity of modified vaccinia ankara-bavarian nordic smallpox vaccine in vaccinia-naive and experienced human immunodeficiency virus-infected individuals: an open-label, controlled clinical phase II trial. Open Forum Infect Dis 2015;2:ofv040.
12. Paran N, Sutter G. Samllpox vaccines: new formulations and revised strategies for vaccination. Hum vaccin 2009;5:824-31.
13. Petersen BW and Damon IK. Orthopoxviruses: Vaccinia (smallpox vaccine), variola (smallpox), monkeypox, and cowpox. In: Bennett JE, Dolin R, and Blaser MJ, eds. Mandell, Douglas, and Bennett's principles and practice of infectious diseases, 8th ed. Philadelphia: Elsevier Saunders;2015;1694-1702.
14. Petersen BW, Harms TJ, Reynolds MG, et al. Use of vaccinia virus smallpox vaccine in laboratory and health care personnel at risk for occupational exposure to orthopoxviruses - recommendations of the advisory committee on immunization practices (ACIP), 2015. MMWR Morb Mortal Wkly Rep 2016;65:257-62.
15. Pirsch JB, Mika LA, Purlson EH. Growth characteristics of variola virus in tissue culture. J Infect Dis 1963;113:170-8.
16. Saito T, Fujii T, Kanatani Y, et al. Clinical and immunological response to attenuated tissue-cultured smallpox vaccine LC16m8. JAMA 2009;301:10215-33.

렙토스피라

고려대학교 의과대학 **김민자**
고려대학교 의과대학 **윤영경**

1 **대한감염학회 접종 권장대상과 시기**

국내에 사람에게 사용 가능한 백신은 없음

2 **예방**

가. 예방수칙

노출 회피: 렙토스피라균 오염이 의심되는 물에서 수영이나 작업을 피하고, 오염 가능성이 있는 환경에서
작업을 할 때는 피부보호를 위한 작업복, 장화 등 개인 보호구 착용

나. 화학예방

단기간 위험환경에 노출될 경우 doxycycline을 투여할 수 있으나, 직업적인 장기간 노출의 경우
일반적으로 권장하지 않음

1) 약제 및 투여 방법: doxycycline 200 mg 일주일에 1회 경구 투여

2) 투여 기간: 위험환경 혹은 요인에 노출되는 기간 동안

3) 대상: 임신부와 수유부를 제외한 12세 이상으로 다음의 경우에 예방적 투여를 고려할 수 있음

- 렙토스피라증 고유행 지역에서 단기간 동안 야외 활동에 참가하는 사람
- 추수기에 자연재해(홍수 등) 응급지원에 참가하는 구조대원이나 군부대 요원
- 렙토스피라증의 유행적 발생 시에 지역주민

1. 질병의 개요

1) 원인 병원체

렙토스피라(*Leptospira*)는 너비 0.1 μm, 길이 6-20 μm의 스피로헤타에 속하는 호기성 세균이다. 렙
토스피라는 물속에서 1초당 15 μm까지 이동할 정도로 매우 활발한 운동성을 가지고 있으며 암시야 현
미경 또는 위상차 현미경으로 관찰할 수 있다. 렙토스피라는 자연계에 널리 분포하며, 야생들쥐나 가축
등 감염된 동물의 소변을 통하여 배설된다. 렙토스피라는 환경수 특히 중성이나 약알칼리성 표면수나

토양에서 약 20℃의 온도가 유지되면 수주 동안 생존할 수 있다.

지역에서 분리되는 모든 렙토스피라 분리주는 species (종)와 serovar (혈청형)의 결정이 요구된다. Species 결정은 염기서열 기반 확인 외에도 다양한 분자생물학적 접근이 적용되고 있다. 현재, 계통적 분류에서 *Leptospira* species는 병원성 9종(*L. alexanderi, L. weilii, L. borgpetersenii, L. santarosai, L. kmetyi, L. alstonii, L. interrogans, L. kirschneri, L. noguchii*), 중간 병원성 5종(*L. licerasiae, L. wolffii, L. fainei, L. inadai, L. broomii*), 비병원성 7종(*L. idonii, L. vanthielii, L. biflexa, L. wol-bachii, L. terpstrae, L. meyeri, L. yanagawae*), 그 외 *Turneriella parva, Leptonema illini* 로 구분되고 있다. 과거 오랫동안 사용되었던 혈청학적 분류에서 serovar의 정의는 두 균주가 이종의 가토항혈청과 반복적인 교차응집소흡수방법(cross-agglutination absorption test)에서 10% 이상의 동종항체 응집역가의 차이를 보일 때 다른 serovar로 분류되며, 항원성 연관을 가지는 serovar들은 같은 serogroup에 포함한다. 혈청형의 표기는 첫 자는 대문자로하고 이탤릭체를 사용하지 않으며, *Leptospira* 다음에 혈청형 이름을 표기하는 것은 올바르지 않다. 예를 들면, *Leptospira interrorgans* servoar Lai로 표기한다. Serovar는 지질다당류(lipopolysaccharide, LPS) 항원 모자이크의 표면노출 항원결정기의 발현에 기반하며, 항원결정기의 특이성은 당질의 조성과 배향에 의존한다. 렙토스피라 혈청형은 동물 병원소와 지리적 분포 등에 따라 차이를 보이며, 지역적으로 우세한 혈청형의 분리와 동정은 백신 및 진단시약의 개발에 필수적이다. 중국의 북부와 중부, 한국에서는 *Apodemus agrarius* 설치류가 주요 동물 병원소로서 주요 혈청형은 serovar Lai 이며, 아열대이며 강수량이 많고 농업국가인 베트남, 타이, 말레이시아에서는 serovar Bataviae 와 serovar Autumnalis가 중증 감염을 유발하고 다른 종의 설치류가 보균동물이다. 개는 serovar Canicola를 주로 보균한다. 국내에서 1984년에서 1996년까지 환자와 설치류에서 36주와 1,073주가 각각 분리되었으며, 동정된 102주 중 86.2%가 serovar Lai에 속하였고, 한 주는 serovar Canicola, 새로운 혈청형인 serovar Yeonchon과 serovar Hongcheon이 보고되었다.

2) 역학

렙토스피라증은 사람과 포유동물이 감염되는 흔한 인수공통전염병의 하나이다. 세계적으로 널리 분포하며, 매년 수백만 명의 환자가 발생하며, 중증 렙토스피라증은 사망률이 높다. 세계보건기구의 Leptospirosis Burden Epidemiology Reference Group의 보고에 따르면, 인체 렙토스피라증의 토착성(endemic)과 유행적(epidemic) 발생빈도는 각각 매년 인구 10만 명당 5명과 14명이며, 토착성의 경우 지역에 따라 유럽의 인구 10만 명당 0.5명, 아프리카에서는 인구 10만 명당 95명까지 다양하다.

병원성 렙토스피라는 자연계에 많은 야생동물과 가축 병원소가 있다. 일부 동물들은 감염 후 회복하지만 나머지는 생존 기간 동안 지속적으로 렙토스피라균을 소변으로 배설한다. 자연계 병원소는 설치류와 개, 소, 돼지 등의 가축으로 보균 동물의 감염은 주로 어렸을 때 발생한다. 보균동물은 환경으로 균을 배출하여 새로운 동물을 감염시키므로 렙토스피라의 생활환에 필수적인 역할을 한다. 인체 감염의 전파경로는 감염된 동물의 소변에 직접 또는 간접적으로 노출되거나, 감염된 동물의 조직을 다루거나 물리는 경우, 담수 스포츠 레크리에이션(동굴탐험, 카누, 카약 타기, 래프팅 등)을 통하여 오염된 물에 노출되는 경우 등이다. 공기로는 전파되지 않지만 오염된 물이 비말형태로 흡입되었을 때도 감염될 수 있다. 사람에서는 보균상태가 유지되지 않는다. 나이, 성별에 관계없이 누구나 렙토스피라에 감염될 수 있으며, 일반적으로 성인 남자는 직업 혹은 활동에 따라 노출 기회가 많으므로 감염위험이 더욱 높다. 렙토스피라증의 위험군은 농업종사자로 오염된 논밭 물에 장시간 발을 담그고 작업하는 논 농사자, 타로(taro), 바나나, 파인애플 등을 수확하는 작업자, 쥐가 많이 다니는 습한 토양이나 물과 관련된 작업장에 근무하는 광부, 오수 처리자, 낚시꾼, 군인, 수의사, 낙농업 종사자, 수영이나 캠핑 등의 오락 활동을 하는 사람, 적절한 위생시설이 없고 주택수가 부족한 농촌과 도시 빈민가의 거주자 등이다.

국내에서 렙토스피라증은 1984년에 처음으로 원인체 분리를 통하여 국내 발생이 확인된 후, 혈청학적 진단이 가능해짐에 따라 연중 발생함이 확인되었고, 1984년에 200여명, 1985년에 264명, 1987년에 562명이 경기도, 전라도, 강원도를 중심으로 대규모 유행이 있었다. 기후적 요인에 따라 큰 폭으로 연중 발생 규모의 변동을 보였으며, 질병관리본부의 연도별 신고건수는 1991년 이후 꾸준히 감소추세를 보였고, 이후 1998년부터 2015년까지 인구 10만 명당 매년 발생률은 0.10-0.42 이다. 계절적으로 8월 초부터 시작하여 9월과 10월에 최고에 달하고 11월에 감소하며, 추수기 작업이 많은 농부들에서 주로 발생한다. 특히, 대규모의 유행적 발생들은 추수가 임박한 시기에 폭우, 홍수 또는 태풍이 있었던 경우 농작물 수확이나 피해 복구 작업에 함께 참가하였던 농부, 대학생과 대민지원 장병에서 발생하였다.

3) 임상적 특징

렙토스피라증은 자연 치유되는 가벼운 열성질환에서부터 치명적인 Weil씨 병에 이르기까지 중증도는 다양하다. 잠복기는 7-12일(3일-1개월)이다. 제1기(패혈증기)와 제2기(면역기)로 구분되는 이상성(biphasic) 임상경과를 보이며, 경증 감염의 경우에는 뚜렷하지 않다. 제1기에는 렙토스피라 균은 혈액, 뇌척수액, 대부분의 조직 등에 존재하며 임상적으로 갑작스런 고열, 두통, 결막부종, 장단지와 배부의 근육통, 구역 및 구토 등 인플루엔자 유사 증상이 4-7일간 지속되고, 1-2일간의 열 소실 후 제2기로 들어간다. 제2기에서는 IgM 항체가 생성되면서 렙토스피라 균은 혈액, 뇌척수액 등에서 사라지면서 수막증상, 발진, 포도막염, 근육통 등이 발생하거나 혹은 점차 호전된다. 중증의 렙토스피라증은 간장, 신장, 폐장, 뇌를 포함하는 다발성 장기부전증으로 특징되며, 황달과 신부전을 보이는 Weil씨 병은 임상적으로 가장 인지가 되는 중증형으로 사인은 주로 신부전 또는 중증의 출혈이다. 뿐만 아니라, 국내 렙토스피라증은 초창기에 대량의 폐출혈에 의하여 사망하는 폐침범 임상상으로 과거에 주목받은 적이 있으며, 1990년대 후반기 이후 여러 국가들에서도 종종 치명적인 중증 폐침범형(severe pulmonary form of leptospirosis)이 알려졌다.

4) 진단

세 가지 기본 진단법이 사용되고 있으며, 현미경하에서 직접적으로 균을 관찰하는 방법, 혈청 항체 검사법, 핵산 검사법 등으로 진단할 수 있다. 혈액, 뇌척수액, 소변 등의 배양에서 렙토스피라 균이 분리되거나 혈청항체가 양전되거나 또는 회복기 혈청에서 4배 이상의 혈청 항체역가가 상승을 보일 때 확진할 수 있다. 렙토스피라 분리를 위한 배지는 Ellinghausen-McCollough-Johnson-Harris (EMJH) 특수배지가 많이 이용된다. 균 배양을 위한 검체 채취 시기가 중요하며, 혈액과 뇌척수액은 발병 1주 이내, 소변 검체는 발병 2주 후에 수집하여야하며, 배양 후 최소 5-6주까지 관찰이 필요하다. 선별용 혈청항체검사는 macroagglutination test가 이용되며, 양성반응을 보이는 경우 microscopic agglutination test(MAT) 또는 ELISA 등을 시행하여 정확한 항체가를 측정하여 확진한다. 아직까지 중합효소연쇄반응(PCR) 기반의 진단법으로 감염된 serovar를 확인하는 것은 불가능하다. 렙토스피라 균 배양은 시간이 많이 걸리고, 혈청 항체검사법은 급성기와 회복기 혈청이 필요하므로 임상에서 조기 진단이 어렵다. 따라서 임상의사가 환자의 위험요소, 노출력, 임상증상과 징후 등을 토대로 렙토스피라증을 의심을 하는 것이 무엇보다 중요하다. 한편, 최근 년도에 serovar 확인과 아형분류에 분자학적 방법들이 광범위하게 연구되고 있으며 염기서열 기반 확인이 표준이 되어가고 있다.

5) 치료

대부분의 렙토스피라증은 경증이며 자연 회복된다. 그러나 항생제 치료의 조기시작은 일부 환자들에서 병의 경과를 단축시키고 중증으로 진행하는 것을 예방할 수 있으므로 특히 중증의 환자들은 진단적 검사 결과가 나오기 전에 항생제 치료를 시작한다. Doxycycline, ampicillin 또는 amoxicillin을 경구 투여하거나 입원을 요하는 경우 penicillin G, ceftriaxone, cefotaxime 또는 ampicillin 등을 정맥 투여할 수 있다. 임신부와 소아의 경우 doxycycline 대신 azithromycin 또는 amoxicillin을 투여할 수 있다. 중증의 감염증을 보이는 환자는 입원하여 2-3일간 집중치료가 필요할 수 있고 혈액투석, 수액공급, 진통제, 호흡보조 등의 치료가 필요할 수 있으며, 사망률은 4-52%이다.

6) 예방

렙토스피라증은 1987년 지정감염병으로 제정되었으며, 1993년 12월에 제2군 법정감염병으로 신설 개정되었고, 2001년에 제3군 법정감염병으로 지정하여 발생을 계속 감시하고 방역대책의 수립이 필요한 감염병으로 분류하였고, 환자를 진단하거나 그 사체를 검안한 경우 지체 없이 신고하도록 하였다.

렙토스피라증을 예방하기 위한 방법으로 고위험 노출을 피하는 것, 개인 보호구 등 방어 수단들을 착용하는 것과, 백신접종과 화학예방요법 등이 있으며, 환경적 상황과 노출되는 사람들의 활동 정도에 따라 이들을 병합하여 적용할 수 있다. 환경에서 렙토스피라 균을 제거하는 것은 불가능하므로 백신을 접종하는 것이 가장 이상적인 예방 전략임에도 불구하고, 이미 90년 전에 만들어진 불활화백신이 있으며, 일부 국가들에서 특수한 상황 하에서 불활화백신을 제조하여 사용하고 있으나 아직까지 사람에게 안전하고 효과적인 백신 개발은 계속 요구되고 있는 실정이다. 그러므로 잠재적으로 감염된 동물과 직접적인 접촉을 피하고, 소변으로 오염된 환경수 혹은 토양에 간접적인 접촉을 피하는 것이 가장 효과적인 전략이다. 개인 보호구로서 장화, 보호 안경, 고무장갑, 작업복 등을 활동 정도에 따라 적절히 착용한다. 들쥐들을 제어하는 수단들을 꾸준히 적용하여 환경오염의 정도를 제한하는 것이 중요하다.

2. 백신

1) 렙토스피라의 방어면역 기전

렙토스피라 항체는 많은 잠재적인 숙주 종에서 치명적 감염에 방어면역을 제공하는데 중요한 역할을 하며, 이에 관련된 주 항원은 LPS로 알려져 있다. 이전 연구들은 햄스터에서 LPS 항체의 능동면역의 방어효과를 증명하였고, 선제적으로 LPS 항체를 수동 면역한 마우스, 기니피그, 원숭이, 개 등은 치명적 렙토스피라 감염으로부터 성공적으로 방어됨을 보고하였다. 예외적으로, 소에서 만성 렙토스피라증을 유발하는 serovar Hardjo의 경우 높은 LPS 항체는 치명적 감염에서 방어효과가 없었으나 serovar Hardjo 단가 불활화백신은 방어효과를 보였다. 한편, LPS는 혈청형 특이적(serovar-specific) 항원이므로 광범위 스펙트럼의 혈청형들에 대한 효과적인 백신개발에서 LPS 성분에만 의존하는 것은 문제이다. 즉, LPS 항체는 다른 혈청형에 대하여 교차방어면역유도가 제한적이며, 지속 기간이 짧은 반면에, 렙토스피라 단백 항원에 대한 항체는 더 큰 교차방어면역을 유도할 것으로 기대된다. 전체적으로 오늘날에 이르기까지 가장 성공적인 렙토스피라백신은 사멸된 전세포(killed, whole cell) 조성이며, 이것은 복합적인 항원 혼합물이 요구됨을 제시한다.

2) 렙토스피라백신

(1) 불활화전세포백신(Bacterin)

렙토스피라균이 처음 분리된 후 일 년 내인 1916년에 일본 학자들은 페놀 처리한 불활화백신 Bacterin을 접종하여 방어면역을 유도하였고, 동물 모델에서 렙토스피라와 면역혈청을 동시에 투여하여 면역 항체의 중요성을 증명하였다. 렙토스피라 불활화백신을 처음으로 대규모의 인체 접종한 것은 일본에서 1919년과 1921년 사이에 일 만명의 석탄광부들을 대상으로 실시한 것으로 배지에서 키운 *L. interrogans* serovar Icterohaemorrhagiae를 불활화한 백신이었다. 불활화백신은 대부분이 열처리, 포르말린, 에탄올, 페놀, 동결-해동, 방사선 조사 등의 다양한 방법으로 렙토스피라 균체를 죽여서 제조하였으며 과거 약 100년 동안 크게 달라진 것은 없다. 렙토스피라 성분과 배지 조성 성분에 의한 백신 반응성(reactogenicity)으로 인하여 사람에서 사용은 동물에서 사용과 같은 정도의 승인을 얻지 못하였다. 이러한 문제를 극복하기 위하여 단백성분을 제거한 배지를 사용하기도 하였으나 수율은 소 혈청알부민 이나 혈청을 포함하는 배지에서 보다 낮았다. 그럼에도 불구하고 인체용 불활화백신은 중국, 일본, 쿠바, 유럽을 포함하는 여러 지역에서 성공적으로 사용된 바 있다. 현재 외국에서 허가 받은 인체 렙토스 피라백신들은 4개의 불활화백신과 한 개의 렙토스피라 외피단백 백신으로 이들 백신의 혈청형 조성과 접종스케줄, 이상반응 등의 정보가 표 12-1에 정리되어 있다.

중국의 경우, 렙토스피라 불활화백신이 1958년부터 성공적으로 개발되어 현재까지 유행지역의 위험 인구들을 대상으로 접종되고 있으며, 바이오기술의 발전과 함께 백신생산은 점차 향상되었다. 1958년 부터 1962년까지는 3가 불활화백신이 유행지역에서 대규모 접종에 사용되었고 이환율을 크게 감소시켰 다. 1970년대에 단백질 제거 합성배지를 사용하고 균 농축방법이 개선되었다. 2004년에 농축된 5가 백 신은 1차 및 2차 추가접종 후 전신반응은 없었고, 국소반응이 7.46-24.63%로 증가하는 경향을 보였으 나 항체양전율은 95-100%를 보였다. 또한 야외시험에서 85.34%의 백신 효능이 확인되었다.

쿠바에서 1998년에 101,832명을 대상으로 렙토스피라백신(vax-SPIRAL®) 임상시험이 진행되었으며, 시험군은 렙토스피라백신을 6주 간격으로 2번 접종받았고, 대조군은 B형간염재조합백신을 접종받았 다. 임상시험 결과 렙토스피라백신 효능은 78.1%(95% 신뢰구간, 59.2-88.3%), 상대위험도는 0.22(95% 신뢰구간, 0.12-0.41)이었다. 더불어 중대 이상반응은 없었으며, 국소 및 전신 이상반응은 대조군보다 유의하게 많았으나 안전한 것으로 평가되었다.

한편, 불활화백신은 혈청형 특이적 방어면역을 유도하며, 소수의 혈청형 간에 잠재적인 교차방어면 역을 보일 수 있다하더라도 국가와 지역적으로 유행하는 렙토스피라 혈청형이 매우 다양하므로 범용 불활화백신의 개발이 지속적으로 요구되고 있다.

우리나라에서도 1980년대 후반에 렙토스피라증의 대규모 유행으로 인명 피해가 속출하였을 때 정 부차원에서 1988년에 임시예방접종 정책을 도입하여 국내 제약회사들(녹십자백신, 동신제약, 보령신약, 제일제당, 한국백신)에서 불활화백신을 제조 생산하였고, 유행지역 주민들에게 예방접종을 실시하였다. 접종 건수는 1988년도에 26만 건, 1992년도에 88만 건으로 지속적인 증가 이후 점차 감소하여 1994년 에 약 49만 건 접종되었으며(표 12-2), 기록상으로는 1996년에 43만8천 건이 마지막 접종이다. 불활화백 신의 혈청형은 경기도 여주지역 환자에서 분리된 serovar Icterohaemorrhagiae HY-10 균주를 사용하 였고, 1985-1987년에 국립보건원에서 연구한 기초자료를 기반으로 개발되었다. 접종 후 혈청 항체양전 율은 약 80.8%이었고, 심각한 이상반응은 보고되지 않았으나, 접종군과 비접종군 사이에 질병발생 예 방효과 평가시험은 시행되지 않았다. 접종방법은 1년에 2회, 7-10일 간격으로 4-5월에 실시하였다. 그 러나 백신 혈청형 균주의 대표성에 대한 문제, 실용화에 앞서 충분한 야외시험이 제대로 수행되지 못한 점과 백신의 이상반응에 대한 충분한 연구가 이루어지지 않은 점 등이 논란이 되어 1997년에 렙토스피 라백신은 임시예방접종에서 제외되었으며, 이후 국내에서 불활화백신은 생산이 중단되었다. 그 밖에도

표 12-1. 현재 외국에서 허가된 인간 렙토스피라증 백신의 혈청형 조성과 접종스케줄

제품	제조사	혈청형 조성과 함유 균주 수	기술	접종 프로그램	임상시험 결과
3가 불활화백신	쿠바 Finlay institute	• 0.5 mL 일회용 패키지 백신 • 혈청형 Canicola, Copenhageni, Mozodok; 5-8 × 10^7	포름알데히드 불활화, 수산화 알루미늄 흡착, 0.01% 티메로살 첨가	근육 접종, 0.5 mL 용량, 6주 간격으로 2회 접종	• 심각한 이상반응; 없음 • 국소반응: 주사부위 경미한 자발 통증
단가 불활화백신	프랑스 사노피 파스퇴르	• 0.1 mL 일회용 패키지 백신 • 혈청군 Icterohaemorrhagiae; 2 × 10^8	포름알데히드 불활화, 정제, 나트륨 머큐리 올레이트 첨가(0.008 mg/주사기)	피하 또는 근육 접종. 15일 간격으로 1 mL 용량 2회 접종, 일차 추가접종은 6개월 후, 이차 추가접종은 30개월 후	• 전신반응: 드묾 • 국소반응: 추가접종 후 3시간 이내 흔함 • IgG 항체양전율; 일차 추가접종 96%(95% 신뢰구간, 80-100%); 이차추가접 종, 100%
다가 불활화백신	일본	• 혈청형 Australis, Autumnalis, Hebdomadis; 각각 2 × 10^8/mL	렙토스피라 배양; 가토 혈청과소 혈청알부민 첨가 배지 사용, 포르말린 불활화	피하 접종, 1.0 mL 용량 7일 간격 으로 2회 접종, 마지막 접종 후 5년 이내 추가접종	• 정보 없음
다가 불활화백신	생물제품 유한회사, 중국	• 혈청형 Lai, Linhai, Autumnalis, Canicola, Pomana, Australis, Hebdomadis; ≤ 5 균주의 경우 1.5 × 10^8/mL 이상, ≥ 6 균주의 경우 1.0 × 10^8/mL 이상, 그러나 1.25 × 10^9/mL 이하 유지	렙토스피라 배양; 단백질 없는 합성배지 사용, 한외 여과 농축 페놀 불활화	피하 접종, 0.5 mL 용량, 7-14일 이내에 1.0 mL 용량 추가접종	• 심각한 이상반응; 없음 • 국소반응; 일차접종 과 이후 7일째와 일 년 후 추가접종 시 각 각 7.46%, 10.49%, 24.63%
2가 외피백신	생물제품 상해회사, 중국	• 혈청군 Icterohaemorrhagiae, Hebdomadis; 외피항원 각각 20 μg/mL	렙토스피라 배양; 단백질 없는 합성배지 사용, 한외 여과 농축, SDS방법으로 외피 추 출, 페놀 불활화	피하 접종, 1.0 mL 용량, 단회 접종	• 중증 이상반응; 없음 2명에서 접종 48시간 이내에 경미한 발열과 국소 부종 발생 • 일년 이내 방어율; 혈청군 Icterohaemorrhagiae 95.57%, 혈청군 Hebdomadis 100%

표 12-2. 연도별 렙토스피라백신접종 자료(1988년-1994년)

연도	목표		실적	
	건수	명수	건수	명수
1988	186,000	186,000	264,694	200,106
1989	199,700	-	217,537	145,276
1990	310,000	264,000	357,721	283,616
1991	562,000	468,000	619,588	541,300
1992	720,000	655,000	881,688	825,104
1993	671,000	154,000	848,873	780,579
1994	176,900	160,000	552,555	490,608

자료: 1994 급성 전염병 통계연보, 보건사회부, 1995

국내 인체감염은 주로 특수 환경에 폭로되었을 때 발생하고 있으며, 보다 비용효과적인 방법들 즉, 화학예방요법, 조기 환자발견 및 치료, 폭로를 최소화하는 보건교육 등으로 대체가 가능하다는 점과 질병 발생률이 매우 감소하였음이 함께 고려되었다. 다만, 중국이나 쿠바의 경우와 비교할 때 국내에서도 대규모의 백신접종이 유행지역 주민들에서 이루어졌음에도 불구하고 이를 이용한 백신 효과평가와 이상반응 평가가 동시에 진행되지 못한 것은 큰 아쉬움으로 남는다.

(2) 외피백신(outer envelope vaccine)

외피는 가늘고 나선형으로 꼬인 렙토스피라를 둘러싸는 구조로 지질 23%, 단백질 47%, 탄수화물 23%의 화학적 조성을 가지며, 너비 11 nm, 3-5개의 전자밀도층으로 구성된다. 중국에서 외피를 기반으로 하는 인간 렙토스피라백신 개발 노력은 1970년대부터 있었다. 그 중에서 1993년에 serogroup Icterohaemorrhagiae와 Hebdomadis로부터 유래한 2가의 외피단백 백신은 불활화전세포백신접종 보다 이상반응이 적었으며, 외피단백 100 μg이 포함된 백신의 1회 접종에 의한 면역반응은 불활화전세포백신 2회 접종에 비교할 만하였다. 대규모의 3상 임상시험에서 일 년 이내의 외피백신의 방어력은 Icterohaemorrhagiae와 Hebdomadis에 대하여 각각 95.57%와 100%이었다. 이에 따라 중국에서 외피백신은 허가되어 유행지역의 고위험군에 접종되었다. 3가 또는 5가 외피백신들도 불활화전세포백신과 상응하는 수준의 안전성과 면역원성을 보였다. 외피백신의 화학적 조성과 높은 응집항체가 유도되는 점에서 가장 우세한 면역항원은 LPS로 여겨지며, 외피백신의 면역성도 혈청군 특이적 방어면역을 보일 것으로 간주된다.

(3) 재조합백신(recombinant vaccines)

재조합 항원들을 이용한 렙토스피라백신 개발 연구가 활발히 수행되었는데, 다중의 렙토스피라 외막단백과 지질단백들로서 OmpL1, 면역글로불린 유사 단백질, LipL21, LipL32, LipL36, LipL41, LipL45 등이 방어면역을 유도하는 것이 밝혀졌다. 중국에서 재조합 단백 OmpL1, LipL21, Lip32, Lip42의 방어적 특성을 조사하여 B 세포와 T 세포 epitope를 확인하였다. 최근에 OmpL1, LipL21, Lip32, Lip42의 다중 epitope들을 보유하는 재조합 키메라 단백질을 발현하고 정제하였고, 렙토스피라에 대하여 넓은 범위의 방어면역을 유도함을 발견하여, 이 재조합단백항원을 이용하여 범용 백신을 생산할 수 있음을 제시하였다.

3) 새로운 렙토스피라백신의 연구개발 전략

렙토스피라 불활화전세포백신의 안전성 문제와 단기간의 불완전한 면역을 극복할 수 있을 뿐만 아니라 다양한 혈청형들에 대하여 공동 방어면역을 유도할 수 있는 효과적이면서 안전한 백신의 개발은 면역학자들에게 도전으로 남아있다. High-throughput sequencing의 신속한 발달로 reverse vaccinology 접근을 이용하는 백신항원 개발이 가능해졌다. 2005년에 Gamnerini 등은 *L. interrogans* serovar Copenhageni 게놈으로부터 잠재적인 백신 후보 유전자들을 확인하였다. 즉, 150개의 coding sequence를 *E. coli* 에 클로닝하고 발현하였을 때, 그 중 15개의 단백질들은 환자의 혈청과 반응을 보이는 유용한 백신항원 후보임을 확인하였다. 최근에 Zeng 등은 11개의 유행 혈청형과 17개의 multilocus sequence types을 포함하는 17종의 대표적인 *L. interrogans* 균주로부터 표면 노출 단백질을 스크리닝하였으며, 다수의 이미 알려진 외막단백질과 지질단백질뿐만 아니라 118개의 새로운 후보 항원들을 확인하였다. 지금까지 렙토스피라 균주들로부터 300개 이상의 게놈이 공개 데이터베이스에 있어서 reverse vaccinology에 의한 잠재적인 백신 항원개발에 풍부한 자원으로 기대되고 있다.

3. 화학예방요법

렙토스피라증의 화학예방요법은 노출 전 화학예방요법(pre-exposure chemoprophylaxis)과 노출 후 화학예방요법(post-exposure chemoprophylaxis)으로 구분할 수 있다. 수행된 임상연구들은 모두 doxycycline의 예방효과를 평가하였다. 노출 전 예방요법은 두 개의 대조군 연구 결과에 근거를 두고 있다. 1982년에 파나마의 유행지역에서 미국 군인들을 대상으로 실시된 무작위 대조군 연구에서 고위험의 정글수련훈련에 노출되기 전 doxycycline 200 mg을 일주일에 1회씩 3주 동안 경구 투여를 받은 시험군에서 예방 효과가 증명된 바 있다(교차비 0.05, 95% 신뢰구간 0.01-0.36). 또한, 인도의 안다만 니코마르제도의 고유행 지역의 토착민을 대상으로 동일한 약물 투여방법으로 3개월 동안 화학예방요법을 실시한 연구에서 시험군과 대조군 사이에 혈청학적 진단에 기반한 렙토스피라증 감염률은 통계적으로 유의한 차이는 없었으나, 유증상 렙토스피라증 발병률은 대조군에 비하여 시험군에서 의미있는 차이를 보였고 ($\chi2=5.68$; $P=0.017$), 상대위험도는 0.46 (95% 신뢰구간 0.23 - 0.89)이었으며, 사망합병증 발생이 없었다 (대조군 3명은 중증 폐합병증으로 사망함). 그러나, 2009년 코크란의 체계적 문헌검토에 의하면 두 연구의 대상인구의 특성은 현저히 다르지만 종합하여 분석하였을 때, doxycycline의 예방효과는 없었으며 (교차비 0.28, 95% 신뢰구간 0.01-7.48), 오히려 구역 및 구토의 이상반응 빈도가 시험군에 더 높게 나타남을 보고하였다(교차비 11, 95% 신뢰구간 2.1-60). 한편, 노출 후 예방효과에 관한 연구는 브라질에서 오염된 물에 노출된 사람들을 대상으로 수행된 무작위 대조군 파일럿 연구로서 doxycycline 투여군에서 유의한 예방효과를 확인하지 못하였다. 인도에서 수행된 후향적 환자-대조군 연구는 렙토스피라증의 호발 계절 동안에 홍수가 발생하였을 때 논밭이나 수로 청소 작업자들을 대상으로 doxycycline 예방효과를 평가하였고, 단변량 분석에서 예방효과가 있었으나 맨발작업 등 변수를 보정하였을 때 방어효과가 없는 것으로 나타났다. 가이아나(Guyana)에서는 2005년에 심한 홍수 후 렙토스피라증 유행을 신속하게 평가하여, 3주 동안 28만 명에 이르는 대규모의 doxycycline 화학예방요법 캠페인을 실시하여 보고하였다. 최근에 Schneider 등은 수학적 모델을 사용하여 자연재해 후 doxycycline의 예방효과 평가한 4개의 연구들을 함께 분석하였을 때, 예방효과의 근거는 일관성이 없었으나 이환과 사망에 대한 방어효과를 지지하였고, 화학예방요법이 고위험 노출 후 발생건수 감소에 일부 방어를 제공할 수 있음을 제시하였다.

결론적으로, 향후 홍수 등의 재해와 관련하여 화학예방요법의 효과의 근거를 확보하기 위하여 대규모의 대상수를 포함하는 연구가 필요하다. 명확한 결론이 나오기 전까지 우리나라에서 1975년, 1984년, 1990년 등 추수기에 홍수와 관련하여 대규모 환자 발생이 있었던 점을 고려할 때, 특히 추수기에 홍수나 자연재해가 발생 시 오염 환경에 노출 위험이 큰 사람들이나 복구 작업에 참가하는 사람들에게 단기간 doxycycline 200 mg을 주 1회 노출 기간 동안 투여하는 것을 고려할 수 있다. 임신부와 소아, 그리고 광선민감도가 있는 사람은 doxycycline 대신 azithromycin 또는 amoxicillin을 투여할 수 있다.

참고문헌

1. 김민자: 렙토스피라병, 대한감염학회. 감염학. 2판. 서울: 군자출판사; 2014; 691-9.
2. Adler B. Vaccines Against Leptospirosis. In: Adler B. (eds) Leptospira and Leptospirosis. Curr Top Microbiol Immunol 2015;387:251-72.
3. Bhardwaj P, Kosambiya JK, Vikas KD, et al. Chemoprophylaxis with doxycycline in suspected epidemic of leptospirosis during floods: does this really work? Afr Health Sci 2010;10:199-200.
4. Brett-Major DM, Lipnick RJ. Antibiotic prophylaxis for leptospirosis. Cochrane Database Syst Rev 2009;3:CD007342.
5. Dechet AM, Parsons M, Rambaran M, et al. Leptospirosis outbreak following severe flooding: a rapid assessment and mass prophylaxis campaign; Guyana, January-February 2005. PLoS One 2012;7:e39672.
6. Dellagostin OA, Grassmann AA, Rizzi C, Schuch RA, Jorge S, Oliveira TL, McBride AJ, Hartwig DD. Reverse Vaccinology: An Approach for Identifying Leptospiral Vaccine Candidates. Int J Mol Sci 2017;18. pii: E158.
7. Gonsalez CR, Casseb J, Monteiro FG, et al. Use of doxycycline for leptospirosis after high-risk exposure in São Paulo, Brazil. Rev Inst Med Trop Sao Paulo 1988;40:59-61.
8. Haake DA, Levett PN. Leptospirosis in humans. In: Adler B. (eds) Leptospira and Leptospirosis. Curr Top Microbiol Immunol 2015;387:65-97.
9. Kim MJ. Leptospirosis in the republic of Korea: historical perspectives, current status and future challenges. Infect Chemother 2013;45:137-44.
10. Levett PN. Systematics of leptospiraceae. In: Adler B. (eds) Leptospira and Leptospirosis. Curr Top Microbiol Immunol 2015;387:11-20.
11. Martinez R, Perez A, del Quinones MC, et al. Efficacy and safety of a vaccine against human leptospirosis in Cuba. Rev Panam Salud Publica 2004;15:249-55.
12. Schneider MC, Velasco-Hernandez J, Min KD, et al. The Use of Chemoprophylaxis after Floods to Reduce the Occurrence and Impact of Leptospirosis Outbreaks. Int J Environ Res Public Health 2017;14. pii: E594.
13. Sehgal SC, Sugunan AP, Murhekar MV, et al. Randomized controlled trial of doxycycline prophylaxis against leptospirosis in an endemic area. Int J Antimicrob Agents 2000;13:249-55.
14. Takafuji ET, Kirkpatrick JW, Miller RN, et al. An efficacy trial of doxycycline chemoprophylaxis against leptospirosis. N Engl J Med 1984;310:497-500.
15. Xu Y, Ye Q. Human leptospirosis vaccines in China. Hum Vaccin Immunother 2017;14:984-93.
16. Zuerner RL. Host response to leptospira infection. In: Adler B. (eds) Leptospira and Leptospirosis. Curr Top Microbiol Immunol 2015;387:223-50.

Chapter 13 수두

동국대학교 의과대학 **박성연**
국민건강보험 일산병원 **박윤수**

1 대한감염학회 접종 권장대상과 시기

다음 중 수두바이러스에 면역이 없는 사람

가. 1970년 이후 출생자

나. 수두 유행이 가능한 환경에 노출되는 학생, 군인, 의료기관종사자, 학교 및 유치원 교사, 해외여행자

다. 고위험군(면역저하자)과 자주 접촉하는 사람: 의료기관종사자, 고위험군 가족

라. 가임기 여성

2 접종용량 및 방법

가. 12개월부터 12세까지의 소아: 0.5 mL를 12-15개월에 1회 피하주사

나. 13세 이상의 청소년과 성인: 0.5 mL를 4-8주 간격으로 2회 피하주사

다. 집단 내에서 수두의 유행 관리를 목적으로 한 예방접종(2회 접종을 기본으로 함)

- 1차 접종을 받은 12개월부터 12세까지의 소아: 1차 접종 후 3개월 이상의 간격을 투고 0.5 mL 피하 주사
- 면역력이 없는 13세 이상 청소년 또는 성인: 최소 4주 간격으로 0.5 mL, 2회 피하주사

3 이상반응

가. 국소반응: 접종 부위의 통증, 발적, 종창

나. 전신반응: 발열, 발진, 드물게 아나필락시스반응

4 주의 및 금기사항

가. 이전 백신접종에서 심한 알레르기 반응이 있었던 사람

나. 백혈병, 악성종양환자, 이식환자, 면역억제요법 중인 환자 등 면역저하자

다. 임신부 또는 임신을 계획 중인 여자(접종 후 1개월간 피임)

라. 중등도 또는 중증의 급성 질환자

1. 질병의 개요

1) 원인 병원체

원인 병원체는 Varicella zoster virus (VZV, 수두대상포진바이러스)로 DNA바이러스이며, 헤르페스바이러스과에 속한다. VZV는 herpes simplex virus와 같이 *Alphaherpesvirinae*에 속하며, 이들 바이러스들은 공통적으로 초감염 후 감각신경절에 잠복하여 있다가 재활성화될 수 있다. VZV에 처음 감염되면 수두가 발생하게 되고, 초감염 이후 잠복된 상태에서 재활성화되면 대상포진으로 발생한다.

2) 역학

VZV의 유일한 병원소는 인간이며, 전염성이 매우 강한 감염 질환이다. 수두는 전세계에서 발생하나, 지역에 따라 역학의 차이가 있다. 온대지방에서는 대부분 어린 소아에서 발생하며, 학교입학 전 또는 초등학교 저학년 연령대에서 발생률이 가장 높다. 온대 지역에서 수두는 주로 늦겨울과 초봄에 발생하는 뚜렷한 계절적 성향이 있다.

매년 전 세계에서 약 6천만 명의 수두 환자가 발생하는 것으로 추정된다. 미국에서는 1995년 미국에 백신이 도입되기 전 매년 4백만 명의 수두 환자가 발생하였으며 약 100여 명의 사망례가 발생하였으나, 백신이 사용되면서 발생건수는 크게 감소하였다. 미국 자료에 의하면 2004년도에 19–35개월 소아의 90%가 수두백신을 1회 접종받았다. 백신접종으로 수두 발생률은 1995년에 비하여 2005년에 약 90% 감소하였으며, 2회 접종을 시작한 2006년 이후로 소아 수두 빈도는 더욱 감소하였다.

우리나라에서는 1988년에 수두백신을 도입하여 사용하였으며, 2005년부터 국가예방접종백신에 포함하여 접종하고 있다. 수두는 2005년 7월 제2군 법정감염병 지정 이후 2005년도 1,934명에서 2006년 11,027명, 2007년 20,284명, 2015년 46,330명, 2016년에는 54,060명 2017년에는 80,074명이 신고되어 전년(54,060명) 대비 48.1% 증가하였다(그림 13-1).

수두는 연중 발생하지만, 매년 계절적 유행양상을 보이는데, 특히 4–6월과 11–2월에 유행하는 양상을 보인다. 2017년에도 4–6월(23,281명, 29.0%), 11–12월(23,287명, 29.1%)에 발생이 많았다(그림 13-1). 수두는 전염력이 강하여 어린이집이나 유치원, 초등학교 등에서 집단발생이 가능한 감염병으로, 2017년 전체 환자의 약 91.5%가 12세 이하였다.

국내 성인에서 수두 항체양성률에 대한 연구는 많다. 2008년 서울 서남부와 경기도 일부 지역에서 887명의 환자를 대상으로 시행된 연구에 의하면, 수두 항체양성률이 1–2세에서 약 50%, 5–6세 약 75%, 11세 이후에는 90% 이상이었다. 2012년부터 2013년까지 10세 이상의 청소년과 성인 1,196명을 대상으로 수두에 대한 항체양성률을 조사하였을 때 ELISA 방법에 의한 경우 10대, 20대, 30대, 40대, 50대, 60대 이상에서 각각 83.3% 93.0%, 93.0%, 97.5%, 94.5%, 97.5%로 확인되었으며, Fluorescent Antibody to Membrane Antigen (FAMA) 항체측정법에 의하면 각각 96.0%, 99.5%, 99.5%, 99.5%,

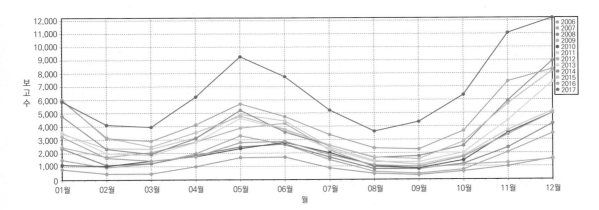

그림 13-1. 국내에서 신고된 수두 환자의 연도별 및 월별 분포 (2006. 1 - 2017. 12)

100%, 100%에서 항체양성률이 확인되었다. 이러한 국내 성인의 항체양성률을 종합해보면 20대, 30대는 90% 이상에서 항체를 보유하고 있고, 40대 이상에서는 20, 30대보다 항체양성률이 높은 경향을 보이고 있다.

3) 임상적 특징

수두는 감염된 환자의 인후두 분비물과의 접촉으로 전파가 이루어지며, 감염된 사람의 피부분비물과의 접촉, 공기 중 VZV 전파(airborne)를 통해서도 감염될 수 있다. VZV 초회 감염인 수두는 VZV가 상부 호흡기계 점막과 편도 림프조직에 침투함으로써 시작된다. 10-21일 정도의 초기 잠복기 동안에, 바이러스는 국소 림프 조직에서 증식하며, 이후 단기간의 무증상 바이러스혈증을 통해 전신 망상세포계(reticuloendothelial system)로 퍼져나간다. 전신 피부 병변은 약 3-7일간 지속되는 두 번째 바이러스혈증 기간 동안에 발생하며, 이때 말초혈액단핵세포가 감염력이 있는 바이러스를 운반하여, 이 기간 동안 새로운 수포성 병변을 만들어낸다. 또한 VZV는 후기 잠복기 동안 상부 호흡기계와 인후두 점막으로 다시 이송되어, 발진이 나타나기 1-2일 전부터 감염력이 있는 상태가 된다.

수두에 감수성이 있는 사람이 VZV에 노출되면 대개 14-16일 내에 질병이 시작된다. 나이가 많은 어린이나 성인에서는 발열, 식욕부진, 두통, 그리고 종종 가벼운 복통 같은 전구증상이 발진 시작 24-48시간 전에 나타날 수 있다. 발열이 있을 수 있으며, 전신 증상은 발진 시작 2-4일 이내 소실된다.

수두 병변은 종종 두피, 얼굴, 또는 몸통에서 먼저 나타난다. 초기 발진은 매우 가려운 홍반성 반점에서, 투명하고 맑은 액체로 채워져 있는 구진성 병변으로 이루어진다. 피부병변은 24-48시간 이내 혼탁해지고, 군데군데 오목하게 들어간 병변으로 변한다. 초기 병변에 가피가 형성되는 동안, 새로운 병변이 몸통과 사지로 퍼져나가, 동시에 여러 단계의 병변이 진화하는 수두의 특징적인 발진이 관찰된다.

면역기능이 정상인 소아에서 수두는 경과가 양호하여 대부분 저절로 회복된다. 드물게 합병증이 발생할 수 있는데 소아에서는 피부 병변의 이차 세균 감염이 가장 흔하다. 포도알균이나 A군 사슬알균이 피부 감염의 주요 원인균이다. 특히 수두 후에 발생한 A군 사슬알균은 종종 중증 감염을 유발하며, 가끔 사망을 유발할 정도로 치명적일 수도 있다. 그 외에 폐렴, 뇌염, 소뇌운동실조(cerebellar ataxia), 관절염, 간염, 사구체신염 등도 발생할 수 있다. 급성소뇌운동실조는 발진 발생 전 또는 10일 후 까지도 발생할 수 있다. 15세 미만의 소아에서 약 수두 4,000 발생건수당 1명에서 발생하는 것으로 알려져 있으며, 예후는 대개 좋다. 수두 뇌염은 소뇌운동실조보다 중증합병증이나 드물게 발생하며 예후가 매우 좋지 않다. 일반적으로 성인에서 수두가 발생한 경우, 소아에서 수두가 발생한 경우보다 증상이 더 심하고 합병증도 잘 생긴다.

면역저하자에서 발생한 수두는 매우 중증질환으로 진행할 수 있다. 항암치료 또는 방사선 치료를 받고 있거나, 어떠한 이유로 고용량의 스테로이드를 복용 중이거나, 또는 선천성 세포매개면역에 이상이 있는 사람에서 중증 수두가 발생할 위험이 증가한다. 1975년까지, 수두가 발병한 백혈병 환아의 30%에서 파종성 수두가 관찰되었으며 7%의 사망률을 보고하였다. 항바이러스제 개발 이후 수두 발병 초기에 항바이러스제를 투여하면서 예후가 호전되었으나 수두로 인한 사망 예는 여전히 있다.

(1) 수두돌파감염(Breakthrough varicella)

수두돌파감염은 백신접종 42일 후에 발생하는, 백신주가 아닌 야생형 VZV에 의한 수두로 정의한다. 백신접종 후 장기간 추적 관찰한 여러 연구 결과에 의하면 수두백신 후 항체양전율(gpELISA 검사방법)이 높음에도 불구하고, 매년 1–3%의 돌파감염이 생긴다고 보고하고 있다.

돌파감염의 대부분은 50개 미만의 피부 병변으로 발현하며, 발열은 대개 동반하지 않는다. 피부 병변은 수포일 수도 있으나, 비전형적인 경우가 더 많고, 구진은 대개 수포로 진행하지 않는다. 대개의 경우 수두돌파감염은 일차 감염보다는 가벼운 경과를 보인다.

4) 진단

보통 특징적인 발진을 보고, 임상적 진단으로 충분하다. 그러나 예방접종으로 인한 수두의 발생률이 감소함에 따라 의료진의 경험이 줄어들고, 예방접종 후 발생하는 비전형적인 수두돌파감염(breakthrough varicella)이 증가함에 따라, 실험실적 진단 방법이 필요한 경우도 증가하고 있다. VZV 감염의 확진을 위해, 수포에서 직접형광법으로 15–20분 내에 진단이 가능하며, 수포 또는 가피에서 중합효소연쇄반응(polymerase chain reaction)을 통해 수 시간에서 수 일 내 진단이 가능하다. 여러 검사 중에서 중합효소연쇄반응이 가장 민감하며, 원인 병원체가 백신주인지 야생주인지를 감별하는데 도움이 된다. 세포에서 핵내 봉입체를 가지는 다핵 거대세포를 검출할 수 있는데(Tzanck smear), 이 방법은 민감도가 낮고, VZV와 herpes simplex virus를 감별하지 못한다. 전자현미경으로 바이러스를 관찰 또는 세포배양으로 바이러스를 분리하여 진단할 수 있다.

5) 치료

　수두에 대한 항바이러스제 치료는 1970년대 초부터 가능해졌다. 항바이러스제 치료는 회복 속도를 빠르게 하나, VZV 배출기간을 줄이거나 잠복감염을 예방하는 효과는 없다. Acyclovir의 효능과 안전성을 고려하면, 소아 및 청소년, 성인에서 발생한 수두의 치료제로 사용을 고려할 수 있다. 다만, 미국 소아과학회에서는 건강한 소아에서 합병증이 없는 수두의 경우 이득이 크지 않으므로 모두에서 사용할 것을 권장하지는 않는다. 12세 이상 임신하지 않은 환자, 만성피부질환이나 폐질환을 가진 12개월 이하의 소아, 단기간, 또는 흡입용 코르티코스테로이드 투여를 받은 환자, 장기간 salicylate 투여가 필요한 환자, 그리고 가족 내 2차 발생의 경우, 증상이 심한 수두가 발생할 수 있어 경구 acyclovir 치료가 추천된다. 치료 효과를 보기 위해서는 항바이러스제는 가능한 한 발진이 발생한 지 24시간 이내에 시작되어야 한다. 발진 발생 후 72시간 경과 후에 항바이러스제를 투여하면 도움이 되지 않는 것으로 알려져 있다. 면역저하자에서 발생한 수두나, 폐렴, 혈소판 감소증, 중증 간염, 뇌염을 동반한 수두의 경우 정주 acyclovir 투여가 추천된다. 이 경우에는 발진이 발생한 지 72시간이 경과하여도 투여하는 것이 추천되며, 7–10일 정도 또는 새로운 병변이 48시간 이상 나타나지 않을 때까지 투여한다. Valacyclovir 나 famciclovir는 면역능이 정상인 청소년 또는 성인 대상포진 환자의 치료를 위해 사용하고 있으나, 수두에서 치료 효과에 대한 연구는 없다.

6) 환자 및 접촉자 관리

(1) 환자관리

　VZV는 공기 전파가 가능하므로 전염성이 매우 높다. 수두 환자가 입원하면 발진이 생긴 후 최소 5일 동안, 그리고 모든 병변에 가피가 생길 때까지 표준주의 및 접촉주의, 공기주의 격리를 준수해야 한다. 수두예방접종을 시행한 사람에서 돌파 감염으로 수두가 발생한 경우에는 가피가 생기지 않을 수 있으므로, 이 경우에는 24시간 동안 새로운 발진이 생기지 않을 때까지 격리한다.

(2) 접촉자 관리

① 노출 후 예방접종

　수두백신접종의 금기가 없는 경우, 수두에 감수성이 있는 사람이 수두에 노출된 경우 노출 72시간 내(5일까지도 가능) 수두백신을 접종하는 방법이 있다. 연구에 의하면 면역이 없는 12개월 이상의 소아가 수두에 노출된 후 72시간 내에 예방접종을 받았던 경우 70–100%에서 수두 발생을 예방할 수 있었거나, 수두가 발생하더라도 중증도가 낮았음이 보고되었다.

② 노출 후 수두대상포진 면역글로불린(varicella zoster virus immunoglobulin, VZIG) 투여

수두에 감수성이 있는 사람이 수두에 노출되었으나, 수두백신을 접종할 수 없는 상황에서 VZIG 사용을 고려한다. 면역결핍증 환자, 암 질환자, 면역억제제를 복용 중인 면역저하자, 면역의 증거가 없는 임신부, 신생아가 노출된 경우에는 노출 후 10일 이내에 VZIG 125 unit/10 kg (최대 625 units)의 용량을 1회 근육주사한다. VZIG를 사용할 수 없는 경우, 정맥 내 면역글로불린(IVIG, 400 mg/kg)을 투여할 수 있다.

2. 백신의 종류

전 세계에서 가장 많이 사용하는 수두백신은 1974년 일본 Takahashi 박사에 의하여 개발된 Oka주를 기반으로 하고 있다. Oka주 수두백신 생산을 위해, 수두에 걸린 Oka 성을 가진 건강한 3세 남아로부터 분리하였으며, 수십 차례 계대배양을 거친 후 최종적으로 MRC-5 세포배양으로 얻은 약독화 Oka주를 개발하였다. 우리나라에서 생산하고, 허가 받은 수두박스®는 1989년 서울에 거주하는 수두에 걸린 33개월 한국 남아로부터 분리한 MAV/06주가 포함되어 있다. 수두박스®의 약독화 과정도 Oka주의 약독화 과정과 유사한 방법으로 기니피그 세포와 인체 세포에서 계대배양을 거쳐 생산되었다.

미국에서는 1995년 Oka주 수두백신이 FDA 승인을 받고 접종이 허가되었으며, 모든 건강한 소아를 대상으로 접종하고 있다. 일본과 한국에서는 1988년대 후반부터 고위험군과 일부 건강한 소아를 대상으로 접종하였다.

국내에서 접종하고 있는 수두백신에는 수입된 Oka주 유래 수두백신인 바리-엘백신®(보란파마)과 국내에서 생산되는 국내 수두 환자에서 분리된 야생 수두바이러스(MAV/06주) 유래 수두백신인 수두박스®(녹십자)가 있다. SK바이오사이언스에서 개발한 Oka주 유래 스카이바리셀라®는 2018년 6월에 식품의약품안전처에서 허가를 받아 현재 사용이 가능하다.

미국에서는 1가 수두백신 이외에 홍역-볼거리-풍진 혼합백신(MMR)과 수두 혼합백신인 MMRV도 사용되고 있다. MMRV 백신에 포함된 홍역-볼거리-풍진 혼합백신(MMR) 구성 성분은 3가 홍역-볼거리-풍진 혼합백신(MMR)과 동일하나, 수두백신 바이러스는 1가 수두백신에 비하여 더 많은 바이러스 역가를 포함하고 있다. 현재 우리나라에서는 MMRV 혼합백신은 시판되지 않고 있다.

3. 백신의 효능 및 효과

1980년대 미국에서 건강한 소아를 대상으로 Merck사의 Oka주 수두백신으로 이중맹검 위약 대조군 임상시험(위약군 446명, 백신군 468명, 접종용량 17,000 PFU/dose)을 시행하였다. 이에 의하면 첫 9개월 동안 위약군에서만 39명의 수두 환자가 발생하여 100% 예방효과를 보였다. 백신군 33명이 가족 내 수두에 노출되었으나, 아무도 수두가 발생하지 않았다. 2년째 추적 조사에서는 백신군에서 한 명의 경증 수두 환자가 발생하였고, 7년째 추적 조사에서는 백신 투여군 95%에서 수두에 걸리지 않았다. 2008년 미국에서 수두백신 허가 후 시행된 17개의 수두백신효과(effectiveness)를 평가한 연구에 의하면 Varivax® 1회 투여한 경우, 수두 발생을 예방하는 효과는 84.5%(중앙값, 범위 44–100%)였고, 중증 수두를 예방하는 효과는 100%였다.

2005년 1월에 수두백신이 국가필수예방접종으로 지정되었고, 12–15개월의 영유아에게 접종을 권장하고 있다. 질병관리본부 자료에 의하면, 2005년 중소도시 지역(논산)에서 수두 예방접종률은 73.1%였으며, 2011년 전국예방접종률 조사 자료에 의하면 국내 수두백신 접종률은 97.7%였다. 이처럼 수두백신 접종률이 높음에도 불구하고, 수두는 법정감염병 중 발생건수가 가장 많고, 발생률 또한 가파른 폭으로 증가하고 있다. 국내에서 개발된 수두박스®(녹십자)는 1995년 허가 전 161명을 대상으로 면역원성을 평가하기 위한 연구에서 FAMA 항체측정법으로 평가하였을 때, 항체양성률은 100%이고 접종후 GMT는 173.7 ± 29.8로 높은 면역원성과 안전성을 보여주었다. 다만 당시 시행한 FAMA 항체측정법은 1% glutaraldehyde가 처치된 VZV 감염 세포를 이용한 변형된 방법이었다. 수두박스® 임상시험(clinical efficacy trial)은 시행되지 않았다. 이후 2008년–2009년 동안 수두박스®의 효능평가를 위한 면역원성을 FAMA 항체측정법을 통해 재평가하였는데, 이 결과에 의하면 항체양전률은 76.6%였고, 접종 후 항체가(post vaccination GMT)는 5.31로 이전 연구보다는 면역원성이 떨어지는 것으로 보고되었다. FAMA 항체측정법은 VZV가 감염된 세포막에 표출되는 VZV 당단백과 항체를 측정하는 방법으로 수두에 대한 방어력을 잘 대변하는 것으로 알려져 있다. William 등이 사용한 Classic FAMA 항체측정법은 VZV가 감염된 세포를 고정하지 않은 상태에서 세포를 오래 보관할 수 없다는 단점 때문에 glutaraldehyde로 고정한 세포를 사용한 modified FAMA assay가 사용되기도 한다. 그러나 glutaraldehyde에 의한 비특이적인 반응 때문에 음성인 혈청이 위양성으로 판단되는 문제점 등이 있어 modified FAMA assay는 백신 면역원성 평가에 적절하지 않다.

이후 2016년 서울시 아동 대상으로 수두 예방접종프로그램의 효과에 대한 논문이 발표되었는데, 국내에서 사용 허가된 백신 4종 중 2개 품목은 효과가 전혀 없었고, 다른 2개 품목은 각각 88.9%와 71.4%의 유효성을 보여주었다. 이처럼 수두백신의 효과에 대해서는 이전부터 논란이 지속되고 있어, 국내 유통 중인 수두백신의 효과에 대한 정밀한 조사 및 체계적인 대응책이 필요한 상태이다.

4. 적응증

1) 12-15개월 영아

12–15개월 나이의 모든 건강한 영아를 대상으로 1회 접종한다(표 13-1).

2) 만 12세까지의 소아

수두에 대한 면역의 증거가 없는 13세 미만의 소아에 대해서 1회 접종한다. 2007년 미국 예방접종 자문위원회는 수두백신 2회 접종 시 1회 접종보다 돌파감염 위험도가 3.3배 낮다는 연구 결과에 따라 12–15개월에 1회 접종하도록 권고하였던 지침을 변경하여 4–6세 추가접종 하도록 권고하였다. 미국에 서는 수두백신과 홍역–볼거리–풍진 혼합백신의 동시접종, 수두의 4–6세 2차 접종이 권장됨에 따라 수 두와 홍역–볼거리–풍진 혼합백신인 MMRV가 2005년 미국 식품의약국의 승인을 받았다. 12–47개월의 소아에서 MMRV 접종을 한 경우와 홍역–볼거리–풍진 혼합백신과 1가 수두백신 동시투여를 비교하였 을 때, MMRV 투여군에서 열성 경련 발생 위험이 증가하여, 미국 질병관리본부에서는 이 연령대의 소 아에서는 홍역–볼거리–풍진 혼합백신과 1가 수두백신을 별도로 1차 투여할 것을 권고하고 있다.

2008년 대한소아과학회에서는 우리나라에서는 이 연령의 모든 소아에게 2회 접종해야 할 필요성과 돌파감염률, 이로 인한 질병 부담 및 사회경제적 파급효과 및 2회 접종 시 소요되는 비용 등에 대한 비 용효과 등을 좀 더 신중하게 검토하여 추후 결정하는 것으로 권고한 바 있다. 수두를 더욱 효율적으로 예방하기 위해서 수두백신 1회 접종률을 높게 유지하고, 홍역–볼거리–풍진 혼합백신과의 동시 접종 혹 은 4주 이상의 접종간격을 유지하고, 백신 보관 및 전달 체계를 최적화하도록 권고하였다. 보육 시설이 나 학교에서 수두가 유행할 때 그 기관에 출석하는 소아에게는 2회 접종하도록 권장하였다.

표 13-1. 수두에 대한 면역이 있다고 간주할 수 있는 경우

수두에 면역력이 있다는 것은 다음 중 한 가지 이상을 만족하여야 함
1. 연령에 따른 예방접종력 확인 　1) 12개월 – 만 12세: 1회 접종 　2) 만 13세 이상: 4-8주 간격으로 2회 접종
2. 검사실 진단으로 확진된 수두 또는 수두 항체 검사 양성
3. 전문의료진이 진단하였거나 확인된 수두 병력
4. 전문의료진이 진단하였거나 확인한 대상포진 병력
5. 1970년 이전 출생자

3) 만 13세 이상 청소년 또는 성인

수두는 감수성이 있는 청소년 및 성인에서 더 중증 감염을 유발하므로, 면역이 없는 이들에서 백신 접종이 중요하다. 13세 이상의 청소년 및 성인에서 4–8주 간격으로 2회 접종해야 한다. 1차 접종 후 8주가 경과하더라도 1차 접종을 다시 하지 않고 2차 백신접종을 하면 된다. 성인에서는 중증 수두 발생의 고위험군과 밀접한 접촉을 하는 사람들이 백신접종의 우선 순위가 되며, 수두 유행이 가능한 환경에 노출되는 사람들도 백신접종이 추천된다. 이러한 그룹으로는 학생, 학교 교직원, 대학생, 군인, 해외여행자, 면역저하자의 가족 내 구성원, 의료기관종사자들이 있다. 임신한 여성이 수두에 걸리면 태아로의 전파가 가능하므로 가임기 여성 또한 수두에 대한 면역 여부를 확인해야 하며, 임신을 하지 않은 상황에서 수두에 대한 면역이 없다면 백신접종이 필요하다.

4) 의료기관종사자

의료기관종사자는 수두 및 대상포진에 노출될 위험이 높고, 수두 이환 시 심각한 합병증을 유발할 수 있는 고위험군 환자들과 밀접한 접촉을 한다. 그러므로 의료기관의 종사자들은 수두에 대한 면역력 여부를 확인해야 하며, 수두에 대한 면역력이 있다는 증거(수두 또는 대상포진을 앓았다는 의료진의 확인, 2차례 백신을 받았다는 의무기록, 수두 항체 검사 양성)가 없다면 항체 검사를 시행하여야 한다. 항체가 없고 백신 금기가 아닌 의료인은 2회 수두백신을 접종해야 한다. 백신접종 후 항체 생성여부를 확인하는 것은 권장되지 않는데 그 이유는 현 항체 검사법이 항체가가 낮은 경우 검출 예민도가 낮아 비용 효과적이지 않기 때문이다. 감수성이 높은 검사법으로 시행한 연구에서 성인은 99% 항체가 생성되었기 때문에 일괄 접종 후 검사를 권장하지 않는다. 의료기관에서는 수두에 대한 과거력이 없거나 명확하지 않은 경우 백신접종 전 항체 검사를 시행하는 것이 비용대비 효과적이다.

5) 집단 내에서의 수두 유행 관리를 위한 예방접종

수두백신은 유행을 관리하기 위한 목적으로 고려할 수 있다. 집단에서의 수두 유행은 후향적으로 평가하였을 때 한 잠복기 내 공통 환경에 역학적으로 관련된 수두 증례가 5례 이상 발생한 경우로 정의할 수 있다. 유행 시 수두에 대한 면역이 없는 사람은 연령에 맞는 일정대로 수두백신을 접종받아야 한다. 수두가 유행하는 집단에 등원, 등교하는 소아에게는 2회의 접종을 고려할 수 있다. 이미 1회 접종받은 12개월에서 12세 사이의 소아는 첫 접종으로부터 3개월 이상의 간격을 두고 두 번째 접종을 시행하고, 13세 이상 소아는 첫 접종으로부터 최소 4주 간격을 두고 두 번째 백신을 접종한다. 수두의 유행 관리는 유행이 시작된 후 가능한 빨리 시행되어야 하나 유행이 거의 끝날 무렵이라도 백신을 접종 받는 것이 좋다. 소아가 집단 생활을 하는 곳에서의 수두 유행은 3–6개월간 지속될 수 있기 때문에, 백신을 접종함으로써 아직 수두에 노출되지 않은 사람을 예방하고 유행의 기간을 단축시킬 수 있다. 수두의 유행관리 목적으로 수두백신을 첫 번째 혹은 두 번째로 접종 받은 소아는 접종 직후 등교할 수 있다.

수두가 유행하는 집단에 등교 또는 등원하는 소아가 (1) 수두에 대한 면역이 없는 경우, (2) 이전에 한 번도 백신을 접종 받지 않은 경우, 혹은 (3) 수두백신을 2회 스케줄로 접종받아야 하는 13세 이상 소아가 유행 전에 이미 첫 번째 접종을 받았으나 유행 관리 목적으로 두 번째 접종을 받지 않은 경우라면 유행 관리 목적으로 수두백신을 접종 받은 후 그 기관에 출석하는 것이 좋다.

5. 투여방법

접종용량 0.5 mL
접종방법 상완 어깨세모근 외측에 피하주사

6. 이상반응

수두백신은 안전하며 이상반응은 대개 경미하다. 가장 흔한 이상반응은 접종부위의 동통, 발적, 종창 같은 국소반응이다. 국소반응은 소아의 19%, 청소년 및 성인의 경우 24%에서 발생한다. 주사 부위에 수두와 유사한 발진이 생길 수 있는데, 소아의 3%, 청소년 및 성인의 경우 1%에서 나타난다. 전신적인 수두 유사 발진은 전체 접종자의 4-6%에서 3주 이내에 반점구진으로 평균 5개가 발생한다.

7. 금기

수두백신은 약독화 생백신으로 금기와 주의사항은 다른 생백신과 유사하다. 백신 성분에 심한 알레르기가 있거나 이전 예방접종 후 중증 이상반응이 있었던 경우 접종하지 않는다. 수두백신은 소량의 neomycin과 젤라틴을 함유하고 있지만 계란 단백이나 방부제는 없다.

백혈병, 림프종, 전신적인 악성 질환, 면역저하자, 면역억제 치료를 받은 사람은 수두백신접종을 하면 안 된다. 그러나 미국 소아과학회에서는 저용량 스테로이드(prednisolone 2 mg/kg, 또는 하루 20 mg 미만)를 투여 받는 환자는 백신접종의 금기 사항은 아니다. 스테로이드를 중단한 지 1-3개월 이상 경과하였거나, 항암 화학요법을 시행한 경우 3개월 이상 치료를 중단하면 백신접종을 할 수 있다.

임신부에서 수두백신이 태아에 미치는 영향에 대한 정확한 자료는 없으나 백신 바이러스가 태아 발달에 영향을 미칠 가능성이 있으므로, 임신한 상태에서 수두백신은 접종 금기이다. 가임기 여성이 수두백신 접종을 받았다면 접종 후 최소 1개월 동안 임신을 피하도록 한다. 1995년부터 2012년까지의 자료에 의하면, 임신하기 3개월 전이나 임신하고 있는 동안에 수두백신을 접종 받은 임신부의 자연임신으로 아기를 출산한 928례에서 선천 수두 증후군이 보고된 예는 없었다.

8. 국내유통백신

국내 사용 중인 수두백신

백신	제조(수입)사	제품명	백신 주 및 항원량	성상	제형
수두 약독화 생백신	보란파마(완제품수입)	바리-엘백신®	Oka 주 2,000 PFU 이상 함유	동결건조제 용제첨부	0.5 mL/vial
	㈜녹십자(국내 제조)	수두박스주®	MAV/06 주 1,400 PFU이상 함유	동결건조제 용제첨부	0.7 mL/vial
	SK바이오사이언스 (국내 제조)	스카이바리셀라®	Oka 주 2400 PFU 이상 함유	동결건조제 용제첨부	0.5 mL/vial

참고문헌

1. Centers for Diseases Control and Prevention. Chickenpox Vaccine Saves Lives and Prevents Serious Illness Infographic. Available at: https://www.cdc.gov/chickenpox/vaccine-infographic.html.
2. Choi EH, Kim KH, Kim J-H, et al. Guideline: Provisional update on varicella vaccination in Korea, 2008. Korean J Pediatr 2008;51:665-7.
3. Korean Center for Disease Control and prevention. Disease web statistics system. Available at: http://www.cdc.go.kr
4. Lee YH, Choe YJ. Effectiveness of Varicella Vaccination Program in Preventing Laboratory-Confirmed Cases in Children in Seoul, Korea. J Korean Med Sci 2016;31:1897-901.
5. Macartney K, Heywood A, McIntyre P. Vaccines for post-exposure prophylaxis against varicella (chickenpox) in children and adults. The Cochrane database of systematic reviews 2014;Cd001833.
6. Oh SH, Choi EH, Shin SH, et al. Varicella and varicella vaccination in South Korea. Clinical and vaccine immunology 2014;21:762-8.
7. Seward JF, Watson BM, Peterson CL, Mascola L, Pelosi JW, Zhang JX, et al. Varicella disease after introduction of varicella vaccine in the United States, 1995-2000. JAMA 2002;287:606-11.
8. Takahashi M, Otsuka T, Okuno Y, et al. Live vaccine used to prevent the spread of varicella in children in hospital. Lancet (London, England) 1974;2:1288-90.
9. Tyring S, Barbarash RA, Nahlik JE, et al. Collaborative Famciclovir Herpes Zoster Study Group. Famciclovir for the treatment of acute herpes zoster: effects on acute disease and postherpetic neuralgia. A randomized, double-blind, placebo-controlled trial. Annals of internal medicine 1995;123:89-96.
10. Weibel RE, Neff BJ, Kuter BJ, et al. Live attenuated varicella virus vaccine. Efficacy trial in healthy children. NEJM 1984;310:1409-15.

인하대학교 의과대학 **이진수**
인하대학교 의과대학 **백지현**

Chapter 14 수막알균

1 대한감염학회 접종 권장대상과 시기

가. 해부학적 또는 기능적 무비증

나. 보체 결핍 환자(eculizumab 투여 등 후천적 원인 포함)

다. 군인, 특히 신입 훈련병

라. 직업적으로 수막알균에 노출되는 실험실 근무자

마. 수막알균 감염증 유행 지역에서 현지인과 밀접한 접촉이 예상되는 여행자 또는 체류자

바. 기숙사에 거주하는 대학교 신입생

사. HIV 감염인

2 접종용량 및 방법

가. 4가 단백결합백신(A, C, Y, W-135)

    1) 건강한 성인: 0.5 mL를 1회 근육주사

    2) 무비증, 보체 결핍 환자, HIV 감염인: 0.5 mL를 2회 근육주사(2개월 간격)

나. B 혈청군백신: 제형에 따라 2-3회 근육주사(현재 국내 시판되지 않음)

라. 재접종

    1) 감염 위험이 지속되면 5년마다 재접종

    2) 이전에 다당류백신을 접종한 경우 재접종 시에는 단백결합백신으로 접종

3 이상반응

가. 국소반응: 주사부위 통증, 발적

나. 전신반응: 두통, 피로감, 권태감, 관절통, 발열, 드물게 아나필락시스

* 국소반응이나 경미한 전신반응의 빈도는 다당류백신보다 단백결합백신에서 높음

4 주의 및 금기사항

가. 급성 중증 질환: 회복 후 접종

나. 아나필락시스 반응: 백신 성분(특히 단백결합백신의 톡소이드)이나 라텍스에 대한 과민반응이 있는 경우

1. 질병의 개요

1) 원인 병원체

수막알균(*Neisseria meningitidis*: meningococcus)은 사람이 유일한 병원소(reservoir)인 호기성 그람 음성 쌍알균이다. 수막알균은 사람의 코인두에 집락하고 있다가 비말이나 분비물을 통해 다른 사람에게 전파된다. 맨 바깥에 다당류 피막이 있어서 탐식작용과 용해를 방해하는 기능을 하며, 피막의 다당류(capsular polysaccharide) 구조에 따라 13개의 혈청군(serogroup)으로 분류한다. 이 중 A, B, C, W135, X, Y의 6개 혈청군이 대부분의 침습적 질환과 유행을 일으킨다. 구강 점막에 있는 비병원성 수막알균 중 일부는 피막이 없기도 하고, 혈청군을 결정할 수 없는 경우도 있다. 피막 안에는 외막이 있고, 외막의 단백질과 지질−소당류(lipooligosaccharide)가 병원성과 면역원성에 중요한 역할을 한다. 이들 단백질, 지질−소당류에 따라 면역형(immunotype)으로 분류하기도 한다. 혈청군이나 면역형 같은 표현형 분류 외에 유전자형(genotype)으로 세분할 수 있으며, 다좌위 서열형 분석(multilocus sequence typing), 펄스장겔전기영동법(pulsed−field gel electrophoresis) 등의 유전자형 검사로 유행을 일으킨 균주와 유행 범위를 확인할 수 있다.

2) 역학

새로운 혈청군의 수막알균이 인두 점막에 집락한 후 감염을 일으키므로, 점막에서의 보균율과 혈청군에 대한 조사가 많다. 건강한 사람에서의 수막알균 보균율은 조사 지역, 조사 시기, 조사대상의 나이에 따라 다양하며, 배양 방법에도 영향을 받는다. 여러 연구의 메타분석 결과로는 유아기에는 4.5% 내외였다가 19세에는 24%대로 증가하고 50세에는 8% 정도로 감소하는 것으로 알려져 있다. 우리나라에서의 수막알균 보균율은 대체로 외국에서의 조사 결과보다 낮은 결과를 보인다. 보균율 연구는 1988년 군인을 대상으로 시작되었고, 당시 계절에 따라 훈련 전 13.7−37.9%, 훈련 후 25.1−79.4%의 보균율이 확인되었다. 2009년 유아원생에 대한 조사에서는 0.8%의 보균율이 확인되었다. 2015년 고등학교 1학년 학생에서 3.4%, 2009년 대학 기숙사 신입생에서 11.8−14.1%의 보균율이 확인되었다. 2009년부터 2015년까지 청소년과 젊은 성인을 대상으로 한, 세 차례의 보균율 연구에서 공통적으로 B와 C 혈청군이 많았다.

침습적 수막알균 감염증의 발생률도 연령에 따른 차이가 있다. 1세 이하의 발생률이 제일 높고 이후 급격히 감소하나 4세까지는 높은 상태이다. 청소년기와 젊은 성인에서 작은 정점을 보이는데, 유행 시에는 이 나이에서 발생이 증가한다. 이후 65세까지는 발생이 감소하다가 65세 이상에서 다시 증가한다.

수막알균 감염증은 세계적으로 발생한다. 일반적으로 선진국에서는 발생률이 낮아 10만 명당 0.5−4명 정도이고, 개발도상국에서는 10만 명당 10−25명 빈도로 발생한다. 주기적으로 유행이 발생하는데 선진국에서는 발생 빈도가 낮고 국소 유행이어서 알기가 어렵지만, 개발도상국에서 유행 발생 시 평소보다 10배 이상 발생이 증가한다. 수막알균 감염증이 가장 많이 발생하는 지역은 사하라 남부 아프리카 중 동쪽의 세네갈에서 서쪽의 에티오피아에 이르는 '수막염 벨트'로 불리는 지역이다(그림 14-1). 이 지역 에서는 2–4년간 유행 후 8–14년의 휴지기 이후 다시 유행이 반복된다. A 혈청군에 대한 단백결합백신 인 MenAfriVac® 접종사업이 2010년부터 진행되면서, 수막염 벨트 지역에서 A 혈청군으로 인한 수막알 균 감염증 환자 발생이 현저히 감소하고 있다. 사우디아라비아 성지순례에 대규모 인파가 몰리는 것과 관련하여 1987년 A 혈청군, 2000/2001년 W135 혈청군의 국제적 유행이 발생하였다. 이로 인해 2001년 이후 사우디아라비아 정부는 순례객에게 4가 백신접종을 의무화하는 등 엄격한 예방조치를 하고 있다.

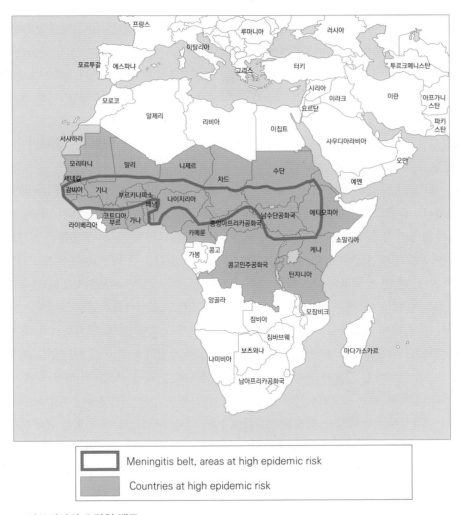

그림 14-1. 아프리카의 수막염 벨트

Data Source: World Health Organization Map Production: International Travel and Health World Health Organization. Geneva, Switzerland: 2015

지역에 따라 유행하는 혈청군이 다르므로 혈청군에 대한 정보가 백신 선택에 도움이 된다. A 혈청군은 주로 개발도상국에서 유행성(epidemic) 발생의 양상으로 나타난다. A 혈청군의 유행 시 유행균주의 보균율이 높아 10만 명당 500-1,000명까지 환자가 발생하는 대규모 유행으로 나타나며, 1960년대 말과 1980년대 중반에는 중국 남부를 중심으로 인도 아대륙을 거쳐 중동, 아프리카에 이르는 전세계적인 범유행이 있었다. 현재는 아프리카에서 흔하다. 중국은 1938-1977년 사이 다섯 차례의 A 혈청군 유행을 경험한 후 1980년대에 A 혈청군 백신접종사업을 시행하였고, 이후 B, C, W-135 혈청군의 증가를 경험하고 있다. B와 C 혈청군은 여러 국가에서 흔하며, 유럽과 미국에서의 산발적(sporadic) 발생이 주된 양상이다. B와 C 혈청군도 유행을 일으킬 수 있으나 유행균주의 보균율이 낮아 최대 환자 발생이 10-100명에 이르는 소규모로 나타나며, A 혈청군 유행보다 좀 더 오래 지속되는 경향이 있다. 유럽과 미국 중 네덜란드, 몰타 공화국, 스페인, 아이슬란드, 아일랜드, 영국은 연간 10만 명당 3명으로 발생률이 높으며, 미국에서의 발생은 1990년에 가장 높다가 2005년 4가 백신 도입 이후 점차 낮아져 최근에는 10만 명당 0.3명으로 낮아졌다. 호주와 뉴질랜드에서는 B 혈청군이 80%에 달한다. W-135 혈청군은 원래 아프리카에서 발생하던 혈청군이었으나 2000-2001년에 세계적 유행을 일으켰고, 이후 세계 여러 지역에서 국지적으로 유행하고 있다. Y 혈청군은 미국, 일본, 남아프리카공화국에서 흔하다. 지역에 따라 수막알균 발생의 계절적 차이도 있다. 아프리카에서는 건기(12월-6월)에 유행하며, 온대지방에서는 여름보다 가을에서 봄에 걸쳐 많이 발생한다.

우리나라에서의 수막알균 감염증 발생률은 정확히 파악하기 어렵다. 진단을 위하여는 배양검사, 뇌척수액 항원검사, 중합효소연쇄반응 등을 적절히 사용해야 하나 많은 의료기관에서 배양검사만을 사용하며, 특히 항생제 사용 후 배양검사가 많아 배양 음성이 흔하다. 선진국의 발생률을 기준으로 추정한다면 우리나라에서 매년 250-2,000명이 발생할 것으로 추정되지만 질병관리본부에 보고된 수막알균 수막염 환자 수는 한 해 평균 10명 정도이며, 다른 해보다 발생이 많았던 1988년과 2003년에도 각각 42명과 38명으로 기대값보다 매우 적었다. 질병관리본부와 건강보험심사평가원 자료에서는 10만 명당 0.012-0.05의 매우 낮은 발생률을 보인다. 수막알균은 항생제 노출에 쉽게 배양 음성이 되는 균으로, 우리나라는 2000년 의약분업 이전 약국에서의 항생제 구입이 많았고 현재도 1, 2차 의료기관에서 배양검사 전 항생제를 투여하는 경우가 흔하므로 실제 발생 상황보다 배양 양성률이 매우 낮게 나왔을 것으로 추정된다. 실제로 2000-2001년 항생제 사용이 상대적으로 적은 군인에서 중합효소연쇄반응까지 사용한 조사 결과에서는 수막알균 감염증 발생률이 10만 명당 2.2명으로 적지 않은 발생률을 보였다. 1999-2001년 전라북도 내 5세 이하 소아의 수막염 원인균 연구에서 605명의 환자 중 배양과 항원검사로는 수막알균 수막염을 1예도 발견하지 못하였으나, 보관 중이던 검체로 2011년 중합효소연쇄반응과 다좌위 서열형 분석을 시행한 결과 16예에서 수막알균 수막염이 확인되어 10만 명당 6.8명의 발생률을 보였다. 이에 우리나라에서의 수막알균 감염병은 질병관리본부에 보고된 빈도보다 더 많을 것으로 추정할 수 있다. 질병관리본부에 보고된 연령별 수막알균 수막염 환자 현황에 따르면, 2세 미만, 15세 전

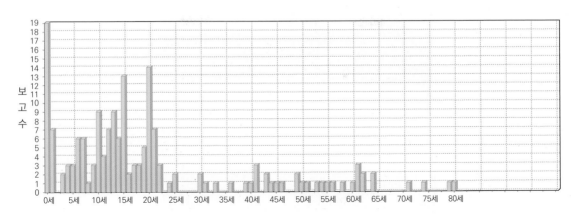

그림 14-2. 질병관리본부에 보고된 연령별 수막알균 수막염 환자 현황, 2001-2017년
자료출처: 질병관리본부 감염병 웹통계 시스템 Accessed at https://is.cdc.go.kr/dstat/index.jsp

후, 20세 전후 연령에서 많은 수의 환자가 발생하였다(그림 14-2).

우리나라에서의 수막알균 혈청군에 대한 조사는 거의 없다. 군인에서 A(1명)와 C(3명), W-135(3명) 혈청군, 2002-2003년 질병관리본부에 수집된 환자 분리균에서 Y(7명), B(1명), 29E(1명) 혈청군을 확인한 바 있다.

3) 임상적 특징

보균자 중 일부(1% 이하)에서 수막알균이 혈류로 들어가서 임상적으로 유의한 감염증을 일으킨다. 잠복기는 환자와 접촉 후 3-4일(2-10일)이며, 14일 이후에 발병하는 경우는 드물다. 수막알균은 수막염, 균혈증, 기타 감염증을 일으키며 다른 세균에 비하여 수막염을 일으키는 빈도가 높다. 선진국에서 주로 B와 C 혈청군으로 이루어진 연구들에서 수막염이 37-50%, 수막염을 동반한 전격성 균혈증이 7-12%, 수막염을 동반하지 않은 전격성 균혈증이 10-18%, 수막염이나 저혈압을 동반하지 않은 균혈증이 18-33%였다.

수막염은 침습성 수막알균 감염증 중에서 가장 흔한 형태이다. 세균성 수막염의 3대 원인인 폐렴사슬알균, 수막알균, 헤모필루스균 중 하나이며, 전체적인 임상양상은 다른 세균성 수막염과 비슷하다. 두통, 발열, 경부 경직, 오심, 구토 등이 급격히 시작하며, 더 진행하면 의식이 혼탁해진다. 여기에 패혈증의 소견인 피부 출혈이 동반되기도 한다. 수막염 환자의 75%에서 혈액배양에서 균이 확인된다.

수막알균혈증은 혈액 균이 발견되는 경우로, 침습성 수막알균 감염증의 5-20%에 해당한다. 균혈증이 있음에도 임상 중증도는 다양하여 감기와 같이 경증으로 발생하거나 발병 24시간 이내에 사망할 정도로 급격히 진행하기도 한다. 증상은 다른 세균성 패혈증과 차이가 없으며, 갑자기 열과 오한이 나기

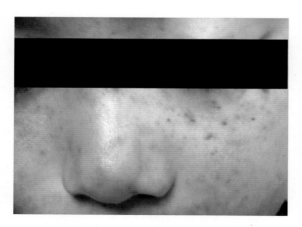

그림 14-3. 급성 수막알균 패혈증 환자에서 보이는 피부 출혈 소견

시작하고 시간이 지나면서 점점 심해진다. 여기에 수막알균혈증의 특징인 24시간 이내에 사망하는 경우가 흔하고, 피부에 출혈 소견이 동반되기도 한다(그림 14-3). 수막알균혈증 환자 전체를 보면 중증도는 매우 다양해서, 감기로 여겨질 정도의 경증을 보이는 경우도 있고 일반적인 패혈증과 비슷하기도 하다. 다소 드문 형태로 만성 수막알균혈증이 있다. 비교적 전신 상태는 양호하며 수 주간 미열, 발진, 관절염-인대염 등의 임상 증상을 나타내 범발성 임균 감염증과 유사하다.

기타 감염으로 폐렴(10%까지, 특히 Y 혈청군), 관절염(2%), 심낭염, 결막염, 후두개염, 부비동염, 중이염, 요도염, 전립선염 등을 유발할 수 있으며 수막알균 감염증의 특징적 임상 증상 없이 해당 부위 검체에서 수막알균이 증명된 경우들이다.

침습성 수막알균 감염증의 치명률은 적절한 치료에도 불구하고 10-14% 내외이며 수막염에서 낮고 패혈증에서 높다. 유행 시에는 사망률이 급등한다. 생존자의 11-19%에서 후유증(사지 괴사, 난청, 신경 장애)이 남는다.

4) 진단

배양, 중합효소연쇄반응, 뇌척수액에서 항원 검출로 진단하며, 전형적인 수막염 환자의 뇌척수액에서 그람 음성 쌍알균이 보이면 의심할 수 있다. 배양은 가장 기본적인 진단법이며, 혈액, 뇌척수액, 관절액과 같은 무균 검체에서 균이 배양되면 진단이 가능하다. 피부 출혈반의 생검 조직을 그람 염색이나 배양을 하면 진단율을 높일 수 있다. 비교적 항생제에 감수성이 높은 균이어서, 항생제를 사용한 환자에서는 배양 양성률이 낮아진다. 균이 배양되면 혈청군과 항생제 감수성을 확인할 수 있다. 중합효소연쇄반응은 항생제를 사용한 후에도 양성인 경우가 있어 진단에 유용하며, 혈청군을 구분할 수 있으므로 단일 원인에 의한 유행 여부를 밝힐 수 있다. 결과를 빠른 시간 내에 확인할 수 있지만 국내 대부분

병원에서는 수막알균에 대한 중합효소연쇄반응을 시행하지 않고 있다. 뇌척수액에서 항원검사는 쉽게 할 수 있고, 항생제를 사용한 환자에서도 양성인 경우가 있으며 결과를 바로 알 수 있다는 장점이 있으나, 위음성율이 50% 정도로 민감도가 낮다. 피막 다당류에 대한 항체 검사를 할 수는 있으나 확진법은 아니다.

5) 치료

항생제가 없던 시기에 발생했던 유행에서는 사망률이 70−90%에 이르렀고 sulfonamide가 사용되면서 급격히 사망률이 감소하였으나, 현재에도 선진국에서의 사망률이 10%를 상회하고 개발도상국에서의 사망률은 이보다 높다. 내성 증가로 sulfonamide는 더 이상 사용하지 않게 되었고, 페니실린이 일차적 사용되었으나, 최근 우리나라를 포함해서 세계적으로 페니실린에 중등도 내성인 균이 늘고 있으며 해열까지 시간이 늦어, 감수성이 확인된 후에 사용해야 한다. 페니실린에 대한 내성으로 chloramphenicol이나 2세대 세팔로스포린(cefuroxime)이 사용되기도 했으나 내성이나 느린 치료 반응으로, 현재는 3세대 세팔로스포린(ceftriaxone 또는 cefotaxime)이 일차 치료제이다. 통상 항생제 치료 기간은 7−14일이나 환자의 임상 양상과 치료반응에 따라 달라진다.

적절한 항균제 선택도 중요하지만, 수막알균 감염증이 의심되는 환자에게는 즉시 항생제를 투여하는 것이 사망률과 후유증을 줄일 수 있는 방법이다.

6) 환자 및 접촉자 관리

환자에게 적절한 항생제를 사용하고 1일이 지나야 전염성이 없어지므로, 모든 의심되는 환자는 비말격리를 해야 한다. 3세대 세팔로스포린 이외 치료제는 집락균 제거 효과가 불확실하므로, 퇴원 시 rifampin 등 집락균을 제거할 수 있는 항생제를 추가로 사용해야 한다.

환자와 밀접한 접촉(가족, 같은 유아원 원생, 같은 막사 사용 군인, 같은 병실 사용 만성요양기관 입원자, 환자의 구강 분비물과 직접 접촉)한 사람들은 접촉자 관리를 받아야 한다. 환자의 후송에 관여한 정도로는 위험이 높지 않으며, 의료인도 일반적으로는 위험이 높지 않지만 구강 대 구강 인공호흡이나 기관 내 삽관을 했을 때와 같은 경우에는 예방적 항생제가 필요하다.

예방적 항생제로는 rifampin (성인에서 600 mg을 12시간마다 4번 경구; 1개월 이상 소아에서 10 mg/kg, 최대 600 mg을 12시간마다 4회; 1개월 미만 소아에서 5 mg/kg을 12시간마다 4회)이나 ceftriaxone (15세 미만, 125 mg; 15세 이상, 250 mg. 1회 근주)을 사용한다. Ciprofloxacin(성인에서 500 mg 1회 경구)도 사용하지만 내성이 증가하고 있고, azithromycin (500 mg 1회 경구)이 효과가 있다는 보고가 있다. Rifampin은 경구로 투여하고 비용이 저렴하여 일차적으로 많이 사용하며, ceftriaxone은 임신부에게도 사용할 수 있다. 위험이 높지 않다고 판단하여 예방적 항생제를 투여하지 않았으나 감염이 된 경우라면 대개 10일 이내에 증상이 나타나므로, 증상이 발생하면 즉시 치료받도록 교육을 해야 한다.

2. 백신의 종류

1) 4가 백신 이전에 개발된 백신

수막알균 백신에는 다당류백신(polysaccharide vaccines)과 단백결합백신(protein conjugate vaccines)이 있으며, 다당류백신이 먼저 개발되어 오랫동안 사용되었다. 1970년대 초까지 미국 육군에서 수막알균 감염증 발생 빈도는 10만 명당 25명 내외였으며, 1971년 C 혈청군에 대한 다당류백신이 사용되면서 발생 빈도가 10만 명당 4명 수준으로 급감하였다. 이어 1970년대 말 A와 C 혈청군에 대한 2가 다당류백신이 개발되어 사용되었다. 단백결합백신은 1999년에 영국에서 처음 사용되었으며, C 혈청군 수막알균 유행을 관리하기 위하여 19세 이하 모든 소아와 청소년에게 접종하기 시작하였다. 당시에는 C 혈청군에 대해서만 예방이 가능한 1가 백신이었다. 접종자에서 발병률뿐만 아니라 보균율까지 줄이는 효과도 있어 비접종자에서도 발병을 줄이는 효과 즉, 군집면역을 유발하는 효과를 보였다. 외국에서 사용되고 있는 다당류백신에는 2가 백신(Mengivac®, AC Vax®)이 있고, 단백결합백신에는 C 혈청군만 포함하는 백신(Meningitec®, Menjugate®, NeisVac−C®)과 아프리카 국가에서 사용하는 A 혈청군에 대한 1가 단백결합백신(MenAfriVac®)이 있다.

2) 4가 다당류백신

1982년 A, C, Y, W−135 혈청군에 대한 4가 백신이 사용되면서 수막알균 감염증 발생 빈도는 10만 명당 1명 이하로 감소하였다. 백신에 포함된 혈청군에 대해서만 방어력을 보였다. 다당류백신은 면역원성이 낮아 2세 미만 소아에서 항체 형성률이 낮고, 항체가 생긴 성인에서도 항체 지속 기간이 짧으며, 추가접종을 실시하여도 면역기억반응이 없어 방어력이 증가하지 않았다. 수막알균 감염 위험이 계속된다면 2−5년 정도마다 재접종이 권장되었다. 4가 다당류백신에는 4개 혈청군의 다당류가 각각 50 μg씩 포함되어 있고 보존제로 티메로살을 사용하였다. 4가 다당류백신(ACWY Vax®, Menomune®)이 외국에서 사용되었으나 우리나라에는 도입되지 않았고, 현재는 생산이 중단되었다.

3) 4가 단백결합백신

수막알균의 다당류는 T 세포 비의존형 항원이어서 면역기억반응을 유발하지 않으므로 면역력이 오래 지속되지 못하며 군집면역에도 기여하기가 어렵다는 단점이 있다. 이에 다당류를 T세포 항원결정인자를 포함하는 단백 운반체와 공유 결합시켜 만든 단백결합백신이 개발되었다. 단백 운반체로는 디프테리아(diphtheria)나 파상풍(tetanus)의 톡소이드(toxoid)를 주로 이용하고 있다. 2005년 미국에서 4개 혈청군(A, C, W−135, Y)을 포함하는 백신이 허가 되었으며, 수막알균 피막 다당류에 디프테리아 톡소이드를 결합하여 면역원성을 증가시켰다. 4가 단백결합백신(Menactra®, Menveo®, Nimenrix®) 중 2가지가 우리나라에 도입되어 사용되고 있다(표 14-1).

단백결합백신인 Menactra® (MenACWY-D, Sanofi Pasteur)에는 다당류가 4 µg씩 포함되어 있으며, 디프테리아 톡소이드가 48 µg 포함되고 보존제는 포함되지 않는다. Menveo® (MenACWY-CRM, GlaxoSmithKline)는 디프테리아 톡소이드 대신 비병원성 디프테리아 변이 독소(CRM_{197})를 사용한다. Menveo를 구성하는 냉동건조 분말(MenA)에는 A 혈청군 피막 다당류 10 µg이 CRM_{197}에 결합되어 있고, 0.5 mL 용제에는 C, Y, W-135 혈청군 다당류 5 µg씩을 CRM_{197}에 결합되어 포함된다. 주사 직전 용제로 냉동건조 분말을 녹인 후 주사한다. 용해 후에 바로 사용하는 것을 권장하고 있지만 25℃ 이하에서 8시간까지는 사용이 허용된다.

4) B 혈청군 백신

B 혈청군 수막알균에 대해서는 피막의 다당류가 태아 신경조직의 polysialic acid와 구조적으로 동일하여 사람에서의 면역원성(immunogenecity)이 매우 떨어진다는 특성으로 인해 다당류백신이 개발되어 있지 않았다. 2004년 뉴질랜드에서는 외막 소포 다당류백신이 유행 조절을 위해 허가를 받아 사용되었고 발생을 줄이는 효과를 보였지만, 영아에서 면역원성이 높지 않았고 다른 혈청군 백신에 비해 자료가 충분하지 않았다. B 혈청군에 대한 두 가지 백신이 미국에서 10-25세에 대하여 허가를 받아 고위험군 환자와 B 혈청군 유행 시에 사용되고 있다. MenB-4C (Bexsero®)는 fHBP, NHBA, NadA, PorA의 4가지 항원이 포함되며 2회 접종으로 허가받았다. MenB-FHbp vaccine (Trumenba®)는 2개의 정제된 recombinant factor H binding protein (FHbp) 항원을 포함하며, 3회(0, 1-2, 6개월)의 접종으로 허가받았고, 경우에 따라 2회 투여(0, 6개월)로 투여할 수 있다. B 혈청군 백신은 2019년 6월 현재 우리나라에 도입되지 않았다.

5) 기타 복합 백신

수막알균백신과 다른 백신을 복합시킨 백신으로는 Hib 결합 백신과 복합된 C 혈청군 1가 결합 백신 (Menitorix®, GlaxoSmithKline)이 EU에서 2개월에서 2세 소아에게 사용허가 되었다. Hib와 C, Y 혈청군을 결합한 백신(Hib-MenCY-TT, MenHibrix®, GlaxoSmithKline)도 일부 국가에서 사용되었으나 생산이 중단되었다.

3. 백신의 효능 및 효과

1) 백신 효능

수막알균에 대한 다당류백신의 효과는 A와 C 혈청군에서 가장 잘 알려져 있으며 소아와 성인에서 임상효능은 85% 이상이다. Y와 W-135 혈청군에 대한 백신은 2세가 넘는 소아와 성인에서 안전하게 면역이 생기지만 임상효능은 증명되지 않았다. 다당류백신의 가장 큰 문제는 산발적인 수막알균 감염증 발생에 가장 위험한 연령인 2세 이하에서는 효과적인 수준의 항체 생성이 되지 않는다는 점이다. 또한 A, C, Y, W-135 혈청군을 모두 포함하는 4가 다당류백신이라고 해도 각 혈청군에 대한 항체 형성 반응이 서로 독립적이어서 한 혈청군에 대해 항체가 생겨도 다른 혈청군에 대해서는 항체가 생기지 않을 수 있다.

영국에서는 B와 C 혈청군에 의한 높은 수막알균 감염증 발생률을 감소시키기 위해 1999년부터 C 혈청군 단백결합백신의 임상효능에 대한 중요한 시도를 하였다. 1999년부터 2000년에 걸쳐 C 혈청군에 대한 1가 단백결합백신을 영아들에게는 3회 접종을 하고, 12개월과 17세의 연령에서는 대규모 따라잡기(catch-up) 접종을 하는 국가적인 캠페인을 시행하였다. 이 당시에는 임상효능에 대한 자료가 없었으므로 단백결합백신의 안전성과 면역원성에 대한 자료만을 근거로 승인을 받아 시행하였다. 이 캠페인의 결과로 첫 해에 서로 다른 연령군별로 약 88%에서 98% 정도의 임상효능을 보인 것으로 추정되었다. 그러나 3회 접종을 시행한 영아에서는 접종 후 1년만에 효능이 현저히 떨어졌다.

미국에서는 2005년에 4가 단백결합백신을 11-55세의 연령에서 사용할 수 있도록 승인하였다. 이 역시 임상효능에 대한 자료가 없으므로 안전성이나 면역원성이 4가 다당류백신과 비교하여 뒤떨어지지 않는다는 자료를 근거로 승인을 받았다. 면역원성 획득은 백신접종 전과 비교하여 3-4주 후 혈청 항체가가 4배 이상 증가하는 것으로 판단하였다.

2) 면역 지속 기간

다당류백신을 접종 받은 후 동일한 다당류 항원에 노출되어도 면역기억반응이 유발되지 않으므로 면역력이 오래 지속되지 못한다. 따라서 혈청군마다 다소 차이는 있지만 4가 다당류백신을 접종하여도 효과의 지속 기간이 3-5년 정도로 짧아서 여러 번의 추가접종이 필요하다. 임상효능이 실제 떨어지는지에 대해서 입증이 되지는 않았지만 혈청학적 연구들의 결과에 따르면 A와 C 혈청군의 경우 추가접종을 하면 할수록 면역학적인 내성이 생겨 예방효과가 떨어질 가능성이 있다.

단백결합백신의 경우에도 시간이 경과함에 따라 면역력이 감소되어 접종 5년 후에는 약 50%에서만 살균역가의 항체를 유지하는 것으로 알려졌다. 이에 따라 감염 위험이 지속될 경우 5년 후 재접종이 권고된다.

3) 군집면역효과

다당류백신은 코인두 보균율을 감소시키지 못하여 군집면역효과를 기대할 수 없으며, 단백결합백신은 이러한 다당류백신의 단점을 보완하여 군집면역효과를 얻을 수 있으리라 생각되었다. 이 효과는 C 혈청군 단백결합백신에서는 증명되었지만, 4가 수막알균 단백결합백신에서는 군집면역 유발 효과가 분명하지 않다는 언급이 있다.

4. 적응증

아직 우리나라에서는 수막알균 감염증의 역학에 대해 알려지지 않은 부분이 많다. 2세 미만 소아에서 다른 연령군에 비해 상대적으로 빈도가 높지만(그림 14-2), 절대적인 빈도가 높지 않기 때문에 아직 이 연령대의 소아에서 기본 접종으로 권장되지는 않는다.

1) 4가 수막알균 백신

(1) 해부학적 또는 기능적 무비증

비장절제 후 피막 세균 감염 위험이 10–40배 증가하며, 평생 1–5%가 감염된다. 비장절제의 원인이 악성종양일 때 외상으로 절제를 한 경우보다 위험이 높고, 성인보다는 소아에서 발생률이 더 높다. 주로 비장절제 후 2–3년 이내에 많이 발생하지만 이후로도 발생한 예들이 있다. 수막알균 균혈증의 사망률도 50–70%로 비장이 정상인 사람보다 높다. 원인균은 주로 폐렴사슬알균이며 수막알균은 드문 원인이지만 전격성 진행 때문에 과거부터 수막알균 예방접종이 권고되었다. 비장절제 환자에서 정상인에 비해 더 전격성 진행을 보이는지는 분명하지 않다.

(2) 보체 결핍 환자

선천 또는 후천적으로 보체 성분(C3, C5–C9) 또는 properdin 농도가 낮은 경우로, 체내로 침윤한 수막알균을 살균하지 못해 발병 위험도가 증가한다. 위험도는 700배까지 증가하며, 선천성 보체 결핍 환자는 일생 중에 언젠가는 수막알균에 감염된다고 언급된다. 특히 비유행기에 발생한 환자들에서 보체 결핍과 수막알균 감염증의 연관이 뚜렷하다. 보체 성분 결핍 빈도는 인종마다 다르며 한국인에서 가장 흔하리라 생각되는 C9 결핍 빈도는 0.047%라는 조사 결과가 있고, 증례 보고로는 C7 또는 C9결핍 환자에서 수막알균 감염증이 발생한 예가 있다. 후천적 결핍 원인으로 루프스나 다발성 골수종과 같은 전통적인 원인 외에 발작 야간 혈색소뇨증 치료제로 사용되는 단클론항체인 eculizumab도 보체 결핍을 유발한다.

(3) 군인, 특히 신입 훈련병

젊은 성인들 중에서도 군인에서 많이 발생하는데 그 이유는 고위험 연령대라는 점뿐만이 아니라 전국 각지에서 모인 젊은이들이 집단생활을 한다는 점도 관여할 것으로 생각된다. 여러 지역에서 온 다양한 사람들이 밀집된 공간에서 활동하면서, 새로운 혈청군의 수막알균을 얻게 되고 결과적으로 감염증의 빈도가 증가한다. 군인에서 수막알균 감염증 빈도가 높거나 유행이 생겼다는 보고가 여러 나라에서 있고, 미군에서의 빈도는 일반인에 비해 4-10배 정도 높은 것으로 알려져 있다. 특히 신입 훈련병의 빈도가 군인 전체의 빈도보다 높다. 한국 군인에서도 여러 차례 소규모 유행이 있었고, 비유행기 때 빈도는 10만 명당 2.2명이라는 조사 결과가 있다. 1960년대 말에 미군 신병을 대상으로 C 혈청군에 대한 다당류백신의 임상시험을 시행한 결과 89.5%의 발생률 감소 효능이 있었다. 이후 1971년부터 미군에서는 C 혈청군에 대한 단가 다당류백신을, 1978년부터는 A와 C 혈청군에 대한 2가 다당류백신을 사용하였고 1982년부터는 모든 신병을 대상으로 4가 다당류백신접종을 시작했다. 우리나라에서는 2012년 12월부터 모든 신병을 대상으로 4가 단백결합백신을 접종하고 있다.

(4) 직업적으로 수막알균에 노출되는 실험실 근무자

감염 후 급격히 사망한 증례 보고들이 있어 접종이 권장된다.

(5) 수막알균 감염증 유행 지역에서 현지인과 밀접한 접촉이 예상되는 여행자 또는 체류자

수막알균 감염증의 유행 지역(아프리카 수막염 벨트 지역을 포함한 수막알균 유행 지역, 사우디아라비아 메카 순례자)에 장기간 여행하거나 거주하는 경우도 위험군이다. 일반적인 해외여행에서 발생 빈도는 10만 명당 0.4명으로 높지 않다고 조사된 적이 있으나, 메카 순례객에서 유행한 적이 있고, 수막염 벨트 지역에서 유행이 발생할 때 주민에서 빈도는 10만 명당 400명 정도로 선진국에서 발생보다 400배가량 높으므로, 여행자나 체류자에서도 발생하리라 예상된다. 지역 주민과 밀접한 접촉이 있는 여행, 여행 기간이 길 때, 건기에 여행할 때 감염 위험이 더 높아진다. 특히 여행 도중에는 병원에 접근이 쉽지 않아 항생제 투여가 늦어질 수 있을 수 있으므로 예방이 더 중요하다. 사우디아라비아에서는 성지 순례를 위해 입국하는 경우 4가 백신을 접종 받아야만 비자가 발급된다.

(6) 기숙사에 거주하는 대학교 신입생

미국에서는 군과 유사한 특성을 지닌 집단인 기숙사 거주 대학생들에서 수막알균 감염증이 일반 인구 집단에 비해 높은 발생률을 보여 문제가 되었다. 18세에서 23세 사이의 전체 인구에서의 연간 10만 명당 발생률이 1.4건인 것에 반해 기숙사 거주 대학생에서는 2.2건이었고, 특히 기숙사에 새로 들어온 신입생에서는 4.6건의 높은 발생률을 보였다. 이에 따라 모든 기숙사 신입생을 대상으로 한 백신접종이 비용-효과(cost-effectiveness)와 비용-편익(cost-benefit) 측면에서 타당한지에 대한 검토가 있었으나 비용에 비해 효과나 편익이 크지는 않았다. 이후 단백결합백신이 도입되고 면역 기간의 지속 기간이나 군집면역 유발 가능성을 고려해서, 과거보다는 적극적으로 권장을 하고 있다. 영국에서는 대학생에서 빈도(13.2/100,000)가 같은 나이의 일반인에서 빈도(5.5/100,000)보다 높았으며, 기숙사 거주가 위험인자였다. 국내 대학생을 대상으로 한 연구는 없다. 집단생활을 하는 의무경찰은 군인들과, 공장이나 회사 기숙사 신입 직원들은 기숙사에 거주하는 신입생과 비슷하리라 생각되지만, 발생률이 조사된 바는 없다.

(7) HIV 감염인

HIV 감염인에서 수막알균 감염증 발생률은 10만 명당 3.4–6.6건으로 비감염인보다 5–13배 높았다. 특히 CD4 수가 낮거나 HIV바이러스가 많은 사람에서 위험이 높았다. 수막알균 감염증 발생시의 사망률에 대하여는 연구결과는 일관되지 않다. 남아프리카에서는 HIV 감염인에서 사망률이 20%로 비감염인에서의 11%보다 높았으나, 미국과 영국에서는 비감염인에서보다 낮은 사망률을 보였다. 미국에서는 HIV 감염인에서의 면역원성과 비용–효과를 고려하여 2016년부터 HIV 감염인에서 4가 단백결합백신 접종을 권고하고 있다.

2) B 혈청군 백신

B 혈청군 백신의 적응증은 4가 백신의 적응증보다 범위가 좁으며, B 혈청군 수막알균 감염증의 위험이 큰 사람을 대상으로 한다. 무비증, 보체 결핍 환자 등 기저질환이 있는 환자와 직업적으로 수막알균에 노출되는 실험실 근무자에서 접종이 권고되며, 그 외의 경우로는 B 혈청군의 유행이 발생하여 예방이 필요한 경우가 포함된다. B 혈청군 백신은 2019년 6월 현재 우리나라에 도입되지 않았다.

5. 투여방법

1) 접종 방법과 시기

현재 국내에 허가된 수막알균 백신은 4가 단백결합백신인 Menveo®와 Menactra®이며, 각각 2개월-55세, 9개월-55세 연령에서 허가되었다.

2-55세 사이의 건강한 소아나 성인에서 유행지역으로 여행, 군대 신병 또는 수막알균에 노출되는 실험실 종사자와 같이 수막알균 감염의 위험이 있는 경우 1회 접종한다. 0.5 mL를 한 번 근육주사 한다. 2세 이상의 HIV 감염인, 보체 결핍, 비장절제 또는 비장기능저하 환자에서는 1회 접종 후 항체반응이 낮으므로 2개월 뒤 1회 추가접종이 필요하다. 보체 결핍, 비장 절제술 또는 기능 저하 환자, HIV 감염인에 대한 기초접종으로 2회 접종이 2011년부터 권장되었고 이전까지는 1회만 접종하였으므로, 1회만 접종한 이들 환자에게는 가능한 빠른 시기에 2차 접종이 권장된다. 4가 단백결합백신은 56세 이상의 연령에서 허가되지 않았으나 4가 다당류백신 사용이 불가능하므로, 수막알균 감염의 위험이 높은 사람에서는 불가피하게 4가 단백결합백신접종이 필요하다.

접종 후 7-10일이면 항체가 형성된다. 단백결합백신을 피하로 잘못 접종한 경우 항체 역가는 근육주사에 비해 낮았지만 방어를 할 정도이므로 재접종을 할 필요는 없다.

2) 재접종

단백결합백신접종 후에도 감염 위험이 지속될 경우, 7세 미만에 처음 접종을 한 경우 3년 후, 7세 이상에서 처음 접종을 한 경우 5년 후 재접종이 필요하다. 이후로도 감염 위험이 지속된다면 5년마다 재접종을 실시한다.

3) 동시접종과 교차접종

불활화백신이므로 접종 부위만 달리한다면 다른 백신과 동시접종이 가능하다. 기능적 또는 해부학적 무비증 환자의 경우 Menactra®는 PCV13과의 면역간섭 현상이 있을 수 있으므로 2세 미만에는 사용하지 않고, 2세 이후에 접종하는 경우 PCV13 접종 완료 최소 4주 이후 접종한다. Menveo®는 PCV13과 동시접종 가능하다. 기초 접종을 2회 접종하는 경우나 재접종 시 결합 백신들 간의 교차접종 영향에 대해서는 연구되지 않았다. 가능하면 이전에 접종한 백신과 같은 백신으로 접종하도록 권장되지만, 같은 백신을 구할 수 없거나 이전에 접종한 백신 종류를 기억하지 못한다면 다른 제조사 백신으로 접종이 가능하다.

6. 이상반응

1) 다당류백신

　다른 다당류백신과 비슷하게 심한 이상반응은 드물다. 주사 부위 동통과 발적이 40% 정도까지 흔하지만 경증이며 1–2일이면 호전된다. 미열은 5% 이하에서, 고열은 1% 이하에서 보고되었다. 심한 전신 반응인 감각 이상은 1만 명 접종에 1명 이하, 천명이나 두드러기은 1백만 명 접종에 1명 정도에서 보고되었다. 아나필락시스 반응은 그 이하 빈도였고, 대개 다른 백신과 동시에 접종된 사례에서 발생하여 수막알균 백신 때문인지는 분명하지 않다.

2) 단백결합백신

　다당류백신과 유사하거나 조금 더 흔하여 발열은 5% (다당류백신에서는 3%), 국소 반응은 59%까지에서 발생하고, 팔을 움직이지 못할 정도로 심한 경우가 13% (다당류백신에서는 3%)였다. 두통이나 무력감과 같은 전신 반응은 30%까지 보고되었다. 접종 후 길랭-바레 증후군이 발생한 사례가 있으나 전체 접종량을 고려하면 위험이 증가된 것은 아니므로 원인–결과 관계는 명확하지는 않다. 백신접종의 이득을 고려하면 길랭-바레 증후군의 과거력이 있다 해도 필요한 경우 접종하도록 한다. 현재 국내외에서 시판되는 4가 결합 백신인 Menactra®와 Menveo®의 이상반응 빈도나 양상은 비슷하다고 여겨지고 있다.

7. 금기

　일반적으로 가벼운 설사나 상기도 감염이 있는 경우에는 백신접종이 가능하지만, 좀 더 심한 급성 질병이 있는 경우에는 이 질병이 좋아진 다음에 접종하는 것이 좋다. 백신의 구성 성분이나 라텍스에 심한 과민반응이 있는 사람에게는 접종을 피해야 한다. 특히 단백결합백신의 경우 디프테리아나 파상풍 톡소이드에 대한 과민반응이 있는지 꼭 확인해야 한다.

　임신부를 대상으로 한 연구에서 4가 다당류백신의 경우 산모나 신생아에서 모두 이상반응이 관찰되지 않았으므로 수막알균 백신접종이 필요한 경우에 임신부를 제외시킬 필요는 없다. 그러나 4가 단백결합백신의 경우에는 임신부에서의 안전성에 대한 자료가 아직 없다. 단백결합 백신접종 후 길랭-바레 증후군이 발생한 적이 있으나, 비접종자들에서 빈도보다 높지 않으므로 우연으로 생각되지만, 상대적 금기로 언급된다.

8. 국내유통백신

표 14-1. 2019년 6월 현재 우리나라에서 사용 중인 수막알균 백신

백신	제조(수입)사	제품명	혈청군	성상	제형
4가 단백결합 백신	그락소스미스클라인(주) (완제품수입)	멘비오® (MenACWY-CRM)	A, C, Y, W-135	액체: C, Y, W-135 혈청군 동결 건조: A혈청군	0.5 mL/vial
4가 단백결합 백신	사노피파스퇴르(주) (완제품수입)	메낙트라® (MenACWY-D)	A, C, Y, W-135	액체: A, C, Y, W-135 혈청군	0.5 mL/vial

참고문헌

1. 대한감염학회. 성인예방접종. 2판. 서울: MIP; 2012.
2. 질병관리본부. 예방접종 대상 감염병의 역학과 관리. 제5판. 충북: 2017;25:517-538.
3. Borrow R, Lee JS, Vázquez JA, et al. Meningococcal disease in the Asia-Pacific region: Findings and recommendations from the Global Meningococcal Initiative. Vaccine 2016;34:5855-62.
4. Durey A, Bae SM, Lee HJ, et al. Carriage rates and serogroups of Neisseria meningitidis among freshmen in a University dormitory in Korea. Yonsei Med J 2012;53:742-7.
5. Hwang IU, Lee HK, Seo MY, et al. The changes of meningococcal carriage rate and the serogroup in Korean army recruits. J Korean Mil Med Assoc 2010;41:188-99.
6. Kim HW, Lee S, Kwon D, et al. Characterization of oropharyngeal carriage isolates of Neisseria meningitidis in healthy Korean adolescents in 2015. J Korean Med Sci 2017;32:1111-7.
7. Li J, Shao Z, Liu G, et al. Meningococcal disease and control in China: Findings and updates from the Global Meningococcal Initiative (GMI). J Infect 2018;76:429-37.
8. MacNeil JR, Rubin LG, Patton M, et al. Recommendations for use of meningococcal conjugate vaccines in HIV-infected persons - Advisory Committee on Immunization Practices, 2016. MMWR Morb Mortal Wkly Rep 2016;65:1189-94.
9. Patton ME, Stephens D, Moore K, et al. Updated recommendations for use of MenB-FHbp serogroup B meningococcal vaccine - Advisory Committee on Immunization Practices, 2016. MMWR Morb Mortal Wkly Rep 2017;66:509-13.
10. Yezli S, Assiri AM, Alhakeem RF, et al. Meningococcal disease during the Hajj and Umrah mass gatherings. Int J Infect Dis 2016;47:60-4.

Chapter 15

아데노바이러스

아주대학교 의과대학 **허중연**
강원대학교 의학전문대학원 **오원섭**

1 대한감염학회 접종 권장대상과 시기

국내 지침은 없으나, 미국 신병훈련소 훈련병들을 대상으로 입소 후 5일째 접종하고 있음

2 접종용량 및 방법

아데노바이러스 4형이 포함된 경구용 생백신 1알과 7형이 포함된 경구용 생백신 1알을 동시에 1회 복용하며, 씹거나 부수지 말고 알약을 그대로 삼켜야 함

3 이상반응

가. 경증 이상반응: 두통, 상기도감염증, 인두통, 코막힘, 기침, 관절통, 오심, 복통, 설사, 발열

나. 중증 이상반응: 혈뇨, 혈변, 위장관염, 폐렴

4 주의 및 금기사항

가. 임신부(백신접종 후 6개월 이내에는 임신을 피해야 함)

나. 수유부

다. 아데노바이러스 4형과 7형 백신 성분에 대한 중증 알레르기가 있는 경우

라. 씹지 않고 알약을 삼키지 못하는 경우

마. 연령이 17세 미만 또는 50세 이상인 경우

바. HIV 감염인을 포함한 면역저하자

1. 질병의 개요

1) 원인 병원체

사람아데노바이러스는 *Adenoviridae* 과의 *Mastadenovirus* 속에 속하는 이중 가닥의 DNA바이러스로 1953년 Rowe 등이 사람의 아데노이드조직에서 처음으로 분리하여 명칭이 유래되었다. 바이러스 입자는 직경 70−90 nm의 정이십면체에 36 kb의 DNA 복합체를 포함한 252개의 피각(capsid)으로 구성된다. 아데노바이러스 피각은 헥손(hexon), 펜톤(penton), 섬유(fiber) 3개의 주요 단백 성분으로 구

성되며 240개의 헥손과 12개의 펜톤이 피각을 구성하여 펜톤의 정점에 12개의 섬유가 부착된 형태이다. 섬유에는 바이러스 부착 단백이 존재하여 혈구응집소로 작용한다. 이중 헥손과 섬유 단백 성분이 바이러스의 항원결정인자로 작용한다. 100여 개 이상의 서로 다른 아데노바이러스가 척추동물에서 확인되었으며 아형에 따라 각각 숙주 특이성을 갖는다. 사람에게 질병을 일으키는 아데노바이러스는 현재까지 51개의 혈청형(serotypes)과 유전자분석을 이용한 70여 가지 이상의 유전형(genotypes)으로 분류된다. 또한 아데노바이러스는 혈구응집 양상에 따라서 A부터 G까지 7개의 아군(subgroups)으로도 분류한다.

2) 역학

아데노바이러스는 주로 4세 미만의 소아에서 열성 호흡기 질환, 각막결막염 및 위장관염의 유행을 일으킬 수 있다. 영유아 및 소아에서 발생하는 열성 질환의 5-10% 정도는 아데노바이러스 호흡기감염이 원인으로 알려져 있다. 그러나 정상 면역을 가진 성인의 경우 아데노바이러스 감염증은 군인을 제외하고는 상대적으로 소아보다 발생 빈도가 낮다. 유행은 대부분 겨울에서 초봄 사이에서 발생하지만 뚜렷한 계절성을 보이지 않고 연중 발생하기도 한다. 대부분의 사람은 혈청학적 검사 결과에 따라 10세 이전에 아데노바이러스에 감염되는 것으로 알려져 있다. 그러나 아데노바이러스에 감염된 사람의 약 50%는 무증상감염을 나타내며 유증상 환자의 경우도 대부분 경증의 임상 소견을 보인다. 유증상 혹은 무증상 감염자는 수 주간 바이러스를 배출할 수 있으며 비말 혹은 분변을 통한 직접 전파가 감염의 경로이다. 또한 아데노바이러스는 환경에 상당 기간 생존할 수 있는 특성을 지니고 있어 바이러스에 오염된 환경과의 접촉을 통해서도 전파가 일어날 수 있다. 이러한 바이러스의 특성은 군대, 기숙사, 장기요양시설과 같은 집단생활 환경에서 유행을 초래하는 원인이다.

국내에서 아데노바이러스 감염 발생은 1990년대 초부터 보고가 되었으며 2009-2010년 인플루엔자 A/H1N1 대유행 이전까지는 주로 급성호흡기질환을 나타내는 소아에서 확인되었다. 1995년 가을부터 1998년 봄 사이 아데노바이러스 7형에 의한 급성호흡기 질환이 유행하였고 당시 입원한 소아를 대상으로 한 연구에서는 급성호흡기질환의 임상양상은 폐렴이었으며 약 19% 치명률을 나타내었다. 이후로도 2-4년 간격으로 소아를 중심으로 아데노바이러스 3형과 7형에 의한 급성호흡기질환의 유행이 보고되었다. 성인에서는 2010년 이후로 호흡기바이러스 감염증을 진단하는 방법으로 중합효소연쇄반응을 이용한 분자유전학적 진단이 보편화되면서 군인들로부터 아데노바이러스 호흡기감염증 유행이 보고되기 시작하였다. 2010년 이전까지는 훈련소에 입소한 훈련병을 사이에서 중증 폐렴 및 사망 사례가 보고되었으나 원인 미상의 폐렴으로 알려져 있었다. 이후 2011년부터 2012년 사이 군병원에 입원한 급성 하기도감염증 환자에서 원인 병원체로 아데노바이러스가 63.2%를 차지하며 폐렴 환자에서는 79.3%를 차지하는 것으로 보고되었다. 후속으로 시행된 연구에서도 군병원에 입원한 급성호흡기질환자에서 아데노바이러스가 원인인 경우가 49.1%, 폐렴에서는 80.1%로 확인되었다.

미국 군에서는 이미 1950년대부터 훈련병의 약 10% 정도가 아데노바이러스 관련 호흡기감염증으로 입원하며 훈련병에서 발생하는 폐렴의 90%에서 원인 병원체로 알려져 있었다. 이후로도 아데노바이러스 호흡기감염증은 군 입대 후 2개월 이내에 전체 훈련병의 약 80%에서 경험하며 20%의 입원율을 나타내었다. 미국 군에서 급성호흡기감염증은 주로 아데노바이러스 4형과 7형이 원인이었다. 이에 따라 1971년 미국 국방부는 경구 아데노바이러스 4형과 7형 백신을 훈련병을 대상으로 접종하였고 이후 훈련병에서 급성호흡기질환의 발생은 급격히 감소하였다. 2000년부터 미국 군에서 아데노바이러스 백신 사용이 중단된 이후 주별 훈련병 1,000명당 급성호흡기질환 발생률은 8.5명까지 증가하였다. 아데노바이러스 백신 사용이 중단된 기간 동안 아데노바이러스 혈청형 확인이 가능하였던 검체 중 80%는 아데노바이러스 4형이었다.

국내에서는 2013년 이후로 군병원에 입원하는 급성호흡기질환자를 대상으로 하여 호흡기 검체를 채취하여 아데노바이러스 혈청형을 확인하는 연구가 시행되었으며, 2013년에는 아데노바이러스 55형(52.2%)과 4형(43.5%)이 분리 되었으나 2014년 이후로는 거의 대부분이 아데노바이러스 55형으로 확인되었다. 군 내에서 반복되는 아데노바이러스 유행을 고려해 2016년 9월부터 훈련소에 입소하는 훈련병을 대상으로 아데노바이러스 호흡기감염증에 대한 표본감시 연구가 시작되었다. 표본감시를 시작한 이후 급성호흡기질환 발생률은 주별로 훈련병 1,000명당 36.1–178.9명이었으며 급성호흡기질환으로 검사를 받은 환자의 48%에서 아데노바이러스가 양성이었다. 현재까지 우리나라 훈련병에서 아데노바이러스 호흡기감염증은 거의 대부분 아데노바이러스 55형(99.8%)으로 확인되고 있다. 군인에서 아데노바이러스 호흡기감염증은 민간인에서 발생하는 것과 혈청형의 차이가 있다.

3) 임상적 특징

아데노바이러스는 소아의 5–10%, 성인의 1–7%에서 급성호흡기감염증을 일으키며 대부분 인후염과 같은 상기도 감염이나 기관지염 형태로 나타난다. 아데노바이러스 호흡기감염증 환자는 발열, 기침, 객담 및 인두통과 같은 호흡기 증상을 보이나 복통이나 설사와 같은 소화기 증상이 나타날 수 있으며 인후염과 함께 결막염이 동반되어 인두결막염 형태로 나타나기도 한다. 신생아 및 영아에서는 최대 20%까지 폐렴의 원인이 될 수 있지만 정상면역기능을 가진 성인에서 폐렴은 드물다. 그러나 정상면역기능의 소아나 성인에서도 아데노바이러스 폐렴은 발생할 수 있다. 조혈모세포이식이나 장기이식을 받은 면역저하환자에서 아데노바이러스감염은 10–30%에서 파종성감염이나 급성호흡부전으로 진행하며 중증 폐렴에 의한 치명률은 최대 50%에 이를 수 있다. 아데노바이러스는 혈청형에 따라 서로 다른 조직 친화성(tropism)과 임상소견을 나타낸다. 호흡기감염증은 소아의 경우 아데노바이러스 1–7형, 성인의 경우 1–7형, 14형, 21형에 의해서 발생한다. 또한, 최근 중국을 중심으로 아시아 지역에서 아데노바이러스 11형과 14형 사이의 유전자가 재조합된 55형 감염이 보고되었다.

아데노바이러스 8형, 19형과 37형은 유행성 각막결막염을 일으키며, 40형과 41형은 위장관염의 원인이다. 또한 소아와 면역저하자에서는 아데노바이러스 11형, 34형 및 35형에 의한 출혈성 방광염이 나타날 수 있다. 드물지만 뇌염, 수막염, 심근염을 일으킬 수 있다.

4) 진단

정상면역기능을 가진 환자에서 아데노바이러스 감염증은 경증으로 나타나며 자연 소실되기 때문에 대부분의 경우 진단이 필요하지 않다. 그러나 유행 발생, 면역저하자 감염, 중증감염 등의 상태에서 진단이 필요할 수 있다. 전통적으로는 바이러스 배양, 항원검출법, 혈청검사법을 진단에 사용하였다. 바이러스 배양은 아데노바이러스 진단의 표준방법이나 검체의 종류에 따라 민감도가 낮을 수 있으며 세포병변효과를 관찰하는데 2–7일이 소요된다. 항원검출법은 바이러스 배양보다 비교적 빠르게 진단할 수 있다. 면역형광측정법을 이용한 혈청검사법은 호흡기검체나 조직을 이용할 수 있지만 바이러스 배양보다 40–60% 민감도가 낮다. 최근 중합효소연쇄반응을 이용한 분자유전학적 진단법이 민감도와 특이도가 우수하며 비교적 빠르게 진단이 가능하여 광범위하게 사용되고 있다.

5) 치료

아직까지 항바이러스 치료와 관련된 무작위대조시험이 시행된 적은 없으며, 아데노바이러스 감염증 치료제로 승인된 항바이러스제는 없다. 그러나 cidofovir는 아데노바이러스에 대한 시험관내 활성도가 우수하다. 따라서 조혈모세포이식이나 고형장기이식 환자의 중증 아데노바이러스 감염증에서 cidofovir 사용 후 임상적 호전과 관련 있다는 보고가 여러 차례 있었다. 그러나 이 연구 결과들에서 대상 환자군과 면역억제 정도가 다양하여 연구결과를 해석하기 어려워 cidofovir의 임상적 효과는 불분명하다. 면역저하환자에서 발생한 아데노바이러스 감염은 절대 림프구수 및 CD4 T 세포 수와 관련된 면역 기능의 회복이 가장 중요하다.

2. 백신의 종류

미국 국방부는 군대 내 아데노바이스에 의한 급성호흡기질환의 유행을 감소시키기 위해 여러 종류의 백신들을 개발하여 왔다. 1956년 아데노바이러스 3형, 4형, 7형이 포함된 주사용 사백신인 ADENOVIRUS VACCINE Type 3, 4 and 7 (Parke, Davis & Co.)을 개발하여 군대 내 급성호흡기질환의 발생을 50–75% 정도 감소시켰다. 하지만 이 사백신은 생산공정의 관리에 어려움이 있고 다른 바이러스에 의한 오염이 발생하여 1963년 생산이 중단되었다.

그 후에 개발된 아데노바이러스 4형, 7형, 21형을 포함한 경구용 생백신은 우수한 항체양전율을 보였고 이상반응도 적었다. 하지만 아데노바이러스 21형은 군대 내 유행을 흔히 일으키지 않으므로 미국 국방부는 4형과 7형만 포함된 경구용 생백신인 Adenovirus Vaccine Oral Live Type-4 and Type-7 (Wyeth Laboratories)를 개발하여 1971년부터 훈련병들에게 접종한 결과 급성호흡기질환의 유행은 극적인 감소를 보였다. 하지만 유일한 제조사였던 Wyeth가 경제적인 이유로 1996년 이 생백신의 생산을 중단하였고 1999년 재고가 소진된 후 군대 내 급성호흡기질환이 다시 대규모로 유행하게 되었는데, 이 중 많은 사례들이 아데노바이러스 4형과 7형에 의해 발생하였다.

이에 미국 국방부는 아데노바이러스 4형과 7형이 포함된 새로운 경구용 생백신인 Adenovirus Type 4 and Type 7 Vaccine, Live, Oral (Barr Laboratories)을 개발하여 2011년 11월부터 신병훈련소에 입소하는 훈련병들에게 연중 내내 접종하고 있으며, 이것이 현재 사용 중인 유일한 아데노바이러스 백신이다.

3. 백신의 효능 및 효과

미국 신병훈련소 훈련병들을 대상으로 진행된 Adenovirus Type 4 and Type 7 Vaccine, Live, Oral 제1상 임상시험에서 백신접종 후 28일까지 4형과 7형에 대한 항체양전율은 각각 73%와 65%로 나타났다. Adenovirus Type 4 and Type 7 Vaccine, Live, Oral 제3상 임상시험에서 연구기간동안 총 49건의 아데노바이러스 4형 호흡기감염증이 발생하였는데, 이 중 대조군에서 48건이 발생하였고 백신투여군에서 1건이 발생하여 아데노바이러스 4형에 대한 백신 유효성은 99.3%로 나타났다. 또한 백신투여군에서 4형과 7형에 대한 항체양전율이 각각 94.5%와 93.8%로 나타나 높은 면역원성을 보였다.

2011년 Adenovirus Type 4 and Type 7 Vaccine, Live, Oral을 새로 도입한 후 3년간 4개의 신병훈련소에서 급성호흡기질환의 발생을 감시한 연구에서 백신도입 전인 2010년과 비교할 때 2012-2014년 급성호흡기질환의 발생률은 60-90%가 감소하였고 2014년 급성호흡기질환의 발생률은 7배 이상 감소하였다. 또한 Adenovirus Type 4 and Type 7 Vaccine, Live, Oral 도입 전 신병훈련소에서는 아데노바이러스 4형이 가장 우세하였고 그 다음으로 3형, 7형 순이었으나, 백신 도입 후에는 1형과 2형이 우세하였다.

4. 적응증

미국 식품의약국은 17세부터 50세까지의 군인에 대한 Adenovirus Type 4 and Type 7 Vaccine, Live, Oral 접종을 허가하였다.

5. 투여방법

Adenovirus Type 4 and Type 7 Vaccine, Live, Oral은 창자도착알약(enteric-coated tablet) 형태로 개발되어 아데노바이러스 4형이 포함된 생백신 1알과 7형이 포함된 생백신 1알, 총 2알을 동시에 1회 경구 복용한다. 아데노바이러스가 상부호흡기에 노출되는 것을 방지하기 위해 씹거나 부수지 말고 알약을 그대로 삼켜야 한다. 생백신 창자도착알약이 위를 지나 장에 도달하면 아데노바이러스가 증식하여 면역반응을 유도하기 때문에 구토나 설사가 있는 경우 접종을 미루는 것이 바람직하다.

6. 이상반응

Adenovirus Type 4 and Type 7 Vaccine, Live, Oral의 이상반응은 대부분 경하여 중증 이상반응은 드문 것으로 보고되었다. 두통, 상기도감염증, 인두통(12-13%), 코막힘(8-15%), 기침(10-12%), 관절통(4%), 오심(5-14%), 복통, 설사(3-10%), 발열(≤1%)과 같은 경증 이상반응이 백신접종 후 2주 이내에 발생하였다. 드물게, 혈뇨, 혈변, 위장관염, 폐렴과 같은 중증 이상반응은 백신접종 후 6개월 이내에 발생하였다. 그러나 이러한 이상반응들의 빈도, 발생시기, 백신접종과의 연관성은 아직까지 명확하게 밝혀져 있지 않다.

7. 금기

Adenovirus Type 4 and Type 7 Vaccine, Live, Oral은 임신, 아데노바이러스 4형과 7형 백신성분에 대한 중증 알레르기가 있는 경우, 씹지 않고 알약을 삼키지 못하는 경우는 금기이다. 또한 백신접종 후 6개월 이내에는 임신을 피해야 한다. 수유부, 연령이 17세 미만 또는 50세 이상인 경우, HIV 감염인을 포함한 면역저하자에서 백신의 효능과 안전성이 확립되지 않았다.

아데노바이러스 경구용 생백신을 접종한 후 28일까지 대변에서 아데노바이러스가 검출될 수 있으므로 전파 방지를 위해 개인위생을 철저히 해야 한다. 아데노바이러스 경구용 생백신을 다른 백신들과 동시에 접종할 때 면역간섭현상이 발생하는지는 아직까지 알 수 없으나 미국 신병훈련소에서는 다른 백신들과 동시에 접종하고 있다.

8. 국내유통백신

Adenovirus Type 4 and Type 7 Vaccine, Live, Oral은 현재 국내에 유통되지 않고 있으며, 미국 국방부와의 계약에 따라 Teva Pharmaceuticals가 미군에게만 독점 공급하고 있다.

참고문헌

1. Clemmons NS, McCormic ZD, Gaydos JC, et al. Acute respiratory disease in US army trainees 3 years after reintroduction of adenovirus vaccine. Emerg Infect Dis 2017;23:95-8.
2. Heo JY, Lee JE, Kim HK, et al. Acute lower respiratory tract infections in soldiers, South Korea, April 2011-March 2012. Emerg Infect Dis 2014;20:875-7.
3. Hoke CH Jr, Snyder CE Jr. History of the restoration of adenovirus type 4 and type 7 vaccine, live oral (Adenovirus Vaccine) in the context of the Department of Defense acquisition system. Vaccine 2013;31:1623-32.
4. Lee J, Choi EH, Lee HJ. Clinical severity of respiratory adenoviral infection by serotypes in Korean children over 17 consecutive years (1991-2007). J Clin Virol 2010;49:115-20.
5. Lion T. Adenovirus infections in immunocompetent and immunocompromised patients. Clin Microbiol Rev 2014;27:441-62.
6. Radin JM, Hawksworth AW, Blair PJ, et al. Dramatic decline of respiratory illness among US military recruits after the renewed use of adenovirus vaccines. Clin Infect Dis 2014;59:962-8.
7. Rhee EG, Barouch DH. Adenoviruses. In: Mandell GL, Bennett JE, Dolin R. eds. Principles and practice of infectious diseases. 8th ed. Philadelphia: Elsevier Inc; 2015;1787-93.
8. Russell KL, Broderick MP, Franklin SE, et al. Transmission dynamics and prospective environmental sampling of adenovirus in a military recruit setting. J Infect Dis 2006;194:877-85.
9. Singh-Naz N, Brown M, Ganeshananthan M. Nosocomial adenovirus infection: molecular epidemiology of an outbreak. Pediatr Infect Dis J 1993;12:922-5.
10. van der Veen J, Oei KG, Abarbanel MF. Patterns of infections with adenovirus types 4, 7 and 21 in military recruits during a 9-year survey. J Hyg (Lond) 1969;67:255-68.
11. Yoo H, Gu SH, Jung J, et al. Febrile respiratory illness associated with human adenovirus type 55 in south Korea military, 2014-2016. Emerg Infect Dis 2017;23:1016-20.

순천향대학교 의과대학 **추은주**
가톨릭대학교 의과대학 **최정현**

Chapter 16 인유두종바이러스

1 대한감염학회 접종 권장대상과 시기

가. 11–12세 여아

나. 13–26세 여성: 이전에 백신을 접종받지 않았거나 백신접종을 완료하지 못한 경우 접종 권고

다. 남성: 9–21세까지 접종 권고

   HIV 감염인을 포함한 면역저하자, 남성 동성애자의 경우 26세까지 접종을 권고

2 접종용량 및 방법

가. 14세 이하: 총 2회 접종

   1) 1차 접종 6–12개월 후에 2차 접종

나. 15세 이상: 총 3회 접종

   1) 4가 · 9가백신은 1차 접종 2개월, 6개월 후에 각각 2차, 3차 접종

   2) 2가백신은 1차 접종 1개월, 6개월 후에 각각 2차, 3차 접종

다. 1회에 0.5 mL 근육주사

3 이상반응

가. 접종 부위의 통증, 종창, 발적, 가려움증, 발열, 사지통증

나. 드물게 일시적인 의식소실이 나타날 수 있으므로 백신접종 후 20–30분간 피접종자를 면밀히 관찰

4 주의 및 금기사항

효모 또는 백신 성분에 급성 과민성 면역반응 병력이 있는 경우

1. 질병의 개요

1) 원인 병원체

인유두종바이러스는 Papillomaviridae과의 Papillomavirus에 속하는 이중 나선 DNA바이러스이다. 주로 인간을 포함한 동물의 피부와 점막에 감염을 유발하는 바이러스로 직경이 55 nm인 20면체의 외각을 가지며 이 속에 약 7,900개의 염기쌍으로 이루어진 원형의 DNA를 포함하고 있다. 바이러스의 유전형(genotype)은 캡시드 단백질 L1 (major capsid protein L1)의 유전자 염기서열에 따라 분류된다. 현재까지 200여 종 이상의 유전형이 알려져 있으며, 이 중 40여 종이 성접촉을 통하여 항문이나 생식기 주위의 감염을 유발한다. 자궁경부암과의 역학적 관련성에 따라 주로 암을 유발하는 고위험군과 양성 병변을 유발하는 저위험군으로 나뉜다. 대표적인 고위험군으로는 HPV 16과 18이 있으며, 그 외 31, 33, 35, 39, 45, 51, 52, 56, 58, 59, 68, 69, 73, 82 등이 있다. 고위험군 HPV 관련 질환은 자궁경부암, 질암, 외음부암, 음경암, 항문암, 구강암, 구인두암 등이 있다. 대표적인 저위험군으로는 HPV 6, 11이 있으며, 그 외 40, 42, 43, 44, 54 등이 있다. 저위험군 HPV 관련 질환은 저등급 자궁경부 세포이상, 생식기 사마귀, 재발성 호흡기 유두종 등이 있다.

2) 역학

HPV는 1949년에 처음 보고된 이후 1976년 Harald zur Hausen에 의해 HPV가 자궁경부암의 주요한 인자로 밝혀졌고, 1983–1984년에 zur Hausen은 자궁경부암 병변에서 HPV 16과 18을 발견하였다. 이후 HPV에 관한 역학적, 생물학적, 분자유전학적 연구가 활발히 진행되었다.

(1) HPV 감염의 자연사와 자궁경부암과의 연관성

모든 자궁경부암이 HPV 감염과 연관되지만, HPV 감염이 모두 암으로 발전하는 것은 아니다. HPV 감염은 매우 흔하게 일어나며, HPV 감염의 80%는 1–2년 이내에 자연 소멸된다. 그러나 HPV 감염의 일부에서 감염이 소실되지 못하고 지속되면(5–10%) 자궁경부의 세포변화를 동반하게 되고 이는 전암병변을 거쳐 자궁경부암으로 발전할 수 있다. HPV 감염에서 자궁경부암으로 진행하기까지는 대체로 10년 이상의 시간이 걸린다.

한국인 전체 암 발생의 2.4%가 HPV 감염에 의한 것으로 추산되며, 그 중 가장 발생건수가 많은 암종은 자궁경부암이다. 2014년 한국 중앙암등록본부 발표에 따르면 새로 발생한 자궁경부암 환자는 3,500명이며, 연령표준화발생률(age–standardized incidence rate)은 여성 10만 명당 10.7명이다. 자궁경부암을 치료받았거나 완치된 생존자를 포함한 유병자수는 45,189명으로, 연령표준화유병률(age–standardized prevalence rate)은 여성 10만 명당 62명으로 보고되었다. 자궁경부 상피내암(0기암, carcinoma in situ)의 발생자수는 2014년 현재 6,652명, 연령표준화발생률은 여성 10만 명당 26.2명으로 자궁경부암에 비하여 2.4배에 달한다. 또한 자궁경부암의 발생률은 지난 10년 동안 연간 4.4%씩 감소하는 경향을 보이고 있으나, 자궁경부 상피내암은 2011년 6,992명으로 가장 많이 발생하였고 이후 감소하고 있다.

(2) HPV 감염유병률

① 전 세계 HPV 감염유병률

2007년 de Sanjosé 등이 1995년부터 2005년까지 발표된 78개의 연구를 메타분석(meta–analysis)한 결과에 의하면, 정상 자궁경부 세포검사 소견을 보이는 여성 157,879명 중 10.4%에서 HPV 감염이 확인되었다. 특히 아프리카 지역은 22.1%로 HPV 감염유병률이 가장 높았으며, 중미와 멕시코는 20.4%, 북미는 11.3%, 유럽이 8.1%, 그리고 아시아에서는 8.0%의 HPV 감염유병률을 보였다.

② 한국인의 HPV 감염유병률

한국 여성에서 HPV 감염유병률은 검사 집단의 성격이나 연령에 따라 다르지만 약 15–25%로 추정된다. 2008년 HPV 감염유병률과 관련되어 발표된 11개의 문헌들을 종합했을 때 정상 자궁경부에서의 HPV 감염유병률은 11.8%, 자궁경부의 저등급상피내병변(low grade squamous intraepithelial lesion)에서는 73.2%, 자궁경부의 고등급상피내병변(high grade squamous intraepithelial lesion)에서는 86.4%로 보고되었다. 6만 명을 대상으로 검진센터에서 시행한 HPV 유병률과 HPV 유전형을 조사하였을 때 34.2%의 유병률을 보였고, 한 가지 유전형에 감염된 경우는 87.7%, 두 가지 이상인 경우 12.3%였다. HPV 16이 26%로 가장 많았고 다음이 HPV 52 (25.2%)였다(그림 16-1).

2014–2015년 정기적인 자궁경부암 검진을 위해 의료기관을 방문한 20–99세 일반 여성 18,815명을 대상으로 조사한 HPV 감염유병률은 27.8%로, 이전의 자료들보다 증가하였다. 각 연령군별 감염률은 20–29세 36.1%, 30–39세 26.2%, 40–49세 27.6%, 50–59세 26.7%, 60–69세 29.4%, 70세 이상 30.5%였으며, 특히 20–29세군에서 다른 연령군에 비해 HPV 감염률이 통계적으로 유의하게 높았다. HPV 감염이 20대에 최고조에 달하는 이유는 주로 이 시기에 성생활이 시작되면서 HPV DNA에 노출되고 HPV 감염에 대한 감수성이 높기 때문으로 해석된다.

③ 자궁경부암에서의 HPV 유전형 분포

HPV 16은 자궁경부암의 약 50%, HPV 16과 18은 자궁경부암의 70%에서 발견되는데, 이러한 분포는 한국을 포함하여 전 세계적으로 비슷하다. 최근 국내 HPV 통계자료에 의하면 자궁경부암에서 가장 호발하는 HPV 유전형은 HPV 16, 18, 33, 58, 31이고 정상 자궁경부에서 가장 호발하는 HPV 유전형은 HPV 16, 70, 58, 52, 66이었다(그림 16-2). 한국을 포함한 아시아 5개국 연구에서 HPV 16이 51.5%로 가장 많았고 HPV 18 14.8%, HPV 52 7%였다. 2010년 5개 병원자료에 따르면 HPV 18이 54.2%로 가장

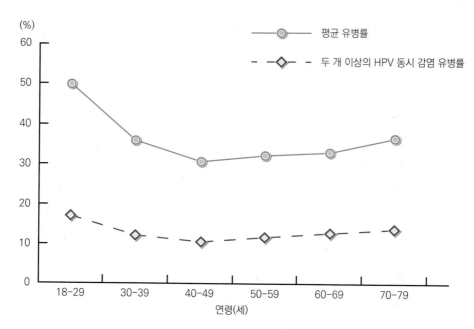

그림 16-1. 국내 검진대상여성(60,775명)에서 연령별 HPV 유병률
(Lee EH, et al. J Korean Med Sci 2012;27:1091-7)

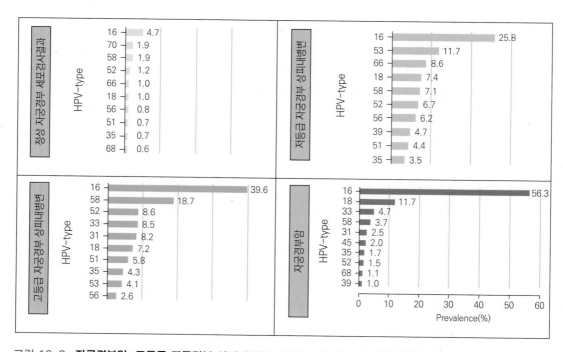

그림 16-2. 자궁경부암, 고등급 자궁경부 상피내병변, 저등급 자궁경부 상피내병변, 정상 자궁경부 세포검사결과를 보인 여성에서 HPV 형의 분포(Bruni L, et al. http://hpvcentre.net/statistics/reports/KOR.pdf. Accessed July 27 2017)

많았고, HPV 16 (44.1%), HPV 45 (3.4%) 순이었다.

④ HPV 혈청유병률

현재 또는 과거의 HPV 감염력을 추정할 수 있는 혈청유병률 조사 연구에서 HPV 혈청유병률은 15~20%인 것으로 보고되었다. 2009년 우리나라 9~59세 일반여성 1,094명을 대상으로 조사한 HPV 16 또는 18의 혈청유병률은 8.7%로, 25~29세 연령군에서 13.4%로 가장 높았고, 30대 이후 7.6%로 낮아지다가 40대에서 10.9%로 다시 상승하는 경향을 보였다. HPV 16과 HPV 18의 혈청유병률은 각각 7.4%와 2.7%로 보고되었다.

⑤ HPV 감염 전파와 위험인자

HPV 감염은 생식기접촉에 의해 전염되며 주요 위험요인은 성생활, 특히 성파트너 수이다. 최근 또는 평생의 성파트너 수, 상대자의 성파트너 수가 많을수록 HPV 감염위험이 높다. 연령별로는 성생활이 시작되는 10~20대의 젊은 연령에서 HPV 감염률이 높다. HPV가 성행위에 의해 전파되기 때문에 HPV 역학을 알기 위해서는 성행위에 대한 자료가 필수적이다. 성접촉 이외의 경로로 HPV에 감염되는 경우는 매우 드물며 분만 전후의 산모로부터 수직감염이 가능하다.

3) 임상적 특징

HPV 감염은 대부분 무증상이고 자연 소멸되지만, 지속적인 HPV 감염은 자궁경부 전암병변, 자궁경부암, 항문 및 생식기의 사마귀와 재발성 호흡기 유두종 등의 다양한 질환을 일으킨다. 전암병변인 자궁경부 상피내종양(cervical intraepithelial neoplasia, CIN)은 CIN1의 저등급병변 및 CIN2, CIN3의 고등급병변으로 구분된다.

CIN1의 경우 약 57%에서 소실되며, 32%에서 지속, 11%에서 진행되나 침윤성자궁경부암으로 진행되는 확률은 1% 정도로 알려져 있다. 반면에 CIN2의 경우 약 43%에서 소실되며, 35%에서 지속, 22%에서 CIN3로 진행되고, 약 5%에서 침윤성자궁경부암으로 진행되며, CIN3의 경우 약 32%에서 소실되며, 56%에서 지속, 12%에서 침윤성자궁경부암으로 진행한다. 지속적이고 반복적인 고위험 HPV 감염은 자궁경부 전암병변을 거쳐 침윤성자궁경부암으로의 진행을 촉진시키는 데 대체로 10년 이상의 시간이 필요하다.

모든 생식기 및 항문 사마귀는 HPV에 의해 야기되며, 90% 이상이 HPV 6, 11과 관련이 있다. HPV 6 또는 11의 감염에서 새로운 생식기 사마귀의 발생에는 약 2~3개월이 소요된다. 그러나, HPV 6, 11에 감염된 모든 여성에서 생식기 사마귀가 생기지는 않는다. 생식기 사마귀는 치료될 수 있으며, 20~30%는 자연소실된다. 생식기 사마귀는 치료를 하였거나 자연소실된 경우와 관계없이 재발률이 30% 이상이다. 또한 HPV 6, 11은 드물게 재발성 호흡기 유두종을 일으키는데 이 질환은 상기도, 특히 후두에 생기는 사마귀의 일종이다. 발병연령에 따라 청소년기-발생(juvenile-onset) 재발성 호흡기유두종과 성인기-발생(adult-onset) 재발성 호흡기 유두종이 있다. 청소년기-발생 재발성 호흡기 유두종은 일반적으로 18세 이전에 발생하며, 발생 평균중앙연령(median age)은 4세이고, 분만 전후 산모로부터 수직감염이 원인이 된다.

4) 진단

현재 HPV 감염을 진단할 수 있는 검사방법에 대한 많은 연구가 진행되고 있는데 hybrid capture 검사법과 PCR이 민감도와 효용성 측면에서 유용한 방법으로 알려져 있다. HPV hybrid capture 검사법은 표식자 RNA가 타겟 DNA를 이중교배(solution hybridization)에 의해서 인식하여 신호를 증폭시켜 감지하는 방법이다. Cobas HPV 검사법은 HPV바이러스 실시간(real-time) PCR 기법이고, HPV 유전자 칩(HPV DNA chip), HPV linear array 검사법 등이 상용화되어 있다.

5) 치료

생식기 사마귀와 자궁경부, 질, 외음부 전암병변에 대한 치료법은 냉동요법(cryotherapy), 전기지짐술(electrocautery), 레이저 치료, 외과적 절제술 등을 통한 병변의 제거이다. 생식기 사마귀의 경우 국소적 약물치료도 가능하다. 이들 병변에 대한 치료는 HPV-관련성 병변을 제거할 수는 있지만, 바이러스 감염을 완전히 제거하지는 못한다.

2. 백신의 종류

HPV백신은 HPV의 캡시드 L1 단백질을 유전자 재조합으로 L1 유사바이러스물질(virus like particle, VLP)을 합성하여 제조한다. 현재 개발된 HPV백신은 GlaxoSmithKline (GSK)사의 2가백신과 Merck사의 4가, 9가백신 세 종류이며, 우리 나라에서는 각각 2008년, 2007년과 2016년에 식약처의 허가를 받아 시판중이다. 2가백신은 자궁경부암의 원인 HPV 중 70%를 차지하는 HPV 16, 18의 L1 단백을 포함하고 있다. 2가백신은 Baculovirus 벡터를 이용한 곤충세포 시스템에서 만들어지며 AS04 (aluminum hydroxide & monophospholyl lipid A) 면역증강제가 포함되어 있다. 4가백신의 경우 HPV 16, 18과 생식기 사마귀의 90%의 원인이 되는 HPV 6, 11의 L1 단백을 포함하며, 효모세포(*Saccharomyces cerevisiae*)에서 만들어지고 alum (amorphous aluminum hydroxyphosphate sulphate) 성분의 면역증강제가 포함되어 있다. 9가백신은 기존 4가백신에 포함된 HPV 6, 11, 16, 18의 경우 항원량을 증가하고 HPV 31, 33, 45, 52, 58이 추가되었고, 면역증강제 또한 증량하였다.

3. 백신의 효능 및 효과

HPV백신은 다른 감염예방 백신과는 달리 암을 예방하기 위한 백신으로 개발되었기 때문에 백신의 효과를 측정하는 기준도 단지 감염예방뿐만 아니라 자궁경부암 또는 최소한 자궁경부 전암병변으로 판단되는 CIN2 이상 고등급 자궁경부 상피내종양의 발생 예방을 임상평가 지표로 사용하도록 권장하고 있다. 현재까지 보고된 세 종류 백신 효과에 대한 연구들로는 무작위 이중 맹검 위약대조군 연구들로서 대개 15세에서 26세까지의 여성들을 대상으로 하고 있다.

4가백신의 효과는 16-26세의 총 2만여 명이 참여한 네 개의 2-3상 임상시험을 통해서 평가되었다. HPV 16, 18 관련 CIN2 이상의 병변에 대한 4가백신의 효과는 95%이며, HPV 6, 11 관련 생식기 사마귀의 병변에 대한 예방효과 역시 98.8%로 나타났다. 12년간 추적관찰에서도 90% 이상 효과가 지속되었으며, 백신 사용 이후 HPV 관련질환이 감소하였다. 16-24세 남성을 대상으로 한 연구에서 생식기 사마귀 병변에 대해 90%의 효과가 있었다. 2가백신의 효과는 15-25세 여성 1만 8천여 명이 참여한 2-3상 임상시험을 통해서 평가되었다. HPV 16, 18 관련 CIN2 이상의 병변에 대한 2가백신의 효과는 90%로 나타났다. 연구 종료 후 4년간 연구에서도 효능이 지속되었고, 9.4년까지 면역원성과 효능을 확인하였다. 백신에 포함되지 않는 유전형에 대한 교차예방효과를 평가했을 때, 4가백신의 경우 HPV 31형의 지속감염에 대해 예방하는 효과를 확인할 수 있었으며, 2가백신은 31, 33, 45형에 대해 지속감염과 중등도 자궁경부 상피내 종양 이상의 병변을 예방하는 효과가 확인되었다. 그러나 교차예방효과의 임상적 의미는 불분명하며 백신에 포함되지 않은 항원형에 대한 예방효과를 기대하고 백신을 접종하는 것은 권고하지 않는다.

청소년의 경우 아직 성활동을 시작하지 않은 연령이기 때문에 9-15세 청소년에서의 HPV백신 효과는 측정 불가능하다. 따라서 청소년에 대해서는 백신접종 후 중화항체가를 16세 이상의 결과와 비교하는 면역학적 가교시험(immunogenicity bridge study)으로 판단하였다. 연구결과는 세 종류 백신 모두 9-14세군에서 15-26세 연령군보다 동등하거나 또는 높은 기하평균항체가(geometric mean antibody titers, GMTs)를 보여주었다. 또한 청소년 집단에서 2회 접종이 3회 접종에 비해 항체역가가 낮지 않았다. 9-14세에서 최소 6개월 간격으로 2회 접종한 경우 면역 반응이 좋고, 예방 능력의 지속성이 오랜 기간 지속되는 것으로 알려져 이 연령의 경우 2회 접종으로 용법을 변경하여 권고·허가하였다. 하지만 9-14세이더라도 HIV감염, 악성종양, 자가면역질환, 면역억제제를 복용하는 면역저하자의 경우 3회 접종이 필요하다.

27세 이상 여성의 접종효과에 대해서는 24-45세를 대상으로 Per-Protocol Population을 대상으로 분석하였을 때 HPV 6,11,16,18에 대해 90.5%, Intention-to-Treat population 대상으로 분석하면 30.9%의 효능을 보였다. 동일한 여성을 6년간 추적 관찰한 연구 결과 HPV 6, 11, 16, 18형과 관련된 자궁경부 상피내종양이나 자궁경관내 선상피병변은 발생하지 않았으며 4가지 HPV 유형에 대한 면역원성 또한 유지되었다. 지난 10년간 4가백신은 목표집단에 많은 접종으로 백신효과를 높여 실제 현실에서 효과가 증명되었고, 백신접종으로 젊은 여성에서 고위험 HPV 유전형이 의미있게 감소하였다.

최근에 출시된 HPV 9가백신의 경우, 16-26세 여아에서 4가백신과 비교하여 공통된 4가지 유전형에 대해 비열등한 면역원성을 보였고, 추가된 5가지 유전형에 대해 96.7%의 효능을 보였다. 4가백신을 접종 완료한 여성에게 1년이 경과한 이후 9가백신을 접종하는 것은 추가된 5가지 유형에 대해 면역원성이 있고 이상반응은 유의한 차이가 없었다.

국내에서도 HPV백신의 면역원성에 대한 연구가 시행되었다. 4가백신은 건강한 9-23세 여성 174명을 대상으로 무작위·이중맹검·위약대조군 연구를 실시하였고, 최초 접종 후 7개월째에 HPV 항체가를 측정하였다. 연구결과 4가백신은 위약군에 비하여 HPV 16의 경우 430배, HPV 18의 경우 110배, HPV 6의 경우 70배, HPV 11의 경우 125배 높은 항체가를 보였다. 2가백신은 건강한 10-14세 여아 321명을 대상으로 다기관·관찰자맹검·위약대조군 연구를 실시하였고, 최초 접종 후 7개월째에 HPV 항체가를 측정하였다. 연구결과, 2가백신은 위약군에 비하여 HPV 16에 대해서는 600배, HPV 18에 대해서는 400배 높은 항체가를 보였다. 그러나 HPV 감염에 대한 면역과 혈청항체와의 관련성 및 방어에 필요한 최소 항체 역가가 아직 밝혀지지 않아 이에 대한 추가적인 연구가 필요하다.

4. 적응증

1) 여아

기초 예방접종은 11-12세 여아에게 접종하도록 한다. 백신접종은 9세부터 가능하다. 우리나라에서는 2016년부터 만 12세 여아에게 2가 혹은 4가백신으로 국가예방접종을 시행하고 있다.

2) 청소년 및 성인 여성

따라잡기 예방접종으로 4가, 9가백신은 13-26세 여성, 2가백신은 13-25세 여성 중에서 HPV백신 미접종자나 3회 백신접종을 완료하지 못한 경우 접종받도록 한다. 27-45세 사이의 중년 여성에 대한 접종 또한 효과가 있으나 개인별 위험도에 대한 임상적 판단과 접종 대상자의 상황을 고려하여 접종한다.

3) 남아

HPV 16, 18이 관련하는 음경암, 구강암, 구인두암, 항문암 및 HPV 6, 11이 관련된 생식기 사마귀와 재발성 호흡기 유두종의 발생을 예방하기 위하여 11-12세 남아에게 접종을 권고한다. 백신 접종은 9세부터 가능하며 13-26세의 경우 따라잡기 접종을 할 수 있다(13-21세까지 따라잡기 접종을 할 수 있고 동성애나 면역저하자의 경우 26세까지 접종 가능하다). 또한, 남아가 HPV백신을 접종받은 경우 미래에 성파트너의 자궁경부암 예방효과를 기대할 수 있다.

4) 기타

27세 이후 여성에서도 암 예방효과는 입증되었으나 연령 증가에 따라서 과거 HPV에 노출되었을 가능성이 높아 비용효과가 낮다. 따라서, 일률적인 따라잡기 예방접종을 권하지 않는다. 다만, 27세 이상이더라도 성생활을 시작하지 않았거나 HPV 노출기회가 적은 여성의 경우는 암 예방효과를 기대할 수 있다. 또한 한 개 이상의 HPV에 감염되어 있다 하더라도 HPV백신 접종 당시 감염되어 있지 않은 백신의 HPV 유형에는 예방접종의 효과가 있다.

임신부에서 HPV백신 접종은 권장되지 않는다. 1차 또는 2차 접종 후 임신이 확인된 경우에 추가접종은 분만 후로 연기할 것을 권하되 설사 임신 중 접종받았다 하더라도 미국 FDA 임부투여안전성 분류에서 B로 분류되어 다른 추가 조치는 필요없다. 수유부의 경우 4가백신은 접종 가능하며 2가백신의 경우 접종에 의한 유익성이 위험성을 상회한다고 판단되는 경우에만 투여한다. 질환 또는 약물로 인하여 면역기능이 저하된 여성의 경우에도 접종 가능하나 백신 면역반응은 낮을 수 있다. HIV 감염인에서도 접종을 권고한다.

5. 투여방법

15세 이상(면역저하자의 경우 그 아래 연령도 포함)에서는 총 3회 접종으로 4가, 9가백신은 1차 접종, 2개월 후에 2차 접종, 6개월 후에 3차 접종을 하고, 2가백신은 1차 접종, 1개월 후에 2차 접종, 6개월 후에 3차 접종을 한다. 1차 접종과 2차 접종 사이의 최소간격은 4주, 2차 접종과 3차 접종 사이의 최소간격은 12주, 1차 접종과 3차 접종 사이의 최소간격은 24주이다. 9-14세의 경우 2회 접종(1차 접종후 6-12개월 후에 2차 접종)을 추천한다.

권고용량에 못 미치는 용량을 접종받았거나 권고된 접종 간격보다 짧은 시간 간격 내에 접종받은 경우는 재접종해야 한다. 반대로 백신접종의 일정이 지연된 경우, 다시 HPV 접종일정을 시작할 필요는 없으며 가능한 한 빨리 다음 스케줄을 진행한다. 3회 접종은 모두 동일 제품으로 하는 것을 원칙으로 하고 4가백신과 2가백신의 교차 접종은 권장하지 않는다.

접종용량은 1회에 0.5 mL로, 어깨세모근 부위에 근육주사하며 절대로 혈관내 주사 또는 피내 주사를 해서는 안된다.

6. 이상반응

　　HPV백신 접종 후 보고된 이상반응은 접종부위 통증, 종창, 발적 등 경미한 국소증상이었다. 전신 이상반응은 발열이 가장 흔하였고, 가려움증, 사지통증 등이 있었다. 사망을 포함한 중증 전신 이상반응은 접종군 및 대조군의 0.1% 이내에서 보고되었으며 두 군간 발생 차이가 없어 백신접종과 관련이 없는 것으로 평가하였다. 매우 드물게 HPV백신 피접종자에게서 기관지 경련 등의 심각한 이상반응이 보고되었다. 시판후 이상반응으로 특발성 혈소판감소성자반병, 림프절병증, 신경계의 급성 파종성뇌척수염, 어지러움, 길랭-바레 증후군(Guillain-Barre syndrome), 두통, 일시적인 의식소실, 구역, 구토, 관절통, 근육통, 무력증, 오한, 피로, 권태감, 아나필락시스, 두드러기 등이 보고되었으나, HPV 백신과 관련된 심각한 이상반응으로 판정하기는 어렵다. HPV백신은 아직 임신부에게 권장되지는 않지만 백신 투여 후 임신이 확인된 경우에서 백신군과 대조군 사이에 유산, 사산 또는 선천성 기형의 발생의 차이가 없었다. 백신이 투여된 수유부의 경우도 백신과 관련된 이상반응 발생의 증가가 없었다. 매우 드물게 백신접종 후, 특히 청소년 및 젊은 성인들에서 일시적인 의식 소실이 나타날 수 있다. 의식 소실 후 넘어지면서 외상 등의 이차적 질환을 유발할 수 있으므로, HPV백신 접종 후 20-30분간 피접종자를 면밀히 관찰하기를 권한다.

7. 금기

　　효모 또는 백신 성분에 급성 과민반응 병력이 있는 대상자는 접종을 금한다. 급성 중증열성질환자의 경우 접종을 연기한다. 그러나 감기와 같은 경미한 감염 때문에 접종을 연기할 필요는 없다. 저혈소판증이나 기타 혈액응고장애가 있는 환자는 근육주사 시 출혈이 있을 수 있으므로 주의하여 접종하여야 한다.

8. 국내유통백신

　　GlaxoSmithKline (GSK)사의 2가백신(Cervarix®)과 Merck사의 4가백신(Gardasil®), 9가백신(Gardasil9®)이 현재 사용가능한 백신이다(표 16-1).

표 16-1. 국내 유통중인 인유두종바이러스 백신

	2가백신	4가백신	9가백신
제품명	서바릭스(Cervarix®)	가다실(Gardasil®)	가다실9(Gardasil9®)
제조사	GSK	Merck & Co., Inc	Merck & Co., Inc
주성분	HPV 16, 18 L1 단백질	HPV 6, 11, 16, 18 (20, 40, 40, 20 µg) L1 단백질	HPV 6, 11, 16, 18 (30, 40, 60, 40 µg), 31, 33, 45, 52, 58 L1 단백질
기질 (cell substrate)	바큘로바이러스에 감염된 곤충 세포(Baculovirus-infected insect cells)	효모(S. cerevisiae)	효모(S. cerevisiae)
면역증강제 (adjuvant)	500 µg AS04 (aluminum hydroxide & monophosphoryl lipid A)	225 µg alum (amorphous aluminum hydroxyphosphate sulphate)	500 µg alum (amorphous aluminum hydroxyphosphate sulphate)
효능·효과	HPV 16, 18에 의한 자궁경부암, 자궁경 부 상피내종양 1/2/3기 예방	• HPV 16, 18에 의한 자궁경부암, 외음부암, 질암 예방 • HPV 6, 11에 의한 생식기 사마귀 예방 • HPV 6, 11, 16, 18에 의한 자궁경부 상피내선암, 자궁경부상피내종양 1/2/3기, 외음부상피내종양 2/3기, 질상피내종양 2/3기 예방	• HPV 6, 11, 16, 18에 대해 4가백신과 비열등한 면역원성 • HPV 31, 33, 45, 52, 58에 의한 자궁경부암, 외음부암, 질암 예방
접종연령	9-25세 여성 9-25세 남성	9-26세 여성 9-26세 남성	9-26세 여성 9-26세 남성
접종일정	0, 1, 6개월	0, 2, 6개월	0, 2, 6개월
9-14세	0, 5-12개월	0, 6개월	0, 6개월
용량/용법	0.5 mL/근육주사	0.5 mL/근육주사	0.5 mL/근육주사
보관방법	밀봉용기, 냉장(2-8℃), 차광	밀봉용기, 냉장(2-8℃), 차광	밀봉용기, 냉장(2-8℃), 차광
이상반응	접종부위 통증, 종창, 발적의 국소반응 발열, 구역, 인두염 등의 전신 반응 백신 관련 심각한 이상반응 없음	접종부위 통증, 종창, 발적의 국소반응 발열, 구역, 인두염 등의 전신 반응 백신 관련 심각한 이상반응 없음	접종부위 통증, 종창, 발적의 국소반응 발열, 구역, 인두염 등의 전신 반응 백신 관련 심각한 이상반응 없음
임신부 접종	권하지 않음	권하지 않음	권하지 않음
수유부 접종	평가된 바 없음	접종할 수 있음	접종할 수 있음

참고문헌

1. Doorbar J. The papillomavirus life cycle. J Clin Virol 2005;32 Suppl 1:S7-15.
2. Garland SM, Cheung TH, McNeill S, et al. Safety and immunogenicity of a 9-valent HPV vaccine in females 12-26 years of age who previously received the quadrivalent HPV vaccine. Vaccine 2015;33:6855-64.
3. Human papillomavirus and related diseases in Republic of Korea. Summary report. Barcelona, ES: ICO Information Centre on HPV and Cancer, 2017. Available at: http://hpvcentre.net/statistics/reports/KOR.pdf. Accessed 27 July 2017.
4. Joura EA, Giuliano AR, Iversen OE, et al. A 9-valent HPV vaccine against infection and intraepithelial neoplasia in women. N Engl J Med 2015;372:711-23.
5. Kjaer SK, Nygård M, Dillner J, et al. A 12-year follow-up on the long-term effectiveness of the quadrivalent human papillomavirus vaccine in 4 nordic countries. Clin Infect Dis 2018;66:339-45.
6. Lee EH, Um TH, Chi HS, et al. Prevalence and distribution of human papillomavirus infection in Korean women as determined by restriction fragment mass polymorphism assay. J Korean Med Sci 2012;27:1091-7.
7. Lehtinen M, Paavonen J, Wheeler CM, et al. Overall efficacy of HPV-16/18 AS04-adjuvanted vaccine against grade 3 or greater cervical intraepithelial neoplasia: 4-year end-of-study analysis of the randomised, double-blind PATRICIA trial. Lancet Oncol 2012;13:89-99.
8. Muñoz N, Bosch FX, de Sanjosé S, et al. Epidemiologic classification of human papillomavirus types associated with cervical cancer. N Engl J Med 2003;348:518-27.
9. Muñoz N, Manalastas R, Jr., Pitisuttithum P, et al. Safety, immunogenicity, and efficacy of quadrivalent human papillomavirus (types 6, 11, 16, 18) recombinant vaccine in women aged 24-45 years: a randomised, double-blind trial. Lancet 2009;373:1949-57.
10. World Health Organization. Human papillomavirus vaccines: WHO position paper, May 2017-Recommendations. Vaccine 2017;35:5753-5.

인플루엔자

고려대학교 의과대학   **송준영**
고려대학교 의과대학   **김우주**

1 대한감염학회 접종 권장대상과 시기

가. 예방접종 대상

모든 6개월 이상의 소아와 성인

단, 백신의 공급이 제한적인 경우에 다음의 접종대상군을 우선하여 접종 함

1) 인플루엔자바이러스 감염 시 합병증 발생 고위험군
- 65세 이상 노인
- 생후 6-59개월 소아
- 만성호흡기 질환자(천식포함)
- 만성심혈관 질환자(단순 고혈압은 제외)
- 만성대사질환자(당뇨 등), 만성신질환자, 혈색소병증환자, 면역저하자(항암제 등 약제에 의한 경우, HIV 감염 등), 만성간(肝)질환자, 장기간 아스피린을 복용하는 6개월-18세 소아
- 임신부 또는 인플루엔자 유행기에 임신 예정의 가임기 여성
- 만성질환으로 집단시설에 치료, 요양 중인 사람
- 신경계 질환자(호흡기능 이상, 객담배출장애 등을 동반)
- 고도비만 성인(체질량지수 30 이상)
- 50-64세 성인

2) 고위험군에 인플루엔자를 전파시킬 위험이 있는 사람
- 의료인
- 고위험군 대상자를 간병하거나 함께 거주하는 가족 구성원
- 0-59개월 유아와 함께 거주하거나 돌보는 경우
- 수유 중인 산모

나. 접종시기

- 매년 10-11월이 권장접종시기이나 이 기간에 접종하지 못한 경우 인플루엔자 유행 시기 언제라도 우선접종대상군은 예방접종을 하도록 함

2 접종용량 및 방법

9세 이상 소아와 성인: 0.5 mL 1회 근육주사

3 이상반응

가. 국소반응: 주사부위 통증, 발적, 경결 등
나. 전신반응: 발열, 근육통, 관절통, 두통 등

4 주의 및 금기사항

가. 이전 인플루엔자백신접종 후 아나필락시스 등의 심각한 과민반응이 있었던 경우 재접종을 금함
나. 이전 예방접종 후 6주 이내에 길랭-바레증후군이 발생한 경우 주의하도록 함

1. 질병의 개요

1) 원인 병원체

　인플루엔자는 인플루엔자바이러스 감염으로 발생하는 급성 발열질환이다. 인플루엔자바이러스는 *Orthomyxovirus*과에 속하는 단쇄, 나선형 RNA 바이러스이며, 항원형에 따라 A, B, C형(type)으로 분류되고, 각각 유전물질, 구조, 숙주, 역학과 임상양상이 다르다. A형과 B형 인플루엔자바이러스만이 사람에서 임상적으로 중요한 질환을 일으키며, C형 인플루엔자바이러스는 인체감염이 드물고 유행적 발생을 일으키지 않는다. 인플루엔자바이러스는 직경 80-120 nm 크기의 구형 또는 타원형의 모양으로 표면에 뾰족한 돌기가 있으며, 내부에는 8개의 RNA 유전자 절편이 들어있다. 바이러스 표면의 돌기인 헤마글루티닌(hemagglutinin, HA)와 뉴라미니다제(neuraminidase, NA) 당단백의 종류에 따라 아형(subtype)이 분류된다. HA는 바이러스가 세포표면에 부착하는 역할을 하며 H1-H18까지 18가지가 발견되었고, NA는 세포표면으로부터 시알산(sialic acid)을 잘라내어 바이러스가 세포에서 빠져나오게 하며 11개의 아형(N1-N11)이 있다. A형 인플루엔자바이러스는 종 특이성이 있어서 사람에서는 HA 중 H1, H2, H3와 NA중 N1, N2 아형 바이러스가 질환을 일으켜 왔다.

　인플루엔자바이러스의 가장 중요한 특성은 항원변이(antigenic change)로 변이 정도에 따라 항원대변이(antigenic shift)와 항원소변이(antigenic drift)로 구분한다. 항원대변이는 A형 인플루엔자에서 일어나는데, 전혀 다른 새로운 아형의 HA나 NA로 바뀌는 것(예; H1N1 → H2N2)으로, 동물의 인플루엔자바이러스가 직접 사람에게 감염을 일으키거나 서로 아형이 다른 인플루엔자바이러스가 한 개체 내에서 중복감염이 일어나 유전자 재편성(genetic reassortment)으로 신종 인플루엔자바이러스가 출현

하는 것이다. 결과적으로 항원 대변이 바이러스는 면역력이 없는 대규모의 인구 집단에서 대유행 (pandemic)을 일으킨다. 항원 소변이는 A형 및 B형 인플루엔자에서 모두 발생하며, HA나 NA의 유전자 수준에서 점 돌연변이(point mutation)가 축적되어 소수의 아미노산 변화로 나타나는 것이다. 그 결과 아형은 동일하지만 항원성이 차이가 있는 바이러스가 출현하는 것으로 이러한 항원소변이는 거의 매년 일어나게 되며, 계절 인플루엔자 유행(epidemic)의 원인이 된다. HA와 NA 표면항원, 특히 HA에 대한 면역이 감염의 예방과 병의 중증도와 관련된다. 어떤 형이나 아형에 대한 항체는 다른 형이나 아형의 인플루엔자바이러스에 방어항체를 형성하지 못하며, 한 가지 항원내의 새로운 변이(variant)에 대해서도 충분한 면역원성을 보이지 않는다. 인플루엔자바이러스의 명명은 인플루엔자바이러스의 형/분리장소/분리번호/분리된 연도와 아형을 순서대로 기입하게 되며, influenza A/Beijing/32/92 (H3N2)는 Beijing에서 1992년에 32번째로 분리된 A형 인플루엔자바이러스로 아형은 H3N2라는 의미이다.

2) 역학

우리나라는 겨울에서 다음해 초봄(10월–5월)이 유행시기이다. 항원 소변이는 인플루엔자 A, B형에서 거의 매년 일어나 인플루엔자 항원이 지속적으로 바뀌는 역할을 함으로써 계절인플루엔자 유행의 원인이 된다. 일과성 유행 시 평균 발병률은 10–20%이고 일부 연령층이나 위험군에서는 40–50%에 이르며, 유행 기간 동안 폐렴과 인플루엔자에 의한 병원 입원 및 사망이 증가한다. 항원 대변이는 인플루엔자 A형에서 일어나고 이로 인해 새로운 아형의 바이러스가 출현하게 되면 일반 인구에서 면역원성이 없으므로 전 세계에 걸친 대규모의 유행, 즉 인플루엔자 대유행이 일어나게 되며, 막대한 인적, 물적 피해를 일으킨다.

(1) 국내 계절 인플루엔자

국내 질병관리본부 표본감시결과에 따르면 대부분의 절기에서 12월부터 1월이 인플루엔자의 주된 유행시기이며 4–5월에 작은 유행이 이어지는 M자형 유행 분포를 보였지만 2013–2014절기에는 단일 피크의 유행을 보였다(그림 17-1). 절기마다 인플루엔자바이러스 A/H3N2, A/H1N1, B형이 동시에 유행하였고, 2011–2012 절기 이후 A/H3N2 인플루엔자바이러스의 두드러진 유행을 보였다. 특히, 2012–2015 세 절기 동안에 A/H3N2 인플루엔자바이러스의 소변이가 반복되면서 큰 유행을 보였다. 2015–2016 절기, 2018–2019 절기에는 2009 대유행 A/H1N1 인플루엔자바이러스가 다시 유행하면서 대부분의 A형 인플루엔자 감염을 일으켰다.

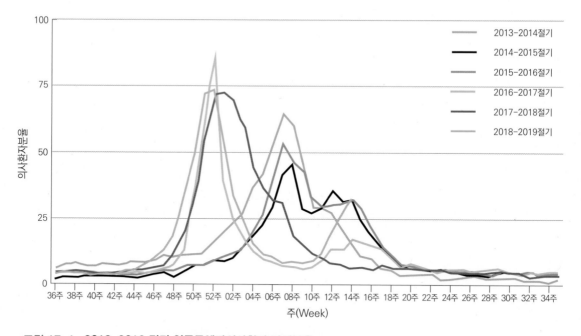

그림 17-1. 2013-2019 절기 인플루엔자의사환자 발생분율
(※ 인플루엔자의사환자발생분율 : 기간내 인플루엔자 의사환자수/기간내 총진료환자수 × 1,000)

(2) 인플루엔자 대유행

지난 20세기에 최소 세 차례의 대유행이 발생하였으며, 이 중 가장 피해가 컸던 1918년 스페인 인플루엔자 대유행에 의해 세계적으로 약 2,000-4,000만 명이 목숨을 잃었다. 이후 약 10-40년 주기로 인플루엔자 대유행이 발생해 왔으며, 1968년 홍콩독감에 의한 대유행 이후 40여 년간 추가 발생이 없다가 21세기 들어 2009년 인플루엔자 A/H1N1에 의해 첫 대유행이 세계적으로 확산되었다. 2009년 4월 말 북미 대륙에서 시작된 대유행 인플루엔자 A/H1N1은 해외 여행객을 통하여 전 세계로 급격히 확산되었다. 우리나라는 2009년 5월 2일 멕시코에 다녀온 51세 여성이 신종인플루엔자 A/H1N1 첫 확진 환자로 판명되면서 대유행이 시작되었다. 2009년 4월 26일부터 2010년 8월 31일까지 전염병웹보고 (national infectious disease surveillance system, NIDSS)를 통해 신고된 대유행 인플루엔자 A/H1N1 환자는 총 763,752명(사망자 263명 포함)이었고 역학조사 과정에서 확인된 사망자 수는 270명이었다. 두 자료를 연계해 중복자를 제외하고 총 759,759명의 대유행인플루엔자 A/H1N1 환자가 확인되었다. 국내 대유행인플루엔자 H1N1의 누적 발생률은 인구 10만 명당 1,538.1명(763,759명)이었고, 누적 사망률은 인구 10만 명당 0.54명(270명), 치명률은 0.035%(270명)이었다. 대유행인플루엔자 A/H1N1의 가장 주목할 만한 특징은 젊은 연령층에서 다수의 환자가 발생하고, 계절인플루엔자와 비교하여 입원과 폐렴 등의 합병증 발생률이 높았다는 점이다. 실제로 연령별 발생 환자수는 0-9세 연령군에서 가장 많았고, 연령이 높아질수록 감소하는 양상을 보였다. 폐렴 발생률은 계절 인플루엔자에 비해서 현저히 높았고(1.59%), 젊은 연령층에서 호발했지만, 연령별 사망환자수와 치명률은 70세 이상이 89명(1.97%), 60-69세가 60명(0.79%)으로 연령이 높을수록 사망 환자수가 많았다.

(3) 조류 인플루엔자

대유행을 일으킬 수 있는 인플루엔자바이러스는 주로 조류인플루엔자바이러스에서 유래하는데 두 가지 시나리오를 생각할 수 있다. 우선, 사람바이러스와 조류바이러스의 혼합용기(mixing vessel) 역할을 하는 돼지에서 유전자 재조합(genetic reassortment)이 된 다음에 종간벽을 뚫고 인체감염을 일으킬 수 있다. 또한, 드물지만 다양한 조류인플루엔자바이러스 중에서 유전자 변이를 통해서 인체에 적응된 바이러스가 출현해 직접 인체 감염을 일으킬 가능성도 있다. 지난 20년간 사람에서 감염을 일으킨 신종 조류인플루엔자바이러스는 대부분 야생철새에서 유래된 H5, H7 및 H9 계열의 A형 인플루엔자바이러스였다. 아직까지 이들 조류인플루엔자바이러스가 대유행을 일으키지는 않았지만 잠재적인 대유행 바이러스에 대해 체계적으로 예측하고 대비할 필요가 있다. 미국질병관리본부(US CDC)와 세계보건기구(WHO)는 지속적인 사람-사람 간 전파력 획득을 통한 대유행 위험성(likelihood)과 공중보건학적 영향(impact)을 고려한 위험평가도구를 만들어 주기적으로 각 바이러스의 대유행 가능성(pandemic potential)의 위험도를 평가하고 있다.

A/H5N1 조류인플루엔자는 1997년 홍콩에서 처음으로 인체감염이 확인되었는데, 당시에 18명의 감염자와 6명의 사망자(치명률 33%)를 초래하면서 대유행에 대한 우려가 갑자기 고조되었다. A/H5N1 조류인플루엔자바이러스는 2003년부터 중앙아시아, 유럽 및 아프리카 대륙으로 확산되어 야생철새와 가금류에서 동물대유행병(panzootic)을 일으키며 밀접접촉자에서 제한적으로 인체감염을 초래하였다. 2017년 10월까지 전 세계 16개국에서 860명의 감염자와 454명(52.8%)의 사망자가 보고되었다. A/H5N1 바이러스는 중국, 이집트, 인도네시아, 베트남, 방글라데시 및 인도의 가금류에 토착화된 것으로 간주되어 왔으나, 최근 중국에서는 A/H5N6, A/H5N8 바이러스로 이미 대치되는 양상을 보이고 산발적으로 인체감염이 발생하고 있다. 국내 가금류에서도 2014년 A/H5N8 조류인플루엔자 유행이 있었으며, 2016년 말부터는 철새로부터 유입된 A/H5N6 조류인플루엔자바이러스가 전국적으로 가금류 농가에 확산되고, A/H5N8 바이러스도 동시에 유행하는 양상을 보였다. 그러나, H5 조류인플루엔자바이러스는 효과적인 사람-사람 간 전파능력이 없어 대유행 가능성은 낮게 평가된다.

대유행 가능성이 가장 높게 평가되고 있는 A/H7N9 조류인플루엔자바이러스는 2013년 3월 중국 동부(양쯔강 삼각주 지역)에서 처음 출현한 이래로 2017년 10월 기준으로 1,564명의 인체감염이 확진되었고, 612명(39.1%) 이상이 사망하였다. H5 바이러스와 달리 야생철새 감염이 드물기 때문에 중국내에 유행이 국한되어 있지만 가금류 유통에 따라서 중국내 유행 지역이 북부, 서부 지역으로 확산되었고, 2016년 이후 인체감염 사례가 급격히 증가하였다. A/H5N1와 달리 A/H7N9 바이러스는 인체감염에 적합한 변이가 드물지 않게 발견되고, 생가금시장(live poultry market)에서 일상적인 접촉 후에 대부분의 인체감염 사례가 발생하고 있다. A/H7N9 바이러스는 저병원성으로 실제 가금류가 감염이 되어도 임상증상이 경미하거나 뚜렷하지 않아 지속적인 접촉을 통해서 인체감염의 위험이 높았을 가능성이 있다. 최근에는 유전자 변이를 통해서 고병원성을 보이는 A/H7N9 바이러스가 발견되고 있는데, 변이 바이러스가 야생철새나 사람에 대한 전파력이 증가하는지 모니터가 필요하다. 야생철새에 대한 전파력이 증가한다면 철새의 이동을 통해서 국내에 유입될 가능성이 매우 높으며, A/H7N9 인플루엔자백신의 개발 및 비축이 필요하다.

(4) 국내 인플루엔자 감시체계

1997년 10월에 일차의료기관 기반의 인플루엔자 임상표본감시체계가 처음 만들어졌으며, 2000년에 인플루엔자가 3군 법정전염병으로 지정되면서 전국적 인플루엔자 표본감시체계(Korean influenza surveillance scheme, KISS)로 확대되었다. KISS를 통해서 주간 단위로 인플루엔자의사질환(influenza-like illness, ILI)의 발생 현황을 보고받아 유행 분석을 하고, 2009년 추가된 실험실 감시를 통해서 유행하는 바이러스를 분리하고, 바이러스의 항원성, 항바이러스제 내성 등을 평가할 수 있었다. 2013년부터는 임상감시와 실험실 감시를 통합하고, 200개 표본감시 기관으로 개편된 '인플루엔자 및 호흡기 바이러스 실험실 감시체계(Korean influenza and respiratory surveillance system, KINRESS)'로 운영되고 있다. KINRESS 표본감시 자료는 인플루엔자 유행을 파악하고 유행주의보를 발령하는 근거로 활용된다. 인플루엔자 유행기준은 과거 3년의 비유행 기간 ILI 평균보다 표준편차의 2배 이상 증가한 경우인데, 유행기준을 초과한 경우에 자문회의를 거쳐서 유행주의보를 발령하고 ILI 분율이 3월 이후 3주 연속 유행기준 이하일 경우에 자문회의를 거쳐서 유행을 해제한다.

일차의료기관 기반의 감시체계와 별도로 2011년부터 3차병원 중심의 병원기반 인플루엔자 감시체계(hospital-based influenza morbidity and mortality, HIMM)가 만들어져 운영되고 있다. HIMM은 전국단위의 10개 대학병원의 네트워크로 구성되었으며, 응급실의 ILI 발생, 입원 환자 발생, 폐렴 및 기타 합병증 발생, 사망 등을 모니터링 함으로써 중증급성호흡기감염(severe acute respiratory infection, SARI) 감시체계 역할을 하고, 절기별로 인플루엔자백신의 예방효과를 평가해서 발표하고 있다. A/H7N9, A/H5N1 등 조류인플루엔자바이러스 감염은 대부분 폐렴이 동반되기 때문에 국내 유입 감염을 감시하는데 HIMM 체계가 더 효율적이므로 강화될 필요가 있다.

3) 임상적 특징

인플루엔자의 특징은 심한 발열성 호흡기 질환이 유행성으로 발생하고 병 자체 또는 합병증으로 인하여 사망을 초래할 수 있다는 것이다. 인플루엔자바이러스는 주로 호흡기 비말로 전파되며, 증상

시작 전부터 전염성이 있고, 성인에서는 증상 시작 후 5일, 소아는 10일 이후까지 바이러스를 전파할 수 있다. 1–4일간(평균 2일)의 잠복기 후에 발열, 오한, 두통, 근육통, 권태감 등이 갑작스럽게 시작된다. 발열 등의 전신증상은 대개 3일간 지속되며, 마른기침, 심한 인후통, 콧물과 코막힘 등의 호흡기 증상이 동반된다. 마른기침, 쉰소리 등이 발열이 소실된 이후에도 3–4일간 지속된다. 노인에서는 호흡기증상 없이 발열, 권태, 의식저하 등의 증상으로 나타날 수 있다. 기침, 피곤함 등의 증상이 회복되기까지는 1–2주 또는 그 이상의 기간이 필요하다. 인플루엔자바이러스 B형에 의한 증상은 A형에 비해 비교적 경하다. 2009년 대유행 인플루엔자 A/H1N1의 임상증상은 계절인플루엔자와 비슷했지만 설사나 구토 등의 위장관 증상이 20–35% 정도로 흔히 동반되었다. 가장 흔한 합병증은 폐렴으로, 인플루엔자바이러스에 의한 일차폐렴이나 세균감염에 의한 이차폐렴으로 입원과 사망이 증가한다. 그 밖에 인플루엔자 감염 후 만성폐질환이나 만성심질환의 급성악화로 인한 입원과 사망이 증가한다. 근육염, 심내막염, 심낭염, 독성쇼크증후군, 뇌염, 횡단척수염 등이 드물게 발생할 수 있다. 특히, 인플루엔자 감염 후 아스피린을 복용한 소아에서 라이증후군(Reye's syndrome)이 발생할 수 있다.

4) 진단

인플루엔자의 확진은 실험실적 진단이 필요하지만 유행 시에는 임상 증상을 근거로 진단할 수 있다. 인플루엔자 유행시기에 ILI (갑작스런 발열과 기침 등의 호흡기 증상)를 보일 때 임상 진단의 양성예측도가 80–90%에 달한다. 그 외 실험실적 진단으로 신속항원검사, 배양검사, 중합효소연쇄반응 검사, 혈청 항체검사 등을 시행할 수 있다. 실험실적 진단 중 신속항원검사는 임상에서 비교적 쉽고 빠르게 사용할 수 있는 방법으로 사용하는 키트와 검체의 종류에 따라 민감도 40–80%, 특이도 85–100%로 알려져 있다. 신속항원검사는 배양 또는 PCR에 비하여 민감도가 낮으나, 실제 진료실에서 환자로부터 직접 검체를 채취하여 15분 이내에 진단함으로써 항바이러스제 투여 여부를 결정할 수 있는 장점이 있다. 바이러스 배양법은 인플루엔자 실험실적 진단의 표준방법으로, 발병 초기 3일 이내에 인두와 비인두 도찰로 얻은 검체를 바이러스 증식이 용이한 세포에 접종하여 배양한다. 바이러스 성장을 확인하는데 적어도 48시간이 필요하며, 바이러스 형을 구분하기 위해서는 1–2일이 추가로 소요된다. 따라서, 통상적으로 양성 배양결과는 2–10일, 음성 결과는 10–21일이 소요된다. 특이 oligonucleotide primer를 이용하여 PCR 또는 RT–PCR을 시행함으로써 인플루엔자바이러스 핵산(RNA)을 검출하는 검사법은 민감도가 매우 높으나, 실험실내 검체간 교차 오염을 주의하여야 한다. 혈청검사법은 hemagglutination inhibition (HI), EIA, complement fixation 또는 neutralization 검사 등을 이용하여 회복기 혈청의 인플루엔자 특이 항체가가 급성기에 비해 4배 이상 증가하면 진단할 수 있다. 단, 혈청학적 검사를 위해서는 발병 1주일 내 급성기 혈청과 2–4주 후 회복기 혈청을 채취해야 한다.

5) 치료

항바이러스제를 치료와 화학예방목적으로 사용할 수 있는데, M2억제제인 amantadine, rimanta-dine과 neuraminidase 억제제인 oseltamivir, zanamivir, peramivir가 있다(표 17-1). 국내에서 riman-tadine은 사용할 수 없으며, amantadine, oseltamivir와 zanamivir는 예방과 치료, peramivir는 치료 목적으로 사용할 수 있다. Zanamivir는 건조분말형태로 경구흡입제로 사용한다. Amantadine은 A형 인플루엔자에만 효과가 있고, oseltamivir, zanamivir와 peramivir는 A, B형 모두에 효과가 있다.

실제 치료 및 예방 목적으로 사용하기 위해서는 항바이러스제 내성에 대한 고려가 필요하다. 질병 관리본부 표본감시 결과에 따르면 국내에서 유행하고 있는 A형 인플루엔자바이러스의 100%에서 M2 억제제에 내성을 보이고 있기 때문에 치료 또는 예방 목적으로 amantadine 사용을 권장하지 않는다. Neuraminidase 억제제에 대한 내성 인플루엔자바이러스는 산발적으로 발견되나 빈도는 매우 낮은 편이다. Oseltamivir에 대한 내성의 경우 A/H3N2나 B형 인플루엔자에 비해 A/H1N1에서 더 흔히 유도되는 것으로 알려져 있다. 2007-2008절기의 경우 H275Y 점돌연변이를 통한 oseltamivir 내성 A/H1N1 인플루엔자바이러스가 출현하여 전세계적으로 문제가 되면서 중요한 문제로 대두되었다. 2008년 말까지 유행했던 A/H1N1 계절 인플루엔자바이러스는 대부분의 나라에서 90% 이상 H275Y 변이에 의한 oseltamivir 내성을 갖고 있었다. 그러나, H275Y 변이를 갖고 당시 유행하던 A/H1N1 인플루엔자바이러스는 복제와 전파력이 떨어져서 2009년 이후 대유행 A/H1N1 인플루엔자바이러스로 대치가 되고 자취를 감추게 되었다. 현재 일본을 제외한 대부분의 나라에서 유행하는 인플루엔자바이러스는 1% 미만의 낮은 oseltamivir 내성률을 보이고 있다. 그러나, 일본의 소아를 대상으로 시행된 연구에서 oseltamivir 치료 중 4-16%의 높은 H275Y 변이 출현을 보고한 바 있으며, 내성변이 출현에 대한 지속적인 감시가 필요하겠다. H275Y 변이에 의해서 oseltamivir에 내성을 보이는 경우엔 peramivir에도 교차내성을 보일 가능성이 높지만, zanamivir 내성은 매우 드물며 국내에서 내성이 보고된 바 없다. 일본에서 273명의 소아를 대상으로 시행한 임상시험에서도 zanamivir 치료 중 내성변이가 유도된 경우는 없었다.

항바이러스제는 증상시작 48시간 이내 투여해야 발열이나 전신증상 기간의 단축 효과를 기대할 수 있다. Peramivir는 정맥 주사용 제제로 건강한 성인을 대상으로 시행한 임상시험에서 용량(300 mg 대 600 mg)에 따른 차이 없이 24시간 이내에 빠른 증상 경감효과를 보여 300 mg 1회 투여하는 것으로 허가를 받았다. 그러나, 조절되지 않는 당뇨병 환자, 면역억제제 투여자 등의 고위험군에서는 600 mg 하루 1회 투여가 300 mg 하루 1회 투여에 비해서 우월한 효과를 보였다. 따라서 고위험군에서 발생한 중증 인플루엔자에 대해서는 600 mg 하루 1회 용량으로 환자의 상태에 따라서 1-5일간 반복 투여를 고려할 수 있다. 1회 정맥 투여하는 peramivir를 제외한 나머지 항바이러스제의 사용기간은 평균 5일을 기준으로 한다. 그러나 폐렴 등의 중증 인플루엔자 감염에 대해서는 7-10일 이상으로 치료기간을 연장할 수 있다. 증상이 호전되었다가 다시 기침, 객담 등의 증상이 나타나면 *S. pneumoniae, H.*

influenzae, S. aureus 등에 의한 이차 세균성폐렴을 의심하여 필요시 흉부방사선검사와 적절한 항균제 치료를 해야 한다.

표 17-1. 항인플루엔자바이러스제의 치료와 예방 요법

항바이러스 제제	연령군(나이: 세)				
	1-6	7-9	10-12	13-64	≥65
Amantadine					
치료목적 인플루엔자 A	5 mg/kg/일 2회 분복 (150 mg까지 투여)	5 mg/kg/일 2회 분복 (150 mg까지 투여)	100 mg 2회/일	100 mg 2회/일	≤100 mg/일
예방목적 인플루엔자 A	5 mg/kg/일 2회분복 (150 mg까지 투여)	5 mg/kg/일 2회분복 (150 mg까지 투여)	100 mg 2회/일	100 mg 2회/일	≤100 mg/일
Zanamivir					
치료목적 인플루엔자 A와 B	–	10 mg 하루 2회	10 mg 하루 2회	10 mg 하루 2회	10 mg 하루 2회
예방목적 인플루엔자 A와 B	1-4세 적용안됨	5-9세 10 mg 하루 2회	10 mg 하루 2회	10 mg 하루 2회	10 mg 하루 2회
Oseltamivir					
치료목적 인플루엔자 A와 B	소아체중에 따라 용량변경*	소아체중에 따라 용량변경*	소아체중에 따라 용량변경*	75 mg 하루 2회	75 mg 하루 2회
예방목적 인플루엔자 A와 B	소아체중에 따라 용량변경†	소아체중에 따라 용량변경†	소아체중에 따라 용량변경†	75 mg 하루 1회	75 mg 하루 1회
Peramivir					
치료목적 인플루엔자 A와 B	2세 이상 소아 10 mg/kg 하루 1회			300 mg 하루 1회	300 mg 하루 1회

* 소아체중 < = 15 kg; 30 mg 하루 2회, 15-23 kg; 45 mg 하루 2회, 23-40 kg; 60 mg 하루 2회, > 40 kg; 75 mg 하루 2회

† 소아체중 < = 15 kg; 30 mg 하루 1회, 15-23 kg; 45 mg 하루 1회, 23-40 kg; 60 mg 하루 1회, > 40 kg; 75 mg 하루 1회

2. 백신의 종류

1) 백신 제형별 분류

인플루엔자백신은 불활화백신과 생백신으로 구분한다. 불활화백신으로는 불활화시킨 바이러스 전체를 사용하는 전바이러스 백신(whole virus vaccine), 에테르 등으로 바이러스 외피(envelope)를 분쇄시킨 분편백신(split vaccine), HA와 NA 성분을 정제한 아단위백신(subunit vaccine)등이 있는데, 분편백신이나 아단위백신과 같은 성분백신이 효과적이고 안전하여 가장 많이 사용되고 있다. 그밖에 면역반응을 증강시키기 위하여 MF59와 같은 면역증강제가 포함된 백신(MF59 adjuvanted vaccine), 항원절약/면역증강을 목적으로 한 피내접종백신(intradermal vaccine)이나 바이러스 유사 형태의 소포로 제작된 비로좀(virosome)백신 등이 개발되어 일부 국가에서 사용되고 있다. 전바이러스 백신은 소아에서 이상반응을 유발하여 현재 국내를 비롯하여 세계적으로 거의 사용되지 않으며, 일부 국가에서만 사용하고 있다. 노인에서 면역원성을 높이기 위한 전략으로, 면역증강제 백신(MF59 adjuvanted vaccine), 피내접종백신(intradermal vaccine)과 고용량 불활화 분편백신이 사용되고 있다. 미국에서 개발된 고용량 불활화 분편백신은 표준항원량백신(15 μg HA/strain, 0.5 mL)의 4배용량의 항원(60 μg HA/strain, 0.5 mL)을 포함하고 있는데, 65세 이상 고령자에서 표준항원량백신에 비해 우월한 효능/효과를 입증하였다. 국내에는 아직 도입되지 않았다. 생백신으로는 비강 내 접종형 약독화 인플루엔자생백신(live attenuated influenza vaccine, LAIV)이 개발되어 사용되고 있다. 불활화백신이 소아에서는 효과가 낮고, 국소면역이나 세포면역을 유도하지 못하는 약점을 보완하기 위해 살아 있는 바이러스를 사용하여 자연감염 경로와 유사한 방법으로 투여해 체액면역과 세포면역반응을 증가시키고자 하는 것이다. 약독화 생백신에 이용되는 재조합 바이러스는 한냉적응(25–33℃)이 되어 있어 상기도에서 증식할 수 있지만, 상대적으로 체온이 높은 하기도에서는 증식하지 않아 폐렴과 같은 심각한 합병증은 일으키지 않는다. 불활화백신에 비해 비강 내 분비형 IgA 항체반응이 활성화되고, 세포매개면역이 보다 광범위하며, 항원성이 다른 주(strain)의 감염에도 어느 정도 교차반응을 보이고 주사를 사용하지 않아 접종률을 높일 수 있는 장점이 있다.

2) 백신에 포함된 바이러스 항원 제조기원별 분류

인플루엔자백신의 기원별로는 유정란(embryonated egg)에서 배양한 바이러스를 정제하여 제작하는 계란유래백신(egg–derived vaccine)과 MDCK, Vero, PER.C6 등의 세포주를 이용한 세포배양백신(cell culture–derived vaccine)으로 나눌 수 있다. 세포배양백신은 생산단가가 계란유래백신보다 비싼 단점이 있으나 계란단백의 오염이 없는 순도가 높은 백신이며, 유정란 공급의 영향을 받지 않는 장점이 있다. 따라서 세포배양백신은 조류인플루엔자의 영향을 받지 않고 일시적인 대량생산이 가능하여 인플루엔자 대유행 시 신속하게 대응할 수 있는 장점이 있다. 국내에서는 2015–2016 절기부터 MDCK

세포배양 불활화 아단위백신이 시판되어 사용되기 시작했다.

3) 백신에 포함된 바이러스 항원 수에 따른 분류

인플루엔자백신은 1945년에 한 가지 아형만을 포함하는 단가 백신으로 처음 개발되었고, 1960년대에 2가, 1978년도에 A/H3N2, A/H1N1, B 등 세 가지 아형의 계절 인플루엔자바이러스에 대한 항원을 포함하는 3가백신으로 개량되었다. 3가 인플루엔자백신이 사용된 이유는 A/H3N2, A/H1N1, B형 등 세 가지 아형의 계절 인플루엔자바이러스가 동시에 유행하기 때문이다. 그런데, 인플루엔자바이러스의 항원이 매년 변화하므로 WHO는 매년 북반구와 남반구로 구분해서 유행 가능성이 높은 세 가지 아형의 인플루엔자 백신주를 선정해서 발표하고, 백신의 조성은 이에 맞추어 바뀌게 된다(표 17-2). A형 계절 인플루엔자바이러스의 두 가지 아형이 유행하듯이 B형 인플루엔자바이러스 또한 항원성에 따라서 크게 Victoria lineage와 Yamagata lineage 두 가지 계통으로 구분이 되는데, 1980년대 후반부터 전 세계적으로 두 가지 계통의 B형 인플루엔자바이러스가 동시에 유행하는 패턴을 보였다. 두 가지 계통의 B형 인플루엔자바이러스 중에서 유행이 예측되는 한 가지 계통의 B형 인플루엔자 백신주를 선정하는데, 최근 10년간 유행한 B형 인플루엔자 백신주와 주된 유행주의 계통이 50%에서 일치하지 않았으며, 두 가지 계통의 바이러스가 동시에 유행하는 경우도 많았다. 미국의 경우는 2001–2011년 사이의 10절기 중에 5절기 동안 B형 인플루엔자 백신주와 주된 유행주 계통의 불일치(mismatch)를 보였고, 분리된 바이러스의 46%가 백신주와 다른 계통이었다. 유럽의 경우도 마찬가지로 2003–2011년 사이의 8절기 중 4절기의 B형 인플루엔자 백신주와 주된 유행주의 불일치를 보였고, 분리된 바이러스의 58%가 백신주와 다른 계통에 속했다. 국내의 경우도 질병관리본부 자료에 따르면 2010년 대유행 이후 두 가지 계통의 B형 인플루엔자바이러스가 절기마다 동시에 유행하는 양상을 보여주고 있다(표 17-2). B형 인플루엔자바이러스의 백신주–유행주 계통 불일치 및 동시유행 양상은 인플루엔자 백신효과를 떨어뜨리는 중요한 요인으로 생각되고 있으며, 2013–2014 절기부터 두 가지 계통의 B형 인플루엔자바이러스 항원을 모두 포함하는 4가백신이 도입되었다. 국내에서는 2015–2016 절기부터 계란유래 4가 불활화백신이 시판되었으며, 2016–2017 절기부터는 4가 MDCK 세포배양 불활화 아단위백신 또한 시판되어 사용되기 시작했다. 도입 초기에 4가 인플루엔자백신은 만 3세(36개월) 이상의 소아 및 성인에서 접종 허가를 받았으며, 2018년 9월에 6개월 이상 전 연령으로 허가가 확대되었다.

표 17-2. **2009년 대유행 이후 WHO의 북반구 인플루엔자 백신주 조성과 B형 유행주 일치율**
(출처: 질병관리본부 인플루엔자 표본감시 결과보고서)

절기	백신주 조성				3가 백신의 B형 유행주 일치율
	A/H1N1	A/H3N2	B (Victoria)	B (Yamagata)	
2010-2011	A/California/07/2009	A/Perth/16/2009	B/Brisbane/60/2008	-	42.9%
2011-2012	A/California/07/2009	A/Perth/16/2009	B/Brisbane/60/2008	-	73.0%
2012-2013	A/California/07/2009	A/Victoria/361/2011	-	B/Wisconsin/01/2010	35.4%
2013-2014	A/California/07/2009	A/Texas/50/2012	B/Brisbane/60/2008*	B/Massachusetts/02/2012	14.1%
2014-2015	A/California/07/2009	A/Texas/50/2012	B/Brisbane/60/2008*	B/Massachusetts/02/2012	100%
2015-2016	A/California/07/2009	A/Switzerland/9715293/2013	B/Brisbane/60/2008*	B/Phuket/3073/2013	3%
2016-2017	A/California/07/2009	A/Hong Kong/4801/2014	B/Brisbane/60/2008	B/Phuket/3073/2013*	12.9%
2017-2018	A/Michigan/45/2015	A/Hong Kong/4801/2014	B/Brisbane/60/2008	B/Phuket/3073/2013*	1.4%
2018-2019	A/Michigan/45/2015	A/Singapore/INFIMH-16-0019/2016	B/Colorado/06/2017	B/Phuket/3073/2013*	97.1%

* 4가백신에 포함된 strain

3. 백신의 효능 및 효과

인플루엔자백신의 효능과 효과를 평가할 때는 백신접종자의 나이와 면역상태, 백신주와 그해 인플루엔자 절기의 유행주와의 일치성 등을 고려해야 한다.

1) 불활화백신

백신주와 유행주가 정확히 일치하였던 2009-2010 절기에 국내 신종인플루엔자 A/H1N1 단가 불활화백신은 전체적으로 73.4%의 방어효과를 보였으며 10-19세에서 가장 효과적이었다(81%). 연령과 예방접종자의 면역상태에 따른 백신의 효능과 효과는 다음과 같다.

(1) 65세 이상 고령자

65세 이상의 연령에서 백신접종의 목적은 인플루엔자 발병을 예방하는 것보다 인플루엔자바이러스 감염과 관련된 이차 합병증을 막고 그로 인한 입원과 사망을 감소시키는 것이다. 노년층에서 백신 예방효과는 인플루엔자의사질환을 30-56%, 폐렴이나 인플루엔자 감염으로 인한 입원을 25-53%, 사망은 27-75%까지 감소시키는 것으로 보고되었고, 양로원이나 시설에 거주하는 경우가 일반 가정에 거주하는 경우보다 예방효과가 더 높았다.

(2) 만성질환자

당뇨병, 심장이나 폐 질환 등의 만성질환자에서 인플루엔자나 폐렴으로 인한 입원 또는 사망을 예방하는 효과는 유행주와 백신주가 일치하는 경우 43–56%로 보고되었다. 개별 질환별로 인플루엔자백신의 예방효과를 살펴보면, 인플루엔자 또는 폐렴으로 인한 입원은 심장이나 폐 질환자에서 29%, 당뇨병, 신장 또는 류마티스질환, 뇌중풍이나 치매환자에서 32%, 다른 위험인자가 없는 경우 49% 감소하였고, 사망은 각각 49%, 64%, 55% 감소를 보고하였다.

(3) 6개월 이상 소아

예방접종 후 대부분의 경우에서 보호항체가 이상의 항인플루엔자 항체를 형성한다. 메타분석결과에 따르면, 건강한 소아에서 인플루엔자백신은 대조군과 비교하여 59%의 감염을 예방하는 효과를 보였다.

(4) 65세 미만 성인

성인에서 백신과 유행바이러스 주가 일치하는 경우 백신접종으로 인플루엔자 발병을 70–90% 예방하였고, 직장 결근, 의료기관 방문과 항생제 사용이 각각 18–45%, 13–44%, 25% 감소되는 효과를 보였다.

2) 약독화 생백신

건강한 소아에서 약독화생백신은 백신주와 일치하는 인플루엔자에 대해서 84%, 모든 인플루엔자에 대해서 64%의 효능을 보였다. 또한, 발열성 중이염을 약 33% 줄이는 효과가 보고되었다. 건강한 성인을 대상으로 불활화백신과 약독화 생백신의 효능을 비교한 연구에서 실험실적 검사로 진단된 인플루엔자를 예방하는 효능은 약독화 생백신 85%, 불활화백신은 71%였다. 2009년 인플루엔자 A/H1N1 대유행 이전에 소아를 대상으로 시행되었던 연구들에서 LAIV는 불활화백신에 비해서 우월한 예방효과를 보였으며, 이를 근거로 미국 예방접종자문위원회(ACIP)는 2–8세 소아의 경우 우선적으로 LAIV 접종을 권장하였다. 그러나 2013–2015 절기에 시행된 연구에서 4가 LAIV는 2–17세 소아의 A/H1N1 대유행 인플루엔자 감염을 예방하는데 효과가 좋지 않은 것으로 밝혀졌다(–21–50%). 따라서, 2015년 이후에 미국 ACIP는 소아에서 4가 LAIV 접종을 권장하지 않았다가 2018–2019절기부터는 다시 접종가능 백신으로 포함시켰다. 반면에 2015–2016 절기에 유럽에서 시행된 두 개 연구에서 LAIV는 2세 이상 소아의 대유행 A/H1N1 인플루엔자 감염의 40–50%를 예방하는 효과를 보여주었고, 영국과 핀란드는 여전히 LAIV를 소아 국가예방접종 프로그램에 포함하고 있다. 그러므로, 백신주의 변화에 따라서 LAIV의 면역원성과 예방효과에 대한 주기적인 평가가 필요하다. 약독화 생백신은 국내에 시판·허가되었으나, 2015년 이후에는 유통되고 있지 않다.

3) 면역지속기간

불활화백신은 건강한 성인에서 접종 후 2주 이내에 90%에서 항체생성을 하지만, 접종 6개월 후 약 50% 정도 항체가가 감소한다. 노인에서는 백신에 대한 면역반응이 건강한 성인보다 저하되어 있고, 항체 역가도 더 빨리 감소한다. 항체가 소실과 백신 항원의 변화를 고려하여 매년 인플루엔자백신접종이 필요하다.

4. 적응증

모든 6개월 이상의 소아와 성인은 매년 인플루엔자백신을 접종받아야 한다. 인플루엔자백신의 공급 부족 시 우선접종대상은 1) 인플루엔자바이러스 감염 시에 합병증의 위험이 높은 고위험군 환자, 2) 고위험군 환자를 돌보거나 함께 거주하는 자에게 우선적으로 접종한다.

약독화 생백신의 적응증은 제한적이며, 임신한 여성이 아닌 2-49세의 건강인에게 접종할 수 있다. 조혈모세포 이식을 받은 환자처럼 심한 면역저하환자와 접촉하는 가족, 의료인 등에게는 생백신을 접종하지 않도록 하며, 이미 접종한 경우 7일 이상 경과 후에 환자와 접촉할 수 있다. 다음의 특수 인구집단 또는 상황에 대한 고려가 필요하다.

1) 합병증 발생 위험이 높은 고위험군

인플루엔자바이러스 감염 시 합병증의 발생위험이 높은 군에는 65세 이상 노인, 생후 6-59개월의 소아, 천식을 포함한 만성호흡기질환 또는 심혈관계의 만성질환이 있는 경우, 당뇨 등의 만성대사질환자, 신기능 장애자, 만성간(肝)질환자, 혈색소병증, 면역저하상태, 생후 6개월부터 18세 청소년에서 장기간의 아스피린을 복용하여 라이증후군의 발생 위험이 있을 때, 인플루엔자 유행절기의 임신부(임신 예정의 가임기 여성 포함), 만성질환으로 집단시설에 치료 중인 환자, 폐렴발생의 위험이 높은 신경계질환자, 고도비만자(체질량지수 30 이상)가 해당된다. 65세 이상의 노인에서는 인플루엔자로 인한 폐렴과 같은 합병증 발생의 위험이 높으며, 평상시 인플루엔자 유행으로 인한 사망자의 90%를 차지한다. 50세에서 64세 사이 성인의 경우는 24-32%에서 한 가지 이상의 고위험 인자를 가지고 있는 경우가 흔하여 백신 우선접종대상군에 포함된다. 생후 6-23개월의 연령층은 인플루엔자바이러스 감염으로 인해 입원이 증가하며, 24-59개월의 소아는 인플루엔자 감염으로 외래와 응급실 진료가 증가되기 때문에 인플루엔자백신 우선 접종 대상으로 고려할 수 있다. 또한 소아는 인플루엔자를 전파하는데 중요한 역할을 하므로, 소아 예방접종을 통해 가정 내 또는 지역사회의 인플루엔자 감염, 그로인한 사망이나 경제적 손실을 줄일 수 있는 것으로 보고되고 있어, 24-59개월 소아도 적극적으로 인플루엔자백신 접종대상으로 고려해야 한다. 만성호흡기질환에는 만성폐쇄성폐질환(만성기관지염, 폐기종), 기관지확장증, 낭성 섬유증, 간질성 폐질환(interstitial lung disease), 진폐증, 기관지폐형성이상, 천식 등이 포함되며, 만성 심혈관계질환에는 선천성심장질환, 심장합병증을 가지고 있는 고혈압(단순 고혈압 제외), 만성심부전, 허혈성심질환 등이 해당되고 인플루엔자로 인한 폐렴 등의 합병증의 위험과 사망률이 높다. 면역저하자는 질병자체나 화학요법치료로 면역이 저하되는 경우, 무비증, 비장기능이상, HIV 감염인, 암환자, 스테로이드(prednisolone 1일 20 mg 이상)를 1개월 이상 복용한 경우 등이 포함된다. HIV 감염인에서 인플루엔자는 증상이 심하고 오래 지속되며, 그로 인한 입원율도 높다. 따라서 HIV 감염인은 인플루엔자백신을 매년 접종해야 하는데, CD4 림프구의 수가 100 cells/mm³ 이상일 때 항체생성을 기대할 수 있다. 임신부, 특히 고위험군에 해당하는 경우는 임신주수에 상관없이 백신을 접종하도록 한다. 만성간(肝)질환자가 많은 우리나라는 면역원성 자료를 근거로 미국보다 먼저 적극적으로 접종을 권장해 왔는데, 2008년부터 미국도 만성간질환을 우선접종대상으로 지정하였다. 신경계 이상자 중 인지장애, 발작, 척수 손상이나 신경근육질환 등의 장애로 인해 호흡기능 이상, 객담 배출 장애나 흡인성 폐렴의 위험이 높은 소아 또는 성인은 인플루엔자로 인한 합병증의 위험이 높으므로 접종 대상에 포함해야 한다.

2) 고위험군 환자를 돌보는 의료진, 동거인 또는 간병인

인플루엔자 합병증의 위험이 높은 고위험군에게 바이러스 전파를 차단하기 위하여 의료인, 0-59개월의 소아 또는 인플루엔자 고위험군의 보호자, 가택 간병인 등 고위험군 환자와 접촉하는 사람은 인플루엔자백신 접종의 대상에 포함된다. 0-23개월의 소아는 인플루엔자로 인한 입원위험이 높고, 특히 0-5개월 유아는 예방접종이 허가되어있지 않으므로 함께 거주하는 가족이나 아이들을 돌보는 사람들은 예방접종이 필요하다. 모유수유 중인 산모는 아기에게 인플루엔자를 전파시킬 수 있으므로 백신접종의 대상이 되며, 성분백신의 경우 모유수유에 영향을 주지 않아 안전하게 접종할 수 있다. 그러나, 약독화 생백신은 모유 수유의 안전성이 연구되어 있지 않고, 수유 시 아기와의 밀접한 접촉을 통해 전파될 위험이 있어 접종을 권고하지 않는다.

3) 임신부

임신부는 일반인구와 비교해 중증 인플루엔자 감염과 합병증 발생의 위험이 높은 것으로 알려져 있다. 1918년 스페인 인플루엔자 대유행시 ILI가 있는 1,350명의 임신부를 조사한 결과, 43%(585명)에서 폐렴이 합병되었고 이 중 52%(302명)가 유산하였다. 또한 사망률은 27%로 보고되었는데, 임신 3기의 임신부에서 사망률이 가장 높았다. 1957년 인플루엔자 대유행시 미네소타에서는 임신과 관련된 사망의 원인으로 인플루엔자가 20%를 차지했고, 사망한 가임기여성의 반수가 임신부였다. 2009년 인플루엔자 대유행시에도 임신부는 비임신부에 비해 입원율이 높았고, 중증감염으로 인한 사망 위험이 높게 나타났다. 미국에서는 2009년 대유행시 일반인구에 비해 임신부의 입원율이 4배 높았던 것으로 추정하였고, 중환자실에 입원한 280명의 임신부 중 56명이 사망하였다. 이처럼 2009년 인플루엔자 A/H1N1 대유행시 임신부가 인플루엔자 관련 합병증, 사망발생의 고위험군임이 확인되었다. 더욱이, 인플루엔자 감염은 조산, 저체중 출산 및 신생아 사망의 위험을 높이는 것으로 나타났다. 이를 근거로 2012년 WHO는 임신부를 인플루엔자백신 접종 권고대상의 제1순위(the highest priority)로 선정하고, 임신주수와 상관없이 불활화 인플루엔자백신 접종을 받도록 권고하였다. 국내의 경우 2009년 대유행시 ILI로 8개 병원을 방문한 19,727명의 가임기 여성 중 대유행 인플루엔자 A/H1N1 감염이 확인된 임신부는 150명이었고, 그 중 중증감염자는 다행히 없었다. 그러나, 일개 대학병원 연구에서는 5명의 임신부가 대유행 인플루엔자 A/H1N1 감염으로 입원하였으며 그 중 1명이 사망하였다. 다른 연구에서는 9개 대학병원에 2009년 대유행 인플루엔자 A/H1N1 감염으로 입원한 임신부 130명의 산과적 합병증을 조사하고, 비임신부 감염인 대조군과 소요된 의료비용의 차이를 비교하였다. 12명(9.2%)의 임신부에서 산과적 합병증이 발생하였고(조산 7명, 유산 1명, 사산 1명, 저체중 3명, 구순 1명), 비임신부 대조군에 비해서 평균 의료비용 지출이 큰 것으로 나타났다. 임신부와 태아에 대한 안전성의 측면에서 인플루엔자백신 접종과 임신의 연관성을 평가한 여러 연구 결과가 발표되었다. 임신부의 인플루엔자백신 접종은 조산, 저체중 출산 등의 위험을 높이지 않고 안전했으며, 접종을 받은 산모뿐만 아니라 산모에서 태어난 영아에서도 인플루엔자 예방효과를 기대할 수 있었다. 실제로, 6개월 미만 영아에서의 인플루엔자 질병부담이 크지만 백신접종이 허가되어 있지 않아서 인플루엔자백신접종을 받은 어머니로부터 얻는 간접면역 획득이 매우 중요하다.

4) 여행자

여행하는 시기와 장소에 따라 인플루엔자에 노출되는 위험이 다르다. 열대지방은 일 년 내내 인플루엔자가 유행할 수 있고, 온대지방의 경우 남반구는 그해 4월부터 9월이 인플루엔자 유행시기이며 북반구는 반대이다. 따라서 북반구와 남반구의 백신권장주가 다를 수 있다. 한국은 북반구에 위치하므로 전년도 가을이나 겨울에 예방접종을 받지 않은 국내거주 고위험군 해당자가 (1) 연중 어느 때라도 열대지방으로 여행을 하거나, (2) 남반구로 4~9월 중 여행할 때, (3) 단체여행을 할 경우 여행 전에 해당지역의 권장주로 백신을 접종한다. 이전 인플루엔자 절기에 접종을 한 경우 재접종이 필요할지는 명확하지 않으며, 만약 다가오는 인플루엔자 유행 시기를 대비한 백신이 나와 있다면 새로 접종하도록 한다.

5) 기타

공적인 중요 임무를 수행하는 사람이나, 기숙사에 거주하는 학생, 입시를 앞둔 수험생(인플루엔자 유행철인 겨울에 시험이 있고 개인적으로 중요한 시기이므로) 등을 인플루엔자백신 접종 대상으로 고려할 수 있다. 조류인플루엔자에 감염된 가금류나 농장에 접촉할 가능성이 있는 사람(예. 조류인플루엔자가 발생한 농장의 거주자, 조류인플루엔자 감염 가금류의 도살업무에 참여하는 경우 등)은 절기백신의 접종이 필요한데 이는 사람바이러스 감염을 예방하여 조류인플루엔자와 재조합바이러스의 출현을 막고자 함이다.

5. 투여방법

1) 투여시기

우리나라 인플루엔자 감시체계에 의하면 인플루엔자 발생시기는 대개 10월부터 5월이며, 유행은 12월–1월에 두드러지지만 3–5월 사이에 뚜렷한 두 번째 유행을 보이기도 한다. 따라서, 백신접종으로 인한 항체 생성에 필요한 기간과 백신의 공급 상황을 고려하여 국내 인플루엔자백신의 적절한 접종 시기는 매년 10월부터 11월이다. 이 기간에 접종하지 못한 경우라도 인플루엔자 유행이 늦게 발생하기도 하므로, 인플루엔자 유행 상황에 관계없이 백신접종을 적극 권장해야 한다. 이전에 백신을 접종하지 않아 2회의 접종을 해야 하는 6개월–9세 미만의 소아는 9월에 예방접종을 시작해 인플루엔자 유행 이전에 추가접종을 마칠 수 있도록 한다. 백신의 공급이 부족한 경우 고위험군을 대상으로 먼저 접종하도록 하고 건강한 젊은 성인의 접종은 백신 공급이 원활해질 때까지 되도록 미루도록 한다.

2) 투여 용량과 방법

(1) 불활화백신

출생 후 처음으로 인플루엔자백신 접종을 받는 6개월–9세 미만의 소아는 근육 주사용 백신 0.25 mL를 최소 1개월 이상의 간격을 두고 2회 투여하며, 두 번째 접종은 인플루엔자 유행기가 시작되기 이전에 접종을 마치는 것이 바람직하다. 만약, 인플루엔자백신을 한 번만 접종하였더라도 다음 절기에는 한 번만 접종하면 된다. 유행바이러스가 백신바이러스와 주(strain)와 다른 경우는 두 번 접종할 필요가 없으나, 아형이 바뀐 경우는 새로운 아형의 백신으로 2회 접종해야 한다. 9–12세는 근육주사용 백신 0.5 mL를 1회 접종한다(표 17-3). 성인은 평상적인 인플루엔자 유행 시기에는 한 번이나 두 번 접종에 따른 항체생성의 차이는 없으므로 0.5 mL 용량의 근육주사용 백신을 1회 접종한다. 18세 이상의 성인은 피내주사용 백신접종 또한 가능하며 0.1 mL 용량을 1회 투여한다.

표 17-3. **접종경로와 연령에 따른 불활화 인플루엔자백신 접종방법**

접종경로	연령	용량	접종 횟수
근육주사	6-35개월	0.25 mL	1 또는 2회*
	3-8세	0.25 mL	1 또는 2회*
	9세 이상	0.5 mL	1회
피내주사	18-59세	0.1 mL	1회
	60세 이상	0.1 mL	1회

* 예방접종을 처음 받는 경우 최소 4주 이상의 간격으로 2회 접종하도록 함.

표 17-4. **연령에 따른 약독화 생백신 접종 방법**

연령	용량	접종수	접종 경로
24개월-8세	0.2 mL	1 또는 2회*	콧구멍(nostril)에 분무
9-49세	0.2 mL	1회	콧구멍(nostril)에 분무

* 과거 인플루엔자 감염력이 없으며 예방접종을 처음하는 경우 최소 4주 이상의 간격으로 2회 접종받도록 함.

(2) 약독화 생백신

이전에 예방접종을 하지 않았던 2-8세는 4주 이상 간격을 가지고 2회 접종을 하며, 이전에 약독화 생백신이나 불활화백신을 맞았던 경우는 1회만 접종한다. 9-49세 인구는 1회만 접종한다(표 17-4).

3) 투여 경로

불활화 인플루엔자백신은 근육, 피내, 피하로 투여할 수 있으나, 면역원성과 안전성면에서 근육주사가 선호된다. 성인이나 주사에 필요한 근육량이 충분한 소아는 어깨세모근(deltoid muscle)에 주사하며, 주삿바늘의 길이는 1 inch (2.54 cm) 이상이 되어야 근육주사가 용이하다. 영아나 어린 소아는 넓적다리의 앞옆쪽에 주사하고 0.7-1 inch (2.22-2.54 cm)의 주삿바늘이 있는 주사기를 이용한다.

피내접종 백신은 주사부위 국소반응이 상대적으로 심하게 나타나지만 적은 양의 항원으로 기대하는 면역원성을 얻을 수 있는 장점이 있다. 근육 주사용 바늘의 10분의 1보다 작은 미세바늘(1.5 mm micro-needle)을 수직으로 어깨 부위에 삽입해 농축된 용량(0.1 mL)을 주사한다.

약독화 생백신은 앉아 있는 자세로 0.2 mL씩 양쪽 콧구멍에 분무한다. 백신은 사용하기 전 냉장고에서 녹여(2-8℃) 보관하며, 60시간 이내 사용하도록 한다. 비강 울혈이 있는 경우 면역생성이 저하될 수 있으므로 증상이 개선될 때까지 백신 투여를 미루도록 한다.

4) 특수한 상황에서의 접종

면역억제제를 투여하는 경우 약제 투여 2주 전에 접종해야 접종 후 적절한 항체형성을 기대할 수 있으며, 용량을 증가시킬 필요는 없다. 조혈모세포이식을 받은 경우 이식 후 6개월 이내에는 항체가 잘 형성되지 않으므로, 6개월 이내에는 가족이나 의료진들의 예방접종으로 감염을 예방하고, 6개월 이후에는 매년 접종받도록 한다.

5) 동시접종

불활화 인플루엔자백신 및 생백신 모두 다른 백신과 동시접종이 가능하다. 다만, 인플루엔자 생백신 접종 이후에 다른 생백신을 접종하거나 다른 생백신 접종 이후에 인플루엔자 생백신을 접종하고자 할 때는 4주 이상의 간격을 두어야 한다. 고위험군에서 폐렴구균백신 접종률을 높이기 위해서 인플루엔자 시즌에 인플루엔자백신과 폐렴구균백신의 동시접종을 권하는 경우가 많은데, 불활화 인플루엔자백신과 23가 다당질 폐렴구균백신 또는 13가 단백결합 폐렴구균백신을 동시접종을 했을 때, 두 경우 모두 적절한 면역이 형성되고, 심각한 이상반응이 관찰되지 않았다.

6. 이상반응

불활화 인플루엔자백신과 관련된 가장 흔한 이상반응은 주사부위의 국소반응으로, 통증, 발적, 경결 등이 발생하며(~65%), 대개 24–48시간 이내에 호전된다. 백신에 티메로살이 포함된 경우 예방접종 부위에 투베르쿨린반응과 유사한 병변을 보일 수 있는데 티메로살에 의한 지연과민반응에 의한 것이다. 백신 성분에 대해서는 제조사의 약품설명서를 참조하도록 한다. 가장 흔한 전신반응은 발열, 근육통, 관절통, 두통 등이며 대개 15% 이내로 발생하고, 소아나 이전에 노출된 적이 없는 항원이 백신에 포함된 경우 다소 많이 나타난다. 소아와 성인 천식환자 모두에서 불활화 인플루엔자백신 접종이 천식을 악화시킨다는 증거는 없다. 1976년 미국에서 돼지인플루엔자 유행 시 인플루엔자백신 접종 후 길랭-바레 증후군의 발생이 10만 명당 1명꼴로 증가하여 접종이 중단된 바 있다. 이후 1977년부터 1991년까지 인플루엔자백신접종과 관련된 길랭-바레 증후군의 발생은 없었다. 1992년부터 1994년까지 인플루엔자백신 접종군에서 약 100만 명당 1명으로 길랭-바레 증후군 발생 증가가 보고되었으나 역학적 연구에서 인과관계를 규명하지는 못하였다. 그러나 비록 관련이 있다하더라도 100만 명당 1건의 발생 증가보다 인플루엔자 예방접종으로 기대되는 심각한 합병증과 사망의 예방효과가 더욱 크다. 길랭-바레 증후군의 재발과 인플루엔자 접종간의 관련성을 알 수는 없지만, 이전에 백신접종 6주 이내에 길랭-바레 증후군을 앓았던 사람은 인플루엔자백신 접종을 피하도록 한다. 하지만, 길랭-바레 증후군의 병력이 있더라도 인플루엔자에 의한 심한 합병증의 위험이 높은 사람은 매년 접종하는 것이 추천된다. 약독화 생백신은 소아에서 콧물(20-75%), 두통(2-46%), 구토(3-13%), 근육통(0-21%), 복통(2%) 등을 일으킬 수 있다. 2세 미만의 소아에서 백신접종 후 천식 발생의 증가가 보고되어, 2세 미만에서 사용이 허가되지 않았다. 2-4세 소아에서도 생백신 처방 시에는 예전에 반복적인 천명음이 들린 적이 있는지 확인하고, 천식의 가능성을 배제해야 한다. 성인은 대략 10%에서 콧물이나 코막힘, 인두통 등의 증상을 보였으나 아직까지 약독화 생백신과 관련된 심각한 이상반응은 보고되지 않았다.

국내 인플루엔자백신접종 관련 이상반응은 2011-2012 절기까지는 병·의원에서 보건소를 통해 질병관리본부로 보고되었으나 2012년 7월 예방접종등록체계가 질병보건통합관리시스템(is.cdc.go.kr)으로 통합됨에 따라 의사가 직접 시스템을 통해 신고하는 것이 가능하게 되었다. 또한, 환자 및 보호자 역시 예방접종도우미사이트(nip.cdc.go.kr)를 통해 직접 신고할 수 있도록 하고 있다. 인플루엔자백신 관련 이상반응 신고는 2002년에 처음으로 4건이 보고된 이후 2005년부터 매년 평균 50건 정도가 신고 되고 있으며, 2009 A/H1N1 인플루엔자 대유행으로 인해 집단 접종을 시행했던 2009년과 2010년에만 각각 2109건, 493건이 보고되었다. 그 중 계절인플루엔자백신과 이상반응의 연관성이 인정되어 보상받은 최초의 사례는 2004년 길랭-바레 증후군이며, 이후 2016년까지 단 12건의 사례만 추가로 연관성이 확인되었다. 과거에는 시간적 연관성을 고려해서 보상해 주는 경우가 많았지만, 최근에는 ganglioside Ab panel 검사를 통해서 길랭-바레 증후군과 인플루엔자백신접종의 연관성을 평가하고 있으며 백신접종 전 앓았던 세균성 장염과 관련된 경우가 대부분이었다. 길랭-바레 증후군 이외에 말초신경병증, 봉와직염, 화농성 근육염 등이 드물게 보고되었다. 기면증은 면역보강제를 포함한 백신과의 연관성이 지속적으로 제기되어 왔으나 국내에서 이와 관련하여 보고된 사례는 현재까지 없으며, 2012년 생백신 접종 후 한 건의 사례가 유일하게 인정되었다. 계절 인플루엔자백신은 접종 후 이상반응 보고가 적은 반면에, 신종 인플루엔자백신은 단기간에 인구집단의 면역도를 높이기 위해 1,500만 명에 달하는 많은 수를 집단예방접종(mass vaccination) 함으로써 이상반응 의심 사례가 많이 보고되었다.

7. 금기

급성 발열이 있는 경우는 증상이 호전된 후에 접종을 하도록 하지만, 특히 상기도 감염이나 알레르기 비염과 같은 경미한 증상(발열 동반 유무 상관없이)의 경우 인플루엔자백신의 접종 금기사항이 되지 않는다. 불활화 인플루엔자백신은 천식을 악화시키지 않으므로 안전하게 접종할 수 있으나 약독화 생백신은 만성호흡기 질환자(천식, 반응성 기도질환 등)에서 접종을 피해야 한다. 이외에도 약독화 생백신은 심혈관질환, 당뇨병, 신기능부전, 혈색소병증 등을 가진 만성질환자, 면역결핍환자, 면역억제제를 복용하는 경우, 아스피린을 복용하는 유아나 청소년(Reye 증후군 발생 위험 때문), 임신부 등에서는 금기에 해당한다. 인플루엔자백신 접종 6주 이내에 길랭-바레 증후군 또는 다른 신경계 이상이 발생한 병력이 있는 사람은 재접종을 피해야 한다.

인플루엔자백신 제조에 사용하는 바이러스를 유정란의 요막공간에서 증식시키므로 백신 중 미량의 계란단백이 함유될 수 있다. 계란유래백신의 경우는 도스 당 1 μg/0.5 mL 이하의 계란단백을 포함하고 있다. 세포배양백신은 유정란 배양 과정을 거치지는 않지만 백신 생산을 위해 공급을 받는 시드 바이러스가 유정란 계대배양 과정을 거치기 때문에 이론적으로 $5 \times 10-8$ μg/0.5 mL 이하 농도의 미량 계란단백이 포함되어 있을 수 있다. 계란단백의 오염이 전혀 없는 유전자재조합 인플루엔자백신(Flublok®, Protein Science)은 국내에 아직 도입되지 않아 처방이 불가능하다. 계란 알레르기가 있는 경우에 인플루엔자백신 접종을 피하도록 권고해 왔으나 아나필락시스와 같은 심각한 이상반응은 인플루엔자백신 접종 후 매우 드물게 발생한다. 실제로 2012년 조사 결과에 다르면, 4,172명의 계란 알레르기 병력이 있는 사람(513명의 심한 계란 알레르기 병력 보유자 포함)이 인플루엔자백신을 접종했을 때 약간의 경한 이상반응이 보고되었지만 아나필락시스와 같은 심각한 이상반응은 발생하지 않았다. 따라서, 미국 ACIP는 2014–2015 절기부터 계란 알레르기 병력이 있는 경우에도 인플루엔자백신 접종을 받을 수 있도록 권고를 변경하였다. 계란 알레르기가 있는 사람도 응급 처치를 위한 준비가 된 상태에서 의료진의 감독 하에 인플루엔자백신 접종을 받을 수 있다. 다만, 과거에 인플루엔자백신 접종 후 아나필락시스 같은 심각한 알레르기 반응이 있었던 경우엔 재접종을 금해야 한다.

8. 국내 유통 백신

인플루엔자바이러스의 항원성이 절기마다 바뀌므로 그에 맞추어 매년 비슷한 일정에 따라 백신이 제조되어 인플루엔자 유행시기 이전에 사용할 수 있도록 준비해야 한다. WHO는 세계 인플루엔자감시체계(global influenza surveillance and response system, GISRS) 자료를 기반으로 다음 절기에 사용할 인플루엔자백신 조성을 결정한다. WHO는 인플루엔자백신 조성을 북반구는 2월, 남반구는 9–10월에 선정해서 웹사이트에 발표한다. 각 백신제조회사는 이를 기초로 하여 6–8개월 이내에 백신을 생산하여 다음 유행절기 이전에 백신을 공급하고 있다. 국내에서 시판 중인 인플루엔자백신은 대부분 근육주사용 불활화백신(분편백신 또는 아단위백신)으로 분편백신은 1 mL당 60–90 μg의 불활화 인플루엔자항원을 포함하고 있으며 아단위백신인 경우 45 μg (아형별로 15 μg)의 정제된 불활화 인플루엔자바이러스 항원을 포함하고 있다(표 17-5). 65세 이상 고령자를 대상으로, 2010년부터 MF59 면역증강제 백신 플루아드(Fluad®, Novartis)가 승인을 받아 사용되었으나 현재 수입중단상태이고, 피내접종백신 아이디플루(IDflu®, sanofi-pasteur)는 18–59세 성인용 백신(9 μg HA/strain, 0.1 mL)과 60세 이상 고령자용 백신(15 μg HA/strain, 0.1 mL) 두 가지 제형으로 도입되어 2015년도까지 사용되었으나 2016년 이후 수입이 중단되었다. 그밖에, 2009년부터 약독화 생백신 플루미스트(FluMist®, MedImmune, Inc.)를 녹십자에

표 17-5. 국내에서 시판되고 있는 인플루엔자백신(2019년 기준)

제조/판매	제품명	용량(mL/S)	허가연령	항원	배양기원	공급원
녹십자㈜	지씨플루프리필드시린지주*	0.25(3세 미만) 0.5	≥6개월	3가	유정란	녹십자 (한국)
	지씨플루쿼드리밸런트 프리필드시린지주*	0.5	≥6개월	4가	유정란	
사노피파스퇴르㈜	박씨그리프주*	0.25(3세 미만) 0.5	≥6개월	3가	유정란	사노피 파스퇴르 (프랑스)
	박씨그리프테트라주*	0.5	≥6개월	4가	유정란	
SK케미칼㈜	스카이셀플루프리필드시린지†	0.25(3세 미만) 0.5	≥6개월	3가	세포	SK케미칼 (한국)
	스카이셀플루4가프리필드시린지†	0.5	≥3세	4가	세포	
한국백신㈜	코박스인플루PF주*	0.25(3세 미만) 0.5	≥6개월	3가	유정란	일양약품 (한국)
	코박스인플루4가PF주*	0.5	≥3세	4가	유정란	
	코박스플루4가PF주*	0.5	≥6개월	4가	유정란	녹십자 (한국)
보령바이오파마㈜	보령플루백신V주*	0.25(3세 미만) 0.5	≥6개월	3가	유정란	녹십자 (한국)
	보령플루V테트라백신주*	0.5	≥6개월	4가	유정란	
	보령플루백신VIII-TF주*	0.25(3세 미만) 0.5	≥6개월	3가	유정란	사노피 파스퇴르 (프랑스)
	보령플루VIII테트라백신주*	0.5	≥6개월	4가	유정란	
보령제약㈜	비알플루텍I테트라백신주*	0.5	≥6개월	4가	유정란	녹십자 (한국)
엘지생명과학㈜	플루플러스티에프주*	0.25(3세 미만) 0.5	≥6개월	3가	유정란	녹십자 (한국)
GSK ㈜	플루아릭스테트라프리필드시린지*	0.5	≥6개월	4가	유정란	GSK(독일)
동아에스티㈜	백시플루4가주사액프리필드시린지*	0.5	≥3세	4가	유정란	사노피 파스퇴르 (프랑스)
일양약품㈜	일양플루백신프리필드시린지주*	0.25(3세 미만) 0.5	≥6개월	3가	유정란	일양약품 (한국)
	테라텍트프리필드시린지주*	0.5	≥3세	4가	유정란	

* 분편백신

† 아단위백신

서 수입해서 판매하였으나 2015년 이후 중단되었다. 세포배양백신으로는 2015-2016 절기부터 3가 MDCK 세포배양 불활화 아단위백신이 시판되어 사용되었고, 2016-2017 절기부터 4가 MDCK 세포배양 불활화 아단위백신이 시판되어 사용되고 있다.

참고문헌

1. Bridges CB, Katz JM, Levandowski RA, et al. Vaccines, Inactivated influenza vaccines, In: Plotkin SA, Orenstein WA, Offit PA, eds. 5th ed. Philadelphia: Saunders Elsevier Inc; 2008:259.
2. DiazGranados CA, Dunning AJ, Kimmel M, et al. Efficacy of high-dose versus standard-dose influenza vaccine in older adults. N Engl J Med 2014;371:635-45.
3. Grohskopf LA, Sokolow LZ, Broder KR, et al. Prevention and Control of Seasonal Influenza with Vaccines: Recommendations of the Advisory Committee on Immunization Practices - United States, 2017-18 Influenza Season. MMWR Recomm Rep 2017;66:1-20.
4. Grohskopf LA, Sokolow LZ, Olsen SJ, et al. Prevention and Control of Influenza with Vaccines: Recommendations of the Advisory Committee on Immunization Practices, United States, 2015-16 Influenza Season. MMWR Morb Mortal Wkly Rep 2015;64:818-25.
5. Heo JY, Song JY, Noh JY, et al. Effects of influenza immunization on pneumonia in the elderly. Hum Vaccin Immunother 2017. doi: 10.1080/21645515.2017.1405200.
6. Izurieta HS, Thadani N, Shay DK, et al. Comparative effectiveness of high-dose versus standard-dose influenza vaccines in US residents aged 65 years and older from 2012 to 2013 using Medicare data: a retrospective cohort analysis. Lancet Infect Dis 2015;15:293-300.
7. Lee JS, Shin KC, Na BK, et al. Influenza surveillance in Korea: establishment and first results of an epidemiological and virological surveillance scheme. Epidemiol Infect 2007;12:1-7.
8. Song JY, Cheong HJ, Hwang IS, et al. Long-term immunogenicity of influenza vaccine among the elderly: Risk factors for poor immune response and persistence. Vaccine 2010;28:3929-35.
9. Song JY, Cheong HJ, Choi SH, et al. Hospital-based influenza surveillance in Korea: hospital-based influenza morbidity and mortality study group. J Med Virol 2013;85:910-7.
10. Treanor JJ. Influenza virus, In: Mandell GL, Bennett JE, Dolin R. Principles and Practice of Infectious Diseases. 7th ed. Philadelphia: Elsevier Co; 2010:2265.

가톨릭대학교 의과대학 **박선희**
가톨릭대학교 의과대학 **최수미**

Chapter 18 일본뇌염

1 대한감염학회 접종 권장대상과 시기

가. 일반성인

　　1) 논, 돼지 축사 인근에 거주하거나 전파시기에 위험지역에서 활동 예정인 경우

　　2) 비토착지역에서 이주하여 국내에 장기 거주할 면역이 없는 성인

나. 여행자

　　: 면역력이 없다고 판단되어 일본뇌염 백신접종이 권고되는 경우

　　1) 일본뇌염 전파시기에 토착지역에 1개월 이상 체류 예정인 경우

　　2) 일본뇌염 전파시기에 1개월 미만으로 단기간 체류하는 경우라도 도시지역을 벗어난 여행을 계획하고 있어 일본뇌염에 노출 위험이 증가하는 경우

　　3) 일본뇌염 유행이 진행 중인 지역으로 여행하는 경우

　　4) 일본뇌염 토착지역으로 여행하며 체류기간이나 목적지, 활동이 불명확한 경우

다. 실험실 근무자

　　1) 일본뇌염 관련 연구를 하는 실험실 근무자에서 연령, 과거 백신접종력 등을 고려하여 접종

2 접종용량 및 방법

가. 불활화백신(Vero세포배양 백신)

　　1) 국내에 거주하는 면역력이 없는 성인은 0, 7-30일, 1년 후 3회 접종

　　2) 위험지역 여행자는 0, 7, 30일 일정으로 3회 접종한다. 여행일정 때문에 빠른 접종이 필요한 경우 0, 7, 14일의 일정으로 접종할 수 있다. 기초접종 후 1년 후에도 지속적으로 일본뇌염 위험에 노출되는 경우 기초접종 후 1-2년 사이에 1회 추가접종을 고려

　　3) 접종용량과 방법: 매회 Vero세포배양 백신 0.5 mL을 피하주사

나. 생백신(약독화 생백신, 약독화 재조합바이러스 생백신)

　　1) 약독화 재조합바이러스 생백신: 0.5 mL을 1회 피하주사

　　2) 약독화 생백신: 성인 권고 불가

3 이상반응

가. 국소 및 비특이적 전신 반응

　　1) 주사부위 통증, 발적, 종창

　　2) 두통, 발열, 근육통

나. 신경계 이상반응

4 주의 및 금기사항

가. 불활화백신(Vero세포배양 백신)

1) 이전 불활화백신접종 후 알레르기나 과민반응이 있었던 경우

2) 불활화백신은 임신부와 수유부에 대한 안전성은 확립되어 있지 않고 임신부에 접종 시 이론적으로 태아에 위험이 있을 수 있어 백신접종을 연기

나. 생백신(약독화 생백신, 약독화 재조합바이러스 생백신)

1) 이전 생백신 접종 후 알레르기 반응이 있었던 경우

2) 백신 성분에 과민반응이 있는 경우

3) 임신부, 수유부

4) 그 외 생백신의 일반적인 금기 사항에 해당되는 경우

5) 약독화 재조합바이러스 생백신(IMOJEV®)은 유당을 함유하고 있으므로 갈락토스 불내성, Lapp 유당분해효소결핍증 또는 포도당-갈락토오스 흡수장애 등 유전적 문제가 있는 경우 금기

1. 질병의 개요

1) 원인 병원체

일본뇌염(japanese encephalitis)은 일본뇌염바이러스(japanese encephalitis virus, JEV)에 의한 인수공통감염병으로 아시아 지역의 소아에서 발생하는 뇌염의 주요 원인이다. JEV는 Flavivirus 속(genus)에 속하는 한 가닥의 RNA바이러스로 현재까지 5개의 유전형(genotype)이 확인되었다. 주요 유전형은 지역에 따라 다를 수 있으나, 혈청형은 하나이고 병독성이나 숙주 선호도는 모두 비슷하다. JEV는 모기에 의해 매개되며, 작은빨간집모기(*Culex tritaeniorhynchus*)가 주요 매개체이나 일부 다른 모기들도 바이러스를 전파할 수 있다. 감염된 매개모기가 돼지와 왜가리나 해오라기 등의 야생조류를 흡혈하면서 JEV를 전파시키고, 감염되지 않는 매개모기가 감염된 돼지와 야생조류를 흡혈하면서 JEV에 감염된다. JEV는 수직감염을 일으켜 매개모기의 알을 통해 유충으로 감염된다. 이와 같이 돼지와 야생조류는 증폭숙주의 역할을 하는 것으로 알려져 있다. 사람은 우연히 감염된 매개모기에 물려서 감염이 되며 감염 시 바이러스혈증 정도가 낮아 병원소의 역할을 하지 않는다(dead-end hosts) (그림 18-1).

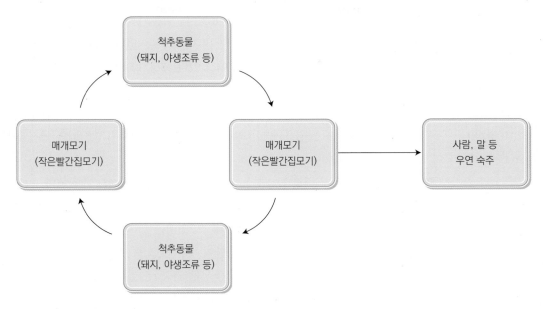

그림 18-1. **일본뇌염바이러스의 전파고리**

2) 역학

　일본뇌염은 아시아와 서태평양 일부 지역의 24개 국가에서 발생하며, 이 지역의 약 30억의 인구가 감염위험이 있다. 전 세계적으로 연간 68,000명의 환자가 발생하며 이 중 약 30%가 사망하는 것으로 보고되었다. 일본뇌염은 온대지역에서는 매개모기 수 증가에 따라 계절적 유행을 보이는데, 주로 4-5월에서 9-10월 사이에 유행하고, 특히 장마나 우기 이후에 발생이 증가한다. 열대 또는 아열대 지역에서는 연중 발생할 수 있는데, 우기 후에 유행이 종종 발생한다. 토착지역에서는 15세 미만의 소아에서 주로 감염이 발생하는데, 적극적인 백신접종이 이루어지면서 발생 연령이 증가하는 양상을 보인다. 면역이 없는 여행자는 연령과 상관없이 감염이 발생할 수 있다.

　우리나라에서는 1946년 인천지역의 주한 미군 중 환자가 최초로 확인되었고, 1949년 5,616명의 환자가 발생하여 이 중 2,729명이 사망하였으며, 1958년에는 약 6,897명의 환자가 발생하여 2,177명이 사망하는 대유행이 있었다. 이후 1960년부터 1968년까지 연간 1,000-3,000명의 환자가 발생하였으나 이후 감소되다가 1982년 1,197명의 환자가 발생하고 이 중 10명이 사망하는 유행이 있었다. 1982년 전국적인 유행을 계기로 1983년에 어린이 필수예방접종으로 일본뇌염 백신이 포함되었다. 접종률이 증가하면서 환자발생이 급격하게 감소하여 1985년부터 2000년까지 연평균 2명 미만으로 발생한다고 보고되었다. 2009년까지 환자발생이 연간 10명 이하로 거의 퇴치수준에 이르렀으나, 2010년에 26명의 환자가 발생한 이후 최근 7년간(2010-2016년)간 총 157건이 보고되었다(그림 18-2). 과거 유행 시에는 대부분 3-15세 소아에서 발생한 반면, 최근 5년(2011–2015년) 동안 발생한 103명의 일본뇌염 확진 환자는 40대 이상이 전체 확진 환자의 약 90% (93명)를 차지하였고, 20세 미만은 3명(2.9%)이었다. 50대에서 가장 많은 환자가 발생하였으며(38명, 36.9%), 40대에서 두 번째로 발생이 높았다(22명, 21.4%). 사망률은 13.6% (14명)이었다. 발생 지역은 경기, 서울, 대구 순으로 환자 발생이 많았고, 절반이 수도권(서울, 경기, 인천) 지역에서 발생하였다(48.8% 63명). 국내·외 여행력, 축사 근처 거주 등의 위험요인이 확인된 환자는 약 40% (40명)였다. 주로 발생하는 시기는 8–10월 사이로, 최근 5년 간(2011–2015년) 일본뇌염 확진 환자 중 96.1% (99명)가 이 기간에 발생하였다.

　　일본뇌염 환자가 40대 이상의 성인에서 주로 발생하는 현상은 일본과 대만에서도 관찰된다. 일본에서 2004년에 시행한 JEV 항체조사결과 4–24세, 60–65세에서는 70% 이상 항체 양성을 보인 반면, 45–49세 사이에서 항체양성률이 매우 낮은 것이 확인되었는데, 이 연령군에서는 과거에 예방접종을 받지 않았고 자연 감염도 경험하지 못하였기 때문에 항체양성률이 낮은 것으로 보인다. 국내에서도 일본뇌염 환자의 대다수가 일본뇌염 백신이 국내 도입되기 전에 출생한 연령군이었으며 일본뇌염 백신접종력이 확인된 경우는 1례뿐이어서 예방접종을 받지 못한 40대 이상에서 상대적으로 환자발생이 증가하는 것을 확인할 수 있었다. 하지만, 일본과 달리 국내에서 2010년에 10개 지역 성인 945명(30–69세)을 대상으로 JEV에 대한 중화항체 보유율 조사에서는 98.1% (927명)에서 항체를 보유하고 있었고, 연령대

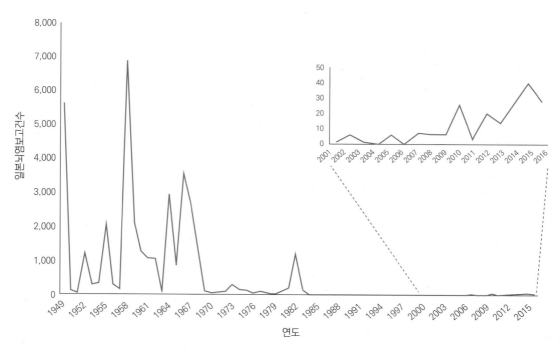

그림 18-2. 국내 일본뇌염 신고 현황(1950-2016년) (2016년 감염병 감시연보)

별 차이를 보이지 않았다. 이 결과에 따르면 아직은 국내 성인에서 일본뇌염 백신접종을 일반적으로 권고할 수는 없다.

JEV 5가지의 유전형 중 1990년대까지는 3형이 주 원인이었으나, 점차 1형으로 대체되고 있다. 국내에서도 과거에는 3형이 우세하였으나, 1994년 이후 1형이 주로 분리되고 있고, 2012년에는 5형의 국내 유입이 확인되었다. 인체 감염 시 병원성이나 면역반응은 유전형에 따라 다르지 않으며, 3형 일본뇌염 백신주로 유도된 항체도 다른 유전형의 바이러스를 중화할 수 있는 것으로 알려져 있다. 그러나 백신접종으로 유도된 항체는 1형에 대한 중화 능력이 3형에 비해 낮았다는 연구결과도 있어, 새로운 유전형의 도입이 국내 일본뇌염 발생에 어떠한 영향을 미칠지에 대한 연구가 필요하다.

국내에서는 1975년부터 일본뇌염 매개모기 밀도와 분포를 조사하여, 작은빨간집모기의 발생 시기와 밀도증가 추세를 신속히 파악하고 일본뇌염주의보와 경보 발령을 하고 있다. 이와 함께 대국민 홍보와 효과적인 방역대책 수립을 위하여 일본뇌염유행 예측사업을 진행하고 있다. 작은빨간집모기 발생 시기는 1970년대에는 6월 하순에서 최근 2015-16년에는 4월 초로 발생시기가 앞당겨지면서 매개모기의 활동기간도 길어졌으나, 최근 보고에 따르면 일본뇌염 매개모기와 전체 모기 발생 수가 감소되었음을 알 수 있다. 그럼에도 불구하고 자연계에서 매개모기가 지속적으로 확인되고 있고, 증폭숙주인 돼지에서도 바이러스 분리가 꾸준히 보고되고 있다. 따라서 기후 및 환경변화와 함께 이에 대한 관리가 소홀해져 매개체의 밀도가 증가할 경우 일본뇌염이 다시 유행할 가능성이 있다. 일본뇌염은 모기매개 감염으로 자연계에 숙주가 있고 사람 간 전파가 없어 군집면역을 기대하기 어렵다. 따라서 일본뇌염 예방의 핵심은 예방접종에 의한다고 할 수 있다. 질병 위험의 감소로 예방접종에 대한 인식이 낮아져 접종률이 떨어지게 되는 경우 일본뇌염 발생위험이 증가할 수 있으므로 국내 일본뇌염 발생을 지속적으로 퇴치수준으로 유지하기 위해서는 예방접종률 유지를 위한 끊임없는 국가적인 노력이 필요하다.

3) 임상적 특징

대부분의 JEV감염은 무증상이고 감염자 250명 중 1명에서 임상증상이 나타난다. 급성 뇌염이 가장 흔한 형태이며 무균수막염 또는 발열 등 경증으로 발생하기도 한다. 폴리오와 같은 급성이완마비를 보이는 경우도 있다. 임상증상이 있는 경우 5-15일의 잠복기 후 갑자기 시작되는 고열, 발열, 설사, 두통, 구토, 전신 무력감 등의 증상이 생기며, 며칠 후 의식변화, 국소 신경장애, 운동장애 등이 발생한다. 소아에서는 복통, 구토가 주된 증상인 경우가 있으며, 경련이 흔하게 관찰된다. 많은 환자가 의식이 점차 나빠지면서 혼수로 이르게 되며, 환자의 일부는 반응이 전혀 없게 되면서 인공호흡기가 필요하게 된다. 폴리오와 같은 급성이완마비를 보이는 경우, 발열 후 갑작스런 이완마비가 나타나고 약 30%에서는 뇌염으로 진행한다. 입원환자의 약 20-30%가 사망하며, 생존자의 30-80%까지 장애가 발생할 수 있다. 급성기가 지난 수개월 후 신경학적 합병증이 발생할 수도 있다. 운동장애, 인지장애 또는 언어장애, 발작, 정신장애, 학습장애 등이 남을 수 있다.

4) 진단

JEV감염은 증상 발생 4일 이후에는 뇌척수액에서, 7일 이후에는 혈청에서 IgM이 나타나므로 급성기의 뇌척수액이나 혈청에서 효소면역측정법(enzyme-linked immunosorbent assay, ELISA)으로 JEV 특이 IgM를 검출하여 진단한다. 급성기와 증상 2-3주 후 회복기 혈청에서 중화항체, 혈구응집억제제(hemagglutination inhibition) 항체, 보체결합항체, 면역형광항체 등의 역가가 4배 이상 증가하는 경우도 진단할 수 있다. 그 외 뇌조직에서 바이러스 분리, 형광 항체 염색을 통한 항원 검출 및 혈액, 뇌조직, 척수액에서 DNA 교잡(hybridization)에 의한 바이러스 RNA의 검출로 진단할 수 있다. 최근에는 역전사중합효소연쇄반응(reverse transcriptase polymerase chain reaction, RT-PCR)을 이용하여 바이러스를 검출할 수 있으나, 인체감염 시 바이러스혈증이 일시적이고 정도가 낮아서 일반적으로 진단에 도움이 되지 않는다. 진단검사는 질병관리본부 국립보건연구원 면역병리센터의 신경계바이러스과에서 시행하고 있다. 필요한 검체는 혈청과 뇌척수액으로 급성기 혈청과 뇌척수액은 4℃를 유지하여 의뢰서와 함께 보내고, 14일 이후의 회복기 혈청도 4℃를 유지하여 의뢰서와 함께 보낸다. 검사는 혈청과 뇌척수액 모두 ELISA 항체검사와 바이러스 유전자 검출을 위한 RT-PCR 등을 시행하게 된다.

5) 치료와 예방

특이적인 치료법은 없으며 뇌압조절, 발작조절, 2차 합병증 예방과 관리 등의 보존적인 치료가 필요하다. 예방은 일본뇌염 백신접종과 모기에 물리지 않도록 주의하는 것인데 가장 효과적인 예방은 백신접종이다.

2. 백신의 종류

현재 세계적으로 사용되는 일본뇌염 백신은 약 15가지이며, 모두 유전형 3형 주를 이용하고 있다. 일본뇌염 백신은 크게 불활화백신, 약독화 생백신, 약독화 재조합바이러스 생백신으로 나눌 수 있다. 배양배지와 바이러스 주 종류에 따라 4가지로 분류할 수 있다. 배양배지는 쥐 뇌조직(mouse brain), 세포, 1차 햄스터 신장세포(primary hamster kidney cells, PHK세포) 등이 사용되고, 바이러스주는 Nakayama주, Beijing-1주, SA 14-14-2주가 주로 사용된다.

쥐뇌조직배양 불활화백신(inactivated mouse brain-derived Japanese encephalitis vaccine)은 일본에서 개발한 Nakayama주와 Beijing-1주를 쥐뇌조직에서 배양한 것이 세계적으로 보급되었다. 그러나 면역유지기간이 짧아 여러 번 접종해야 하고, 배양배지로 사용되는 쥐뇌조직에 포함된 수초기저단백(myelin basic protein, MBP)을 포함한 이종단백에 의한 중추신경계 이상반응 발생의 우려가 있어 세포배양 백신이 개발되었다. 2006년 세계보건기구에서는 쥐뇌조직배양 불활화백신을 안전성에서 우수한 세포배양 불활화백신으로 점차적으로 대체하도록 권고하였으며, 세포배양 일본뇌염 백신 개발을 주요 과제로 삼았다.

세포배양 불활화백신(Inactivated cell-derived Japanese encephalitis vaccine)은 SA 14-14-2주를 Vero세포에 배양하여 제조한 불활화백신(IXIARO®)으로 미국, 호주, 유럽, 캐나다 등에서 사용된다. 면역증강제로 수산화알루미늄(aluminum hydroxide)이 첨가되어 있으나 젤라틴이나 티메로살은 들어가 있지 않다. SA 14-14-2주 세포배양 불활화백신은 2009년 성인을 대상으로 미국, 유럽, 호주에서 허가되었고, 2013년과 2014년에 각각 성인(18-49세)과 소아(12-35개월)를 대상으로 WHO 사전적격심사(pre-qualification)에 통과되었다. 이외에도 세포배양 불활화백신으로는 일본에서 개발된 Beijing-1주 세포배양 불활화백신(ENCEVAC®, JEBIK V®)과 중국에서 개발된 Beijing P-3주 세포배양 백신(JEVAC®) 등이 있다. 일본에서는 2005년 쥐뇌조직배양 불활화백신 생산을 중단하였고 2009년부터 세포배양 불활화백신으로 사용하고 있으며, 대만에서는 2017년 5월부터 필수예방접종에서 쥐뇌조직배양 백신을 세포배양 불활화백신으로 대체하여 사용하고 2019년 6월 이후, 국내에서도 유통되지 않는다.

약독화 생백신(live attenuated japanese encephalitis vaccine)은 중국에서 SA 14-14-2주를 사용하여 PHK세포배양 약독화 생백신을 개발하여 효능과 안전성에 대한 임상시험 후 1988년 중국에서 허가되었고, 현재 우리나라, 네팔, 인도, 스리랑카에서 허가되어 사용되고 있다. 생산이 원활하고, 가격이 저렴하며, 접종 일정이 단순하기 때문에 일본뇌염 환자 발생이 많은 지역에서는 사용이 늘고 있으며, 2014년 WHO에서 8개월 이상의 소아를 대상으로 사전적격심사를 통과하였다.

약독화 재조합바이러스 생백신(live recombinant vaccine, chimeric vaccine)은 황열 예방접종으로 사용되고 있는 YF17D를 벡터로 해서 YF17D 바이러스의 premembrane (prM) 단백과 Envelope (E) 단백 유전자를 SA14-14-2주에 상응하는 유전자와 대체하여 만든 약독화 재조합바이러스로 만들었으며, 약독화 재조합바이러스를 세포에 배양하여 생산한다. 약독화 재조합바이러스는 YF17D나 야생형 JEV로 만든 백신에 비해 신경독성이 약화될 것으로 보고 있다. 약독화 재조합바이러스 생백신은 2014년 9개월 이상 연령군에서 WHO 사전적격검사를 통과했고, 2015년 4월 우리나라에서도 성인과 소아를 대상으로 허가되었다.

우리나라에서는 1967년에 Nakayama주 쥐뇌조직배양 불활화백신을 수입하여 사용하다 1970년대부터 자체 생산이 되면서 Nakayama주 쥐뇌조직배양 불활화백신이 국가예방접종 백신으로 오랫동안 사용되었으나 2017년 이후 생산 중단하였고 2019년 6월 이후는 사용되지 않는다. 약독화 생백신은 2002년부터 소아를 대상으로 허가되어 시판되었으며, 2014년부터 국가예방접종으로 사용하고 있다. Beijing-1주 Vero세포배양 불활화백신을 2013년에 국내 도입하였고, 2015년부터는 국가예방접종에 포함되었다. 2015년에는 약독화 재조합바이러스 생백신이 성인과 소아를 대상으로 허가되어 국내에서 사용되고 있다.

3. 백신의 효능과 효과

일본뇌염 백신에 대한 대부분의 임상연구는 면역원성을 감염예방 여부를 평가하는 대용으로 사용하고 있다. 일본뇌염 백신 접종 후 항체 반응은 $PRNT_{50}$ 1:10 이상의 중화 항체가 생긴 경우 감염을 예방할 수 있는 것으로 보고 있다. 면역원성은 발생지역에 따른 백신접종자의 기초 면역도를 고려해야 하며, 토착화 지역에서 자연면역(natural boosting)과 추가접종 횟수가 면역원성에 영향을 미칠 수 있다. 또 면역원성은 실험에 사용되는 바이러스 주와 세포기질(cell substrate)에 영향을 받으며, 국제적으로 공인된 기준 혈청이 아직 없기 때문에 면역원성을 비교할 때 이 점을 고려하여야 한다. 일본뇌염 백신의 효능(efficacy)과 효과(effectiveness)를 평가한 연구는 많지 않다. 과거에 개발된 쥐뇌조직배양 불활화백신과 약독화 생백신을 이용한 연구는 있으나 그 수가 적고, 최근에 개발된 Vero세포배양 불활화백신과 약독화 재조합바이러스 생백신에 대한 효능과 효과 연구는 아직 없다.

1) 쥐뇌조직배양 불활화백신

(1) 면역원성

일본뇌염이 토착화된 아시아 지역의 소아에서 Nakayama주나 Beijing-1주를 2회 접종한 후 94-99%에서 항체 양전이 확인되었다. 1년 후 접종 전 항체가는 Nakayama주는 78-89%, Beijing-1주는 88-100%였으며, 3차 접종 후 중화항체 양전율은 모두 높았다. 백신주와 동일한 주(homologous strain)에 대해서는 모두 비슷한 면역원성을 보이나, 이종 주(heterologous strain)에 대해서는 Beijing-1주 백신이 Nakayma주보다 좀 더 좋은 면역반응을 보이는 것으로 알려져 있다. 쥐뇌조직배양 불활화백신의 경우 감염을 예방할 수 있는 정도의 항체가를 유지하기 위하여 기초접종 이후에도 추가접종을 시행해 왔는데, 추가접종 스케줄은 국가마다 조금씩 차이가 있다. 우리나라에서는 1994년까지 기초 3회 접종과 15세까지 매년 추가접종(총 11회)을 실시하였으나, 이상반응 발생에 대한 우려로 인하여 추가접종 횟수를 6회로 변경하였고, 2000년부터는 항체보유율 조사 결과를 근거로 추가접종을 2회로 줄여 만 6세, 만 12세에 접종하도록 일정을 변경하였다.

비토착지역인 미국에서 성인을 대상으로 한 연구에서는 2회 접종 시 항체양전율은 80% 미만이었고 6-12개월 후에는 약 30%에서만 중화항체가 유지되었으나 3차 접종 후에는 90% 이상 항체가 양전되었다. 이는 실험실적으로 중화항체가 확인되지 않더라도 면역기억반응(anamnestic reaction)이 있음을 시사하며, 자연감염에 의한 면역 boosting 가능성이 낮은 경우 면역력을 유지시키기 위해 추가접종이 필요하다는 점을 알 수 있다.

(2)효능과 효과

백신의 효능은 대만과 태국에서 수행된 임상시험을 통해 알 수 있다. 1965년 대만의 연구에서 백신 접종군과 대조군의 일본뇌염 발생은 10만 명당 각각 3.6명과 18.2명으로 2회 접종 시 80% (95% CI,71-93%)의 효능을 보였다. 1985년 태국의 연구에서는 접종군과 대조군의 일본뇌염 발생률이 10만 명당 각각 5명과 51명으로 백신접종 시 91% (95% CI, 70-97%)의 효능을 보였다. 백신효과를 평가하기 위한 연구는 태국과 베트남에서 소아를 대상으로 수행되었다. 태국의 연구에 따르면 18개월-5세 때 적어도 1회 이상 접종한 소아에서 97.5%의 예방효과를 보였고, 베트남에서는 적어도 3회 이상 접종받은 15세 미만의 소아에서 92.9%의 예방효과를 보였다.

2) 세포배양 불활화백신

(1) 면역원성

Vero세포배양 불활화백신 연구는 주로 SA 14-14-2주 불활화백신을 이용하여 시행되었다. 초기에는 주로 비토착화 지역의 성인을 대상으로 시행되었는데, 2회 접종 후 모두 높은 항체양전율을 보였다. 성인 430명을 포함한 연구에서는 2회 접종 후 항체양전율은 98%였고 항체가의 기하평균치도 높았다. 토착 지역의 소아를 대상으로 필리핀에서 수행한 연구에서 소아(2개월-17세) 중 접종을 한 군에서 2차 접종 후 28일 후 항체양성률은 약 100% (384/385)였다. 6개월 뒤 추적검사에서는 2개월에서 2세 사이에 접종을 한 소아에서는 항체양성률은 88%였고, 3-17세에 접종한 경우는 95%였다. 장기간의 면역원성에 대한 연구는 많지 않다. 비토착 지역 성인에서 시간이 경과함에 따라 항체양성률이 감소하였으나 추가접종을 하는 경우 항체양전율과 항체가가 증가하고 지속됨이 확인되었다.

일본에서 개발된 Beijing-1주 세포배양 불활화백신을 소아(6-90개월)에게 접종 시, 3회 접종 후 항체양전율은 100%였으며, 2차와 3차 접종 후에는 대조군(쥐뇌조직배양 불활화백신)보다 중화항체가가 높았다. 국내에서도 12-23개월의 건강한 소아 188명에게 ENCEVAC®을 쥐뇌조직배양 불활화백신을 대조백신으로 하여 3상 임상시험을 시행하였으며, 접종 전 대비 3회 기초 접종 4주 후에 항체양전율은 시험군 100%, 대조군 98.95%로 대조백신에 비해 열등하지 않음을 입증하였다. 항체가의 기하평균치도 시험군에서 의미있게 높았다.

3) 약독화 생백신

(1) 면역원성

중국에서 수행된 연구에서 1-12세 소아를 대상으로 1회 접종하였을 때 항체양전율은 85-100%였다. 국내에서 시행한 연구에서 1-3세의 소아를 대상으로 1회 접종 후에는 93.9%, 2회 접종 후에는 97%

의 항체양전율을 보였다. 최근 필리핀과 방글라데시의 8-12개월의 영아에게 홍역백신과 함께 또는 홍역백신 전후로 SA 14-14-2주 약독화 생백신을 1회 접종하였을 때 28일째 항체양전율은 각각 92.1% (95% CI, 84.3-96.7%)과 90.6% (95% CI, 85.3-94.4%)였다. 약독화 생백신이 대조군으로 사용된 임상연구를 통해서도 그 면역원성을 확인할 수 있었는데, 태국에서 9개월-18세 소아에서 시행된 연구에서는 97.3% (95% CI, 93.1-99.2%)였고, 국내 12-24개월 소아에서는 99.1%의 항체양전율을 보였다. 면역유지 기간에 대한 연구는 많지 않다. 예방접종 후 3년간 추적 검사를 수행한 필리핀 연구에서는 3년 뒤 항체 양전율과 항체가는 감소하였다. 그러나, 국내 연구에 따르면 약독화 생백신 추가접종 시 면역기억반응은 좋은 것으로 보고되어, 면역력은 장기간 유지될 것으로 추정된다.

(2) 효능과 효과

　SA 14-14-2주 약독화 생백신을 이용하여 1988년부터 1999년까지 중국에서 1-10세 소아를 대상으로 한 연구에서 98% 이상의 높은 예방효과를 보였다. 1993년 중국에서 15세 미만 소아를 대상으로 수행된 환자-대조군 연구에서는 1회 접종 시 예방효과는 80% (95% CI, 44-93%)였으나, 1년 간격으로 2회 접종한 경우는 97.5% (95% CI, 86-99.6%)의 예방효과를 보였다. 1999년 네팔에서 1-15세 소아 대상으로 대규모 SA 14-14-2주 약독화 생백신 예방접종 캠페인이 있었고, 이후 네팔에서 일본뇌염 유행이 발생하였다. 이때 백신의 예방효과는 캠페인 1주-1개월 후 99.3% (95% CI, 94.9-100%)였으며, 1년 및 5년 경과 후에도 각각 98.5% (95% CI, 90.1-99.2%), 96.2% (95% CI, 73.1-99.9%)로 높게 유지되었다. 인도에서도 예방접종 캠페인 후 예방효과를 평가하기 위한 환자-대조군연구를 수행하였는데, 6개월 후에는 94.5%, 3년 후에는 84%였다.

4) 약독화 재조합바이러스 생백신(Live recombinant virus vaccine)

(1) 면역원성

　미국과 호주에서 성인 대상으로 1회 접종 14일 후와 1개월 후에 각각 94%와 99%의 항체양전율을 보였다. 미국, 호주, 태국, 필리핀 등에서 소아 1,400명을 대상으로 3상 임상시험을 한 결과 1회 접종 1개월 후 항체양전율은 95%이었다. 국내에서는 274명의 소아(12-24개월)를 대상으로 약독화 재조합바이러스 생백신을 1회 접종 시 4주 후 항체양전율은 100%으로 SA14-14-2주 약독화 생백신 접종군과 비교하여 열등하지 않았고, 항체가의 기하평균치도 시험군에서 높았다. 성인에서는 1회 접종 후 항체가 잘 유지되며, 적어도 5년 내 추가접종이 필요 없으나, 소아의 경우 항체가가 성인보다 낮으며 항체도 성인만큼 잘 유지가 되지 않아 1회 추가접종이 필요하다. 추가접종 시 면역기억반응은 매우 좋고 빠르다. 필리핀의 12-18개월 소아에서 1차 접종 후 2년 경과 후 추가접종하였을 때, 추가접종 전 항체양전율이 80%였으나 접종 1개월 후 100%, 1년 뒤 99%였다.

4. 적응증

1) 소아

1세 이상의 모든 소아

2) 성인

(1) 일반성인

최근 국내 일본뇌염은 성인을 중심으로 환자가 발생하고 있다. 성인의 경우 50대 이후에는 백신 도입 시기 이전에 출생하여 예방접종을 받지 못하였을 것이며, 40-49세에서는 백신이 도입되었다고 하더라도 예방접종이 활발하게 시행되기 이전이므로 이들은 자연감염이나 예방접종을 통해 보호항체를 획득하지 못하였을 것으로 추정된다. 하지만, 2010년 전국의 성인 945명(30-69세)에서 중화항체 보유율을 조사한 결과 98.1%에서 항체 양성이었고, 연령이 높을수록 항체보유율이 높아 국내 성인에서 일괄적인 예방접종은 아직은 불필요할 것으로 생각된다. 국내에서 증상을 동반하는 일본뇌염 발생 보고는 많지 않기 때문에 질병부담 및 질병위험에 대한 인식은 높지 않을 것으로 생각된다. 그러나 2010년 연구에서 성인에서 약 2.2%에서 자연 감염이 확인되어 아직 국내에서 일본뇌염바이러스 활동이 지속되고 있음을 시사하고 있다. 그러므로 기후변화와 새로운 유전형 바이러스의 국내 유입, 장기간 예방접종 정책이 국내 일본뇌염 발생에 미치는 영향에 대한 지속적인 관심과 연구가 필요하다. 또 전 연령층을 대상으로 한 대규모 면역도 조사를 수행하여 고위험군을 확인하고 면역력의 시간경과에 따른 변화양상에 대한 분석도 수행되어야 한다. 향후 관련된 연구와 일본뇌염 발생 양상을 바탕으로 국내에서 성인을 대상으로 일본뇌염 백신접종의 필요성에 대한 재고가 필요하다.

요약하면, 일반성인에서 일본뇌염 백신접종이 권고되는 경우는 다음과 같다.

① 논, 돼지 축사 인근에 거주하거나 전파시기에 위험지역에서 활동 예정인 경우

② 비토착화 지역에서 이주하여 국내에 장기 거주할 외국인

(2) 여행자

여행자에게 일본뇌염 백신접종이 필요한지 평가할 때에는 여행 시의 감염 위험성과 여행자의 나이, 백신접종력 등을 추가로 고려해야 한다. 여행 중의 일본뇌염 감염의 위험은 목적지, 체류기간, 계절, 체류지에서의 활동 내용 등에 따라 다르다. JEV 전파는 주로 전파위험시기에 농촌지역에서 일어나기 때문에, 이와 관련된 특별한 활동을 하는 경우가 감염위험에 해당된다. 도시지역에만 체류하거나 유행시기가 아닌 경우에는 감염위험이 낮아 백신접종을 권장하지 않는다. 일본뇌염 비토착화 지역에 거주하는 사람이 토착화 지역으로 여행하는 경우, 장기간 농촌지역에 머무를 때, 자주 여행하는 경우, 짧은

여행이라도 농촌지역에서 야외활동이나 밤에 활동하는 경우, 농촌지역 중, 특히 논농사를 짓고 홍수 범람 지역인 경우 위험하다. 토착화 지역인 국내 거주자가 위험지역으로 여행할 때 백신접종의 필요성은 명확하지 않지만 면역이 없다고 판단되는 경우에는 예방접종을 고려한다.

일본뇌염에 대한 면역력이 없다고 판단되어 일본뇌염 백신접종이 필요한 여행자는 다음과 같다.

① 일본뇌염 전파시기에 토착지역에 1개월 이상 체류 예정인 경우
② 일본뇌염 전파시기에 1개월 미만으로 단기간 체류하는 경우라도 도시지역을 벗어난 여행을 계획하고 있어 일본뇌염에 노출 위험이 증가하는 경우
③ 일본뇌염 유행이 진행 중인 지역으로 여행하는 경우
④ 일본뇌염 토착지역으로 여행하며 체류기간이나 목적지, 활동이 불명확한 경우

(3) 실험실 근무자

실험과정에서 JEV에 노출될 수 있는 경로는 주사침 자상, 점막노출이나 에어로졸을 통한 흡입이다. 백신으로 형성된 면역은 피부를 통해서 노출되는 경우라도 예방할 수 있을 것으로 생각되나, 호흡기를 통해 들어오는 경우의 예방에 대해서는 확실하지 않다. 일본뇌염 관련 연구를 하는 실험실 근무자는 감염의 위험이 있으므로 근무자의 연령, 과거 백신접종력 등을 고려하여 백신접종 여부를 결정한다.

5. 투여 방법

1) 불활화백신(Vero세포배양 백신)

(1) 접종시기

① 소아

생후 12–23개월 기간 중 7–30일 간격으로 2회 접종하고, 2차 접종 후 12개월 후 3차 접종을 실시하여 기초접종을 완료하고, 만 6세와 만 12세에 각각 1회 추가접종한다.

② 성인

국내에 거주하는 면역력이 없는 성인은 0, 7–30일, 1년 후 3회 접종한다. 위험지역 여행자는 0, 7, 30일 일정으로 3회 접종한다. 여행 스케줄 때문에 빠른 접종이 필요한 경우 0, 7, 14일의 일정으로 접종할 수 있다. 기초접종 후 1년 후에도 지속적으로 일본뇌염 위험에 노출되는 경우 기초접종 후 1–2년 사이에 1회 추가접종을 고려한다.

(2) 접종용량과 방법

3세 미만 0.25 mL, 3세 이상 0.5 mL 피하주사

2) 생백신(약독화 생백신, 약독화 재조합바이러스 생백신)

(1) 접종시기

① 소아: 생후 12–23개월에 1회 접종하고 12개월 후 2차 접종한다.

② 성인: 약독화 재조합바이러스 생백신을 1회 접종한다. 약독화 생백신은 성인을 대상으로 한 연구가 없어 성인에게 사용을 권고할 수 없다.

(2) 접종용량과 방법

0.5 mL, 피하주사

6. 이상반응

1) 쥐뇌조직배양 불활화백신

이상반응은 국소 및 비특이적 이상반응, 중증 신경계 이상반응, 중증 과민반응이 발생할 수 있다. 국소반응으로 접종자의 약 20%에서 접종부위의 발적, 압통, 종창이 나타날 수 있다. 전신증상으로 두통, 미열, 근육통, 권태감 등이 약 10%에서 발생한다. 국내 한 조사에서 약 20%에서 압통, 발적, 종창이, 약 10–30%에서 발열, 두통, 권태감, 발적, 오한, 어지러움, 근육통, 구역질, 구토, 복통 등의 전신증상이 나타났다. 신경계 이상반응으로 뇌염, 뇌증, 경련, 말초신경병변 등이 1–2.3백만 도스당 1례 정도 발생하는 것으로 보고되고 있다. Nakayama주 쥐뇌조직배양 불활화백신접종 후 급성파종뇌척수염 사례가 있어 이슈가 되었고 길랭–바레증후군도 언급이 되지만 시간적 연관성 외에는 직접적인 인과관계가 밝혀진 것은 없다. 과민반응으로는 두드러기와 혈관부종이 보고되었는데, 일부 환자에서는 기관지연축, 호흡곤란, 혈압저하 등 중증 과민반응이 발생하였다. 중증 과민반응의 원인으로 백신에 안정제로 들어있는 젤라틴이 관련된 것으로 생각된다. 과민반응은 접종 직후 발생할 뿐 아니라 지연형 과민반응이 발생할 수 있다. 1차 접종 후에는 대부분은 24–48시간 이내에 발생하지만 2차 접종 후에는 지연형 과민반응이 뒤늦게 발생하는 경우도 보고되었다(중위 3일, 범위 1–14일). 중증 과민반응은 접종자 100,000명당 10–260예 정도 발생하는 것으로 보고된다.

2) Vero세포배양 불활화백신

성인에서 SA 14-14-2주 세포배양 불활화백신으로 인한 국소 및 전신 이상반응 발생은 쥐뇌조직배양 불활성백신을 접종받은 군이나 위약군(면역증강제 단독투여군)과 비슷하였다. 국소반응은 쥐뇌조직배양 불활화백신 접종군에서 더 흔하게 발생하였고(Vero세포배양 불활화백신 3.2%, 면역증강제 단독 3.1%, 쥐뇌조직배양 백신 13.8%), 전신 이상반응 발생 빈도는 비슷하였다. 미국, 유럽, 호주에서 소아를 대상으로 시판 후 조사에 따르면, 약 100,000 도스당 25례의 이상반응 보고가 있었고, 주로 발진, 발열, 두통이었다. 중증 이상반응은 100,000 도스당 1.6례에서 보고되었다. 국내에서 소아(12-23개월)를 대상으로 한 Kaketsuken사의 Beijing-1주 Vero세포배양 불활화백신과 쥐뇌조직배양 불활화백신의 비교 임상시험에서 시험군과 대조군 간의 이상반응 발생은 차이가 없었으며, 심각한 과민반응이나 신경계 이상반응은 관찰되지 않았다.

3) 약독화 생백신

여러 임상연구 결과를 통해 SA14-14-2주 약독화 생백신의 안전성을 확인할 수 있다. 우리나라와 태국에서 소아를 대상으로 수행된 무작위 배정 임상시험에서 중증 이상반응은 관찰되지 않았다. 중국에서 시행된 대규모 무작위 코호트 연구에서 13,266명의 접종자와 12,951명의 비접종자를 대상으로 추적 관찰한 결과 두 군간 이상반응 발생빈도는 차이가 없었고, 중증 신경계 이상반응이나 중증 과민반응은 관찰되지 않았다. 중국에서 2009년부터 2012년까지 시판 후 이상반응 발생 감시 결과에 따르면, 6,024건의 이상반응 보고가 있었고 그 중 70건이 중증 이상반응으로 판단되었다. 총 9건의 뇌염 사례가 있었는데, 그 중 1건 만이 백신접종과 관련된 것으로 추정되었고, 나머지 사례는 동반된 질환에 의한 것으로 판단되었다. 백신접종과 관련된 사망은 없었다. 감시기간동안 약 7천만 도스 이상이 사용되었다는 점을 고려하면, SA14-14-2주 약독화 생백신으로 인한 중증 이상반응 발생은 매우 낮을 것으로 보인다.

4) 약독화 재조합바이러스 생백신

임상시험에서 중증 이상반응은 없었다. 국내에서 시행한 12-24개월 소아를 대상으로 한 임상시험 결과 SA14-14-2 약독화 생백신과 비교하여 이상반응 발생은 차이가 없었고, 두 군 모두 중증 과민반응은 관찰되지 않았다. 성인을 대상으로 한 연구에서는 이상반응은 쥐뇌조직배양 불활화백신 접종군에 비해 낮은 빈도로 발생하였고, 대부분 경증 또는 중등도 이상반응이었다. 약독화 재조합바이러스 생백신 접종자를 대상으로 재조합 바이러스의 유전적 안정성에 대한 연구가 진행되었는데, 향신경바이러스(neurotropic virus)로 복귀(reversion)될 위험이나 바이러스혈증 수준은 낮았고, 매개모기를 통한 전파 또는 동물 숙주 내에서 복제(replication)는 없었다.

7. 금기

1) 불활화백신(Vero세포배양 백신)

Vero세포배양 불활화백신은 이전 세포배양 불활화백신접종 후 알레르기나 과민반응이 있었거나 백신 성분에 과민반응이 있는 경우는 접종 금기이다. 불활화백신은 임신부 및 수유부에 대한 안전성은 확립되어 있지 않고, 임신부에 접종 시 이론적으로 태아에 위험이 있을 수 있어, 백신접종을 연기하는 것이 바람직하다.

2) 생백신(약독화 생백신, 약독화 재조합바이러스 생백신)

과거 약독화 생백신 또는 약독화 재조합바이러스 생백신 접종 후 알레르기 반응이 있었거나, 백신 성분에 과민반응이 있는 경우에는 접종 금기이다. 임신부나 수유부에는 안전성이 알려져 있지 않아 접종하지 않는다. 그 외 생백신의 일반적인 금기 사항에 해당되는 경우에 접종 금기이다. 약독화 재조합바이러스 생백신(IMOJEV®)은 유당을 함유하고 있어 갈락토스 불내성, Lapp 유당분해효소결핍증(lapp lactase deficiency) 또는 포도당-갈락토오스 흡수장애(glucose-galactose malabsorption) 등의 유전적인 문제가 있는 환자에게는 접종하면 안 된다.

8. 국내유통백신

우리나라에서 현재 3종류의 일본뇌염 백신이 유통되고 있다(표 18-1). 성인을 대상으로 국내에서 허가된 백신은 이모젭주(IMOJEV®)가 있으며, 불활화백신은 국내에서 성인에게 식품의약품안전처 허가사항은 아니나 질병관리본부 성인예방접종 가이드(2018)와 '예방접종대상 감염병의 역학과 관리(2017)'에서는 필요시 접종할 수 있도록 되어 있다.

표 18-1. **국내 유통 일본뇌염백신의 종류**

백신종류	제품명	제조사	용법/용량	접종일정
Vero세포배양 불활화 백신(Beijing-1주)	녹십자-세포배양일본뇌염백신	녹십자백신	0.5 mL 피하주사	0, 7-30일, 1년 총 3회
	보령세포배양일본뇌염백신	보령바이오파마	0.5 mL 피하주사	
PHK세포배양 약독화 생백신(SA 14-14-2주)	씨디제박스(CD.JEVAX®)	글로박스	0.5 mL 피하주사	성인을 대상으로 한 연구가 없어 권고할 수 없음
Vero세포배양 약독화 재조합바이러스 생백신	이모젭주(IMOJEV®)	사노피 파스퇴르	0.5 mL 피하주사	1회 접종

참고문헌

1. 임형우, 노종열, 이학선 외. 2016년도 국내 일본뇌염 매개모기의 계절적 발생 현황. 주간 건강과 질병 2017;10:1029-33.
2. 정채원, 양태언, 홍정익. 2011-2015년 국내 일본뇌염 환자의 역학적 특성. 주간 건강과 질병 2016;9:211-6.
3. 질병관리본부 예방접종전문위원회 성인분과위원회. 성인 예방접종 가이드. 질병관리본부; 2012. Available at: http://cdc.go.kr/CDC/notice/CdcKrTogether0302.jsp?menuIds=HOME001-MNU1154-MNU0005-MNU0088&cid=19605. Accessed 17 October 2017.
4. 질병관리본부. 예방접종 대상 감염병의 역학과 관리. 제5판. 충북:2017;18:366-383.
5. Arai S, Matsunaga Y, Takasaki T, et al. Japanese encephalitis: surveillance and elimination effort in Japan from 1982 to 2004. Japanese Journal of Infectious Diseases 2008;61:333-8.
6. Fischer M, Lindsey N, Staples JE, Hills S. Japanese encephalitis vaccines: recommendations of the Advisory Committee on Immunization Practices (ACIP). MMWR Recommendations and reports: Morbidity and mortality weekly report Recommendations and reports 2010;59:1-27.
7. Halstead SB, Hills S, Dubischar K. Japanese Encephalitis Vaccines. In: Plotkin SA, Orenstein WA, Offit PA, Edwards K, M., eds. Vaccines. 7th ed. Philadelphia: PA: Elsevier; 2018;511-48.
8. Kim H, Cha GW, Jeong YE, et al. Detection of Japanese encephalitis virus genotype V in Culex orientalis and Culex pipiens (Diptera: Culicidae) in Korea. PLoS ONE 2015;10:e0116547.
9. Lee EJ, Cha G-W, Ju YR, et al. Prevalence of Neutralizing Antibodies to Japanese Encephalitis Virus among High-Risk Age Groups in South Korea, 2010. PLoS ONE 2016;11:e0147841.
10. WHO. Japanese encephalitis vaccines WHO position paper. Weekly epidemiological record 2015;90:69-88.

순천향대학교 의과대학 **이은정**
한림대학교 의과대학 **우흥정**

19 장티푸스

Chapter

1 대한감염학회 접종 권장대상과 시기

가. 장티푸스 유행지역으로 여행하거나 장기체류하는 사람

나. 장티푸스균을 취급하는 실험실 요원

예상 노출일로부터 최소 2주 이전에 접종을 완료하도록 함

2 접종용량 및 방법

Vi 항원 다당류백신

: 2세 이상 어린이나 성인에게 0.5mL를 근육 또는 심부피하에 1회 접종, 필요시 2년마다 추가접종

약독화 경구용 생백신 (Ty21a)

: 6세 이상 어린이나 성인에게 1 캡슐을 4회 (0, 2, 4, 6일째) 복용

3 이상반응

국소 반응: 접종부위의 통증, 종창, 발적, 경결

전신 반응: 발열

4 주의 및 금기사항

가. 급성 발열성 질환

나. 이전에 같은 종류의 백신에 심한 이상반응이 있었던 경우

1. 질병의 개요

1) 원인 병원체

장티푸스는 *Salmonella enterica* subspecies enterica serovar Typhi (*Salmonella* Typhi, S. Typhi)에 의해 발생하는 급성 전신 발열질환이다. *S.* Typhi는 장내세균과에 속하는 그람음성 조건성 혐기성 막대균이다. 살모넬라균은 DNA의 상동성에 따라 *S. enterica*와 *S. bongori* 2개의 종(species)으로 나누며,

7개의 아종(subspecies)으로 분류한다. 균체의 균체항원(O), 편모항원(H), 협막항원(Vi)에 따라 2,500종류 이상의 혈청형(serovar)으로 분류되나, 100개 미만의 혈청형이 사람에게 감염을 일으킨다. S. Typhi는 지질다당류 O 항원 9와 12에 의해 D 그룹의 살모넬라균에 속한다.

2) 역학

S. Typhi는 사람만 감염시키며 대개 환자나 만성 보균자의 변이나 오염된 음식, 물을 통해 전파된다. 직접적인 대변-경구전파는 실제 드물다. 환경이나 음식물에 S. Typhi가 생존할 수 있는 시간은 대변에서 60시간, 물에서 5-15일, 얼음에서 3개월, 육류에서 8주 등 생존기간이 길고 추위에 강하다. 감염을 일으키는 균의 접종량은 200-10^6 colony forming units (CFU)이며, 제산제 복용, 무산증으로 위산도가 낮거나 염증성 장질환, 위장관 수술 혹은 장기간의 항균제 복용으로 인해 장의 정상 세균총에 변화가 있어 장기능의 저하가 있는 경우 더 쉽게 감염된다. 전 세계 대부분의 국가에서 발생하나 남부 중앙아시아, 동남아시아에서 특히 발생률이 높다. 세계보건기구의 추정에 의하면 전 세계적으로 매년 약 2,200만 명의 환자가 발생하여 이 중 약 20만 명이 사망하고 있다. 인도를 포함한 남아시아에서 발생률이 가장 높고 동남아시아, 사하라 사막 이남의 아프리카, 라틴아메리카에서도 발생률이 높은 편이다. 국내에서는 1970년대 이전에는 연간 3,000-5,000명의 환자가 발생하였으나 최근에는 매년 200명 내외로 인구 10만 명당 0.5명 이하로 감소하였다. 성별, 연령별 차이는 뚜렷하지 않으며 전국적으로 연중 발생하고 있다. 2007-2016년 기간 서울, 경기, 경남, 부산에서 환자 발생이 많았다.

3) 임상적 특징

잠복기는 균의 접종량과 노출자의 건강과 면역 상태에 따라 1-3주까지 다양하다. 가장 특징적인 증상은 지속적인 고열이며 치료하지 않을 경우 4주 내지 8주 동안 지속된다. 오한, 두통, 식욕저하, 허약감, 기침, 인두통, 근육통 등 비특이적인 전구증상이 흔히 나타난다. 소화기 증상은 매우 다양하여 설사 혹은 변비가 있으며 1세 이하나 AIDS 환자들에게는 설사가 흔하다. 복통은 20-40%의 환자만이 호소하며 압통은 대부분의 환자에서 관찰된다. 초기 증후로 간, 비장 종대, 코피, 피부발진(장미진, rose spot), 상대 서맥이 관찰되고 중한 환자에서 정신상태가 혼미하거나 섬망이 나타나기도 한다. 말초백혈구는 4,500/mm³ 이하인 경우가 흔하며 혈소판 감소증도 흔하며 경미한 간수치 증가가 보인다. 발병 2-3주째에 장출혈, 장천공이 나타날 수 있는데 소장의 파이어반(Peyer's patch) 괴사로 인해 발생한다. 그 외에 췌장염, 간농양, 비장농양, 심내막염, 심낭염, 고환염, 폐렴, 관절염, 골수염, 뇌수막염, 신경염, 길랭-바레 증후군 등의 합병증이 발생할 수 있다. 적절히 치료를 받지 않으면 증상은 1개월까지 지속될 수 있고 사망률은 12-30%이다. 모든 장티푸스 환자는 이환 기간 중 수 일에서 수 주까지 대소변으로 균이 배출될 수 있고 보통 회복 후 일주일 가량 배출한다. 치료하지 않는 경우 약 10%의 환자에서 발병 후 최소 3개월까지 균을 배출하며 2-5%는 1년 이상 대변이나 소변으로 균을 배출하는 만성보균자가 된다. 만성 보균자는 여성, 담석이나 담낭암이 있는 경우, 장에 종양이 있는 환자에서 흔히 발생한다.

4) 진단

(1) 세균학적 진단

적절한 검체(혈액, 대변, 직장도말물, 소변, 담즙, 골수)에서 S. Typhi를 배양, 동정하여 확진한다. 혈액 배양 양성률은 발병 첫 주에는 90%에 달하나 3주째는 50%까지 감소한다. 발병 2-3주 후에 대변 배양 양성률은 75%로 높다. 항균제를 투여 받은 경우에도(5일 이하) 골수배양을 혈액배양과 동시에 시행할 경우 거의 100% 균 분리를 기대할 수 있다.

(2) 혈청학적 진단

Widal test는 O 항체가와 H 항체가의 증가를 확인하여 추적 검사에서 4배 이상 항체가가 증가할 경우 진단에 도움이 되나 민감도와 특이도가 낮고 신뢰하기 어려워 추천하지 않는다. 협막항원(Vi), 균체항원(O), 편모항원(H)을 응집반응을 통해 확인하고 항원 조합을 통해 혈청형을 결정하는데 O 항원이 D(D1)형, H1항원이 d이고 H2항원을 갖고 있지 않으면 S. Typhi로 판정한다.

5) 치료

적절한 항균제를 신속히 투여하는 것이 심각한 합병증을 예방할 수 있다. 항균제의 선택은 각 지역의 S. Typhi의 감수성에 따라 다른데, 항균제 감수성인 경우 fluoroquinolones이 가장 효과적이며 완치율은 98%, 재발률과 만성 보균율은 2% 미만이다. 그러나 최근 아시아에서 fluoroquinolones이 널리 사용되면서 내성이 증가해 현재는 제한적으로 사용된다. Ceftriaxone, cefotaxime, 경구 cefixime이 내성균의 치료에 효과적이며 azithromycin도 효과적이다. 중증(의식저하, 패혈증 쇼크)환자들은 dexamethasone 병용치료를 고려한다. 만성보균자는 4-6주 동안 경구 amoxicillin, trimethoprim-sulfamethoxazole, ciprofloxacin 또는 norfloxacin을 투여하여 치료한다.

6) 환자 및 접촉자 관리

(1) 환자관리

환자는 장티푸스에 부합되는 임상증상을 나타내면서 확인 진단을 위한 검사기준에 따라 감염병 병원체가 확인된 사람이며 증상이 소실되고, 항균제 치료 완료 48시간 후 24시간 간격 연속 3회 대변배양검사가 음성일 때까지 격리하고 환자나 보균자의 배설물에 오염된 물품의 소독을 실시한다. 전파위험이 높은 보육시설 종사자, 요양시설종사자, 조리종사자와 음식 취급하는 자, 보건의료인 등은 격리 해제까지 음식조리, 간호, 간병 등을 금지한다.

(2) 접촉자 관리

최대 잠복기간까지(마지막 노출 가능시점부터 60일까지) 발병여부를 감시하고 고위험군(식품업 종사자, 수용시설 종사자 등)은 검사결과가 나올 때까지는 음식 취급, 탁아, 환자 간호 등은 금지하며, 장티푸스 증상 발생 시 즉시 의료기관을 방문하도록 교육한다.

2. 백신의 종류

1952년에 장티푸스균 전체를 페놀이나 열로 불활화시킨 장티푸스 백신이 사용되었으나 고열, 전신 이상반응이 심해 2000년도부터 사용하지 않고 있다. 현재 전 세계적으로 시판이 허용된 장티푸스 백신은 정제된 Vi 항원 다당류 주사용 백신, 약독화 경구용 Ty21a 생백신, Vi 다당항원과 파상풍 톡소이드를 병합한 단백결합백신(Typbar-TCV®, Bharat Biotech and PedaTyph™, Biomed®) 이 있다. 시판된 두 종류의 파상풍 톡소이드 단백결합백신은 인도에서 사용되고 있고 PedaTyph™는 모든 연령에서, Typbar-TCV® 는 6개월 초과부터 사용할 수 있다.

WHO SAGE (Strategic Advisory Group of Experts on Immunization)는 2018년에 단백 결합 백신의 안전성, 면역원성과 효과를 인정하여 장티푸스 유행지역의 6개월 이상 영아부터 45세까지 성인에게 Typbar-TCV® 1번 접종을 추천하였고 재접종의 필요성에 대해서는 아직 명확하지 않다고 발표하였다. 이 중 국내에서 이용 가능한 것은 Vi 항원 다당류백신 한 종류뿐이다.

1) Vi 항원 다당류백신

Vi 항원 다당류백신은 불활화 주사용 백신으로 장티푸스균의 피막 다당류인 Vi 항원을 함유하고 있다. 배양된 장티푸스균을 포름알데하이드 등의 화학약품으로 고정하고 Vi 다당류를 추출한 다음, 이를 정제하고 건조시키고 완충액에 녹여서 정제한 백신이다.

2) 경구용 Ty21a 백신

경구용 Ty21a 백신은 1970년대 개발된 약독화 생백신이다. 화학물질(nitrosoguanidine)을 이용하여 장티푸스 환자로부터 분리된 균주의 돌연변이를 유발한 것으로 포도당을 갈락토오스로 전환시키는 epimerase 효소가 결핍이 되어 있고 Vi 다당류를 가지고 있지 않아 독성 없이 면역원성을 갖는다. 이 효소의 결핍으로 인해 백신으로 사용된 균주의 장관 내 생존과 증식이 불안정하다. 2009년 이후 국내에서는 유통되지 않다가 2019년 Vivotif®가 허가되어 사용예정이다.

3) 단백결합백신

단백결합백신은 Vi 다당항원에 어떤 운반 단백질이 결합하느냐에 따라 여러 종류가 있다. Recombinant exoprotein A form *Pseudomonas aeruginosa* (rEPA)가 결합된 Vi–rEPA 결합 백신은 지난 25년 동안 여러 임상연구로 안전성과 효능을 보여주었지만 특히 2세 미만에서 이상적인 용량, 제제, 용법과 스케줄 등에 논란이 있어 아직 시판 허가가 되지 않았다. Vi 다당항원에 tetanus toxoids (Vi–TT), diphteria toxoids (Vi–DT) 또는 recombinant DT CRM$_{197}$ (Vi–CRM$_{197}$)와 결합한 단백결합백신들이 있다.

3. 백신의 효능 및 효과

1) Vi 항원 다당류백신

예방효과는 55–72%이며 주사 후 7일 뒤부터 나타나기 시작하며 면역 지속 기간은 2–3년으로 짧다. 장티푸스 유행 지역에서 수행된 2개의 연구에서 Vi 항원 다당류백신의 예방효과가 입증되었다. 네팔에서 1회 접종을 받은 5–44세, 3,457명을 대상으로 17개월 관찰한 결과 혈액배양 양성으로 진단된 장티푸스 발병이 대조군에 비해 72% (95% CI, 42%–86%; p=0.004) 감소하였다. 남아프리카에서 수행된 5–16세, 5,692명을 대상으로 1회 접종 후 3년간 관찰한 연구에서 접종군이 비접종군에 비해 55%(95% CI, 30%–71%; p<0.0001)의 혈액 배양 양성으로 확인된 장티푸스 발병 감소를 보였다. 우리나라에서 1회 접종 받은 8–28세, 149명을 대상으로 36개월간 면역원성을 관찰한 결과 1년째 84.8%, 3년째 55%가 Vi 항체가를 유지하였다.

2) 경구용 Ty21a 백신

예방효과는 33–77%이며 3–4번 복용 후 7일 후부터 나타나며 면역 지속 기간은 5–7년이다. 장형 캡슐과 액상의 두 제형이 있으나 최근에는 장형캡슐만 제조되고 있다. 1980년대 칠레에서 6–19세를 대상으로 경구용 백신(장형 캡슐)을 3회 투여 후 실험실적으로 확진된 장티푸스 발생을 관찰한 결과, 3년 후 67% (95% CI, 47–79%; p<0.0001), 7년 후 62% (95% CI, 48–73%; p<0.0001)의 효능을 보였다.

3) 단백결합백신

Vi 항원 다당류백신, 경구용 Ty21a 백신보다 효능이 좋고 2–5세의 학동기 전 아동들에게 90% 효능이 4년간 유지된다. Vi–rEPA 는 베트남의 2–5세 아동들에게 2번 투여하였을 때 24개월째 92%, 46개월째 89%의 효능을 보여주었으나 2세 미만의 아동에게는 효능을 보여주지 못했다. Vi–DT와 Vi–CRM107 은 현재 1,2상 임상시험 중이다. 현재 사용 중인 Vi–TT는 2종류가 있고 Typbar–TCV®가 처음으로 3상 임상 시험의 결과로 WHO의 사전심사를 받아 승인되었다. 6개월-2세, 무작위로 선정된 2-45세의 대조군을 대상으로 Typbar-TCV®와 Vi 항원 다당류백신을 투여 후 항 Vi IgG의 반응을 보았는데 Typbar-TCV®를 투여받은 군에서 항 Vi IgG가 일정하게 높게 유지되었다.

4. 적응증

보건복지부, 질병관리본부에서 권장하는 장티푸스 백신 접종대상은 장티푸스 보균자와 밀접하게 접촉하는 사람(가족 등), 장티푸스가 유행하는 지역(인도, 파키스탄, 방글라데시, 스리랑카, 네팔, 부탄 등 남아시아, 동남아시아, 아프리카, 중남미와 남미 지역)으로 여행하는 사람이나 체류자, 장티푸스균을 취급하는 실험실 요원이다. 이 중 장티푸스가 유행하는 지역으로 여행하는 사람과 파병되는 군인, 장티푸스균을 취급하는 실험실 요원에 대한 예방접종은 충분한 근거가 있고 전 세계적으로 거의 모든 예방접종지침에서 권장하는 사항이다. 그러나 장티푸스 보균자와 밀접하게 접촉하는 사람(가족)에 대한 접종은 논란의 여지가 있다. 일부 역학조사에서 가족 내 만성 보균자가 있더라도 장티푸스의 전파에 추가적인 역할이 없어 장티푸스 보균자와 밀접히 접촉을 하는 가족이나 사람에 대한 예방접종이 반드시 필요한 것은 아니라고 발표하였다. 또한 만성 보균자 치료에 효과가 좋은 경구 약제가 있어 보균자에 대한 적절한 치료가 접촉자 백신접종보다 중요할 것으로 보인다. 따라서 대한감염학회에서는 장티푸스 백신의 접종대상을 장티푸스가 유행하는 지역으로 여행하거나 장기체류가 필요한 사람(파병 군인 등), 장티푸스균을 취급하는 실험실 요원으로 국한시켰다.

5. 투여방법

1) Vi 항원 다당류백신

1회 투여 용량인 0.5 mL 에 25 μg의 항원이 포함되어 있다. 0.5 mL를 근육 또는 피하에 1회 접종한다. 면역원성이 낮아 2세 이상 어린이나 성인만 접종이 가능하다. 다른 백신과 동시에 투여해도 면역원성에는 차이가 없다. 예상 노출일로부터 최소 2주 전에 접종해야 하며 면역 지속기간이 짧아 2-3년만 예방효과가 있어 계속 면역 유지가 필요한 경우 2년마다 추가접종을 추천한다. 2-8℃사이에 보관해야 하며 얼리면 안 된다.

2) 경구용 Ty21a 백신

각 캡슐마다 2-10 × 10⁹ CFU의 Ty21a의 약독화 균을 가지고 있다. 한 캡슐을 48시간마다 4회(0, 2,

4, 6일) 투여한다. 항균제와 함께 복용하면 균이 죽어 면역원성이 떨어지므로 백신 투여 1주일 전후로 항균제(메플로퀸 포함)는 사용하면 안 된다. 추가투여가 필요한 경우 미국에서는 5년마다 투여하기를 권장한다. 공복에 37℃ 이하의 찬물로 복용하여야 하며 투여기간 동안 백신은 냉장고에 보관해야 한다.

6. 이상반응

1) Vi 항원 다당류백신

접종 후 24시간 이내에 경미한 국소 동통이 나타날 수 있고 드물게 발진 또는 국소 경결이 나타날 수 있다. 전신반응은 흔하지 않으나 1–5%에서 체온 상승이 경미하게 나타날 수 있고 8%에서 발열, 두통, 불쾌감, 구역이 나타날 수 있으며 근육통, 설사가 나타날 수 있다.

2) 경구용 Ty21a 백신

복부팽만, 식욕부진, 소화불량, 무력감이 나타날 수 있고 설사, 구역, 발열, 두통, 피부발진, 두드러기, 오한, 관절통, 아나필락시스 등을 포함한 알레르기 반응이 나타날 수 있다.

7. 금기

1) Vi 항원 다당류백신

주사용 Vi백신과 백신 성분에 과민한 자, 네오마이신에 대한 과민증의 병력이 있는 자, 과거 접종 시 중요한 이상반응이나 과민반응이 나타난 자, 면역결핍 환자, 임부 또는 임신 가능성이 있는 여성, 수유부, 기타 예방접종 실시가 부적당한 상태에 있는 자에게는 투여하지 않는다. 발열 또는 급성 감염증의 경우 백신접종을 연기하고 2세 이하의 영아에 대한 항체반응이 불충분하다.

2) 경구용 Ty21a 백신

급성 열병 환자, 백신 성분에 과민한 자, 선천성, 후천성 면역결핍 환자에게 투여를 금한다. 임신 중 백신의 안전성에 대한 자료는 충분하지 않으나 인과성이 확실한 위해(이상반응)가 알려져 있지 않으므로 명확한 적응이 되는 경우에만 투여한다. 모든 sulfonamide계 항생제와 항말라리아제는 살모넬라속에 대한 항균작용으로 백신의 면역원성을 저해시킬 수 있어 이 약과 함께 투여해서는 안 되며 적어도 1주일 이상의 간격을 둔다.

8. 국내유통백신

백신종류	제품명	제조사	용법/용량	접종일정
Vi 항원 다당류백신	지로티프주	보령바이오파마	0.5 mL/vial, 근육 또는 피하	1회
	타이포이드코박스주	한국백신	0.5 mL/vial, 근육 또는 피하	
약독화 경구용 생백신	비보티프	한국테라박스	1캡슐씩 복용	4회 (0, 2, 4, 6일째)

참고문헌

1. 배현주. Salmonella와 Shigella의 감염. In: 대한감염학회. 감염학. 서울: 군자출판사; 2007;423-39.
2. 보건복지부, 질병관리본부. 2017년도 수인성 및 식품매개감염병 관리지침. 2017.
3. 약학정보원. 예방접종정보. Available at: http://www.health.kr/searchDrug/search_total_result.asp. Accessed 9 March 2018.
4. 질병관리본부 국립보건연구원. 감염병실험실 진단. 질환별 시험법. 제3개정판. 2005.
5. Acharya IL, Lowe CU, Thapa R, et al. Prevention of typhoid fever in Nepal with the Vi capsular polysaccharide of Salmonella typhi. A preliminary report. N Engl J Med 1987;317:1101-4.
6. Bhutta ZA, Capeding MR, Bavdekar A et al. Immunogenicity and safety of the Vi-CRM197 conjugate vaccine against typhoid fever in adults, children, and infants in south and southeast Asia: results from two randomised, observer-blind, age de-escalation, phase 2 trials. Lancet Infect Dis 2014;14;119-29.
7. CDC. Typhoid immunization-recommendations of the Advisory Committee on Immunization Practices (ACIP). MMWR Recomm Rep 2015;64:305-8.
8. Crump JA, Mintz ED. Global trends in typhoid and pararyphoid fever. Clin Infect Dis 2010;50:241-46.
9. K.A. Date, A.B-Enchill, F Mark, et al. Typhoid fever vaccination strategies. Vaccine 2015;33:C55-61.
10. Kasper DL, Fauci AS, Hauser SL, Longo DL, et al. Harrison's Principles of Internal Medicine. 19th ed. New York: McGraw-Hill; 2015;1049-53.
11. Klugman KP, Gilbertson IT, Koornhof HJ, et al. Protective activity of Vi capsular polysaccharide vaccine against typhoid fever. Lancet 1987;2:1165-69.
12. Klugman KP, Koornhof HJ, Robbins JB, et al. Immunogenicity, efficacy and serological correlate of protection of Salmonella Typhi Vi capsular polysaccharide vaccine three years after immunization. Vaccine 1996;14:435-38.
13. Levine MM, Ferreccio C, Abrego P, et al. Duration of efficacy of Ty21a, attenuated salmonella typhi live oral vaccine. Vaccine 1999;17:S22-7.
14. Levine MM, Ferreccio C, Germanier R. Large-scale field trial of Ty21a live oral typhoid vaccine in enteric-coated capsule formulation. Lancet 1987;1:1049-52.
15. Lin FY, Ho VA, Khiem HB, et al. The efficacy of a Salmonella typhi Vi conjugate vaccine in two-to-five-year-old children. N Engl J Med 2001;344:1263-9.
16. Mai Ngoc L, Phan Van B, Vo Anh H, et al. Persistent efficacy of Vi conjugate vaccine against typhoid fever in young children. N Engl J Med 2003;349:1390-1.
17. Steinberg EB, Bishop R, Haber P, et al. Typhoid fever in travelers: who should be targeted for prevention? Clin Infect Dis 2004;39:186-91.
18. Sur D, Ochiai RL, Bhattacharya SK, et al. A cluster-randomized effectiveness trial of Vi typhoid vaccine in India. N Engl J Med 2009;361:335-44.
19. Szu SC. Development of Vi conjugate-a new generation of typhoid vaccine. Expert Rev Vaccines 2013;12:1273-86.
20. WHO. SAGE Working Group on Typhoid Vaccines [Internet]; 2017. Available at: http://www.who.int/medicines/news/2017/WHOprequalifies-breakthrough-typhoid-vaccine/en/Accessed 25 September 2018.
21. World Health Organization (WHO). Immunological basis of immunizationseries: module 20: Salmonella enterica serovar Typhi (typhoid) vaccines.Geneva; 2011.
22. YR Kim, JH Yoo, JK Hur, et al. Immunogenicity of Vi capsular vaccine evaluated for 3 years in Korea. J Korean Med Sci 1995;10:314-17.

고려대학교 의과대학 **노지윤**
조선대학교 의과대학 **김동민**

Chapter 20 진드기매개뇌염

1 대한감염학회 접종 권장대상과 시기

가. 국내에서 허가된 백신은 없음

나. 진드기매개뇌염 유행국가를 방문하는 국내 성인이 방문국가의 삼림 등지에서 야외활동이 많을 것으로 예상되는 경우 진드기매개뇌염 백신접종을 권장함

2 접종용량 및 방법

가. 성인의 경우 0.5 mL 근육주사

나. 백신의 종류에 따라 권장되는 접종 일정이 다르며 일반적으로 기본 접종으로 3회 주사

3 이상반응

가. 국소반응: 주사부위의 통증, 발적, 부종

나. 전신반응: 두통, 근육통, 관절통, 발열

4 주의 및 금기사항

백신 성분에 중증 과민반응이 있는 경우, 급성 발열성 질환이 있는 경우

1. 질병의 개요

1) 원인 병원체

진드기매개뇌염은 진드기매개뇌염바이러스(tick-borne encephalitis virus, TBEV)에 의해 발생하는 중추신경계 감염이다. 진드기매개뇌염바이러스는 *Flaviviridae* 과(family) *Flavivirus* 속(genus)에 속하는 단일가닥 양방향(single-stranded positive sense) RNA 바이러스로 크기는 약 50 nm이며 외피 당단백(envelope glycoprotein)과 막 당단백(membrane glycoprotein)을 포함하는 이중 지질막으로 싸여 있다. 성숙한 바이러스입자(비리온, virion)는 capsid (C), membrane (M), envelope (E)의 세 가지 구조

표 20-1. 진드기매개뇌염 바이러스의 유전형

분류	표준주(prototype strain)	이전 명칭
Western (European)	Neudörfl	Central European encephalitis virus
Far Eastern	Sofjin	Russian Spring Summer encephalitis virus
Siberian	Zausaev, Vasilchenko	Western Siberian encephalitis virus

단백질로 구성되며, 이 중 E 단백질이 중화항체 생성을 유도하는 주된 항원이다.

진드기매개뇌염바이러스는 유전학적으로 Western (European), Far Eastern, Siberian의 세 가지 아형으로 분류되며 러시아의 Irkutsk 지역에서 두 가지 유전형이 추가로 확인되었다(표 20-1). 진드기매개뇌염바이러스는 각 아형이 다르더라도 유전학적으로는 매우 유사하여, 각 아형 간 아미노산 서열의 유전학적 차이는 약 6%로 알려져 있다.

진드기는 진드기매개뇌염바이러스의 매개체이자 보유 숙주(reservoir)이며, 설치류가 주된 숙주이다. 사람은 우연숙주(accidental host)이며 진드기매개뇌염바이러스는 주로 사람이 감염된 Ixodid ticks에 물려서 사람으로 전파된다. Ixodes ricinus는 주로 유럽 지역에서 주된 매개체이며, 동부 유럽과 러시아, 극동아시아에서는 Ixodes persulcatus(산림참진드기)가 주요 매개체로 작용한다. Western 아형의 주된 매개체는 I. ricinus이며, Far Eastern 아형과 Siberian 아형의 주된 매개체는 I. persulcatus이다. 유럽의 진드기매개뇌염 유행 지역에서 약 0.1–5%의 진드기가 진드기매개뇌염바이러스에 감염되어 있다. 일본에서는 Far Eastern 아형의 진드기매개뇌염바이러스가 Ixodes ovatus(사슴참진드기)에서 검출되기도 하였으며 일본과 중국에서 확인된 진드기매개뇌염바이러스는 주로 Far Eastern 아형이나, 한국에서 확인된 진드기매개뇌염바이러스는 Western 아형이다. 대부분의 인체감염은 삼림 지역에서 레저 활동을 하거나 임업 종사자 등의 경우 직업적으로 노출이 되어 진드기에 물려서 발생하지만, 감염된 양, 염소, 소의 멸균되지 않은 유제품을 섭취하여 이환되기도 한다. 진드기매개뇌염은 진드기에 물린 후 감염된 진드기의 침을 통해 수 분내에 전파되므로 진드기를 조기에 떼어내도 진드기매개뇌염을 예방하지 못할 수 있어 예방을 위해서는 백신접종이 도움이 된다.

2) 역학

진드기매개뇌염바이러스는 동부, 중부 및 북부 유럽 국가, 중국 북부, 몽골, 러시아 등지에서 중추신경계 바이러스 감염의 중요한 원인 병원체이다. 진드기매개뇌염은 유럽과 아시아 일부 국가에서 토착화되어 있으며, 동서로는 프랑스부터 일본, 남북으로는 시베리아, 북유럽부터 남부유럽, 중부 아시아에 걸쳐 분포한다(그림 20-1). 진드기매개뇌염 발생률은 서부 시베리아, 슬로베니아, 에스토니아, 라트비아, 리투아니아에서 가장 높다(표 20-2). 2015년 유럽연합 자료에 의하면 인구 10만 명당 발생 건수가 리투아니아 11.5건, 에스토니아 8.7건, 라트비아 7.1건, 슬로베니아 3.0건이었다. 아시아 국가 중에는 중국, 일본, 카자흐스탄, 키르기스탄, 몽고 및 우리나라에서 진드기매개뇌염 환자 발생이 보고되거나 진드기매개뇌염바이러스의 존재가 보고되었다.

유럽과 아시아에서 매년 10,000–12,000명의 진드기매개뇌염 환자가 보고되고 있으나 실제 감염자 규모는 더욱 클 것으로 생각된다. 진드기매개뇌염은 진드기가 왕성하게 활동하는 계절, 즉 온대지역에서는 봄과 여름, 지중해 지역에서는 가을과 겨울에 흔히 발생한다. 유럽에서 대부분의 환자는 진드기의 활동 정도가 높은 4월에서 11월 사이에 발생한다. 중부 유럽에서 *I. ricinus*의 활동 정도는 5월과 6월 사이, 9월과 10월 사이에 두 번의 정점 패턴을 보이고 이는 유사한 환자 발생 패턴으로 이어진다. *I. persulcatus*는 우랄, 시베리아, 극동 지역에 주로 분포하며 5–6월 사이의 단일 정점 양상의 활동을 보인다.

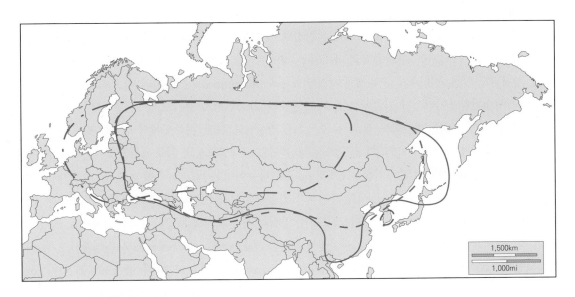

그림 20-1. 진드기매개뇌염 바이러스 분포 지역

Western (European): — · —

Siberian: - - - -

Far Eastern: ▬▬▬

표 20-2. 유럽 주요국가 진드기매개뇌염 환자 발생 수(2015년)

국가	리투아니아	에스토니아	라트비아	체코	슬로베니아	스웨덴	슬로바키아	핀란드
발생 수	336	115	141	349	62	268	80	68
10만 명당 발생률	11.5	8.7	7.1	3.3	3.0	2.7	1.5	1.2

국가	오스트리아	크로아티아	독일	폴란드	헝가리	노르웨이	룩셈부르크	프랑스
발생 수	79	26	219	115	22	9	1	10
10만 명당 발생률	0.9	0.6	0.3	0.3	0.2	0.2	0.2	0.0

국내에서는 2005년 경기도 동두천과 강원도 정선에서 채집한 *Haemaphysalis longicornis*(작은소피참진드기) 548마리와 *Ixodes nipponensis*(일본참진드기) 87마리를 38개의 pool로 구분하여 역전사중합효소연쇄반응(RT-PCR)을 수행하였고, 4개의 pool에서 진드기매개뇌염바이러스가 검출되었다(그림 20-2). 경상남도 합천, 전라북도 구례에서 채집한 *Apodemus agrarius*(등줄쥐)의 폐 조직 24건 중 5건에서 진드기매개뇌염바이러스가 검출되었다. 2005년부터 2006년까지 경기도 양평, 동두천, 전곡, 김포, 강원도 원주, 평창, 정선, 전라북도 장수, 무주, 남원, 경상남도 진해, 제주도에서 수행한 진드기 연구에서는 잔디밭과 삼림에서 1,878마리의 진드기를 채집하였고, 야생동물과 가축에서 582마리의 진드기를 채집하였다. 총 2,460마리의 진드기를 197개의 pool로 나누어 RT-PCR을 수행한 결과, 12개의 pool에서 진드기매개뇌염바이러스 envelope (E) 유전자가 검출되었다. 진드기매개뇌염바이러스는 양평과 평창에서 채집한 *Haemaphysalis flava*(개피참진드기), 양평과 동두천에서 채집한 *I. nipponensis*, 동두천, 평창, 정선에서 채집한 *H. longicornis*, 정선에서 채집한 *Haemaphysalis japonica*(사슴피참진드기)에서 검출되었다. 2007년 제주도에서 채집한 209개의 *H. longicornis* pool (1,917마리) 중 2.39% (5건)의 pool에서, 98개의 *H. flava* pool (423마리) 중 1.02% (1건)에서 RT-PCR 결과 진드기매개뇌염바이러스 양성이었다. 2011-2012년 전국 10개 시도 25개 지역에서 수행한 감시 결과, 13,053마리의 진드기가 채집되었고 1,292 pool 중 10개 pool에서 진드기매개뇌염바이러스가 검출되었다. 진드기매개뇌염바이러스가 검출된 진드기 채집 지역은 강원도 춘천, 속초, 전라북도 군산, 제주시였다. 2014년 경기, 강원, 충남, 경북, 경남, 제주 및 서울, 대구, 울산, 부산에서 시행한 감시 연구에서는 총 21,158마리의 진드기를 채집하였고 이 중 대구, 경남 양산, 경북 안동, 의성에서 채집한 개피참진드기, 작은소피참진드기, 일본참진드기에서 진드기매개뇌염바이러스가 검출되었다.

국내에서 검출된 진드기매개뇌염바이러스는 Western (European) 아형에 속하며, 아직까지 국내에서 진드기매개뇌염 환자 증례는 보고되지 않았다. 인접국가인 북동 러시아, 중국, 일본에서 확인된 바이러

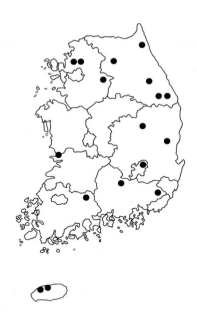

그림 20-2. 국내 진드기매개뇌염 바이러스 검출 지역

스가 Far Eastern 아형인 점에 비해 국내에서 Western 아형이 확인된 것은 의외이며 이러한 차이를 보이는 이유는 아직 밝혀지지 않았다.

3) 임상적 특징

　진드기매개뇌염의 잠복기는 4–28일(평균 7–10일)이며, 약 2/3의 환자가 진드기 교상을 보고한다. 멸균되지 않은 유제품을 섭취하여 이환되는 경우에는 잠복기가 3–4일로 짧다. 약 2/3의 감염이 무증상 감염이며 신경계를 침범하는 급성 질환이 가장 흔한 임상 양상이다. 전형적인 진드기매개뇌염은 이상성의(biphasic) 경과를 보인다. 첫 번째 단계에서는 발열, 두통, 근육통, 피로감 등의 비특이적인 증상이 2–7일간 지속되며, 많게는 2/3의 환자가 이와 같은 첫 단계의 경과 후 회복된다. 환자의 약 1/3에서 이후 약 1주일 간(1–20일)의 증상이 약화되거나 없는 시기를 지난 후 두 번째 단계의 경과로 진행한다. 이 시기에는 신경학적 징후가 발현하는데 경증의 뇌수막염부터 척수염(myelitis), 급성이완마비(acute flaccid paralysis) 등을 포함한 중증의 뇌염까지 다양하게 나타난다. 뇌의 병변부위는 주로 뇌기저핵, 시상, 뇌간, 소뇌부위로 미세떨림(fine tremor), 균형감각이상 등 중추실조(ataxia)와 의식저하가 뇌염의 주된 증상이다. 이와 같은 이상성의 경과는 Western (European) 아형 감염 환자의 74–87%에서 관찰되었다. Far Eastern 아형과 Siberian 아형 감염은 신경학적 증상을 동반한 단상성(monophasic) 경과를 보이는 경우가 더 많다.

진드기매개뇌염바이러스의 아형에 따라 예후에 차이가 있다. 세 가지 아형의 진드기매개뇌염바이러스 중 Far Eastern 아형 감염이 중증도 및 신경학적 후유증 발생 빈도가 가장 높고 치명률도 가장 높아서 1990년대에는 사망률이 30-40%에 이르렀다. 최근 20년간 Far Eastern 아형 진드기매개뇌염의 치명률은 13%로 감소하였다. Western (European) 아형 감염의 치명률은 2% 미만이고 신경학적 후유증이 높게는 30%의 환자에서 발생한다. Siberian 아형 감염의 치명률은 2-3%이며, Siberian 아형 감염은 만성 경과를 보일 수 있는 것으로 알려져 있다.

4) 진단

뇌척수액 검사에서 백혈구 증가가 관찰되는데, 초기에는 다형백혈구가 주로 관찰될 수도 있으나 거의 대부분 단핵구 증가가 관찰된다. 뇌척수액, 혈액, 조직에서 진드기매개뇌염바이러스를 분리하거나 바이러스 항원이나 유전자를 검출하여 진단할 수 있으나 바이러스혈증 기간이 6일로 짧아 일반적으로 혈청학적 검사가 사용된다. 주로 Enzyme-linked immunosorbent assay (ELISA) 검사법을 시행한다. 진드기매개뇌염바이러스 감염 후 IgM 항체는 증상 발생 이후 초기 6일 사이에 검출되어 6주 이상까지 지속되며 IgG 항체는 평생 지속된다. 혈청 IgM 항체가 상승 단독으로 확진하지는 않으며 교차반응을 감별하기 위해 중화항체 검사를 통해 확진이 필요하다.

5) 치료

진드기매개뇌염바이러스에 특이적인 항바이러스제는 없다.

2. 백신의 종류

현재 5개 생산회사의 백신이 허가를 받았으며 모두 포름알데히드 불활화백신이다(표 20-3). 국내에 허가를 받아 유통되고 있는 백신은 없다.

Pfizer사의 FSME-IMMUN®은 European 아형인 Neudörfl주를 이용하여 생산한다. Encepur® (GSK)는 마찬가지로 European 아형인 K23 바이러스주로 만들어진다. 이 백신은 polygeline이나 thimerosal을 포함하지 않으나, 최종 제품에 미량의 포름알데히드(FSME-IMMUN® 해당), gentamicin, neomycin, chlortetracycline (Encepur® 해당)이 검출될 수 있다. 성인용 백신 용량은 0.5 mL이며, 각각 소아용백신으로 FSME-IMMUN Junior (1-15세)와 Encepur-Children (1-11세) 0.25 mL가 출시되어 있다.

Klesch-E-Vac은 러시아의 Federal State Enterprise of Chumakov Institute of Poliomyelitis and Viral Encephalitides (IPVE)에서 Far Eastern 아형의 Sofjin주를 이용하여 제조하는 백신이다. Klesch-

E-Vac 성인용 백신 용량은 0.5 mL이며 같은 생산회사의 TBE-Moscow는 dry-lyophilized 백신으로 3세 이상에서 단일 제형으로 허가를 받았다. 러시아 Microgen사의 EnceVir는 Far Eastern 아형의 strain 205를 이용하여 생산하는 백신으로 제조과정에서 kanamycin이 사용되며 최종 제품에서 protamine sulfate의 잔여물이 검출될 수 있다. 성인용 제형은 0.5 mL이며 소아용(3-17세) 제형(EnceVir Neo)은 0.25 mL이다.

SenTaiBao는 중국 Changchun Institute of Biological Products에서 제조한 백신이다. Far Eastern 아형의 Senzhang주를 이용하여 제조하며 8세 이상의 소아 및 성인 대상으로 허가를 받았다. 백신 생산에 primary hamster kidney (PHK) cell을 이용한다.

표 20-3. 진드기매개뇌염 백신의 종류와 특성

제품명(생산회사)	항원				구성물		
	백신주	계대	생산	항원량	면역증강제	보존제	안정제
FSME-IMMUN® (Pfizer)	TBEV-Eu Neudörfl	Primary chicken embryonic cell	Primary chicken embryonic cell	2.4 μg (성인), 1.2 μg (소아)	Al(OH)₃	없음	Human serum albumin
Encepur® (GSK)	TBEV-Eu K23	Primary chicken embryonic cell	Primary chicken embryonic cell	1.5 μg (성인), 0.75 μg (소아)	Al(OH)₃	없음	Sucrose
Klesch-E-Vac/ TBE-Moscow (Federal State Enterprise of Chumakov Institute of Poliomyelitis and Viral Encephalitides)	TBEV-Fe Sofjin	Mouse brain	Primary chicken embryonic cell	0.5-0.75 μg	Al(OH)₃	없음	Sucrose, Human serum albumin
EnceVir (Microgen)	TBEV-Fe Strain 205	알려지지 않음	Primary chicken embryonic cell	2.0-2.5 μg	Al(OH)₃	없음	Sucrose, Human serum albumin
SenTaiBao (Changchun Institute of Biological Products)	TBEV-Fe Senzhang	알려지지 않음	Primary hamster kidney cell	알려지지 않음	Al(OH)₃	알려지지 않음	Human serum albumin

3. 백신의 효능 및 효과

백신접종 후 항체양전율은 87% 이상이다. 16−65세 성인을 대상으로 항원량 2.4 μg의 FSME−IMMUN® 백신을 투여했을 때 ELISA로 측정한 항체양전율은 2차 접종 후 97%, 3차 접종 후 100%였다. 백신접종 후 면역반응은 나이에 따라 다르다. 성인보다 어린이에서 면역반응이 잘 형성되며, 60세 이상에서는 충분한 면역반응이 형성되지 않을 수 있다. FSME−IMMUN® 기본접종 3년 경과 후 항체양성률은 18−50세에서 92.3%, 51−67세에서 70.9%로 나타났다. Encepur®를 0, 7, 21일의 일정으로 접종하고 3주 후 접종자의 98%에서 10 이상의 중화항체가가 측정되었다. 290명의 성인을 대상으로 기본접종 2−5개월 후와 2년 후에 중화항체법으로 면역원성을 측정한 결과, 각각 FSME−IMMUN® 접종자에서는 88.2%, 78.1%, Encepur® 접종자에서는 100%, 100%, TBE−Moscow 접종 후에는 100%, 94.1%, EnceVir 접종자에서는 88.2%, 83.9%로 나타났다.

중국에서 개발한 Senzhang 주를 PHK 세포에 접종하여 불활화시킨 1세대 백신을 2주 간격으로 두 번 접종한 후 23.4%의 낮은 항체양전율과 15.4%의 전신 이상반응을 보여, 이러한 단점을 극복하기 위해 순도를 높인 2세대 백신이 1990년대에 개발되어 2004년에 중국에서 승인되었다. 이 2세대 백신은 두 번 접종 후 검사한 항체양성률이 약 86% 이었다. 중국의 SenTaiBao 백신을 6−80세의 건강한 사람을 대상으로 2주 간격으로 2회 접종한 후 면역원성을 측정한 결과 접종 4주 후 96%, 6개월 후 86%, 1년 후 77%에서 IgG 항체 양성이었다.

허가 받은 진드기매개뇌염 백신의 효과 자료는 없다. 그러나 오스트리아에서 2000−2006년에 수행한 야외 백신효과 연구에서 진드기매개뇌염 백신(FSME−IMMUN®, Encepur®)의 효과는 99.3% (95% CI, 98.92−99.56)였고 연령군별로는 16−49세에서 99.8% (95% CI, 99.52−99.90), 50−59세에서 99.1% (95% CI, 97.25−99.57), 60세 이상에서 98.9% (95% CI, 97.88−99.32)로 나타났다. 역시 오스트리아에서 2000−2011년에 수행한 야외 백신효과(FSME−IMMUN®, Encepur®) 연구에서는 92.5% (95% CI, 90.3−94.3)의 효과를 보였으며 연령군별로는 15−50세에서 95.3% (95% CI, 92.9−96.9), 51−60세에서 96.0% (95% CI, 91.4−98.1), 61세 이상에서 91.7% (95% CI, 87.9−94.3)를 보였다.

진드기매개뇌염 백신을 신속접종 일정으로 0, 14일로 2회 접종한 후 90% 이상의 면역원성을 보였으며 0, 7, 21일의 일정으로 3회 접종한 뒤 항체역가가 300일까지 지속됨이 보고되어, 여행과 관련하여 신속한 백신접종이 필요할 경우 신속접종 일정을 이용할 수 있다.

4. 적응증

FSME-IMMUN®과 Encepur®는 1세 이상에서 접종 가능하며 러시아 백신은 3세 이상에서 접종이 가능하다. 현재 시판 중인 백신은 유럽과 아시아 지역에서 유행하는 모든 아형의 진드기매개뇌염바이러스에 방어효과가 있는 것으로 생각된다.

세계보건기구는 진드기매개뇌염 유행 수준이 높은 지역에서는(백신접종 전 연평균 질병발생이 인구 10만명 당 5건 이상) 모든 연령에서 백신접종을 권장하고 있다. 특히 50-60세 이상의 인구에서 질병의 중증도가 높으므로 이 연령군이 백신접종의 중요한 대상이다. 최근 5년간 백신접종 전 연평균 질병발생이 인구 10만 명당 5건 미만이거나 유행이 특정한 지리적 위치에 국한되는 경우에는 중증질환의 고위험군에게 백신접종을 권장한다. 진드기매개뇌염이 유행하지 않는 국가의 사람이 유행국가로 여행을 가는 경우에는 여행지에서 야외활동을 매우 활발히 할 경우 백신접종을 권장한다.

진드기매개뇌염 유행국가를 방문하는 국내 여행객은 방문국가에서 삼림 등지에서 야외활동의 빈도가 높을 것으로 예상되는 경우 진드기매개뇌염백신 접종을 권장한다.

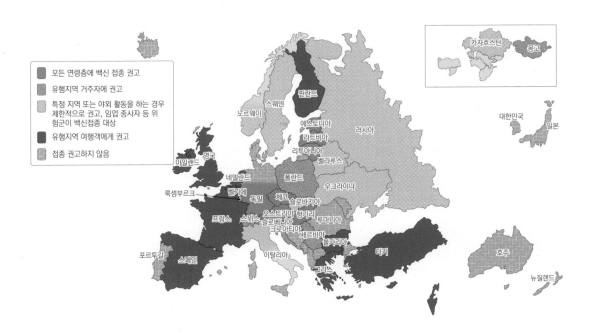

그림 20-3. 지역별 진드기매개뇌염 백신접종 권고

5. 투여방법

성인은 0.5 mL을 근주한다. Dry-lyophilized 백신인 TBE-Moscow는 면역증강제인 aluminum hydroxide가 들어있는 용해액에 녹여서 투여한다.

권장되는 접종 일정은 백신의 종류에 따라 다르다. FSME-IMMUN®과 Encepur® 백신은 일반적으로 1차접종 1-3개월 후에 2차접종하고, 2차접종 5-12개월 후에 3차접종하는 것이 권장된다(표 20-4). Sen TaiBao®는 2주 간격으로 2회 접종하고 위험군은 유행시기 전에 매년 추가접종한다.

Western (European) 아형이 포함된 백신이 Far Eastern, Siberian 아형에 대해서도 방어효과가 있는 것으로 알려져 있으며, 백신접종 과정 동안 FSME-IMMUN®과 Encepur®는 서로 교차 접종이 가능하다.

6. 이상반응

흔히 보고되는 이상반응으로는 주사부위의 국소적인 통증, 발적, 부종 등의 국소반응과 두통, 근육통, 관절통, 발열 등의 전신반응이 있다. 임상시험에서 보고된 FSME-IMMUN®의 이상반응은 주사부위의 국소반응이 10% 이상으로 가장 흔했고 두통, 오심, 근육통, 관절통, 권태, 피로감이 1% 이상 10% 미만, 림프절 종대, 구토, 발열, 주사부위 출혈이 0.1% 이상 1% 미만으로 나타났다.

표 20-4. 진드기매개뇌염 백신 접종일정

| | 기초 접종 | | | | | 추가접종 |
| | Conventional schedule | | Accelerated schedule | | | |
	2차[a]	3차[b]	2차[a]	3차[b]	4차[c]	
FSME-IMMUN®	1-3개월	5-12개월	14일	5-12개월		기본 접종 3년 후 접종, 이후에는 5년[d] 간격으로 접종
Encepur®	1-3개월	9-12개월	14일	9-12개월		기본 접종 3년 후 접종, 이후에는 5년[d] 간격으로 접종
			7일	14일	12-18개월	
TBE-Moscow	1-7개월	12개월				3년 간격으로 접종
EnceVir	5-7개월	12개월	1-2개월	12개월		3년 간격으로 접종
Sen TaiBao®	2주					1년 후 접종

a: 1차 접종과 2차 접종 간격, b: 2차 접종과 3차 접종 간격, c: 3차 접종과 4차 접종 간격
d: 50세 초과 성인은 3년 간격으로 접종하며, 오스트리아에서는 60세 초과 성인인 경우 3년 간격으로 접종 권고함

Encepur® 임상시험 및 시판 후 조사 자료에서는 주사부위 통증, 근육통, 권태, 두통이 10% 이상으로 가장 많았고 주사부위 발적, 부종, 인플루엔자양 증상, 발열, 오심, 관절통의 발생 빈도가 1% 이상 10% 미만이었다.

7. 금기

백신 성분에 중증 과민반응이 있는 경우와 급성 발열성 질환이 있는 경우는 백신접종의 금기이다. 허가받은 백신이 chicken embryo cell에서 생산되지만 계란 단백질에 경증의 알레르기가 있는 경우는 백신접종의 금기가 아닌 것으로 여겨진다.

FSME–IMMUN®과 Encepur®의 임신부 및 수유부에서 접종에 대한 정보는 없다. 다른 불활화백신과 같이 임신부에서 접종은 접종의 이득과 위험을 신중하게 견주어 고려한다.

일본뇌염바이러스, 황열바이러스, 뎅기바이러스 같은 flavivirus에 노출되거나 flavivirus 백신을 접종한 경우 진드기매개뇌염백신 접종에 의한 면역반응에 영향을 줄 가능성이 제기되었으나 아직 사람을 대상으로 적절히 수행된 연구는 없다. 진드기매개뇌염 항체가 있는 경우 세포배양 일본뇌염백신 접종 후 일본뇌염바이러스에 대한 중화항체 반응이 더 증가했다는 연구 결과가 있으나, 두 백신 간의 교차 방어에 대한 증거는 없다.

8. 국내유통백신

국내 허가 받은 백신은 없다.

참고문헌

1. Dobler G, E.W., Schmitt H.J. *Tick-Borne Encephalitis* 2018;12-26.
2. Centers for Disease Control and Prevention, *Tickborne Encephalitis*. Available at: https://wwwnc.cdc.gov/travel/yellowbook/2018/infectious-diseases-related-to-travel/tickborne-encephalitis
3. Chrdle, A., V. Chmelik, and D. Ruzek, *Tick-borne encephalitis: What travelers should know when visiting an endemic country*. Hum Vaccin Immunother 2016;12:2694-9.
4. European Centre for Disease Prevention and Control, *Tick-borne encephalitis. In: ECDC. Annual epidemiological report for 2015*. Available at: https://ecdc.europa.eu/sites/portal/files/documents/AER_for_2015-tick-borne-encephalitis.pdf
5. Heinz, F.X., et al. Field effectiveness of vaccination against tick-borne encephalitis. Vaccine 2007;25:7559-67.
6. Kim, S.Y., et al. *Isolation of tick-borne encephalitis viruses from wild rodents, South Korea*. Vector Borne Zoonotic Dis 2008;8:7-13.
7. Kim, S.Y., et al. *Molecular evidence for tick-borne encephalitis virus in ticks in South Korea*. Med Vet Entomol 2009;23:15-20.
8. Steffen, R. *Epidemiology of tick-borne encephalitis (TBE) in international travellers to Western/Central Europe and conclusions on vaccination recommendations*. J Travel Med 2016;23.
9. WHO, *Vaccines against tick-borne encephalitis: WHO position paper--recommendations*. Vaccine 2011;29: 8769-70.
10. Yoshii, K., et al., *Tick-borne encephalitis in Japan, Republic of Korea and China*. Emerg Microbes Infect 2017;6: p. e82.
11. Yun, S.M., et al. *Molecular detection of severe fever with thrombocytopenia syndrome and tick-borne encephalitis viruses in ixodid ticks collected from vegetation, Republic of Korea, 2014*. Ticks Tick Borne Dis 2016;7: 970-8.
12. Yun, S.M., et al. *Prevalence of tick-borne encephalitis virus in ixodid ticks collected from the republic of Korea during 2011-2012*. Osong Public Health Res Perspect 2012;3:213-21.

Chapter **21**

콜레라

대구가톨릭대학교 의과대학 **권현희**
충남대학교 의과대학 **김연숙**

1 대한감염학회 접종 권장대상과 시기

가. 콜레라 유행지역의 난민을 포함한 취약층에게 우선 접종되어야 하며, 난민 캠프 봉사자, 콜레라균을 다루는 실험실 종사자 등에 접종을 권고함

나. 콜레라 유행지역 여행자에게 접종이 필수적으로 요구되지는 않으나, 일부 국경지역 등에서 예방접종 증명서를 요구하는 경우가 있으므로, 필요한 경우 국제공인 예방접종지정기관에서 접종하고 증명서를 발급받을 수 있음

2 접종용량 및 방법

Dukoral® (경구용 불활화백신, WC-rBS)

1) 1-2주 간격을 두고 2회 복용(2-5세 소아는 3회 복용)

2) 백신투약 전후 1시간씩 금식 필요

3) 6세 이상 소아 및 성인은 찬물 150 mL에 발포과립(완충가루)을 녹인 후, 백신 한 바이알 전량을 혼합하여 마심. 2-5세의 소아에서는 발포과립을 냉수 150 mL에 녹인 후 절반은 버리고 남은 용액, 약 75 mL에 백신 한 바이알 전량을 혼합하여 마심

4) 콜레라 유행지역 방문 1주일 이전에 투여 완료해야 함

3 이상반응

가. 현재 사용 중인 경구용 불활화백신은 위장관 증상이 있을 수 있음

나. 경구용 생백신의 가장 흔한 이상반응은 피로감, 두통, 복통, 오심/구토, 식욕저하, 설사 등의 위장관 증상

4 주의 및 금기사항

가. 현재 사용 중인 경구용 불활화백신은 백신의 구성성분 및 첨가제에 대한 과민반응이 유일한 금기사항

나. 경구용 생백신의 경우 이전에 다른 콜레라 백신 또는 백신의 구성성분에 중증 알레르기 반응(아나필락시스)이 있었던 경우에는 금기임. 면역저하자에서는 안전성과 효과가 입증되지 않았음. 최소 7일간 대변으로 백신주가 배설될 수 있고, 백신접종을 하지 않은 밀접 접촉자(가족간의 접촉)에게 백신주가 전파될 수 있으므로 면역저하자 가족이 있는 경우 주의 요함

1. 질병의 개요

1) 원인 병원체

콜레라는 *Vibrio cholerae*가 분비한 독소에 의해 발생하는 급성 설사 질환으로, 수 시간 내에 급격하게 중증 탈수가 진행하여 사망에 이를 수 있는 질환이다. 콜레라는 수천 년 전부터 인도에 존재해 왔던 것으로 여겨지며, 고대 문헌에도 중증 콜레라(cholera gravis)의 증상이 기술되어 있다. 콜레라는 많은 수의 사람들에게 급격히 전파되고 높은 사망률을 보였던 질환으로, 효과적인 수분공급 치료법이 개발되기 이전에는 40%가 넘는 치명률(case-fatality rate)을 보였다. 그러나 적절한 수분공급이 이루어지면 치명률을 1% 미만으로 감소시킬 수 있다.

*V. cholerae*는 *Vibrio* 속에 속하는 쉼표 모양의 그람음성 막대균으로 지질다당류(lipopolysacchride)의 O 항원에 따라 200가지 이상의 혈청군(serogroup)으로 나누어지며, *V. cholerae* 혈청군 O1과 O139만이 유행성 콜레라를 일으킨다. 다른 혈청군도 설사와 전신감염을 일으킬 수 있지만 유행은 일으키지 않는데, 이들을 non O1-non O139 *V. cholerae*라고 명명한다. 전 세계에서 발생하는 콜레라 유행은 대부분 O1에 의해 발생하며, 1992년 새로 출현한 O139는 아시아에서 주요한 유행을 일으켰다.

O1 *V. cholerae* 혈청군은 O 항원에 따라 Ogawa와 Inaba의 두 혈청형(serotype)으로 나뉘며, 생화학반응에 따라 고전형(classical)과 El Tor형의 두 생물형(biotype)으로 나뉜다. 6차례 대유행의 원인이었던 고전형 균주는 최근 사라지고, 고전형 균주보다 임상증상이 경한 El Tor형 균주가 현재까지 지속되고 있는 7번째 세계적 유행의 원인이다.

콜레라는 독소에 의한 설사질환으로, 병태생리에 있어 중요한 과정은 소장 점막에의 집락화와 장내독소(cholera toxin, CT)의 생성이다. *V. cholerae*에 오염된 식수나 음식물을 섭취하면 대부분의 세균은 위산에 의해 사멸하고, 일부 생존한 균주가 소장 점막에 집락화하여 콜레라 독소(CT)를 분비한다. 위산도가 낮은 사람들은 집락화가 더 용이하고 중증질환으로 발현될 가능성이 높은데, 이는 위산이 부족하면 많은 수의 세균이 살아남아 장에 도달하기 때문이다.

콜레라 독소(CT)는 84,000 분자량의 단백질로, 중앙 활성 아단위(A subunit)와 이를 둘러싸고 있는 5부분으로 구성된 결합 아단위(B subunit)로 구성된다. A 아단위는 독소의 생리적 활성 및 독력을 결정하며, B 아단위는 독소가 장 상피세포 표면의 GM1 ganglioside 수용체에 단단히 결합하도록 하는 역할을 한다. CT는 세포표면에 부착하여 adenylate cyclase를 활성화시키고, 이어서 생화학 연쇄반응을 일으켜 수분과 전해질이 장관내로 과분비(hypersecretion)되어 다량의 수분이 장관으로 빠져나오는 분비성 설사를 유발한다.

2) 역학

콜레라는 오염된 물이나 음식을 섭취함으로써 전파된다. 콜레라균은 분변에 의한 오염이 지속되지 않더라도 환경수(environmental water)에 잔존할 수 있는데, 유행기에는 환자 분변으로 배출된 콜레라 균에 의해 더욱 심하게 오염되어 유행이 더 확산될 수 있다.

콜레라는 토착형과 유행형 두가지 형태로 모두 발생할 수 있다. 콜레라는 1817년에서 1923년까지 총 6차례의 대유행이 있었고, O1 혈청군의 고전형에 의해 발생하였다. 이후 현재까지도 지속되고 있는 7차 대유행은 *V. cholerae* 혈청군 O1의 고전형이 아닌 El Tor형에 의한 것으로 1961년 인도네시아에서 시작하여 아시아, 아프리카, 아메리카로 퍼져나갔다. 1992년 아시아에서 주로 분리되었던 O139 혈청군은 7차 세계 대유행을 일으킨 O1 혈청군의 El Tor형으로부터 유전학적으로 기원한 것으로 보인다.

세계보건기구의 보고에 따르면 지난 몇 년간 콜레라 환자 발생 수는 지속적으로 높게 유지되고 있으며, 2015년도의 경우 42개국에서 172,454건의 환자가 보고되었고, 1,304명의 사망자가 발생하였다. 주요 발생 국가는 아프가니스탄, 콩고민주공화국, 아이티, 케냐, 탄자니아로 전체 보고건수의 80%를 차지한다. 이러한 세계보건기구의 보고는 실제 추정되는 환자 및 사망자 수와 많은 차이가 있는데, 이는 콜레라 보고가 경제에 부정적인 영향을 미칠 거라는 우려로 보고를 꺼리거나, 일련의 증상만으로 진단하여 진단기준에 맞지 않는 등의 이유 때문이다.

콜레라의 대규모 발생은 전쟁이나 공중 보건 정책이 붕괴되는 상황들에서 종종 촉발되었고, 오염된 식수, 오수처리시설의 부재로 특히 빈곤층 또는 난민들에서 문제가 되고 있다. 1994년 자이레 고마 주변의 르완다 피난캠프, 2008-2009년에 짐바브웨, 2010년에 아이티에서 있었던 유행이 그러한 경우이다.

국내에서는 1940년까지 29차례의 고전형 콜레라의 대규모 유행이 있었던 것으로 추정된다. 1970년 이후 1980년 145명, 1991년 113명, 1995년 68명 등 발생이 크게 감소하여 연간 10명 이내로 신고되었으나, 2001년 경상도 지역을 중심으로 한 전국적인 유행으로 162명(확진자 142명)이 신고되었다. 이후, 2002년 2명의 환자를 제외하고는 모두 소수의 국외유입 사례 및 연관 사례였으나, 2016년에는 2002년 이후 처음으로 국내에서 3명의 환자가 발생하였고, 국외유입 사례가 1명 신고되었다. 2017년에는 5명이 신고되었으며 이 중 4명은 필리핀, 1명은 인도에서 감염된 국외유입 사례였다. 최근 연도별 국내 및 국외 유입 콜레라 발생 건수는 다음(표 21-1)과 같다.

표 21-1. 연도별 콜레라 발생 건수

구분	'01	'02	'03	'04	'05	'06	'07	'08	'09	'10	'11	'12	'13	'14	'15	'16	'17
총건수	162	4	1	10	16	5	7	5	0	8	3	4	3	0	0	4	5
국내발생	159	2	0	0	0	0	1	0	0	0	0	0	0	0	0	3	0
국외유입	3	2	1	10	16	5	6	5	0	8	3	4	3	0	0	1	5

3) 임상적 특징

중증 콜레라(cholera gravis)는 급성 설사와 구토가 특징으로서 4–18시간 이내에 급격하게 중등도 및 중증 탈수로 진행한다. 수 시간 이내에 10회 이상 다량의 설사를 하게 되며 처음에는 액상의 분변을 보다가 후엔 쌀뜨물 양상의 배변을 하게 된다. 콜레라로 인한 합병증은 구토와 설사로 손실되는 수분과 전해질, 특히 나트륨, 칼륨 및 중탄산염과 같은 전해질의 부족에 의해 발생한다.

이차 합병증은 탈수 혹은 불충분한 수액 및 전해질 공급에 의한 신부전, 저칼륨혈증, 동맥관 폐쇄(노령층에서 흔함), 폐부종 및 임신부에서의 조산 혹은 유산 등이 있다.

모든 환자들이 중증으로 진행하는 것은 아니며, 대부분의 환자들은 경증의 설사만을 겪거나 무증상인 경우도 있다. 유증상 환자 수 : 감염된 무증상 환자 수의 비는 1:3–1:100 정도로 다양한데 지리적 위치, 생물형, 유행기 및 균의 접종량에 따라 다르다.

4) 진단

세계 어느 지역에서든 5세 이상의 소아와 성인에서 급성 수양성 설사로 인해 중증 탈수 증상이 있거나 사망하였을 경우 반드시 콜레라를 의심해봐야 한다. 콜레라의 진단은 임상적으로도 가능하나 대변에서 원인균을 배양함으로써 확진할 수 있다. 선택배지로 thiosulfate–citrate–bile salts–sucrose (TCBS) 혹은 taurocholate–tellurite–gelatin agar (TTGA)를 사용한다. 세균의 확진은 역학적 중요도 및 항생제 내성 양상을 확인하기 위해 필수적이지만, 주요 유행기에는 검사실적 확진이 반드시 필요하진 않다. 딥스틱 형태를 이용한 빠른 면역학적 진단법(immunochromatographic rapid diagnostic tests)이 개발되어 진단시설이 부족한 지역에서 상용화되었다. 이러한 진단법들은 O1과 O139 콜레라균 세포벽의 O항원(lipopolysaccharie. LPS)을 찾아내는 검사법으로 수분 내로 진단이 가능하지만, 민감도와 특이도가 다양하게 보고되고 있어 주의를 요한다.

5) 치료

경구 수분공급 용액[oral rehydration solution (ORS); Na+, 75 mmol/L; K+, 20 mmol/L; Cl−, 65 mmol/L; citrate 10 mmol/L; glucose, 75 mmol/L]이 콜레라에 대한 1차 치료로 이용되어야 하며, 중증의 탈수나 쇼크가 있는 경우에 한해 Ringer's lactate 주사제를 필요로 한다. 가장 중요한 치료는 재빨리 수액을 공급하여 탈수를 교정하고, 염기를 투여하여 산증을 교정함과 동시에 칼륨을 보충하여 칼륨 결핍을 교정하는 것이다. 적절한 치료를 할 경우에는 어떤 환자도 콜레라로 사망하지 않으나, 치료가 지연되거나 부적절할 경우에는 사망률이 오늘날에도 5%를 넘는 것으로 알려져 있다.

콜레라에 의해 중등도 내지 중증 탈수 환자에게는 효과적인 항생제를 투여함으로써 설사량과 기간을 감소시키고, 균이 대변으로 배출되는 기간을 줄일 수 있다. erythromycin, azithromycin 같은 mac-rolide계 항생제나 ciprofloxacin 같은 quinolone계 항생제를 사용하며, doxycycline이나 tetracycline의 경우 감수성 균주에 대해서는 선택 항생제이나 내성이 흔하므로, 콜레라 유행기에는 반드시 항생제 감수성을 확인하고 사용하여야 한다. 또한, tetracyclines 항생제는 임신부와 8세 미만의 어린이에게는 사용할 수 없으므로, 이 경우에는 macrolides계 항생제를 사용한다.

2. 백신의 종류

1) 주사용 불활화백신

주사용 불활화백신은 페놀(phenol)로 사균 처리된 *V. cholerae* O1으로 Ogawa (고전형 NIH 41)와 Inaba (고전형 NIH 35A3)를 포함한다. 방어력이 낮고 중증 이상반응의 발생 빈도가 높아 WHO에서 더 이상 권고하지 않는다.

2) 경구용 불활화백신

현재 세 가지의 경구용 불활화백신(Dukoral®, Shanchol™, Euvichol®)이 WHO의 승인을 받아 유통되고 있다. 경구용 백신은 투여가 쉽고, 주사관련 감염의 위험이 없으며, 자연 발생하는 질환에 의해 유도되는 면역반응과 매우 유사한 방식으로 장관 내에 국소 면역 시스템을 자극한다는 장점이 있다. 세 백신 모두 충분한 면역력을 얻기 위해 2회 접종이 필요하다. Dukoral®은 현재 국내 시장에서 유일하게 공급되고 있는 콜레라 백신이다.

(1) Dukoral® [Killed whole-cell monovalent (O1) vaccine with recombinant B subunit of cholera toxin (WC-rBS)]

Dukoral®은 스웨덴에서 개발되었고, 1991년에 최초로 허가를 받았으며, 현재 60개국 이상에서 허가를 받아 콜레라 토착 지역을 방문하는 여행자에게 주로 사용되고 있다. 이 백신은 *V. cholerae* O1 혈청균의 불활화 전세포와 재조합된 콜레라 독소 B 아단위가 포함되어 있어, *V. cholerae* O1에 대해서만 방어 기능이 있고, O139에 대해서는 방어 기능이 없다.

Dukoral®은 콜레라 A 독소가 전혀 없으므로, 콜레라 독소와 연관된 생물활성은 없다. 콜레라 B 독소는 대장균의 열 감수성 독소(heat-labile toxin)와 구조적으로나 기능적으로 유사하여 교차반응을 하므로, 이 백신은 장독소 대장균(ETEC)에 교차 방어능을 갖게 할 수 있다. 콜레라 B 독소는 위산에 약하여, 백신을 투여할 때 완충액과 함께 투여해야 한다.

(2) Shanchol™과 Euvichol® [Modified killed bivalent (O1 & O139) whole-cell vaccines (BivWC)]

Shanchol™과 Euvichol®은 개발도상국을 위한 저가 콜레라 백신 개발의 필요성 때문에 개발된 전세포 불활성화 백신이다. *V. cholerae* O1 혈청군과 O139 혈청군에 대한 2가 백신으로, 성상은 같은 백신이나 2개의 다른 제조사가 서로 다른 제조방법을 이용하여 생산한다. Dukoral®과 달리 콜레라 B 독소를 포함하지 않으므로 장독소 대장균(ETEC)에 대한 방어력이 생성되진 않고, 완충액이 필요하지 않으며 생산비용도 Dukoral®에 비해 저렴하다는 장점이 있다.

초기의 불활화 전세포 백신은 1997년 베트남에서 허가를 받은 후 약 10여 년 동안 베트남의 고위험 지역에서 어린이들을 대상으로 2천만 도스가 넘게 사용되었다. 이후 WHO의 허가기준을 충족시키기 위하여 2004년 국제백신연구소와 합작하여 기존의 백신 균주 외에 독소 생성이 증가된 새 균주를 추가하고 항원량을 2배 증가시킨 백신으로 새로이 제조되었다. 이 백신은 2009년 베트남에서 mOR-CVAX™라는 이름으로 베트남 국내용으로 허가받았고, 기술이전을 통해 2009년 인도에서 Shanchol™로, 2015년 한국에서 Euvichol®로 허가를 받아 국제시장에 공급되었다.

3) 경구용 생백신, Vaxchora™ [live oral cholera vaccine CVD 103-HgR]

경구용 생백신인 CVD 103-HgR은 고전형 O1 Inaba 균주 569B에서 콜레라 A 독소에 대한 유전자를 제거하고 수은 내성 유전자를 삽입하여 만든 경구용 생백신으로 북미 성인에서 단일 투여 후 방어력이 있는 것으로 확인되어 Orochol®과 Mutacol®이라는 이름의 여행자용 백신으로 허가되었다. 그러나, 콜레라-풍토 지역인 인도네시아에서 67,000여 명을 대상으로무작위 위약 대조군 3상 연구 결과, 백신 효과가 14%로 나타나 예방효과를 보이지 않았다. 반면, 마이크로네시아에서 콜레라 유행기에 집단 투여 후 연속적으로 이루어진 관찰 연구에서는 백신 효과가 79%로 조사되어, 여러 연구 간의 백신 효과의 차이를 설명하는 것은 숙제로 남아 있다. 2003년 생산이 중단되었으나, 현재 다른 회사로 권리가 이전되어 Vaxchora™라는 이름으로 재생산되고 있으며, 미국에서 콜레라 위험 지역으로 여행하는 18-64세의 성인에게 사용이 승인되었다.

4) 개발 중인 백신

한 번의 투여로 보다 긴 방어효과를 얻을 수 있는 새로운 경구용 생백신에 대한 관심이 많은데, 몇 가지 경구용 생백신이 현재 개발 중이다. 이 중 Peru 15 (CholeraGarde®)는 1991년 페루에서 분리된 O1 El Tor형 Inaba 균주를 유전적으로 약독화시켜 만든 생백신으로 미국내 지원자들을 대상으로 한 연구와 방글라데시에서 수행된 연구에서 모두 안전성과 면역원성을 입증하였다. 또한, 태국의 HIV에 감염인을 대상으로 시행한 연구에서도 안전성과 면역원성이 확인되었다.

3. 백신의 효능 및 효과

1) 주사용 불활화백신

주사용 불활화백신은 과거 연구에서 접종자의 50% 정도만이 효과가 있었고, 면역력 유지기간이 짧아 매 6-12개월마다 재접종을 해야 하며, 이상 반응의 발생 빈도가 높아 세계보건기구에서 더 이상 권고하지 않는다.

2) 경구용 불활화백신

(1) Dukoral®

1985년 방글라데시에서 있었던 대규모 임상 시험에서 Dukoral®의 효과가 입증되었다. 2회 혹은 3회를 모두 투여한 경우 성인에서 3년간, 5세 이하의 소아에서는 6-12개월간 방어효과가 있었다. 성인과 소아에서 첫 해 동안의 예방효과가 78%, 둘째 해에는 63%였다. 2-5세의 소아에서 첫 6개월 동안 100%, 다음 6개월 동안 21%까지 떨어지는 것으로 나타났다. 성인과 5세 이상 소아에서 방어효과가 3년 정도 지속되는 것으로 관찰되었으나, 5세 미만의 소아에서 6개월 이후에 감소되는 것으로 나타났다. 방어능은 2차 접종 후 10일 이내에 나타나기 시작하는 것으로 보인다. 또한, 이 백신은 열 감수성 독소(heat-labile toxin)를 생산하는 장독소생성 대장균(ETEC)에 의한 설사에도 단기간의 방어력을 제공한다.

최근까지 시행된 연구들의 메타분석에 의하면 Dukoral®과 Shanchol™ 의 효능(efficacy)은 접종 후 1년 이내에는 56%, 1-2년 이내는 59%, 2-3년 이내 39%, 효과(effectiveness)는 1년 이내 83%, 1-2년 이내 64%, 2-3년 이내 69% 정도로 나타났다 .

(2) Shanchol™와 Euvichol®

1998년과 2000년 베트남에서 집단 백신접종이 시행되었고, 2003년 대규모 콜레라 유행이 발생한 것을 계기로 백신접종 후 3-5년 째의 장기 방어 효과를 연구하게 되었는데, 전반적인 효과는 50% (95% 신뢰구간, 9-63%)였다. 2006년 인도에서 진행된 1세 이상의 66,900명을 대상으로 한 Shanchol™에 대한 임상 3상 연구에서 2년 간 추적관찰 시, 2회 접종을 받은 사람들의 전반적인 방어효과는 67%였다. 이 백신은 모든 연령대에서 방어력이 나타나는 것으로 관찰되었으며, 2년 이후 추적조사에서도 방어력이 감소되지 않는 결과가 나타났다. Euvichol®은 국내 제약업체인 유바이오로직스(EuBiologics)가 생산하고 있는데, 한국과 필리핀에서 시행한 연구에서 Shanchol™과 대등한 면역원성과 안전성이 입증되어 저개발국에 공급될 예정에 있다. 최근 콜레라백신의 공급부족에 대비하여 방글라데시에서 Shanchol™

1회 접종의 효과를 보기 위한 무작위 위약대조 연구가 시행되었고, 백신접종군에서 63% (95% 신뢰구간, 24-82%)의 중증 콜레라 예방 효과를 보였다(5-14세 63%, 15세 이상 56%, 1-4세 16%에서 콜레라 예방).

3) 경구용 생백신

(1) Vaxchora™

　미국에서 시행된 무작위, 이중맹검, 식염수 대조 연구(연구 2)에 의하면 18-45세 사이의 콜레라 병력이 없는 성인 197명을 대상으로 백신접종 후 10일째 콜레라 균주를 복용시켰을 때 중등증-중증 설사의 예방률은 90.3% (95% 신뢰구간, 62.7-100.0%), 3개월 후의 예방율은 79.5% (95% 신뢰구간, 49.9-100.0%)로 나타났다. 중화항체의 혈청 수치를 측정하였을 때 백신접종한 사람들의 91% (95% 신뢰구간, 82-97%)에서 항체양전이 이루어졌고 이들 중에는 콜레라균에 노출시켰을 때 9%에서 중등증 내지 중증의 설사가 발생하였다. 위약 투여군에서는 2%가 항체양전이 이루어졌고, 콜레라에 노출 후 59%가 중등증 내지 중증의 설사를 경험하였다. 면역원성과 안전성을 보기 위해 미국에서 18-45세의 성인 3,146명을 대상으로 무작위, 이중맹검, 식염수 대조로 시행된 연구에서는 접종 후 10일 째 항체양전율이 백신접종군에서 93.5% (95% 신뢰구간 92.5-94.4%)로 나타났다. 46세-64세의 콜레라 병력이 없는 성인 398명을 대상으로 미국에서 같은 설계로 연구가 시행되었고, 백신접종 후 10일째 Inaba 형에 대해서는 90.4-91.0%, Ogawa 형에 대해서는 71.4-73.2%의 항체양전율을 보였다.

4. 적응증

　콜레라의 예방에 있어 가장 중요한 것은 안전한 식수와 오수처리시설의 확보이고, 콜레라 예방접종은 보완적인 방법이다. 따라서 콜레라 백신은 콜레라 유행지역의 취약층 사람들에게 제공되어야 하고, 콜레라 유행지역 중 위생 여건이 좋지 않은 곳에서 근무하게 될 경우나, 난민캠프 봉사자, 구호활동 참여자, 콜레라균을 다루는 실험실 종사자 등에 접종을 고려할 수 있다. 현재 여행자들에게 콜레라백신 투여를 권고하지는 않는다. 현재, 콜레라 예방접종증명서를 요구하는 국가는 없으나, 필요할 경우 가까운 국제공인예방접종지정기관(2017년 현재 38개소가 지정됨)에서 콜레라 예방접종 후 예방접종증명서 발급이 가능하다.

5. 투여방법

1) 경구용 불활화백신

(1) Dukoral®

6세 이상 소아 및 성인은 1–2주 간격을 두고 2회 복용하며, 2–5세의 소아는 1–2주 간격으로 3회 복용한다(표 21-2). 이 백신은 2세 미만의 소아에서는 허가되지 않았다. 투여 간격은 최장 6주를 넘어서는 안 되며, 투여 간격이 6주를 경과하였다면 처음부터 다시 시작해야 한다. 백신 복용 한 시간 전후로 음식물이나 음료의 섭취를 피해야 하고, 6세 이상 소아 및 성인은 찬물 150 mL에 별도로 포장된 발포과립(완충가루)을 녹인 후, 이 완충액에 백신 한 바이알 전량을 혼합하여 경구로 복용한다. 2–5세의 소아에서는 별도로 포장된 발포과립을 냉수 150 mL에 녹인 후 절반은 버리고 남은 용액, 약 75 mL에 백신 한 바이알 전량을 혼합하여 경구로 복용한다. 예방을 목적으로 하는 시점 1주일 이전에 투여가 완료되도록 복용해야 하고, 콜레라에 지속적으로 노출되는 경우 6세 이상 소아 및 성인은 2년마다, 2–5세의 소아는 6개월마다 추가 복용한다. 추가 복용 기간 이상이 경과되었을 경우에는 다시 기초접종을 하여야 한다. 콜레라, 황열, MMR과 같은 생백신을 비롯한 다른 백신과 동시접종이 가능하다. 이 백신은 2–8℃에 냉장 보관하고, 절대로 냉동 보관해서는 안 된다.

표 21-2. Dukoral® 경구용 백신의 접종시기와 방법

연령	기초접종	추가접종(Boosters): 콜레라에 지속적으로 노출되는 경우
6세 이상의 소아와 성인	1-2주 간격을 두고 2회 접종, 접종간격이 6주 이상 경과했다면 기초접종을 다시 시작해야 함	2년마다 추가접종, 기초접종 후 2년 이상 경과하였다면 다시 기초접종(2회접종)을 해야 함
2-5세의 소아	1-2주 간격을 두고 3회 접종, 접종간격이 6주 이상 경과했다면 기초접종을 다시 시작해야 함	6개월마다 추가접종, 기초접종 후 6개월 이상 경과하였다면 다시 기초접종(3회접종)을 해야 함

(2) Shanchol™과 Euvichol®

14일 간격으로 2회 복용한다. Shanchol™로 실시한 최근 연구에서 28일 간격도 14일 간격과 비슷한 안전성과 효과를 나타내어, 백신접종 간격을 좀 더 유연하게 적용할 수 있을지 추가 연구가 필요하다. Shanchol™와 Euvichol® 둘 다 제조사의 추가접종(booster) 권고는 없다. 그러나, 임상 연구에서 최소 5년간 백신 효과가 유지되는 것으로 나타나 3–5년 간격으로 추가접종을 고려해 볼 수 있다. Dukoral®과 달리 복용 시 완충액이 필요치 않다. 백신은 2–8℃에 냉장 보관한다.

2) 경구용 생백신

(1) Vaxchora™

백신 투여 전후로 1시간 동안 금식이 필요하며, 생백신이므로 의료폐기물을 처리할 수 있는 설비가 갖추어진 의료기관에서 제조사의 지침에 따라 준비하여 투여한다. 100 mL의 5-22℃ 물에 완충 성분을 넣어 잘 저은 후 백신 성분을 추가로 넣고 30초 동안 잘 저어 복용한다. 제조 후 15분 이내에 한 번에 전량을 마셔야 하며, 이후 컵은 의료폐기물로 처리하도록 한다.

6. 이상반응

1) 주사용 불활화백신

50% 정도에서 주사부위 동통과 염증반응이 발생하고 10-30%에서는 발열과 권태감 등의 전신 증상이 발생한다. 증상은 대개 1-3일 지속되면 일부에서는 지연된 반응이 나타나 4-7일 사이에 동통이 발생할 수 있다. 생명에 위급한 중증반응은 매우 드문 것으로 보이나 아나필락시스가 나타날 수 있다.

2) 경구용 불활화백신

(1) Dukoral®

대조군과 비교 연구 결과 경미한 복부 불편감이나 설사 등이 있는 것으로 보고되었으나, 완충액만을 복용토록 한 대조군에서 백신접종군보다 오히려 높은 빈도로 나타났다. 사용 승인 후 1,000만 도스 이상이 접종되었으나, 중요한 이상반응은 보고되지 않았다.

(2) Shanchol™과 Euvichol®

베트남, 인도, 에티오피아 등에서 이루어진 백신-위약 2상 연구 및 3상 연구에서 위약에 비해 백신접종자에게 더 높은 빈도로 나타난 이상반응은 없었다. 이 백신은 1세 이상에서 안전하게 사용할 수 있다.

3) 경구용 생백신

(1) Vaxchora™

가장 흔한 이상반응은 피로(31.3%)였고, 두통(28.9%), 복통(18.7%), 오심/구토, 식욕 감소, 설사 등이 관찰되었으나 위약(식염수) 투여 후에도 피로(27.4%), 두통(23.6%), 복통(16.9%) 등이 나타나 유의한 차이를 보이진 않았다.

7. 금기

1) 주사용 불활화백신

불활화백신이므로 면역저하 환자에게 특별히 금기가 되지 않으나, 현재 생산되지 않는 백신이다.

2) 경구용 불활화백신

백신의 구성성분 및 첨가제에 대한 과민 반응이 유일한 금기사항이다. 임신부와 모유 수유자에 대한 안전성 자료는 충분치 않으나, 의학적 위험과 이득을 충분히 고려하여 필요할 경우 접종을 고려할 수 있다. 급성 위장관 질환을 앓고 있는 환자에게는 백신접종 연기가 필요하지만, 기존에 가지고 있는 위장관 질환은 백신접종의 금기사항이 되지 않는다.

3) 경구용 생백신

Vaxchora™는 경구 투여 후 체내에는 흡수되지 않으므로, 임신부에게 사용했을 때 태아가 약물에 노출될 가능성은 없다. 임신부가 콜레라에 걸렸을 때 사산과 같은 결과가 초래될 수 있는 것으로 알려져 있으므로, 이를 감안하여 접종 여부를 결정해야 한다. 또한, 백신 투여 이후 최소 7일간 분변으로 백신균주가 배설될 수 있으므로, 백신접종한 임신부가 질식 분만을 하는 도중에 유아에게 전파될 가능성이 있다. 면역저하자의 경우 안전성과 효과가 확립되지 않았으며, 백신면역 반응이 감소될 수 있다.

8. 국내유통백신

백신종류	제품명	제조사	용법/용량	접종 일정
콜레라 경구용 불활화백신	Dukoral®	발네바 (Valneva)	성인은 150 mL (소아는 75 mL)의 완충액에 백신을 타서 공복에 복용	6세 이상 소아 및 성인 : 1-2 주 간격으로 2회(2-5세 소아 3회)

참고문헌

1. 정숙인. 콜레라와 기타 비브리오 감염. In: 대한감염학회. 감염학. 2판. 서울: 군자출판사; 2014:555

2. 질병관리본부. 2017 감염병 감시연보.

3. 질병관리본부. 예방접종 대상 감염병의 역학과 관리. 제5판. 충북: 2017.

4. Bi Q, Ferreras E, Pezzoli L, et al. Protection against cholera from killed whole-cell oral cholera vaccines: a systematic review and meta-analysis. Lancet Infect Dis 2017;17:1080-8.

5. Cabrera A, Lepage JE, Sullivan KM, Seed SM. Vaxchora: a single-dose oral cholera vaccine. Ann Pharmacother 2017;51:584-9.

6. Calain P, Chaine JP, Johnson E, et al. Can oral cholera vaccination play a role in controlling a cholera outbreak? Vaccine 2004;22:2444-51.

7. Chen WH, Cohen MB, Kirkpatrick BD, et al. Single-dose live oral cholera vaccine CVD 103-HgR protects against human experimental infection with Vibrio cholerae O1 El Tor. Clin Infect Dis 2016;62:1329-35.

8. Cholera working group. Large epidemic of cholera-like disease in Bangladesh caused by *Vibrio cholerae* O139 synonym Bengal. Lancet 1993;342:387-90.

9. Clemens JD, Desai SN, Qadri F, et al. Cholera vaccines. In: Plotkin SA, Orenstein WA, Offit PA, Edwards KM, eds. Plotkins's vaccines. 7th ed. Philadelphia: Elseivier Inc; 2018;185

10. Desai SN, Akalu Z, Teshome S, et al. A Randomized, Placebo-Controlled Trial Evaluating Safety and Immunogenicity of the Killed, Bivalent, Whole-Cell Oral Cholera Vaccine in Ethiopia. Am J Trop Med Hyg 2015;93:527-33.

11. Mahalanabis D, Lopez A, Sur D, et al. A randomized, placebo-controlled trial of the bivalent killed, whole-cell cholera vaccine in adults and children in a cholera-endemic area in Kolkata, India. PLoS ONE 2008;3:e2323.

12. Qadri F, Wierzba TF, Ali M, et al. Efficacy of a single-dose, inactivated oral cholera vaccine in Bangladesh. N Engl J Med 2016; 374:1723-32.

13. Shin SH, Desai SN, Sah BK, Clemens JD. Oral vaccines against Cholera. Clin Infect Dis 2011;52:1343-9.

14. Thiem VD, Deen JL, von Seidlein L, et al. Long-term effectiveness against cholera of oral killed whole-cell vaccine produced in Vietnam. Vaccine 2006;24:4297-303.

15. Waldor MK, Ryan ET. Vibrio cholera. In: Mandell GL, Bennett JE, Dolin R, eds. Mandell, Douglas, and Bennett's principles and practice of infectious diseases. 8th ed. Philadelphia: Elseivier Inc; 2015;2471.

탄저

국립암센터 **최영주**

1 대한감염학회 접종 권장대상과 시기

가. 국내에는 이용 가능한 백신이 없음

나. 미국의 경우 일부 특수한 상황(탄저균을 다루는 실험실 종사자, 탄저에 노출될 위험성이 높은 군인, 환경연구 관련자 등)에서 노출 전 접종을 권고함

다. 탄저균 포자에 노출된 경우 화학예방요법과 함께 노출 후 접종을 권고함

2 접종용량 및 방법

가. 노출 전 접종: Anthrax vaccine absorbed (AVA), 0.5 mL 근육 주사
기초접종(0.4주) 후 추가접종(6, 12, 18개월), 이후 1년마다 추가접종

나. 노출 후 접종: Anthrax vaccine absorbed (AVA), 0.5 mL 피하주사 3회(0, 2, 4주) 접종

3 이상반응

가. 전신 이상반응: 미열, 위약감, 두통, 근육통, 식욕감퇴, 호흡곤란, 오심, 구토

나. 국소 이상반응: 국소 압통, 발적, 근육통

4 주의 및 금기사항

가. 백신성분 또는 이전 접종 시 심한 알레르기 반응이 있었던 사람

나. 이전에 탄저병을 앓았던 사람

다. 중등도 또는 중증 급성 질병을 앓고 있는 사람

라. 과거 길랭-바레 증후군을 앓았던 사람

1. 질병의 개요

1) 원인 병원체

　　탄저병을 일으키는 원인균은 *Bacillus anthracis*이며 포자를 형성하는 호기성 그람양성 간균이다. 탄저균은 아포형태(spore)와 증식형태(vegetative form)의 두 가지 형태로 존재한다. 혈액한천배지에서 키우면 용혈성이 없는 회백색 집락을 이룬다. 염색된 탄저균은 모서리가 각진 사슬모양을 하고 있으며, MacFadyean's polychrome methylene blue 염색을 하면 협막을 관찰할 수 있다.

　　탄저균의 포자는 물리적, 화학적 인자에 매우 저항력이 강하며, 환경에서 수년간 존속할 수 있다. 유기물이 풍부하고, pH가 6.0 이상, 특히 홍수나 가뭄 뒤에 토양의 성질이 변하면 잘 증식한다고 알려져 있다. 이 기간 동안은 잠재적으로 농산물의 오염원으로 작용할 수 있지만, 사람에게 직접적인 위험이나 감염을 일으키지는 않는다. 동물은 풀을 뜯어먹는 동안 호흡기로 흡입되거나 위장관을 통해 감염된다. 탄저균에 감염된 동물 가공물을 통한 피부접촉이나 섭취, 흡입을 통한 감염도 가능하다.

　　탄저균은 혈액이나 동물의 조직과 같은 아미노산, 핵산, 당분이 풍부한 환경에서 발아한다. 탄저균이 증식하면서 보호항원(protective antigen, PA), 치사인자(lethal factor, LF), 부종인자(edema factor, EF)의 세 가지 단백을 만든다. 부종인자와 치사인자는 각각 방어항원과 결합할 때만 독소로 작용한다. 보호항원과 치사인자는 치사독소(lethal toxin)를 만들고 치사독소는 종양괴사인자-alpha, 인터류킨-1 beta 등을 분비하여 조직손상, 쇼크, 그리고 사망에 직접적으로 관여하는 것으로 알려졌다. 보호항원과 부종인자는 부종독소(edema toxin)를 만들어 광범위한 부종을 일으킨다.

2) 역학

　　탄저병은 전 세계적으로 발생한다. 탄저병 발생 형태는 농업형과 산업형으로 크게 나뉜다. 농업형은 풍토병으로 발생하고 있으며, 위생 상태나 공중 보건이 낙후된 곳, 특히 동물들에 대한 탄저균 감염관리가 잘 되지 않는 농업국가에서 호발한다. 동물 탄저병이 흔한 중앙 및 남부 아메리카, 남부 및 동부 유럽, 아시아, 사하라이남 아프리카, 그리고 터키, 이란, 이라크, 파키스탄 등 지중해와 중동지역 등이 호발지역이다. 산업형 탄저병 발생은 19세기 중반부터 20세기 초반까지 주로 오염된 동물의 털이나 가죽을 가공, 취급하는 과정이나 이들로 만든 가공품을 접촉 또는 흡입하여 발생하는 것이었다.

　　1955년부터 2010년까지 미국질병관리본부에 보고된 242건의 탄저 중 232건(96%)이 피부 탄저병이었고 10건(4%)가 흡입형 탄저병이었으며, 153건(65%)이 산업용 털이나 가죽 가공과 관련된 산업형 탄저병이었다. 그러나 합성섬유와 인조가죽이 발달하고 위생상태가 개선되고, 가공에 대한 엄격한 규정이 마련되면서 이러한 산업형 탄저는 감소하게 되었다. 미국에서 매년 자연발생 하는 탄저병은 연간 1-2건 정도이다. 전 세계적으로 최근 가장 큰 유행은 1978-1980년 짐바브웨에서 있었는데 이때 9,445건의 탄저병이 발생하였으며 거의 대부분 피부 탄저병이었고, 이 중 141 (1.5%)명이 사망하였다.

우리나라에서는 1900년대 초반까지 발생률이 높은 가축전염병이었고, 1940년대까지 연간 500마리의 소가 탄저균에 감염되었다는 기록이 있다. 1960년대부터 풍토병 지대의 소에 대한 예방접종을 실시함으로서 1970년대부터 연간 1−2두 정도로 산발적 발생만 보고되었다. 사람 탄저는 1952년에서 2004년까지 122명의 환자발생이 보고되었으며 이 중 16명이 사망하여 치사율은 13.6%이었다. 하지만 실제 발생 환자는 이보다 많은 것으로 생각된다. 1964년 발생한 6명과 2000년 경남 창녕에서 발생한 5명의 피부 탄저병 이외에는 모두 오염된 소를 섭취하여 발생한 위장관 탄저병이었다. 국내 탄저병 역학의 특성은 위장관형이 흔하다는 것이며 이는 소를 생식, 특히 생간, 골 등을 익히지 않고 먹는 특성이 있기 때문이라 생각된다.

자연에서 발생하는 탄저병 이외에도 실험실에서 탄저균 포자를 가지고 실험하는 연구원들이나 이를 취급하는 우편배달부에서 위험이 증가될 수 있다. 탄저균 포자는 강한 저항성과 운반의 용이성, 높은 병독성으로 인해 생물학적 무기로써 오래 전부터 주목받아왔다. 1979년 구소련에서 무기화된 탄저균 포자가 실수로 누출되어 흡입한 77명 중 68명이 사망하는 사고가 있었으나, 실제 테러에 쓰인 첫 사례는 2001년 미국에서 발생하였다.

2001년 9월, 우편물에 배달된 탄저포자를 흡입하여 22명(11명의 흡입탄저, 11명의 피부 탄저)의 환자가 발생하였고, 이 중 5명이 사망하는 사건이 발생하면서 탄저균은 생물테러의 주요 원인균으로 주목받게 되었고, 2002년 미국질병관리본부는 탄저균을 가장 위험한 생물학적 위험군인 카테고리 A 생물군으로 분류하였다. 우리나라에서는 우편물 테러를 모방한 유사 범죄가 있었으나, 실제 탄저 환자가 발생한 적은 없다.

2001년 노르웨이에서 탄저균에 오염된 헤로인을 주사로 투여받은 후 수막염, 패혈증으로 사망한 첫 증례가 보고되었으며, 이를 접종 탄저병(injection anthrax)이라는 새로운 형태의 탄저병으로 분류하였다. 이후에도 유럽과 미국에서 간헐적으로 약물중독자들 사이에서 오염된 헤로인 주사로 인한 집단 발병이 보고되고 있으며 평균 33%의 높은 치사율을 보이고 있다.

3) 임상적 특징

탄저균은 전파경로에 따라 피부 탄저병, 위장관 탄저병, 흡입 탄저병을 일으킨다. 이 중 흡입 탄저병이 가장 치사율이 높다. 세 유형의 탄저 모두 전신 탄저병 및 탄저 뇌수막염을 일으킬 수 있다. 1952년부터 2002년까지 보고된 뇌수막염 143건 중 피부, 흡입, 위장관 탄저에서 진행한 뇌수막염이 각각 41%(59건), 31% (44명), 13% (13명)이었다. 탄저 뇌수막염의 치사율은 약 94%이다.

(1) 피부 탄저병

전 세계적으로 자연 발생하는 탄저병의 95%는 피부 탄저병이다. 특히 탄저균으로 오염된 가금류나 오염된 동물의 털, 가죽 가공품을 취급할 때 생긴다. 주로 노출되는 부위인 얼굴, 이마, 목, 팔, 손에 호발한다. 피부 탄저병의 잠복기간은 짧게는 반나절에서부터 길게는 12일까지이나 평균 3–5일이다. 처음에는 통증이 없는 가려운 구진이 나타났다가 1–2일에 걸쳐 수포가 형성되며 미란을 동반하고 결국에는 특징적인 중심부 괴사를 동반한 가피를 남긴다. 병변은 대부분 통증이 없으며 간혹 1차 병변 주위에 2차 수포가 발생하기도 한다. 동반 증상으로는 주변 림프절 종대나 발열, 위약감, 두통이 있을 수 있다. 진단은 가피의 존재로 알 수 있으며 병변의 크기에 비해 지나친 부종, 그리고 감염 초기에 통증의 부재 등으로 짐작 할 수 있다. 치료하지 않아도 80–90%에서 저절로 낫지만, 전신으로 퍼질 수 있으므로 항생제를 투여한다. 적절한 항생제 치료가 이루어졌을 경우 치사율은 1% 미만이다.

(2) 위장관 탄저병

위장관 탄저병은 오염된 육류 섭취를 통해 발생한다. 잠복기는 약 1–7일 정도이다. 두 가지 형태가 있는데, 인두와 목 부위가 붓는 구강인두형 탄저병과 혈변, 복수, 복통을 동반하는 하부 위·장관형 탄저병이 있다. 구강인두 탄저병은 혀나 편도선 저부의 병변을 동반하며 인두통, 연하곤란, 발열, 그리고 국소 림프절종대를 동반한다. 인두에 위막성 궤양을 동반하며 하부위장관 탄저병보다 예후가 좋다. 하부 위장관 탄저병은 장의 급성염증이 특징적이다. 초기에는 구역, 식욕상실, 구토, 발열이 있으며, 이어 복통, 토혈, 그리고 혈변이 따른다. 치사율은 대략 25–60%로 추정된다.

(3) 흡입 탄저병

Woolsorter 병이라고 알려져 있으며 약 8천–5만 개의 탄저 포자를 흡입하면 발병한다. 자연 상태에서 탄저 포자는 2–6 μm 정도의 직경을 가진다. 오염된 생산물을 가공할 때 기화되면 2–5 μm 크기 사이의 입자들은 마치 가스와 같이 행동하며 환경에 달라붙지 않고 공기 중에 떠다니게 된다. 이들은 하부호흡기에 도달하여 폐포 대식세포에 탐식된 후 폐 주변 림프절로 이동하여 발아 및 번식, 독소를 방출하여 흉부림프절의 출혈성 괴사나 출혈성 종격동염을 일으킨다. 5 μm 이상 되는 입자들은 빠르게 공기 중에 떨어져 표면 어디든지 달라붙게 된다. 흡입 탄저병은 생물테러의 목적으로 감염되는 가장 흔한 형태이다.

잠복기는 1–7일 정도 되지만, 길게는 43일까지도 보고된 바 있다. 2001년 미국에서 있었던 생물테러 때 보고된 탄저병 증례에서 보면 잠복기가 4–6일 사이였고, 중간값은 4일이었다. 탄저병의 잠복기는 탄저균의 용량과 반비례한다.

흡입 탄저병에서 폐렴을 동반하는 경우는 많지 않으며 출혈성 종격동염과 출혈성 임파선염이 특징이다. 흡입 탄저병은 크게 두 증상기로 나뉘는데(biphasic) 첫째는 전구증상기로 평균 4일간 지속되며 마른기침과 근육통, 피로, 그리고 발열 등 독감 유사증상을 보인다. 가끔 흠뻑 젖을 정도의 발한이 동반되기도 한다. 전구증상 직후 잠깐 호전되는 양상을 보이기도 하나, 치료하지 않는 경우 94%에서 전격

증상기로 진행하여 출혈, 호흡곤란, 청색증, 쇼크로 평균 1.1일만에 사망한다. 전격증상이 발현된 환자는 97%의 치사율을 보인다. 수막염은 흡입 탄저병 환자의 42-58%에서 보이며 흔히 출혈성으로 온다.

2001년 생물테러 이전에는 항생제를 쓰지 않고 치사율이 85-97% 정도로 추정되었다. 항생제 치료를 하면 약 75%였다. 2001년 생물테러 때 사망률은 45% (5/11명)였다. 흡입 탄저병 환자 11명 중 전구증상기에 항생제 투여를 받은 환자가 7명이었고 이 중 1명만 전격 증상발현기로 진행하여 사망한 반면, 전격 증상발현 이후 항생제를 투여받은 4명은 모두 사망하였다. 이는 전구증상기에 적극적으로 항생제 치료를 하면 전격증상기로 진행하는 것을 막아 사망률을 낮출 수 있으나, 일단 전격증상기로 진행한 환자들은 항생제 투여를 해도 사망률을 낮출 수 없음을 시사한다.

4) 진단

탄저병의 임상적 진단은 비특이적인 증상으로 인하여 매우 어렵다. 따라서 역학적 위험인자에 대한 고려가 매우 중요하다.

피부 탄저병은 임상적으로 특징적인 통증이 없는 검은 가피를 동반한 얕은 궤양을 보고 의심할 수 있다. 수포액을 그람염색하면 특징적인 사슬모양의 그람 양성간균이 염색된다. 피부 조직검사를 하여 배양을 해볼 수 있다. 진단은 균 배양을 해서 탄저균이 배양되면 확진할 수 있다.

위장관 탄저병은 역학적으로 동물 풍토병 지역에서 발생하고 병력상 잠재적으로 오염 가능성이 있는 육류섭취와 특징적인 증상이 있다면 의심해봐야 한다.

흡입 탄저병의 초기 증상은 발열, 오한, 근육통이 가장 흔하며 감기와 유사하다. 탄저균에 노출 위험이 높고, 흉부촬영 영상에서 종격동비대, 흉막삼출 등이 관찰되면 의심을 해볼 수 있다. 폐렴 소견은 드물다. 진행된 탄저감염증에서는 기침, 호흡곤란, 쇼크로 진행하며, 균수가 매우 많아 말초혈액도말에서 그람염색을 하면 균이 보일 정도이다.

흉막액, 뇌척수액, 피부조직검체, 구강궤양 등에서 검체를 채취하여 보통배지 또는 혈액한천배지에서 35℃에 배양하면 6-24시간 내에 증식하는 것을 관찰할 수 있으며 이를 도말염색하면 특징적인 그람 양성균을 관찰할 수 있다.

독소나 협막에 대한 항체검사에서 항체 역가가 4배 이상 증가하면 진단이 가능하다. 혈청검사법 중에는 보호항원과 협막항원에 대한 항체검사가 가장 민감하다. 탄저 피부반응검사는 탄저병의 증상이 나타나고 1-3일 이내에 82%의 환자에서 양성을 보인다. 최근에는 PCR을 이용한 진단법이 사용되고 있다.

5) 치료

항생제 치료는 탄저병 치료에 가장 중요하며, 진단이 의심되는 즉시 시작하여야 한다. 자연계에서의 탄저균은 모든 항균제에 감수성이 있으며, penicillin, tetracycline (doxycycline) 경구 quinolone이 효과적이다. 탄저균은 cephalosporin과 같은 항생제의 활성을 막는 cephalosporinase를 분비하기 때문에 탄저병에는 cephalosporin을 사용할 수 없다. 자연 발생하는 탄저병은 sulfamethoxazole, trimethoprim, aztreonam과 같이 흔히 쓰이는 약제에도 내성이 있을 수 있다. 흡입 탄저병, 위장관 탄저병, 수막염, 전신증상을 동반한 피부탄저병에는 정주용 항생제를 사용한다. 항생제 치료 기간은 피부 탄저병은 7–10일 정도이고, 흡입탄저병은 60일, 위장관 탄저병은 증상이 호전된 후에도 2주 이상 유지하여야 한다. 항생제 치료에 실패한 경우 단일클론항체 치료를 해볼 수 있다.

6) 노출 후 화학예방요법

공기 중의 탄저균 포자에 노출되었다면 예방적으로 항생제를 복용하여야 한다. 현재까지는 ciprofloxacin, doxycycline, levofloxacin 등 세 약제가 노출 후 탄저병 예방 항생제로 미국 식품의약국에서 공인받았다. Ciprofloxacin, doxycycline은 흡입 탄저병의 예방의 일차 예방 선택약제로 권고되며 용법은 표 22-1과 같다.

Levofloxacin도 흡입 탄저병의 예방약제로 6개월 이상의 연령에서 미국 식품의약품안전처의 승인을 받았지만, 2차 약제로 권고되며 성인 및 50 kg 이상의 소아는 500 mg 하루 한 번, 50 kg 미만 및 6개월 이상 소아는 8 mg/kg 하루 두 번(총 500 mg을 넘지 말 것) 용법이 권장된다. 흡입 탄저병 예방을 위한 노출 후 예방항생제는 항생제 단독 사용시 적어도 60일 이상 복용하는 것이 권장된다. 2009년에 발표된 탄저의 노출 후 예방 지침에는 항생제 투여와 백신접종을 병용할 것을 권장하고 있다.

표 22-1. 탄저의 화학예방요법

대상군	항생제
18-65세 성인	ciprofloxacin 500 mg, 경구, 하루 두 번 doxycycline 100 mg, 경구, 하루 두 번

소아(<18세)	ciprofloxacin 15 mg/kg, 12시간마다
	doxycycline
	  > 8세, > 45 kg: 100 mg, 12시간마다
	  > 8세, < 45 kg: 2.2 mg/kg, 12시간마다
	  ≤ 8세: 2.2 mg/kg, 12시간마다

2. 백신의 종류

첫 탄저백신은 루이 파스퇴르에 의하여 1881년 동물 생백신으로 개발되었다. 1939년에 캡슐이 없는 비독성 변종 균주를 이용한 개량형 동물백신이 제작되었으며 이 백신은 현재까지도 서양에서 주요 가축백신으로 쓰이고 있다. 생백신은 간혹 가축들에게 사망을 유발하며 인간에게서 적합하지 않게 여겨진다.

사람용 백신은 1954년에 처음 개발되었으며, 1950년대에는 높은 농도의 보호항원을 생산하는 탄저균을 사용하고 단백질이 없는 매개체와 aluminum hydroxide를 보존제로 사용한 개량백신이 개발되었다. 1970년에 미국에서 사용이 허가된 유일한 사람 백신으로서 탄저백신(AVA - anthrax vaccine absorbed, Biothrax, Emergent Biosolutions, Rockville, MD)이 허가되었고 18-65세 성인에서 탄저의 노출 전 예방 및 흡입 탄저병 노출 후 예방에 사용되고 있다. 우리나라에는 도입되지 않았다. 미국에서 사용되는 탄저백신은 생백신이나 사백신 모두 탄저균을 포함하고 있지 않으며, 따라서 탄저병을 일으키지 않는다.

3. 백신의 효능 및 효과

면역력과 관련된 주 항원은 보호항원(PA)이다. 백신 2회 접종 이후에는 91% 이상의 피접종자에게서 항체가 만들어진다. 3회 접종 후에는 피접종자의 약 85%에서 항체가가 4배 이상 상승한다. 백신접종 이후에 면역력이 유지되는 기간은 알려져 있지 않다. 동물실험에 근거한 자료에 의하면 2회 접종 후 면역력은 약 1-2년 동안 유지되는 것으로 알려져 있다.

4. 적응증

1) 노출 전 접종

미국의 경우 다량의 탄저균에 노출될 위험이 있는 직종 종사자들에게는 일상적인 예방접종이 권장된다. 표준 안전수칙을 준수하는 임상검체를 취급하는 연구실 종사자들은 탄저균에 노출될 위험이 증가하지 않는다. 그러나 고농도의 탄저균 포자에 지속적으로 노출될 수 있는 연구실 종사자는 예방접종이 필요하다. 의도적인 탄저균 포자 살포에 노출될 위험이 있는 군종사자들에게는 군 당국의 판단에 따라 접종할 수 있다.

수입 동물 가죽, 털, 뼈사료, 양털, 동물털, 또는 강모를 취급하는 사람들에서의 탄저병의 빈도는 업계 표준화의 변화와 엄격한 규정으로 인해 많이 감소하였다. 그러나 이러한 지침과 규정이 엄격히 준수될 수 없는 작업장 근무자에게는 접종이 권고된다. 수의사들에 대한 일상적인 백신접종은 권장되지 않는다. 환경 연구와 환경 개선활동에 참여하는 사람에게도 접종이 권고된다.

2) 노출 후 접종

탄저균 포자에 노출된 경우 접종한다. 제한된 자료에 근거한 것이지만, 영장류 이외의 동물들에는 노출 후 백신접종만으로는 탄저균 노출 후 감염을 예방하지 못한다. 그러나 항생제와 백신접종을 병행하면 동물에서 탄저균 노출 후 감염을 예방할 수 있는 것으로 알려져 있다.

5. 투여방법

2010년 제시된 미국 예방접종자문위원회 지침 내용은 다음과 같다.

1) 노출 전 접종

첫 AVA 백신접종시에는 0, 4주에 2회 접종하고, 이후에 6, 12, 18개월에 추가접종을 실시한다. 1회 접종량은 0.5 mL이며 근육내 접종한다. 면역력을 유지하기 위해서는 매년 추가접종을 실시할 것을 권장한다. 접종 계획이 중간에 어긋나더라도 처음부터 전체 접종을 다시 시작할 필요는 없다. 혈액응고질환과 같은 병으로 근육접종이 어려운 사람들은 피하접종을 할 수 있다.

2) 노출 후 접종

0, 2, 4주에 3회 접종한다. 1회 접종량은 0.5 mL이며 피하 접종한다.

6. 이상반응

가장 흔한 이상반응은 국소 반응이다. AVA의 허가 전 평가에서 경증 국소반응(발적, 부종, 경결 <30 mm)은 백신접종 후 약 20%에서 발생하였다. 중등도의 국소 반응은 약 3%에서 발생하였으며, 중증 국소반응(부종 또는 국소 경결 >120 mm)은 약 1%에서만 발생하였다. 국소 반응은 대개 24시간 이내 발생하여 48시간 이내에 소실된다. 피하결절은 접종자의 약 30-50%에서 발생하며 수 주간 지속된다.

미국 국방부에서 시행한 다기관 연구에서는 전신반응은 접종자의 약 5-35%에서 발생하였으며 이는 오한, 두통, 근육통, 위약감, 또는 오심 등이 주된 증상이었다. 전신반응은 대개 경미하며 일시적이다.

발열은 흔하지 않으며 중증 반응은 보고된 바 없다. 현재까지는 18세 미만과 65세 이상의 사람에서 탄저백신의 안전성에 대한 자료는 없다.

7. 금기

모든 백신에서와 마찬가지로 AVA는 이전의 AVA 또는 백신성분에 중증의 과민반응을 경험한 사람에게서는 금기사항이다. 미열을 동반하거나 동반하지 않는 경미한 질환의 경우에는 접종할 수 있다. 자료가 제한적이나 임신기간 중 백신접종은 권고되지 않는다.

8. 국내유통백신

없음

현재 국외 시판중인 탄저백신

제품명	제조사	용법/용량	접종일정
AVA* (Anthrax vaccine absorbed)	Biothrax	0.5 mL/근육주사	0,4주, 6,12,18개월, 이후 1년마다

* 국내에서 유통되고 있지 않음

참고문헌

1. Amesh A. Adalja, M.D., Eric Toner, M.D, et al. Clinical Management of Potential Bioterrorism-Related Conditions. N Engl J Med 2015;372:954-62.
2. Anthrax Cases Associated with Animal-Hair Shaving Brushes. Szablewski CM, Hendricks K, Bower WA, et al. N. Emerg Infect Dis 2017;23:806-8.
3. Berger T, Kassirer M, Aran AA. Injectional anthrax - new presentation of an old disease. Euro Surveill 2014;19.
4. Cieslak TJ, Eitzen EM Jr. Clinical and epidemiologic principles of anthrax. Emerg Infect Dis 1999;5:552-5.
5. Countering Anthrax: Vaccines and immunoglobulins. Clin. Infec Dis John D.Grabenstein 2008;46:129-35.
6. D'Amelio E, Gentile B, Lista F, et al. Historical evolution of human anthrax from occupational disease to potentially global threat as bio-weapon. Environ Int. 2015;85:133-46.
7. Holty JE, Bravata DM, Liu H, et al. Systematic review: a century of inhalational anthrax cases from 1900 to 2005. Ann Intern Med 2006;144:270-80.
8. Jernigan DB, Raghunathan PL, Bell BP, et al. Investigation of bioterrorism-related anthrax, United States, 2001: epidemiologic findings. Emerg Infect Dis 2002; 8:1019-28.
9. Katharios-Lanwermeyer S, Holty J.E, Person M et al. Identifying Meningitis During an Anthrax Mass Casualty Incident: Systematic Review of Systemic Anthrax Since 1880. Clin Infect Dis 2016;62:1537-45.
10. Lanska DJ. Anthrax meningoencephalitis. Neurology 2002;59:327-34.
11. Lim HS, Song YG, Yoo HS, et al. Anthrax: An Overview. Korean J Epidemiol 2005;27:12-25.
12. Lucy D. Bacillus anthracis. In: Mandell GL, Bennet JE, Dolin R, eds. Principles and practices in infectious diseases. 6th ed. Philadelphia: Elsevier Inc; 2004;2485-91.
13. Philip R Pittman, Sarah L Norris, et al. Patterns of antibody response in humans to the anthrax vaccine absorbed(AVA) primary six dose series: Vaccine 2006;3654-60.
14. Philip S Brachman, Arthur M Freidlander, John D Grabenstein. Anthrax vaccine:Vaccines 4th edition 887-903.
15. Ringertz SH, H ø iby EA, Jensenius M, et al.Injectional anthrax in a heroin skin-popper. Lancet 2000;356:1574-5.
16. Scorpi, E. Blank, W.A. Day, D.J et al. Anthrax vaccine: Pasteur to the present. Cell. Mol. life Sci 2006;2237-48.
17. Wright JG, Quin CP, Shadomy S, et al. Centers for Disease Control and Prevention(CDC). Use of anthrax vaccine in the United States: recommendations of the Advisory Committee on Immunization Practices(ACIP),2009. MMWR Recomm Rep 2010;59:1-30.

파상풍-디프테리아-백일해

가톨릭대학교 의과대학 **이효진**
가톨릭대학교 의과대학 **최정현**

1 대한감염학회 접종 권장대상과 시기

가. 모든 소아는 파상풍-디프테리아-백일해에 대한 표준예방접종 지침에 따라 기초접종 3회와 추가접종 2회를 DTP (혹은 DTP-IPV, DTP-IPV/Hib)로 실시. 만 11-12세에 시행하는 마지막 접종은 Tdap으로 접종

나. 소아 표준예방접종 지침에 따라 과거 DTP 접종을 받은 18세 이상의 성인은 매10년마다 1회 Td 접종이 필요하며, Tdap을 한 번도 접종받지 않았다면 이 중 한번은 Td 대신 Tdap을 접종하되 초회접종으로 권고

다. 18세 이상의 성인에서 소아기 DTP 접종을 받지 않았거나, 기록이 분명치 않은 경우, 또는 1958년(국내 DTP 도입 시기) 이전 출생자의 경우에는 3회를 접종, Tdap을 첫 번째로 접종하고 4-8주 후 Td, 이후 6-12개월 뒤 다시 Td를 접종함(첫 번째에 Td를 접종하였다면 이후 두 번째 혹은 세 번째 일정 중 한번을 Tdap으로 투여). 이후 매10년마다 Td를 추가접종

라. 생후 12개월 미만의 백일해 고위험군과 밀접한 접촉자인 의료기관이나 보육시설 종사자, 신생아가 있는 가족 내 청소년과 성인(부모 혹은 조부모) 등은 Tdap 접종력이 없다면 밀접하게 접촉하기 2주 전까지 Tdap 접종 권고

마. 임신부는 신생아의 백일해 예방을 위해 매 임신 27-36주에 Tdap 접종 권고

바. 상처를 통한 감염 예방을 위해 Td를 투여하는 경우, 과거 DTP 혹은 Td 접종력과 상처의 청결도에 따라 결정

2 접종용량 및 방법

어깨 세모근에 0.5 mL를 근육주사

3 이상반응

가. 접종부위 동통, 홍반, 경화 등 국소 이상반응이 가장 흔함

나. 근육통, 발열 등 전신 이상반응이 20% 이하에서 발생

다. 짧은 간격으로 Td를 수회 접종하는 경우 드물게 유사아르투스반응 발현

라. 전신 두드러기, 아나필락시스, 신경계 이상반응이 드물게 발생

4 주의 및 금기사항

가. 파상풍이나 디프테리아 톡소이드 및 백신의 구성 성분에 대해 중증 알레르기가 있는 경우

나. 이전 접종 시 접종 7일 내 원인을 알 수 없는 급성 뇌증이 있었던 경우(Tdap)

1. 질병의 개요

1) 파상풍

(1) 원인 병원체

파상풍은 혐기성 그람양성 막대균인 *Clostridium tetani*가 생산하는 독소에 의해 유발되는 급성 질환으로 골격근의 경직과 발작적인 근육 수축을 유발한다. *C. tetani*는 전 세계적으로 토양, 무생물 환경 등에 분포하며 동물과 사람의 소화관에서도 발견된다. *C. tetani*가 생산하는 독소는 tetanolysin과 tetanospasmin의 두 종류의 외독소이고, 이 중 tetanospasmin은 신경독소로 중추신경계 신경접합전 말단부에서 glycine과 gamma-aminobutyric acid (GABA)의 분비를 억제하여 지속적인 근육 연축을 유발한다. Tetanospasmin은 사람에서 2.5 ng/kg 정도의 극소량으로도 치명적이다.

(2) 역학

1940년대 후반 파상풍 톡소이드(toxoid)를 이용한 소아 접종을 시행함으로써 세계적으로 발생빈도는 급격히 감소하여 미국의 경우 톡소이드 접종 전 0.4건/100,000명의 빈도가 접종 이후 0.05건/100,000명 미만으로 감소되었으며, 1970년 이후 연간 35-70건의 파상풍 증례가 보고되고 있다. 영국의 경우도 1984년부터 2004년까지 20년간 198례만이 보고되었다. 보고된 환자의 60-70%가 40세 이상이며 특히 65세 이상의 연령에서 발생빈도가 높지만 약물오남용자에서 파상풍 발생이 늘면서 45세 이하 연령에서의 빈도가 증가되었다는 보고가 있다. 보고된 환자의 대부분은 이전에 백신접종력이 완전치 않거나 10년 이내 추가접종을 하지 않은 경우였다.

아시아와 아프리카의 저개발 지역에서는 탯줄의 부적절한 처리와 임신부의 파상풍에 대한 불완전한 면역으로 신생아 파상풍이 중요한 문제로 떠오르게 되었다. 세계보건기구의 자료에 의하면 1988년 신생아 1,000명 중 6.7명이 파상풍으로 사망하였다. 이후 적극적인 파상풍 박멸사업 결과 1995년 이후 1,000명당 1명 이하로 감소하였으나 여전히 신생아 파상풍은 전체 파상풍 발생의 50%를 차지하고 있다.

국내에서 파상풍은 1976년 제2군 감염병으로 지정되어 신고를 받기 시작하였다. 2001년부터 2016년까지 해마다 4-24건이 보고되었으며 총 234건이 보고되었다. 이 중 216례(92.3%)가 40세 이상에서 발병하였다. 우리 나라에서는 파상풍-디프테리아-백일해 혼합백신이 1958년부터 사용되었기 때문에 그 이전 출생자는 파상풍에 대한 면역 획득의 기회가 없었다고 짐작할 수 있다. 17례의 파상풍 환자를 분석한 국내 논문에서도 환자군의 평균 연령이 63세였으며 88%가 파상풍에 대한 예방접종력을 확인할 수 없었다. 국내에서 시행된 연령별 파상풍 면역항체 보유에 대한 역학 연구에서 21세 이상 인구의 42-93%가 추가접종을 통한 면역유지가 필요(항체가 < 0.1 IU/mL)한 것으로 보고된 바 있다. 최근 보고에 따르면 파상풍 항체 보유 양성 인구는 11-20세에서는 92%, 21-30세에서는 95.7%로 증가하다가

31–40세에서 72.3%, 41–50세에서 33.3%, 51–60세에서 17.3%, 51–60세에서 17.3%, 61세 이상에서 19.3%로 나이가 들수록 감소하는 것으로 나타났다.

(3) 임상적 특징

파상풍은 오염된 상처를 통해 감염된다. 특히 크기가 작은 상처에서 질병이 유발될 가능성이 높은데 이는 큰 상처들은 적절히 치료가 이루어지는 반면, 작은 상처에는 소홀히 대처하기 때문으로 생각된다. 그 외에도 수술, 화상, 중이염, 치주염, 동물에 의한 교상, 유산이나 출산과 관련해서도 발생할수 있다.

잠복기는 3–21일(평균 8일)로, 상처를 입은 부위와 관련이 있어서 중추신경계와 먼 부위에 포자가접종된 경우는 잠복기가 길지만, 두경부와 체부의 상처를 통해 감염되면 잠복기가 짧다. 잠복기가 짧을수록 사망률이 높다.

파상풍은 국소형, 두부형, 전신형의 세 가지 형태로 나타날 수 있다. 국소형 파상풍(local tetanus)은상처 인접부위에 통증을 동반한 근육경련을 일으키며 수 주에서 수개월까지도 지속된다. 그러나 인체감염시 독소가 전신으로 퍼져나가기 때문에 국소형은 드물다. 두부형 파상풍(cephalic tetanus)도 매우드물며 주로 안면신경과 안와에 국한된 증상으로 나타난다. 잠복기는 1–2일로 짧고, 만성 중이염이나두부 손상과 관련해 발생한다. 뇌신경 마비를 유발할 수 있으며 전신형 파상풍(generalized tetanus)으로 진행될 수 있다. 파상풍의 80% 이상은 전신형으로 나타난다. 저작근 수축에 의한 아관긴급(trismus, lockjaw)이 최초로 나타나는 증상이며 이로 인해 특징적인 표정(비웃는 듯한 미소, risus sardonicus)이나타난다. 이후 경부, 체부 및 사지 근육으로 하행 진행하며 수축이 일어나고 전신에 과반사(hyperreflexia)가 나타난다. 특히 등 근육의 지속적인 수축으로 인해 후궁반장(opisthotonus)이 나타난다. 전신경련은 사소한 외부 자극(빛, 소리 등 감각자극)에 의해서 유발될 수 있다. 후두부 경련은 기도협착을일으켜 치명적일 수 있다. 그 외 지속적인 근육 수축에 의한 척추나 장골(long bone)의 골절, 자율신경계 과흥분에 의한 고혈압과 부정맥 등이 발생할 수 있다. 파상풍에 의한 사망률은 전신형의 경우25–70%로 다양한 정도이나 신생아나 노인, 예방접종력이 없는 경우 사망률이 높다.

(4) 진단

특징적인 임상 증상과 상처의 병력으로 진단할 수 있다. 드물게 환부에서 *C. tetani*가 검출되기도 하지만 실제 파상풍이 아닌 사람에서도 검출될 수 있다. 회복기에도 항체가 생성되지 않으므로 혈청학적진단은 도움이 되지 않는다.

(5) 치료

치료의 원칙은 신경독의 공급처인 상처감염부위를 제거하고, 혈중 독소를 중화시키며, 신경조직에 결합된 신경독이 대사되어 없어질 때까지 집중적인 대증요법을 시행하는 것이다. 환자를 조용한 곳으로 입원시키고 자극을 최소화해야 한다. 기도 유지가 중요하며 상처를 찾아 소독하고 죽은 조직은 철저히 제거하여야 한다.

항생제의 역할은 불분명하지만 metronidazole 투여가 일반적으로 추천된다(500 mg, 6시간마다 정맥주사, 7–10일간). 항독소인 tetanus immunoglobulin (TIG) 투여는 신경조직과 결합되지 않은 독소를 중화함으로써 질병 이환기간과 중증도를 줄일 수 있다. 통상적인 투여량은 3,000–5,000 단위로 근육주사한다. TIG 사용이 어렵다면 정맥주사용 면역글로불린 사용을 고려할 수 있다. 근육 경련에 가장 추천되는 약제는 GABA 작용제(agonist)인 benzodiazepine이다. 이 중 diazepam을 정맥주사하면 효과적이다. 만약 benzodiazepine으로 조절이 안 된다면 vecuronium이나 barbiturate를 사용할 수 있다.

파상풍은 이환된 후에도 면역이 획득되지 않으므로 치료 후 반드시 파상풍 백신접종이 필요하다.

(6) 환자 및 접촉자 관리

외상의 형태와 환자의 예방접종력을 확인하고 이에 따라 TIG와 백신을 투여한다. 개방성, 삼출성 병소가 없는 경우에는 격리할 필요가 없으나 개방성 병소가 있는 환자는 격리한다. 접촉자에 대해서는 특별한 관리가 필요하지 않다. 병소 분비물 속에는 아포를 가진 파상풍균이 많이 있으므로 오염된 모든 물건은 즉시 고압멸균이 필요하다.

2) 디프테리아

(1) 원인 병원체

디프테리아는 *Corynebacterium diphtheriae*에 의한 점막 또는 피부의 급성 감염증으로 감염된 부위에 특징적인 회백색의 위막(pseudomembrane)을 형성한다. *C. diphtheriae*는 캡슐이 없고 아포를 형성하지 않는 그람양성 간균으로 독소를 생산하는 독성 균주가 비독성 균주에 비해 위막형성이나 균혈증을 더 잘 일으킨다. 일반적으로 호흡기 디프테리아는 주로 독성 균주에 의해 유발되는 반면, 피부 및 기타 디프테리아는 비독성 균주에 의해서도 발생할 수 있다.

(2) 역학

디프테리아 톡소이드는 1921년에 개발되었으며 지금과 같은 혼합 형태(파상풍–디프테리아–백일해)로 만들어 본격적으로 사용한 것은 1940년대이다. 백신이 도입되기 전 디프테리아는 소아 사망의 중요한 원인 중 하나였다. 1920년대 미국의 경우 매해 130–150건/100,000명의 디프테리아 환자 발생 및 13,500–15,000건의 사망이 보고되었으나 소아용 파상풍–디프테리아–백일해 혼합백신(DTP)의 사용으로 1980년도 이후에는 해마다 5건 이내로 보고되고 있다. 영국의 경우 1986년부터 2002년까지 56건의

C. diphtheriae 분리가 보고되었다. 1990년대에 구소련에서 디프테리아 집단유행으로 157,000명 이상의 환자가 발생했고 이 중 5,000명이 사망하였다. 당시 소아에서 디프테리아 톡소이드 백신접종을 시행하지 못한 취약한 지역사회 보건의료가 원인으로 밝혀져 1998년 대규모 백신접종 사업을 시행한 이후에 집단 유행이 조절되었다. 최근 세계적으로 디프테리아 발생은 매우 드물다.

국내는 1960년대 연간 약 1,000건이 보고되었으나 1958년부터 백신 도입 후 점차 감소하여 1987년 이후 발생 보고는 없다. 그러나 국내에서 시행된 연령별 디프테리아 면역항체 보유에 대한 역학 연구에서 21세 이상 인구의 50-73%가량이 추가접종을 통한 면역유지가 필요(항체가 < 0.1 IU/mL)한 것으로 보고된 바 있다.

(3) 임상적 특징

인두와 편도부위 감염이 가장 흔하다. 초기에는 피로감, 인두통, 식욕부진, 미열 등을 호소하나 2-3일이 경과하면 청백색의 위막이 편도에서 시작되어 점차 확대된다. 출혈이 동반되면 검게 보이기도 한다. 하부 조직과 단단히 붙어 있어 떼어내면 출혈이 있으며 광범위하게 형성되는 경우 기도 폐색을 일으킬 수 있다. 이 시기를 기점으로 회복되기도 하지만 흡수된 독소의 양이 많은 경우 혼수 상태에 이르게 되고 6-10일 내에 사망하게 된다. 중증으로 진행된 경우 하악부위의 종창과 전경부의 림프절 비대로 목덜미가 굵어지는 소견(bull-neck)이 나타난다.

후두 디프테리아는 발열, 쉰 소리, 개 짖는 소리와 같은 기침 등의 증상이 나타나며 위막이 기도를 막아 사망할 수 있다. 비강 디프테리아는 다른 상기도 감염과 유사한 증상을 보이나 화농성 분비물이 특징적이고 진행되면 혈성 분비물이 관찰되기도 하지만 대부분 경한 임상 경과를 보인다. 피부 디프테리아는 다양한 피부증으로 나타날 수 있지만 구멍 뚫린 궤양의 형태를 보이는 것이 가장 흔하다. 궤양은 괴사 딱지 혹은 막으로 덮여 있고 경계가 뚜렷하며 주로 사지에 생긴다.

디프테리아의 주된 합병증은 심근염과 신경염이다. 심근염은 심박동 이상으로 나타나며 질병 초기에 발생하지만 수 주일이 경과한 후에도 나타날 수 있는데 질병 초기보다 치명률이 높다. 신경염은 주로 운동 신경을 침범하며 완전히 회복된다. 연구개 마비가 가장 흔하며 발병 3주경에 관찰된다.

디프테리아에 의한 사망률은 5-10%이나 5세 이하 소아나 40세 이상 성인에서는 20% 정도의 높은 사망률이 보고되었다.

(4) 진단

호흡기 디프테리아의 대부분은 막성 인두염의 형태로 나타나기 때문에 유행지역에서 이런 소견이 관찰되면 디프테리아를 의심할 수 있고 적정 검체에서 *C. diphtheriae*가 분리되면 확진할 수 있다. 검체는 궤양이나 위막뿐 아니라 변색된 부위, 편도움(tonsillar crypt) 등에서 얻어 Loeffler 선택배지에 접종하여 배양한다.

(5) 치료

호흡기 디프테리아 치료에 있어서 디프테리아 항독소 투여가 필요하다. 항독소 투여는 감염부위의 확산을 막고 심근염, 신경병증 등의 합병증 발생과 사망을 줄일 수 있다. 항독소의 경우 세포에 부착된 독소는 중화할 수 없기 때문에 신속한 투여가 중요하다. 사용 전 즉시형 과민반응(immediate hypersensitivity) 여부를 알아보기 위한 검사를 한다. 그러나 디프테리아 항독소는 현재 국내에는 시판되지 않으며, FDA 승인을 받지 못해 미국에서도 시험용 신약으로만 사용된다.

항생제 치료는 감수성이 있는 다른 사람으로의 전파를 예방하는 것이 주된 목적이다. 호흡기 디프테리아 환자에게는 procaine penicillin G 60만 단위(소아 12,500−25,000 단위/kg)를 12시간 간격으로 근육주사하고 환자가 편하게 먹을 수 있게 되면 경구용 penicillin V 125−250 mg, 1일 4회 용량으로 14일간 투여한다. 또는 erythromycin 500 mg을 6시간마다(소아 40−50 mg/kg/일, 2−4회 분할) 정맥주사하고 환자가 편하게 먹을 수 있게 되면 이후 500 mg을 1일 4회 용량으로 14일간 경구투여한다.

(6) 환자 및 접촉자 관리

환자와의 긴밀한 접촉이나 드물게 분비물에 의해 전파되므로 인두 디프테리아 환자는 비말 격리가 필요하다. 항생제 투여 후 48시간이 지나면 대부분 전염력이 소실되나 항생제 치료 후 24시간 뒤부터 비강 및 인두 부위에서 24시간 이상의 간격으로 반드시 추적 배양검사를 시행하고 2회 이상 배양 음전을 확인한 후 격리 해제하도록 한다. 피부 디프테리아 환자는 접촉 격리가 필요하다.

환자와 접촉한 사람은 백신접종 여부와 상관없이 benzathine penicillin (6세 이하 60만 단위, 6세 이상 120만 단위) 1회 근육주사하거나 erythromycin (소아 40 mg/kg, 성인 1 g/일)을 경구로 7−10일간 투여하고, 증상이 나타나면 즉시 디프테리아 항독소를 투여한다. 디프테리아 항독소는 치료용으로만 사용하며 접촉자의 예방에는 사용하지 않는다.

3) 백일해

(1) 원인 병원체

백일해는 전염성이 매우 높은 호흡기질환으로 보균자의 비말을 통해 전파된다. 사람에서만 발생하고, 다른 동물이나 곤충 숙주에 대해서는 알려진 바 없다. 기후나 지역, 인종에 관계없이 발생하며 모든 연령이 감염될 수 있다. 원인균인 *Bordetella pertussis*는 그람음성 막대균으로 pertussis toxin, filamentous hemagglutinin, agglutinogen, adenylate cyclase, pertactin, tracheal cytoxin 등 발병과 면역에 관련된 다양한 독소를 생산한다. *B. pertussis* 감염 후 회복되어도 평생면역이 획득되지 않는다.

(2) 역학

백일해는 예방접종이 시행되기 전까지 소아에서 흔한 질환이었다. 미국의 경우 백신도입 전 약 150건/100,000명의 빈도로 발생하였다. 1940년대 전세포(whole cell) 백일해 백신이 사용된 후 1980년대 1건/100,000명으로 급속히 감소하였다. 그러나 1970년대 후반부터 전세포 불활화백신의 이상반응으로 접종률이 감소함에 따라 발생률이 증가하였고 1980년 개량 정제(acellular, purified) 백일해 백신의 도입으로 발생률이 다시 감소하였다. 그러나 최근 백일해 백신접종을 시행하는 국가들에서 백일해 집단 발생이 반복되고 있는데, 이에 대한 정확한 원인은 규명되지 않았다. 백일해 백신접종 후 시간이 지남에 따라 면역이 감소하고 따라서 청소년 및 성인에서 발병의 위험이 높아지며, 이로 인해 영유아에게 백일해가 전파되는 것이 원인일 것으로 추정되고 있다. 따라서 많은 국가에서 반복적인 유행 발생을 억제하기 위해 청소년 및 성인에게 10년마다 추가접종하는 파상풍-디프테리아 혼합백신(Td)의 1회는 성인용 파상풍-디프테리아-백일해 혼합백신(Tdap)으로 전환하여 접종하고 있다. 또한 임신부나 영유아와 밀접 접촉하는 가족에게 Tdap 접종을 권고하고 있다.

미국에서는 1980년에 1,730명의 환자가 보고되었으나 이후 조금씩 발생률이 증가하는 양상을 보이던 중 1990년에 4,570명, 2000년에 7,867명, 2004년 한 해에 25,827명의 환자가 보고되었고 2012년에는 48,277명의 환자가 발생하였다. 2001-2003년 사이 발생한 백일해는 대부분 1세 이하, 특히 6개월 이하 영아가 많은 수를 차지하였으나 이후 점차 발병 연령이 증가하는 양상이 관찰되며 2004-2005년 사이 보고된 증례의 60%가 11세 이상이었다. 이러한 원인에 대해서는 자연감염의 기회가 적고 백신에 의한 면역이 시간이 경과함에 따라 감소하기 때문으로 추정하고 있다. 이와 같은 이유로 미국에서는 2005년부터 Tdap 접종력이 없는 성인에서 Td 대신 Tdap을 1회 접종할 것을 권고하였다. 또한 2012년에는 과거 백신접종력과 상관없이 모든 임신부는 매 임신시마다 임신 27-36주에 Tdap을 접종할 것을 권고하였다.

영국 역시 전세포 백신의 도입, 이상반응에 의한 중단, 개량형 백신의 재도입과 적극적인 접종 정책 등으로 백일해 발생의 감소와 증가를 경험한 바 있다. 1990년대 중반 이후 90% 이상의 접종률을 유지함에 따라 2002년 1,051건 발생, 9건 사망이 보고되었으며 6개월 이하의 영아에서의 발생빈도가 높은 것으로 관찰되었다. 하지만, 최근 백일해 발생률이 증가하여 2015년에 5,207명의 환자가 보고되었고, 임신부에게 Tdap 접종을 권고하고 있다.

우리나라의 경우 전세포 백일해 백신이 1958년에 도입되어 1970년대 초까지 적극적인 접종이 이루어지면서 대규모 백일해 유행은 감소하였다. 1985년 이후 발생 건수는 1.9/100,000명, 사망은 0.1/100,000명 미만이다. 1980년대 개량 정제 백일해 백신이 도입되어 접종률이 90% 이상 유지됨에 따라 백일해 발생은 현저히 감소하였다. 그러나 과거 연간 평균 11.3명의 비율로 보고되던 백일해 확진 환자가 2009년 66명으로 증가되었고, 2012년에는 전남 영암군 지역 중, 고등학교 기숙사에 집단 발생이 있었으며 총 230명의 환자가 발생했다. 2015년에도 안동 산후조리원과 창원의 초등학교에서 소규모 유행이 발생하여 205명의 환자가 보고되었다. 2009년 백일해 유행에서는 1세 미만의 환자가 85.2%였고, 대부분 소아용 파상풍-디프테리아-백일해 혼합백신(DTP) 접종을 받지 않았거나 완료되지 않은 환자들이었다. 국내 백일해에 대한 연구 결과를 요약하면, 혈청학적 연구에서 10대 이후 백일해에 대한 보호항체가가 급격히 낮아지다가 20세 이후 상승하는 결과가 관찰되어 자연 감염의 가능성이 있다는 점, 만성 기침을 호소하는 청소년 및 성인에서 적은 수이기는 하지만 중합효소 연쇄반응, 면역효소측정법 검사를 통해 진단된 환자가 있다는 점, 만성 기침을 호소하는 환자에서 항체가가 대조군에 비해 높은 경향을 보인다는 점, 가족 내 전파의 증거가 있다는 점 등으로 향후 백일해의 지속적인 순환 돌발유행 가능성이 있다. 향후, 반복적인 돌발 유행 가능성을 고려할때, 성인에서의 백일해 백신접종 필요성이 강조된다.

(3) 임상적 특징

잠복기는 7–10일로 영유아에서 발생하는 전형적인 임상 증상은 카타르기(catarrhal stage), 발작성 기침기(paroxysmal stage), 회복기로 구분된다.

① 카타르기

콧물, 재채기, 결막자극 증상, 가벼운 기침, 미열 등 비특이적 증상 때문에 감기로 오인될 수 있다. 따라서 증상만으로 백일해를 의심하기는 어려우나 *B. pertussis* 증식이 활발해 전염성이 가장 높은 시기이다. 7–10일간 지속된다.

② 발작성 기침기

기도에 꽉 찬 점액을 내뱉지 못해 빠르고 잦은 발작성 기침이 발생한다. 심한 기침 발작 후 길게 숨을 들이쉬게 되면서 특징적인 높은 톤의 소리(웁, whoop)가 난다. 발작 동안 청색증이 생길 수 있고 구토가 발생하기도 한다. 발작은 수 분 내에 수차례 반복하여 생기고 하루에 평균 15회 정도 발생하며 야간에 더 자주 나타난다. 발작성 기침기는 보통 1–6주간 지속되나 10주까지 지속될 수도 있다.

③ 회복기

2–3주에 걸쳐 발작성 기침의 횟수나 정도가 줄어들기 시작한다. 비발작성 기침은 수 주간 지속될 수 있다. 호흡기 감염이 합병되면 발작성 기침이 재발할 수 있다.

④ 합병증

주로 영유아에서 발생한다. 가장 흔한 합병증은 무기폐나 폐렴 등 호흡기 합병증이다. 특히 폐렴은 사망률이 높아 백일해에 의한 사망의 54%를 차지한다. 기침 발작에 의한 저산소증이나 독소에 의한 독성 뇌증이 발생해 경련, 의식변화 등 신경계 증상이 나타날 수 있다. 성인의 백일해는 소아에 비해 전반적으로 질병의 경과는 양호하며 발작성 기침기 때 나타나는 특징적인 높은 톤의 소리 빈도 역시 낮지만 만성 기침으로 진행되어 다른 호흡기 질환과 감별이 어려운 경우도 있다.

(4) 진단

백일해의 진단은 특징적인 증상과 진찰 소견으로 이루어지나 감별 진단을 위해 실험실적 검사가 권장된다.

① 배양

적절한 검체에서 *B. pertussis*를 배양하면 백일해를 진단할 수 있다. 그러나 *B. pertussis*는 배지에서 증식이 늦고 검체 채취, 운송, 배양 방법 등이 결과에 영향을 줄 수 있어 진단이 쉽지 않다. 검체는 인두가 아닌 비인두 후방(posterior nasopharynx)에서 채취해야 한다. 증상 발현 후 3주가 지난 환자의 검체에서 배양될 가능성은 거의 없어 증상 발현 2주 내 배양 검사를 권장한다. 임상경과가 오래된 환자, 항생제 치료를 받은 환자, 백신접종을 한 환자에서 배양률이 낮다.

② 중합효소 연쇄반응법

민감도가 높고 진단 시간을 단축할 수 있어 최근 임상에서 이용이 확대됨에 따라 백일해의 표준 진단법과 역학 연구에서 사용이 추천되고 있다. 증상 발현 후 4주까지 양성률이 높아 진단적 가치가 있고, 항생제 치료 후에도 약 1주일 동안 검사에서 양성으로 나올 수 있다. 따라서 배양 검사법 보다 높은 민감도를 보인다. 또한 배양검사 결과 획득에 3-7일이 소요되나 중합효소 연쇄반응법은 1일 내에 결과를 확인 할 수 있다는 장점이 있다. 효율적인 결과를 얻기 위해 dacron (polyethylene terephthalate) 면봉 채취 또는 비세척(nasal wash) 가검물 사용이 추천된다. 그러나 실험실마다 결과가 다르며 특이도가 낮고 위양성률이 높다는 점은 극복해야 할 제한점이다.

③ 혈청검사

배양이나 중합효소 연쇄반응으로 진단할 수 없는 임상경과가 진행된 성인이나 청소년에서 유용한 진단법일 수 있으나 백신접종이나 과거 감염에 의해 항체가가 상승할 수 있음을 고려하여야 한다. 또한 역학연구에 있어서도 항체가와 면역도 사이의 양적 상관관계가 명확하지 않아 해석이 어렵고, 표준항체가 없어 양성 기준치가 확립되지 않아 실제 사용이 제한적이다. 그러나 유행 시에는 증상 발현 전후에 혈청학적 검사를 실시하여 노출자의 조기 발견과 무증상 환자 파악에 유용하다.

(5) 치료

대증적 치료가 중요하며 항생제의 효과는 제한적이다. 백일해가 의심되면 erythromycin을 사용한다. 질병 초기에 사용한 경우에만 증상 완화를 기대할 수 있다. 발작성 기침기 이후에 투여하는 것은 증상을 완화시키지는 못하지만 전파 위험을 감소시킬 수 있으므로 처음 증상이 시작된 후 4주 이내의 환자에게는 모두 투여하여야 한다. 일반적으로 1일 2 g의 용량을 분할하여 2주간 투여한다. Azithromycin, clarithromycin 등의 다른 macrolide 계열 약제도 투여할 수 있으며 trimethoprim/sulfamethoxazole도 사용할 수 있다.

(6) 환자 및 접촉자 관리

항생제 치료를 받는 환자의 경우 치료 5일 후까지 격리가 필요하다. 항생제를 투여하지 않는 경우 기침이 멈출 때까지 최소한 3주 이상 격리가 필요하다.

가족 내 긴밀 접촉자나 긴밀한 접촉이 불가피한 사람은 연령, 예방접종력, 증상발현과 관계없이 감염원의 증상 발생 후 3주 이내에 예방적 항생제를 투여한다. 성인의 경우 7–14일간 erythomycin (또는 azithromycin 5일이나 clarithromycin 7일) 혹은 trimethoprime–sulfamethoxazole 14일을 투여한다. DTP 접종이 완료되지 않은 7세 이하 소아는 최소한의 간격으로 백신접종을 마치도록 한다.

2. 백신의 종류

성인에서는 파상풍-디프테리아 혼합백신인 Td와 성인용 파상풍-디프테리아-백일해 혼합백신인 Tdap을 사용한다. 소아용 DTP와 성인용 Td, Tdap에 포함된 항원의 종류와 양은 표 23-1과 같다. DTP에 비해 Td와 Tdap에는 파상풍 톡소이드는 유사한 양이 포함되어 있지만 디프테리아 톡소이드는 적게 포함되어 있어 이전에 디프테리아 톡소이드에 감작된 사람에서 이상반응의 빈도를 감소시키고, 면역이

표 23-1. DTP, Td, Tdap에 포함된 항원의 종류와 양

	DTP	Td	Tdap	
			Adacel™	Boostrix™
Diphtheria toxoid (Lf)	10–25	2	2	2.5
Tetanus toxoid (Lf)	5–12.5	5–8	5	5
Pertussis toxin (μg)	10–25	–	2.5	8
Filamentous hemagglutinin (μg)	5–25	–	5	8
Pertactin (μg)	0–8	–	3	2.5
Fimbrial antigen 2+3 (μg)	0–5	–	5	–

(Lf, limes flocculation unit. 1 LF는 항독소 1 unit을 응집시키는데 필요한 톡소이드의 양)

이미 형성된 사람에서는 기억반응을 유발할 수 있다. Tdap은 디프테리아와 파상풍 톡소이드와 함께 3-5가지의 백일해 항원을 포함한 청소년과 성인용 백신으로 두 가지 제품(Adacel, Boostrix)이 시판되고 있다. 소아용 백신은 국내에서는 2가와 3가 백일해 항원 DTP 백신이 사용되고 있다. 혼합 백신으로는 2가 백일해 항원이 포함된 DTP-IPV (흡착디프테리아, 파상풍톡소이드, 백일해 및 개량 폴리오 혼합 불활성화 백신), DTP-IPV/Hib (흡착디프테리아, 파상풍톡소이드, 백일해, 개량 불활성화 폴리오와 헤모필루스인플루엔자균 b형-파상풍 톡소이드 접합 혼합 백신) 백신과 3가 백일해 항원이 포함된 DTP-IPV 백신이 있다.

Td는 7세 이상, Adacel은 11-64세, Boostrix는 10세 이상에서 사용하도록 허가되어 있다.

3. 백신의 효능과 효과

디프테리아에 대해서는 DTP 투여율이 높은 나라에서 디프테리아의 발생이 거의 없고, 디프테리아 유행 시 백신을 투여 받은 사람에서는 중증 질환이나 사망 등의 합병증이 거의 없었으며, 임상적 방어력과 혈중 항독소 농도의 상관관계가 분명한 것 등으로 백신효과를 가늠할 수 있다. 파상풍의 경우도 가임기 여성을 대상으로 한 접종군-대조군 연구에서 파상풍 백신을 투여한 경우 신생아 파상풍의 빈도가 급격히 감소함을 확인한 바 있다. 이상의 결과로 Td의 파상풍, 디프테리아 예방효과는 이미 입증되었다.

DTP 접종력이 없는 성인에서 3회 Td 접종을 하면 디프테리아의 경우 95% 이상, 파상풍의 경우 100%의 피접종자에서 0.1 IU/mL 이상의 농도로 혈중 항독소가 생성된다. 백신 효능은 디프테리아에 대해 97%, 파상풍에 대해 100%로 평가된다. 시간이 지나면서 혈중 항독소 농도는 감소하여 대부분 10년이 지나면 최소 보호 수준까지 떨어지게 되므로 10년마다 추가접종이 필요하다. 노인에서는 소아에 비해 면역원성이 낮으며 디프테리아 항독소 농도가 파상풍 항독소 농도보다 다소 빨리 감소하는 것으로 알려져 있다.

2007-2008년에 DTP와 Td 접종력이 없는 국내 40세 이상의 성인(1967년 이전 출생자)을 대상으로 한 Td 3회 접종의 면역원성 연구에서 디프테리아의 경우 접종 전 66.1%에서 1회 접종 후 92.5%, 3회 접종 후 99.6%가 0.1 IU/mL 이상의 항독소 농도를 획득하였으며, 파상풍의 경우도 접종 전 3.3%에서 1회 접종 후 77.6%, 3회 접종 후 100%에서 0.1 IU/mL 이상의 항독소 농도를 획득하였다. 또한 1.0 IU/mL 이상의 고농도의 항독소를 획득하는 비율은 디프테리아의 경우 접종 전 8.3%에서 1회 접종 후 66.4%, 3회 접종 후 83.1%로 증가했으며, 파상풍의 경우 접종 전 0%에서 1회 접종 후 28.6%, 3회 접종 후 93.8%였다.

Tdap의 파상풍과 디프테리아에 대한 면역원성 및 안전성은 Td와 유사한 것으로 보고되고 있다. 백일해에 대한 면역원성은 소아에서 사용하는 DTP에 의해 유도된 면역반응과 비교해 열등하지 않다.

4. 적응증

1) 소아

(1) 모든 소아는 파상풍-디프테리아-백일해에 대한 표준예방접종지침(표 23-2)에 따라 기초접종 3회와 추가접종 2회를 DTP로 시행하고 만 11-12세 때의 마지막 추가접종은 Tdap 혹은 Td로 한다. DTP-IPV 혹은 DTP-IPV/Hib의 혼합백신으로 접종도 가능하다. 그러나 DTP 백신은 제조사마다 표준화되어 있지 않기 때문에 기초 3회는 동일 제조사의 백신으로 접종하도록 한다. 이전에 접종받았던 백신의 종류를 모르거나 해당 백신의 유통이 중단된 경우를 제외하고는 가능한 교차접종은 권장하지 않는다. 추가접종의 경우에는 기초접종과는 다른 백신으로 교차접종이 가능하다. 이후 매 10년마다 Td를 추가접종한다. 국내 질병관리본부에서는 매 10년마다 시행하는 추가접종 중 한 번은 백일해의 예방을 위해 Tdap으로 접종할 것을 권하며 가능하면 만 11-12세 추가접종을 Tdap으로 접종할 것을 권고한다. 7세 이상의 소아에서 과거 DTP를 접종받지 않았거나, 기록이 분명치 않은 경우에는 Td를 3회 접종한다. 일반적으로 첫 접종 후 4-8주 후에 2차 접종을, 2차접종 후 6-12개월 후에 3차접종을 시행한다. 단, 이 중 한번은 Tdap으로 접종하는데, 가급적 첫 1회째 접종하도록 권고한다. 이후 매 10년마다 Td를 추가접종한다.

표 23-2. 소아의 파상풍-디프테리아-백일해 표준예방접종 일정표

구분		표준접종시기	다음 접종 최소 간격	백신
기초접종	1차	생후 2개월	4주	DTP(DTP-IPV, DTP-IPV/Hib)
	2차	생후 4개월	4주	DTP(DTP-IPV, DTP-IPV/Hib)
	3차	생후 6개월	6개월	DTP(DTP-IPV, DTP-IPV/Hib)
추가접종	1차	생후 15-18개월	6개월	DTP
	2차	만 4-6세	–	DTP(DTP-IPV)
	3차	만 11-12세	–	Tdap 혹은 Td*
	4차 이후	매 10년마다	5년	Tdap 혹은 Td*

* 매 10년마다 시행하는 추가접종 중 한 번은 백일해의 예방을 위해 Tdap으로 접종할 것을 권하며 가능하다면 만 11-12세 추가접종을 Tdap으로 접종 권고

2) 성인

(1) 소아기 DTP 접종을 받지 않았거나, 기록이 분명치 않은 성인은 3회접종(0, 1–2개월, 6–12개월)하는 것을 원칙으로 하되 첫 접종을 Tdap으로, 나머지 두 번을 Td로 하도록 권장한다. 이후 매 10년마다 Td를 추가접종한다. 1958년 이전 출생자(국내 DTP 도입 시기)는 DTP 기본 접종 기회가 없었을 것으로 간주할 수 있다.

(2) 생후 12개월 미만의 백일해 고위험군과 밀접한 접촉자인 의료기관이나 보육시설 종사자, 신생아가 있는 가족 내 청소년과 성인(부모 혹은 조부모) 등은 Tdap 접종력이 없다면 Tdap 접종이 권고된다. 고위험군과 접촉하기 최소 2주 전에 접종하는 것이 바람직하다.

(3) Tdap 백신 접종력이 없는 임신부는 신생아의 백일해 예방을 위해 임신 27–36주 사이에 접종하도록 권고한다. 이 시기에 접종하지 못하였다면 출산 직후 접종하도록 한다. 임신 계획단계에서 임신전 접종 역시 권고할 수 있으나 임신 중에 접종하는 것에 비해 신생아 백일해 예방에 불리할 수 있다. 임신 중 Tdap을 접종한 경우라도 다음 번 임신 기간 동안에는 신생아를 보호할 정도로 충분히 높은 항체를 제공하지 못하므로, 매 임신 시마다 Tdap 접종을 권고한다.

(4) Tdap의 접종력이 없는 의료기관 종사자는 Tdap을 1회 접종하도록 한다. 이전 Td 접종과 특별한 간격을 유지하지 않고 접종할 수 있다.

단, 지역사회 내 백일해 유행이 발생한 경우, 영아는 생후 6주부터 DTP 접종을 시작하고, 4주 간격으로 접종하도록 권장하고 있다. 12개월 미만 연령의 영유아를 돌보는 가족 및 의료 종사자도 Tdap 접종을 권장하며, 이전 Td 접종과 특별한 간격을 유지하지 않고 접종할 수 있다.

3) 노출 후 예방

상처를 통한 감염을 예방하기 위해 Td를 투여하는 경우에는 과거 DTP 혹은 Td 접종력과 상처의 청결도에 따라 결정한다(표 23-3). Tdap 접종력이 없다면 Td보다는 Tdap 접종을 권고한다.

표 23-3. 파상풍에 대한 노출 후 예방

백신접종력	깨끗하고 작은 상처		기타 다른 상처*	
	Td	TIG	Td	TIG
미상 또는 3회 미만	필요	불필요	필요	필요
3회 이상				
마지막 접종후 ≥10년	필요	불필요	필요	불필요
마지막 접종후 5–9년	불필요	불필요	필요	불필요
마지막 접종후 <5년	불필요	불필요	불필요	불필요

* 토양, 분변, 오물, 타액 등에 오염된 상처, 천자, 화상, 동상, 총상 등에 의한 상처

5. 투여방법

1) 접종용량과 방법

어깨세모근에 0.5 mL를 근육주사한다. 피하로 투여하는 경우 국소 이상반응의 빈도가 높다. 출혈질환을 가진 사람은 피하로 깊이 투여하여 출혈의 위험성을 줄여야 한다.

다른 백신과 동시 접종이 가능하나 다른 부위에 접종하기를 권하며 같은 사지에 접종하여야 한다면 적어도 2.5 cm는 떨어진 곳에 접종하여야 한다.

2) 추가접종

파상풍-디프테리아 혼합백신 투여 후 보호항체의 유지기간은 접종 횟수나 포함되어 있는 톡소이드의 양에 따라, 연령에 따라 차이를 보인다. 현재 국내에서 사용되는 Td 백신에 포함되어 있는 정도의 파상풍 톡소이드 양이라면 90% 이상의 접종자에서 10년 이상 보호항체가 유지된다. 다만 디프테리아에 대한 보호항체가 파상풍 보호항체보다는 유지기간이 짧다는 점을 고려하여 마지막 접종 후 매10년마다 추가접종하도록 한다.

백일해 면역을 유지하기 위한 Tdap의 추가접종은 아직 권고되지 않는다.

6. 이상반응

1) Td

국소 이상반응으로 접종 부위에 동통, 홍반, 경화가 생길 수 있으나 일반적으로 자연 호전되므로 특별한 치료는 필요없다. 근육통, 발열 등의 전신 이상반응도 나타날 수 있다. Td의 안전성에 대한 국내 연구 자료에 의하면 국소 이상반응은 37.9%, 전신 이상반응은 15.5%의 접종자에서 관찰되었으며 모두 특별한 치료없이 7일 이내에 호전되었다. 국소반응은 알루미늄 흡착제를 사용한 경우, 피하주사 한 경우, 이전 접종 횟수가 많은 경우, 젊은 접종자에서 빈도가 높게 발생한다. 또한, 간혹 유사아르투스반응(Arthus-like reaction)이 나타날 수 있다. 국소반응이 광범위하게 발현되어 어깨에서 팔꿈치까지 통증을 동반한 종창으로 발현된다. 일반적으로 접종 후 2-8시간 후에 나타나며 이전에 다회의 Td 백신 접종력이 있는 성인에서 흔하다. 유사아르투스반응이 나타나는 경우 혈중 항독소 농도가 매우 높기 때문에 Td의 응급 접종이나 추후 10년 내 추가접종은 피해야 한다.

드물게, 심한 전신반응으로 전신 두드러기, 아나필락시스, 신경계 합병증이 나타날 수 있다. Td 접종 후 길랭-바레 증후군이나 말초 신경병증이 보고 된 바 있으나 극히 드물다.

2) Tdap

이상반응의 발생 빈도와 종류는 Td와 유사하다. 가장 흔한 이상반응은 국소부위 통증(66%), 발적(25%), 종창(21%) 등이다. 발열 빈도는 1.4% 내외로 보고되어 있다. 그 외 두통, 피로감, 구역, 구토 등 비특이적 증상이 나타날 수 있다. 시판 후 자발적 보고에서 일과성 척수염, 혈관미주신경실신, 감각이상, 감각저하와 같은 신경계 장애, 근육염과 근육연축과 같은 근골격계 장애 및 결합조직 장애가 보고된 바 있다. 그 외 백신접종과 관련된 아나필락시스, 일시적 신경학적 이상(상완 신경염, 길랭-바레 증후군, 중추신경계 탈수초성 질환, 말초 신경병증, 뇌파 장애) 등이 보고된 바 있다.

7. 금기

1) 파상풍이나 디프테리아 톡소이드 및 백신의 구성 성분에 대해 중증 알레르기가 있는 사람에게는 투여할 수 없다.
2) 이전 접종시 접종 7일 내 원인을 알 수 없는 급성 뇌증이 있었던 사람에게는 투여할 수 없다(Tdap).
3) 중등도 이상의 급성 질환을 앓고 있는 사람이라면 접종을 늦추어야 한다. 경증 급성 질환의 경우에는 접종해도 된다.

8. 국내유통백신

백신종류	제품명	제조사	용량/용법
Td	SK티디백신	SK 바이오사이언스	0.5 mL, 근육주사
	티디퓨어	GlaxoSmithKline	0.5 mL, 근육주사
	디티부스터 에스에스아이	Accesspharm	0.5 mL, 근육주사
Tdap	아다셀	Sanofi Pasteur	0.5 mL, 근육주사
	부스트릭스 프리필드시린지	GlaxoSmithKline	0.5 mL, 근육주사

참고문헌

1. 질병관리본부. 2009년 국내 백일해 환자 발생 신고 급증. 주간건강과 질병 2009;2:1-2.

2. Centers for Diseases Control and Prevention (CDC). Diphtheria. In: Atkinson W, Wolfe C, Hamborsky J, eds. Epidemiology and prevention of vaccine-preventable diseases. 12th ed. Washington DC: Public Health Foundation; 2011;75-85.

3. Centers for Diseases Control and Prevention (CDC). Tetanus. In: Atkinson W, Wolfe C, Hamborsky J, eds. Epidemiology and prevention of vaccine-preventable diseases. 12th ed. Washington DC: Public Health Foundation; 2011;291-300.

4. Centers for Diseases Control and Prevention(CDC). Pertussis. In: Atkinson W, Wolfe C, Hamborsky J, eds. Epidemiology and prevention of vaccine-preventable diseases. 12th ed. Washington DC: Public Health Foundation; 2011;215-32.

5. Department of Health. Diphtheria. In: Immunisation against infectious disease - The Green Book 2009;109-25.

6. Department of Health. Pertussis. In: Immunisation against infectious disease - The Green Book 2011;277-94.

7. Department of Health. Tetanus. In: Immunisation against infectious disease - The Green Book 2009;367-84.

8. Kang JH, Hur HK, Kim JH, Lee KI, Park SE, Ma SH, Lee MS, Baek SY, Hong SH, Min HK. Age related seroepidemiological study of diphtheria among Koreans. Korean J Infect Dis 2000;32:1-7.

9. Kang JH, Hur JK, Kim JH, Lee KI, Park SE, Ma SH, Lee MS, Ban SJ, Hong SH, Cho DH, Lee SH. Age related serosurvey of immunity to tetanus in Korean populations. Korean J Infect Dis 2001;33:104-11.

10. Pichichero ME, Rennels MB, Edwards KM, Blatter MM, Marshall GS, Bologa M, Wang E, Mills E. Combined tetanus, diphtheria, and 5-component pertussis vaccine for use in adolescents and adults. JAMA 2005;293:3003-11.

11. Shin DH, Yu HS, Park JH, et al. Recently occuring adult tetanus in Korea: emphasis on immunization and awareness of tetanus. J Korean Med Sci 2003;18:11-6.

12. Sung H, Jang MJ, Bae EY, Han SB, Kim JH, Kang JH, Park YJ, Ma SH. Seroepidemiology of tetanus in Korean adults and adolescents in 2012. J Infect Chemother 2014;20:397-400.

24 폐렴사슬알균

경북대학교 의과대학 **권기태**
차 바이오그룹 **송재훈**

1 대한감염학회 접종 권장대상과 시기

가. 건강한 65세 이상 고령자

  1) PPSV23을 1회 접종하거나, PCV13과 PPSV23을 순차적으로 1회씩 접종

  2) PCV13과 PPSV23 순차적으로 접종하는 경우에는 아래의 접종 횟수, 순서, 간격을 따름

나. 18세 이상 만성질환자(만성 심혈관질환, 만성 폐질환, 당뇨병, 알코올 중독, 만성 간질환), 뇌척수액누수, 인공와우를 삽입한 환자, 면역저하환자(선천성 또는 후천성 면역 저하, HIV 감염, 만성 신부전 또는 신증후군, 백혈병, 림프종, 호지킨씨 병, 종양질환, 다발성 골수종, 고형장기이식, 장기간 스테로이드를 포함하는 면역억제제를 투여하거나 방사선 치료를 받고 있는 환자)와 기능적 또는 해부학적 무비증

  1) PCV13과 PPSV23 순차적으로 접종

  2) 아래의 접종 횟수, 순서, 간격을 따름

다. 접종 횟수, 순서 및 간격

  1) PCV13은 1회 접종

  2) PPSV23 접종 횟수

    • 65세 이상: 이전의 접종 여부와 상관없이 1회 접종

    • 18세 이상 64세 이하 만성질환자와 뇌척수액누수, 인공와우를 삽입한 환자: 65세 이전에 PPSV23을 1회 접종하고, 65세가 되면 이전 접종 후 5년이 지나서 1회 재접종하여 총 2회 접종

    • 18세 이상 64세 이하 면역저하와 기능적·해부학적 무비증 환자: 최초 접종 후 5년이 지나서 1회 재접종하고, 재접종하는 나이가 65세가 넘으면 2회 접종으로 완료. 재접종하는 나이가 65세 미만이면, 65세가 넘어 가장 최근 접종 후 5년이 지나 한 번 더 재접종하여 총 3회 접종

  3) PCV13과 PPSV23을 순차적으로 접종하는 경우에 서로 간의 접종 간격은 최소 1년 단, 면역저하환자와 뇌척수액누수, 인공와우를 삽입한 환자에서는 PCV13을 접종하고 8주가 지난 후에 PPSV23을 접종

  4) 이전에 어떤 종류의 폐렴사슬알균백신도 접종받은 적이 없고, PCV13과 PPSV23을 순차적으로 접종하는 경우에는 PCV13을 먼저 접종

  5) PCV13과 PPSV23은 동시에 접종하지 않음

6) 위험군별 접종 횟수, 순서 및 간격

위험군	PCV13 → PPSV23 간격	PPSV23 → PCV13 간격	PPSV23 재접종 시기	PPSV23 최대 접종 횟수
건강한 65세 이상 고령자	1년 이상	1년 이상	재접종 없음	1회
만성질환자	1년 이상	1년 이상	65세 이후 5년이 지난 시점	2회 (65세 이후 1회)
뇌척수액 누수, 인공 와우 삽입 환자	8주 이상	1년 이상	65세 이후 5년이 지난 시점	2회 (65세 이후 1회)
면역저하환자, 기능적·해부학적 무비증	8주 이상	1년 이상	5년 이후에 재접종, 재접종이 65세 이전이면 65세 이후 5년이 지난 시점에 한 번 더 접종	3회 (65세 이후 1회)

❷ 접종용량 및 방법

　가. PCV13: 0.5 mL를 어깨세모근에 근육주사
　나. PPSV23: 0.5 mL를 어깨세모근에 근육주사 또는 피하주사

❸ 이상반응

　가. PCV13: 접종 부위의 통증, 발적, 부종이 흔하며, 피로, 두통, 오한, 식욕부진, 근육통, 관절통
　나. PPSV23: PCV13과 유사

❹ 주의 및 금기사항

　가. 초회 접종 시 심각한 알레르기 반응이 있었던 경우 재접종 금기
　나. 중등도 이상의 급성 질환을 앓고 있을 때는 호전된 후 접종

1. 질병의 개요

1) 원인 병원체

　폐렴사슬알균은 그람양성 쌍알균으로 1881년 Sternberg와 Pasteur에 의해 동정되었다. 이후 폐렴사슬알균과 폐렴과의 연관성, 피막다당류의 화학적 구조, 항원성, 피막다당류와 병독성과 질환 발생과의 관계, 피막다당류에 대한 항체의 예방효과 등이 밝혀졌다. 폐렴사슬알균 세포표면에 있는 피막다당류는 다형 백혈구의 포식 작용과 탐식된 폐렴사슬알균의 세포내 살균작용을 억제하여 폐렴사슬알균이 병독성을 나타내는 데 중요한 역할을 한다. 피막다당류에 대한 IgG 항체는 보체 경로를 통해 옵소닌화

와 포식 작용을 활성화시켜 예방효과를 나타낸다. 폐렴사슬알균은 이러한 피막다당류의 화학적 구조 차이를 기본으로 하여 혈청형을 구분하였으며, 현재까지 97가지의 혈청형이 확인되었다. 혈청형 특이 항체는 해당 혈청형의 감염에 대해 예방 효과가 있으며 어떤 항체는 교차 반응에 의해 다른 혈청형 균 주에 대해서도 추가적인 예방효과를 나타내기도 한다.

2) 역학

실질적으로 모든 폐렴사슬알균 감염은 무증상 비인두 보균자에서 발생하며, 소아(20–40%)에서 성 인(5–10%)보다 보균의 빈도가 높고, 폐렴사슬알균 감염도 소아에서 더 흔하다. 폐렴사슬알균의 병원소 는 사람으로 중간 벡터는 없으며, 정상인이나 환자의 상기도에 있는 폐렴사슬알균은 직접 접촉이나 비 말을 통해 전파된다. 폐렴사슬알균 감염은 호흡기 질환이 흔한 겨울철에 잘 발생하며 지역사회에서 발 생하는 세균성 폐렴, 수막염, 급성 중이염, 부비동염의 가장 흔한 원인이다.

미국에서는 400,000명이 매년 폐렴사슬알균 폐렴으로 입원한다. 폐렴사슬알균 폐렴은 전체 지역사 회 폐렴에서 최대 36%를 차지하며 사망률은 5–7%로 노인에서 높다. 매년 12,000명 이상의 폐렴사슬알 균 균혈증 환자가 발생하는데 이 중 25–30%는 폐렴사슬알균 폐렴이 원인이다. 폐렴사슬알균 균혈증의 사망률은 20% 정도이며 노인에서는 60%까지 증가한다. 폐렴사슬알균에 의한 수막염은 전체 수막염의 50% 이상을 차지하는데 매년 3,000–6,000명의 폐렴사슬알균 수막염 환자가 보고되며 이 중 일부는 폐 렴을 동반한다. 폐렴사슬알균 수막염 사망률은 소아에서 8%, 성인에서 22%이다. 생존자에서도 신경학 적인 후유증이 흔히 발생한다. 침습성 폐렴사슬알균 감염증은 5세 미만에서 많이 발생하고 이후에는 감소하였다가 다시 50세 이상에서 증가하기 시작하여 U자 모양을 보이는 것으로 알려져 있으며, 2000 년에 단백결합 폐렴사슬알균백신이 도입된 이후에 전반적으로 감소하고 있으며, 특히 5세 미만 소아와 65세 이상 성인에서 많이 감소하고 있다(그림 24-1).

미국에서 사용 중인 폐렴사슬알균 단백결합백신은 7가 폐렴사슬알균 단백결합백신(7–valent pneu- mococcal conjugate vaccine, PCV7)과 13가 폐렴사슬알균 단백결합백신(13–valent pneumococcal conjugate vaccine, PCV13)이 있고, 2000년에 PCV7, 2010년에 PCV13이 5세 미만 소아에게 도입되면 서 5세 미만 소아에서 침습성 폐렴사슬알균 감염증은 급격하게 줄어들었다(그림 24-2A). 간접효과에 의 해 백신접종을 하지 않은 19세 이상 성인에서도 2001년부터 침습성 폐렴사슬알균 감염증이 감소하였 고, 2004년부터는 감소추세가 다소 정체되다가, PCV13이 2010년에 도입된 이후 더욱 감소하였다(그림 24-2B, 2C). 19세 이상 성인에서 23가 폐렴사슬알균 다당류백신(23–valent pneumococcal polysaccha- ride vaccine, PPSV23) 혈청형 침습성 폐렴사슬알균 감염증의 발생률도 감소하는 경향을 보이나 이는 PCV7과 PCV13 혈청형 침습성 폐렴사슬알균 감염증의 발생률 감소에 따른 것이다(그림 24-2B, 2C). 다 른 나라들에서도 소아에게 단백결합백신이 도입된 이후에는 백신 혈청형 침습성 폐렴사슬알균 감염증 의 빈도는 감소하였다. 그러나, 최근에는 비백신 혈청형 폐렴사슬알균 감염증이 증가하는 경향을 보이고 있다.

우리나라의 경우 아직까지 전국적인 대규모 역학조사 자료가 없어 우리나라의 폐렴사슬알균 감염실태를 정확하게 파악하기는 어려우나, 몇몇 연구 보고에 따르면 폐렴사슬알균은 지역사회 폐렴의 25-30%, 수막염의 약 35%를 차지하였다. 10개 대학병원에서 10년간 성인 970명의 침습성 폐렴사슬알균 감염증으로 입원한 환자가 있었는데, 평균 연령은 60.9세였다. 예방접종이 필요한 고위험군이 70.8%를 차지하였다. 균혈증을 동반한 폐렴이 55.5%, 수막염은 8.7%였으며, 치사율은 30.9%이었는데 나이가 증가할수록 높아졌다. 국내에서 13가 단백결합백신이 도입되기 전에 19세 이상 성인에서 유행하는 폐렴사슬알균 혈청형의 분포는 PCV7, PCV13, PPSV23에서 각각 39.8%, 67.3%, 73.4%였다. 그러나, PCV13이 소아에게 도입된 이후 폐렴사슬알균 감염증에서 PCV13과 PPSV23의 혈청형 비율은 모두 감소 추세이고 백신에 포함되지 않은 혈청형에 의한 감염이 증가되는 양상을 보이고 있다.

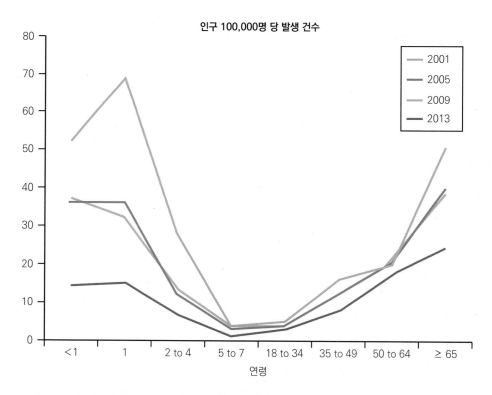

그림 24-1. 연령에 따른 침습성 폐렴사슬알균 감염증 발생률의 연도별 변화. 소아에게 2000년에 PCV7이 도입되고, 2010년에 PCV13이 도입된 이후에 전 연령에서 침습성 폐렴사슬알균 감염증의 발생률이 지속적으로 감소하였으며, 특히 5세 미만 소아와 65세 이상 성인에서 많이 감소하였다(Grabenstein JD and Musher DM. Pneumococcal Polysaccharide Vaccines. In: Plotkin SA, Orenstein WA, Offit PA, Edwards KM eds. Plotkin's Vaccines. Philadelphia: Elsevier Health Sciences, 2018).

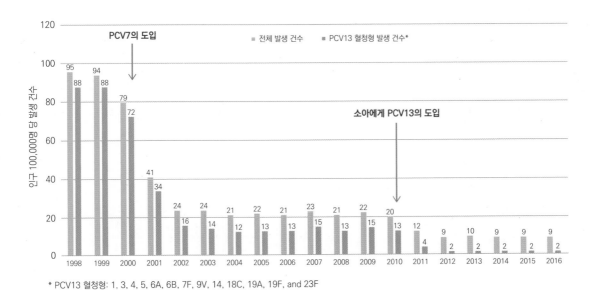

* PCV13 혈청형: 1, 3, 4, 5, 6A, 6B, 7F, 9V, 14, 18C, 19A, 19F, and 23F

그림 24-2A. 5세미만 소아에서 침습성 폐렴사슬알균 감염증의 발생률 추이

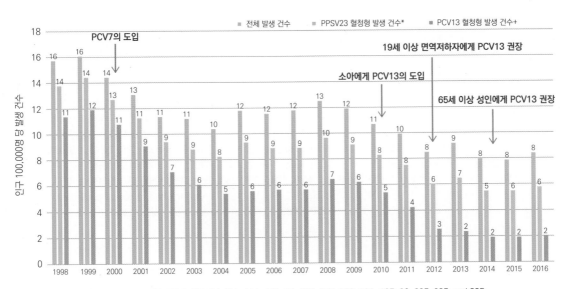

* PPSV23 혈청형: 1, 2, 3, 4, 5, 6B, 7F, 8, 9N, 9V, 10A, 11A, 12F, 14, 15B, 17F, 18C, 19A, 19F, 20, 22F, 23F, and 33F
+ PCV13 혈청형: 1, 3, 4,5, 6A, 6B, 7F, 9V, 14, 18C, 19A, 19F, and 23F

그림 24-2B. 19부터 64세까지 성인에서 침습성 폐렴사슬알균 감염증의 발생률 추이

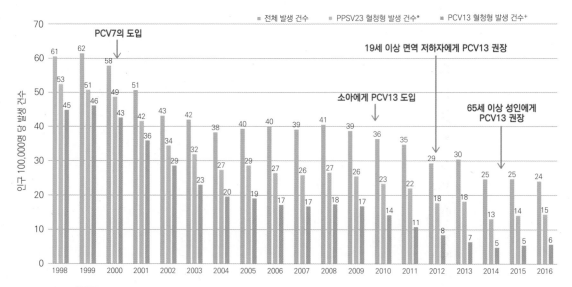

* PPSV23 혈청형: 1, 2, 3, 4, 5, 6B, 7F, 8, 9N, 9V, 10A, 11A, 12F, 14, 15B, 17F, 18C, 19A, 19F, 20, 22F, 23F, and 33F
+ PCV13 혈청형: 1, 3, 4,5, 6A, 6B, 7F, 9V, 14, 18C, 19A, 19F, and 23F

그림 24-2C. 65세 이상 성인에서 침습성 폐렴사슬알균 감염증의 발생률 추이

그림 24-2. 미국에서 1998년부터 2016년까지 침습성 폐렴사슬알균의 발병률 추이(Active Bacterial Core surveillance data). 5세 미만 소아에서 침습성 폐렴사슬알균 감염증의 발생률은 1998년에는 인구 100,000명당 95례에서 2016년에는 인구 100,000명당 9례였다(그림 2A). 5세 미만 소아에서 PCV13 혈청형 침습성 폐렴사슬알균 감염증의 발생률은 1998년에는 인구 100,000명당 88례에서 2016년에는 인구 100,000명당 2례였다(그림 24-2A). 19세에서 64세까지 성인에서 침습성 폐렴사슬알균 감염증의 발생률은 1998년에는 인구 100,000명당 16례에서 2016년에는 인구 100,000명당 8례였다(그림 24-2B). 19세에서 64세까지 성인에서 PCV13 혈청형 침습성 폐렴사슬알균 감염증의 발생률은 1998년에는 인구 100,000명당 11례에서 2016년에는 인구 100,000명당 2례이었다(그림 24-2B). 19세에서 64세까지 성인에서 PPSV23 혈청형 침습성 폐렴사슬알균 감염증의 발생률은 1998년에는 인구 100,000명당 14례에서 2016년에는 인구 100,000명당 6례였다(그림 24-2B). 65세 이상 성인에서 침습성 폐렴사슬알균 감염증의 발생률은 1998년에는 인구 100,000명당 61례에서 2016년에는 인구 100,000명당 24례였다(그림 24-2C). 65세 이상 성인에서 PCV13 혈청형 침습성 폐렴사슬알균 감염증의 발생률은 1998년에는 인구 100,000명 당 45 례에서 2016년에는 인구 100,000명당 6례였다(그림 24-2C). 65세 이상 성인에서 PPSV23 혈청형 침습성 폐렴사슬알균 감염증의 발생률은 1998년에는 인구 100,000명당 53례에서 2016년에는 인구 100,000명당 15례였다(그림 24-2C). PVC7, 7-valent pneumococcal conjugate vaccine; PCV13, 13-valent pneumococcal conjugate vaccine; PPSV23, 23-valent pnumococcal polysaccharide vaccine.

3) 임상적 특징

폐렴사슬알균 감염증은 비침습성 감염증(부비동염, 중이염, 폐렴 등)과 침습성 감염증(수막염, 균혈증 등)으로 나눌 수 있다. 폐렴사슬알균의 중요한 임상증후군은 폐렴, 균혈증, 수막염이며, 이 중 폐렴이 가장 흔하다. 폐렴은 잠복기가 1–3일로 짧고, 갑작스러운 발열, 오한, 빈맥, 기침, 가래, 흉막 통증 등의 증상이 생기고, 심해지면 호흡곤란, 저산소증 등이 발생한다. 폐렴사슬알균 폐렴의 합병증으로는 농흉, 심장막염, 무기폐를 동반한 기도폐쇄, 폐농양 등이 있다. 폐렴사슬알균 수막염의 증상, 뇌척수액 양상, 신경학적 합병증의 종류 등은 다른 세균성 수막염과 유사하여 두통, 구토, 목경직, 뇌신경 증후, 경련, 의식 혼탁 등이 나타난다. 생존하더라도 신경학적 후유증이 남을 가능성이 높다.

폐렴사슬알균 감염의 고위험군은 기능적·해부학적 무비증, 겸상 적혈구증, HIV 감염을 포함한 면역 저하자, 백혈병, 림프종, 호지킨씨 병, 다발성 골수종, 기타 종양질환, 만성 신부전, 신증후군, 스테로이드를 포함한 면역억제제 투여자와 고형 장기 또는 조혈모세포이식 수여자들이 해당된다. 명백한 면역저하가 없더라도 65세 이상 노인, 만성 심혈관질환, 만성 폐질환, 만성 간질환, 당뇨, 알코올 중독, 뇌척수액 누출, 인공 와우를 삽입한 환자에서도 침습성 폐렴사슬알균 감염 또는 합병증의 위험이 높다.

4) 진단

폐렴사슬알균 감염의 정확한 진단은 혈액이나 다른 무균 검체에서 폐렴사슬알균을 동정함으로써 가능하다. 또한 체액에서 피막 다당류 항원을 검출할 수도 있다. 그러나, 객담과 같은 검체에서 폐렴사슬알균이 동정되는 경우에는 감염균과 정상 상재균을 감별하기 어렵다. 객담의 경우에는 그람 염색한 후 고배율에서 관찰할 때 백혈구가 25개 이상, 상피세포가 10개 미만인 조건에서 사슬알균이 관찰되면 진단에 도움이 된다.

5) 치료

페니실린에 감수성인 경우에는 페니실린을 사용할 수 있으며, 용량과 치료기간은 감염 부위에 따라서 다르다. 그러나, 최근 페니실린 내성 및 다제내성 폐렴사슬알균의 빈도가 증가하고 있어 분리되는 모든 폐렴사슬알균에 대해 항균제 감수성 검사를 시행하여야 한다. 우리나라와 같이 페니실린 내성률이 높은 지역에서는 중증 감염증의 경우 초기에는 내성균주에도 유효한 항균제를 투여한 후, 분리되는 균주의 감수성에 따라 변경하는 것이 바람직하다.

2. 백신의 종류

1) 다당류백신

　정제된 폐렴사슬알균의 피막다당류로 구성되어 있다. 2세 이상에서 사용가능한 폐렴사슬알균 다당류백신은 14가백신으로 1977년에 처음 미국에서 허가되었고, 1983년에 23가 폐렴 사슬알균 다당류백신으로 대체되어 현재까지 사용되고 있다. PPSV23은 혈청형 1, 2, 3, 4, 5, 6B, 7F, 8, 9N, 9V, 10A, 11A, 12F, 14, 15B, 17F, 18C, 19A, 19F, 20, 22F, 23F, 33F를 포함한다(표 24-1). 1회 투여 용량(dose)당 25 Mg의 항원과 0.25%의 phenol이 보존제로 포함되어 있다.

2) 단백결합백신

(1) PCV7

　2000년 미국에서 PCV7이 5세 미만의 소아에게 허가되었다. 폐렴사슬알균의 정제된 7개(4, 6B, 9V, 14, 18C, 19F, 23F와 6A) 혈청형의 피막다당류를 CRM_{197}이라고 알려진 디프테리아 독소의 비독성 변형 단백질에 결합시켰다. T 세포 의존성 반응을 통하여 영아에서도 우수한 항체 반응과 면역 기억을 유발한다. PCV13이 도입된 후에는 PCV13으로 대체되었다.

(2) PCV10

　2009년 3월에 유럽에서 1, 4, 5, 6B, 7F, 9V, 14, 18C, 19F, 23F의 혈청형을 포함하는 PCV10이 6주부터 2세 미만의 소아에서 중이염과 침습성 폐렴사슬알균 감염증의 예방 목적으로 허가되었다. PCV10의 8개의 혈청형은 비정형 *Haemophilus influenzae*의 세포표면지단백과 결합되어 있고, 혈청형 18C는 파상풍 톡소이드와 혈청형 19F는 디프테리아 톡소이드와 결합되어 있다. 면역원성과 이상반응이 PCV7과 유사하였다.

(3) PCV13

　PCV7의 도입 이후 2008년 미국에서 PCV7 혈청형에 의한 침습성 폐렴사슬알균 감염증은 매우 감소하여 전체의 2% 미만으로 줄어들었고, 백신에 포함되지 않은 혈청형(3, 7F, 19A)에 의한 침습성 폐렴사슬알균 감염증이 증가하였다. 5세 미만 소아에서 PCV13 혈청형의 폐렴사슬알균이 전체 침습성 폐렴사슬알균 감염증의 약 61%를 차지하였으며, 19A가 43%를 차지하였다. 이에 대항하기 위하여 PCV7에 1, 3, 5, 6A, 7F, 19A의 6개 혈청형을 추가한 PCV13이 미국에서 2010년에는 소아에게, 2011년에는 50세이상 성인에게 허가되었으며, 현재 국내에서도 소아와 성인 모두에게 사용되고 있다. PCV7과 마찬가지로 혈청형의 피막다당류가 CRM_{197}에 결합되어 있다. 0.5 mL의 PCV13 1회 투여 용량(dose)은 12개의 혈청형으로부터 2.2 Mg의 피막다당류, 6B로부터는 4.4 Mg의 피막다당류와 CRM₁₉₇ 34 Mg을 포함하고 있다. 면역증강제로 polysorbate 80 (P80) 0.02%, aluminum phosphate (AlPO4) 형태로 aluminum 0.125 Mg이 함유되어 있다. 5 mL의 succinate buffer가 보존제로 포함되어 있으며 thimerosal은 포함되어 있지 않다. 6개의 추가된 혈청형, P80, succinate buffer를 제외하면 PCV7의 조성과 같다.

표 24-1. 폐렴사슬알균 백신에 포함된 혈청형

혈청형	백신			
	PCV7	PCV10	PCV13	PPSV23
4	X	X	X	X
6B	X	X	X	X
9V	X	X	X	X
14	X	X	X	X
18C	X	X	X	X
19F	X	X	X	X
23F	X	X	X	X
1		X	X	X
3			X	X
5		X	X	X
6A			X	
7F		X	X	X
19A			X	X
2				X
8				X
9N				X
10A				X
11A				X
12F				X
15B				X
17F				X
20				X
22F				X
33F				X

* PVC7, 7-valent pneumococcal conjugate vaccine;
  PCV10,10-valent pneumococcal conjugate vaccine;
  PCV13,13-valent pneumococcal conjugate vaccine;
  PPSV23,23-valent pnumococcal polysaccharide vaccine

3. 백신의 효능 및 효과

1) PPSV23

접종 2-3주 후 80% 이상의 성인에서 항체가 생기지만 23가지 혈청형 각각에 대한 항체생성률이 일정하지 않다. 노인이나 만성질환자, 또는 면역저하자에서는 항체생성률이 떨어질 수 있다. 피막다당류백신은 T 세포 비의존성 면역 반응에 의해 항체가 생성되므로, 아직 면역계의 발달이 미숙한 2세 미만의 소아에서는 항체생성이 잘되지 않아 사용되지 않는다. 백신접종 후 생성된 항체의 역가가 최소한 5년간 지속되나, 기저 질환이 있는 경우에는 더 빨리 떨어질 수 있다.

보균자에서 균을 없애는 효과는 없다. 또한, 성인에서 PPSV23의 접종률이 증가함에도 불구하고 감염증을 일으키는 백신형과 비백신형 폐렴사슬알균의 분포에 변화가 관찰되지 않고 있다. 균혈증을 동반하지 않은 폐렴사슬알균 폐렴을 예방하는 효과는 연구 결과가 일관되지 않아 논란이 있다. 반면에 건강한 성인과 노인에서 침습성 폐렴사슬알균 감염에 대한 예방 효과는 여러 연구에서 일관된 결과를 보여준다. PPSV23은 대규모 관찰연구에서 노인을 포함한 정상 면역을 가진 고위험군에서의 침습성 폐렴사슬알균 감염에 대해서 50-80%의 예방 효과를 보여주었다. 그러나, 일부의 면역저하자나 초고령자에서는 PPSV23이 침습성 폐렴알균 감염증을 예방하는 효과가 없다는 연구결과도 있다.

2) PCV13

T세포 의존형 면역반응을 통해 면역기억반응을 유도하고 소아에서 침습성 폐렴사슬알균 감염증의 예방뿐 아니라 폐렴, 중이염의 예방, 비인두 집락률 감소효과가 뚜렷하다. 현재까지 소아에서 백신 혈청형에 의한 폐렴사슬알균 감염증을 97% 감소시켰으며, 폐렴사슬알균백신을 접종하지 않은 성인에서도 침습성 폐렴사슬알균 감염증 발생빈도가 감소하는 간접면역 효과도 있다. 또한 약 85,000명의 65세 이상 성인을 대상으로 수행된 이중맹검, 무작위 배정, 위약대조군 연구(community-acquired pneumonia immunization trial in adults, CAPiTA)에서 백신 혈청형의 폐렴사슬알균 지역사회폐렴에 대해 46%, 백신 혈청형의 비균혈증/비침습적 폐렴사슬알균 지역사회폐렴에 대해 45%, 백신혈청형의 침습성 폐렴사슬알균 감염증에 대해 75%의 예방효과가 있음이 입증되었다. 18세 이상 성인을 대상으로 시행한 임상연구에서 PCV13은 PPSV23과 비교해서 면역원성은 우수하거나 비슷하였다. 에이즈 환자들을 대상으로 시행한 연구에서도 PCV13은 면역원성이 PPSV23보다 우수하고, 침습성 폐렴사슬알균 감염증의 재발에 예방효과가 있음이 입증되었다.

4. 적응증

미국 예방접종 자문위원회(ACIP)는 2014년 폐렴사슬알균백신 접종권고 개정안에서 모든 65세 이상 고령자에게 PCV13과 PPSV23을 순차적으로 접종하도록 권고를 강화하였다. 65세 이상 성인에서 소아 예방접종을 통해 얻은 불충분한 간접면역수준, CAPiTA 연구를 통해 입증된 PCV13의 폐렴사슬알균 폐렴에 대한 예방 효과, 그리고 비용-효과 분석 결과 등을 고려한 것이다. 우리나라는 사망의 원인 중 폐렴의 순위가 2006년 10위(인구 100,000명당 9.4명)에서 2016년 4위(인구 100,000명당 32.2명)로 크게 증가하였고, 국내에서 발생하는 폐렴의 경우에도 폐렴사슬알균이 가장 흔한 원인이므로 폐렴을 포함한 비침습성 폐렴사슬알균감염증에 대한 예방효과를 보이는 PCV13의 접종은 필요하다. 또한 PCV13 도입 이후 미국, 유럽과 마찬가지로 PCV13과 PPSV23의 혈청형이 차지하는 비율의 차이가 커지는 경향을 보이고 있어 PCV13과 PPSV23의 순차적인 접종의 필요성도 있다. 최근 국내의 비용-효과 분석 연구에서 65세 이상 모든 고령자, 65세 이상 위험군(만성질환자, 면역저하자), 18세 이상부터 64세 이하 위험군에게 PCV13과 PPSV23을 순차적으로 접종하는 것이 PPSV23을 단독으로 접종하는 것보다 더 비용-효과적으로 나타났다. 그러나, 비용-효과 분석은 질병부담과 백신의 효과를 어떻게 가정하느냐에 따라 결과가 달라질 수 있고, 아직 국내에서 폐렴사슬알균 감염증의 질병부담과 소아와 성인에서 PCV13, PPSV23 예방접종의 효과와 폐렴사슬알균 감염증의 역학에 미치는 영향에 대한 대규모 연구결과가 없는 상황에서 미국처럼 모든 65세 이상 고령자에게 PCV13과 PPSV23을 순차적으로 접종하도록 권고하기에는 근거가 부족한 실정이다.

PCV13과 PPSV23의 선택에 있어 주의할 점은 접종 순서와 간격에 따른 면역반응이다. PCV13과 PPSV23을 모두 투여하는 경우, PCV13을 먼저 투여하면 면역증강현상(booster effect)이 나타나고, PPSV23을 먼저 투여하는 경우 면역저하현상(hypo-responsiveness)이 발생한다는 사실이 보고되어 두 가지 백신을 모두 접종해야 하는 경우 PCV13을 먼저 접종하는 것이 유리할 수 있음이 알려졌다. 미국 ACIP에서는 PCV13과 PPSV23을 모두 투여하는 경우 국소 이상반응은 간격이 짧을 경우(8주)가 긴 경우보다 잘 생기고, 면역 반응은 긴 경우(1년 이상)가 더 우수하다는 점과 PCV13과 PPSV23의 순서에 따른 간격의 차이의 혼란을 줄이기 위해 순서에 관계없이 간격을 1년 이상으로 결정하였다. 그러나, PCV13에는 없고, PPSV23에만 포함된 백신 혈청형 침습성 폐렴사슬알균 감염증이 약 40%를 차지하는 상황이므로 고위험군인 면역저하환자에서는 위험을 최소화하기 위해 PCV13 접종 후에 PPSV23의 접종 간격을 예전처럼 8주 이상으로 유지하였다.

대한감염학회 성인예방접종 위원회는 위의 근거들을 종합적으로 판단하여 건강한 65세 이상 고령자에 대해서 PPSV23을 1회 접종하는 것을 권고하고, PCV13과 PPSV23을 순차적으로 접종하는 것도 허용하며, 18세 이상 고위험군(만성질환자와 면역저하자)에 대해서는 PCV13과 PPSV23을 모두 접종하도록 권고하였다. 두 백신을 모두 접종하는 경우에는 가능하면 PCV13을 먼저 접종하고, 정상면역이거나 만성질환자는 PCV13/PPSV23과 PPSV23/PCV13의 접종 간격을 모두 1년 이상으로 하였고, 면역저하자에서는 PCV13/PPSV23 접종 간격은 8주 이상, PPPSV23/PCV13의 접종 간격은 1년 이상으로 하였다. 이를 정리하면 아래와 같다.

1) 건강한 65세 이상 고령자
   (1) PPSV23을 1회 접종하거나, PCV13과 PPSV23을 순차적으로 1회씩 접종한다. PCV13과 PPSV23을 순차적으로 접종하는 경우에는 아래의 접종 횟수, 순서, 간격을 따른다.

2) 18세 이상 만성질환자(만성 심혈관질환, 만성 폐질환, 당뇨병, 알코올 중독, 만성 간질환), 뇌척수액누수, 인공와우를 삽입한 환자, 면역저하환자(선천성 또는 후천성 면역저하, HIV 감염, 만성 신부전 또는 신증후군, 백혈병, 림프종, 호지킨씨 병, 종양질환, 다발성 골수종, 고형장기이식, 장기간 스테로이드를 포함하는 면역억제제를 투여하거나 방사선 치료를 받고 있는 환자)와 기능적 또는 해부학적 무비증
   (1) PCV13과 PPSV23을 순차적으로 접종한다.
   (2) 아래의 접종 횟수, 순서, 간격을 따른다.

3) 접종 횟수, 순서 및 간격
   (1) PCV13은 1회 접종한다.
   (2) PPSV23의 접종 횟수
   ① 65세 이상: 이전의 접종 여부와 상관없이 1회 접종한다.
   ② 18세 이상 64세 이하 만성질환자와 뇌척수액누수, 인공와우를 삽입한 환자: 65세 이전에 PPSV23을 1회 접종하고, 65세가 되면 이전 접종 후 5년이 지나서 1회 재접종하여 총 2회 접종한다.
   ③ 18세 이상 64세 이하 면역저하와 기능적·해부학적 무비증 환자: 최초 접종 후 5년이 지나서 1회 재접종하고, 재접종하는 나이가 65세가 넘으면 2회 접종으로 완료하고, 재접종하는 나이가 65세 미만이면, 65세가 지나서 가장 최근 접종 후 5년이 지나서 한 번 더 재접종하여 총 3회 접종한다.

   (3) PCV13과 PPSV23을 순차적으로 접종하는 경우에 서로 간의 접종 간격은 최소 1년이다. 단, 면역저하 환자와 뇌척수액누수, 인공와우를 삽입한 환자에서는 PCV13을 접종하고 8주가 지난 후에 PPSV23을 접종한다.

   (4) 이전에 어떤 종류의 폐렴사슬알균백신도 접종받은 적이 없고, PCV13과 PPSV23을 순차적으로 접종하는 경우에는 PCV13을 먼저 접종한다.

(5) PCV13과 PPSV23은 동시에 접종하지 않는다.

(6) 위험군별 접종 횟수, 순서 및 간격

위험군	PCV13 → PPSV23 간격	PPSV23 → PCV13 간격	PPSV23 재접종 시기	PPSV23 최대 접종 횟수
건강한 65세 이상 고령자	1년 이상	1년 이상	재접종 없음	1회
만성질환자	1년 이상	1년 이상	65세 이후 5년이 지난 시점	2회(65세 이후 1회)
뇌척수액 누수, 인공 와우 삽입 환자	8주 이상	1년 이상	65세 이후 5년이 지난 시점	2회(65세 이후 1회)
면역저하환자, 기능적·해부학적 무비증	8주 이상	1년 이상	5년 이후에 재접종, 재접종이 65세 이전이면 65세 이후 5년이 지난 시점에 한 번 더 접종	3회(65세 이후 1회)

5. 투여방법

PPSV23은 0.5 mL를 어깨세모근에 근육 내 또는 피하로 1회 주사한다. PCV13은 0.5 mL를 어깨세모근에 근육내 주사한다. 두 백신은 모두 인플루엔자백신을 포함한 다른 백신과 동시에 투여할 수 있고, 다른 백신과 동시에 투여하더라도 이상반응의 발생이나 항체생성에 영향이 없다. 기능적 또는 해부학적 무비증 또는 에이즈 환자에서 PCV13과 수막알균백신을 모두 투여해야 하는 경우, 수막알균백신 중 메낙트라®와 PCV13은 면역간섭이 있을 수 있어 동시에 접종하지 않고, 최소 4주 간격을 두고 접종하거나 메낙트라® 대신에 멘비오®를 접종한다. 두 백신은 반드시 2–8℃에 보관한다.

6. 이상반응

1) PPSV23

약 30–50%에서 접종 후 통증, 홍반, 부종 등과 같은 경미한 국소 이상반응이 발생한다. 이러한 이상반응은 대체로 48시간 이내에 소실된다. 발열, 근육통과 같은 중등도의 이상반응이나 주사 부위 경화와 같은 심한 국소 이상반응은 드물다. 피내 주사할 경우 심한 국소 이상반응이 생길 수 있다. 아나필락시스와 같은 심한 전신 이상반응은 드물게 보고되었다. 길랭-바레 증후군과 같은 신경학적 질환과 사망에 대한 보고는 없다. 재접종의 경우 심한 국소 이상반응이 발생하였다는 보고가 있으나, 초기 접종 때보다 증가하지 않는다고 보는 견해가 일반적이다.

2) PCV13

통증, 부종, 홍반과 같은 국소 반응이 절반까지 발생한다. 8%에서 심한 국소 반응이 나타날 수 있다. 소아에서 PCV3과 인플루엔자백신을 동시에 접종할 때 열경련의 위험이 증가하였으나, ACIP에서 특별히 권고안을 변경하지는 않았다. 성인에서는 PCV13과 인플루엔자백신의 동시접종에서 안전성에 문제가 없었다.

7. 금기

초기 접종에서 심각한 알레르기 반응이 있었던 경우에 재접종은 금기이다. 중등도 이상의 급성 질환을 앓고 있을 때에는 질환이 호전된 후 접종한다. 임신부에 대한 백신의 안전성은 입증되어 있지 않으나, 백신이 태아에 문제를 일으킨다는 증거도 없다. 폐렴사슬알균 감염의 위험이 높은 여성의 경우에는 가능한 임신 전에 접종한다.

8. 국내유통백신

백신 종류	제조회사	제품명	용량	접종 일정
23가 폐렴사슬알균 다당류백신	사노피 파스퇴르(주) 한국 MSD(주)	뉴모23 프로디악스-23	0.5 mL/vial	1회 또는 2회 또는 3회 근육 주사
7가 폐렴사슬알균 결합백신(소아용)	한국화이자제약	프리베나	0.5 mL/vial	연령별로 다름
10가 폐렴사슬알균 결합백신(소아용)	글락소 스미스클라인	신플로릭스	0.5 mL/syringe	연령별로 다름
13가 폐렴사슬알균 결합백신	한국화이자제약	프리베나 13	0.5 mL/vial	연령별로 다름

참고문헌

1. Bonten MJ, Huijts SM, Bolkenbaas M, et al. Polysaccharide conjugate vaccine against pneumococcal pneumonia in adults. N Engl J Med 2015;372:1114-25.

2. Centers for disease control and prevention (CDC). Active Bacterial Core surveillance (ABCs). Trends by Serotype Group, Available at: https://www.cdc.gov/pneumococcal/surveillance.html. Accessed 19 Aug 2018.

3. Centers for Disease Control and Prevention (CDC). Advisory Committee on Immunization Practices Recommended Immunization Schedule for Adults Aged 19 Years or Older - United States, 2017. MMWR 2017;66:136-8.

4. Centers for disease control and prevention (CDC). Epidemiology and Prevention of Vaccine-Preventable Diseases. The Pink Book: Course Texbook. 13th Edition (2015).

5. Centers for Disease Control and Prevention (CDC). Intervals Between PCV13 and PPSV23 Vaccines: Recommendations of the Advisory Committee on Immunization Practices (ACIP). MMWR 2015;64:944-7.

6. Centers for Disease Control and Prevention (CDC). Licensure of 13-Valent Pneumococcal Conjugate Vaccine for Adults Aged 50 Years and Older. MMWR 2012;61:394-5.

7. Centers for Disease Control and Prevention (CDC). Use of 13-Valent Pneumococcal Conjugate Vaccine and 23-Valent Pneumococcal Polysaccharide Vaccine Among Adults Aged ≥65 Years: Recommendations of the Advisory Committee on Immunization Practices (ACIP). MMWR 2014;63:822-5.

8. Centers for Disease Control and Prevention (CDC). Use of 13-valent pneumococcal conjugate vaccine and 23-valent pneumococcal polysaccharide vaccine for adults with immunocompromising conditions: recommendations of the Advisory Committee on Immunization Practices (ACIP). MMWR 2012;61:816-9.

9. Choi MJ, Kang SO, Oh JJ, et al. Cost-effectiveness analysis of 13-valent pneucmococcal conjugate vaccine vesus 23-valent pneumococcal polysaccharide vaccine in an adult population in South Korea. Hum Vaccin Immunother 2018;14:1914-22.

10. Grabenstein JD and Musher DM. Pneumococcal Polysaccharide Vaccines. In: Plotkin SA, Orenstein WA, Offit PA, Edwards KM eds. Plotkin's Vaccines. Philadelphia: Elsevier Health Sciences; 2018.

11. Kim CJ, Song JS, Choi SJ et al. Serotype distribution and antimicrobial susceptibilities of invasive Streptococcus pneumoniae isolates from adults in Korea from 1997 to 2012. J Korean Med Sci 2016;31:715-23.

12. Song JY, Choi JY, Lee JS, et al. Clinical and economic burden of invasive pneumococcal disease in adults: a multicenter hospital-based study. BMC Infect Dis 2013;13:202.

폴리오

인제대학교 의과대학 **곽이경**
서울대학교 의과대학 **김남중**

---

1 대한감염학회 접종 권장대상과 시기

성인에게는 일반적으로 접종을 권장하지 않으나 다음의 경우에는 접종을 고려할 수 있음

가. 폴리오 유행 지역(파키스탄, 아프가니스탄, 나이지리아)을 여행하는 사람

나. 폴리오바이러스를 연구하는 사람

다. 폴리오바이러스를 배출하는 환자와 밀접한 접촉을 한 의료인

2 접종용량 및 방법

불활화 폴리오백신(IPV) 0.5 mL 근육 혹은 피하주사

3 이상반응

가. 주사부위의 발적, 경결, 압통

나. 백신함유물질(streptomycin, polymyxin B, neomycin)에 대한 알레르기 반응

4 주의 및 금기사항

백신함유물질(streptomycin, polymyxin B, neomycin)에 알레르기가 있거나 이전에 백신접종 후 심각한 알레르기 반응이 있었던 경우

---

1. 질병의 개요

1) 원인 병원체

폴리오바이러스(poliovirus)가 원인 병원체로 Picornaviridae, 엔테로바이러스(enterovirus)과에 속하는 27–30 nm 크기의 RNA 바이러스이다. 세 가지 혈청형(1형, 2형, 3형)이 있으며 혈청형간 이형면역(heterotypic immunity)이 거의 없어 한 가지 혈청형에 대해 면역이 있어도 다른 혈청형에 대한 면역은 기대하기 어렵다. 세 가지 혈청형 모두 폴리오를 유발하는데 1형이 가장 흔히 마비 폴리오를 유발하며, 2형은 마비를 유발하는 경우가 드물다. 백신접종 후 이상반응과 관련된 마비는 대부분 2형과 3형 폴리

오백신 바이러스에 의한 것이다. 바이러스는 입으로 들어와서 인두와 소화관에서 증식하며 국소 림프 조직을 침범하고 혈액으로 들어가 결국 중추신경계 세포를 감염시킨다. 척수 앞뿔(anterior horn)의 운동신경세포(motor neuron)와 뇌줄기(brain stem)에서 바이러스가 증식하게 되면 세포가 파괴되면서 폴리오(poliomyelitis)의 특징적인 임상증상이 나타나게 된다.

2) 역학

과거에는 전 세계적으로 발생하는 질환이었으나 1950년대에 폴리오백신이 도입된 이후 예방접종이 보편화된 지역에서는 마비 폴리오 환자가 급격하게 감소하여 거의 볼 수 없게 되었다. 세계보건기구에서는 1988년에 폴리오를 박멸하려는 목표를 세우고 취약 지역을 대상으로 폴리오 예방접종을 강화하였다(polio global eradication initiative). 이후 폴리오 환자는 현저히 감소하여 1988년에는 125개 이상의 국가에서 350,000명의 환자 보고가 있었으나 2000년에는 3,500명 미만으로 줄어 99%가 감소하였다. 이후에도 환자 발생은 지속적으로 감소하여 2016년에는 파키스탄, 아프가니스탄, 나이지리아 3개국에서만 37명의 야생주 폴리오 환자가 보고되었고 모두 야생형 1형(wild type 1) 바이러스 감염이었다. 야생형 2형(wild type 2) 폴리오바이러스는 1999년 이후에는 보고되지 않아 2015년에 세계보건기구에서 박멸을 선언하였고 야생형 3형(wild type 3) 폴리오바이러스는 2012년 11월 나이지리아에서 발생한 이후 더 이상 보고되지 않고 있다. 2017년 9월 현재 야생주 폴리오는 토착(endemic) 지역인 파키스탄, 아프가니스탄, 나이지리아 3개국에서만 발생하고 있으며 이들 3개국 이외의 국가에서는 2014년 8월 이후 야생형 폴리오바이러스 유행은 발생하지 않고 있다(그림 25-1). 야생형 폴리오는 발생하지 않으나 백신유래 폴리오바이러스(circulating vaccine-derived poliovirus, cVDPV)에 의한 감염이 발생하는 유행 국가는 시리아, 콩고 민주 공화국 등이다.

국내에서는 1962년에 불활화백신이 도입되었고, 1965년부터 경구용 약독화 생백신이 추가 보급되었다. 백신이 도입된 이후 폴리오 환자 발생이 0.1명/10만 명 이하로, 사망률은 0.1-0.4%로 감소하였다. 1983년에 5명의 환자가 보고된 이후 2016년까지 새로운 폴리오 환자 발생 보고는 없다(그림 25-2). 2000년에 우리나라를 포함한 서태평양 지역이 토착 폴리오 감염이 없는 지역으로 선언되었는데 이는 예방접종률이 높고 최소 3년간 토착 폴리오 환자 발생이 없었으며 백신 바이러스에 의한 급성 마비 폴리오 환자에 대한 보고체계를 갖추었다고 인정받은 것이다. 우리나라는 1998년부터 백신 관련 마비 폴리오(vaccine-associated paralytic poliomyelitis, VAPP) 보고 체계를 도입하였는데 백신 관련 마비 폴리오로 의심되는 환자는 현재까지 1명만 보고되었다.

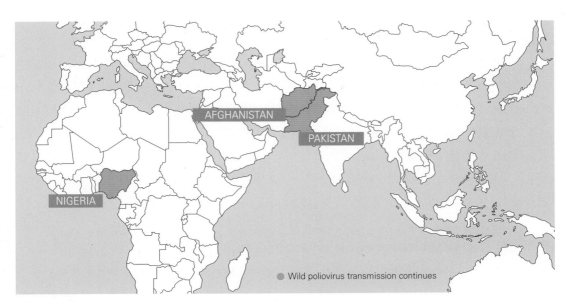

그림 25-1. 2016년 폴리오 발생지역(세계보건기구, http://polioeradication.org)

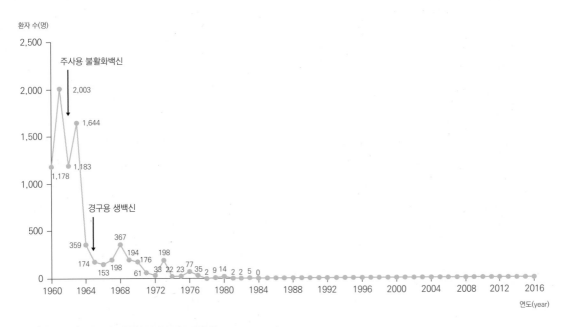

그림 25-2. 국내 연도별 폴리오 발생 현황(1960-2016)

3) 임상적 특징

폴리오바이러스는 사람에게만 감염을 유발하며 무증상 감염 환자에 의해 전파되는 경우가 가장 흔하다. 전파양식은 사람에서 사람으로 직접 감염, 특히 대변–경구 경로가 가장 중요하며 드물게 경구–경구 경로로 감염되기도 한다. 대개 위생상태가 불량한 지역에 거주하는 영유아나 소아에서 발생한다. 온대지방에서는 여름에 많이 발생하나 열대 기후에서는 이러한 계절 변화를 보이지 않는다. 전염성이 높은 질환으로 증상 발생 전후 7–10일에 가장 전염성이 높으며 대변으로는 3–6주 동안 바이러스가 배출된다. 잠복기는 6–20일(주로 3–35일) 정도이며 무증상 감염부터 중증 마비나 사망에 이르기까지 다양한 임상양상으로 나타난다. 임상증상의 중증도에 따라 다음과 같이 분류한다.

(1) 무증상 감염(inapparent or asymptomatic infection)

약 95% 정도가 무증상 감염이다. 이 경우 증상은 없지만 대변으로 바이러스를 배출하기 때문에 전염력은 있다.

(2) 불발 폴리오(abortive poliomyelitis)

감염자의 4–8%는 발열, 인두통, 두통, 식욕부진, 구토, 복통을 호소하나 신경학적 이상 소견은 나타나지 않아서 임상적으로 다른 바이러스 감염과 구분하기가 어렵다.

(3) 비마비 폴리오(non-paralytic poliomyelitis)

감염자의 1–2%에서 발생하며 목경직 같은 수막자극 증상이 있다는 것이 불발 폴리오와의 차이점이다. 사지 통증과 강직이 있을 수 있고 다른 엔테로바이러스에 의한 수막염과 동일한 임상양상을 보이지만 전신증상이 불발 폴리오보다 심하다. 대개 증상이 2–10일 정도 지속된 후 회복된다.

(4) 마비 폴리오(paralytic poliomyelitis)

1% 미만의 환자에서는 이완마비(flaccid paralysis)가 일어난다. 마비증상은 발열 등 전구증상 후 1–10일에 시작되어 2–3일 동안 진행한다. 소아의 약 1/3에서는 이상(biphasic) 경과를 보여 1–3일간 불발 폴리오의 증상을 보이고 호전되었다가 2–5일 후 갑자기 발열, 목경직, 뇌척수액내 백혈구증가와 같은 수막염 소견이 나타난다. 성인에서는 이상 경과를 보이는 경우가 드물며 마비 이전에 전구증상이 더 긴 특징이 있다. 이 외에도 심한 근육통, 감각이상, 근육부분수축(muscular fasciculation)이 있을 수 있고, 증상 발생 1–2일 후에 마비가 동반된다. 심부건반사는 초기에 항진되었다가 소실된다. 마비는 비대칭형으로 주로 하지 근육에서 나타나지만 호흡근이나 연하근육이 영향을 받으면 치명적일 수 있다. 감각소실이나 의식변화가 동반되는 경우는 드물다. 회복기 동안 마비가 어느 정도 호전되지만 1년 이상 지속되는 마비 증상은 대개 영구적이다.

마비 폴리오는 신경침범의 수준에 따라 3가지 형으로 구분할 수 있는데 척추마비 폴리오(spinal paralytic poliomyelitis)가 가장 흔하고 대개 하지를 침범한다. 연수마비 폴리오(bulbar paralytic poliomyelitis)는 뇌신경이 지배하는 근육이 약해지며 호흡이나 순환장애가 따르기도 한다. 회색질뇌염(polioencephalitis)은 영아에 나타나는 드문 형태의 폴리오로 혼돈, 의식저하, 경련 등으로 나타난다. 척추마비 폴리오와 달리 강직마비(spastic paralysis)로 나타난다. 임상적으로는 다른 바이러스 뇌염과 구분하기 어렵다.

4) 진단

마비가 생기기 전에는 다른 바이러스 수막염과 구분하기가 어렵다. 뇌척수액 검사에서 백혈구 증가(10–200/mm^3, 주로 림프구), 경도의 단백 증가(40–50 mg/dL) 소견을 보인다. 바이러스 배양검사나 중합효소연쇄반응(polymerase chain reaction, PCR)으로 폴리오바이러스를 검출하여 진단한다. 폴리오바이러스는 질병의 첫째 주에는 인두 분비물에서 분리되고 이후 수 주 동안 대변에서 분리된다. 다른 엔테로바이러스와 달리 뇌척수액에서 분리되는 경우는 드물다. 폴리오가 의심되는 마비 질환을 가진 모든 환자에서 바이러스 배양검사를 시행한다. 증상 발생 14일 이내에 적어도 2회 이상 대변과 인두 도말 검체를 24시간 간격으로 확보하여 배양검사를 한다. 폴리오 유행지역이 아닌 경우에는 급성 이완성 마비 환자에서 폴리오바이러스가 배양되면 유전학적 검사를 통해 야생주인지 백신주인지 구별하는 것이 중요하다. 바이러스가 분리되지 않는 경우 급성기와 회복기의 항체 검사를 통해 항체가 4배 이상 증가하면 확진할 수 있다. 항체검사로는 야생형 바이러스인지 백신 유래 바이러스인지는 구분할 수 없다.

5) 치료

특이적인 치료제는 없다. 통증이나 발열 완화, 호흡부전 환자의 경우 기관내삽관 및 기계환기와 같은 대증치료를 시행한다.

6) 환자 및 접촉자 관리

백신접종이 잘 시행되고 있는 나라에서는 환자가 발생하면 추적조사를 시행하고 조사 결과에 따라 바이러스 노출자에게 불활화백신을 1–2회 추가접종한다. 환자는 격리하고 장 배설물을 분리 처리하며 환자의 구강 분비물, 대변과 이에 오염된 물품을 소독한다.

2. 백신의 종류

폴리오바이러스의 배양이 가능해진 1949년 이후 백신 개발이 시작되었다. 1955년에 Salk가 처음으로 주사용 불활화 폴리오백신(inactivated poliovirus vaccine, IPV)을 개발하였고, 1961년에는 Sabin이 경구용 폴리오백신(oral poliovirus vaccine, OPV)을 개발하였다. 1978년에는 주사용 효력강화 불활화 백신(enhanced IPV, eIPV)이 개발되었는데 이는 기존의 불활화백신과 같은 바이러스주를 이용하지만 항원량을 증가시킴으로써 항체 형성 능력을 향상시킨 백신이다. 현재 사용되고 있는 효력강화 불활화 백신은 폴리오바이러스의 3가지 혈청형을 모두 포함하고 있다. OPV가 사용되기 시작한 이후에는 OPV 가 IPV에 비해 면역원성이 우수하고 비용이 저렴하며 접종이 간편하고 장관면역(intestinal immunity) 을 유도할 수 있다는 장점 때문에 OPV가 IPV를 대체하게 되었다. 그러나, OPV가 백신관련 마비 폴리오를 유발할 수 있다는 사실이 알려지면서 세계보건기구에서는 야생형 폴리오바이러스 박멸이 확인된 지역에서는 경구용 생백신 대신 주사용 불활화백신을 접종하도록 권고하였다. 미국에서는 1997년부터 IPV를 예방접종 스케줄에 다시 포함시켰고(IPV와 OPV의 순차적 투여), 2000년에는 IPV로 완전히 대체하였다. 우리나라에서도 2002년에 IPV를 다시 도입하여 2004년부터는 IPV만 사용하고 있다. OPV와 IPV는 교차접종이 가능하다.

1) 불활화 폴리오백신

IPV는 포르말린으로 불활화시킨 폴리오바이러스 1, 2, 3형을 포함하고 있다. eIPV는 사람 이배체 세포나 vero 세포 배양으로부터 만든 백신으로 효능이 좋아 2회 접종으로도 우수한 예방 효과를 나타낸다. OPV보다 훨씬 안정화된 백신으로 면역저하자에서도 안전하게 사용할 수 있고 백신과 관련된 마비의 위험도 없다. 그러나 주사로 투여하기 때문에 불편하고 순응도가 낮으며 군집면역(herd immunity)이나 장관면역 효과가 낮다. 현재 사용하고 있는 IPV는 eIPV이다.

2) 경구용 폴리오백신

OPV는 원숭이 신장세포에서 배양된 폴리오바이러스를 이용하여 생산된다. 2015년까지는 3가지 혈청형을 모두 포함한 3가 생백신(trivalent oral polio vaccine, tOPV)을 예방접종에 사용해 왔다. 1999년에 2형에 의한 감염이 마지막으로 보고된 이후 더이상 2형에 의한 감염은 전세계에서 발생하지 않고 있어 2015년에 공식적으로 2형 폴리오바이러스의 박멸이 선언되었다. 이후 세계보건기구는 1형과 3형만 포함한 2가 경구용 생백신(bivalent OPV, bOPV)을 생산하도록 권고하였으며 2016년부터 생백신을 접종하는 국가는 bOPV를 접종하도록 하였다.

OPV는 값이 저렴하고 경구 투여하기 때문에 주사에 따른 문제점이 없고 장관면역 유발효과가 좋다. 투여하기 쉬우며 백신 바이러스가 대변을 통해 배출되므로 접종받은 소아와 접촉하면 면역을 얻을 수도 있다. 그러나 전기 공급이나 냉장시설에 문제가 있는 나라에서는 보관이나 운반이 쉽지 않다. 극도로 적은 환자가 발생하는 경우에 OPV에 포함된 약독화 바이러스에 변이가 일어나 cVDPV 감염증을 유발할 수 있다. 폴리오 야생주 바이러스에 의한 감염이 없는 나라에서는 백신관련 마비가 문제되어 결국 IPV와 겸용하거나 OPV 사용을 중단하는 나라가 증가하고 있다. 우리나라에서도 OPV는 생산이 중단된 상태로 IPV만 사용되고 있다.

3. 백신의 효능 및 효과

IPV와 OPV 접종 후 폴리오바이러스 항원에 대한 전신적인 항체반응은 비슷하나 OPV는 자연감염에서와 같이 장 점막에서 분비항체(주로 IgA)를 생성하게 하는 데에 비해 IPV는 점막 항체반응을 거의 나타내지 않는다. 혈청 항체만 있고 점막 항체가 없는 경우에는 폴리오바이러스에 노출되었을 때 중추신경 침범은 막을 수 있지만 위장관에서 바이러스가 증식하여 대변으로 배출되는 것을 막지는 못한다. 따라서 IPV를 접종받은 경우에는 불충분한 장관면역으로 인하여 야생형 폴리오바이러스 감염 시 대변으로 바이러스를 배출함으로써 다른 사람에게 감염을 유발할 수 있다. IPV는 2회 접종 후에 약 90%, 3회 접종 후에는 최소 99%에서 항체를 생성한다. IPV의 면역 유지 기간은 스케줄대로 접종한 경우 수년간 유지될 것으로 추정되기는 하지만 확실히 알려져 있지 않다. OPV는 1회 접종 시 50%, 3회 접종 시 95% 이상에서 면역이 생긴다. 다른 생백신들과 마찬가지로 평생면역을 갖게 되고 국소 장관면역 유발 능력이 우수하다. IPV와 OPV 모두 각각 3회 접종 후에는 세 가지 바이러스 혈청형에 대해 거의 100%의 항체양전(seroconversion)을 보이는 것으로 알려져 있다. 하지만 IPV와 OPV를 겸용하는 경우에는 항체양전율이 감소하는데 3형의 경우 85% 정도로 가장 크게 감소한다.

4. 적응증

성인에게는 일반적으로 접종을 권장하지 않는다. 현재 국내에는 야생형 폴리오바이러스 감염 환자가 발생하지 않는 상황이므로 폴리오 예방접종을 전혀 하지 않았거나 기본 접종을 끝내지 않은 성인이라고 하더라도 국내에만 있을 것이라면 접종을 할 필요가 없다. 다만, 다음의 경우에는 폴리오바이러스 감염 위험이 증가하기 때문에 예방접종을 고려한다.

1) 폴리오 유행 지역(파키스탄, 아프가니스탄, 나이지리아 등)으로 여행을 가는 사람
2) 연구 목적으로 폴리오바이러스를 다루는 사람

3) 폴리오바이러스를 배출하는 환자와 밀접한 접촉을 하는 의료인

전 세계적으로 폴리오 박멸이 선언되기 전까지는 감염 지역으로 여행을 가는 사람들이 폴리오에 걸리고 이들에 의해 폴리오가 없었던 지역에서도 다시 감염이 발생할 가능성이 있다. 야생 폴리오바이러스 감염지역이나 백신유래 폴리오바이러스 감염지역으로 여행을 가거나 여행 후 귀국하는 사람들은 적절하게 예방접종을 해야 한다. 최신 감염지역은 세계 폴리오 박멸 계획 웹사이트(http://www.polioeradication.org)에서 확인할 수 있다. 2014년에 세계보건기구에서는 야생형 폴리오바이러스가 국가 간에 전파되는 것을 국제적으로 우려되는 공중위기로 선언하였고 임시 폴리오백신 권고안(temporary vaccination recommendations)을 발표하였다. 폴리오 감염지역으로 여행하는 사람 중 폴리오백신 접종을 일정대로 완료하였으나 폴리오백신을 접종한지 12개월 이상 경과한 경우에는 추가접종을 권장한다. 폴리오 감염지역으로 여행하는 사람 중 과거에 폴리오백신을 접종한 적이 없는 경우에는 출발 전에 백신 1차 접종 일정을 완료하도록 한다. 폴리오 감염지역에 거주하는 사람들이나 4주 이상 머무른 사람들은 감염지역을 떠나 다른 나라로 여행하기 전에 폴리오 예방접종을 일정대로 완료해야 한다. 폴리오 감염지역에서 돌아오는 사람들은 감염지역을 떠나기 4주-12개월 이내에 폴리오백신을 추가로 접종한다.

5. 투여방법

1) 접종 시기

(1) 과거에 폴리오백신을 접종하지 않은 경우

IPV를 4-8주 간격으로 2회 접종하고, 3차 접종은 2차 접종 후 6-12개월이 지났을 때 시행한다. 단, 단시간에 면역 획득이 필요한 경우에는 각각 4주 간격으로 접종한다.

(2) 과거 폴리오백신접종이 불완전한 경우

사용하였던 백신이나 접종한 간격에 관계없이 남은 분량을 IPV로 접종하면 되고, 접종 스케줄 자체를 새로 시작할 필요는 없다.

(3) 과거에 폴리오백신을 3회 이상 맞은 경우

3회 이상 예방접종 후 면역력이 언제까지 유지되는지는 확실하지 않다. 접종 권장 대상에 해당되는 경우에 IPV 1회 추가접종을 고려할 수 있으며, 1회 이상의 추가접종은 일반적으로 권장되지 않는다.

2) 접종 용량

(1) 불활화 폴리오백신

0.5 mL를 피하 혹은 근육주사한다. 피하주사 하는 경우에 국소반응이 더 흔하게 나타나기 때문에 근육주사 하는 것이 좋으며 출혈 경향이 있는 경우에는 출혈의 위험을 줄이기 위해 피하주사한다.

(2) 경구용 폴리오백신

0.2 mL를 경구 투여한다. 투여 30분 이내에 구토한 경우에는 다시 투여한다(국내에서는 생산 중단된 상태).

6. 이상반응

1) 불활화 폴리오백신

주사부위에 발적, 경결, 압통이 있을 수 있으며 백신에 포함된 streptomycin, polymyxin B, neomycin에 알레르기 반응이 일어날 수 있다.

2) 경구용 폴리오백신

매우 드물기는 하지만 백신 투여 후 백신 바이러스에 의해 폴리오가 발생할 수 있다는 것이 OPV의 가장 큰 단점이다. 이는 OPV 백신 바이러스가 경구 투여 후 장 내에서 신경침범을 할 수 있는 균주로 변이 혹은 복귀(reversion)가 일어나기 때문일 것으로 추정한다. 발생빈도는 240만 접종 중 1건 정도이며 소아보다는 18세 이상의 성인에서, 면역저하자에서 더 흔하게 나타나고 1차 접종시 가장 흔하게 발생하는 것으로 알려져 있다.

7. 금기

1) 불활화 폴리오백신

백신 구성 성분인 neomycin이나 streptomycin, polymyxin B에 알레르기가 있거나 이전에 백신접종 후 심각한 알레르기 반응이 있었던 경우에는 접종하지 않는다.

2) 경구용 폴리오백신

면역억제제 치료로 인해 면역기능 장애가 있는 사람이나 동거인 중에 그러한 사람이 있는 경우에는 OPV의 접종을 피한다. 이러한 사람은 예방접종이 필요한 경우에 가능하면 IPV를 접종한다.

OPV나 IPV가 임신부나 태아에 특별한 영향을 미친다는 증거는 없으나 일반적으로 임신 중에는 접종을 금한다. 모유 수유는 백신의 금기가 아니며 성인에서는 백신관련 마비 폴리오의 발생률이 소아에서보다 높기 때문에 IPV를 접종하는 것이 좋다.

8. 국내유통백신

제품명	제조사	용량	접종 일정
이모박스 폴리오 주	사노피파스퇴르	0.5 mL 근육 또는 피하주사	1회
폴리오릭스 주	녹십자		
코박스폴리오PF 주	한국백신		
아이피박스 주	보령바이오파마		

* 소아에서는 테트락심(DTaP-IPV, 사노피파스퇴르), 인판릭스(DTaP-IPV, 사노피파스퇴르, GSK), 펜탁심(DTaP-IPV/Hib) 등의 혼합백신이 사용되고 있다.

참고문헌

1. 감염병 웹통계시스템. Available at: https://is.cdc.go.kr/dstat/index.jsp. Accessed October 2017.
2. 대한소아과학회. 예방접종 지침서. 제 6판. 서울: 대한소아과학회; 2008;91-100.
3. 질병관리본부. 예방접종 대상 감염병의 역학과 관리. 제5판. 충북: 2017;207-20.
4. Centers for Diseases Control and Prevention. General recommendations on immunization; Recommendations of the Advisory Committee on Immunization Practices (ACIP). Morb Moral Wkly Rep 2011;60:1-61.
5. Centers for Diseases Control and Prevention. Interim CDC guidance for polio vaccination for travel to and from countries affected by wild poliovirus. Morb Moral Wkly Rep 2014;63:591-4.
6. Centers for Diseases Control and Prevention. Poliomyelitis. In: Atkinson W, Wolfe S, Hamborsky J, eds. 12th ed. Washington DC: Public Health Foundation; 2011;249-62.
7. Department of Health. Poliomyelitis. In: Salisbury D, Ramsay M, Noakes K. Immunisation against infectious disease. London: Crown; 2011;313-28.
8. Global Polio Eradication Initiative. Available at: http://www.polioeradication.org. Accessed 16 October 2017.
9. Romero JR, Moldin JF. 173. Poliovirus. In: Mandell, Douglas, and Bennett's Principles and practice of infectious diseases. 8th ed. Philadelphia: Elsevier Saunders; 2015;2073-9.
10. Sutter RW, Kew OM, Cochi SL, Aylward B. Poliovirus vaccine-live. In: Plotkin SA, Orenstein WA, Offit PA, Edwards KM. Vaccines. 7th ed. Philadelphia: Elsevier; 2018;866-917.
11. Vidor E. Poliovirus vaccine-inactivated. In: Plotkin SA, Orenstein WA, Offit PA, Edwards KM. Vaccines. 7th ed. Philadelphia: Elsevier; 2018; 841-65.

한탄바이러스

고려대학교 의과대학 **손장욱**
연세대학교 원주의과대학 **김효열**

1 대한감염학회 접종 권장대상과 시기

대상자 중 위험요인 및 접종 환경을 고려하여 제한적으로 접종할 것을 권장함

가. 군인 및 농부 등 직업적으로 신증후군출혈열 바이러스에 노출될 위험이 높은 집단

나. 신증후군출혈열 바이러스를 다루거나 쥐 실험을 하는 실험실 요원

다. 야외활동이 빈번한 사람 등 개별적 노출 위험이 크다고 판단되는 사람

2 접종용량 및 방법

가. 4회 접종(변경된 허가사항): 성인에서 기초접종으로 1회 0.5 mL를 1개월 간격으로 3회 근육 주사하고, 기초접종 완료 후 11개월째 1회 추가접종(즉, 0, 1, 2, 13개월로 4회에 걸쳐 접종)

3 이상반응

가. 국소 반응: 접종부위의 가려움증, 발적, 종창, 동통, 소양증, 색소침착 등

나. 전신 반응: 발열, 근육통, 관절통, 오한, 오심, 두통, 현기증, 권태감 등이 있으며, 이론상으로는 뇌염도 가능하나 확인 사례 없음

4 주의 및 금기사항

가. 백신 성분에 중증의 알레르기 반응이 있는 경우

나. 젤라틴 함유제제 또는 젤라틴 함유식품에 대해서 쇼크, 유사 아나필락시스 반응(두드러기, 호흡곤란, 입술부종, 후두부종 등) 등의 과민증의 병력

다. 이전 한탄바이러스 백신접종 후 심한 알레르기 반응이 있었던 경우

1. 질병의 개요

1) 원인 병원체

한탄바이러스(Hantaan virus)는 신증후군출혈열(hemorrhagic fever with renal syndrome, HFRS)의 원인 병원체 중 하나로 *Bunyaviridae*과의 한타바이러스(*Hantavirus*)속으로 분류되는 음성 단일가닥의 RNA 바이러스이다. 일반적으로 한타바이러스는 이를 매개하는 설치류 숙주의 지역적 분포와 인체에 나타나는 질병양상(신증후군출혈열 또는 한타바이러스 심폐증후군)에 따라 구대륙과 신대륙 한타바이러스로 나뉜다. 특정 한타바이러스 종의 지역적 분포는 이를 매개하는 보유숙주(설치류)의 지역적 분포와 일치하며, 같은 지역에서 분리된 한타바이러스의 유전형은 계통발생학적으로 연관성이 있다.

신증후군출혈열을 일으키는 구대륙 한타바이러스에는 한탄, 서울, 도브라바, 푸말라바이러스 등이 속한다. 한탄바이러스는 주로 중국, 한국, 러시아 동부에서 중증 신증후군출혈열을 일으키며 매개 숙주는 등줄쥐(*Apodemus agrarius*)이다. 서울바이러스는 집쥐(Rattus)에 의해 전파되며 전세계적으로 분포한다. 도브라바바이러스는 노란목 들쥐(*Apodemus flavicollis*)에 의해 매개되며 주로 발칸 지역에서 중증의 신증후군출혈열을 유발한다. 푸말라바이러스는 은행 밭쥐(*Clethrionomys glareolus*)에 의해 매개되며 주로 스칸디나비아와 구소련연방의 서부지역과 유럽에서 유행성 신염이라 불리웠던 경증의 신증후군출혈열을 일으킨다.

신대륙 한타바이러스는 한타바이러스 심폐증후군을 일으키며, 신놈브레바이러스와 안데스바이러스가 대표적이다. 신놈브레바이러스는 사슴쥐(*Peromyscus maniculatus*)에 매개되며 주로 북아메리카에서 한타바이러스 심폐증후군을 일으킨다. 안데스바이러스는 남아메리카, 주로 칠레와 아르헨티나에서 긴꼬리가 달린 난쟁이 밥쥐(*Oligoryzomys longicaudatus*)에 의해 매개되는, 유일하게 사람간 전파가 가능한 한타바이러스이다.

2) 역학

(1) 역사

신증후군출혈열이 세상에 알려지게 된 것은 1951부터 1954년까지 한국전쟁 당시 주한미군에서 약 3,000명의 출혈성 경향을 보이는 발열환자를 연구하면서부터인데, 심한 경우는 쇼크와 신부전을 유발하고 10%의 사망률을 보였으며, 당시에는 한국형 출혈열(korean hemorrhagic fever)이라고 불렸다. 그로부터 25년 후인 1976년 이호왕 등에 의해 등줄쥐의 폐조직에서 원인 바이러스를 처음 분리하여 한탄바이러스라 명칭하였다.

1983년 WHO에서는 한국전쟁 당시 처음 세상에 알려진 '한국형 출혈열'이 이전부터 기술되어져 오던 소련의 '출혈성 신염(hemorrhagic nephrosonephritis)', 스칸디나비아 국가들의 '유행성 신염(nephropathia epidemica)', 중국의 '송고열' 등과 모두 관련이 있는 질환이라는 주장을 받아들여 이를 통칭하여 '신증후군출혈열(hemorrhagic fever with renal syndrome)'로 명명하였다.

(2) 전파경로

한타바이러스는 숙주인 설치류에 질병은 유발하지 않고 지속적인 감염을 유발하면서 소변이나 침을 통해 수 주에서 수개월간 분비된다. 인체감염은 설치류의 소변이나 분변 중 배출된 바이러스가 에어로졸 형태로 호흡기를 통해 유입되어 발생한다. 드물게 설치류가 물어서(침에 포함된 바이러스) 발생하기도 한다.

(3) 국내현황

국내에서는 1951–1953년간 한국전쟁 중 UN군에서 약 3,200명 이상의 신증후군출혈열 환자가 발생하고 수백 명이 사망함으로써 학자들이 관심을 두고 원인 규명에 나서게 되었다. 1976년에 제3군 법정 감염병으로 지정되었고, 매년 가을철에 발생하는 급성 열성질환의 4–18%를 차지하는 것으로 보고되었으며 90년대 후반 이후 환자 발생 보고가 증가하여 2000년대에 들어서는 매년 약 400명의 환자 발생이 보고되고 있다(그림 26-1). 국내 신증후군출혈열은 연중 발생하나 10–12월까지의 대유행기에 대부분 발생하고, 5–7월의 소유행기는 점차 없어지고 있다(그림 26-2). 발생률은 지역별로 차이가 있으나 2000년대 후반에 있어서는 10만 명당 약 0.8–0.9건으로 추정된다. 지역별로는 2000년 이전에는 주로 경기도, 강원도, 경상북도 등지에서 주로 발생하였으나 2000년 이후에는 전국적으로 발생되고 있으며 특히 경기 지역에서 가장 많이 발생하고 있다(그림 26-3).

신증후군출혈열 토착지역인 연천과 파주에서 1996년부터 1998년까지 전향적으로 수행된 연구에서 발생률은 100,000 인–월(person–month)당 2.1–6.6건으로 보고되었으며, 주로 20에서 60세 사이의 남자에서 발생하였다.

군대에서 발생률은 1995년부터 1998년까지 군인 100,000명당 40–64건이었으나 2000년대에 들어와서는 전체 군인 중 환자 발생은 연간 40건 미만으로 감소되었다. 군대에서 신증후군출혈열 환자수가 감소한 이유가 무엇인지는 아직 정확히 규명되지 않았다.

남자가 여자보다 약 2–3배 정도 많이 발생한다. 연령별로는 93%가 20대 이후에 발생하며 20–60대까지 고르게 분포하고 있다. 국내에서 소아 신증후군출혈열 환자의 발생 빈도는 낮으며, 임상경과는 성인의 경우 보다 양호한 것으로 보고되고 있다. 유행지역인 강원도 철원군은 소아 감염률을 2.1%로 보고하고 있다. 사망률은 1970년대 이전에는 16.6–25.8%이었으나, 꾸준히 낮아져서 최근 보고에 의하면 2% 미만이다.

보고 건수(명)

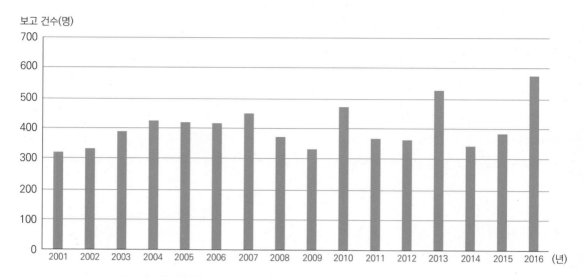

그림 26-1. **신증후군출혈열 발생 추이** [자료 출처 : 전염병 웹통계(http://www.cdc.go.kr/)]

보고 건수(명)

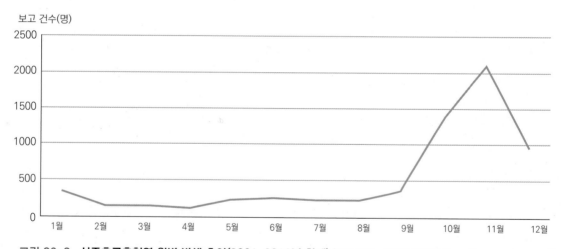

그림 26-2. **신증후군출혈열 월별 발생 추이(2001-2016년 합계)** [자료 출처 : 전염병 웹통계 (http://www.cdc.go.kr/)]

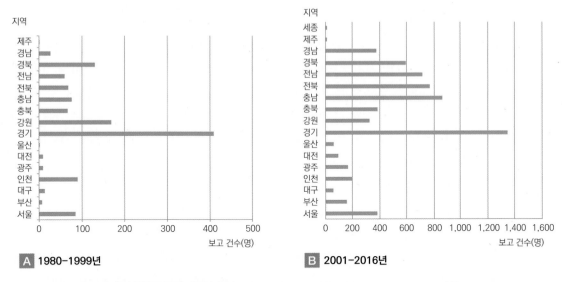

그림 26-3. **지역별 신증후군출혈열 발생현황** [자료 출처 : 전염병 웹통계 (http://www.cdc.go.kr/)]

(4) 국외현황

세계적으로 매년 신증후군출혈열은 약 150,000건이 발생하고 이 중 반수 이상이 중국에서 발생한다. 중국의 경우 최근 수년간 약 12,000–20,000건의 신증후군출혈열이 중국 질병관리본부에 등록되었고 사망률은 약 1%로 보고되고 있다. 주된 바이러스는 한탄바이러스, 한탄바이러스 유사 바이러스(Amur/Soochong virus)와 서울바이러스로 알려져 있다. 연중 발생하나 11월과 12월에 가장 발생률이 높다. 러시아의 경우 1996년부터 2006년까지 89,162건이 보고되고 있고 평균 발생률은 5.8건/100,000명(1997–2007년)이다. Volga Federal District, 특히 Tatarstan, Udmurtia, Samara, Orenburg, Bashkirostan 등에 토착화되어있다. 유럽의 경우 2006년 말까지 35,424건이 보고되었고 이 중 95%가 1990년 이후에 보고된 예이다. 유럽에 있어서 주된 한타바이러스는 푸말라바이러스로 전 유럽에 퍼져있으나 진단된 대부분의 환자는 핀란드에서 발생하였다(2007년 이전까지 24,672건). 도브라바바이러스는 주로 발칸 지역에서, 사레마(Saaremaa)바이러스는 유럽의 동부와 중부에서 문제가 되는 바이러스이다.

3) 임상적 특징

한탄바이러스에 의한 신증후군출혈열의 잠복기는 9–35일(평균 약 2–3주)이며 갑작스런 발열, 출혈경향, 허리통증, 소변량 감소가 특징이다. 전형적인 임상경과는 발열기, 저혈압기, 핍뇨기, 이뇨기, 회복기의 5단계로 나누어진다. 거의 모든 환자들이 발열기와 이뇨기를 경험하는데 반해 저혈압기는 11–40%의 환자에서 나타나고 하루 400 mL 미만의 소변량을 보이는 핍뇨기는 40–60%의 환자에서 보인다.

(1) 발열기(3–7일): 갑자기 시작하는 발열, 두통, 심한 근육통, 갈증, 식욕부진, 구역과 구토 등으로 시작하며, 이후 복통, 허리통증, 얼굴과 몸통의 발적, 결막 충혈, 피부의 출혈반 등이 발생한다.

(2) 저혈압기(수시간–48시간): 전신증상이 지속되고, 해열과 동시에 혈압이 떨어져 불안해 보이며, 심하면 착란, 섬망, 혼수 등 쇼크 증상을 보인다. 심한 단백뇨, 빈뇨가 나타나고, 백혈구 증가, 혈액농축 소견이 보이며 혈뇨, 토혈, 혈소판 감소 등의 출혈 경향이 나타난다.

(3) 핍뇨기(3–10일): 오심, 구토, 질소혈증, 전해질 이상(칼륨 증가), 때로는 뇌부종, 폐부종도 볼 수 있으며, 반상 출혈, 자반, 위장관 출혈 등이 생기고 소변이 나오지 않는다.

(4) 이뇨기(7–14일): 신기능이 회복되는 시기로 다뇨(3–6 L/일)가 동반되며, 심한 탈수, 쇼크, 폐합병증이 발생할 수 있다.

(5) 회복기(1–2개월): 소변량이 서서히 감소되는 시기로 야뇨, 빈혈 증상이 회복된다.

　사망은 대부분 저혈압기와 핍뇨기에 생기며, 주로 쇼크, 급성 신부전, 급성호흡곤란증후군, 출혈 등이 원인이다. 한탄바이러스에 의한 신증후군출혈열은 주로 농촌 등지에서 발생한다. 반면, 서울바이러스에 의한 신증후군출혈열은 주로 도시에서 발생하며, 한탄바이러스에 의한 경우 보다 출혈이나 신기능 장애가 경하고, 대신 간기능 장애가 더 심하게 유발된다. 증례 치명률은 1% 미만 내지 15% 범위로서 한탄바이러스와 도브라바바이러스가 서울바이러스 또는 푸말라바이러스보다 더욱 치명률이 높다.

　임신부에서 신증후군출혈열의 발생은 산모에게 치명적일 수 있고 태아로의 바이러스 전파로 태아 건강에 나쁜 영향을 줄 수 있다. 국내에서는 자궁 내 태아사망, 조기 분만 후 태아사망 등의 합병증이 보고된 바 있다.

4) 진단

　병력, 임상 증상, 검사 소견, 병의 경과로 추정진단이 가능하며, 다른 가을철 열성질환인 쯔쯔가무시병, 렙토스피라증 등과 감별이 중요하다.

　환자 검체(혈액 또는 조직)에서 바이러스를 분리하거나 간접면역형광항체법(IFA) 등으로 급성기와 회복기 혈청을 2주 간격으로 검사하여 항체역가가 4배 이상 증가하거나, 면역효소측정법(ELISA)으로 IgM 항체 측정(내원 당시 또는 내원 후 24–48시간 이내에 실시), 또는 Hantadia® kit을 이용해서 혈청학적으로 진단이 가능하다. 바이러스 동정은 쉽지 않으며, 임상경과 초기에 얻은 혈액이나 부검 조직에서 RT–PCR법으로 바이러스 유전자를 확인할 수 있다.

　혈청학적 검사가 초기에 음성을 보일 수 있기 때문에 진단 시 임상소견과 일치하는지 확인하는 것이 중요하다. 진단에 의미가 있는 임상소견으로는 갑작스런 고열과 오한, 3가지 피부 증상(결막 충혈과 출혈, 안면 특히 안와주위 부종, 안면홍조), 3부위 통증(두통, 안구통, 늑척추각 압통), 연구개, 액와 등의 점상출혈을 들 수 있다.

5) 치료

치료를 위한 특이요법은 없고 병태 생리학적 및 생화학적인 지식을 바탕으로 임상경과 시기별로 적절한 보조요법을 실시하는 것으로 혈압상승제, 수액요법, 알부민 정주 그리고 신부전 발생시 투석 치료 등이 있다. 치료에 앞서 출혈이나 쇼크의 발생을 감소시키기 위해서 절대안정이 필요하다. 쇼크와 신부전에 대한 치료시 수액보충이 과다하지 않도록 주의해야 하는데 수액과다는 폐부종과 함께 고혈압을 유발할 수 있고 이로 인해 뇌출혈의 위험이 증가하기 때문이다.

증상이 생긴 후 수 일 이내에 ribavirin을 정맥주사(30–33 mg/kg를 초회, 15–16 mg/kg를 1일 4회 4일간, 이어서 8 mg/kg를 1일 3회 3일간)하는 것이 소변감소나 신기능 부전의 방지 등 병의 중증도 및 치사율을 감소시키는데 효과적으로 알려져 있으며 정주 rivabirin과 관련된 주요 이상반응으로는 가역적인 용혈성 빈혈이 있다.

조기에 임상단계별 적절한 치료는 사망률을 감소시키고 합병증을 예방할 수 있다.

2. 백신의 종류

우리나라에서는 1988년에 신증후군출혈열 환자의 감염 초기 혈액에서 분리된 한탄바이러스를 Vero E-6 세포에 접종 후 갓난생쥐(suckling mouse)의 뇌에서 계대배양한 다음 포르말린으로 불활화시킨 한타박스®가 1990년에 개발되어 시판되기 시작하였다. 1992년 임시 예방접종에 포함되어 군과 보건소에서 접종이 시작되었고, 1997년 이후 백신접종자에서의 항체양전율과 지속기간, 기초접종 후 추가접종의 필요성 및 추가접종 시기에 관한 연구들이 보고되었으나, 백신의 질병-예방 효과에 대해서는 논란이 많다.

현재 백신이 상용화되어 사용하는 나라는 우리나라와 중국뿐이다. 중국에서 시행한 대규모 임상시험에서 백신의 예방효과는 93%에서 97%까지 보고된 바 있다. 중국의 경우 1990년대에 도입한 후 20년 이상 사용하고 있으며, 2008년에는 신증후군출혈열에 대한 확대예방접종프로그램을 도입하였으며 이후 신증후군출혈열이 감소하는 것으로 보고하고 있다. DNA 백신과 약독화 생백신에 대한 연구도 현재 진행 중에 있다.

현재 국내에 유통 중인 백신은 녹십자(주)에서 생산하는 불활화 백신인 한타박스®로 1990년 야외 임상시험 실시 후 결과를 제출하는 조건으로 식품의약품안전처의 품목 허가를 받았다. 2009년에는 야외 임상시험이 현실적인 어려움에 따라 장기면역원성 시험결과를 제출하는 것으로 허가조건이 변경되었고, 2013년에는 제출된 임상시험 결과가 명확하지 않아 접종일정을 기존 3회에서 4회로 변경해 추가 3상 임상시험을 진행하는 것으로 결정되었으며, 2017년부터 건강한 성인을 대상으로 한타박스®의 면역원성 및 안전성 평가를 위한 다기관, 공개, 비교, 제3상 임상시험을 시작하여 2018년 말까지 중간 결과를 토대로 2018년 3월에 개회된 중앙약사심의위원회에서는 기존 3회 접종에서 4회 접종으로 접종횟수를 늘리고 한타박스®를 위해성관리계획 대상 약물로 변경해 장기면역원성을 확인하기로 하였다.

3. 백신의 효능 및 효과

불활화 백신인 한타박스®의 효능을 추정할 수 있는 가장 신뢰할 수 있는 면역측정법은 중화항체에 의한 바이러스 억제 정도를 직접 측정하는 플라크감소중화시험법이나, 시간이 오래 걸리고 검사를 위한 전문 인력이 필요하다는 단점이 있다. 대체 검사로 간접면역형광항체법, 효소면역측정법, 고밀도응집검사법 등도 사용 가능하다.

간접면역형광항체법, 효소면역측정법 등으로 한타박스 접종 후 측정한 항체양전율을 보면 1개월 간격으로 2회 기본 접종 후에 약 95%의 높은 항체양전율을 나타내나, 기본 접종 후 1년이 경과하면 항체가 감소하여 항체양성률이 약 36-62%로 감소하였다. 기초접종 완료 후 12개월째 추가접종 후 측정한 항체양성률은 93-100%로 증가하는 양상을 보였다(표 26-1). 간접면역형광항체 검사에 의해 측정되는 항체가 얼마나 방어효과와 관련되어 있으며 중화항체와는 어떤 관계인지도 명확히 알려져 있지 않다.

일반적으로 백신의 방어효과를 확인하기 위한 지표는 중화항체 생성능으로 판단한다. 한타박스®에 의한 중화항체 생성에 관한 연구 결과를 종합하면 1개월 간격으로 2회 기본 접종 후 양전율은 33-76%이며, 기본 접종 후 1년째에는 항체양성률이 14-28%로 감소하나, 기초접종 완료후 12개월째 추가접종 후 측정한 항체양성률은 75-100%로 증가하는 양상을 보여 간접면역형광항체법이나 효소면역측정법으로 검사한 항체양성률과 유사한 양상을 나타냈다. 이들 결과는 1개월 간격 2회 기본 접종 후에 1년 뒤 추가접종을 하는 현재 백신접종 일정의 근거가 되었다.

백신의 효과를 보기 위한 연구로는 국내 군인을 대상으로 한 환자-대조군 연구로 백신 1회 접종 시 25%, 2회 접종 시 46%, 3회 접종 시 75%의 예방효과가 있는 것으로 보고되었다. 접종 횟수가 증가할수록 예방효과가 증가함을 보여주었으나 통계적으로 유의하지 않았고, 백신의 3회 접종 후 평균 7.3개월 동안의 관찰 결과로, 장기적인 예방효과에 대해서는 알 수 없었으며, 후향적 조사라는 제한점을 가지고 있다.

2007년부터 2013년까지 226명의 건강한 성인을 대상으로 장기면역원성을 평가한 3상 임상시험 결과는 3회 접종 시 면역원성이 2년 정도 유지되는 것을 보여 주었으며, 2회 기본 접종 후 1년째 항체양성률이 낮아 고위험군에서는 2-6개월 사이에 3차 접종을 시행할 것을 제시하였다.

2015년부터 2017년까지 건강한 성인을 대상으로 한 한타박스® 3회 기초접종(0개월, 1개월, 2개월)과 1회 추가접종(13개월) 후 면역원성 및 안전성을 보기 위한 다기관 3상 임상시험 결과에서는 한탄바이러스 중화항체 양성율이 기초접종(2차 접종) 후 28일째 48.61%(140/288명)에서 기초접종(3차 접종) 후 28일째 80.97%(234/289)로 상승하였으며, 추가접종(4차 접종) 후 4개월까지 특별한 안전성 문제는 관찰되지 않아 이를 근거로 기존 2회의 기초접종을 3회로 접종하도록 허가사항이 변경되었고, 장기면역원성을 추가로 확인할 예정이다.

표 26-1. 한타박스® 접종 후 면역반응

저자/년도	측정시기	항체양전율, %, (명/명)			중화항체양전율, %, (명/명)
		IFA*	†ELISA IgG	†HDPA	#PRNT
이 등, 1992	1차 접종 후 1개월	89.2 (66/74)	–	–	–
	2차 접종 후 1개월	97.3 (72/74)	–	–	–
	2차 접종 후 1년	36.5 (27/74)	–	–	–
	3차 접종 후 1개월	98.6 (73/74)	–	–	–
주 등, 1998	2차 접종 1–4개월 후	94.1 (16/17)	–	94.1 (16/17)	76.5 (13/17)
	2차 접종 후 1년	62.5 (25/40)	–	45.0 (18/40)	22.5 (9/40)
	3차 접종 후 1개월	100 (8/8)	–	–	100 (8/8)
	3차 접종 후 2년	91.7 (11/12)	–	–	75 (9/12)
	4차 접종(3차 접종 후 20개월째) 후 1개월	100 (7/7)	–	–	85.7 (6/7)
Cho et al, 1999	1차 접종 후 30일	79.7 (51/64)	62 (40/64)	–	13 (3/23)
	2차 접종 후 30일	96.9 (62/64)	96.9 (62/64)	–	75 (24/32)
	2차 접종 후 1년	37.5 (9/24)	43.5 (10/23)	–	14.2 (2/14)
	3차 접종 후 30일	93.8 (15/16)	100 (16/16)	–	50 (7/14)
우 등, 2000	2차 접종 후 1년	52.3 (11/21)	95.2 (20/21)	47.6 (10/21)	28.6 (6/21)
	3차 접종 후 1개월	100 (13/13)	100 (13/13)	100 (13/13)	100 (13/13)
	3차 접종 후 1년	84.6 (11/13)	92.3 (12/13)	84.6 (11/13)	69.2 (9/13)
Sohn et al, 2001	1차 접종 4주 후	–	46.7 (14/30)	33.3 (10/30)	6.7 (2/30)
	2차 접종 4주 후	–	76.7 (23/30)	76.7 (23/30)	33.3 (10/30)
Song et al, 2016	2차 접종 후 1개월	90.1			23.2
	2차 접종 후 1년	10.5			1.4
	3차 접종 후 1개월	87.3			45.1
	3차 접종 후 1년	34.9			40.6
	3차 접종 후 2년	17.7			15.6
	3차 접종 후 3년	10.5			12.5

*IFA : 간접면역형광항체검사법, †ELISA : 효소면역측정법, †HDPA : 고밀도입자응고시험, #PRNT : 플라크감소중화시험

4. 적응증

접종 권장 대상은 다음의 대상자 중 위험요인 및 접종 환경을 고려하여 제한적으로 접종할 것을 권장한다.
- 군인 및 농부 등 직업적으로 신증후군출혈열 바이러스에 노출될 위험이 높은 집단
- 신증후군출혈열 바이러스를 다루거나 쥐 실험을 하는 실험실 요원
- 야외활동이 빈번한 사람 등 개별적 노출 위험이 크다고 판단되는 자

소아 투여에 관한 임상 근거(백신의 효능, 안전성)는 부족한 실정으로 접종을 권장하지 않는다.

5. 투여방법

기존 권고는 성인에서 1개월 간격으로 2회 기본 접종하고 12개월 후 1회 추가접종(0, 1, 13개월로 3회에 걸쳐 접종)하는 것이었는데, 최근 변경된 허가사항에서는 1개월 간격으로 3회 기초접종하고, 11개월 후 1회 추가접종하도록 변경되었다(0, 1, 2, 13개월로 4회 접종). 이후 추가접종에 대해서는 아직 정해진 지침이 없다. 접종용량은 0.5 mL로 어깨 세모근에 근육주사한다.

6. 이상반응

이상반응은 대개 경미하여 일상생활에 지장을 줄 정도는 아닌 것으로 보고되고 있다. 국소 이상반응은 가려움증, 색소침착, 발적, 통증, 부종 등이 관찰되었으며, 전신 이상반응은 발열, 권태감, 근육통, 구역질 등이 관찰되었다. 통상 2-3일 내에 소실된다. 티메로살을 함유하고 있어 이로 인해 과민반응이 일어날 수 있다. 일본뇌염 백신과 마찬가지로 극소량의 미엘린 기본단백(myelin basic protein)이 함유되어 있으므로 이론적으로 예방접종 후 뇌염 발생이 가능하지만 아직 확인된 사례는 없다.

7. 금기 및 주의사항

백신성분에 중증의 알레르기 반응 이 있는 경우, 젤라틴 함유제제 또는 젤라틴 함유식품에 대해서 쇼크, 유사 아나필락시스 증상(두드러기, 호흡곤란, 입술부종, 후두부종 등) 등의 과민증의 병력, 백신 접종 후 심한 알레르기 반응이 있었던 경우 등은 접종의 금기사항이다. 제품의 설명서에는 접종 전 1년

이내에 경련이 있었던 경우도 접종의 금기사항으로 기재되어 있다. 임신부에서 신증후출혈열 백신의 안전성에 관한 자료는 없다.

일반적으로 중등도 이상의 급성 질환을 앓고 있는 사람은 회복될 때까지 접종을 보류한다.

8. 국내 유통백신

제조사	제품명	용량	접종 일정
(주)녹십자	한타박스®(Hantavax)	0.5 mL 근육 또는 피하주사	3회 기초접종(0, 1, 2개월) 추가접종(기초접종 완료 후 11개월)

참고문헌

1. 김효열. 신증후군출혈열. Infection and Chemotherapy 2009;41:323-32.
2. 우영대, 주영규, 백락주, 이호왕. 신증후출혈열 백신의 면역혈청학적 연구. 대한바이러스학회지 2000;30:11-8.
3. 이문호. 개정 한국형출혈열-신증후성출혈열. 서울대학교출판부. 1987.
4. 이호왕, 백락주, 우영대. 신증후출혈열 백신의 면역성 추적에 관한 연구. 대한미생물학회지 1992;27:73-7.
5. 주용규, 우영대, 이호왕. 신증후출혈열 백신 한타박스 접종자에서의 면역반응 및 항체지속 기간에 관한 연구. 감염 1998;30:317-24.
6. 질병관리본부 감염병 웹통계. Accessed at: http://www.cdc.go.kr/
7. 질병관리본부 예방접종 대상 감염병의 역학과 관리: 예방접종 실시 기준 및 방법. 2017;481-95.
8. Cho HW, Howard CR. Antibody responses in humans to an inactivated hantavirus vaccine (Hantavax®). Vaccine 1999;17:2569-75.
9. Johnson KM. Hantaviruses: history and overview. Curr Top Microbiol Immunol 2001;256:1-14.
10. Jonsson CB, Figueiredo LT, Vapalahti O. A global perspective on hantavirus ecology, epidemiology, and disease. Clin Microbiol Rev 2010;23:412-41.
11. Park K, Kim CS, Moon KT. Protective effectiveness of hantavirus vaccine. Emerg Infect Dis 2004;10:2218.
12. Pittman P, Plotkin SA. Hantavirus vaccines. In : Plotkin SA, Orenstein WA, Offit PA, editors. Vaccines. 4th ed. Philadelphia: Saunders Co; 2004;993.
13. Rusnak JM, Byrne WR, Chung KN, et al. Experience with intravenous ribavirin in the treatment of hemorrhagic fever with renal syndrome in Korea. Antiviral Res 2009;81:68-76.
14. Sohn YM, Rho HO, Park MS, et al. Primary humoral immune responses to formalin inactivated hemorrhagic fever with renal syndrome vaccine (Hantavax): consideration of active immunization in South Korea. Yonsei Med J 2001;42:278-84.
15. Song JY, Chun BC, Kim SD, et al. Long-term immunogenicity and safety of inactivated Hantaan virus vaccine (HantavaxTM) in healthy adults. Vaccine 2016;34:1289-95.
16. Song JY, Chun BC, Kim SD, et al. Epidemiology of Hemorrhagic Fever with Renal Syndrome in Endemic Area of the Republic of Korea, 1995-1998. J Korean Med Sci 2006;21:614-20.
17. Zou LX, Chen MJ, Sun L. Haemorrhagic fever with renal syndrome: literature review and distribution analysis in China. Int J Infect Dis 2016;43:95-100.

세계보건기구 라오스 국가사무소 **양태언**
아주대학교 의과대학 **최영화**

27 홍역-볼거리-풍진

Ⅰ. 홍역

1 대한감염학회 접종 권장대상과 시기

가. 일반 성인에게 홍역에 대한 면역 추정 증거가 없는 경우, 적어도 1회 MMR 혼합백신 접종을 권고함

> **홍역에 대한 면역 추정 증거**
> • 예방접종 기록 상 확인된 2회 백신접종력[1]
> • 실험실 검사로 진단된 홍역 병력
> • 혈청 검사로 확인된 홍역에 대한 면역력[2]
> • 1967년 이전 출생

> 1) 예방접종 수첩, 의무 기록 또는 예방접종통합관리시스템 기록 상, 생후 12개월 이후 28일 이상 간격을 두고 접종한 2회 홍역 포함 백신접종력
> 2) 백신접종 전 항체 검사는 항체 검사 비용과 백신 비용을 고려하여 항체 검사 시행 후 접종 여부를 결정하는 것이 더 저렴하다고 판단되는 경우에 시행

나. 홍역에 대한 면역 추정 증거가 없는 성인이 홍역바이러스에 노출된 경우, 노출 후 72시간 내 MMR 혼합백신 접종을 권고함

다. 홍역 노출 고위험군이거나 중증 합병증 발생 위험이 높은 성인에게 홍역에 대한 면역 추정 증거가 없는 경우, 최소 28일 간격을 두고 2회 MMR 혼합백신 접종을 권고함

1) 의료기관종사자(healthcare workers)*

2) 홍역이 유행 중인 국가로 여행하려는 성인

3) 학교, 기숙사 등에서 단체생활을 하는 성인

4) CD4+ T 세포 수가 200/μL 이상인 인간면역결핍 바이러스 감염인

5) 면역저하자의 가족들과 기타 밀접하게 접촉하는 성인

6) 항암치료나 면역억제치료를 고려하는 환자*

   * 추가 사항은 본문 참고

라. 홍역 유행 시 해당 집단 내 홍역에 대한 면역 추정 증거가 없는 성인에게 최소 28일 간격을 두고 2회 MMR 혼합백신 접종을 권고함

2 접종용량 및 방법

상완 외측면에 MMR 혼합백신을 0.5 mL 피하주사

3 이상반응

발열, 발진, 혈소판 감소증, 림프절 종대, 관절통이 발생할 수 있고, 드물게 아나필락시스, 두드러기와 같은 급성 과민반응과 귀밑샘염, 췌장염, 고환염, 무균성 뇌수막염이 발생할 수 있음

4 주의 및 금기사항

임신부, MMR 혼합백신 성분에 대한 과민반응 과거력이 있는 사람, 중증질환자, 면역저하자, 항체함유 혈액제제 투여자, 치료받지 않은 활동성 결핵 환자

홍역은 홍역바이러스 감염으로 인해 발생하는 열성 발진성 질환으로, 전염성이 매우 높지만, 높은 예방접종률로 군집면역을 유지하고, 예민한 감시체계로 신속하게 환자를 찾아 추가 전파를 차단하면 박멸이 가능한 질환이다.

1. 질병의 개요

1) 원인 병원체

홍역바이러스는 Paramyxoviridae과 *Morbillivirus*속 single-stranded, enveloped RNA 바이러스로, 현재까지 24가지 유전형이 알려졌으나 항원형은 한 가지이다. 현재 사용 중인 백신으로 유도된 면역반응은 알려진 모든 홍역바이러스주에 대하여 보호효과가 있다. 사람이 유일한 숙주이며, 사람에게 질병을 일으키는 것으로 알려진 바이러스 중 가장 전파력이 높다.

홍역바이러스는 상피하 수지상세포와 폐포의 대식세포 안으로 들어간 후 주변 림프절로 퍼져 급격한 바이러스 증식과 급성 바이러스혈증을 일으키고, 이어 전신으로 퍼진다. 전구기에 감염된 호흡기 상피세포들이 떨어져 나가면서 기침을 유발해 바이러스가 주변 사람들에게 퍼진다.

2) 역학

(1) 역사

1954년 Enders와 Peebles가 바이러스를 처음 분리하였으며, 1963년에 최초로 백신이 개발되었다. 초

기에는 생백신과 사백신이 모두 사용되었으나, 사백신은 비정형 홍역을 일으킬 수 있다는 것이 알려지면서 1967년에 사용이 중단되었다.

홍역백신이 국가예방접종사업에 도입되기 전인 1970년대에는 2-3년 주기로 늦은 겨울에서 봄 사이에 학령기 어린이들을 중심으로 대규모의 유행이 발생하여, 청소년기가 될 때까지 거의 대부분의 사람들이 홍역에 이환되었다. 이 시기에 세계적으로 매년 약 1억 3천만 명의 홍역 환자가 발생하였고, 이 중 약 500-800만 명이 사망하였으며, 5세 미만 소아의 주요 사망 원인이었다.

세계적으로 백신이 광범위하게 사용된 후 홍역과 이로 의한 합병증 발생이 급격하게 감소되었다. 홍역은 높은 전염성을 가지고 있어 퇴치를 위해서는 인구의 89-94% 이상이 면역력을 가지고 있어야 하는데, 높은 효능과 효과를 가진 홍역백신으로 높은 접종률을 유지하면 퇴치와 박멸이 가능하다. 세계적으로 2000-2015년 홍역 포함 백신의 1회 접종률은 72%에서 85%로 증가했고 홍역 발생률은 83% 감소하여 약 2,110만 명의 사망이 예방된 것으로 추정된다.

하지만, 2016년 세계보건기구 보고에 따르면 국가와 지역에 따라 접종률의 편차가 매우 다양하였다. 저소득 국가에서는 주로 취약한 보건 인프라, 낮은 백신 접근성, 높은 출산률로 인하여 소아를 중심으로 한 대규모 홍역 유행이 지속적으로 발생하고 있고, 선진국에서는 백신의 혜택에 대한 불충분한 인식으로 인한 백신 미접종자와 신념에 따른 백신 거부자들과 연관된 면역 공백 때문에 소아와 젊은 성인들을 중심으로 산발적 유행이 발생하고 있다.

(2) 전파경로

홍역은 사람과 사람 사이에 호흡기 비말을 통한 직접전파 또는 비말핵을 통한 공기매개의 형태로 전파된다. 발진 시작 전후 4일 동안 바이러스가 전파되며 전구기에 가장 전염성이 높다. 잠복기는 대략 10-14일이며, 일차 감염에서는 거의 대부분 증상이 발생한다. 면역저하자에서는 전형적인 발진이 없을 수 있고, 급성기 증상 후 수 주 동안 바이러스를 배출할 수도 있다. 백신접종자가 홍역에 이환된 경우 이차 전파력은 매우 낮은 것으로 알려져 있다.

홍역이 가족 혹은 동일 기관 내 감수성자에게 이차 전파될 확률은 90%가 넘는다. 또한 전체 인구의 감수성자 분율이 매우 낮아도 감수성자가 어느 정도 큰 숫자로 모이면 전파될 수 있다. 이러한 이유로, 사하라 이남 아프리카 국가들처럼 출생률이 높은 지역에서는 상당히 높은 접종률을 달성했음에도 불구하고 여전히 홍역이 대규모로 유행하고 있고, 접종률이 매우 높게 유지되고 있는 최근 국내의 고등학교 및 대학교에서도 간헐적으로 유행이 발생하고 있다.

(3) 국내 현황

국내에서는 1965년에 홍역 단독 백신을 수입하여 사용하기 시작하였으며, MMR 혼합백신은 1980년부터 사용되었다. 백신 도입 후 환자 발생은 꾸준히 감소하였으나, 예방접종률이 전파를 차단할 만큼 충분히 높지 않아 감수성 인구가 누적되면서 4-6년 주기로 유행하였다. 1980년대 초까지 매년 4,000-7,000명의 환자가 발생하다가, 1983년 MMR 혼합백신이 국가예방접종사업으로 채택되어 9-15개월 소아에게 권장되면서 환자수가 연 1,000-2,000명으로 감소되었다(그림 27-1). 1993년 말부터 1994년까지 전국적 유행으로 다시 8,000명 이상의 환자가 발생하였다. 6세 이상의 환자가 증가하면서 1994년 대한소아과학회가 임시로 6세에 MMR 혼합백신 재접종을 권장하였으며, 1997년부터는 12-15개월에 1차, 4-6세에 2차 접종을 권고하였다.

2000-2001년에는 2세 미만 소아와 7-15세 초등학생 및 중학생을 중심으로 55,696명이 감염되고 7명이 사망하는 전국적인 대유행이 발생하였는데, 2세 미만 환자 중 86%는 홍역 포함 백신 미접종자였고, 7-15세 환자 중 80%가 1회 접종자였다. 홍역 유행을 방지하기 위해서 감수성 있는 인구를 최소화하여 군집면역을 신속히 높일 필요가 있었다. 이에 따라, 2001년 8세부터 16세 사이 학생들 중 생후 12개월 이후 홍역 포함 백신을 2회 접종받지 않은 약 570만 명을 대상으로 MR 혼합백신으로 일제예방접종을 실시하였다. 또한, 2001년 취학아동부터 2차 홍역예방접종 확인증명서를 학교에 제출하도록 하였다. 이러한 노력으로 2002년 2차 접종률은 99.4%까지 증가한 이후 홍역 환자는 2002년부터 100명 미만으로 급격하게 감소되었다. 2007년에는 194건의 환자가 발생하였는데, 환자의 절반은 원내감염으로 전파되었고 대부분 6-11개월 소아였다. 이는 비교적 높은 군집면역을 유지하더라도, 권장 접종 연령보다 어린 소아나 면역 공백 때문에 유행이 일어날 수 있다는 것을 보여주었다. 2010년 이후에는 어린이집, 고등학교, 병원 등을 중심으로 유행이 보고되었으며 대부분 해외 유입 관련 사례였다.

한국은 2000-2001년 홍역 유행 이후 대대적인 홍역퇴치전략을 성공적으로 이행하여 2006년 홍역퇴치를 선언하였고, 2014년에는 세계보건기구 서태평양 지역사무소로부터 홍역 퇴치를 인증받았다. 2000년 이후, 취학아동 예방접종 확인사업, 예방접종등록시스템을 이용한 접종률 관리 등을 통해 국내 소아 홍역 예방접종률은 매우 높게 유지되고 있다. 하지만, 최근 중국, 필리핀, 베트남 등 주변 국가들과 해외여행객들이 자주 찾는 유럽과 미주에서 홍역이 크게 유행하고 있어 국내 면역 공백을 중심으로 해외 유입 연관 홍역 유행이 발생할 가능성이 언제든지 있으며, 실제 2011년 이후 주변 국가로의 해외 여행과 연관된 국내 홍역 환자들이 다수 보고되고 있다.

홍역은 소아에서 주로 발생하지만, 최근 젊은 성인에서도 꾸준히 발생하고 있다. 442명의 환자가 발생했던 2014년에는 30% 이상이 19세 이상 성인이었다. 국내의 높은 군집면역과 낮은 출산율로 인하여 2007년 이후 홍역 환자의 평균 연령은 증가하는 추세이다. 2016년 전국 홍역 면역도 조사에서 1992-2000년생 인구의 항체양성률이 70% 이하였는데, 이는 최근 상당수의 중고등학생, 대학생 환자가 발생하고 있는 국내 홍역 역학을 일부 설명한다. 전세계 홍역 박멸까지는, 국가예방접종사업을 안정적으로 운영하고, 홍역에 대한 면역 추정 증거가 없는 청소년과 젊은 성인에게 백신접종을 독려하고, 정기적인 면역 수준을 평가하며, 유행 시 역학 분석 결과를 바탕으로 적절한 예방접종전략을 세우고 수행하여 면역 공백을 줄이려는 노력을 지속해야 한다.

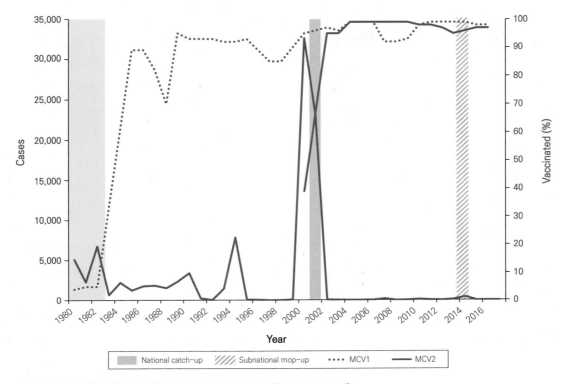

그림 27-1. 국내 홍역의 연도별 신고수 및 백신접종률(1980-2017년)
자료: 질병관리본부 감염병 감시연보(2016), WHO-UNICEF 추정 국가 예방접종률
MCV1, 1차 홍역 포함 백신; MCV2, 2차 홍역 포함 백신; 회색 바탕, 국가예방접종사업 도입 전

3) 임상적 특징

홍역 환자로부터 홍역바이러스에 노출되고 10-14일의 잠복기를 거친 후 증상이 발생한다. 면역저하자에서는 숙주의 면역반응으로 인하여 잠복기가 길어질 수 있다. 상기도 감염과 유사한 전구 증상(발열, 권태감, 결막염, 콧물, 기침 등)이 2-4일 동안 지속되며, 특징적인 코플릭 반점(Koplik spot)이 발진 발생 1-2일 전부터 1-2일 후까지 첫째 혹은 둘째 어금니 반대 볼 안쪽 점막에 나타날 수 있다. 일반적으로 노출 후 14일에 구진성 홍반성 발진이 발생하는데, 3-4일에 걸쳐 얼굴, 이마, 귀, 윗목에서 몸통, 다리로 퍼진다. 심한 경우 갈색으로 변색되었다가 작은 겨 껍질 모양으로 벗겨지면서 7-10일 동안 퍼졌던 순서대로 없어진다. 백신접종자에서 홍역이 발생하면 특징적인 발진이 나타나지 않을 수 있고, 전구 증상이 없거나 미약할 수 있다.

중이염, 폐렴, 뇌염, 아급성경화성범뇌염의 합병증이 발생하고 사망할 수도 있지만, 중증도, 합병증 발생률, 예후는 환자의 연령, 영양상태, 기저질환, 치료 접근성과 의료의 질에 따라 매우 다양하며,

5세 미만, 20세 이상, 임신부, 면역저하자에서 합병증 발생 위험이 상대적으로 증가한다. 고소득국가에서는 의료 접근성이 좋고 영양결핍이 있는 소아가 적기 때문에 사망률이 0.3%로 낮지만, 개발도상국에서는 2-25%로 높고, 중저소득국가에서는 홍역으로 인한 각막 궤양이 소아 실명의 주요 원인이다. 성인에서는 뇌염, 소아에서는 폐렴이 사망의 주요 원인이며, 인간면역결핍 바이러스(HIV) 감염 또는 영양실조와 같은 면역저하상태나 높은 인구밀도가 사망의 주된 위험인자이다. 감염에서 회복되면 평생 면역을 갖게 된다.

4) 진단

(1) 임상 진단

기침, 콧물, 결막염, 눈부심 등의 전구기 증상 후 급성 홍반성 발진과 발열이 나타나면 임상적으로 홍역을 의심할 수 있다. 하지만 홍역 발생률이 매우 낮은 곳에서는 임상적으로 다른 원인에 의한 열성 발진 질환과의 감별이 어려울 수 있다. 특히 예방접종으로 부분 면역을 가지고 있는 경우에는 증상이 뚜렷하지 않아 진단이 어렵다. 풍진, 파보바이러스 B19, 사람 헤르페스바이러스 6, 홍역백신 반응 등이 홍역과 유사한 임상 양상을 나타낼 수 있다. 코플릭 반점, 머리에서 발로 번져가는 발진 전개와 같은 특징적인 소견이 있거나 발진 발생 후 발열이 신속히 사라지면 홍역을 진단하는 데 도움이 된다.

(2) 실험실 진단

한국처럼 홍역 유병률이 낮은 국가에서 임상적으로 홍역이 의심되면 실험실 검사를 통한 확진이 반드시 필요하다.

① RT-PCR: 소변, 혈액, 타액, 비인두 점액 등에서 홍역바이러스 RNA를 검출한다.

② 항체 검사: 효소면역측정법으로 혈액에서 홍역 특이 IgM 항체를 확인하는 검사가 가장 흔히 이용된다. 홍역 특이 IgM은 발진 발생 후 수일 이내에 검출되기 시작하여 4주 안에 최고 농도에 도달하였다가 감소하여 6-8주 이후에는 거의 검출되지 않는다. 회복기 IgG 항체 역가가 급성기의 4배 이상 증가하면 홍역 감염을 진단할 수 있다. 검사 결과는 임상 경과를 고려하여 해석해야 하는데, 발진 발생 3일 이내에 IgM을 검사한 경우 민감도는 약 80%이지만, 3-14일 사이에 시행하면 100%에 가까워진다. 홍역의 유병률이 낮은 지역에서는 항체 검사의 양성예측도가 낮고, 파보바이러스 B19나 풍진 감염에서도 홍역 특이 IgM이 위양성으로 나올 수 있기 때문에 검사 결과를 주의하여 해석해야 한다.

③ 바이러스 분리: 진단을 위해 일반적으로 시행하지 않으며, 분자 역학 조사를 위해 혈액, 비인두 점액, 타액, 소변 등의 검체에서 시행한다.

5) 치료

해열제 및 수액 공급 등 보존적인 치료를 하며, 합병증과 이차 감염을 예방하고 치료하여 홍역으로 의한 사망률을 줄이는 것이 중요하다. 항바이러스제는 대부분의 환자에게 사용하지 않으나, 면역저하자에서 중증 홍역이 발생했을 경우 리바비린과 인터페론 투여를 고려할 수 있다. 비타민A 결핍이 회복을 지연시키고 합병증 발생 위험성을 높이기 때문에 세계보건기구는 소아 급성 홍역 환자에게 고용량 경구 비타민A 투여를 권고하고 있으나, 성인에게는 권고하지 않는다.

6) 환자 및 접촉자 관리

발진 시작일 전후 4일 동안 바이러스가 전파될 수 있으므로, 홍역 환자 및 의심환자는 이 기간 동안 호흡기 격리를 한다. 접촉자 중 감수성자는 노출 후 72시간 내에 예방접종을 하거나 6일 이내에 면역글로불린을 투여 받으면 홍역 발생을 예방하거나 증상을 경감시킬 수 있다.

2. 백신의 종류

현재 전세계적으로 사용 중인 홍역 포함 백신에는 약독화 생백신인 M, MR, MMR, MMRV 백신 등이 있다. MMRV는 14세 이상에서는 권고되지 않는다. 국내에서 M, MR, MMR 백신이 사용된 적이 있고, 현재는 MMR 혼합백신만 유통되고 있다.

3. 백신의 효능 및 효과

현재 사용되는 홍역 약독화 생백신은 자연감염과 유사한 면역반응을 일으켜 항체 및 세포 면역반응과 인터페론 생성을 유도한다. 1회 접종으로 9-11개월 소아는 84%, 12개월 소아는 95%, 15개월 소아는 98%에서 항체가 생성되며, 1차 접종에 반응이 없더라도 2차 접종을 하면 이중 90% 이상에서 면역반응이 유도되어, 1세 이후 2회 접종으로 99% 이상에서 항체 생성을 기대할 수 있다. 자연 감염 후 생성되는 홍역 항체 역가는 백신으로 인해 유도된 역가보다 높다. 자연 감염과 백신접종 후 시간이 경과함에 따라 항체 역가는 감소하지만 평생 면역을 유지할 수 있다고 여겨진다.

2016년 전국 면역도 조사에서 홍역 특이 항체양성률은 백신접종 세대인 1992-2000년생에서 70% 이하이었고 1995-1998년생에서는 49%에 불과하였다. 2010년의 조사와 비교하였을 때 2016년의 항체양성률은 거의 모든 연령대에서 감소되었다. 인구 혈청 면역도 조사는 항체 음성의 원인이 미접종자, 1차·2차 백신 실패 때문인지를 구분할 수 없으며 검사 방법에 따라 민감도가 달라 해석이 어려운 경우가 많다는 한계가 있다. 하지만, 전국에서 무작위로 추출된 인구에서의 홍역 항체양성률 감소 양상은 앞으로 이 출생년도 인구집단 내 산모로부터 출생한 영아들이 모체로부터 충분한 수동 항체를 받을 가능성이 떨어질 것을 시사하기 때문에 매우 우려스럽다.

홍역바이러스 항원은 변화가 잘 발생하지 않고 안정적이어서, 백신이 개발된 지 50년이 지났지만 여전히 매우 효과적이며, 백신주에 따른 질환 예방 효과의 차이는 없는 것으로 알려져 있다. 높은 백신접종률과 낮은 홍역 발생률을 보이는 선진국에서 시행한 연구들은 90-95%의 백신 효과를 나타냈다. 또한, 대부분의 연구들은, 적절한 대상자에게 백신을 적절하게 접종하여 혈청 전환을 유도한 경우 거의 모든 접종자들이 평생 예방 효과를 가질 수 있다는 결과들을 보여주고 있다.

2009년부터 2014년 3분기까지 발생한 국내 총 721명의 홍역 환자 중 12.2%가 1회, 31.5%가 2회 백신 접종력을 가지고 있었다. 하지만 이들의 백신접종 직후 혈청 전환 여부를 알 수 없기 때문에 홍역 감염이 백신접종 실패 때문인지, 1차 혹은 2차 백신 실패 때문인지 감별하기 어렵다. 미국에서는 홍역 백신을 2회 접종한 홍역 환자가 4명의 백신접종자들에게 이차 전파를 일으킨 사례가 보고되어 있다. 하지만, 현재까지의 역학 연구들에 따르면 12개월 이후 생백신을 접종한 후 시간 경과에 따른 홍역 발생률의 변화는 뚜렷하지 않았고, 과거 50년 동안의 혈청학적, 역학적 데이터에서 현재까지 접종 후 시간에 따른 2차 백신 실패의 명백한 증가는 없었으며, 백신접종자에서의 홍역바이러스 감염은 이차 전파를 쉽게 초래하지 않기 때문에, 2차 백신 실패는 홍역 퇴치 과정에 문제가 되지 않을 것이라는 것이 전문가들의 의견이다. 하지만, 유행 역학 분석, 장기적인 면역학적 연구와 모델링 등을 이용한 역학적 분석은 이 현상이 홍역 퇴치 전략에 미치는 영향을 평가하고 전세계 홍역 퇴치를 달성하기 위하여 어떤 보건학적 조치가 필요한 지 판단하는 데에 도움이 될 것이다.

4. 적응증

1) 일반 성인

일반 성인에게 홍역에 대한 면역 추정 증거가 없는 경우 최소 1회 MMR 혼합백신 접종을 권고한다. 국내의 홍역에 대한 면역 추정 증거는 예방접종기록 상 확인된 2회 홍역 포함 백신접종력, 실험실 검사로 진단된 홍역 병력, 혈청 검사로 확인된 홍역에 대한 면역력 및 1967년 이전 출생이다. 홍역백신이 1965년 도입되었고, 2002년 전국 홍역-볼거리 면역도 조사에서 30-34세 홍역 항체양성률이 95.4%였으며, 2016년에 반복하여 시행한 조사에서도 여전히 1967년 이전 출생자의 95% 이상이 항체 양성(1964-1967년생 항체양성률: 96.5%)이었다. 일반적으로, 혈청 검사에서 홍역 특이 항체가 음성 또는 경계치인 경우를 실험실적으로 홍역에 대한 면역력이 없다고 간주한다. 백신접종 전 항체 검사는 검사 비용과 백신 비용을 고려하여 검사 후 접종 여부를 결정하는 것이 더 저렴하다고 판단되는 경우에 시행한다. 면역력이 있는 사람에게 백신접종을 한다고 해서 이상반응 발생이 증가하지는 않기 때문에 적응증이 되는 경우 항체 검사 없이 접종이 가능하다. 예방접종기록은 예방접종 수첩, 의무 기록 또는 예방접종통합관리시스템 상 등록된 기록을 일컬으며, 생후 12개월 이후 28일 이상 간격을 두고 접종한 홍역 포함 백신 2회 접종력이 있는 경우 홍역에 대한 면역을 가지고 있다고 추정할 수 있다.

2) 홍역 노출 고위험군이거나 중증 합병증 발생이 높은 성인

홍역에 대한 면역 추정 증거가 없는 경우, 최소 28일 간격을 두고 2회 MMR 혼합백신 접종을 권고한다.

(1) 의료기관종사자(healthcare workers)

의료기관에서의 전파가 홍역 유행의 주요 원인 중 하나이고, 의료기관종사자들이 동일 연령대의 일반인에 비해 홍역에 감염될 위험성이 크게 높은 것은 잘 알려져 있다. 또한, 홍역 합병증이 발생할 위험성이 높거나 기저 질환으로 인하여 홍역백신을 접종 받을 수 없는 환자들이 밀집된 의료기관에서는, 감염된 의료기관종사자들이 이러한 환자들에게 홍역을 전파시킬 가능성이 있다. 따라서 의료기관종사자들은 홍역에 대한 면역력을 반드시 가지고 있어야 하기 때문에, 이들에게는 일반 성인에게 적용되는 면역 추정 증거 중 출생년도 기준을 적용하지 않는다. 또한, 의료기관의 여건에 따라 신규 직원 입사 시 홍역 항체 선별 검사를 하는 등의 추가적인 조치를 할 수 있다. 홍역에 대한 면역 추정 증거가 없는 의료기관종사자가 홍역바이러스에 노출된 후 백신접종을 하지 않았다면, 면역글로불린을 투여 받았다 하더라도 첫 노출 후 5일부터 마지막 노출 후 21일까지 모든 환자와의 접촉을 금지해야 한다.

(2) 홍역이 유행 중인 국가로 여행하려는 성인

유럽과 아시아의 선진국들을 포함한 많은 나라에서 여전히 홍역은 풍토병이며, 최근에도 인도, 우크라이나, 필리핀, 인도네시아, 파키스탄, 루마니아, 이탈리아 등에서 연간 5,000명 이상의 환자들이 발생했다.

(3) 학교, 기숙사 등에서 단체 생활을 하는 성인

강의실이나 기숙사와 같은 밀집된 공간에서 생활하는 성인들은 홍역 노출 위험군이다. 특히, 국내 젊은 성인에서 혈청 홍역 항체양성률이 낮고, 국제 교류 학생들이 늘었으며, 대학생들의 해외 여행이 잦아져 대학생들의 홍역바이러스에 대한 노출 위험이 증가되었다. 가까운 예로, 국내 한 대학에서 2014년에 2개월 동안 85명의 홍역 환자가 발생하는 비교적 큰 유행이 있었다. 이러한 위험성 때문에 미국의 많은 대학들은 입학 시 MMR 혼합백신 접종을 의무화하고 있다.

(4) 심한 면역 결핍의 증거가 없는 HIV 감염인

HIV 감염인이 홍역에 감염되면 증상이 심하게 나타나고, 심한 면역저하의 증거가 없는 감염인이 홍역 포함 백신을 접종 받는다고 더 심각한 이상반응이 발생하지는 않기 때문에, 이들은 백신접종을 통해 얻는 이득이 더 크다. 따라서, HIV 관련 증상이 없거나 증상이 있더라도 면역저하가 심하지 않은 HIV 감염인은 홍역 백신접종 금기가 아니다. 면역저하가 진행되면 백신에 대한 면역 반응이 감소되기 때문에, 홍역에 대한 면역 추정 증거가 없는 신규 감염인에서 심한 면역저하가 없다면 신속한 홍역 포함 백신접종이 필요하다. 단, CD4+ T세포수 200/mm³ 미만의 감염인은 백신을 통해 얻는 이득보다 위험이 더 크기 때문에 접종 금기이다.

(5) 면역저하자의 가족들과 기타 밀접하게 접촉하는 성인

면역저하자가 홍역에 노출되는 위험을 최소화하기 위해서 면역저하자의 가족들과 밀접하게 접촉하는 성인들에게 금기사항이 없는 경우 백신접종을 권고한다. 백신접종자의 백신주 홍역바이러스 전파는 보고된 바 없지만, 조혈모세포이식 환자는 감염에 매우 취약하기 때문에 백신을 접종받은 밀접접촉자 중 백신접종 후 발열 또는 발진이 있는 경우에는 조혈모세포이식 환자를 면회하는 것은 제한해야 한다.

(6) 항암치료나 면역억제치료를 고려하는 환자

항암치료나 면역억제치료를 고려하는 성인은 치료 시작 최소 2주 전에 홍역 포함 백신을 접종받을 수 있다. 백혈병 진단 당시 홍역에 대한 면역 추정 증거가 없는 경우, 관해기에는 접종할 수 있지만 면역억제기에는 금기이며, 항암치료가 끝난 지 최소 3개월은 경과한 후 접종할 수 있다. 조혈모세포이식을 받은 홍역 항체 음성 성인에게 MMR 혼합백신 접종이 권고된다. 정상 면역 상태이고, 면역억제 치료 중이 아니면서, 이식편대숙주질환이 없다면, 조혈모세포이식 24개월 후에 첫 접종을 하고 접종 6-12개월 후에 두 번째 접종을 할 수 있다. 접종 완료 후 매년 4-5년마다 항체 검사를 하는 것을 권고하며, 재접종 여부에는 개별적인 평가가 필요하다.

3) 노출 후 예방

홍역에 대한 면역 추정 증거가 없는 성인이 홍역바이러스에 노출된 경우, 노출 후 72시간 내 MMR 혼합백신 접종을 권고한다. 노출 후라도 신속히 백신접종을 하면 자연 감염으로 인한 질병의 발현이 예방되거나 증상이 약해진다. 성인 중 홍역 백신접종을 할 수 없는 임신부나 심한 면역저하자에서는 노출 후 6일 내에 정주 면역글로불린 400 mg/kg 투여를 권고한다.

4) 홍역 유행 시

해당 집단 내 홍역에 대한 면역 추정 증거가 없는 성인에게 최소 28일 간격을 두고 2회 MMR 혼합백신 접종을 권고한다. 홍역 유행 시 해당 집단의 모든 구성원들에게 홍역에 대한 면역 추정 증거가 있어야 한다. 유행 통제를 목적으로 백신을 접종할 때 접종 여부를 결정하기 위한 홍역 항체 선별 검사는 권고하지 않는다. 면역글로불린은 유행 통제의 목적으로는 사용하지 않는다.

5. 투여 방법

백신 용액을 희석액과 섞은 후 상완 외측면에 피하 주사한다. 근육주사에 대해서는 자료가 제한적이지만, 피하주사와 효능이 유사할 것으로 추정된다. 다른 백신과 다른 부위에 동시접종이 가능하며, 동시 접종이 특별히 면역 반응을 저해하거나 이상반응을 증가시킨다는 증거는 없다.

홍역백신은 열에 매우 민감한 백신이다. 현재 국내에서 사용되는 백신은 희석액과 혼합하지 않은 상태로 2-8℃에서 보관하고, 실온(20-25℃)에서 9개월, 37℃에서 4주 동안 역가가 유지된다. 희석액과 혼합하면, 실온에서는 1시간 동안 50%, 37℃에서는 거의 대부분의 역가가 없어지기 때문에, 혼합한 후 즉시 접종해야 하며 불가피하게 즉시 접종이 어렵다면 2-8℃에 보관하고, 8시간이 지나서도 사용하지 않을 경우 반드시 폐기해야 한다. MMR 혼합백신은 빛에 예민하기 때문에 접종할 때 외에는 일광에 노출되지 않도록 보관해야 한다(백신별 약품 설명서 참조).

6. 이상반응

홍역 백신접종 후 이상반응은 대부분 경미하다. 발열이 5-15%에서 발생하는데 접종 7-12일 후에 시작하여 1-2일 동안 지속되며, 약 5%에서는 접종 후 7-10일 사이에 발진이 발생하여 1-3일 동안 지속된다. 드물게 접종 6주 내에 혈소판감소증이 나타날 수 있고 대부분 진단받은 지 6개월 내에 회복된다. MMR 혼합백신 접종 후 아나필락시스, 두드러기와 같은 급성 과민반응은 매우 드물며, 아나필락시스 발생률은 100만 도스당 약 3.5-10명에서 발생하는 것으로 알려져 있다. 국내에서 2002-2013년 동안 국가예방접종 지원사업을 통해 접종한 MMR 혼합백신과 관련하여 총 4건의 이상반응이 예방접종피해 보상체계를 통해 신고되었고(헤노흐-쉔라인 자반증 1건, 길랭-바레 증후군 2건, 열성 경련 1건), 이 중 백신과의 연관성이 인정된 건은 없었다. 접종 후 라이증후군, 길랭-바레 증후군, 천식, 안구운동마비, 시신경염, 망막병증, 소뇌성 운동실조, 관절통, 관절염, 연부조직반응이 발생한 사례 보고가 있지만, 백신접종이 이들 질환의 발생 위험성을 증가시킨다는 증거는 없다.

7. 금기

홍역백신에 대한 금기 및 주의사항의 대부분은 일시적이며, 해당 상황이 사라지면 접종이 가능하다. 경련의 과거력이나 가족력, 특발성혈소판감소증 환자의 홍역 백신접종은 개별적인 임상 판단에 따른다. 홍역백신 금기자에게는 노출 후 예방요법으로 면역글로불린을 투여할 수 있다.

1) 임신부

이론적으로 생백신은 태아에게 영향을 줄 수 있기 때문에, MMR 혼합백신 접종 후 28일 동안은 피임하고 임신 중에는 접종하지 않는다. 홍역에 감수성이 있는 임신부가 전염력이 있는 홍역 환자에게 노출된 경우에는 노출된 지 6일 이내에 정주 면역글로불린을 투여한다. 수유 중인 산모는 MMR 혼합백신을 접종받을 수 있다.

2) 과민반응 과거력이 있는 사람

MMR 혼합백신에는 수화 젤라틴이 안정제로 포함되어 있는데, 젤라틴에 대한 알레르기 반응이 MMR 혼합백신 접종 후 아나필락시스 발생의 주요 원인이다. 네오마이신도 극소량 포함되어 있지만 이에 대한 알레르기 반응은 매우 드물다. 과거에 젤라틴이나 네오마이신에 대한 전신 알레르기 반응이 있었던 사람들은 매우 조심해서 접종해야 하고, 접종 전에 전문가 상담을 받는 것이 좋다. 계란 알레르기는 현재 국내에서 사용 중인 MMR 혼합백신 접종의 금기사항이 아니다.

3) 중증 질환자

심한 발열이나 진행성 신경 질환과 같은 중증 질환을 앓고 있을 때 예방접종을 하면 지속되는 증상이 백신으로 인한 반응인지 기존 질환의 지속 또는 악화 때문인지 감별하기 어렵기 때문에 원인이 되는 기존 질환이 호전된 후 접종하는 것을 권고한다.

4) 면역저하자

면역억제요법(항암제, 고용량 경구 스테로이드 등)이나 방사선 치료, 기저질환(백혈병, 림프종, 전신암, 선천성 면역결핍질환)등으로 인하여 면역이 저하된 환자에게 생백신 접종은 금기이다. 면역저하자들이 홍역에 노출되거나 노출 위험에 처한 경우에는 홍역 과거력, 백신접종 여부, 혈청 검사 결과와 상관없이 면역글로불린을 투여받아야 한다. 일반적으로 하루 20 mg 이상의 프레드니손을 14일 이상 투여한 경우 면역저하상태로 판단한다. 하지만, 스테로이드 용량 및 기간과 상관없이 진찰 또는 검사에서 면역저하의 소견이 보이면 홍역 포함 백신접종은 금기이고, 스테로이드를 중단한 후 1개월이 경과한 이후 접종을 고려할 수 있다. 국소 스테로이드 사용은 백신접종의 금기가 아니다.

5) 항체함유 혈액제제 투여자

접종 전에 항체가 포함된 혈액제제를 투여받았으면 해당 제제에 따라 권고되는 간격과 홍역에의 노출 위험성을 고려하여 접종을 연기한다. 혈액제제에 포함된 항체가 백신 바이러스 복제를 방해하여 항체 생성을 억제하기 때문에 홍역 포함 백신접종 후 최소 2주 동안은 항체가 포함된 혈액제제를 투여 받지 않는 것이 바람직하다. 접종 2주 이내에 혈액제제를 투여 받은 경우에는 적절한 시간이 경과한 후 재접종 받거나 접종 6개월 후의 혈청 검사에서 항체 음성일 경우 재접종을 시행할 수 있다.

6) 활동성 결핵 환자

홍역이 결핵을 악화시킬 수 있다는 우려와 홍역바이러스와 홍역백신이 지연성 과민반응을 억제시킨다는 관찰 결과를 토대로 홍역 포함 백신이 결핵을 악화시킬 수 있다는 이론적 가능성이 제기되었다. 이에 따라 활동성 결핵이 의심되는 환자는 홍역 포함 백신접종 전에 항결핵 치료를 시작하도록 권고한다. 홍역 포함 백신접종 전에 잠복 또는 활동성 결핵 여부를 확인하기 위해 투베르쿨린 검사 또는 결핵 항원 특이 인터페론감마분비 검사를 시행할 필요는 없다. 단, 홍역 포함 백신이 결핵균에 대한 반응을 일시적으로 억제할 가능성이 있기 때문에, 투베르쿨린이나 인터페론감마분비 검사를 시행 받는 환자가 홍역 포함 백신을 접종 받을 때에는, 접종하는 날에 검사를 하거나 접종 4–6주가 지난 뒤로 검사를 연기한다.

8. 국내 유통 백신

제조회사	제품명	구성성분	판매회사
한국MSD(주)	엠엠알II 주	홍역 Moraten 주: 1,000 $TCID_{50}$ 이상 볼거리 Jeryl Lynn B 주: 20,000 $TCID_{50}$ 이상 풍진 Wistar RA 27/3 주: 1,000 $TCID_{50}$ 이상/0.5 mL	에스케이 케미칼 생명과학부문
글락소스미스클라인(주)	프리오릭스 주	홍역 Schwartz 주: 3.0 $logCCID_{50}$ 이상 볼거리 RIT 4385 주: 3.7 $logCCID_{50}$ 이상 풍진 Wistar RA 27/3 주: 3.0 $logCCID_{50}$ 이상/0.5 mL	녹십자

참고문헌

1. 이호동, 배근량, 이주영 외. 1980-1999년 기간 동안 국내에서 발생한 홍역의 역학적 특징, 감염 34권 제2호, 2002.
2. 질병관리본부. 예방접종 후 이상반응 관리지침서. 충북:2017.
3. 질병관리본부. 예방접종대상감염병의 역학과 관리 지침. 제5판. 충북:2017.
4. Demicheli V, Rivetti A, Debalini MG, et al. Vaccines for measles, mumps and rubella in children. Cochrane Database Syst Rev 2012:CD004407.
5. Kang HJ, Han YW, Kim SJ, et al. An increasing, potentially measles-susceptible population over time after vaccination in Korea. Vaccine 2017;35:4126-32.
6. Strebel, P.M., Papania, M.J., Gastanaduy, P.A., Goodson, J.L. "Measles Vaccines", in S.A. Plotkin, W.A. Orenstein, P.A. Offit, K.M. Edwards (Eds.), Plotkin's Vaccines. Philadelphia: PA: Elsevier; 2017.
7. US Centers for Disease Control and Prevention. Prevention of Measles, Rubella, Congenital Rubella Syndrome, and Mumps, 2013: Summary Recommendations of the Advisory Committee on Immunization Practices (ACIP), MMWR Recomm Rep 2013;62:1-34.
8. World Health Organization, Measles vaccines: WHO position paper -- April 2017. Wkly Epidemiol Rec 2017;92:205-27.

Ⅱ. 볼거리

1 대한감염학회 접종 권장대상과 시기

가. 일반 성인에게 볼거리에 대한 면역 추정 증거가 없는 경우 적어도 1회 MMR 혼합백신 접종을 권고함

> **볼거리에 대한 면역 추정 증거**
> - 예방접종기록 상 확인된 2회 볼거리 포함 백신접종력[1]
> - 실험실 검사로 진단된 볼거리 병력
> - 혈청 검사로 확인된 볼거리에 대한 면역력[2]
> ───────────────────────────────
> 1) 예방접종 수첩, 의무 기록 또는 예방접종통합관리시스템 기록 상, 생후 12개월 이후 28일 이상 간격을 두고 접종한 2회 볼거리 포함 백신접종력
> 2) 백신접종 전 항체 검사는, 항체 검사 비용과 백신 비용을 고려하여 항체 검사 시행 후 접종 여부를 결정하는 것이 더 저렴하다고 판단되는 경우에 시행

나. 볼거리 노출 고위험군에게 볼거리에 대한 면역 추정 증거가 없는 경우, 최소 28일 간격을 두고 2회 MMR 혼합백신 접종을 권고함
- 의료기관종사자(healthcare workers)
- 학교, 기숙사 등에서 단체 생활을 하는 성인

다. 사람 간 접촉이 잦은 집단 내에서 볼거리 유행 발생 시, 유행을 통제하기 위해 기존에 MMR 혼합백신 2회 접종을 한 사람도 3차 접종을 고려할 수 있음

2 접종용량 및 방법

상완 외측면에 MMR 혼합백신을 0.5 mL 피하주사

3 이상반응

발열, 발진, 혈소판 감소증, 림프절 종대, 관절통이 발생할 수 있고, 드물게 아나필락시스, 두드러기와 같은 급성 과민반응과 귀밑샘염, 췌장염, 고환염, 무균성 뇌수막염이 발생할 수 있음

4 주의 및 금기사항

임신부, MMR 혼합백신 성분에 대한 과민반응 과거력이 있는 사람, 중증 질환자, 면역저하자, 항체함유 혈액제제 투여자, 치료받지 않은 활동성 결핵 환자

볼거리는 볼거리바이러스 감염으로 주로 귀밑 침샘에 염증이 발생하는 전염성 강한 급성 질환이다. 대부분 특별한 문제없이 회복되지만 일부 환자에서 고환염 또는 뇌염과 같은 심한 합병증이 발생할 수 있다.

1. 질병의 개요

1) 원인 병원체

볼거리바이러스는 Paramyxoviridae과의 *Rubulavirus*속 single-stranded RNA 바이러스로 혈청형은 하나이다. 하지만, 바이러스 주 마다 다른 항원형이 서로 다른 주에 의한 돌파감염을 허용할 수 있다는 연구 결과들이 있다. 유전형은 SH 유전자의 염기서열에 따라 현재까지 총 12가지가 알려져 있으며 지역에 따라 우세한 유전형이 다르다. 사람이 볼거리바이러스의 유일한 숙주이다. 바이러스는 노출 후 약 11일, 즉 이하선염 증상이 발생하기 약 1주일 전부터 타액으로 배출된다. 바이러스가 배출되는 기간은 이하선염 발생 후 11-14일 동안이다. 15% 미만의 환자들이 증상 발생 5일 이후까지 타액을 통해 바이러스를 배출한다. 바이러스는 증상 발생 후 5일 동안 또는 최대 14일까지 소변에서 검출될 수 있다.

2) 역학

(1) 역사

1934년 Johnson과 Goodpasture에 의하여 볼거리 원인체가 규명되었으며, 1945년 Habel, Enders, Levens에 의해 볼거리바이러스가 배양되었다. Herbel이 1946년에 최초로 불활화백신을 만들었고 이는 효과가 있었으나 면역 유지 기간이 매우 짧아 생백신이 개발된 1950년대에 폐기되었다. 볼거리 생백신은 홍역바이러스, 풍진바이러스와 함께 혼합백신으로 만들어져 광범위하게 사용되었지만, 다른 두 질환만큼 성공적으로 질병을 통제하지 못하고 있다. 현재 사용 중인 볼거리백신은 모두 생백신이며, 제조사가 다른 백신들 사이에 안전성과 효과에 약간의 차이가 있다. Jeryl Lyne (JL) 주 볼거리백신은 1965년에 Merck & Co.에서 만들어졌고, 이후 GlaxoSmithKline은 RIT-4385 백신주로 볼거리백신을 만들었다. 1974년에 Rubini 백신주 바이러스를 분리하여 백신으로 사용하였으나 효과가 없는 것으로 나타나 세계보건기구는 2001년에 이 백신을 사용하지 않도록 권고했다.

백신이 도입되기 전 미국에서는 볼거리가 바이러스성 뇌염과 급성 난청의 주된 원인이었다. 볼거리는 치사율은 매우 낮지만, 의료 비용, 유행 통제 비용, 결석률, 생산성 감소 등과 같은 문제를 초래한다.

한 모델링 연구에서는 2세까지 85-95%의 접종률을 달성하면 서반구에서 이 바이러스 전파를 차단시킬 수 있다고 예측했고, 실제 핀란드에서는 95% 이상 높은 2회 MMR 예방접종률을 달성하고 이를 유지하여 환자가 최근 거의 보고되지 않아 다른 국가들에 볼거리 퇴치의 모델이 되고 있다. 하지만, 2회 접종률이 비교적 높게 유지되고 있는 많은 국가들에서 여전히 볼거리 유행이 발생하고 있다. 이 현상은 감염력(force of infection)이 높고 면역력이 감소되는 것과 같은 특정한 조건 하에서는 군집면역이 유지되고 있더라도 볼거리 유행이 발생할 수 있음을 시사한다.

볼거리백신은 멸균 면역(sterile immunity)을 유도하지 않기 때문에 접종 후에도 볼거리바이러스에 반복해서 감염될 수 있다. 수 년 내에 백신을 접종한 소아가 볼거리에 감염되면 타액에서 검출되는 바이러스 양이 미접종 소아가 감염되었을 때보다 적었지만, 백신접종 후 시간이 오래 경과한 경우에는 미접종자와 차이가 없었다. 이러한 연구 결과들은 앞으로 볼거리바이러스 전파 예방에 있어 백신의 장기적인 역할에 대한 우려를 낳고 있다.

최근 볼거리가 유행하는 이유에 대하여 1차 백신 실패, 백신주와 유행주 항원의 불일치, 면역 감소 등 여러 가지 가설이 제시되고 있다. 하지만, 면역학적 실패 기전과 무관하게, 감염력이 큰 환경은 볼거리 유행을 악화시키는 요인으로 여겨진다. 2회 백신접종률이 높은 집단에서도 볼거리 유행이 발생한다는 것은 현재 백신과 접종 일정이 볼거리에 대한 충분한 방어를 제공하지 못한다는 것을 시사한다. 그러나, 백신접종률이 높은 집단에서 발생한 유행들에서도 여전히 백신 효과는 높았다. 이전에는 거의 모든 사람들이 앓았던 볼거리가 백신 사용 후에는 크게 감소되었기 때문에, 여전히 우리는 백신접종률을 향상시키고 유지하기 위해 노력해야 한다.

(2) 전파 경로

볼거리바이러스는 감염된 비말이나 타액을 통해 전파되고, 태반을 통한 태아 감염이 매우 드물게 보고되고 있다. 잠복기는 노출 후 16-18일이지만, 증상 발생 1주일 전부터 타액을 통해 바이러스가 배출되기 때문에, 환자 격리를 통해 전파를 예방하는 것에는 한계가 있다. 백신접종자와 미접종자 사이에 바이러스 배출 기간이 다른 지에 대해서는 이견이 있다.

(3) 국내 현황

국내에서는 1974년부터 볼거리 단독 백신이 사용되었고, MMR 혼합백신이 1980년부터 국내 유통되어 1983년 국가예방접종사업으로 도입된 이후 광범위하게 사용되기 시작했다. 1990년대 후반에 증가하는 홍역 유행을 통제하기 위하여 1997년부터 4-6세 소아들에게 2차 MMR 혼합백신을 권고하였다. 백신 사용 전 볼거리 관련 국내 역학 자료는 거의 없지만, 국가 감염병 감시연보에 의하면 1960년대 이전에는 매년 만 명 이상 볼거리 환자가 보고되다가 1970년대 이후에는 매년 약 2천 명이 보고되었고 학령기 소아가 그 대부분을 차지했다. 하지만 1970년대에 시행된 세 차례 혈청면역도 조사에서 20세 이하의 80% 이상에서 볼거리 혈청 항체가 양성이었던 결과를 고려하면 대략 매년 64만 명의 환자(10만 명당

1,985명)가 발생한 것으로 추정되어 실제에 비해 매우 적은 수의 환자 만이 국가 감염병 감시체계에 신고되었던 것으로 보인다.

2007년부터 2016년까지 발생률이 매년 지속적으로 증가하였는데 특히 2013년부터 2015년 사이 급격히 증가해 2012년 7,492명에서 매년 각각 17,024명, 25,286명, 23,448명이 보고되었다. 2016년에는 10-19세 남성에서 발생률이 감소하면서 17,057명(10만 명당 33명)으로 감소되었다. 2001-2014년 동안 보고된 환자들의 주요 연령군은 2000년대 초 5-9세 소아에서 이후 15-19세 청소년으로 이동했고 20세 이상 성인의 분율이 지속적으로 높아졌으며 대부분이 백신접종자였다(그림 27-2). 또한, 중고등학교, 군대와 같은 밀접 접촉 환경에서 대규모 유행들이 발생하였다. 2007-2011년 동안 연령을 보정한 군인의 평균 연간 발생률은 일반 국민보다 7배 높았다. 이와 같은 최근 역학은 2차 백신 실패, Rubini 백신 사용 후 1차 백신 실패, 자연 노출 기회 감소에 따른 면역 감소, 백신주-유행주 불일치 등에 의한 것으로 여겨진다.

우선, 2000-2001년 대규모 홍역 유행에 따라 전국 일제 예방접종으로 MR 혼합백신이 사용되어 당시 접종 대상자였던 1985년 3월 1일에서 1994년 2월 28일 사이 출생자들이 대규모로 볼거리 포함 백신으로 2차 접종을 받지 못했기 때문에 집단적인 2차 백신접종 실패가 발생하였을 수 있다. 1999년 연구에서 경기도 초등학생(1987-1993년생)의 2차 MMR 혼합백신 접종률이 23.5-36.2%였고 2000년 전국 설문 조사에서 7-9세 소아(1991-1993년 생) 중 39%가 2차 MMR 혼합백신 접종을 받았던 것을 고려했을 때, 이 연령대는 약 70%가 볼거리 포함 백신을 1회만 접종받은 것으로 추정된다. 또한, 2차 MMR

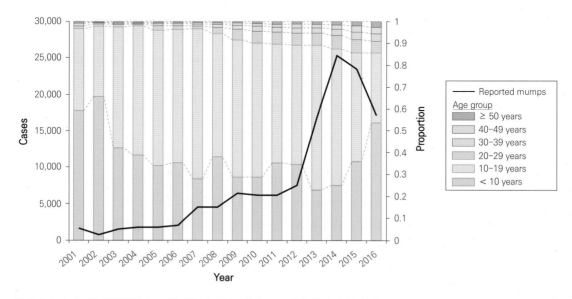

그림 27-2. **국내 볼거리의 연도별 신고수 및 연령대 별 분율(2001-2016년)**
자료: 질병관리본부 감염병 감시연보(2016)

혼합백신 접종 여부를 확인하는 예방접종 확인사업은 1994년 출생자들의 초등학교 입학 당시부터 시작되어, 1993년 이전 출생자들의 2차 MMR 접종률은 계속 낮은 채로 유지되었을 것으로 추정된다.

1차 백신 실패도 최근 볼거리의 국내 역학을 일부 설명한다. 국내에서는 현재까지 5가지 볼거리백신이 사용되었다. Urabe AM9주는 2000년 이전까지, JL주와 Rubini주는 1997-2002년에, 2002년부터는 JL주와 RIT4385주가 사용되었고, Rubini주는 낮은 효과로 인하여 2002년부터는 사용하고 있지 않다. 국가예방접종등록 자료와 Rubini주 백신 수입량(183만 도스)을 고려했을 때 국내 100만 명 이상이 Rubini 백신을 최소 1회 접종 받은 것으로 추정되며, 대부분(86%)이 2001-2002년에 수입된 것을 고려할 때, 2000-2001년 생, 1995-1998년 생은 Rubini주 백신을 접종 받았을 가능성이 상대적으로 높다.

또한, 접종 후 면역 감소 효과는 많은 국가들에서 혈청학적, 역학적 근거를 바탕으로 볼거리 유행의 원인으로 지적되고 있다. 국내에는 이를 보여주는 직접적인 데이터가 없지만, 국외 여러 연구에서는 낮아진 발생률로 인하여 자연 면역 증강 효과를 기대하기 어려운 상황에서 면역이 급격하게 감소하는 현상을 보고하였다. 국내에서는 2005년부터 2016년까지 MMR 혼합백신 2차 접종 완료율을 95% 이상으로 유지하였다. 이와 같이 높은 예방접종률을 유지해도 시간에 따른 면역 감소로 인해 산발적 대규모 유행이 발생한다면, 현재의 예방접종 전략을 그대로 유지할 경우 앞으로도 이러한 현상이 지속될 수 있음을 시사한다.

볼거리의 기초재생산수는 대략 4.4로 알려져 있고, 2006년 한 유치원에서 발생한 유행에서 백신 효과가 85.5%이었음을 고려할 때, 국내에서 군집면역을 유지하기 위한 접종률은 90.5% 이상으로 추정된다. 하지만, 높은 인구밀도와 잦은 사람 간 접촉이 있는 학교, 군대와 같은 환경에서는 전파가 더 잘 일어나고 기초재생산수가 높아지기 때문에 보다 높은 접종률을 유지해야 유행을 예방할 수 있다.

현재 국내 백신주는 유전형 A 또는 B이며, 2007년부터 2012년까지 전국 볼거리 의심 환자에서 수집된 175개 검체에서는 유전형 I, H, F가 확인되었고 주로 유전형 I와 H가 함께 유행했다. JL 주 백신이 실제 유행하는 유전형에 대하여 중화 효능이 감소되는 것을 보여주는 연구 결과들은 백신주와 유행주의 불일치가 낮은 백신 효과에 영향을 주는 한 요인임을 시사한다.

현재 사용 중인 MMR 혼합백신들은 시간이 경과함에 따라 볼거리 예방효과가 감소하여, 이들을 이용한 현재의 2회 접종 전략만으로는 볼거리 유행을 예방하고 궁극적으로 퇴치하기에 충분하지 않아 보인다. 그러나, 상대적으로 낮은 적기 접종률을 보이는 지역에서 볼거리 환자가 집단적으로 나타나고 있다는 것은 여전히 효과적인 전략과 감시체계 개선을 통해 볼거리 통제가 향상될 수 있다는 것을 시사한다. 또한, 2012년부터 모든 신병들을 대상으로 이전 접종력과 상관없이 MMR 예방접종을 시행한 후 군대 내 볼거리 발생률이 100,000명당 연간 58명(2007-2011년)에서 26명(2013-2016년)으로 감소된 결과는, 예방접종률이 높고 감염력이 높은 집단에서 추가적인 예방접종 전략의 역할을 보여주고 있다. 국가예방접종사업을 안정적으로 운영하여 백신접종률을 최대화하고 이를 유지하려는 노력과 함께, 정확한 역학적 분석을 바탕으로 볼거리 예방 및 통제 전략을 다시 정립할 필요가 있다.

3) 임상적 특징

볼거리의 증상과 지속 기간은 연구마다 매우 다양하고, 연령, 성별, 백신접종력, 사례 정의에 따라서도 다르다. 볼거리바이러스 감염자의 약 20-40%에서는 증상이 나타나지 않는다. 증상별 빈도는 이하선염 97%, 악하선염 그리고/또는 설하선염 10%, 고환염 및 부고환염 13%, 심근염 6%, 수막염 5%, 난소염 4%, 일시적/영구적 난청 2%으로 보고되었다. 이하선염은 노출된 후 평균 16-18일에 발생하며, 발열, 두통, 권태감, 근육통과 같은 비특이적인 증상들이 수일 전에 나타날 수 있다. 발열은 보통 1-6일 동안 지속되지만 이하선 종대는 10일 이상 지속될 수 있다. 주로 이하선염은 양쪽, 고환염은 한 쪽에 발생한다. 고환염은 사춘기 이후 남성이 볼거리바이러스에 감염될 경우 최대 세 명 중 한 명에서 발생할 수 있고, 양쪽에 발생할 경우 고환이 위축되고 생식력이 감소하는 사례들이 드물게 보고되었다. 중추신경계 증상은 1% 미만에서 62%까지도 보고되었는데, 뇌척수액 검사를 하면 볼거리 환자의 50% 이상에서 뇌수막염이 확인되지만 뚜렷한 임상 증상으로 발현되는 경우는 약 5%에 불과하다. 청력 감소는 보통 한 쪽에 일시적으로 나타나지만, 2만 명 중 1명의 비율로 급성 영구 난청이 발생할 수 있다. 합병증은 성인에서 상대적으로 빈번하게 발생한다.

4) 진단

볼거리의 진단은 주로 임상적으로 이루어지지만, 발생률이 낮을 때에는 이하선염을 일으킬 수 있는 인플루엔자바이러스, 콕사키바이러스, 파라인플루엔자바이러스, 엡스타인바바이러스, 아데노바이러스 등의 바이러스를 감별하기 위한 실험실 검사가 필수적이다. 그러나 실험실 검사를 통한 확진은 쉽지 않다.

(1) 항체 검사

효소면역측정법으로 IgM 항체 양성을 확인하거나 IgG의 급성기-회복기 항체가 증가를 확인하는 방법이 이용된다. 그러나, 백신접종력이 있는 볼거리바이러스 감염인들은 15%만이 IgM 양성이고 IgG는 이미 높은 상태이기 때문에 국내처럼 백신접종률이 높은 지역에서는 볼거리를 혈청학적으로 진단하는 것은 어렵다.

(2) RT-PCR

항체 검사의 한계 때문에 RT-PCR이 실험실적 확진을 위해 점차 많이 사용되고 있다. 구강 점막액 검체(볼 안쪽 도말, 인후 도말, 타액), 뇌척수액에서 볼거리바이러스 RNA를 확인한다.

(3) 바이러스 분리

진단을 위한 일반적인 검사로는 사용하지 않으며, 분자 역학 조사를 위해 구강 점막액, 뇌척수액, 소변 등의 검체에서 시행한다.

5) 치료

대증 치료를 한다. 통증에는 아스피린, 아세트아미노펜 등 진통제를 투여하고 통증이 있는 부위에 냉찜질을 한다.

6) 환자 및 접촉자 관리

이하선염 증상 발현 후 5일까지 환자를 격리하여 표준주의와 비말주의를 지키도록 한다. 학교에서 볼거리 유행이 있을 때에는, 2회 백신접종을 하지 않은 사람들은 2회 접종 전까지는 등교하지 않도록 하고, 백신접종 금기자나 거부자의 경우에는 마지막 환자의 이하선염 발생일로부터 26일 동안 등교하지 못하도록 하면 전파를 차단할 수 있다. 일반적인 면역글로불린 투여는 노출 후 예방이나 합병증 발생 예방에 효과가 없다. 볼거리 특이 면역글로불린을 유행 초기에 사용하면 효과를 기대할 수 있으나 비싸고 국내에서는 현재 사용이 허가되어 있지 않다.

2. 백신의 종류

홍역과 동일

3. 백신의 효능 및 효과

볼거리백신으로 유도된 항체는 IgG 항원-항체 결합능(avidity)이 홍역이나 풍진에 비해서 상대적으로 낮은데, 이것이 실제 방어 효과와 연관이 있는지에 대해서는 아직 연구가 부족하다. 성인에서의 혈청양전률은 연구마다 차이가 있으나 소아와 비슷하다. 1차 백신 실패는 5% 정도이지만, 첫 번째 접종에서 반응하지 않았더라도 두 번째 접종에는 반응하는 경우가 많다. 볼거리백신을 접종 받은 후 평균 중화 및 비중화항체가는 시간 경과에 따라서 감소하여 어떤 경우에서는 전혀 검출되지 않기도 한다. 하지만, 항체가 감소를 면역 감소와 동일시해도 되는가에 대해서는 이견이 있다. Fiebelkorn 등이 미국에서 젊은 성인 656명을 대상으로 시행한 3차 백신 면역 반응 연구에서 3차 접종 1개월 후 중화 항체 기하평균 역가가 의미 있게 증가했으나 1년 후에는 다시 기저값으로 감소하였다. 이는 3차 접종의 효과가 일시적이어서, 유행 통제의 목적으로 일시적으로 사용할 수 있지만 표준예방접종으로 도입되기는 어려움을 시사한다.

JL주 백신 1회 접종의 실제 효과는 약 77%(최저-최고치: 49-92%), 2회 접종은 약 85%(55-93%)로 추정된다. 백신주 간의 효과 차이는 연구마다 다양하지만, 전반적으로 Rubini주 백신을 제외하고는 비슷하다. 수많은 연구들에서 볼거리백신이 질환의 경과, 합병증 및 중증도를 완화시키는 것으로 나타나지만 질병 예방효과는 시간이 경과함에 따라 점차 감소했다.

볼거리백신 2회 접종은 1회 접종에 비해서 더 효과적임에도 불구하고 유행을 완전히 예방하는 데에는 충분하지 않은 것으로 여겨진다. 하지만 이러한 현상을 백신을 통한 이득이 없을 것이라고 해석하면 안 된다. 그동안의 역학 연구들에 따르면, 백신접종은 유행의 규모를 줄이는 데에 중요한 역할을 했고, 백신접종자에서 볼거리 발병률이 미접종자에서 보다 낮았으며, 2회 접종자가 1회 접종자보다 낮은 볼거리 발병률을 보였다.

유행 통제 목적의 3차 MMR 혼합백신 접종에는 이견이 지속되어왔다. 프랑스에서는 2013년에 학교와 같은 특정 인구집단에서 발생한 유행 상황을 통제하기 위해 마지막으로 접종한 지 10년이 지난 경우 3차 MMR 혼합백신을 접종하도록 권고하였다. 미국에서는 2012년 이후 볼거리 환자 수, 유행 건수가 증가하여 유행 시 제한적으로 3차 MMR 혼합백신 접종을 고려하도록 권고했지만 신뢰할 만한 근거가 부족했다. 2017년에 발표된 Cardemil의 연구에서, MMR 혼합백신 2회 접종률이 98.1%이었던 한 대학교에서 발생한 볼거리 유행 통제를 위하여 추가로 3차 접종을 받은 사람들은 2회 접종자보다 낮은 발병률을 보였다(6.7명 대 14.5명/1,000명, $p < 0.001$). 또한 MMR 혼합백신 2차 접종을 받은 지 13년 이상 지난 사람들은 2년 내에 접종 받은 사람에 비해 볼거리에 이환될 위험성이 9배 이상 높았다. 2018년 미국 예방접종전문위원회는 밀접한 접촉이 있는 집단 내에서 유행이 발생하면 유행을 통제하기 위해 이전 접종력을 모르거나 2회 이하 접종력을 가지고 있으면서 보건 당국에 의해 볼거리에 이환될 가능성이 높다고 확인된 사람들을 대상으로 3차 예방접종을 하도록 권고하였다. 단, 현재로서는 백신접종 횟수에 따른 공중보건학적 비용부담 차이, 3차 접종 후 방어효과 유지기간, 3차 접종 후 이상반응, 3차 예방접종에 따른 백신 영향 등에 대한 장기적인 모니터링과 평가가 전제된 권고안이다.

4. 적응증

일반 성인에게 볼거리에 대한 면역 추정 증거가 없는 경우, 적어도 1회 MMR 혼합백신 접종을 권고한다. 볼거리에 대한 면역 추정의 근거는, 예방접종기록상 확인된 2회 볼거리 포함 백신접종력, 실험실 검사로 진단된 볼거리 병력, 혈청 검사 상 확인된 볼거리에 대한 면역력이다. 백신접종력은 예방접종 수첩, 의무기록 또는 예방접종통합관리시스템 기록에서 생후 12개월 이후 28일 이상 간격을 두고 2회 볼거리 포함 백신접종이 확인된 경우를 말한다.

볼거리에 이환될 위험이 높은 경우는 학교, 군대와 같이 집단 생활을 하는 사람들이다. 이들에게 볼거리에 대한 면역 추정 증거가 없는 경우 최소 28일 간격을 두고 2회 MMR 혼합백신 접종을 권고한다. 의료기관종사자도 볼거리 환자와 접촉할 가능성이 상대적으로 높기 때문에 2회 접종을 권고한다. 사람 간 접촉이 잦은 집단 내에서 볼거리 유행 발생 시, 유행을 통제하기 위해 기존에 MMR 혼합백신 2차 접종을 한 사람도 3차 접종을 고려할 수 있다. 그 방법과 절차는 상황에 따라 다르기 때문에 보건당국 과의 상의가 필요하다.

5. 투여 방법

홍역과 동일

6. 이상반응

MMR 혼합백신 접종 후 나타나는 대부분의 이상반응(발열, 발진, 관절통 등)은 홍역이나 풍진바이러스 성분에 의한 것이다. 볼거리 백신주 바이러스로 인해서는 드물게 귀밑샘염, 췌장염, 고환염, 무균성 뇌수막염이 발생할 수 있다. MMR-II와 Priorix는 접종 부위 통증, 발적, 부종 등 국소 부위 증상을 제외하고는 이상반응 발생률에 차이가 없다.

Urabe주 백신접종 후 무균성 수막염 증가의 위험성이 제기되었다. 연구에 따라서 336-295,000도스 당 1건이 보고되었으며 국내 역학 연구에서 1998년 Urabe나 Hoshino주에 의한 무균성 뇌수막염이 약 10,500도스 당 1건 발생하는 것으로 추정되어 2000년 2월 국내 사용 허가가 취소되었다. 일본에서는 무균성 뇌수막염 논란 이후 볼거리백신을 국가 예방접종 사업에서 제외하여 2005년 3-5세 볼거리 포함 백신접종률이 25%에 머물면서 매년 100만 명의 환자들이 발생하고 있는 것으로 추정된다. 볼거리 자연 감염 후 무균성 뇌수막염이 발생할 확률은 백신접종 후 발생할 확률보다 약 25배 정도 더 높다.

7. 금기

홍역과 동일

8. 국내 유통 백신

홍역과 동일

참고문헌

1. 질병관리본부. 예방접종대상 감염병의 역학과 관리. 제5판. 충북: 2017.
2. Cardemil CV, Dahl RM, James L, et al. Effectiveness of a Third Dose of MMR Vaccine for Mumps Outbreak Control. N Engl J Med 2017 ;377:947-56.
3. Fiebelkorn AP, Coleman LA, Belongia EA, et al. Mumps antibody response in young adults after a third dose of measles-mumps-rubella vaccine. Open Forum Infect Dis 2014;1:ofu094.
4. Marin M, Marlow M, Moore KL, Patel M. Recommendation of the Advisory Committee on Immunization Practices for Use of a Third Dose of Mumps Virus-Containing Vaccine in Persons at Increased Risk for Mumps During an Outbreak. MMWR Morb Mortal Wkly Rep 2018;67:33-38.
5. Park SH. Resurgence of Mumps in Korea. Infect Chemother 2015;47:1-11.
6. Rubin, S.A. "Mumps Vaccines", in S.A. Plotkin, W.A. Orenstein, P.A. Offit, K.M. Edwards (Eds.), Plotkin's Vaccines. Philadelphia: PA:Elsevier; 2017.
7. US Centers for Disease Control and Prevention. Prevention of Measles, Rubella, Congenital Rubella Syndrome, and Mumps, 2013: Summary Recommendations of the Advisory Committee on Immunization Practices (ACIP), MMWR Recomm Rep 2013;62:1-34.
8. World Health Organization. Mumps virus vaccines. Wkly Epidemiol Rec 2007;82:51-60.

Ⅲ. 풍진

1 대한감염학회 접종 권장대상과 시기

가. 일반 성인에게 풍진에 대한 면역 추정 증거가 없는 경우, 1회 MMR 혼합백신 접종을 권고함

> **풍진에 대한 면역 추정 증거**
> • 예방접종기록 상 확인된 1회 풍진 포함 백신접종력[1]
> • 실험실 검사로 진단된 풍진 병력
> • 혈청 검사로 확인된 풍진에 대한 면역력[2]
>
> _____
>
> 1) 예방접종 수첩, 의무 기록 또는 예방접종통합관리시스템 기록 상, 생후 12개월 이후 접종한 1회 풍진 포함 백신접종력
> 2) 백신접종 전 항체 검사는, 항체 검사 비용과 백신 비용을 고려하여 항체 검사 시행 후 접종 여부를 결정하는 것이 더 저렴하다고 판단되는 경우에 시행

나. 가임기 여성에게 임신 전 풍진 특이 IgG 검사를 권장하며, 양성이 아니면 MMR 혼합백신을 1회 접종하고 4주 간 피임하도록 권고함

다. 풍진을 임신부에게 전파할 위험인자가 있거나 아래의 단체 생활을 하는 성인에게 풍진에 대한 면역 추정 증거가 없는 경우, 항체 검사 없이 MMR 혼합백신 1회 접종을 권고함

- 의료기관종사자(healthcare workers)
- 학교, 기숙사 등에서 단체 생활을 하는 성인

2 접종용량 및 방법

상완 외측면에 MMR 혼합백신을 0.5 mL 피하주사

3 이상반응

발열, 발진, 혈소판 감소증, 림프절 종대, 관절통이 발생할 수 있고, 드물게 아나필락시스, 두드러기와 같은 급성 과민반응과 귀밑샘염, 췌장염, 고환염, 무균성 뇌수막염이 발생할 수 있음

4 주의 및 금기사항

임신부, MMR 혼합백신 성분에 대한 과민반응 과거력이 있는 사람, 중증질환자, 면역저하자, 항체함유 혈액제제 투여자, 치료받지 않은 활동성 결핵 환자

풍진은 풍진바이러스 감염에 의해 발생하는 급성 발진성 질환으로, 임신 중에 감염되면 유산하거나 태아에게 선천성 백내장, 심장 이상, 청력소실 등을 특징으로 하는 선천성풍진증후군을 일으킬 수 있어 보건학적으로 중요하다.

1. 질병의 개요

1) 원인 병원체

풍진바이러스는 Togaviridae과 *Rubivirus*속 single-stranded, enveloped RNA 바이러스로 혈청형은 한 가지이고 총 13가지 유전형중에서 3가지 유전형(1E, 1G, 2B)이 현재 전 세계적으로 분포하고 있다. 사람이 유일한 숙주로 알려져 있다. 호흡기를 통해 전파된 바이러스는 발진 발생 1주일 전부터 발생 2주일 후까지 비인두 검체에서 검출되며 발진 발생 후 1-5일에 가장 많은 양이 배출된다. 임신부가 감염되면 바이러스가 태반과 태아를 감염시킨다. 선천성풍진감염/증후군 환자의 경우 인두분비물이나 소변으로 6-12개월 동안 바이러스를 배출하기도 한다.

2) 역학

(1) 역사

18세기 후반에 소아 및 젊은 성인에게 발생하는 경증 발진성 질환으로 처음 기술되었던 풍진은, 1941년에 임신부가 풍진에 감염되면 태아가 선천성 결함을 가진다는 것이 알려지면서 주목을 받게 되었다. 1962년에 바이러스를 분리하는 데에 성공하였고, 1962년부터 1965년까지 유럽과 미국에서 대유행으로 수천 명의 임신부들이 감염된 후 1964년부터 1966년까지 수많은 유산과 태아 이상 사례들이 보고되고 많은 임신부들이 낙태를 하게 되면서 백신 개발의 필요성이 대두되었다. 1965년부터 1967년 사이에 몇 가지 약독화 생백신들이 개발되었고, 1969-1970년에 유럽과 북미에서 처음 상용화되었다.

미국에서는 1963-1964년에 1,250만 명의 풍진 환자가 발생했고 최소 3만 명의 태아가 자궁 내 풍진 감염의 영향을 받아 신생아 사망은 2,100명, 선천성풍진증후군은 2만 명이 발생했으며, 5,000명의 임신부가 치료적 낙태를 했다. 하지만, 백신이 사용되면서 선천성풍진증후군의 빈도는 임신 1만 건당 0.01건 미만으로 감소되었다. 호주는 12년 동안 여학생 대상 풍진 예방접종 사업을 시행한 결과 백신 도입 전 매년 약 120명씩 보고되던 선천성풍진증후군 환자가 2008년부터 2012년 동안 2명 보고되었다. 아메리카 지역에서는, 여성 청소년 및 가임기 여성을 대상으로 일제예방접종을 시행하고 풍진백신을 기초 예방접종에 도입하는 등의 노력을 지속하여 2009년 풍토성 풍진바이러스 전파를 성공적으로 차단하였고 2015년에 지역 내 풍진 퇴치를 선언하였다.

하지만, 아직 여전히 많은 국가들은 충분한 풍진백신 접종률을 달성, 유지하지 못하여 유행을 겪고 있다. 2016년 12월 현재 전세계 194개 국가 중 152개 국이 풍진백신을 국가예방접종 지원사업에 도입하였지만, 접종률은 13%에서 99%로 매우 다양하다. 아프리카 국가들은 서서히 풍진백신을 홍역 캠페인에 포함시키고 있지만, 여전히 소아의 반수 미만이 이 백신을 접종 받으면서 풍진이 흔하게 발생하고 있다. 여전히 전세계에서 매년 10만 명 이상이 선천성풍진증후군을 가지고 태어나는 것으로 추정된다. 한국이 포함되어 있는 서태평양 지역에서는 최근에 주로 일본, 중국, 필리핀, 말레이시아, 베트남 등이 풍진 유행을 겪고 있다.

(2) 전파 경로

풍진바이러스는 사람과 사람 사이에서 호흡기 비말을 통해 전파되고, 12-23일의 잠복기(평균 18일)를 가지며 대부분 노출 후 14-17일에 발진이 발생한다. 무증상 감염자도 바이러스를 전파할 수 있다. 백신 사용 전 풍진의 기초재생산수는 선진국에서 6-7, 인구가 밀집한 개발도상국에서는 최대 12로 추정되었다. 집단 생활을 하는 보육원, 학교, 군대, 난민 캠프에서 주로 유행이 일어난다.

(3) 국내 현황

국내에서는 MMR 혼합백신의 형태로 1980년부터 풍진 백신접종이 시작되었다. 풍진 단독백신 접종은 1974년 국내에서 사용 가능성이 거론되었으나 당시 풍진으로 인한 중대한 합병증이 드물어 도입이 성급하다고 평가되었다가, 1994년에 이르러 15세 여학생들 대상으로 풍진 단독백신 접종이 국가 사업으로 시작되었다. 그러나 1997년에 4-6세 대상 MMR 혼합백신 추가접종이 도입되면서 풍진 단독백신 사업은 종료되었다. 1990년까지 MMR 혼합백신 접종률은 2세 이하에서 80%였고 1997년 2차 접종이 시작된 후 2차 접종률은 약 30%였다. 2000년 홍역 대유행이 발생하면서, 2001년 MR 혼합백신으로 전국 일제 예방접종과 함께, 취학아동 홍역예방접종 확인사업을 시행한 결과 2002년에는 2차 홍역 포함 백신접종률이 99% 이상에 도달하였기 때문에, 소아에서의 풍진백신 접종률도 이와 유사했을 것으로 추정된다. 한국은 소아에서 96% 이상의 풍진 포함 백신 접종률 유지를 통하여 풍진바이러스의 국내 전파를 차단하여 2017년에 세계보건기구 서태평양 지역사무소로부터 풍진 퇴치를 인증받았다.

풍진은 국내에서는 2000년부터 법정 감염병으로 지정되어 신고가 의무화되었고, 그 이전의 국내 발생 현황을 추정하기는 어렵다. 2000년 107명, 2001년 128명이 보고되었고 2002년 이후에는 연간 40명 미만으로 보고되다가 2010년 43명, 2011년 53명이 보고되었고, 이후 다시 감소하여 2016년에는 11명이 신고되었다. 최근에 신고건 중에서는 5세 미만 영유아와 30대 성인 연령에서의 분율이 증가하고 있다. 발생이 실제로 적을 수도 있으나, 풍진의 임상적 진단이 어렵고 최근에 낮아진 발생률로 인하여 임상 의사들이 풍진을 의심하는 경우가 적으며 무증상 감염이 많다는 점을 염두에 두어 역학 자료를 해석해야 한다.

질병관리본부가 2014년 국민건강영양조사를 통해 전국에서 수집된 2,050명의 검체를 가지고 수행했던 면역도 조사에서는 1964-2002년 출생자의 91.3%에서 풍진 특이 IgG이 양성을 나타냈다. 20대(1985-1994년생) 여성에서 88.4%, 30대(1975-1984년생) 여성에서 95.4%의 혈청 양성을 보였으며, 이들 중 일부 연령군은 20% 이상이 풍진에 대한 충분한 면역을 가지고 있지 않았다. 이 결과는 국내 예방접종정책과 역학이 변화하면서 연령에 따라 풍진에 대한 면역도에 차이가 있음을 보여준다.

국내에서 선천성풍진증후군은 2011년부터 2016년 3월까지 총 3건이 보고되었다. 높은 소아예방접종률을 달성하여 높아진 군집면역으로 풍진바이러스 전파를 차단하여 임신부가 감염될 확률은 감소되었다. 하지만 주변 국가들이 여전히 풍진 유행을 겪고 있어 언제든지 해외에서 바이러스가 유입될 수 있는 상황에서, 적지 않은 국내 가임기 여성이 풍진에 대해 감수성이 있고 이것이 선천성풍진증후군 발생으로 연결될 수 있어 우려 된다. 따라서, 가임기 여성에서는 임신 전 풍진 특이 IgG 검사를 통해 항체 보유 여부를 확인하고 양성이 아니면 MMR 혼합백신 접종을 권고한다.

3) 임상적 특징

선천성 감염을 제외하면, 풍진은 주로 소아에서 발생하며 경한 임상 경과를 나타내고 자연히 회복되는 질환이다. 감수성이 있는 사람이 풍진바이러스에 노출되면 노출 후 2주차에 발열, 권태감, 경한 결막염이 발생한다. 일반적으로 발진 발생 약 5-10일 정도 전에 뒤통수와 뒷목의 림프절 종대가 발생하는 것이 특징적이다. 약 50-80%의 환자들에서 구진성 홍반성 발진이 나타나는데 얼굴에서 시작해서 머리, 몸통, 팔로 빠르게 퍼지는 양상으로 1-3일 정도 지속되고 가려운 경우가 종종 있다. 발진이 뚜렷하지 않을 수 있는데 뜨거운 물로 목욕한 후에 뚜렷해진다. 혈청학적 연구들은 20-50%의 풍진 환자들에서 발진 등의 증상이 없다고 보고하고 있다. 관절통은 대부분 단기간 발생하는데, 성인 여성 환자에서 최대 70%까지 나타나고 남성이나 소아에서는 흔하지 않다. 주로 손가락, 손목, 무릎이 아프고 길게는 1개월 정도 지속되지만 만성으로 진행되는 경우는 드물다. 풍진 감염 후 뇌염은 약 6,000명당 1명에서 나타나는데, 500명당 1명이 보고된 적도 있다. 이외에도 혈소판 감소증, 포도막염이 발생할 수 있고, 길랭-바레 증후군이 사례 보고된 바 있다.

풍진바이러스는 임신 중에 태아 세포를 파괴시키고 세포분열을 정지시켜 태아에 영향을 주게 된다. 선천성풍진증후군은 임신부가 풍진바이러스에 감염되는 시기에 따라 질환의 중증도가 달라지는데, 임신 직전부터 임신 첫 8-10주에 감염되면 최대 90%에서 다발성 기형을 초래할 수 있으며 사산으로 이어질 수 있다. 임신 16주 이후에 감염되면 기형 발생은 드물지만 청력 이상은 20주까지의 감염에서 발생할 수 있다. 감염이 되면 태아의 모든 장기에 바이러스가 퍼져 눈 이상(예: 백내장, 소안구증), 청각 이상, 심장 기형(예: 말초 폐동맥 협착증), 두개골 이상(예: 소두증)의 기형이 생길 수 있다. 이외에도 뇌수막염, 간비장비대증, 간염, 혈소판 저하증 등이 발생할 수 있으며, 장기적으로는 발달 장애, 자폐증, 제1형 당뇨, 갑상선염의 위험이 증가되며 진행성 뇌병증도 발생할 수 있다.

4) 진단

많은 발진 질환이 풍진과 유사하기 때문에, 후천성 풍진 감염을 확진하기 위해서는 실험실 검사가 필요하다.

(1) 항체 검사

혈액에서 효소면역측정법으로 풍진 특이 IgM 항체를 확인하는 검사가 가장 흔히 이용된다. IgG 항체가가 급성기와 회복기 혈청을 비교하여 4배 이상 증가하면 풍진을 진단할 수 있다. 풍진 특이 IgM 항체는 파보바이러스 감염, 감염성 단핵구증, 류마티스 인자가 양성인 환자에서 위양성 결과를 나타낼 수 있다. 한국처럼 풍진이 드물게 발생하는 지역에서는 검사의 위양성률이 상대적으로 높아지기 때문에 임상적 증상이 없을 때에는 검사 결과를 주의해서 해석해야 한다.

(2) RT-PCR

약 100%의 예민도, 90%의 특이도를 보이는 검사로 대부분 태아의 산전 진단에 이용된다.

(3) 바이러스 분리

진단을 위해 일반적으로 시행되는 검사는 아니다. 분자 역학 조사를 위해 혈액, 비인두 점액, 타액, 소변 검체에서 시행한다.

5) 치료

대증 치료를 한다.

6) 환자 및 접촉자 관리

발진이 발생한 후 7일까지 표준 격리 및 비말 격리를 하며 특히 환자와 임신부의 접촉을 피하도록 한다. 풍진바이러스 노출자에게 노출 후 예방요법으로 백신을 사용할 수도 있지만, 효과가 정확히 평가되지 않았기 때문에 권장하지 않는다.

풍진에 대한 면역이 없는 임신부가 임신 초기에 풍진에 노출된 경우에는 즉시 풍진 항체 검사(풍진 특이 IgG와 IgM)를 시행하여 급성 감염 여부를 확인한다. 노출 즉시 풍진 특이 IgG와 IgM이 둘 다 음성인 경우 2-3주 후 두 번째 검사를 시행하며, 두 번째 검사에서도 음성일 경우 노출 후 6주에 세 번째 검사를 시행하여 음성일 경우 감염을 배제할 수 있다. IgM이 양성이거나 IgG가 첫 검사에서 음성이었다가 이후 검사에서 양성이 될 경우 이는 임신부의 최근 풍진 감염을 의미하므로, 태아 감염 및 기형 가능성에 대해서 설명하고 추후 가능한 조치에 대하여 상담한다.

2. 백신의 종류

홍역과 동일

3. 백신의 효능 및 효과

풍진 약독화 생백신은 바이러스 혈증을 일으키고 인두로 백신주 바이러스를 배출할 수 있지만, 이를 통해 질병이 전파되지는 않는다. 자연 감염은 비강 내 분비형 IgA 항체 생성을 유도하여 재감염을 막는 데에 유용하며, 현재 국내에서 사용 중인 RA27/3주 백신도 이와 같은 방어 능력을 유도할 수 있다. RA27/3주 백신 1회 접종으로 95-100%의 접종자에서 혈청 전환이 유도된다. 여러 연구 결과들은 10-21년 후에도 항체가 지속적으로 남아 있음을 보고하였다.

풍진 RA27/3주 백신은 높은 질병 예방효과를 나타냈다. 1997년 프랑스 초등학교에서 발생했던 풍진 유행에서 이 백신의 임상적 풍진 예방 효과는 95%, 실험실적 확진 풍진 예방효과는 거의 100%였으며, 이탈리아 신입병사들에서 발생했던 유행에서는 94.5%의 효과를 보였다. 또한, 풍진 백신접종을 시작한 국가에서는 풍진 발생률이 크게 감소하는 것이 관찰되었다.

임신부가 최대 위험군임에도 불구하고 현재 사용되고 있는 백신이 생백신이므로 임신부에게 금기라는 단점을 극복하기 위하여 E1 단백을 이용한 아단위 불활화 백신에 대한 연구가 진행되고 있다.

4. 적응증

일반 성인에게 풍진에 대한 면역 추정 증거가 없는 경우, 1회 MMR 혼합백신 접종을 권고한다. 국내에서 풍진에 대한 면역 추정 증거는, 풍진 특이 항체를 측정하여 양성인 경우, 실험실 검사로 진단된 풍진 병력, 예방접종기록 상 확인된 12개월 이후 생백신 투여력이다. 임상적 양상 만으로 풍진을 진단하기 어렵기 때문에 실험실적 검사로 확인되지 않은 풍진 병력은 면역 추정의 증거가 되지 못한다.

가임기 여성은 임신 전에 혈청 풍진 특이 IgG 검사를 권장하며, 양성이 아니면 MMR 혼합백신을 1회 접종하고 4주 간 피임한다. 또한, 혈청 역가가 낮은 경우 재감염의 위험성이 높을 수 있고, 혈청 양성인 여성이 백신접종을 한다고 이상 반응의 위험성이 더 증가한다는 증거가 없기 때문에 접종을 권고한다. 풍진이 유행 중인 국가로 여행을 계획하고 있는 가임기 여성에게 풍진에 대한 면역 추정의 증거가 없으면 여행 전 백신접종을 권고한다.

풍진을 임신부에게 전파할 위험인자가 있거나 단체 생활을 하는 성인에서 풍진에 대한 면역 추정 증거가 없는 경우 항체 검사 없이 MMR 혼합백신을 1회 접종한다. 풍진 환자와 접촉할 가능성이 있는 의료시설종사자, 임신부와 접촉할 가능성이 있는 성인, 학교, 기숙사, 군대 등에서 단체 생활을 하는 성인과 보육시설 종사자들이 풍진에 대한 면역력을 보유하고 있는지 반드시 확인해야 한다. 미국의 한 병원에서 발생했던 풍진 유행 당시 의무적 예방접종을 했던 직원들 중에서는 환자가 발생하지 않았고 자율 예방접종을 한 과에서만 발생했으며 해당 유행으로 인해 임신부들도 노출되어 감염되었다. 따라서 의료시설종사자는 풍진에 대한 면역을 가지고 있어야 하며 면역력이 없으면 백신접종을 받아야 한다.

5. 투여 방법

홍역과 동일

6. 이상반응

MMR 혼합백신 투여 후 발열, 발진이 발생할 수 있지만 대부분은 함께 포함된 홍역 백신주 바이러스 때문이다. 풍진바이러스 성분에 의한 이상반응으로는 림프절 종대, 관절통, 혈소판 감소증 등이 알려져 있다. 혈소판 감소증은 대부분 접종 6주 이내에 생기고 자연 회복되는데, 영국에서는 33,000-50,000 도스당 1명 꼴로 발생했다. 접종 후 1-3주 사이에 주로 성인 여성에서 1일-3주 동안 무릎, 손가락 등의 관절에 일시적인 통증이 발생하기도 한다. 하지만 실제 관절염은 1% 미만에서 발생하며, 풍진 생백신이 만성 관절병증을 일으킨다는 것은 증명되지 않았다.

RA27/3 주 백신접종 후 길랭-바레 증후군, 뇌염과 같은 신경학적인 이상반응이 몇 차례 사례 보고 되었다. 하지만, 핀란드에서 수행한 대규모 후향적 연구에서 MMR 혼합백신 접종 후 길랭-바레 증후군 환자가 증가하지 않았고 기존에 길랭-바레 증후군을 경험했던 환자에서 백신접종 후 증상이 재발되지 않았으며, 같은 국가에서 수행된 다른 연구에서는 MMR 혼합백신이 뇌염, 무균성 뇌수막염, 자폐증과 관련이 없었다. 또한, 영국에서는 MR 예방접종 캠페인 후 길랭-바레 증후군이 예상 기저 발생률보다 오히려 낮게 발생했다.

7. 금기

많은 연구들은 RA27/3주 백신접종이 태아에 안전하다는 것을 보여주었다. 미국, 독일, 스웨덴, 영국, 브라질, 멕시코 등에서 우연히 임신 중 풍진 포함 백신 접종 받은 2,750명 이상의 임신부 중에 선천성풍진증후군 환아를 출산한 사람은 한 명도 없었다. 임신 중 풍진 백신접종은 더 이상 낙태의 적응증이 아니지만, 임신은 풍진 백신접종의 금기이며, 임신 중 시행한 풍진 특이 IgG 검사에서 음성이거나 경계치라면 출산 후 퇴원 전에 접종하도록 권고한다. 모유 수유는 풍진 백신접종의 금기가 아니다. 풍진백신을 접종한 여성들에게는 28일 동안 피임하도록 권고한다.

8. 국내 유통 백신

홍역과 동일

참고문헌

1. Reef S.E., Plotkin S.A. "Rubella Vaccines", in S.A. Plotkin, W.A. Orenstein, P.A. Offit, K.M. Edwards (Eds.), *Plotkin's Vaccines*. Philadelphia: PA:Elsevier; 2017.
2. US Centers for Disease Control and Prevention. Prevention of Measles, Rubella, Congenital Rubella Syndrome, and Mumps, 2013: Summary Recommendations of the Advisory Committee on Immunization Practices (ACIP), MMWR Recomm Rep 2013;62:1-34.
3. World Health Organization. Rubella vaccines: WHO position paper. Wkly Epidemiol Rec 2011;86:301-16.

황열

서울대학교 의과대학 **방지환**
연세대학교 의과대학 **송영구**

1 대한감염학회 접종 권장대상과 시기

가. 접종대상

　1) 연령 9개월 이상으로 아프리카와 중남미의 황열 발생 지역 중 황열백신 증명서를 요구하는 나라를 방문하는 사람

　2) 감염된 물질을 다루는 실험실 종사자

나. 접종시기

　1) 유행지역 방문 최소 10일 전에 접종

　2) 황열백신 예방접종증명서가 있어야 입국이 가능한 국가를 여행하기 위해서는 예방접종증명서 소지가 필수적임

2 접종용량 및 방법

0.5 mL를 피하 또는 근육에 주사

3 이상반응

가. 국소반응: 접종부위의 발적 및 동통 등

나. 전신반응: 두통, 미열, 근육통, 두드러기, 아나필락시스

다. 중증이상반응: 황열백신 연관 신경질환, 황열백신 연관 유사 황열

4 주의 및 금기사항

가. 6개월 이하의 영아

나. 흉선 질환을 포함한 면역저하자, 암 환자

다. 황열백신 접종 후 아나필락시스성 과민반응이 있었던 사람

라. 계란단백에 대해 아나필락시스성 과민반응이 있는 사람

마. 임신부 및 수유부

1. 질병의 개요

1) 원인 병원체

황열바이러스는 *Flaviviridae*에 속하는 양성단쇄(enveloped single strand positive sense) RNA 바이러스로 직경이 40-60 nm의 정20면체이며 외피가 있다. 외피는 2중 지질막(lipid bilayer)으로 이루어져 있다. 외피가 있는 다른 바이러스와 마찬가지로 유기용제, 세정제로 불활화되며, 물리화학적 자극에 매우 불안정하다. 60℃에서 10분간 가열하면 불활화되고, 0.1% 포르말린에서도 쉽게 비활성화 된다. 염기 서열 분석상 적어도 7가지 이상의 유전형으로 분류된다.

2) 역학

황열은 아프리카와 남아메리카의 북위 15도에서 남위 15도 사이의 지역에서 주로 발생한다(그림 28-1). 원래는 아프리카 지역에서만 유행하다가 16세기 노예무역의 영향으로 남아메리카로 유입된 것으로 추정된다. 기록상 남아 있는 최초의 황열 유행은 1648년 마야시대 멕시코 유카탄 지역에서 발생하

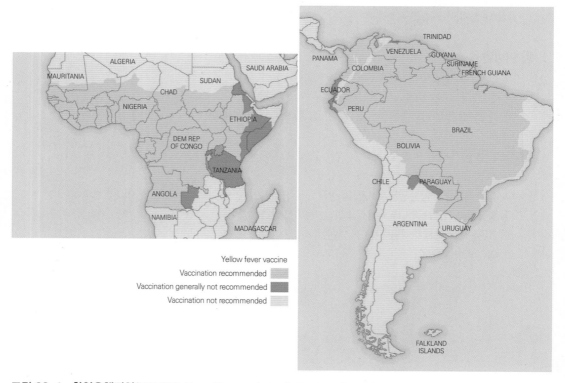

그림 28-1. **황열유행지역**(미국 CDC, https://www.cdc.gov/yellowfever/maps/index.html/)

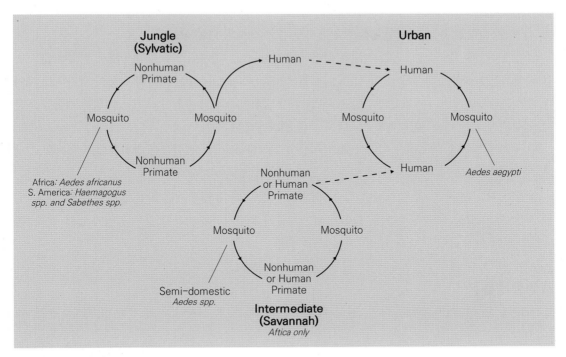

그림 28-2. 황열의 전파고리(미국 CDC, https://www.cdc.gov/yellowfever/transmission/index.html)

였다. 황열이란 병명은 1750년 바베이도스 지역 유행 시 처음 붙여졌다. 18세기 아메리카 대륙과 서아프리카에서 많은 사람이 이주한 후 유럽과 미국에서 수차례의 황열 유행이 있었다. 1900년 Walter Reed가 환자의 혈액에서 원인 병원체를 확인하고, *Aedes aegypti* 종의 모기에 의해 전파 된다는 것을 밝혔다. 남부유럽, 중동, 아시아, 호주 등의 일부 지역에도 *A. aegypti*는 많이 서식하지만 아직까지 황열이 토착화된 곳은 없다.

　사람을 포함한 영장류가 숙주이다. 암컷 모기의 흡혈에 의해 전파되는데, 아프리카에서는 Aedes spp. 모기가, 남아메리카에서는 *Haemagogus* spp. 또는 *Sabethens* spp. 모기가 매개체이다. 감염된 암컷모기에 의한 수직감염(vertical or transovarian transmission)이 모기 군락 내에서 황열바이러스 유지 및 순환에 중요할 것으로 생각된다.

　황열은 정글형(jungle or sylvatic), 도시형(urban), 중간형(intermediate or savannah)의 3가지 전파양식으로 전파된다(그림 28-2). 정글형에서는 모기와 원숭이 사이에 감염 고리가 형성되어, 원숭이가 바이러스의 증식 숙주의 역할을 하게 되며, 사람이 정글에 들어가는 경우 모기에 물리면 황열에 감염된다. 도시형 황열은 사람과 모기 사이에서 황열 전파 고리가 형성되는 것으로, 인구 밀집 지역에서 도시형 황열이 전파되면 대규모 황열 유행이 초래될 수 있다. 중간형은 아프리카에서만 발견되며, 아열대 지역, 습지 등에서 일어나는데, 사람 및 원숭이 모두 증폭 숙주의 역할을 한다.

남아메리카에서는 고온다습한 계절에 황열이 유행하는데, 1월부터 5월 사이에 환자 발생이 많으며, 그 중에서도 2~3월이 정점이다. 이 시기는 매개체인 *Haemagogus* spp. 모기의 활동이 증가하는 때이다. 서아프리카에서는 우기의 중반기인 8월부터 환자 발생이 시작되며 건기 초기인 10월에 정점을 이룬다. 기상의 변화에 따라 황열 유행 시기에도 종종 변화가 있다.

황열 환자 발생은 아프리카 지역이 90% 이상을 차지한다. 이는 황열백신 접종률이 상대적으로 낮고, 매개 모기 밀도 및 숙주(사람 및 원숭이) 밀도가 높기 때문으로 생각된다.

황열백신을 투여받지 않은 사람이 위험지역으로 여행할 때 황열에 걸릴 확률은 방문 지역, 계절, 방문 기간, 야외 활동 정도에 따라 큰 차이가 난다. 2주간 위험지역을 방문할 경우 황열에 걸릴 위험성과 황열로 인한 사망 확률은 대략 1/267 및 1/1,333이다.

3) 임상적 특징

중증 황열은 바이러스혈증, 발열, 전신 쇠약과 함께 간, 신장, 심장 등의 장기 손상, 황달, 출혈, 쇼

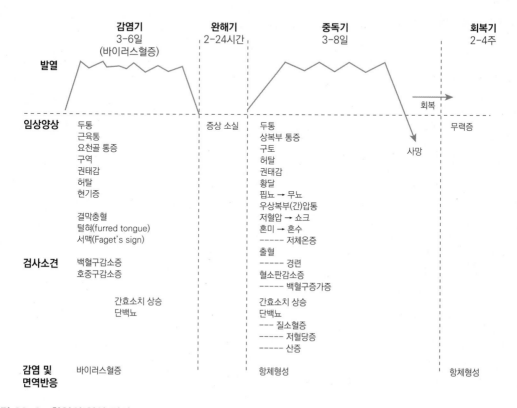

그림 28-3. **황열의 임상 경과**

크 등을 초래한다. 출혈열이 동반된 경우 치명률은 최대 50%에 이른다. 하지만 무증상 또는 경미한 증상으로 지나가는 경우도 흔히 있다.

감염력이 있는 모기에 물린 후 3-6일간의 잠복기를 거친 후 갑작스럽게 증상이 나타난다. 경미한 경우에는 발열, 두통, 비특이적인 전신증상만을 보이기 때문에 임상적 소견만으로 다른 급성 열성 질환과 쉽게 구분 되지 않으며, 수일 이내에 저절로 호전된다. 환자의 15% 정도에서는 중독기(period of intoxication)를 거치며, 중독기에서 회복되지 못하고 사망하기도 한다(그림 28-3).

감별해야 할 질환으로 뎅기열, 라싸열, 크리미아-콩고 출혈열(Crimean-Congo hemorrhagic fever), 렙토스피라증, Q열 등이 있다.

(1) 감염기

잠복기 후 3-4일 정도 지속되며, 이때 혈중 바이러스 수치가 높기 때문에 매개 모기에게 역으로 바이러스를 전파할 수도 있다. 사망자의 경우 감염기가 긴 경향이 있다. 이 시기에는 발열, 위약감, 두통, 광과민증(photophobia), 요천추통(lumbosacral pain), 하지 통증(특히 무릎관절), 전신 근육통, 식욕 저하, 구역, 구토, 좌불안석, 어지럼증 등이 나타날 수 있다. 신체검진 상 울혈, 결막, 치주, 안면 부위의 충혈, 상복부 압통, 간 종대 등이 관찰된다. 체온은 39℃ 이상을 보이고 경우에 따라서는 41℃ 이상의 고열이 동반되기도 하는데, 고열이 동반된 경우 예후가 좋지 않다. 어린이에서는 열성경련이 발생할 수 있다. 증상 발생 48-72시간 후 간 효소치 상승이 나타나며, 이후 황달이 나타난다. 간 효소치 상승이 심할수록 향후 간부전에 빠질 위험이 높다. 일반혈액 검사에서 백혈구 감소증, 상대적 중성구 감소증 등이 종종 관찰된다.

(2) 완해기

발열 등 증상이 완화되는 시기로 길게는 48시간 정도이다. 바이러스혈증이 없어지고, 혈중 항체가 나타나기 시작한다. 대개의 환자는 이때 이후로 회복되지만 15%의 환자는 중독기로 진행한다.

(3) 중독기

증상 시작 3-6일째부터 중독기로 접어든다. 체온이 다시 오르고, 상대적 빈맥, 구역, 구토, 상복부 통증, 황달, 핍뇨, 단백뇨, 출혈경향(hemorrhagic diathesis)이 나타난다. 이후 간, 신장, 심혈관계를 포함한 장기부전이 진행된다. 전체적으로 SIRS (systemic inflammatory response syndrome) 또는 다발성 장기부전의 특징을 보인다. 간 기능 이상은 AST (aspartate transaminase)가 ALT (alanine aminotransferase)보다 더 상승하는데, 이는 심근과 골격근 혹은 미토콘드리아 손상의 결과로 추정된다. 직접 빌리루빈은 5-10 mg/dL까지 상승하는데 사망환자에서 더 많이 상승하는 경향이 있다. ALP (alkaline phosphatase)는 정상이거나 약간 상승하는 정도이다. 신장 부전에 의해 소변량이 감소하고 요독증이 발생하며 단백뇨가 심해진다. 혈청 크레아티닌(creatinine)은 정상치보다 3–8배 상승하며, 대개 무뇨 발생 후 사망하게 된다. 이 시기에 출혈 경향이 현저해지는데, 토혈, 흑색변, 혈뇨, 자궁 출혈, 출혈반, 자반, 비출혈, 치주 출혈, 주사부위 출혈 등이 나타난다. 섬망, 초조, 경련, 의식 저하 등의 중추신경계 이상이 동반될 수 있다. 백혈구 증가, 저체온증, 초조, 발작, 조절되지 않는 딸꾹질, 저혈당, 고칼륨혈증, 대사성 산증 등이 있으면 예후가 좋지 않다. 남성, 연령 > 40세, 황달, AST > 1,200 IU/L, ALT > 1,500 IU/L, 직접 빌리루빈 > 5.0 mg/dL, BUN > 100 mg/dL일 경우 사망 위험도가 증가하는 것으로 알려져 있다. 치명률은 5% 미만이지만 일단 황달과 중증 증상이 생기면 20–30%까지 증가한다. 황열 예방접종을 받지 않은 사람이나, 이주자, 그리고 유행지역에서는 치명률이 50%까지 보고되고 있다.

4) 진단

실험실적 진단법은 다음 중 하나를 이용한다. 첫째, 황열바이러스 특이 IgM 항체 검출 또는 급성기와 회복기에 채혈한 검체에서 IgG 역가의 4배 이상 상승, 둘째, 바이러스 분리, 셋째, 사망 후 간 조직 병리 검사, 넷째, 면역조직화학법을 이용해서 조직에서 황열바이러스 항원 검출, 다섯째, 중합효소연쇄반응을 이용해서 혈액 또는 조직 등에서 유전자를 검출하는 것이다. 바이러스 분리를 위해서는 증상 시작 4일 이내에 채취한 혈액을 이용하는 것이 성공률이 높다.

5) 치료

특이한 치료는 없다. 대증요법 및 지지요법이 주를 이룬다. 출혈 경향을 조장할 수 있으므로 NSAID 투여는 피하는 것이 좋다. 동물 모델에서 ribavirin, interferon-α 등으로 시험해 본 연구가 있지만, 아직까지 사람에게 효과가 증명된 약물은 없다.

6) 예방

황열 약독화 생백신이 매우 효과적이다. 항체 생성 기간과 비자 발급 등을 고려하면, 최소 위험지역 출국 10일 전에는 백신을 접종받는 것이 좋다. 국내에서는 황열백신이 상업적으로 유통되지는 않지만, 국제공인예방접종지정기관 26개소, 12개 국립검역소, 5개 검역지소에 황열백신이 구비되어 있다. 황열백신을 시행하고 있는 기관은 질병관리본부 홈페이지에서 확인할 수 있다.

황열백신 접종증명서가 없으면, 비자 발급이 거부되거나 입국이 되지 않는 국가가 있다. 이와 관련된 정보는 미국 질병관리본부, 세계보건기구, 우리나라 질병관리본부에서 운영하는 관련 웹사이트, 각 국 대사관 홈페이지 등에서 확인할 수 있다. 만일 황열백신 금기에 해당되는 사람이 이들 국가를 여행하려면 예방접종 면제증명서를 받아야 한다.

2. 백신의 효능 및 효과

1927년 세네갈에서 분리된 야생형의 French vicerotropic virus (FVV)를 생쥐의 뇌에 계대배양을 해서 약독화시킨 French neurotropic vaccine (FNV)이 황열백신의 시초이다. 하지만, FNV는 어린이들에게 뇌염을 일으키는 이상반응 때문에 현재는 사용이 중단되었다.

현재 사용하고 있는 황열백신의 17D주는 Asibi주를 쥐 및 닭의 태아(murine and chick embryo)에 계대 배양하여 내장친화성(viscerotropism)과 모기에게로의 감염력(mosquito competence)을 없앤 것이다.

건강한 성인에서 17D주 황열백신 접종 후 7–10일 정도 경과하면 90% 이상에서 중화항체가 나타나며, 접종 3–4주에 정점에 달한다. 황열백신의 효능은 매우 뛰어나, 접종 28일째 96–100%에서 항체 양전을 확인할 수 있다. 아직까지 사람에서 황열백신의 효과에 대한 직접적인 비교 연구는 없다. 하지만 황열백신의 예방효과를 짐작할 수 있는 간접적인 자료는 많이 있다. 1986년 나이지리아 황열 유행 당시 황열백신의 예방효과는 85% 정도였다. 주목할 점은, 당시 황열 유행과 백신접종이 동시에 일어났으며, 백신접종 전 이미 황열에 감염되어서 잠복기를 거치고 있었던 사람도 있을 수 있다는 점이다. 이를 감안하면 실제 황열백신의 예방효과는 85%를 훨씬 상회할 것이라는 추측을 할 수 있다. 그 외에도 최근 50여 년간 브라질과 남아메리카에서 17D주 황열백신을 접종받은 사람에서 야생형 황열 환자가 없었다는 점, 황열 유행할 때 황열백신을 투여하면 유행이 종료되는 점, 예방접종을 하면 실험실에서 노출사고가 생기더라도 황열에 걸린 환자가 없다는 점 등을 감안하면, 황열백신이 매우 뛰어난 예방효과를 가지고 있다고 할 수 있다.

황열백신의 면역원성은 연령, 성별에 큰 영향을 받지 않는다. 다만 인종 차이는 있을 수 있는데, 백신접종 후 백인에서 혈중 항체가가 아메리카 거주 흑인(African-American)이나 히스패닉(Hispanic)보다 더 높은 것으로 알려져 있다.

황열백신은 매우 장기간동안 예방효과를 발휘하는데, 2차 세계대전 참전했던 퇴역군인들을 대상을 1980년대에 시행했던 연구에 따르면, 30–35년이 지난 후에도 80.6%의 피접종자에서 항체를 확인할 수 있었다. 또 다른 연구에서는 백신접종 16–19년이 지난 시점에서 92–97%의 피접종자에서 중화항체를 확인할 수 있었다.

다만, 황열백신 접종증명서는 접종 10일 후부터 유효하다. 과거에는 황열에 노출될 가능성이 지속적으로 있을 경우 10년마다 재접종을 권고했다. 그러나, 황열백신의 예방 효과가 평생 지속된다는 자료가 축적되면서 세계보건기구의 Strategic Advisory Group of Experts on Immunization (SAGE)는 더 이상 황열백신의 재접종이 필요없음을 발표하였다.

3. 적응증

유행지역을 방문하는 9개월 이상에서 만 59세 이하의 소아와 성인은 금기증이 없는 한 백신을 접종하여야 한다. 일부 비유행지역 국가에서도 경우에 따라 황열백신 접종증명서를 요구하는 곳이 있다. 아프리카나 남아메리카의 많은 나라에서 황열백신 접종증명서가 없을 경우 비자 발급 또는 입국이 거부되기 때문에 이 지역을 여행하는 경우 미국 질병관리본부, 세계보건기구, 우리나라 질병관리본부에서 운영하는 관련 웹사이트, 각국 대사관을 통해 확인하는 것이 좋다.

4. 투여방법

현재 전 세계적으로 유통되고 있는 17D주 계열의 황열백신들의 특성은 서로 비슷하다. 2017년 10월 현재 국제공인예방접종지정기관 26개소, 12개 국립검역소, 5개 검역지소에 비치되어 있는 Stamaril®의 주성분은 계태아(chicken embryo)에서 배양한 17D 주의 약독화된 황열바이러스이며 1도스당 1,000 U 이상의 바이러스를 포함하고 있다. 그 외에 lactose, sorbitol, L-histidine hydrochloride, L-alanine, 완충식염수 등이 포함된 안정제, 그리고 희석액으로 0.4% 식염수가 포함되어 있다. 보관은 2-8℃에서 냉장보관하며, 얼리면 안 된다. 1도스의 백신을 같이 제공된 희석액과 같이 혼합하면 0.5 mL가 되고 이를 피하 또는 근육에 주사한다. 희석된 백신은 바로 사용해야 한다. 한번 접종으로 거의 100%에 가까운 면역 유발 효과가 있으며 최소 10년 이상 효과가 지속된다. 피하 또는 근육주사한다.

황열백신은 A형간염백신, B형간염백신, 경구용 장티푸스 생백신, Vi 항원 장티푸스백신(ViCPS), 경구용 폴리오백신, 불활화 폴리오백신, DTaP, 수막알균백신, BCG 등과 동시에 투여할 수 있다. 다만 동시에 접종할 경우라도 접종 부위는 다르게 해야 한다. 만일 황열백신과 다른 백신을 인접부위에 접종해야 한다면 최소 2.5 cm 이상의 간격을 두어야 한다. 항말라리아 약물을 복용하더라도 황열백신 투여는 문제가 되지 않는다.

만약 동시투여가 아닌 경우, 황열백신과 다른 생백신간 접종간격, 4주 이상을 지켜 투여해야 한다.

이전에 일본뇌염에 감염되었거나, 일본뇌염 예방접종을 한 경우라도 황열백신 접종 후 혈청 반응에는 영향이 없었다. 다만, 뎅기열을 앓았던 경우에는 교차면역에 의한 방해 때문에 황열백신 접종 후 면역반응이 감소될 수 있는 것으로 알려져 있다.

5. 이상반응

많게는 2/3의 피접종자가 이상반응을 경험하는 것으로 알려져 있다. 하지만 거의 모든 이상반응은 저절로 좋아지거나 대증치료로 충분히 호전된다. 흔한 이상반응으로는 주사부위 발적 및 통증을 포함한 국소 이상반응, 인플루엔자 유사 전신증상(flu-like systemic reaction), 피로감, 위약감, 두통, 위장관 증상 등이다.

즉각적인 알레르기 반응으로 두드러기나 아나필락시스와 같은 이상반응이 나타날 수 있다. 전신적인 알레르기 반응의 빈도는 58,000-131,000 접종당 1회의 비율로 보고되고 있다. 백신 주의 바이러스를 계태아에서 키우기 때문에 계란 알레르기가 있다면 황열백신 접종 후 알레르기 반응이 나타날 수 있다. 또한, 일부 황열백신에 안정제로 젤라틴 성분이 포함되어 있는데 이로 인한 알레르기 반응도 가능하다. 다만, 국내 국제공인예방접종지정기관 26개소, 12개 국립검역소, 5개 검역지소 등에서 접종 중인 Stamaril®에는 젤라틴 성분은 포함되어 있지 않다.

계란 알레르기가 있는 사람은 황열백신의 상대적 금기증에 해당되나 감작반응 검사를 한 후 접종할 수 있다. 감작반응 검사를 위해서는 우선 1:10으로 희석한 백신을 이용해서 prick test(또는 scratch나 needle puncture)를 한 후 음성인지를 확인한다. 이때 음성 대조 및 양성 대조(histamine)와 같이 시행한다. 여기서 음성으로 확인되면 1:100으로 희석된 백신 0.2 mL를 피내접종 후 팽진의 크기를 확인한다. 팽진의 크기가 5 mm 이상이면 양성으로 판정한다. 만약 일련의 검사결과가 모두 음성이면 황열백신 접종을 시도할 수 있다. 양성일 경우에라도 상황에 따라 탈감작 치료 후 백신접종을 시도할 수 있다.

황열백신 접종 후에 드물게 황열백신 연관 신경질환, 황열백신 연관 유사 황열 등 치명적인 이상반응이 생길 수 있다. 미국에서 이상반응의 빈도는 백만 접종당 각각 2.5-6례, 2.5-5례 정도로 추정된다. 이러한 이상반응은 9개월 미만의 영아, 65세 이상 고령자에서 더 흔한 것으로 알려져 있다.

1) 황열백신 연관 신경질환(yellow fever vaccine-associated neurologic disease, YEL-AND)

YEL-AND는 백신접종 후 발생하는 뇌염이다. 1940년대 이후 백신 제조 과정이 표준화되면서 YEL-AND의 빈도는 많이 줄었다. 1952-1963년 프랑스에서의 보고에 따르면 황열백신을 접종받은 1세 미만의 영아 1,800명 중 5명이 YEL-AND에 이환되었다. 미국에서의 통계를 참조하면 YEL-AND의 빈도는 4,000,000-5,000,000 도스당 1회 정도로 발생하고 그 중 5% 정도가 사망한다.

전형적으로 17D 황열백신 접종 7-21일에 발생한다. 발열과 뇌막자극 증상, 경련, 의식저하, 마비, 길랑-바레 증후군 등을 포함하는 다양한 신경계 이상이 나타날 수 있다. 대개의 경우 완전히 회복되지만 사망에 이르기도 한다. 뇌척수액 검사에서 백혈구 증가(100-500개: 중성구와 림프구가 혼재되어 나옴), 단백질 증가, 황열바이러스 특이 IgM 항체 양성 등의 소견을 보인다.

YEL—AND는 황열백신 투여 후 접종된 바이러스가 증식하는 과정에서 신경독성이 증가되는 돌연변이가 발생하는 것에 기인하는 것으로 추정된다.

2) 황열백신 연관 유사 황열(yellow fever vaccine-associated viscerotropic disease; YEL-AVD)

미국의 통계에 따르면 YEL—AVD는 3,000,000—4,000,000 도스당 1회 정도로 발생하며, 이 중 60%가 사망한다.

YEL—AVD는 황열백신 후 황열과 비슷한 증상이 나타나는 것으로 발열, 근육통, 두통, 권태감, 저혈압, 간염, 다장기 부전 등이 나타난다. YEL—AVD는 피접종자의 비정상적인 감수성 증가에 의한 것으로 추정된다. 고령, 흉선질환 등이 YEL—AVD 발생의 위험인자로 알려져 있다.

6. 금기

1) 6개월 미만 영아

영아에서 YEL—AND의 발생 위험도가 높기 때문에 금기증에 해당한다. 6개월 이상 9개월 미만의 영아의 경우에는 황열에 걸릴 위험도에 따라 접종 여부를 결정한다.

2) 계란이나 백신의 다른 성분에 아나필락시스성 과민 반응이 있는 사람

백신에 사용되는 바이러스를 계태아에서 배양하기 때문에 계란단백에 심각한 알레르기 반응이 있었던 경우에는 주의가 필요하다. 하지만 계란 알레르기가 있는 42명을 대상으로 17D 주 황열백신 감작반응을 확인한 연구에서, 16%의 피검자에서만 반응이 확인되었으며 나타난 반응도 대부분 경미한 것이었다.

따라서 계란 알레르기는 황열백신 접종의 절대적인 금기증은 아니며, 감작반응 검사를 확인한 후 접종을 고려할 수 있다. 만일 감작반응 검사상 양성이라고 하더라도 꼭 필요하다고 판단되는 경우에는 탈감작 후 백신접종을 고려할 수 있다.

3) 임신부 또는 수유부

이론적으로 백신 주의 바이러스가 태반을 통해서 태아에게 전파된 후 YEL—AND와 같은 문제를 초래할 수 있기 때문에 임신부는 황열백신 금기증에 해당한다. 다만, 임신 6개월이 경과했고 황열에 걸릴 확률이 매우 높은 상황에서는 제한적으로 허용된다.

수유부는 이론적으로 모유를 통해서 아이에게 백신 주의 바이러스를 전파할 수 있다는 문제가 있다. 하지만, 실제 황열백신을 접종받은 수유부가 아기에게 바이러스를 옮긴 경우는 아직까지 없었다.

수유부를 백신접종 대상에서 제외할 것인지의 여부는 전문가마다 의견이 차이가 있다. 따라서 수유부의 경우 절대적 금기증이라기 보다는 상대적 금기증에 해당한다고 보는 것이 타당하다.

4) 흉선질환을 포함한 면역저하자

이론적으로 면역력이 떨어지는 사람이 황열백신을 투여받을 경우 YEL-AND나 YEL-AVD가 발생할 위험이 있다. 따라서 HIV 감염, 항암 화학요법, 흉선질환, 흉선절제, 백혈병, 림프종, 전신성 악성 종양, 면역억제제 투여 등의 병력이 있을 경우에는 금기증에 해당한다.

다만, HIV에 감염되었다고 하더라도 면역기능이 유지되고 있다고 판단되는 경우(대개 말초혈액 CD4 T 세포 200개/μL 이상인 경우)에는 황열백신 투여를 고려할 수 있다. 또한, 2주 미만의 단기간 corticosteroid 투여, 저용량의 corticosteroid (prednisolone 기준 하루 20 mg 이하) 투여, 관절강을 포함한 국소 부위 corticosteroid 투여 등은 황열백신 투여의 금기증에 해당되지 않는다.

7. 국내유통백신

민간에서 유통되는 황열백신은 현재까지 없다. 국제공인예방접종지정기관 26개소, 12개 국립검역소, 5개 검역지소에 백신이 비치되어 있어 접종이 가능하다.

제조회사	제품명	용량	접종 일정
Sanofi Pasteur	Stamaril	0.5 mL	1회 접종, 필요시 매 10년마다 재접종

참고문헌

1. Fontenille D, Diallo M, Mondo M, et al. First evidence of natural vertical transmission of yellow fever virus in Aedes aegypti, its epidemic vector. Trans R Soc Trop Med Hyg 1997;91:533-5.
2. Gershiman M, Schroeder B, Jentes ES, et al. Yellow fever vaccine requirements and recommendations, by country. In: Brunette GW, Kozarsky PE, Magill AJ, Shlim DR, Whatley AD eds. CDC Health Information for International Travel 2010. Maryland Heights: Mosby; 2009;60-74.
3. Monath TP. Yellow fever: an update. Lancet Infect Dis 2001;1:11-20.
4. US Center for Disease Control and Prevention. Yellow Fever & Malaria Information, by Country. Available at: https://wwwnc.cdc.gov/travel/yellowbook/2018/infectious-diseases-related-to-travel/yellow-fever-malaria-information-by-country. Accessed 18 October 2017.
5. US Center for Disease Control and Prevention. Yellow Fever. Available at: https://www.cdc.gov/yellowfever/index.html. Accessed 18 October 2017.

A형간염

부산대학교 의과대학 **이신원**
서울대학교 의과대학 **김의석**

1 대한감염학회 접종 권장대상과 시기

가. A형간염 유행지역 여행자나 장기 체류자

나. A형간염 환자와 접촉하는 자

다. A형간염바이러스를 다루는 실험실 종사자

라. 직업적으로 노출될 위험이 있는 자(의료기관종사자, 군인, 요식업 종사자, 어린이를 돌보는 시설에 근무하는 자 등)

마. 혈액응고 질환자

바. 만성 간질환자

사. 약물 남용자

아. 남성 동성애자

단, 2018, 2019년 국내 A형간염 유행과 역학을 고려하여 고위험군이 아니더라도 40세 미만에서는 항체검사결과 없이, 40세 이상에서는 항체검사 후 음성일 경우 백신 접종을 권고

2 접종용량 및 방법

가. 2회 접종: 첫 접종 후 6-18개월 사이에 2차 접종

나. 18세 이하에서는 0.5 mL, 19세 이상에서는 1.0 mL을 근육주사

[단, 아박심의 경우 15세 이하에서는 80 U (0.5 mL), 16세 이상에서는 160 U (0.5 mL)]

3 이상반응

가. 국소반응: 접종부위 동통, 발적

나. 전신반응: 피로감, 발열, 설사, 구토, 두통

4 주의 및 금기사항

백신성분에 과민반응이 있는 경우

1. 질병의 개요

1) 원인 병원체

A형간염바이러스(hepatitis A virus, HAV)는 Picornavirdae과, Hepatovirus속에 속하는 외피미보유 (non-enveloped) RNA바이러스로 유전자의 크기는 7.5 kb이다. 사람에서 4개의 유전자형(I, II, III, IV) 이 보고되었는데 이 중 I, III형이 가장 흔하다. 유전자 변이가 있더라도 항원변이는 매우 드물어 단일 혈청형만이 존재한다. 따라서 세계 여러 지역에서 분리된 HAV을 이용하여 제조된 백신이나 면역글로 불린이 동일한 방어효과를 나타낸다. HAV는 경구-분변경로를 통해 전염되는데, 비교적 열과 산성 환 경에서 잘 살아남아 85℃ 이상의 고열을 1분 이상 가하거나 sodium hypochlorite 1:100 희석액에 1분 이상 접촉해야 불활화시킬 수 있다. 4-6주의 잠복기 동안 위장관에서 흡수된 바이러스는 문맥을 통해 간으로 이동하여 간세포에서 증식한 후 담관과 장을 통해 분변으로 고농도의 바이러스가 배출되는데, 황달을 동반한 증상이 나타나면 대부분의 환자에서 분변 내 바이러스 농도는 급격히 감소한다. 따라서 증상을 동반한 환자는 변실금(fecal incontinence)이 있거나 설사를 지속하는 경우 격리하는 것을 권고 한다.

2) 역학

A형간염은 분변에 오염된 바이러스가 사람의 손이나 기물 등에 묻어 있다가 사람들 간 밀접한 접촉 을 통해 감염되는 경로가 가장 흔한데 성인에 비해 위생개념이 낮은 소아들이 주로 감염을 매개한다. 따라서 소아들에게 백신접종을 하면 A형간염의 발생률은 급격히 감소함이 보고되었다. 그 외에 음식물 이나 물을 통한 전파, 오염된 혈액제제나 비경구 마약 남용자나 동성애 남성들 사이에 전파될 수 있다. 우리나라의 경우 1990년 이전까지는 대부분의 국민이 소아기에 무증상 혹은 경미한 자연감염을 통해 보호항체(anti-HAV IgG)를 획득한 후 성인이 되므로, 성인에서 중증 A형간염 증례를 찾아보기 어려웠 다. 그러나 과거 30-40년 동안 사회 경제적 발전과 더불어 위생 여건이 빠르게 개선되었고 최근의 20-30대 성인은 소아기에 자연감염을 경험하지 않아 보호항체가 없는 경우가 대부분이며 이들이 2006-2009년에 걸친 국내 성인 A형간염 대유행의 주 연령층이 되었다. 이후 2010년부터 A형간염 발생 이 감소하여 2013년에는 1,000건 이하로 감소하였다가 2016년부터 다시 증가하고 있다(그림 29-1). 특히 최근에는 A형간염의 주연령층이 20-40대로 증가하였고, 50세 이상의 연령에서도 상당수가 발생하고 있다. 1990년부터 우리나라에 발생하는 A형간염은 대부분 유전자형 I형이었으나 2002-2009년 유행에 서는 III형이 유행하였다. 최근 연구에서는 I형이 다시 유행하고 있는 것이 확인되었다.

지난 30-40년 동안 우리나라의 A형간염 항체유병률은 급격하게 후진국형에서 선진국형으로 변화하 고 있다(그림 29-2). 2014년 국내 인구집단에서 A형간염 항체보유율은 10대에서 35.2%, 20대에서 20.2%, 30대에서 32.4%, 40대에서 79.3%, 50대에서 98.1%, 60대 이상에서 99.6%로 보고되었다(표 29-1). 10세 미만에서 1997년 2% 정도이던 항체유병률이 2009년 69%로 증가하였는데, 소아에서 항체유병률이 점진적으로 증가하는 것은 1997년 A형간염백신이 국내에 도입된 이후 소아를 대상으로 백신접종이 적극적으로 이뤄진 결과로 보인다.

3) 임상적 특징

A형간염의 임상양상은 감염 당시 감염자의 나이와 관련이 깊은데 6세 미만의 소아기에 감염되면 70% 이상이 무증상이거나 가벼운 증상만을 나타내지만 성인에서는 70% 이상에서 증상이 상당히 심한 급성 간염의 임상양상을 보인다. 전형적인 증상은 고열, 구역, 피로감, 복부통증, 황달 등이며 드물게 관절증상, 신기능 저하, 늑막염, 담낭염, 췌장염, 신경증상 등 간외 증상을 동반할 수 있다. 만성 간염으로는 이행하지 않으나 성인에서 평균 아미노전이효소(aminotransferase) 수치가 2,000-3,000 IU/mL, 빌리루빈 수치가 6 mg/dL 정도를 상회하는 심한 급성 간손상의 소견을 보인다. 0.5% 미만의 환자들에서 전격성 간부전으로 이행하며 사망률은 0.2% 정도로 보고되었다. 특히, 40세 이상, 기존 만성 간질환자에서 간부전 발생의 위험이 높고 사망률도 현저히 증가한다. 임신 중 A형간염에 걸릴 경우 산모위험과 조산위험이 높아지나 태아의 예후는 양호하다고 알려져 있어 성인에서 A형간염이 유행하는 지역에서는 임신 전 검사에 A형간염 항체검사를 포함하고 임신 전에 백신을 접종하는 것이 좋다.

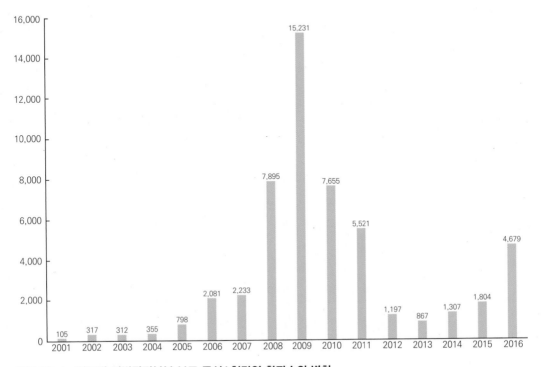

그림 29-1. 연도별 질병관리본부 보고 급성A형간염 환자수의 변화

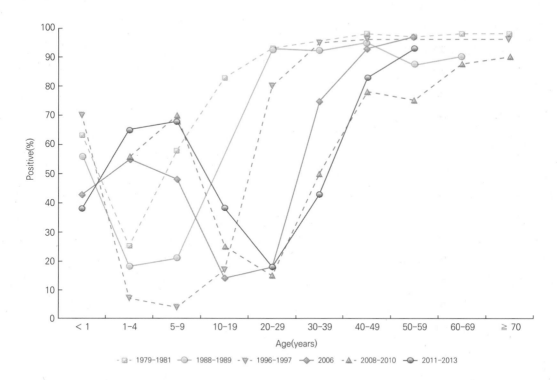

그림 29-2. 과거 30년 동안 국내 A형간염 항체양성률의 변화

표 29-1. 연령대별 A형간염 항체 유병률(%)

Age (year)	2005	2006	2007	2008	2009	2010	2011	2012	2013	2014
0-9	33.4	52.7	42.4	50.7	69.8	65.8	53.9	71.0	65.4	67.7
10-19	15.4	19.0	20.0	25.5	23.2	19.0	26.4	33.8	35.4	35.2
20-29	22.5	29.2	19.1	17.2	11.9	8.7	13.3	16.2	16.3	20.2
30-39	69.6	67.6	63.8	58.6	48.4	40.7	37.3	34.3	32.1	32.4
40-49	97.9	96.7	94.7	91.4	89.1	87.9	86.1	84.1	80.8	79.3
50-59	98.7	98.2	98.0	99.0	98.8	98.7	98.7	98.4	98.0	98.1
60-						99.2	98.1	99.3	99.5	99.6
전체	65.6	68.2	64.9	65.1	63.8	61.0	60.5	62.9	61.6	62.2

4) 진단과 치료

A형간염은 anti-HAV IgM 항체 양성으로 진단한다. 그러나 증상이 있는 환자들의 약 5%에서는 병원 방문 초기에 시행한 anti-HAV IgM 항체가 음성일 수 있으므로 임상적으로 A형간염이 의심될 경우에는 내원 당시 anti-HAV IgM 항체가 음성이더라도 3-7일 이후에 다시 검사하여 양전되는지 확인할 필요가 있다. A형간염의 치료는 수액이나 영양공급, 항구토제 투여 등 보존적 치료이며, 전격성 간부전이 진행하면 간이식을 고려한다.

5) 접촉자 관리

A형간염바이러스에 노출된 사람 중 과거 병력이 없거나 A형간염백신 접종력이 없는 경우 백신이나 면역글로불린을 가능한 빨리 접종받아야 한다. A형간염바이러스에 노출 후 2주 이내에 면역글로불린을 0.02 mL/kg 투여하면 85%에서 현증 감염이 예방된다. 최근 연구에서 생후 12개월부터 40세까지 연령에서의 노출 후 예방조치시 백신과 면역글로불린 간 효과의 유사함이 확인되었다. 40세까지의 건강한 사람에게는 환자와 노출 2주 이내이면 A형간염백신 접종이, 40세 이상연령은 면역글로불린이 추천되며 이를 구할 수 없으면 백신을 접종한다.

면역저하자, 만성 간질환자, 백신에 금기사항이 있는 사람도 환자와 노출 2주 이내이면 면역글로불린(0.02 mL/kg, 최대 5 mL)을 근육주사 한다. 백신에 금기사항이 있는 사람들을 제외하고 면역글로불린을 투여받는 사람은 동시에 A형간염백신을 접종받아야 하며 접종일정에 따라 2차 접종을 한다.

2. 백신의 종류

A형간염백신은 환자로부터 분리한 바이러스종을 계대 세포 배양하여 증식시킨 후 세포를 용해시키고 바이러스를 정제하여 포르말린(formalin)으로 불활화시킨 후 항원성을 높이기 위해 alum을 첨가하여 생산한다. 그 종류 및 제형은 '국내유통백신'에 언급된 표와 같다. 백신은 2-8℃에서 보관해야 하나 37℃에서도 1주 이상 면역원성을 유지한다. 동결해서는 안 된다. 중국에서는 약독화 생백신이 사용되고 있으나 불활화백신에 비해 면역원성이 낮다. 백신은 소아용과 성인용으로 구분되어 있고 교차접종이 가능하다. A형간염과 B형간염에 대한 혼합백신(Twinrix, GSK)은 외국에서는 사용하고 있으나 국내에는 도입되지 않았다.

3. 백신의 효능 및 효과

불활화백신들은 제조사에 따라 성분과 항원량에 차이가 있지만 권장하는 접종량과 일정을 따르게 되면 항체양전율과 면역원성은 차이가 없으며, 면역원성이 매우 높아서 2세 이상 소아와 성인에서는 1회 접종만으로도 95% 이상에서 높은 항체가가 생성된다. 초회 접종 후 6-18개월에 추가접종을 하면 거의 100%에서 항체가 생기고 95% 이상에서 간염을 예방할 수 있으며 5-10년 이상의 장기방어능력을 가지게 된다. A형간염백신의 장기간 효과에 대한 연구가 아직 없기 때문에 2회 접종 이후 추가접종의 필요성에 대해서는 결정된 바가 없다. 그러나 모체로부터 전달된 항체를 가진 2세 미만의 어린이, HIV 감염인, 만성간질환자나 고령자에서는 면역원성이 상대적으로 낮다.

4. 적응증

성인에서 A형간염 백신접종은 A형간염에 대한 면역력이 없는 고위험군에서 권고되며 적응증은 표 29-2와 같다. A형간염 유행지역으로 여행하거나 이주하는 경우에는 백신접종을 권고하는데 1차 접종은 여행을 계획하는 즉시 접종하도록 하고 출발하는 당일이라도 백신을 접종하는 것을 권고한다. 이외에도 소아청소년이나 성인(주 대상은 20-30대 연령)에서 백신접종력이 없거나 A형간염을 앓은 적이 없는 자 중 A형간염에 대한 면역을 얻기 원하는 경우는 백신을 접종할 수 있다.

최근의 국내 역학 자료에서 A형간염 항체양성률이 20대에서 약 20%, 30대에서 약 30%임을 고려할 때, 40세 미만에서는 과거 백신접종을 받은 적이 없는 경우 항체검사 없이 백신을 접종하고, 40세 이상에서는 항체검사를 시행하고 항체가 없는 경우에 백신접종을 권장한다.

표 29-2. A형간염 고위험군 백신 적응증

A형간염 유행지역 여행자나 장기 체류자
A형간염 환자와 접촉하는 자
A형간염바이러스를 다루는 실험실 종사자
직업적으로 노출될 위험이 있는 자(의료기관종사자, 군인, 요식업 종사자, 어린이를 돌보는 시설에 근무하는 자 등)
혈액응고 질환자
만성 간질환자
약물 남용자
남성 동성애자

최근 국내 성인에서 A형간염의 발생률이 높고, 소아들에 대한 일괄 접종으로 A형간염의 성인발생률을 급격하게 낮춘 외국의 사례들을 근거로, 2015년 5월부터 우리나라에서도 A형간염백신이 국가필수예방접종사업(national immunization program, NIP)에 포함되어 모든 영유아 및 소아청소년에서 접종을 권고하고 있고, 2012년 1월 이후 출생아의 경우 무료로 접종받을 수 있다. 소아에서는 생후 1년 동안은 모체로부터 전달된 항체로 인해 백신효과가 낮기 때문에 12개월 이후에 접종한다. 군대에서는 2010년부터 군대 내 고위험군(의료종사자, 식품취급종사자, 만성 간질환자)을 대상으로 접종을 시작하여 2013년에는 강원도와 경기도 지역(1군, 3군) 일부 훈련소 입소 장병으로 확대하였고 2015년부터는 전 훈련소 입소 장병을 대상으로 A형간염백신을 1회 접종하고 있다.

5. 투여방법

접종 전 충분히 흔들어 준 후 근육주사한다. 2세 이상에서는 어깨세모근에, 2세 미만에서는 대퇴사두근에 접종한다. A형간염백신과 다른 백신을 동시에 접종할 경우(B형간염, 인플루엔자, 폐렴사슬알균, 파상풍, 장티푸스, 황열, MMR, 수두, b형 헤모필루스균 등) A형간염백신 접종 부위와는 다른 부위에 다른 주사기를 사용하여 접종한다. 제품의 개요 및 접종 간격 등은 국내 유통백신의 제품설명서(package insert)에 제시하였다.

6. 이상반응

백신 접종부위의 경미한 피부발적이나 통증, 열 등이 보고되었으나, 아나필락시스 등의 예외적인 경우 이외에 심한 이상반응은 거의 보고되지 않았다.

7. 금기 및 주의사항

백신 성분에 과민반응이 있었던 경우는 백신접종 금기이다. 급성 질환을 앓고 있거나 면역저하자에서는 백신 이상반응이나 효과감소에 대한 주의가 필요하다. 임신 시 A형간염백신 접종의 안전성에 대한 연구는 부족하지만 다른 불활화백신의 경험에 의거하여 감염위험이 높은 경우에는 임신 중 A형간염백신을 접종할 수 있는데(미국 식품의약국 임신 중 약제위험도 C등급, 호주 임신 중 약제위험도 B등급), 임신 중 A형간염에 걸릴 경우 산모위험과 조산위험이 높아지는 것을 막을 수 있는 이득과 백신접종에 따른 위험을 고려하여 결정한다. A형간염백신은 수유 중 접종이 가능하다.

8. 국내유통백신

제품명	제조사	백신주	용량		용법/접종 일정
Havrix®(하브릭스주)	Glaxo Smith Kline	HM 175	소아용 (12개월–18세까지) 720 ELU (0.5 mL)		2회/근육주사 0, 6–12개월
			성인용 (19세 이상) 1440 ELU (1 mL)		
Vaqta® (박타주)	MSD	CR 326F	소아용 (12개월–18세까지) 25 IU (0.5 mL)		2회/근육주사 0, 6–12개월
			성인용 (1세 이상) 50 IU (1 mL)		
Avaxim® (아박심주)	사노피– 파스퇴르	GBM	소아용 (12개월–15세까지) 80U (0.5 mL)		2회/근육주사 0, 6–12개월
			성인용 (16세 이상) 160U (0.5 mL)		

* ELU, enzyme–liked immunosorbent assay units; IU, International units; U, units

참고문헌

1. 김종현. 국내 A형간염 바이러스 분리주의 임상정보 및 분자생물학적 역학특성 분석. 질병관리본부; 2014.
2. 이창홍. 급성 바이러스성 간염의 진단 및 국내현황, 대한 소화기학회 총서 2권. 2판. 서울: 군자출판사; 2004.
3. Cuthbert JA. Hepatitis A: old and new. Clin Microbiol Rev 2001;14:38-58.
4. Elinav E, Ben-Dov IZ, Shapira Y, et al. Acute hepatitis A infection in pregnancy is associate with high rates of gestational complications and preterm labor. Gastroenterol 2006;130:1129-34.
5. Franco E, Giambi C, Ialacci R, et al. Risk groups for hepaitis A virus infection. Vaccine 2003;21:2224-33.
6. Kim JH, Yeon JE, Baik SK, et al. Genotypic shift of the hepatitis A virus and its clinical impact on acute hepatitis A in Korea: a nationwide multicenter study. Scand J Infect Dis 2013;45:811-8.
7. Kim KA, Lee A, Ki M, et al. Nationwide seropositivity of hepatitis A in republic of Korea from 2005 to 2014, before and after the outbreak peak in 2009. PLoS ONE 2017;12:e0170432.
8. Lee H, Cho HK, Kim JH, et al. Seroepidemiology of hepatitis A in Korea: changes over the past 30 years. J Korean Med Sci 2011;26:791-6.
9. Moon S, Han JH, Bae GR, et al. Hepatitis A in Korea from 2011 to 2013: current epidemiologic status and regional distribution. J Korean Med Sci 2016;31:67-72.
10. Victor JC, Nonto As, Surdina TY, et al. Hepatitis A vaccine versus immune globulin for post exposure prophylaxis. N Engl J Med 2007;357:1685-94.
11. Whelan J, Sonder GJ, Bovée L, et al. Evaluation of hepatitis A vaccine in post-exposure prophylaxis, The Netherlands, 2004-2012. PLoS One 2013;8:e78914.
12. Wise ME, Sorvillo F. Hepatitis A-related mortality in California, 1989-2000: analysis of multiple cause-coded death data. Am J Public Health 2005;95:900-5.
13. Yoo SJ, Seo DD, Choi WC, et al. Co-circulation of two genotypes of hepatitis A virus from sporadic cases in northeastern area of Seoul, Korea. Korean J Lab Med 2008;28:371-7.
14. Yoon EL, Sinn DH, Lee HW, et al. Current status and strategies for the control of viral hepatitis A in Korea. Clin Mol Hepatol 2017;23:196-204.

B형간염

전남대학교 의과대학 **정숙인**
동아대학교 의과대학 **이 혁**

1 대한감염학회 접종 권장대상과 시기

가. 모든 신생아

나. B형간염 감염 고위험군 중 백신 미접종자

1) HBs항원 양성자의 배우자, 동성애자

2) 경피 또는 점막에 혈액 노출 고위험자: 약물남용자, HBs항원 양성자의 가족 접촉자, 발달장애자 시설 근무자, 혈액 또는 혈액이 오염된 체액 노출 고위험 의료종사자, 혈액 또는 복막 투석을 포함한 말기신부전 환자

3) 그 외: B형간염 토착지역(HBs항원 유병률≥2%) 여행자, 만성 간질환자, 인간면역결핍 바이러스 감염인 등

다. B형간염백신 미접종 소아와 성인

2 접종용량 및 방법

가. 0, 1, 6개월의 간격으로 3회 근육주사

나. 성인 1회용량은 20 ㎍ (1 mL)이나 혈액투석환자 또는 면역저하자에게는 40 ㎍을 접종

3 이상반응

가. 주사부위의 통증, 발열

나. 과민성 아나필락시스

4 주의 및 금기사항

백신성분에 과민반응이 있는 경우

1. 질병의 개요

1) 원인 병원체

　B형간염바이러스(HBV)는 42 nm 크기의 DNA바이러스이며 Hepadnavirdae에 속한다. HBV는 HBs항원을 포함하는 외피와 HBc항원을 포함하는 nucleocapsid, 그리고 그 내부의 부분이중가닥(partially double-stranded) DNA로 구성되어 있다. HBV DNA는 3,200개의 뉴클레오타이드로 이루어져 있으며 서로가 겹쳐지는 pre-S/S 유전자, C 유전자, P 유전자 ORF (open reading frame)를 이용해서 효율적으로 바이러스 단백을 합성한다(그림 30-1).

　HBs항원은 혈청의 중화항체와 반응하는 항원이며 바이러스의 혈청형을 결정한다. S 유전자의 항원 결정기 부위에 변이가 생기면 HBs항체나 B형간염 면역글로불린(hepatitis B immune globuline, HBIG) 존재하에도 감염력을 갖는 'escape mutant'로 작용한다.

　HBc항원과 HBe항원은 C 유전자로부터 만들어지며 HBe항원은 혈청으로 분비된다. Precore/core부위의 1896위치 유전자에 점 돌연변이(T→A)가 생기면 stop codon이 되어 HBe항원은 발현되지 않으나 감염력은 유지된다.

　HBV는 주로 간세포에서 증식하나, 바이러스가 간세포를 직접 파괴하지는 않는다. HBV에 의한 간세포 손상은 주로 바이러스 단백에 대한 숙주의 세포매개 면역반응에 의해서 일어난다. 감염된 간세포 표

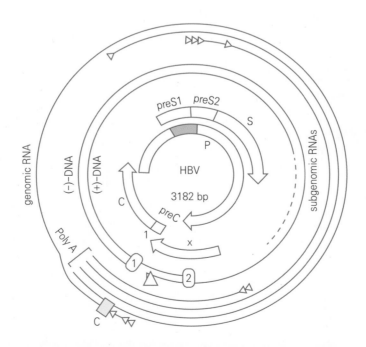

그림 30-1. B형간염바이러스 유전자 구조(J Viral Hepat 3:217, 1996)

면에 표현된 HBV항원과 HLA의 결합체를 T 세포 수용체가 인지하여 세포살상 T 세포가 활성화되고 그 결과 간세포가 파괴된다. 만성 B형간염 환자는 급성간염에서와 달리 T 세포 면역반응이 감소하고 바이러스 감염이 지속된다. 이밖에 관절염, 발진과 같은 간 외 증상은 면역결합체에 의한 염증반응으로 나타난다.

2) 역학

B형간염은 전 세계적으로 2억 4천만 명의 감염자가 있고 매년 60만 명 이상이 관련 질환으로 사망하는 중요한 질환이다. 우리나라에서도 급성 및 만성간염, 간경화증 및 간세포암종 발병의 주요 원인으로 1970년대부터 국민보건의 중요한 질환으로 인식되고 있다. 1982년 제3종 법정전염병으로 지정되었고, 2000년 제2군 감염병으로 지정되어 표본감시체계로 운영되었으나, 2009년 개정된 「감염병의 예방 및 관리에 관한 법률」 전면시행(2010년 12월)에 따라 전수감시체계로 전환되어 운영되었다가, 「감염병의 진단기준」 고시개정으로 2016년부터 급성 B형간염만 신고대상으로 변경되었다. 급성 B형간염은 2011년 462건이 신고된 이후 점차 감소하였고, 2016년에는 359명이 신고되었다.

우리나라의 HBV 감염률은 B형간염백신이 상용화되기 이전인 1980년대 초에 남자 8–9%, 여자 5–6%로 보고되었지만 1983년 국내에서 처음으로 백신이 사용된 이후 1991년 신생아 예방접종, 1995년 국가예방접종사업, 2002년 주산기 감염 예방사업이 시작되면서 점차 감소하는 경향을 보여 2006년 4–6세 아동에서는 양성률이 0.2%로 낮아졌다. 2012년도에 발표된 보건복지부 조사에 의하면 HBs항원 양성률은 남자 3.4%, 여자 2.6%로 과거에 비해 감소하는 추세이나 아직도 전체 인구의 3.0% 정도가 감염되어 있다.

HBV의 주요 감염 경로는 모자간의 수직감염, 오염된 혈액이나 체액에 의한 피부 및 점막을 통한 감염(수혈, 오염된 주사기에 찔리는 것, 혈액 투석, 침습적 검사나 시술 등), 성접촉 등이다. 점막을 통한 비경구적 경로를 통해서도 감염된다. 이 중 수직감염은 HBV 전파의 가장 중요한 경로이며, 대부분이 만성 B형간염으로 진행한다. 우리나라 만성간염 및 간경화증 환자의 약 70%, 간세포암종 환자의 약 65–75%에서 HBs항원이 검출된다. 우리나라에서 B형간염 예방사업으로 2014년 임산부의 B형간염 유병률은 3.32% (308/9,281), 이들의 수직감염률은 1.59% (4/252)으로 수직감염 예방사업이 효과적이었음을 보여준다.

3) 임상적 특징

B형간염은 무증상 HBV 보유자로부터 전격성 간기능부전에 이르는 다양한 임상 유형을 보이며, 만성화되어 만성간염, 간경화, 간세포암으로 진행하기도 한다. B형간염의 자연 경과는 바이러스 자체, 환자, 그리고 환경 인자에 의해 결정된다.

HBV 감염 후 급성간염 발병의 잠복기는 3–4개월이며 다른 바이러스성 간염과 유사한 피로감, 식욕부진, 구역 및 구토 등의 비특이적인 소화기 증상과 우상복부 불편감, 쇠약감, 무기력 등이 나타난다. 5-10%에서는 전신증상으로 미열이나 감기와 유사한 증상을 보이고 10% 정도의 환자에서는 관절통이나 발진과 같은 혈청병(serum-sickness) 증후군이 관찰된다. 증상 발현 후 1-2주에 황달을 보이고 대부분 3개월 이내에 임상 증상이 호전된다. 성인의 경우 0.5%에서 전격성 간염으로 진행되며, 간성뇌증을 동반한다.

급성B형간염의 5-10%가 만성으로 진행된다. 만성으로의 진행을 결정하는 가장 중요한 인자는 환자의 감염 당시 나이로, 신생아시기 감염의 80-90%는 만성화되며 소아에서는 30-60%, 성인의 경우는 5% 이내에서 만성화된다. 모체로부터 수직감염된 경우는 대부분 만성 보유자로 이행된다. 만성 B형간염은 증상이 없는 경우가 많으며 증상이 있는 경우에도 무력감, 권태감, 소화불량증, 우상복부 불쾌감 등이 서서히 나타나 증상 때문에 병원을 찾는 경우가 드물고 건강검진이나 헌혈을 통해 우연히 만성 B형간염으로 진단되는 경우가 많다. 만성 B형간염의 경과 중 간염이 악화되는 경우에는 미열, 황달 등이 발생할 수 있으며, 심한 경우 급성간염의 증상과 유사할 수 있다.

만성B형간염이 지속되면 간경화증이나 간세포암으로 진행할 수 있다. 바이러스 인자, 환자의 유전적 소인과 면역체계 이외에 알코올 섭취, C형간염바이러스나 D형간염바이러스의 중복 감염 등이 간경화증이나 간세포암으로의 이행에 영향을 미친다. 한국인 만성B형간염 환자에서 간경화증으로 이행하는 경우는 5.1%/년의 빈도로, 5년 누적 발생률은 23%이다. 또한 한국인 만성B형간염에서 간세포암의 발생은 0.5%/년의 빈도이며, 간경화 등을 포함한 B형간염 환자에서 간세포암의 5년 누적 발생률은 3%이다.

B형간염 상태에서 사망하는 경우는 급성 악화를 유발하는 소수의 합병증 사례를 제외하고는 드물며 대부분 간경화증과 간세포암으로 진행한 결과에 의한 것으로, 간경화증과 간세포암 사망의 70% 정도가 B형간염에 의한 것으로 추정된다.

4) 진단

B형간염은 혈청 HBs항원을 검출함으로써 진단한다. B형간염의 과거력이 없는 환자에서 혈청 아스파르테이트 아미노전이효소(aspartate aminotransferase, AST), 알라닌아미노전이효소(alanine aminotransferase, ALT)치가 상승하고 HBs항원과 IgM anti-HBc가 검출되면 급성B형간염으로 진단할 수 있다.

급성B형간염은 대부분 3개월 이내에 간기능이 정상화되고 HBs항원이 소실되지만 HBs항원이 6개월 이상 지속적으로 검출되고 혈청 ALT치의 상승이 있으면 조직검사 없이 만성B형간염으로 진단하게 된다. 감염 시기에 따르는 HBV 혈청학적 표지자의 발현과 해석은 표 30-1과 같다.

만성B형간염 환자에서 HBV 증식 정도를 반영하는 지표로 혈청 HBe항원과 HBV-DNA를 검사하며, 최근에는 분자생물학적 방법을 이용해서 미량의 바이러스도 검출할 수 있고 바이러스 염기서열 분석을 이용한 HBV변이형 검사도 상용화되어 질병의 경과나 치료효과 판정에 유용하게 쓰이고 있다. 간기능검사와 복부 CT나 초음파검사를 통해서 환자의 간기능 상태와 합병증, 간세포암 발생 여부를 추적 검사한다.

표 30-1. B형간염바이러스 혈청학적 표지자의 해석

검사	급성 B형간염	감염에 의한 면역	백신접종에 의한 면역	활동성 만성 B형간염	비활동성 만성 B형간염
HBs Ag	+	−	−	+	+
Anti-HBs	−	+	+	−	−
HBe Ag	+	−	−	±	−
Anti-HBe	−	±	−	±	+
Anti-HBc	+	+	−	+	+
IgM anti-HBc	+	−	−	−	−
HBV DNA	+	−	−	+	± 낮음
ALT	상승	정상	정상	상승	정상

ALT, alanine aminotransferase

5) 치료

만성B형간염에서 항바이러스 치료는 HBV 증식을 억제하여 간세포의 염증과 괴사 진행을 막고 간기능을 정상화시키며 궁극적으로는 간경화나 간기능 부전, 간세포암 발생을 낮추어 생존율을 향상시킨다.

현재 사용되고 있는 치료제로는 주사제인 인터페론 알파와 페그인터페론 알파 2a 및 경구용 항바이러스제인 라미부딘(lamivudine), 아데포비어(adefovir), 엔테카비어(entecavir), 클레부딘(clevudine), 텔비부딘(telbivudine), 테노포비어(tenofovir) 등이 있다. 주사제인 페그인터페론 알파 2a는 치료 기간이 정해져 있고, 약제내성 바이러스가 나타나지 않는 장점이 있으며 치료 종료 후 6개월 시점에 e항원 양성 및 음성 환자에서 치료 반응을 보이는 경우는 각 23.8%, 76.9%로 보고되었다. 그러나 고가의 주사를 맞아야 하고 감기 유사 증상, 골수기능 억제와 같은 이상반응이 있다. 또한 수직감염이 많은 우리나라에서는 치료 반응률이 낮다는 단점이 있다. 경구용 항바이러스제는 복용하기 편하고 이상반응이 적은 장점이 있으나 투여기간이 정해져 있지 않고 장기간 투여가 필요하다. 특히 B형간염의 억제 장벽이 낮은 약제를 장기간 사용하면 약제에 내성이 있는 변이형 바이러스가 출현하여 치료 효과가 떨어진다. 경구제인 엔테카비어, 테노포비어, 텔비부딘의 국내 만성B형간염 환자에서의 치료 성적을 보면 e항원 양성인 경우 1년 치료에 HBV DNA 검사의 PCR 음성률이 58-70%로 높은 반면 라미부딘, 아데포비어는 각각 38%, 29%로 비교적 낮다. 따라서 환자의 간기능 상태나 연령, 이전의 치료 병력과 약제의 이상 반응 등을 고려해서 적절한 약제를 선택하는 것이 중요하다.

6) 환자 및 접촉자 관리

　만성 HBV 감염자는 타인에게 전파 가능성이 있으므로 이를 예방하는 방법에 대한 자문 및 교육을 받아야 한다. 만성 HBV 감염자에 대한 장기추적 전향적 연구에서 음주와 흡연이 간경화증 및 간세포 암종의 위험을 증가시키므로 금주와 금연을 권장한다. 만성 HBV 감염자에서 A형간염 중복감염이 일어나면 일반인에 비해 사망률이 5.6–29배 증가하므로 A형간염에 대한 항체가 없는 경우 예방접종을 시행해야 한다. HBV 감염자의 관리를 위해 표준주의를 준수한다.

　수직감염은 HBV 전파의 가장 중요한 경로이다. HBs 항원 양성 임산부에서 신생아 출생 직후 B형간염 면역글로불린과 백신접종을 시행하는 경우 90–95%에서 수직감염을 예방할 수 있으므로 출생 직후 B형간염 면역글로불린을 주사하고 12시간 이내에 HBV 백신접종을 시작한다. HBs항원 양성 임산부가 모유수유를 한 경우 신생아 감염률은 차이가 없다. Anti–HBs 항체가 없는 사람이 HBV 함유 혈액 혹은 체액에 노출된 경우 B형간염 면역글로불린(0.06 mL/kg)을 가능하면 빨리(가급적 24시간 이내) 근주하고 백신은 동시에 시작하거나 경피적 노출인 경우 1주일 이내에, 성접촉을 통한 노출인 경우 2주일 이내에 시행한다.

2. 백신의 종류

　B형간염백신은 1980년대 이후부터 HBV 보유자로부터 분리된 혈장 백신이 사용되었으며, 우리나라에서도 초창기에 혈장 백신이 개발되어 1983년부터 접종되기 시작하였다. 혈장 백신은 면역원성도 좋고 효과적이며 안전하지만, 백신재료로 사용하고 있는 HBs항원 보유자의 혈장 공급이 원활하지 않고, 혈액의 안전성에 대한 우려와 유전자 재조합 기술의 발달로 최근에는 거의 사용하지 않는다.

　유전자 재조합 백신은 1986년부터 사용되었으며 최근 사용하는 대부분의 백신에 해당한다. 바이러스 유전자가 포함된 플라즈미드(plasmid)를 효모나 포유류 세포(chinese hamster ovary cell, CHO)에 삽입시켜 발현시킨 후 HBs항원을 추출하여 제조한다. 국내에서는 효모를 이용한 백신들이 사용되고 있으며, 항체양전율과 평균 항체가가 혈장 백신과 비슷하다. 국내에서는 Hepavax-Gene TF, Euvax B, Heptis-B II, Hepamune, Hepa-B 등의 B형간염백신이 사용되고 있으며, 소아에게 사용되는 혼합백신으로 Comvax (b형 헤모필루스균 백신 포함)가 있다. 이밖에도 유럽과 미국에서 사용되는 혼합백신으로 DTaP 백신과 혼합하거나, A형간염백신과 혼합한 제형의 백신이 있다.

3. 백신의 효능 및 효과

B형간염백신접종의 궁극적인 목적은 만성 B형간염 보유자의 유병률을 줄이는 것이며, 이와 함께 급성 B형간염 발생을 예방하는 데에 있다. B형간염 보유율을 줄이기 위해서는 백신접종이 무엇보다도 효과적이다. 백신접종 후 HBs 항체역가가 10 mIU/mL 이상일 때에는 B형간염 발생이 거의 없기 때문에 B형간염 항체검사에서 10 IU/mL을 양성반응의 기준치로 정하고 있다. B형간염 예방접종은 0-1-6개월 방식으로 3회 시행하면 90% 이상에서 anti-HBs > 10 mIU/mL의 항체가 형성된다.

기본 접종 3회 후 HBs항체가 10 mIU/mL 미만인 경우를 '백신 무반응자(non-responder)'라고 한다. 백신 무반응의 원인으로는 백신의 보관 상태가 적절치 않거나 둔부접종, 고령, 비만, 혈액투석, 만성 간질환, 면역저하상태 등이 있다. 다른 원인으로는 유전적 요인으로, HLA-DR3, HLA-DR7 haplotype을 가진 사람에서 항체생성률이 낮다. 성인에서 B형간염백신접종 후 무반응자는 5-10% 정도로 알려져 있다. 정상 면역 상태를 가진 무반응자에게 1회 더 접종을 하면 25-50%에서, 3회 재접종하면 50-75%에서 항체가 생긴다. 투석환자와 같은 면역저하자에서는 백신을 두 배 용량으로 접종하거나 접종 횟수를 늘이면 항체생성률을 높일 수 있다. 비만도 백신접종 후 항체생성률을 낮추는 원인이 될 수 있는데, 최근 긴 주사침을 사용해서 접종 후 항체생성률을 높였다는 보고도 있다. 면역원성이 높은 새로운 백신 개발을 위한 연구들도 활발하게 진행되고 있다. CHO 세포를 이용한 유전자 재조합 방식으로 생산되는 Pre-S 항원을 포함한 백신이나, 기존의 백신 성분에 첨가물로 MPL (3-O-desacyl-4-mono-phosphoryl lipid A)을 함유한 Fendrix®은 백신에 의한 항체생성률을 높이고 면역반응을 지속시킨다.

HBV에 노출된 후의 백신접종 효과는 B형간염 보유 산모에서 태어난 신생아를 대상으로 한 연구 결과에서 보면, 출생 후 HBIG와 B형간염백신을 투여했을 때 B형간염 발생을 80-100% 예방할 수 있다. 신생아 예방접종 후 장기간 추적관찰하면 5-10년 내에 15-50%에서 항체가 음전된다. 성인에서도 5년 내에 7-50%, 10년 내에 30-60%에서 항체가 음전된다. 영유아기 백신접종 20년 후 코호트 연구에서 항체가 소실된 사람들에게 백신을 추가접종하였을 때 항체생성률이 80%를 상회하였지만 코호트 기간 동안 HBV 감염은 발생하지 않았다. 따라서 면역기능이 정상인 경우는 백신접종 후 항체가 음전되어도 추가접종은 필요치 않다. 그러나 만성콩팥병 환자와 같이 면역저하환자에서는 백신접종 후 매년 anti-HBs 항체가를 측정하여 그 수치가 10 mIU/mL 이하인 경우 추가접종을 해야 한다.

B형간염백신접종으로 HBV감염이 줄어들고 궁극적으로는 만성간질환이나 간세포암 발생이 감소할 것으로 예측할 수 있다. 실제로 모든 신생아, 소아 예방접종을 시행한 대만에서는 백신접종 후 소아에서 간세포암 발생률이 50% 이상 감소한 것으로 보고하였다. 우리나라도 신생아 예방접종을 시행한 이래 최근 젊은 성인층에서 HBs항원 양성률이 크게 감소하여, 3% 정도의 HBV 유병률을 보이며, 유소아에서는 1% 이내로 감소하고 있다. 이와 함께 급성 B형간염 발생이 줄어들고 있어서 향후 만성B형간질

환의 감소를 기대하고 있다.

4. 적응증

1) 노출 전 예방

과거에는 주로 B형간염 호발 지역의 모든 신생아에게 예방접종이 시행되었으나 1997년부터는 B형간염 유병률에 관계없이 전 세계적으로 신생아 B형간염 예방접종을 실시하고 있다. 우리나라는 현재 모든 신생아에게 백신을 접종하고 있다. HBV 보유율이 아직 높은 우리나라에서, 성인 중 고위험군은 반드시 백신을 접종하여야 하며(표 30-2) 그 외 B형간염백신 미접종 비감염자의 경우도 백신접종이 권장된다. 성인 중 B형간염백신 미접종자에서 예방접종 전 항체검사의 유용성은 연령대에 따른 항체 보유율이나 감염빈도, 검사나 백신접종 비용 등에 따라서 다를 수 있으며, 이를 토대로 한 비용-효과분석 연구가 시행되어야 한다.

2) 노출 후 예방

B형간염백신은 B형간염을 예방할 뿐만 아니라 접종기간 중 이미 감염이 되어 잠복기에 있는 경우에도 병의 경과를 경하게 하거나 만성으로의 진행을 억제시킬 수 있다. 따라서 HBV에 노출된 후 예방해야 하는 경우 HBIG와 함께 백신을 접종하도록 권장하고 있다. HBIG는 높은 역가의 HBs항체가 포함된 사람의 혈장으로부터 제조된다.

HBs항원 양성자에게 사용된 주사침에 찔리는 등 혈액이나 체액에 경피적, 점막 노출된 경우에는 노출자의 백신접종 상태, 항체 유무에 따라 치료 방침이 달라진다(표 30-3). B형간염 산모로부터 태어난

표 30-2. B형간염 고위험군

성접촉에 의한 B형간염바이러스 감염 위험군: HBV 보유자의 배우자, 성관계자가 여러 명인 사람, 성매개질환의 검사 또는 치료를 받는 사람, 남성 동성연애자
경피 또는 점막에 혈액 노출될 위험이 있는 성인: 주사 약물남용자, HBV 보유자의 가족 등 친밀한 접촉을 갖는 사람, 단체 생활을 하는 지체장애인과 이들을 보호하는 직원, 혈액 또는 혈액이 오염된 체액에 노출 위험이 있는 의료기관종사자
만성 간 질환 환자
만성 콩팥병 환자
인간면역결핍 바이러스 감염인
임신기간 중 HBV 감염의 위험이 있는 임산부
B형간염 유병률이 높은 지역으로의 해외여행자

Morb Mortal Wkly Rep 2017;66(5)

신생아나 급성 B형간염 환자의 배우자의 경우에도 마찬가지이다. 백신접종 후 항체가 생성된 사람은 노출 후 처치가 필요 없다. 백신을 접종받지 않은 경우는 HBIG를 0.06 mL/kg, 최대 5 mL를 즉시 근육주사하고 노출 24시간 이내 백신을 접종한다. 이전 B형간염백신 기본 접종 후 무반응자는 HBIG를 주사하고 백신접종을 다시 시작하거나 HBIG를 즉시 주사하고 1개월 후 다시 주사하는 방법이 있다. 재접종을 3회 실시했으나 무반응인 경우는 HBIG 2회 주사하는 방법이 선호된다.

3) 간이식 환자에서 B형간염 예방

최근 우리나라에서 B형간염 환자의 간이식이 급증하면서 이식 후 재발 또는 감염 환자가 늘어나고 있다. 간이식 후에 B형간염이 재발하거나 재감염되면 급격한 간기능 부전을 초래할 수 있다. HBIG는 이식 후 B형간염의 재발을 예방하는 데에 매우 효과적이다. HBIG는 이식 수술 중 간을 적출한 시점부터 10,000 IU씩 7일간 투여하며 이후에는 혈중 HBs항체가를 100 mIU/mL 이상 유지하도록 투여한다. 이식 후 HBV 재발은 이식 전 HBV 증식 정도와 관련이 있는 것으로 알려져 있으며, 최근에는 수술 전후에 항바이러스 치료로 HBV DNA치를 감소시켜서 이식 후 B형간염 재발을 줄일 수 있는 것으로 보고되고 있다.

표 30-3. B형간염 노출 후 예방지침

노출자의 상태	노출 후 검사		노출 후 예방		접종 후 검사[*]
	감염원 (HBs항원)	노출자 (anti-HBs)	HBIG	백신접종	
표면항체 양성	처치 불필요				
6차 접종 후 무반응자	양성/모름	–[†]	1개월 간격으로 HBIG 2회	–	불필요
	음성	처치 불필요			
3차 접종 후 반응여부 모름	양성/모름	<10 mIU/mL[†]	HBIG 1회	재접종 시작	검사
	음성	<10 mIU/mL	불필요		
	결과 무관	>10 mIU/mL	처치 불필요		
백신 미접종자/ 미완결자	양성/모름	–[†]	HBIG 1회	접종 시작	검사
	음성	–	불필요	접종 시작	검사

MMWR Morb Mortal Wkly Rep 2013;62(10)

HBIG, hepatitis B immunoglobulin

[*] 마지막 접종 1-2개월 후에 시행

[†] 백신 무반응자, 백신 미접종자 또는 미완결자이고 지속적으로 HBs Ag 양성 또는 HBs Ag 상태를 모르는 감염원에 노출되는 경우 노출 후 가능한 빨리 B형간염 감염에 대한 기저검사를 시행하고 6개월 후에 추적검사를 시행한다. 초기 기저검사는 총 anti-HBc, 6개월째 검사는 HBs Ag과 총 anti-HBc를 포함한다.

5. 투여방법

1) 접종 용량과 방법

B형간염백신은 3회 접종을 기본으로 0, 1, 6개월 스케줄로 접종한다. 1차 접종 후 2차 접종은 4주 이상의 간격을 두고 접종하며, 3차 접종은 2차와 8주 이상의 간격 그리고 1차와 16주 이상의 간격을 두고 접종한다. 2차 접종시기를 놓친 경우에는 새로 접종 스케줄을 시작할 필요 없이 곧바로 접종하며 이 경우 3차 접종은 2차 접종과 8주 이상의 간격을 두고 접종한다. 3차 접종 시기를 놓친 경우에는 깨달은 즉시 접종한다. 접종 간격을 0, 1, 4개월 또는 0, 2, 4개월로 하였을 때의 효과도 0, 1, 6개월 스케줄과 비슷하다는 보고가 있다. 일반적으로 2회와 3회 접종 간의 간격이 길수록 항체가가 높게 생성되며 장기간 항체 유지 효과가 좋지만, 너무 긴 경우 환자의 접종 순응도가 떨어지고 접종 사이 감염될 위험이 있을 수 있다. 성인용 B형간염백신은 HBs항원이 20 μg 포함되어 있으며, 소아용은 10 μg 포함되어 있다. 성인에서는 어깨세모근에 근육주사한다. 피하지방이 많은 엉덩이에는 피하 접종될 가능성이 있으므로 피한다. 국내에서는 유통되지 않으나 engerix-B 백신은 투석환자와 같은 면역저하환자에서 40 μg를 0, 1, 2, 6개월 스케줄로 4회 접종한다.

다른 백신과 동시에 접종해도 면역 간섭이 없으며 이러한 경우에는 다른 부위에 접종하거나, B형간염백신 접종부위와 적어도 2.5 cm 간격을 두고 접종한다. B형간염백신은 DTaP, 폴리오, 홍역, b형 헤모필루스균(Hib) 등 타 백신과 함께 접종하여도 서로 간섭 작용이 없다. 또한 B형간염백신간 교차 접종을 하여도 무방하다.

이밖에 백신접종률과 편의성을 높이기 위해서 접종 횟수를 2회로 줄이는 방법이나, HBV 성분이 포함된 다양한 형태의 혼합백신도 개발되어 현재 HAV나 DTaP 또는 Hib와의 혼합백신이 사용되고 있다. 최근에는 새로운 항원 전달 시스템을 개발해서 기존의 근육주사가 아닌 점막이나 피부를 통한 백신접종 방법들이 소개되고 있다.

대부분의 B형간염백신은 2-8℃ 온도에 보관하며 4년 이상 효능이 유지된다. 백신은 상온에서도 약효를 유지하고 1년 정도 보관 가능하지만, 냉동하면 약효를 소실하므로 냉동 보관해서는 안 된다.

2) B형간염 항체검사

백신접종 전 B형간염 항체검사의 유용성은 그 지역의 HBV 감염률이나 항체검사, 백신접종의 비용 등에 의해서 결정된다. 우리나라와 같이 HBV 감염률이 높고 항체검사 가격이 비교적 낮은 경우에는 접종 전 HBs항원과 항체검사를 모두 시행하는 것이 효율적이다.

항체생성률은 백신접종 당시 연령이 어릴수록 높고 40세 이상에서는 낮다고 알려져 있다. 따라서 건강한 사람에서는 백신접종 후 항체검사를 할 필요가 없다. 다만, 혈액투석 환자, 인간면역결핍 바이러스 감염인 등 면역저하자, B형간염 환자나 바이러스가 오염된 체액에 노출되는 상황이 반복될 수 있는 의료기관 종사자, HBs항원 양성인 산모에서 태어난 신생아, B형간염바이러스 보유자의 가족, B형간염바이러스 보유자와의 성접촉자에서는 접종완료 후 항체가 생겼는지 확인하도록 한다. 검사 시기는 마지막 접종 후 1-3개월경 항체가가 최고로 높아질 때가 적기이다. 기본 접종을 3회 모두 못하고 중단된 경우에는 새로 시작할 필요 없이 나머지 접종을 완료하며 필요시 항체 생성 여부를 확인해 볼 수 있다.

3) 백신 무반응자

B형간염백신을 3회 접종하고도 HBs 항체가가 10 mIU/mL 미만인 무반응자의 재접종에는 여러 방법이 있는데, 비용-효과면을 고려할 때 재접종 스케줄 중 1차 접종(4차) 후 1개월째 항체검사를 하여 항체가 생겼으면 접종을 중단하고, anti-HBs 항체가가 10 mIU/mL 미만이면 재접종 스케줄로 2차 및 3차 접종(5, 6차)을 모두 실시한 후 마지막 접종(6차) 1-2개월 후에 항체검사를 하는 방법을 권장한다. 총 6회의 접종 후에도 적절한 항체가 형성되지 않는 완전 무반응자는 일반적으로 더이상의 접종을 권장하지 않는다. 또한 이들은 B형간염바이러스에 노출되었을 때 감염이 가능하다는 것을 교육하고 노출시 HBIG를 투여하도록 한다. 백신 또는 자연 면역에 의해서 B형간염 항체가 생겼더라도 시간이 지나면서 항체가 낮아지거나 음전된 경우에는 항체 농도가 낮아지더라도 면역기억은 남아 있기 때문에 면역력이 정상인 사람에서 추가접종은 필요치 않다.

6. 이상반응

B형간염백신은 매우 안전하다. 경미한 이상반응으로 미열이 1-6%, 접종 부위의 통증이 13-29%, 발적과 경한 종창이 3%, 두통이 3%에서 24시간 내에 나타난다. 관절염, 다발성 경화증, 당뇨병, 길랑-바레 증후군과 백신과의 연관성은 없는 것으로 알려져 있다. 효모 등 백신성분에 대한 과민성이 있는 경우에는 아나필락시스가 발생할 수 있다.

7. 금기

백신 성분에 대한 과민반응의 병력이 있거나, 이전에 B형간염백신 접종 후 심한 이상반응을 경험한 사람에서는 접종을 금한다. 임신부나 수유부에서는 B형간염백신 접종을 해도 무방하다.

8. 국내유통백신

제품명	제조사	용량	접종 일정
Euvax B	엘지화학	10 μg/0.5 mL (유,소아) 20 μg/ 1 mL (성인)	0, 1, 6개월
Hepavax-Gene TF	녹십자	10 μg/0.5 mL (유,소아) 20 μg/ 1 mL (성인)	0, 1, 6개월
Hepamune	SK바이오사이언스	10 μg/0.5 mL (유,소아) 20 μg/ 1 mL (성인)	0, 1, 6개월

* 국내에서 사용 중인 B형간염 면역글로불린(HBIG): HEPABIG (100 IU, 2000 IU, 4,000 IU, 6,000 IU), 녹십자

참고문헌

1. 김정룡, 김진욱, 이효석, 윤용범, 송인성. 만성 간염 및 간경변증환자의 자연경과와 생존율에 관한 연구-20년간의 자료 분석. 대한내과학회지 1994;46:168-80.
2. 이광재, 한광협, 전재윤, 문영명, 이상인, 박인서 등. 장기간의 추적관찰에 따른 만성 B형간염의 자연경과. 대한소화기학회지 1997;29:343-51.
3. 질병관리본부. 2016 감염병 감시 연보.
4. Centers for Disease Control and Prevention. Update: vaccine side effects, adverse reactions, contraindications, and precautions. Recommendations of the Advisory Committee on Immunization Practices (ACIP). MMWR Recomm Rep 1996;45:1-35.
5. Chisari FV, Ferrari C, Mondelli MU. Hepatitis B virus structure and biology. Microb Pathog 1989;6:311-25.
6. Dienstag JL. Immunopathogenesis of the extrahepatic manifestations of hepatitis B virus infection. Springer Semin Immunopathol 1981;3:461-72.
7. Hill JB, Sheffield JS, Kim MJ, et al. Risk of hepatitis B transmission in breast-fed infants of chronic hepatitis B carriers. Obstet Gynecol 2002;99:1049-52.
8. Korea Centers for Disease Control and Prevention. 2006 Disease Control White Paper. Korea Centers for Disease Control and Prevention 2007:144.
9. Mast EE, Margolis HS, Fiore AE, et al. A comprehensive immunization strategy to eliminate transmission of hepatitis B virus infection in the United States: recommendations of the Advisory Committee on Immunization Practices (ACIP) part 1: immunization of infants, children, and adolescents. MMWR Recomm Rep 2005;54:1-31.
10. Ministry of Helalth & Welfare KCfDCaP. The Fourth Korea National Health and Nutrition Examination Survey (KNHANES IV), 2010. Health Examination. Ministry of Helalth & Welfare 2012.
11. U.S. Public Health Service. Updated U.S. Public Health Service Guidelines for the Management of Occupational Exposures to HBV, HCV, and HIV and Recommendations for Postexposure Prophylaxis. MMWR Recomm Rep 2001;50:1-52.
12. Wainwright RB, Bulkow LR, Parkinson AJ, Zanis C, McMahon BJ. Protection provided by hepatitis B vaccine in a Yupik Eskimo population--results of a 10-year study. J Infect Dis 1997;175:674-7.
13. Wu JS, Hwang LY, Goodman KJ, Beasley RP. Hepatitis B vaccination in high-risk infants: 10-year follow-up. J Infect Dis 1999;179:1319-25.

b형 헤모필루스균

동아대학교 의과대학 **정동식**
차의과대학 **홍성관**

1 대한감염학회 접종 권장대상과 시기

성인의 침습성 b형 헤모필루스균 감염에 대한 국내 역학 자료가 제한되어 국외 자료를 기반으로 고위험군에 대한 접종 대상자를 다음과 같이 권장함. 위험요소를 가지고 있는 환자들은 어렸을 때 b형 헤모필루스균 접종 유무와 상관없이 추가적인 예방접종을 권장함

1) 기능적 또는 해부학적 무비증 환자(겸상 적혈구 빈혈증 또는 비장절제술)
2) 보체 및 면역 결핍 환자(특히 IgG2 계열 결핍 환자)
3) 조혈모세포이식 수혜자

2 접종용량 및 방법

가. 0.5 mL를 상완 어깨세모근에 근육 또는 피하주사
나. 접종대상이 되는 고위험군은 유아기 b형 헤모필루스균 백신접종 유무와 상관없이 1회의 추가접종을 권장함
다. 조혈모세포이식 수혜자는 이식 후 6-12개월부터 1-3개월 간격으로 3회 접종을 권장함

3 이상반응

가. 전신반응: 거의 없음
나. 국소반응: 접종부위 부종, 발적, 통증(5-30%)

4 주의 및 금기사항

가. 과거에 동일한 백신 또는 백신에 포함된 성분(단백질 운반체)을 투여 받은 후에 심한 알레르기 반응이 발생한 병력이 있는 경우
나. 중등도 또는 중증 급성 질환이 있는 경우에는 질환이 호전될 때까지 예방접종을 연기
다. 임신부, 수유부 및 가임 여성의 경우 안전성이 확립되어 있지 않음

1. 질병의 개요

1) 원인 병원체

Haemophilus influenzae(헤모필루스균)는 1892년 Pfeiffer에 의하여 처음 기술되었고, 혈액 배지에서 균이 잘 자라서 1920년 Winslow 등에 의하여 *Haemophilus*로 명명된 균이다. 1933년 Smith 등은 인플루엔자 바이러스에 감염된 환자에서 이 세균이 2차 감염을 일으킴을 알고 인플루엔자라는 명칭을 포함하였다. 헤모필루스균은 그람 음성 짧은 막대균(gram-negative coccobacillus)으로 운동성이 없고 아포를 형성하지 않는다. 특히 임상 검체에서는 현미경에서 관찰되는 형태가 다양하여 작은 막대균으로 보이기도 하고 긴 실의 형태로 보이기도 한다. 또한, 도말검사를 시행하면 염색약에 의해 착색되는 정도가 일정하지 않아 균이 보이지 않거나 혹은 다른 세균으로 잘못 판독되는 오류가 발생하기도 한다. 일반적으로 호기성 균주이지만, 혐기성 상태에서도 증식할 수 있다. 세포 외에서 증식하기 위하여서는 X factor (hemin)와 V factor (nicotinamide adenine dinucleotide [NAD])를 포함하는 추가적인 성장 요소들이 필요하다. 따라서, 헤모필루스균은 NAD가 없는 혈액 배지에서는 일반적으로 증식하지 않고, 배양을 위하여 chocolate agar 배지가 사용된다. 1930년대에 Margaret Pittman이 처음으로 헤모필루스균을 피막으로 둘러싸여 있는 형태와 피막으로 둘러싸여 있지 않는 형태로 구분할 수 있음을 밝혔다. 헤모필루스균은 가장 바깥쪽이 polyribosyl-ribitol-phosphate (PRP)라고 하는 다당류로 구성된 피막으로 둘러싸여 있는데, 이 피막이 독특한 항원성과 독성 및 면역원성을 가지고 있으며 a부터 f까지 총 6가지 혈청형으로 구별된다. 그러나 일부 균주는 다당류 피막이 없어서 형결정불가(nontypable) 균주라고 불린다. 백신이 도입되기 전에는 소아감염의 95% 이상이 b형 헤모필루스균(Hib)에 의해 발생하였고, 성인에서는 약 50% 정도만 b형 헤모필루스균이 원인이고 나머지는 형결정불가형 균주에 의한 감염이었다.

2) 역학

b형 헤모필루스균에 의한 감염질환은 전 세계적으로 발생한다. 무증상 보균자를 포함하여 사람이 유일한 자연 숙주이며 무생물 환경 표면에서는 생존하지 않는다. 사람과 사람 사이에 발생하는 전파는 비말 혹은 호흡기 분비물과의 직접 접촉에 의하여 이루어진다. b형 헤모필루스균에 의한 침습적 질환의 전파는 드물게 발생하지만, 환자와 특별하게 밀접한 접촉(예; 가족, 육아시설에서의 거주 등)이 발생하는 경우에는 이차적인 직접 전파와 유행발생이 일어날 수 있다.

효과적인 백신이 도입되기 전에는 b형 헤모필루스균은 매년 9-12월과 3-5월에 두 번의 감염 유행시기를 가지고 있었고, 5세 이하의 소아(특히, 약 2/3은 18개월 미만)에서 뇌수막염과 기타 침습성 질환을 일으키는 가장 흔한 원인 균주였다. 5세 이상의 소아에서는 b형 헤모필루스균에 의한 침습성 질환의 발생 빈도가 현저하게 감소되어 총 침습성 감염질환의 10% 미만을 차지하였다. 미국에서 b형 헤모필루스균 단백결합 백신이 18개월 미만 소아에서 접종되기 시작한 1980년대 후반부터 b형 헤모필루스균에 의한 침습성 감염의 발생률은 백신 도입 이전과 비교하여 99% 이상 감소되었다(그림 31-1). 또한 스칸디나비아, 프랑스, 독일 등 b형 헤모필루스균 백신이 도입된 국가에서도 5세 미만에서의 침습성 질환의 발생률이 10만 명당 20-30명 이상에서 1명 이하로 현저히 감소하였다. 발생률이 크게 감소된 이유는 b형 헤모필루스균 결합 백신의 광범위한 사용과 효과로 예방접종을 시행받은 소아에서 b형 헤모필루스균의 보균자가 급격히 감소하였으며, 이로 인하여 예방접종을 시행받지 않은 소아에게 균이 노출될 확률이 감소되면서 군집면역이 발생하였기 때문이다. 이와는 다르게 형결정불가(nontypable) 헤모필루스균에 의한 침습적 감염질환의 발생은 약간 증가하였다(그림 31-2).

b형 헤모필루스균에 의한 침습성 감염의 위험요소로 노출 인자와 숙주 인자로 구분할 수 있다. 노출 인자는 균에 잘 노출될 수 있는 조건, 즉 집안의 밀집된 환경, 육아시설에 거주, 낮은 사회경제적 환경, 부모의 낮은 교육 수준과 학령기 형제가 있는 경우 등이 있으며, 숙주 인자에는 인종(아프리카계 미국인, 라틴아메리카인, 북미 원주민-낮은 사회경제적 환경과 관련되어 있을 것으로 여겨짐), 성별(남성에게서 발생 위험성이 높음), 면역저하 상태 환자(보체결핍, 저감마글로불린혈증, 겸상 적혈구 빈혈증, 기능성 무비증, 소아에서 후천면역결핍증후군, 항암 또는 방사선 치료) 등이 있다.

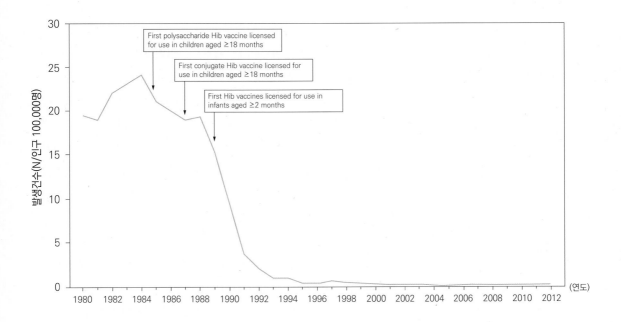

그림 31-1. 단백결합 백신접종 시행 후 5세 미만 소아에서 b형 헤모필루스균에 의한 침습성 질환 발생률의 변화
(미국, 1980-2012)(CDC, MMWR 2014;63(RR1):1-14)

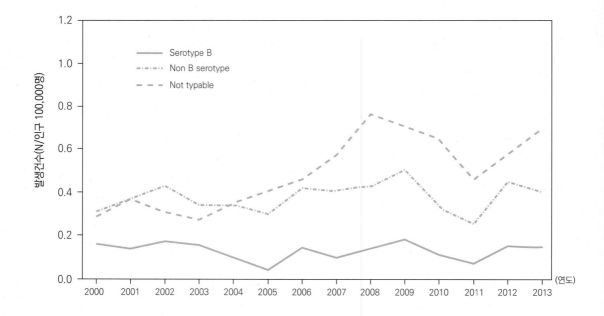

그림 31-2. 5세 미만의 소아에서 혈청형에 따른 침습성 헤모필루스균 질환의 발생률 변화
(미국, 2000-2013)(CDC, MMWR 2015;62(53):1-119)

b형 헤모필루스균 감염의 2차 발생은 전체 침습성 b형 헤모필루스균 감염의 5% 미만을 차지한다. 접촉전파에 관한 연구에서 집안에서의 접촉을 통한 감염 발생은 1개월 동안 2차 발생률이 0.3%라고 보고하였는데, 이 비율은 일반 인구 집단에서의 발생률보다 600배 이상 높은 것이다. 2차 발생률도 연령에 따라 차이가 있는데, 2세 미만의 소아에서는 3.7%이었지만, 6세 이상에서는 0%이었다. 집안 접촉에서 2차 환자 발생의 64%는 첫 환자가 발생한지 일주일 이내에 발생하였고, 20%는 2주일째, 16%는 3-4주일째 발생하였다. 육아시설에서의 접촉을 통한 2차 전파의 위험도는 0%에서 2.7%까지 보고되었다. 대부분의 연구들은 접촉한 소아들이 연령에 따라 적절하게 예방접종을 시행 받았다면, b형 헤모필루스균 감염이 2차적으로 전파되어 발생할 위험성은 상대적으로 낮다고 보고하였다.

비인두에 b형 헤모필루스균을 상재균으로 가지고 있는 보균율에 대한 연구들은 대부분 소아들을 대상으로 시행되었다. 국내에서 정상 소아 33명을 대상으로 비인두 분비물을 채취하여 다중역전사중합효소연쇄반응법(multiplex reverse transcription-polymerase chain reaction)으로 상재균에 대한 검사를 시행한 결과 헤모필루스균이 28명(84.8%)에서 검출되어 가장 흔한 비인두 상재균이었다. 하지만 본 연구에서는 혈청형 분석을 시행하지 않아 b형 헤모필루스균의 비율은 확인하지 못하였다.

국내 성인의 b형 헤모필루스균에 의한 침습성 감염에 대한 자세한 보고는 이루어져 있지 않다. 2000

년부터 2005년까지 국내 서울 2개의 대학병원에 입원한 환자에서 검출된 총 229개의 헤모필루스균 중 b형 헤모필루스균은 7 균주로 3.1%에 불과하였다. 2002년부터 2004년까지 3년 동안 개인병원에서 호흡기 감염이 있는 환자로부터 수집된 총 100개의 헤모필루스균에 대한 혈청형 분석에서 b형 헤모필루스균은 2개였으며, 모두 혈액과 뇌척수액에서 분리되어 침습성 감염을 일으킨 것으로 보고되었다. 하지만, 이들 조사에서는 균주가 분리된 환자들의 연령이 기술되어 있지 않아 성인에서의 b형 헤모필루스균에 의한 침습성 감염의 빈도를 정확하게 확인할 수 없었다. 2005년부터 2006년까지 국내 전국적인 Acute Respiratory Infection Surveillance (ARIS) 네트워크를 통하여 시행된 소아와 성인의 호흡기 임상검체에서 헤모필루스균이 분리된 총 540명의 환자 중에서 형결정 헤모필루스균의 비율은 7.4%에 불과하였다. 이 중 b형 헤모필루스균은 2명(0.4%)에서만 분리되어 유병률이 매우 낮았다.

국내 및 국외에서 성인을 대상으로 한 정상 또는 면역저하 고위험군 환자들에서 b형 헤모필루스균의 비인두 상재균 보균율 및 침습성 감염 발생률에 대한 역학 연구가 아직 시행되어 있지 않다.

3) 임상적 특징

헤모필루스균은 비인두를 통하여 인체에 들어오는데, 비인두에 집락화되어 수개월 동안 특별한 증상 없이 무증상 보균상태로 있을 수 있다. 일부에서 침습성 감염으로 진행될 수 있는데, 혈액 내로 침범하는 정확한 기전은 알려져 있지 않다. b형 헤모필루스균 감염의 가장 중요한 특징은 연령에 따라서 침습성 질환 발생의 위험성이 다르다는 점이다. 백신 도입 이전에도 대부분의 소아들은 무증상 감염을

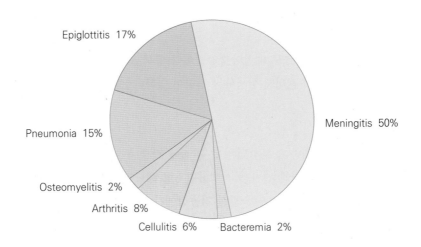

그림 31-3. 백신 도입 전 b형 헤모필루스균 질환의 임상특징
출처: CDC, *Haemophilus influenzae* type b. Epidemiology and prevention of vaccine-preventable diseases. 13th edition. 2015; 119-134

통하여 5-6세까지 b형 헤모필루스균에 대한 면역력을 획득하고 있었다. 따라서, 5세 이상에서는 일반적으로 b형 헤모필루스균에 의한 감염질환이 흔하지 않다. 백신 도입 전 침습형 b형 헤모필루스균 질환의 임상 양상은 다음과 같다(그림 31-3).

(1) 수막염

백신 도입 이전에는 수막염이 침습성 헤모필루스균 감염의 50-65%를 차지할 정도로 가장 흔한 임상 양상이었다. b형 헤모필루스균에 대한 예방접종을 시행받지 않은 성인 고위험군 환자에게 발생하는 가장 심각한 질환은 수막염으로, 대부분 두경부 외상, 신경외과적 수술, 뇌척수액의 누출, 부비동염, 중이염이 있는 경우에 발생할 수 있다. 가장 흔한 합병증은 경막밑축농(subdural empyema)으로 2-3일간의 적절한 항생제 치료에도 불구하고 발작, 반신 불완전마비 혹은 의식 저하 등이 발생하고 상태가 호전되지 않으면 경막밑축농을 반드시 의심해 보아야 한다. 수막염으로 인한 사망률은 2-5% 정도로 알려져 있으며, 생존자의 경우 감각신경난청 등 다양한 신경학적 합병증이 15-30%의 높은 빈도로 발생하는 것으로 알려져 있다.

(2) 후두개염

후두개 주변의 연조직염으로 후두개의 종창을 일으켜 급성 상기도 폐쇄를 유발할 경우에는 치명적인 결과를 초래할 수 있다. 주로 2-7세의 소아에게 발생하지만 성인에서도 발생할 수 있다. 발열, 인두통, 호흡곤란 등의 증상으로 시작하여 삼킴곤란, 침흘림, 기도폐쇄 등이 나타나며 신속하게 치료하지 않으면 수 시간 내에 사망할 수도 있다.

(3) 폐렴 및 농흉

특징적인 소견이 없어 임상 소견으로 폐렴사슬알균이나 황색포도알균 등에 의한 세균성 폐렴과 감별이 어렵지만 흉막 침범이 비교적 흔하게 발생하는 경향이 있다.

(4) 화농성 관절염

성인의 경우 드물다. 대부분 체중이 부하되는 큰 관절에 관절 부위의 종창, 통증 등의 전형적인 증상이 발생한다. 진단을 위하여 관절액 천자를 시행하면 b형 헤모필루스균이 동정되는 경우가 흔하며 항생제 치료에 대한 반응은 좋지만 치료 후에 관절 기능장애가 남는 경우가 흔하다.

(5) 연조직염

주로 얼굴, 머리, 목 등 두경부에서 발생하며 빠르게 진행하는 특징이 있다. 균혈증이 동반되는 경우가 많으므로 수막염과 같은 다른 감염 부위가 존재하는 경우가 흔하다.

(6) 기타

원인부위를 알 수 없는 균혈증, 골수염, 심막염, 안와 연조직염, 안내염, 요로감염, 농양 등이 드물게 발생할 수 있다. 헤모필루스균에 의하여 발생하는 중이염, 급성 기관지염은 일반적으로 형결정불가 균주에 의하여 발생한다. 중이염을 일으키는 헤모필루스균 중 5-10%만이 b형 헤모필루스균으로 알려져 있다.

4) 진단

그람 염색에서 그람음성 짧은 막대균이 관찰되면 침습성 헤모필루스균 감염을 의심한다. 감염이 의심되는 모든 환자에게 반드시 배양 검사를 실시하고, 혈액, 뇌척수액, 흉수, 관절액, 중이에서 채취한 체액에서 헤모필루스균이 동정되면 확진할 수 있다. 헤모필루스균을 동정하기 위하여서는 적절한 배지를 사용하여야 한다. 동정된 모든 헤모필루스균에 대해서 혈청형 검사를 시행하여 효과적인 예방접종으로 유일하게 예방 가능한 b 혈청형인지 아닌지 확인하여야 한다. 질병관리본부 세균분석과에 혈청형 검사를 의뢰할 수 있다.

항원검사는 b형 헤모필루스균의 피막 다당류인 PRP를 신속히 측정하는 방법이며, 배양검사 외의 보조적인 검사로 사용될 수 있다. 항원검사는 항생제 사용 등으로 균의 동정을 기대하기 힘든 환자들에서 진단에 유용하게 사용할 수 있다. 혈청과 소변에서의 항원검사는 권장되지 않는다. 라텍스 응집검사와 역류면역전기이동법(counterimmunoelectrophoresis) 등의 방법으로 PRP를 측정할 수 있다. 이 중 라텍스 응집검사는 빠르고 민감도가 높으며, 뇌척수액에 있는 b형 헤모필루스균 피막 다당류를 검출할 수 있는 장점을 가지고 있지만, 음성 결과가 헤모필루스균 감염을 배제하지 못하며, 위양성 결과도 보고된다는 단점이 있다. 역류면역전기이동법은 라텍스 응집검사와 검사 방법이 유사하지만, 라텍스 응집검사에 비하여 민감도가 낮고, 검사 시행에 시간이 더 많이 소요되며 검사 시행법이 어렵다는 단점이 있다. 최근 각 혈청형에 대한 유전자를 검출하는 혈청형 특이-중합효소연쇄반응이 개발되었고, 혈액, 뇌척수액 및 다른 부위의 검체에서 균을 검출하는데 이용할 수 있다.

5) 치료

침습성 질환이 발생하였을 경우 일반적으로 입원 치료가 필요하다. Ceftriaxone 혹은 cefotaxime과 같은 3세대 cephalosporin 항생제가 권장된다. 성인은 ceftriaxone 2 g을 12시간 간격으로 1일 2회, cefotaxime은 2 g을 4시간 혹은 6시간 간격으로 투여한다. 열이 떨어지고 3-5일의 임상적 혹은 검사실 소견에서 감염증의 증거가 없는 경우는 항생제를 중단할 수 있는 데 대부분의 경우에는 약 10일 정도의 항생제 치료가 필요하다. 수막염 외에 심내막염, 골수염 등 다른 장기의 합병증이 동반된 경우에는 3-6주 정도 장기간의 항생제 치료가 필요하다. b형 헤모필루스균에 의한 수막염에서 코르티코스테로이드의 사용은 신경학적 후유증을 감소시키는 효과가 있다. 이러한 효과는 세균이 파괴되면서 세포벽에서 유리되는 염증매개체로 인해 발생하는 수막의 염증 반응을 감소시키기 때문인 것으로 추정된다.

6) 환자 및 접촉자 관리

b형 헤모필루스균에 감염된 환자와 밀접한 접촉 특히 가족 간에 접촉이 있었던 경우에는 전파의 위험성이 높기 때문에 화학예방요법이 필요하다. 화학예방요법으로 rifampin이 효과적이며 95% 이상의 예방효과를 나타낼 수 있다. 가족 간 접촉이 있었더라도 가족 구성원 중 4세 미만의 소아가 모두 완벽하게 b형 헤모필루스균 백신접종을 끝낸 경우에는 화학예방요법이 필요하지 않다. 그러나 백신을 완벽하게 접종하지 않은 4세 미만의 소아가 있는 경우 성인(임신부 제외)을 포함한 모든 가족 구성원들은 화학예방요법을 받아야 한다. 성인은 화학예방요법으로 rifampin 600 mg을 1일 1회 총 4일간 투여한다. 첫 환자가 입원한 후 1주일 이내에 밀접하게 접촉한 자들에게 화학예방요법을 시행해야 하며, 첫 환자가 수막염으로 치료 후 퇴원할 때에는 퇴원 전후로 rifampin을 복용하여야 한다. 그 이유는 수막염 치료에 사용하는 항생제로는 코인두의 집락을 효과적으로 제거하지 못하기 때문이다.

2. 백신의 종류

1) 다당류백신(pure polysaccharide vaccine, HbPV)

1985년 미국에서 b형 헤모필루스균에 대한 다당류백신(HbPV)이 사용되었다. 하지만 b형 헤모필루스균 질환에 가장 취약한 18개월 미만의 소아에게 효과가 없어서 1988년부터는 HbPV가 사용되지 않는다. 다당류백신은 폐렴사슬알균, 수막알균과 같은 다른 다당류백신들과 동일하게 백신에 대한 반응이 연령에 따른 면역 반응에 가장 크게 영향을 받는다. 다당류 항원이 T 림프구 비의존성 항원이기 때문에 2세 미만의 소아에서 다당류백신의 면역원성은 매우 좋지 않으며, 추가적으로 투여하여도 항체 역가가 증가되지 않는다.

2) 단백결합백신(polysaccharide-protein conjugate vaccine)

다당류백신의 한계를 극복하기 위하여 운반체 역할을 하는 단백질을 다당류 항원과 결합시킨 단백결합백신이 개발되었다. 단백질 결합으로 인하여 다당류 항원이 T 림프구 비의존적인 항원에서 의존적인 항원으로 변경되기 때문에 면역원성이 크게 향상되었다. 또한, 단백결합백신을 반복 투여하면 면역 증강 효과(booster effect)가 유발될 수 있고, IgG 항체를 통해 더 효과적인 특이 면역반응이 나타나게 된다. 결합단백의 종류에 따라 디프테리아 톡소이드와 결합한 PRP (polyribosyl-ribitol-phosphate)-D, 돌연변이 디프테리아 단백질(CRM$_{197}$)과 결합시킨 PRP-HbOC, 파상풍 톡소이드와 결합시킨 PRP-T, 수막알균 외막 단백질(outer membrane protein)과 결합시킨 PRP-OMP 등이 있다. 이들 중 국내에

표 31-1. b형 헤모필루스균 단백결합백신 및 혼합백신*

결합가	백신 종류	제품명	국내유통	제조사	단백질 운반체	제형
Monovalent	PRP-D	ProHIBiT®		Connaught Laboratories, Inc	Diphtheria 변성독소(toxoid)	0.5 mL/vial
	PRP-CRM (HbOC)	HibTITER®		와이어스	Mutant (CRM₁₉₇) diphtheria protein toxin	0.5 mL/PFS
		Vaxem®	사용 가	글락소스미스클라인		
	PRP-T	Hiberix®		글락소스미스클라인	Tetanus 변성독소(toxoid)	0.5 mL/vial
		ActHib®	사용 가	사노피 파스퇴르		0.5 mL/vial
		Euhib®	사용 가	LG 생명과학		0.5 mL/vial
	PRP-OMP	PedvaxHib®		Merck & Co., Inc	Outer membrane protein (OMP) complex of *Neisseria meningitidis* group B	0.5 mL/vial
Polyvalent	DTaP-IPV-Hib	Pentacel®	사용 가	사노피 파스퇴르	DTaP adsorbed, inactivated poliovirus and Hib	0.5 mL/vial
	Hepatitis B-Hib	Comvax®		Merck & Co., Inc	Mixed vaccines of recombinant hepatitis B antigen and *Haemophilus influenzae*	0.5 mL/vial
	Hib-MenCY	MenHibrix®		글락소스미스클라인	Meningococcal groups C and Y and Hib tetanus 변성독소 (toxoid)	0.5 mL/vial

Hib: *Haemophilus influenzae* type b; PRP-D: polyribosylribitol phosphated conjugated to diphteria toxoid; PRP-CRM/HbOC: polyribosylribitol phosphated conjugated to mutant (CRM₁₉₇) diphtheria protein toxin; PRP-T: polyribosylribitol phosphated conjugated to tetanus toxoid; PRP-OMP: polyribosylribitol phosphated conjugated to outer membrane protein complex of *N. meningitidis*; DTaP: diphteria toxoid–tetanus toxoid–acellular pertussis vaccine; IPV: inactivated polio vaccine

* 1회 접종, 단 조혈모세포이식 수혜자의 경우에는 1–3개월 간격으로 3회 접종 권고

서는 PRP–HbOC와 PRP–T 백신이 사용되고 있다(표 31-1).

b형 헤모필루스균 다당류에 디프테리아 톡소이드를 결합한 첫 다당류-단백결합백신(PRP–D, Pro-HIBiT®)이 1987년에 승인되었다. 하지만 PRP–D는 현재 외국뿐만 아니라 한국에서도 사용되지 않는다. 다당류에 돌연변이 디프테리아 단백질(CRM₁₉₇)을 결합한 HbOC (HibTITER®)은 18개월 미만의 소아에게 효과적이지 못해 영아에게 사용할 수 없고 현재는 생산되지 않는다. 국내에서는 면역증강제로 인산알루미늄염을 흡착재로 사용한 HbOC (Vaxem®)을 2개월 이상에서 사용할 수 있다.

다당류에 파상풍 톡소이드를 결합한 백신(PRP-T)으로 Hiberix®와 ActHib®이 개발되었지만 Hiberix®는 현재 생산되지 않고, ActHib®만 사용되고 있다. 국내에서 개발된 PRP-T 백신으로 Euhib가 사용되고 있다. 수막알균 그룹 B 외막 단백질을 결합한 백신(PRP-OMP)으로 PedvaxHib® 가 있으나 국내에서는 사용하지 않고 있다. Hiberix®는 12개월 이상의 소아에게 b형 헤모필루스균 예방접종 일정의 가장 마지막 투여용으로만 승인을 받아 제한적이며, ActHib®, Euhib®, PedvaxHib®는 6주의 영아에게 사용하도록 승인을 받았다.

국내에서는 1996년부터 b형 헤모필루스균 다당류-단백결합백신을 사용하기 시작하였다. 국내에서 유아를 대상으로 한 PRP-T (ActHib®)와 PRP-OMP (PedHIB®)의 연구에서 두 백신의 면역원성과 안전성이 입증되었는데, 항체 역가가 1.0 μg/mL 이상으로 증가된 비율이 ActHib® 접종군에서 78.9%, PedHIB® 접종군에서 91.7%이었다. Euhib®는 영아를 대상으로 Hiberix®와 비교한 3상 연구에서 좋은 면역원성과 안전성을 나타내었는데, 항체 역가가 1.0 μg/mL 이상으로 증가된 비율이 Euhib® 접종군에서 90.32% (2번째 투여 후), 100% (3번째 투여 후), Hiberix® 접종군에서 각각 78.26%와 96.74%이었다. 표 31-1에 b형 헤모필루스균 다당류-단백결합백신들의 특성과 국내 유통 백신들을 정리하였다.

3) b형 헤모필루스균을 포함한 혼합백신(combination vaccines)

최근 영아에서 접종 횟수를 줄이기 위해 b형 헤모필루스균과 다른 예방접종을 혼합한 DTaP-IPV-Hib (Pentacel®, Sanofi Pasteur)와 hepatitis B-Hib (Comvax®, Merck)가 개발되어 사용되고 있으며, 국내에서는 현재 Pentacel®이 사용되고 있다. 국내에서 Pentacel®과 DTaP-IPV, Hib (PRP-T)을 각각 접종한 영아를 대상으로 시행된 연구에서 두 군들 사이에 좋은 면역원성과 안전성이 보고되었다.

3. 백신의 효능 및 효과

b형 헤모필루스균 피막 다당류에 대한 항체는 감염질환을 예방하는 효과를 가지고 있다. 침습성 감염질환을 예방할 수 있는 정확한 항체 농도는 명확하지 않다. 비결합(unconjugated) PRP 백신으로 시행한 연구에서 접종 3주 후 1 μg/mL의 항체 농도가 예방과 관련되어 있었으며, 침습성 감염질환을 장기적으로 예방 할 수 있는 항체 농도로 제시되었다. PRP-D 후에 개발된 PRP-T인 Hiberix®, ActHib® 와 PRP-OMP인 PedvaxHib®의 세 가지 백신에 대한 효과는 대단히 우수하여 PRP-T는 3회, PRP-OMP는 2회 예방접종으로 95% 이상의 영아에서 보호 항체가 생성되며 임상적으로도 95-100%의 예방 효과를 나타내는 것으로 보고되었다. 또한 백신은 인두 주변의 b형 헤모필루스균 집락 형성을 감소시켜 주는 효과도 있다. 따라서 완전하게 백신접종을 마친 영아에서 b형 헤모필루스균에 의한 침습적 감염은 드물게 발생하고 있다.

성인에서는 겸상 적혈구 빈혈, 백혈병, HIV 감염인, 비장절제술을 시행 받은 환자와 같이 면역저하 상태로 b형 헤모필루스균에 의한 침습적 감염이 발생할 위험성이 높은 환자들에 대한 b형 헤모필루스균 예방접종의 면역원성이 일반적으로 우수하였다. 다만, HIV 감염인의 경우 면역저하 상태에 따라 예방접종의 면역원성이 다양하였다. 성인에서 b형 헤모필루스균에 의한 침습성 감염질환이 발생할 위험성이 높은 환자들을 대상으로 한 예방접종의 임상적인 효과에 대한 연구는 시행되지 않았다.

4. 적응증

일반적으로 59개월 이상에서는 b형 헤모필루스균 예방접종이 권고되지 않는다. 나이가 든 소아의 대부분은 아마도 영아 때의 무증상 감염으로 인하여 b형 헤모필루스균에 대한 면역력을 가지고 있다. 하지만 b형 헤모필루스균에 의한 침습성 감염의 위험성이 높은 일부 성인들−겸상 적혈구 빈혈증 또는 비장절제술로 인한 기능적 또는 해부학적 무비증 환자, 보체 및 면역 결핍 환자(특히 IgG2 계열 결핍 환자), HIV 감염인(성인제외), 조혈모세포이식 수혜자−의 경우 b형 헤모필루스균에 대한 예방접종이 필요하다. 59개월 이상의 환자들 중에서 위의 위험인자들을 가지고 있을 경우 유아기 Hib 접종 유무와 상관없이 b형 헤모필루스균 다당류−단백결합백신 중 하나로 추가적인 예방접종을 실시해야 한다.

5. 투여방법

0.5 mL를 피하 또는 근육 주사하는데 성인에게는 상완 어깨세모근(deltoid muscle)에 접종한다. 적응증에 해당되는 고위험군 환자에게 유아기 Hib 접종 유무와 상관없이 1회의 추가접종이 권고되며, 조혈모세포이식 수혜자는 1−3개월 간격으로 3회 접종이 권고된다. 다른 모든 예방접종과 동시에 투여할 수 있다.

접종 시 다음 사항에 주의하여야 한다.
1) HIV 감염, 중증의 복합 면역결핍, 저감마글로블린혈증이나 무감마글로블린혈증, 백혈병이나 림프종 또는 일반 악성종양 등에 의한 면역상태 변화, 코르티코스테로이드, 항암제 또는 방사선 치료 등으로 인하여 면역기능이 저하되어 있는 환자의 경우 충분한 항체반응이 나타나지 않을 수 있다.
2) 다른 항원형의 헤모필루스균으로 인한 감염증을 예방할 수 없다.
3) PRP−T가 파상풍 단백을 함유하고 있다고 해서 통상적인 파상풍백신 접종을 대신해서는 안 된다.
4) 2−8℃에 냉장 보관해야 하며, 얼려서는 안 된다.

6. 이상반응

b형 헤모필루스균 다당류-단백결합백신을 투여받은 후에 이상반응이 발생하는 경우는 흔하지 않다. 접종자에 따라 가벼운 정도의 이상반응이 발생할 수 있다. 5–30%에서 접종 부위의 종창, 발적, 통증이 발생하는 것으로 보고되었으며, 이러한 접종 부위의 국소 이상반응은 일반적으로 12–24시간 이내에 호전된다. 발열과 불안 증상 등과 같은 전신적인 이상반응은 흔히 발생하지 않으며, 심한 중증 이상반응 발생은 매우 드물다.

몇몇 예에서 접종 후 항원뇨가 검출된 바 있으므로 백신접종 후 1주 이내에 소변 항원으로 b형 헤모 필루스균 감염질환을 확진할 수 없다.

7. 금기사항

동일한 백신 또는 백신에 포함된 성분을 투여 받은 후에 심한 알레르기 반응이 발생한 병력이 있는 경우에는 b형 헤모필루스균 다당류-혼합백신을 투여해서는 안 된다. 중등도 또는 중증 급성 질환이 있는 소아의 경우 예방접종을 미루어야 한다. 경증의 상부 호흡기 감염 등 경증 질환은 백신접종의 금기 사항이 아니다. 임신부, 수유부와 가임 여성의 경우 안전성이 확립되어 있지 않다. 혈소판 감소와 같은 혈액 질환이 있는 경우 접종 부위 출혈이나 혈종이 생길 수 있어 주의가 필요하다.

8. 국내유통백신

표 31-1 참조

참고문헌

1. Adams WG, Deaver KA, Cochi SL, et al. Decline of childhood *Haemophilus influenzae* type b (Hib) disease in the Hib vaccine era. JAMA 1993;269:221-6.

2. Bae S, Lee J, Kim E, et al. Antimicrobial resistance in *Haemophilus influenzae* respiratory tract isolates in Korea: results of a nationwide acute respiratory infections surveillance. Antimicrob Agents Chemother 2010;54:65-71.

3. Bae S, Lee J, Kim E, et al. Serotype distribution and beta-lactam resistance in *Haemophilus influenzae* isolated from patients with respiratory infections in Korea. J Microbiol 2010;48:84-8.

4. Briere EC, Rubin L, Moro PL, et al., Messonnier N; Division of Bacterial Diseases, National Center for Immunization and Respiratory Diseases, CDC. Prevention and control of *Haemophilus influenzae* type b disease. MMWR 2014;63:1-14.

5. Kang JH, Lee HJ, Kim KH, et al. The Immunogenecity and Safety of a Combined DTaP-IPV/Hib Vaccine. J Korean Med Sci 2016;31:1383-91.

6. Kim IS, Ki CS, Kim S, et al. Diversity of ampicillin resistance genes and antimicrobial susceptibility patterns in Haemophilus influenzae strains isolated in Korea. Antimicrob Agents Chemother 2007;51:453-60.

7. Kim KH, Kim YK, Kim NH, et al. Immunogenicity and saftey of LBVH0101, a new *Haemophilus influenzae* type b tetanus toxoid conjugate vaccine, compared with Hiberix™ in Korean infants and children: a randomized trial. Vaccine 2012;330:1886-94.

8. Kim KH, Lee H, Chung EH, et al. Immunogenicity and safety of two different *Haemophilus influenzae* type b conjugate vaccines in Korean infants. J Korean Med Sci 2008;23:929-36.

9. Peltola H. Worldwide *Haemophilus influenzae* type b disease at the beginning of the 21st century. Clin Microbiol Rev 2000;13:302-17.

10. Shin JH, Han HY, Kim SY. Detection of nasopharyngeal carriages in children by multiplex reverse transcriptase-polymerase chain reaction. Korean J Pediatr 2009;52:1358-63.

11. Takala AK, Eskola J, Leinonen M, et al. Reduction of oropharyngeal carriage of *Haemophilus influenzae* type b (Hib) in children immunized with an Hib conjugate vaccine. J Infect Dis 1991;164:982-6.

SECTION

03

특수 상황에서의 예방접종
Vaccinations for special situation

Chapter
32

만성질환

전남대학교 의과대학 **박경화**
경북대학교 의과대학 **장현하**

대한감염학회 권장 만성질환자 예방접종

1 만성 심혈관질환
　가. 인플루엔자백신: 매년 1회접종
　나. 폐렴사슬알균백신: 단백결합백신과 다당류백신을 모두 접종(세부 내용은 24장 폐렴사슬알균 참조)

2 만성 폐질환
　가. 인플루엔자백신: 매년 1회접종
　나. 폐렴사슬알균백신: 단백결합백신과 다당류백신을 모두 접종(세부 내용은 24장 폐렴사슬알균 참조)

3 만성 간질환
　가. 인플루엔자백신: 매년 1회접종
　나. 폐렴사슬알균백신: 단백결합백신과 다당류백신을 모두 접종(세부 내용은 24장 폐렴사슬알균 참조)
　다. A형간염: 만 40세 이상 항체검사 후, 40세 미만에서는 항체검사결과 없이도 간질환의 자연 경과 중 가능한 조기에 A형간염백신을 접종
　라. B형간염: 의학적으로 접종대상이 되는 경우 간질환의 자연 경과 중 가능한 조기에 B형간염 백신을 접종

4 만성 신질환: 만성 신기능 저하자, 복막 투석이나 혈액 투석환자
　가. 인플루엔자백신: 매년 1회접종
　나. 폐렴사슬알균백신: 단백결합백신과 다당류백신을 모두 접종(세부 내용은 24장 폐렴사슬알균 참조)
　다. B형간염: 항체검사를 시행하여 음성이면 B형간염백신을 신질환 경과 조기에 접종. 혈액투석환자에서 고용량(40 μg/mL 제형 또는 20 μg/mL 제형 2회 용량)으로 한 부위에 접종하고, 매년 anti-HBs 항체가를 측정하여 10 mIU/mL 미만으로 감소하면 재접종

5 당뇨병
　가. 인플루엔자백신: 매년 1회접종
　나. 폐렴사슬알균백신: 단백결합백신과 다당류백신을 모두 접종(세부 내용은 24장 폐렴사슬알균 참조)

　* 각 만성질환자에서 이외의 백신은 개별백신의 연령별 권장사항에 따름

1. 배경과 필요성

만성질환자는 일부 감염성 질환에 노출될 위험이 증가되며 이로 인한 합병증의 위험도가 높아 예방접종의 적응증이 된다. 효과적인 예방접종은 만성질환자의 질병 관리로 인한 비용을 감소시킬 수 있음이 인플루엔자나 폐렴사슬알균 감염증 등에서 증명되었다. 만성질환자는 일반인에 비해 백신에 대한 면역반응이 낮아 고용량 또는 빈번한 투여가 필요할 수 있지만 대부분은 심한 면역저하 환자와 달리 일반적인 백신 스케줄에 따른 접종이 요구되며, 생백신과 불활화백신의 투여가 모두 가능하다. 그러나 각 환자의 면역 정도에 따라 담당 의사에 의해 결정되어야 할 것이다. 만성질환별로 백신접종의 효능에 대한 연구가 많지 않으며 특히 국내에서는 만성질환자를 대상으로 백신접종의 효과를 분석한 연구는 많지 않다. 하지만, 각 만성질환의 특성이 나라마다 크게 다르지 않기 때문에 미국 예방접종 자문위원회(Advisory Committee on Immunization Practices, ACIP)에서 권고하는 사항을 고려하여 백신접종을 권고하여도 무방하리라 생각된다. 만성질환자는 만성 심혈관질환자, 만성 폐질환자, 만성 간질환자, 만성 신질환자, 당뇨병 환자로 분류하였다. 개별 백신의 안전성, 효과, 접종 방법, 이상 반응 등은 이미 각 백신별로 언급되었으므로 본 장에서는 만성질환자들에게 필요한 백신 및 백신접종시 주의점에 대해 주로 언급하겠다.

1) 만성 심혈관질환

만성 심혈관질환자에서는 인플루엔자 유행시기에 이와 관련된 폐렴과 인플루엔자로 인한 입원율이 증가하며, 심부전, 심근염, 폐렴, 인플루엔자 등 합병증이 많이 발생한다. 인플루엔자백신은 인플루엔자 유행 계절에 심혈관질환자의 입원율을 감소시킨다. 또한 백신접종이 재발성 심근경색의 위험을 감소시킨다는 보고도 있다. 인플루엔자 예방접종이 만성 심질환자의 심혈관질환에 의한 사망과 전체 사망률을 감소시킨다는 연구 결과들에 근거하여 미국 심장학회에서는 관상동맥질환과 다른 죽상경화성 혈관질환자에게 2차 예방의 방법으로 인플루엔자 백신접종을 권장하고 있다. 인플루엔자백신의 접종은 만성질환자, 만성 심부전 환자, 급성 심근경색 환자에게 권고된다. 만성 심혈관질환자는 건강한 성인에 비해 침습성 폐렴사슬알균 감염증의 빈도가 6.4배 증가한다. 울혈성 심부전의 경우 폐렴사슬알균에 의한 폐렴의 위험인자이다. 폐렴사슬알균 폐렴 환자의 경우 급성 관상동맥질환이 5–7% 정도 발생하였고 세균성 폐렴 환자의 급성 관상동맥질환 위험이 8배나 높았다. 대규모 환자–대조군 연구에서 폐렴사슬알균백신은 접종 후 10년 동안 심근경색의 발생을 50% 이상 감소시키는 것과 관련이 있음이 제시되었다. 따라서 만성 심혈관질환자의 경우 백신으로 예방이 가능한 인플루엔자, 폐렴사슬알균 감염증은 중요한 백신접종 대상 질환이 된다.

2) 만성 폐질환

만성폐쇄성폐질환이나 기관지확장증, 천식 환자에게 문제가 되는 급성 악화(acute exacerbation)는 숙주와 환경적인 인자들에 의해 영향을 받기도 하지만, 주로 바이러스나 세균에 의한 지역사회획득 호흡기감염에 의해 촉발됨이 잘 알려져 있다. 천식과 만성폐쇄성폐질환, 두 질환 모두에서 인플루엔자와 같은 호흡기 바이러스뿐만 아니라 폐렴사슬알균 등에 의한 호흡기 세균 감염이 두 질환의 급성 악화에 기여한다. 만성 폐질환자에게 이들 주요 호흡기 병원체에 대하여 적절한 예방접종을 시행함으로써 이러한 지역사회획득 호흡기감염을 일부 줄이고 급성 악화를 감소시킬 수 있음이 알려져 있고, 만성 폐질환자의 사망률과 이환율을 감소시킬 수 있을 것으로 생각된다. 따라서, 만성 폐질환자에게 백신으로 예방이 가능한 인플루엔자, 폐렴사슬알균 감염증은 중요한 백신접종 대상 질환이 된다.

3) 만성 간질환

국내의 B형간염과 C형간염의 유병률은 각각 3%와 1%에 이른다. 간경화증을 포함한 간질환의 사망률은 2016년도에 10만 명당 13.3명으로 국내 사망원인의 8번째이고, 40-49세의 연령대에는 여전히 간질환과 연관되어 사망률의 3위를 차지할 정도로 공중보건학적인 측면에서는 중요한 질환이다. 항바이러스제의 사용과 간이식술, 약물 치료제 개발 등으로 과거보다 만성 간질환자의 예후가 향상되었다.

만성 간질환자는 면역 기능의 저하로 일부 감염성 질환에 노출될 위험이 증가되며 이로 인한 합병증의 위험도가 높아 건강을 유지하기 위해서 적절한 백신접종이 필요하다. 특히 원인에 관계없이 급성 바이러스성 간염은 기왕의 만성 간질환이 있는 환자에게 간손상을 악화시켜 치명적인 결과를 낳을 수 있다. 대만에서 시행한 연구 결과에 의하면 다양한 원인에 의해 급성 바이러스성 간염이 생긴 환자의 3.2%에서 간부전이 발생한 반면 B형간염 보균자에게 발생한 급성 바이러스성 간염에서는 20.3%에서 급성 간부전으로 진행하였다. 그러므로, A형간염이나 B형간염 예방은 만성 간질환자에게 매우 중요하다. 알코올 남용을 포함한 만성 간질환자의 경우 침습성 폐렴사슬알균 감염증의 위험도는 7.4배 증가하고, 간경화증 환자는 폐렴사슬알균 감염이 있을 때 균혈증이 발생할 수 있는 위험도가 11.4배 높고, 폐렴사슬알균 감염으로 인한 사망률이 더 높으며 균혈증이 동반된 폐렴환자의 경우 간경화증은 불량한 예후 인자이다. 따라서, 만성 간질환자의 경우 백신으로 예방이 가능한 A형간염, B형간염바이러스 감염증, 인플루엔자, 폐렴사슬알균 감염증은 중요한 백신접종 대상 질환이 된다.

4) 만성 신질환

감염질환은 말기 신질환자에서는 두 번째로 흔한 사망 원인으로, 만성 신질환자는 요독증과 관련되어 면역기능이 저하되고, 혈액투석 환자는 혈액 제재에 대한 노출로 인하여 다양한 감염병에 걸릴 수 있다. 특히, 신증후군은 폐렴사슬알균 감염증의 위험도가 높다. 만성 신질환자는 면역 세포의 기능저하로 세포매개성 및 체액성 면역 장애가 초래되어, 건강한 피험자와 비교했을 때 백신접종 후 항체양전율 및 최고 항체역가가 낮고, 항체가도 빨리 하락하는 특징이 있다. 백신접종 후 항체양전율이 낮은 것은 신장 질환의 진행 정도와 밀접한 관련이 있어, 필요한 백신은 가능한 조기에 접종하는 것이 추천된다. 만성 신질환자의 경우 백신으로 예방이 가능한 B형간염, 인플루엔자, 폐렴사슬알균 감염증은 중요한 백신접종 대상 질환이 된다.

5) 당뇨병

국내 당뇨병 유병률은 1970년대 약 2%를 시작으로 빠르게 증가하여 최근에는 12-13% 정도로 보고 되고 있다. 당뇨병 환자는 미생물에 대한 선천 면역이 감소되어 있으며, 특히 대사성 산증이 동반된 상 태에서 호중구와 대식세포의 기능이 저하되어 있다. 또한 이환 기간이 긴 환자는 혈관합병증으로 인하 여 심혈관 질환, 신질환 및 타 말단 장기의 장애를 동반하는 경우가 많아, 감염병의 발생 위험이 높고 이에 따른 사망 위험이 증가한다. 인플루엔자 환자의 입원 및 사망 위험요인에 관한 연구에서 당뇨병이 중요한 위험인자로 보고되었으며, 당뇨병과 폐렴에 대한 연구에서 당뇨병 환자, 특히 혈당 조절이 잘 되 지 않는 환자의 경우 폐렴으로 인하여 병원에 입원할 확률이 일반인보다 높고, 폐렴에 걸릴 경우 사망 률도 높았으며 흉수 등의 합병증도 더 많았다. 따라서 당뇨병 환자에서 백신으로 예방이 가능한 인플 루엔자, 폐렴사슬알균 감염증은 중요한 백신접종 대상 질환이 된다. 당뇨병 환자는 당뇨족 등 피부연조 직 감염이 정상 성인에 비해 흔하므로 파상풍백신을 접종한다.

2. 대상 질환

1) 만성 심혈관질환

고혈압을 제외한 울혈성 심부전 및 심근병증, 만성 심혈관질환자를 대상으로 한다.

2) 만성 폐질환

대표적인 만성 폐질환인 만성폐쇄성폐질환(만성기관지염과 폐기종), 천식, 기관지확장증을 대상으로 한다.

3) 만성 간질환

만성 간질환자를 대상으로 한 예방접종의 효과에 대한 연구는 만성 B형간염, 만성 C형간염, 알코올 성 간질환, 대상성/비대상성 간경화증에서 주로 이루어져 있어 이를 대상으로 한다. 지방간, 자가면역 성 간염, 윌슨병, 일차성 담즙성 간경화증, 원발 경화성 담관염 등 다른 간질환에서 백신접종의 효과를 분석한 연구는 아주 드물다. 자가면역성 간질환자 225명을 대상으로 한 연구에서 A형간염백신의 항체양전률은 100%였으나 B형간염백신은 75%였으며, 무반응은 면역억제제를 투여받거나 진행된 간질환을 가진 경우에 흔하였다. 그러므로 자가면역성 간질환자에 미루어 다른 간질환에서 백신접종은 각 환자의 면역 정도에 따라 담당의사에 의해 결정되어야 할 것이다.

4) 만성 신질환

만성 신기능 저하자, 복막투석이나 혈액투석 환자를 대상으로 한다.

5) 당뇨병

당뇨병을 가진 모든 환자를 대상으로 한다.

3. 권장 사항

1) 인플루엔자백신

우리나라는 대유행 인플루엔자(H1N1 2009)를 겪으면서 만성질환자에게 우선 접종을 시행하였고 백신접종률은 65% 이상으로 다른 국가에 비하여 비교적 높은 수준을 달성하였다. 네덜란드에서 시행된 만성 내과 질환(천식/만성폐쇄성폐질환, 만성 심혈관질환, 당뇨병 등)을 가진 65세 이하의 성인에서 인플루엔자 백신접종효과를 연구한 PRISMA (Prevention of Influenza, Surveillance and Management) 연구에 의하면 사망의 위험을 78% 감소시켰고, 입원 예방효과는 87%였다. 최근 국내에서 간경화증 환자를 대상으로 시행된 인플루엔자 백신접종의 임상적 영향에 대한 연구에 의하면, 백신접종을 한 경우에 백신접종을 하지 않은 군에 비하여 인플루엔자 감염이 의미있게 낮았고(25% vs 41.7%) 인플루엔자와 관련된 합병증의 빈도도 낮게 보고되었다. 국내 연구에 의하면 만성질환자들의 인플루엔자 예방접종과 관련한 전체적인 입원예방효과는 67%였고, 특히 만성 심혈관질환자와 만성 폐질환자들의 경우 입원을 예방할 수 있는 인플루엔자 백신접종의 효과는 82%에 달하였다. 만성 신질환자와 건강한 성인을 대상으로 한 연구에서 항체 생성에 장애가 있음에도 불구하고 만성 신질환에서 인플루엔자 백신접종은 안전하고 효과적이었다. 인플루엔자백신에는 약독화 생백신과 불활화백신이 있으나 약독화 생백신은 일반적으로 만성질환자에게 안전성의 이유로 더 이상 권고되지 않는다. 만성질환자는 모두 불활화백신으로 매년 1회 접종을 권장한다(17장 인플루엔자 참조). 불활화백신에는 A/H3N2, A/H1N1, B의 세 가지 인플루엔자바이러스에 대한 항원을 포함한 3가백신과 B형 인플루엔자 항원형(B/Victoria와 B/Yamagata) 두 가지를 포함한 4가백신이 있다. 만성질환의 고령자에서는 백신접종 후 항체가가 건강한 젊은 성인에 비해 낮을 수 있다. 고령자에서는 면역증강제 포함 백신이나 피내접종용 백신 사용도 고려해 볼 수 있겠으나 국내에서 사용할 수 없는 상황이다. 혈액투석 환자는 인플루엔자백신에 대한 항체 반응이 낮을 수는 있지만 방어에는 적합하다. 면역반응을 증강시킬 목적으로 불활화백신을 동일 계절에 2번 접종하여도 항체반응을 향상시키지 못한다.

2) 폐렴사슬알균백신

만성질환자의 경우 폐렴사슬알균 감염은 나이와 무관하게 정상 성인에 비하여 더 흔하고, 중증 폐렴사슬알균 감염증으로 진행하여 위험할 수 있다. 폐렴사슬알균 백신접종 2–3주 후 약 80% 이상의 성인에게 항체가 생기지만, 노인이나 만성질환자, 면역저하자의 경우 항체생성률이 떨어질 수 있고 효능이 감소된다고 알려져 있다. 만성 간질환자에게 폐렴사슬알균 백신접종 후 항체반응에 대한 연구는 미흡하다. 알래스카 원주민 중 만성 알코올중독 환자를 대상으로 시행한 연구에 따르면 혈청형에 따라 차이가 있음에도 불구하고 항체반응은 적절하였으나 건강한 성인에 비해서는 낮았다. 간경화증에서 다당류백신에 대한 면역원성은 건강한 성인에 비하여 낮으며 항체가도 더 빨리 감소한다. 만성 신질환자에서 폐렴사슬알균 백신접종시 면역반응은 건강인에 비하여 일반적으로 낮으며 시간이 지나면서 더욱 저하된다. 최근에 보급된 단백결합백신 중 13가 폐렴사슬알균 단백결합백신(PCV13)을 65세 이상의 성인에게 투여한 CAPITA (Community–Acquired Pneumonia Immunization Trial in Adults) 연구에 따르면 PCV13을 투여받은 군이 투여받지 않은 군에 비해 의미있게 백신주 폐렴사슬알균 감염에 의한 폐렴과 침습성 폐렴사슬알균 감염증을 감소시키는 것이 보고되었다. 이에 근거하여 만성질환자는 23가 폐렴사슬알균 다당류백신(PPSV23)과 PCV13의 접종을 모두 권고한다. PCV13을 접종할 수 없다면, PPSV23만 접종할 수 있다. 18세부터 64세까지의 만성질환자 중 폐렴사슬알균백신 미접종자는 PCV13을 먼저 1회 접종하고, 1년이 지난 후에 PPSV23을 1회 접종한다. PPSV23을 1회 접종한 경우는 PPSV23 접종 1년이 지난 후 PCV13을 1회 접종한다. 65세가 넘은 경우, 65세 이전에 PPSV23을 접종했다면 1년 이상의 간격을 두고 PCV13을 맞거나, 5년 이상의 간격을 두고 PPSV23을 접종한다. 65세가 넘은 경우, 65세 이전에 PCV13을 접종했다면 최소한 1년 후에 PPSV23을 접종한다(24장 폐렴사슬알균 참조).

3) A형간염백신

만성 간질환자의 A형간염 발생 위험도가 증가하지는 않으나 전격 간염으로 진행할 위험도가 증가한다. 미국 예방접종 자문위원회에서는 만성 간질환자를 A형간염의 노출 전 백신접종에 대한 대상자로 포함시키고 있다. 국내의 보고에 따르면 만성 B형간염 환자와 건강한 성인과의 A형간염 항체 보유율에는 차이가 없었다. 국내의 항체 보유율에 대한 연구를 보면 35세 미만은 30% 이하의 항체 보유율을 보였고 45세 이상은 90% 이상, 30–44세 에서는 28–86%까지 다양한 항체 보유율을 보여주었다(29장 A형간염 참조). 그러므로, 만성질환자에서 만 40세 미만은 항체검사 없이 일괄 접종을, 만 40세 이상의 경우에는 A형간염 항체검사 후에 A형간염백신 접종을 추천한다. A형간염백신은 건강인뿐 아니라 중증도 만성 간질환자에게도 95% 이상의 방어력을 제공하므로 예방접종 후 A형간염 항체 유무를 검사하는 것은 권고되지 않는다. 장기방어 능력을 가지기 위해서 2회 접종을 추천하고, 초회 접종 후 6–18개월에 2차 접종을 권고하고 있다.

4) B형간염백신

만성 간질환자에서 급성 B형간염은 건강한 사람에 비해 경과가 좋지 못하고 만성 C형간염 환자의 경우 만성 B형간염이 동반된 경우에 더 빈번하게 간경화로 진행한다. 만성 신질환자는 투석 장비의 오염 및 혈액 제재를 통한 교차감염의 위험에 항상 노출되어 있다. B형간염백신은 급성 B형간염 발생을 예방하고 만성 B형간염 보유율을 줄이는 것이므로 의학적으로 적응증이 되는 경우에 접종한다. 미국 예방접종 자문위원회에서는 만성 간질환자(C형간염, 간경화증, 지방간, 알코올성 간질환, 자가면역 간염, alanine aminotransferase 혹은 aspartate aminotransferase가 정상의 2배 이상 증가한 경우)와 만성 신질환자에게 B형간염 예방접종을 권고하고 있다. 이들에게 HBs Ag, anti–HBc Ab, anti–HBs Ab를 검사하여 면역이 없는 경우에 B형간염백신을 접종한다. 만성 간질환자에게 B형간염에 반복적인 노출의 위험이 없다면 예방접종 후 B형간염 항체 유무를 검사하는 것은 권고되지 않는다. 만성 신질환자에서는 매년 anti–HBs Ab를 측정하여 anti–HBs Ab < 10 IU/mL이면 추가접종을 시행한다. 만성 간질환자는 재조합 B형간염백신을 사용한 연구에서 20 µg을 0, 1, 6개월째 사용하는 표준요법을 시행했을 때(46%)보다 40 µg을 0, 1, 2, 6개월째 사용하는 고용량, 가속요법을 사용했을 때(75%) 항체양전률이 더 높고, anti–HBs항체 역가도 더 높았다. 진행된 간질환자에서의 항체양전률은 약 20~30% 수준이며, 고용량(40 µg) 백신을 사용하였을 경우에도 40%에 지나지 않는다. 그러므로 만성 간질환자의 경우 표준 용량 혹은 고용량을 간질환의 자연 경과 중 가능한 조기에 0, 1, 6개월의 스케쥴로 접종하도록 한다. 만성 신질환자는 만성 간질환자와 동일하게 접종한다. 그러나, 투석을 준비하는 말기 신질환자와 투석중인 환자에서는 백신접종 후 항체양전율이 낮고 항체가도 빨리 하락하기 때문에, 20 µg/mL 제형 2회 용량의 고용량(40 µg/mL)을 4회(0, 1, 2, 6개월)에 걸쳐 투여한다. 투석환자에서 초기 백신접종으로 항체가 생성되었으나 anti–HBs Ab < 10 IU/mL 이하로 감소한 경우에는 40 µg을 추가접종한다.

5) 파상풍-디프테리아-백일해 혼합백신

과거에는 파상풍과 디프테리아만을 포함한 파상풍-디프테리아 혼합백신(Td)이 성인용으로 사용되었으나, 2010년부터 국내에서 백일해가 추가된 백신이 사용되기 시작하였다(Tdap, 성인용 파상풍-디프테리아-백일해 혼합백신). Td 혹은 Tdap 백신은 불활화백신이므로 만성질환자를 포함한 면역저하 환자에게 안전하게 사용할 수 있다. 만성 질환자의 파상풍 면역에 대한 자료는 미비하지만, 대부분의 면역저하 상황에서 Td 백신에 대한 반응이 낮고 면역력의 지속기간이 짧다. 일반인과 동일한 방법으로 3회의 기본 접종과 10년마다 재접종을 시행한다. 백신을 처음 접종하는 경우 기초 접종 3회를 추천하고 이 중 첫 번째 접종은 가급적 Tdap, 나머지는 Td를 접종하도록 권고하고 있다. 첫 회 접종 후 1-2개월 후에 2차 접종을 시행하고, 이후 6-12개월 뒤에 한 번 더 접종한다. 백신을 접종한 후 10년이 경과하였으면 Td를 10년마다 추가접종한다. 백일해는 단독 예방 백신이 없기에 Tdap으로 접종하여야 하며 만성 폐질 환자를 포함한 모든 성인에게 평생 한 번 Tdap의 접종을 추천하고 있다.

6) 홍역-볼거리-풍진 혼합백신과 수두백신

홍역-볼거리-풍진 혼합백신(MMR)과 수두백신은 약독화 생백신이다. 생백신은 백신에 의한 질병 유발 가능성으로 인해 면역 저하 환자의 경우 금기로 되어 있으나, 만성질환자의 경우 일반 성인과 마찬가지로 면역이 없는 경우 접종이 권장된다. 면역이 있는 것으로 간주할 수 있는 경우는 의사가 진단한 병력이 있는 경우, 항체 양성인 경우, 예방접종력이 있는 경우이다.

7) 대상포진백신

대상포진백신에는 생백신과 불활화백신이 있다. 현재 국내에서 사용중인 대상포진백신은 생백신으로, 그 중 조스터박스®(Merck & Co)는 만성질환 유무와 관계없이 60세 이상 성인에게 1회 권장되는 생백신으로, 대상 포진의 발병과 포진후 신경통의 발생을 줄이는 효과가 있다. 만성질환자를 대상으로 한 최근 연구에서 582명의 60세 이상의 말기 만성 신질환자(end stage renal disease)에게 대상포진백신을 투여하였을 때 대상포진 발생을 49% 감소시켰고, 특히 투석 2년 이내의 환자에서 그 효과가 뚜렷하였다. 만성 신질환과 당뇨병이 있는 환자에서 대상포진백신의 효과도 일반 성인에서의 효과와 비슷하였다. 만성 간질환자와 만성 폐질환자, 만성 심혈관질환자를 대상으로 한 연구는 없다. 만성질환자에서는 일반적인 연령기준에 의해 60세 이상 성인에게 1회의 대상포진백신이 추천된다.

그러나, 만성 폐질환 환자는 환자 치료의 특성으로 볼 때 장기간 고용량의 코르티코스테로이드를 투여받는 경우가 있어 주의를 요한다. 국소/흡입용 코르티코스테로이드 또는 저용량의 전신 코르티코스테로이드 투여환자나 부신기능부전에 대한 대체요법으로 코르티코스테로이드 투여환자는 대상포진백신의 금기가 아니나, 경구 코르티코스테로이드를 투여받는 환자 중 prednisolone 20 mg/일 이상을 2주 이상 투여하고 있는 경우 접종금기이므로 진료실에서 주의를 요한다. 불활화백신의 경우, 2017년 10월 미국에서 처음으로 허가되었으며, 생백신과 달리 2-6개월 간격으로 2회 근육접종한다. 2017년 10월 미국 예방접종 자문위원회 미팅에서 불활화백신의 접종 권고와 관련된 논의가 있었으며, 2018년 1월 MMWR (Morbidity and Mortality Weekly Report)을 통해 50세 이상의 성인에 대해 생백신보다 불활화백신을 우선하여 접종하도록 권고하였고, 기존에 생백신을 접종받은 사람 중 면역저하자는 불활화백신을 추가로 접종받도록 권고하였다. 다만 임상연구에서 중증면역저하자에 대한 효능 평가는 이루어지지 못했기 때문에 이들에 대한 접종 권고는 유보하였다. 우리나라에 불활화백신이 도입되면 향후 대상포진과 관련된 접종 권고안은 달라질 가능성이 높다.

참고문헌

1. Bonten MJ1, Huijts SM, Bolkenbaas M, et al. .Polysaccharide conjugate vaccine against pneumococcal pneumonia in adults. N Engl J Med 2015;372:1114-25.
2. Cates CJ, Jefferson TO, Bara AI, et al. Vaccines for preventing influenza in people with asthma. Cochrane Database Syst Rev 2004:CD000364.
3. Centers for Disease Control and Prevetion (CDC). Advisory Committee on Immunization Practices recommended immunization schedule for adults aged 19 years or older-United States, 2017. MMWR Morb Mortal Wkly Rep 2017;66:136-8.
4. Chang CC, Morris PS, Chang AB. Influenza vaccine for children and adults with bronchiectasis. Cochrane Database Syst Rev 2007:CD006218.
5. Cho EJ, Kim SE, Suk KT, et al. Current status and strategies for hepatitis B control in Korea. Clin Mol Hepatol 2017;23:205-11.
6. Corrales-Medina VF, Madjid M, Musher DM. Role of acute infection in triggering acute coronary syndromes. Lancet Infect Disease 2010;10:83-92.
7. Davis MM, Taubert K, Benin AL, et al. Influenza vaccination as secondary prevention for cardiovascular disease: a science advisory from the American Heart Association/American College of Cardiology. J Am Coll Cardiol 2006;48:1498-502.
8. Hak E, Buskens E, van Essen GA, et al. Clinical effectiveness of influenza vaccination in persons younger than 65 years with high-risk medical conditions: the PRISMA study. Arch Intern Med 2005;165:274-80.
9. Johnson DW, Fleming SJ. The use of vaccines in renal failure. Clin Pharmacokinet 1992;22:434-46.
10. Kim BK, Jang ES, Kim JH, et al. Current status of and strategies for hepatitis C control in South Korea. Clin Mol Hepatol 2017;23:212-8.
11. Kornum JB, Thomsen RW, Riis A, et al. Type 2 diabetes and pneumonia outcomes. Diabetes Care 2007;30:2251-7.
12. Kyaw MH, Rose CE Jr, Fry AM, et al. The influence of chronic illnesses on the incidence of invasive pneumococcal disease in adults. J Infect Dis 2005;192:377-86.
13. Langan SM, Thomas SL, Smeeth L, et al. Zoster vaccination is associated with a reduction of zoster in elderly patients with chronic kidney disease. Nephrol Dial Transplant 2016;31:2095-8.
14. Lee SH, Kim HS, Parl KO et al. Prevalance of IgG anti-HAV in patients with chronic hepatitis B and in the general healthy population in Korea. Korean J Hepatol 2010;16:362-8.
15. Loulergue P, Pol S, Mallet V, et al : GEVACCIM Group. Why actively promote vaccination in patients with cirrhosis? J Clin Virol 2009;46:206-9.
16. Naghavi M, Barlas Z, Siadaty S, et al. Association of Influenza Vaccination and Reduced risk of recurrent Myocardial Infarction. Circulation 2000;102:3039-45.
17. Park SC, Choeng HJ, Sohn JW, et al. Efficacy of influenza vaccination among chronic ill patients: retrospective case control study. Infect Chemother 2004;36:207-12.
18. Poole PJ, Chacko E, wood-Baker RW, et al. Influenza vaccine for patients with chronic obstructive pulmonary disease. Cochrane Database Syst Rev 2006:CD002733.
19. Recommended immunization schedule for adults aged 19 years or older, United States, 2017. Ann Intern Med 2017;166:209-19.
20. Rosman AS, Basu P, Galvin K, et al. Efficacy of a high and accelerated dose of hepatitis B vaccine in alcoholic patients: a randomized clinical trial. Am J Med 1997;103:217-22.
21. Song JY, Cheong HJ, Ha SH et al. Clinical impact of influenza immunization in patients with liver cirrhosis. J Cin Virol 2007;39:159-63.
22. Tseng HF, Luo Y, Shi J, et al. Effectiveness of Herpes Zoster Vaccine in Patients 60 Years and Older With End-stage Renal Disease. Clin Infect Dis 2016;62:462-7.
23. Walters JA, Smith S, Poole P, et al. Injectable vaccines for preventing pneumococcal infection in patients with chronic obstructive pulmonary disease. Cochrane Database Syst Rev 2010:CD001390.
24. Wongsurakiat P, Maranetra KN, Wasi C, et al. Acute respiratory illness in patients with COPD and the effectiveness of influenza vaccination: a randomized controlled study. Chest 2004;125:2011-20.
25. Wörns MA, Teufel A, Kanzler S, et al. Incidence of HAV and HBV infections and vaccination rates in patients with autoimmune liver diseases. Am J Gastroenterol 2008;103:138-46.
26. Xi X, Xu Y, Jiang L, et al. Hospitalized adult patients with 2009 influenza A (H1N1) in Beijing, China:risk factors for hospital mortality. BMC Infect Dis 2010;10:256-63.

항암치료 중인 고형암

성균관대학교 의과대학 **강철인**
인제대학교 의과대학 **김성민**

1 **대한감염학회 권장 항암치료 중인 고형암 환자 예방접종**

　가. 인플루엔자백신: 매년 10-12월에 1회 접종

　나. 폐렴사슬알균백신: 13가 폐렴사슬알균 단백결합백신(PCV13)을 먼저 접종한 후 최소 8주 후에 23가
　　　폐렴사슬알균 다당류백신(PPSV23)을 추가접종하고, 면역저하 상태가 지속되는 경우 PPSV23을 5년 후
　　　재접종

　다. 암 환자라고 하더라도 근치적 수술이 이루어져 항암화학요법을 시행 받을 필요가 없는 환자는 성인
　　　예방접종의 일반적인 권장사항을 따름

2 **주의 및 금기사항**

　MMR 혼합백신과 수두백신, 대상포진백신은 항암화학요법 또는 방사선 치료 중에는 금기

3 **항암화학요법 중인 고형암 환자의 예방접종 시기**

　가. 늦어도 처음 항암화학요법 시작 2주 전 접종

　나. 항암화학요법 전 필요한 백신을 접종받지 못한 경우 항암치료 종결 3개월 후 접종

　다. 항암화학요법 중 인플루엔자백신을 접종해야 하는 경우에는 다음 항암화학요법을 시작하기 2주 전,
　　　호중구감소증 상태일 기간을 피하여 접종

1. 배경과 필요성

　의학 발전과 더불어 성인 암 환자가 증가하고 있다. 이는 진단법의 발전과 건강 검진의 활성화로 인해 조기 진단되는 암 환자가 늘고 있고, 효과적인 항암치료법이 발전함에 따라 암 환자들의 기대 여명이 증가하고 있기 때문이다. 항암치료를 받는 암 환자들에게서 감염질환은 중요한 합병증 중 한 가지이며 예방이 무엇보다도 중요하다. 백신접종은 감염질환을 예방하기 위한 가장 효과적인 방법이며 모든 환자에서 필요한 백신접종을 권장하는 것이 중요하다. 백신으로 예방 가능한 질환 중 성인 암 환자에서 중요한 질환은 인플루엔자와 침습성 폐렴사슬알균 감염증이다.

2. 대상 질환

성인 암 환자는 크게 고형암과 혈액암으로 구분된다. 흔한 고형암으로 위암, 대장암, 식도암 같은 소화기암과 폐암, 유방암 등이 있으며 혈액암으로 백혈병과 림프종이 대표적이다. 이후 기술되는 예방접종 권장사항은 항암치료를 받고 있는 성인 암 환자들에게 해당되는 사항이다. 암 환자라고 하더라도 근치적 수술이 이루어져 항암치료를 시행받을 필요가 없는 환자는 면역학적으로 일반 성인과 크게 다르지 않으므로 성인예방접종의 일반적인 권장사항을 따르면 된다. 항암치료를 받고 있는 암 환자의 경우 항암치료 후 발생하는 호중구감소로 인해 면역력이 떨어지고, 스테로이드를 사용하는 경우 세포성 면역력이 감소한다. 그 결과 여러 감염 질환에 취약한 면역 상태가 되며 필요한 예방접종을 시행받아야 한다. 하지만 기저 질환의 면역저하작용과 항암치료로 인한 호중구감소 때문에 백신접종 후 항체생성률이 일반 성인에 비해 낮다는 문제점이 있다. 백혈병 같은 혈액암은 질병 자체의 면역저하작용과, 긴 호중구 감소 기간, 스테로이드의 사용으로 인해 고형암에 비해 면역저하가 더 심하며, 백신접종 후 항체생성률도 고형암에 비해 낮다. 암 환자에서 예방접종 후 항체생성률이 낮기는 하지만 어느 정도의 예방 효과가 있음이 증명되어 항암치료 중인 암 환자에서도 필요한 예방접종은 시행할 것을 권장한다.

3. 권장사항

1) 인플루엔자백신

암 환자에서 인플루엔자 감염 시 일반 성인에 비해 합병증이 유발되는 경우가 더 흔하기 때문에 매년 10–12월에 인플루엔자 백신접종이 권고된다(표 33-1). 인플루엔자는 발열, 근육통, 인후통, 기침 등을 유발하는 호흡기 질환으로서 인플루엔자바이러스에 의해 발생한다. 이러한 '독감 유사 증상'을 일으키는 호흡기바이러스는 여러 가지가 있지만, 이 중 보건학적으로 가장 중요하고 백신이 개발되어 사용 중인 바이러스가 인플루엔자이다. 인플루엔자는 대부분 저절로 치료되지만 바이러스에 의한 폐렴, 2차 세균성 폐렴, 부비동염, 중이염, 만성 폐질환의 악화 등을 유발할 수 있어 보건학적인 문제가 된다. 암 환자에서도 인플루엔자의 가장 흔한 임상상은 인플루엔자 유사 증상이지만 일반 성인에 비해 합병증을 유발하는 경우가 더 흔하여 인플루엔자로 인한 사망률이 증가한다. 인플루엔자는 A형과 B형으로 크게 나누어지며 주로 A형에 의하여 대유행이 발생한다. 인플루엔자 A형은 2개의 표면 항원(hemagglutinin, neuraminidase)의 종류에 따라 분류된다. 2009년 대유행하였던 인플루엔자 A는 H1N1 형이었다. 해마다 세계보건기구에서 그해 유행할 것으로 예상되는 인플루엔자 바이러스로 백신주를 선정하여 3가지 또는 4가지 형·아형에 대한 백신을 생산하게 된다.

인플루엔자백신에는 불활화백신과 약독화 생백신이 있다. 불활화백신은 유정란에서 배양한 바이러스를 정제하여 포르말린 등으로 불활화시켜서 만든다. 현재 불활화백신은 우수한 효과을 나타내며 널리 사용되고 있지만 소아나 노인에서는 효과가 낮고, 주사로 인한 이상반응, 국소면역이나 세포면역을 유도하지 못하는 단점을 가지고 있다. 이러한 단점을 보완하기 위해서 살아있는 바이러스를 사용하여 자연감염 경로와 유사하게 비강 내로 투여하여 체액성 면역과 세포면역반응을 증가시키는 비강 내 접종형 약독화 생백신이 개발되어 사용되고 있다. 그러나 항암치료 중인 암 환자에서는 약독화 생백신을 투여하지 않는다. 단, 최근 도입된 피내접종용 백신, 면역증강제 포함 백신은 불활화백신의 변형이므로 나이에 따라서 고려할 수 있다.

폐암, 유방암 환자들을 대상으로 인플루엔자백신의 효과를 평가한 연구에서 인플루엔자 백신접종 후 항체생성률이 정상 대조군에 비해 낮지 않은 것으로 보고되었다. 하지만 이 연구에 포함된 고형암 환자들의 대부분은 항암치료를 받고 있지 않았다. 항암치료를 받은 고형암 환자에서 예방접종 후 항체 생성률이 일반 성인에 비해 낮다는 것이 일반적인 견해이지만 이러한 환자에서 백신의 이상반응이 더 심하게 발생하지는 않는다. 따라서 암 환자에서도 인플루엔자 백신접종 후 예방항체가 생성된다는 점과 백신의 안전성을 고려한다면 인플루엔자 유행 시기에 항암치료를 받고 있는 암 환자들에게 백신을 접종하는 것이 비용-효과적인 것으로 제시되고 있다. 총 1,225명의 대장암 환자를 포함한 코호트 연구에 따르면 5년 동안 40%가량의 환자에서만 인플루엔자백신이 접종되었는데 백신접종군에서 인플루엔자 및 폐렴의 발생이 감소하였고 사망률의 감소도 확인되었다.

혈액암 환자의 경우 예방접종 후 항체생성률이 일반 성인에 비해서는 물론이고 고형암 환자들에 비해서도 매우 낮은 것으로 알려져 있다. 이는 질병자체의 면역저하 작용이 더 심하고 치료 약제의 세포 매개성 면역억제 작용이 혈액암에서 더 심하기 때문이다. 치료목적의 고용량 스테로이드를 투여받은 경우도 흔하며, 특히 B세포 림프종의 치료에 사용되는 rituximab는 B세포 작용을 억제하여 백신접종 후 항체 형성을 어렵게 만든다. 항암치료 중인 혈액암 환자, 특히 rituximab을 투여받은 경우 인플루엔자 백신의 효과에 대한 자료는 많지 않다. 항체생성률이 매우 낮을 것으로 예상되지만 어느 정도의 예방 효과가 기대되고, 특히 예방접종으로 인해 치명적인 이상반응이 발생하지는 않으므로 인플루엔자 유행 시기에는 혈액암 환자들에게도 인플루엔자백신을 접종하는 것이 필요하다는 의견이 많다.

항암치료 중인 암 환자에게 언제 인플루엔자백신을 접종할 것인가에 대해서 근거 자료가 매우 적고 전문가들 사이에서도 이견이 있는 문제이다. 암 환자의 항암치료는 통상적으로 3-4주 주기로 시행된다. 항암제를 투여 받은 후 10-14일이 경과하면 혈중 백혈구수가 가장 낮아지게 되며 이후 회복되는 것이 일반적인 경과이다. 항암치료 중인 암 환자들을 대상으로 한 인플루엔자 접종 시기에 대한 연구들은 일관성 있는 결과를 얻지 못하였고, 여러 가지 제한점 때문에 현재까지 이에 대한 명확한 근거 중심의 지침은 제시되지 못하고 있다. 따라서 전문가에 따라 항암치료 시작 2주 전, 항암치료 시작 1개월 후 또는 절대호중구수(absolute neutrophil count, ANC) 1,000/mm³ 이상, 항암치료 시기와 상관없이 인플루엔자 유행 시기 전 등 다양한 권장사항들이 나오고 있는 실정이다. 최근 국내 한 종합병원에서 3

주 간격의 항암치료를 시행 받는 성인 고형암 환자 97명을 대상으로 인플루엔자백신 투여 시점을 비교한 연구가 시행되었다. 한 군은 항암치료 당일 백신접종을 받았고, 다른 한 군은 항암치료 10일 후 백신접종을 받았는데, 항체생성률은 두 군에서 유사하였으나 이상반응이 10일 후 접종군에서 더 흔했다. 백신접종 후 항체가 생성되는 데 최소 2주의 시간이 필요하다는 점을 근거로 백혈구 수가 정상화된 후 예방접종을 시행하고 최소 2주 후 다음 항암치료를 진행하는 것이 가장 효과적인 방법이 될 것이며 일반적인 원칙이다. 항암화학요법 중 인플루엔자 유행 시기가 되어서 인플루엔자백신을 접종해야 하는 경우에는 항암화학요법을 시작하고 2주 이상 경과 후 또는 다음 항암화학요법을 시작하기 2주 전에 접종하며, 호중구감소증 상태일 기간에는 되도록 접종을 피한다.

2) 폐렴사슬알균백신

폐렴사슬알균백신은 65세 이상의 성인과 만성질환자, 면역저하자에게 접종이 권장되므로 암 환자에게도 접종이 필요하다. 성인에서 접종을 추천하는 폐렴사슬알균 백신의 종류에는 23가지 피막 다당류 항원을 포함하고 있는 23가 폐렴사슬알균 다당류백신(pneumococcal polysaccharide vaccine, PPSV23)과 13가지 항원을 함유하고 있는 13가 폐렴사슬알균 단백결합백신(protein-conjugate pneumococcal vaccine, PCV13)이 있다. 일반적으로 23가 다당류백신은 50-75% 가량의 예방효과를 보이는 것으로 알려져 있으나 항암치료를 받는 암 환자에서는 예방 효과가 더 떨어진다. 고형암보다는 특히 림프종이나 다발성 골수종 환자들에서 폐렴사슬알균 백신접종 후 항체생성률이 낮다. 면역저하환자에서는 가능하면 13가 단백결합백신을 먼저 접종한 후 최소 8주 후 23가 다당류백신접종을 추가하는 것을 추천하고 있다. 과거에 13가 단백결합백신을 접종받은 경우에는 23가 다당류백신만 1회 추가접종하면 되고, 이전에 23가 다당류백신을 접종받은 경우에는 1년 이상 간격으로 두고 13가 단백결합백신을 추가접종하면 된다.

항암치료 시작 직전 또는 치료 중에 백신을 투여받는 경우 항체생성률이 12-30% 가량밖에 되지 않으므로 적어도 항암치료 시작 2주 전에 백신을 투여받아야 한다(표 33-1). 예방 효과를 극대화하기 위해서는 항암치료 시작 4-6주 전에 백신접종을 하는 것이 좋다. 항암치료 시작 전에 백신을 접종받지 못한 경우에는 항암치료가 종결된 후 3개월 이후에 접종하는 것이 가장 효과적이다. 면역저하 상태가 지속되어 침습성 폐렴사슬알균 감염이 발생할 위험이 높은 환자의 경우에는 5년 후 23가 다당류백신을 재접종한다.

3) b형 헤모필루스균백신

침습성 헤모필루스균 감염증을 유발하는 혈청형은 대부분 b형이다. 성인에서 침습성 헤모필루스균 감염증이 발생하는 경우는 매우 드물지만, 비장절제술을 시행 받은 환자에게 패혈증을 유발할 수 있다. 모든 암 환자에게 b형 헤모필루스균백신을 접종할 필요는 없으나, 치료 과정에서 비장절제술을 시행 받는 환자의 경우에는 1회 접종이 필요하다(표 33-1). 비장절제술을 시행할 때 적어도 수술 2주 전에 접종한다. 수술 전 접종하지 못한 경우에는 수술 2주 후 시행한다. 이 경우 예방 효과는 감소하지만 접종하지 않는 것보다는 효과적이다.

4) 성인용 파상풍-디프테리아-백일해 혼합백신

과거에는 파상풍과 디프테리아만을 포함함 백신(Td)이 성인용으로 사용되었으나, 최근 백일해가 추가된 백신(Tdap)이 도입되어 함께 사용되고 있다. 기본 접종을 마친 성인에서는 10년 주기로 추가접종이 권장된다. 암 환자에서 Tdap 백신접종 후 항체생성률에 대한 자료가 부족하지만 항암 치료 중에 투여받을 경우, 항체생성률이 낮을 것으로 예상되므로 접종이 필요한 암 환자의 경우 항암치료 최소 2주 전에 접종을 시행해야 하며, 이미 항암치료를 시작한 암 환자의 경우 치료 종결 최소 3개월 후 접종을 하는 것이 예방효과를 높일 수 있다. 불활화백신이므로 암 환자를 포함한 면역저하 환자에게 안전하게 투여할 수 있다. 파상풍, 디프테리아, 백일해백신을 처음 접종하는 경우 Tdap 또는 Td백신을 3회 접종한다. 첫 회 접종 후 1-2개월 후에 2차 접종을 시행하고, 이후 6-12개월 뒤에 한 번 더 접종한다. 단 3회 기초 접종 중 Tdap백신을 1회 접종한다. 백신을 접종한 후 10년이 경과하였으면 Tdap 또는 Td를 1회 접종하며 10년마다 재접종을 시행한다.

5) 일반적인 권고 기준에 따른 예방접종

불활화백신은 일반적인 권고 기준에 따라 접종할 수 있다. 다만 암 환자는 백신접종 시행 시 항체생성률이 낮을 것으로 예상되므로 접종이 필요한 암 환자의 경우 항암치료 최소 2주 전에 접종해야 하며, 이미 항암치료를 시작한 암 환자의 경우 치료 종결 최소 3개월 후 접종하는 것이 예방효과를 높일 수 있다.

6) 주의하거나 금하여야 하는 예방접종

항암치료 중인 암 환자에서 홍역, 볼거리, 풍진, 수두, 대상포진과 같은 생백신은 투여 금기이다. 만약 항암치료 중인 암 환자가 일반적인 권고 기준에 따라 생백신 접종 대상에 해당되는 경우 항암치료 종료 3개월 후에 접종을 고려한다.

표 33-1. 성인 암 환자에서 권장되는 백신

백신	투여 대상 환자	항암치료와 관련된 접종 시기	투여 방법
인플루엔자	모든 암 환자	항암치료 시작 2주 전, 항암치료 중에는 항암치료 시작 2주 후 또는 다음 치료 시작 2주 전 호중구감소 기간을 피함	매년 10-12월에 1회 접종
폐렴사슬알균	모든 암 환자	비장절제술 시행 2주 전, 항암치료 시작 2주 전(가능하면 4-6주 전), 접종 없이 항암치료를 시작한 경우 항암치료 종결 3개월 후	- 13가 단백결합백신 1회 접종, 최소 8주 이상 후 23가 다당류백신 추가접종, 면역억제 상태가 지속되는 경우 5년 후 23가 다당류백신 재접종 - 과거에 13가 단백결합백신을 접종받은 경우에는 23가 다당류백신만 1회 추가접종 - 과거에 23가 다당류백신을 접종받은 경우에는 1년 이상 간격으로 두고 13가 단백결합백신을 추가접종
b형 헤모필루스균 (Hib)	비장절제술을 시행 받는 환자	비장절제술 시행 2주 전, 항암치료 시작 2주 전 또는 항암치료 종결 3개월 후	1회 접종
파상풍, 디프테리아, 백일해	모든 암 환자	항암치료 시작 2주 전 또는 항암치료 종결 3개월 후	- 처음 접종하는 경우 Tdap 또는 Td 백신을 3회 접종. 단 3회 기초 접종 중 Tdap 백신을 1회 접종 - 백신을 접종한 후 10년이 경과하였으면 Tdap 또는 Td를 1회 접종하며 10년마다 재접종

참고문헌

1. Anderson H, Petrie K, Berrisford C, et al. Seroconversion after influenza vaccination in patients with lung cancer. Br J Cancer 1999;80:219-20.
2. Ariza-Heredia EJ, Chemaly RF. Practical review of immunizations in adult patients with cancer. Hum Vaccin Immunother 2015;11:2606-14.
3. Arrowood JR, Hayney MS. Immunization recommendations for adults with cancer. Ann Pharmacother 2002;36:1219-29.
4. Earle CC. Influenza vaccination in elderly patients with advanced colorectal cancer. J Clin Oncol 2003;21:1161-6.
5. Keam B, Kim MK, Choi Y, et al. Optimal timing of influenza vaccination during 3-week cytotoxic chemotherapy cycles. Cancer 2017;123:841-8.
6. Minor DR, Schiffman G, McIntosh LS. Response of patients with Hodgkin's disease to pneumococcal vaccine. Ann Intern Med 1979;90:887-92.
7. Ortbals DW, Liebhaber H, Presant CA, et al. Influenza immunization of adult patients with malignant diseases. Ann Intern Med 1977;87:552-7.
8. Pollyea DA, Brown JM, Horning SJ. Utility of influenza vaccination for oncology patients. J Clin Oncol 2010;28:2481-90.
9. Schmid GP, Smith RP, Baltch AL, et al. Antibody response to pneumococcal vaccine in patients with multiple myeloma. J Infect Dis 1981;143:590-7.
10. Shildt RA, Boyd JF, McCracken JD, et al. Antibody response to pneumococcal vaccine in patients with solid tumors and lymphomas. Med Pediatr Oncol 1983;11:305-9.

Chapter

34 고형장기이식

울산대학교 의과대학 **이상오**
가톨릭대학교 의과대학 **김상일**

1 대한감염학회 권장 고형장기이식 환자 예방접종

백신[1]	백신 종류	이식 전[2]	이식 후[3]	비고
인플루엔자백신	불활화백신	접종	접종	매년 10-12월 접종
폐렴사슬알균백신	단백결합백신 다당류백신	접종	접종	본문 참조
Td 혹은 Tdap[4]백신	톡소이드백신	접종	접종	10년마다 재접종
B형간염백신	불활화백신	접종	접종	
A형간염백신	불활화백신	접종	접종	

1) 현재 국내에서 접종가능하고 우선적으로 접종이 필요한 백신
2) 가능한 이식 전에 면역상태를 확인하고 접종 계획을 수립하여야 함
3) 통상적으로 이식 후 3-6개월이 경과하면 면역저하의 정도가 안정화되므로 접종을 시작할 수 있음
4) 파상풍-디프테리아 예방은 Td로 가능하나 최근 10년 내에 파상풍 추가접종을 받지 않은 환자는 적어도 한번은 백일해가 포함된 Tdap을 접종받도록 권장함

2 주의 및 금기사항

가. 수두백신: 이식 전 면역력을 확인한 후 접종하되, 이식 최소 4주 전에 접종하며 이식 후 접종은 금기
나. MMR 혼합백신, 대상포진백신: 생백신이므로 이식 전(최소 4주 전) 접종은 가능하나 이식 후 접종은 금기

1. 배경과 필요성

고형장기이식을 받을 예정이거나 이식을 받은 환자는 면역억제제의 사용으로 인하여 일반인보다 감염의 위험성이 크므로 백신으로 예방 가능한 질병들에 대하여 면역을 획득할 수 있도록 이식 전에 계획에 따라 예방접종을 해야 하며, 이식 후에도 필요한 백신을 접종하여 면역을 유지해야 한다. 이식 예정인 환자는 시간이 경과하면서 장기의 기능이 저하됨에 따라 백신의 효과도 감소하므로 전신상태가 악화되기 전 기저질환의 초기 상태에서 면역을 획득하도록 최선을 다하는 것이 필요하다. 또한 이식 후에는 기저질환에 따른 면역력의 저하, 거부반응, 그리고 면역억제제의 영향으로 인하여 면역 생성 능력이 현저하게 감소되므로 적절한 면역을 유지하기 위해서는 계획에 따른 예방접종이 필요하다. 그리고 환자뿐만 아니라 밀접한 접촉을 하는 가족과 의료진 또한 예방접종이 완료되어 있어야 한다.

2. 권장사항

고형장기이식을 받은 환자에서 안전한 예방접종이라고 해도 이식 후에는 충분한 면역 효과가 없을 수 있으므로 가능한 이식 전에 기본 예방접종을 마쳐야 한다. 병원 방문 첫날에 예방접종 현황이나 면

표 34-1. 성인 고형장기이식 예정 환자와 이식 후 수혜자에서 권장되는 예방접종

백신	특성[1]	이식 전 접종권장	이식 후 접종권장	항체 역가 모니터링	근거의 정도[2]
인플루엔자[3]	I	네	네	아니오	II-2
	LA	본문 참조	아니오	아니오	III
폐렴사슬알균[4]	I	네	네	아니오	I
파상풍[5]	I	네	네	아니오	II-2
백일해(Tdap)[5]	I	네	네	아니오	III
B형간염[6]	I	네	네	네	II-2
A형간염	I	네	네	네	II-1

1) I, inactivated (불활화); LA, live attenuated (약독화 생)
2) I, 무작위 대조연구; II-1, 무작위가 아닌 대조연구; II-2, 코호트 혹은 환자 대조군 연구; III, 전문가의견 혹은 역학자료
3) 본문 참조.
4) 13가 단백결합백신을 접종한 후 최소 8주 후에 23가 다당류백신을 접종한다. 5년 후 23가 다당류백신을 재접종한다. 과거 23가 다당류백신을 접종받은 적이 있는 경우의 접종 방법은 본문 참조.
5) 이전 10년 동안 파상풍 추가접종을 받지 않은 경우는 적어도 한 차례는 백일해가 포함된 Tdap 접종을 권고한다.
6) B형간염 백신의 경우 이식 전 가능한 질환의 초기상태에서 접종을 받는 것이 필요하다. 이식 후에는 면역반응이 낮다.

역상태에 대한 조사가 이루어지는 것이 필요하며 환자가 이식 대기자로 등록될 때 다시 환자 상태에 따른 재조사가 이루어져야 한다. 이식 후 언제부터 예방접종이 가능한지에 대한 연구가 완전하게 이루어

표 34-2. 여행과 관련된 예방접종

백신	특성[1]	이식 전 접종권장	이식 후 접종권장	항체 역가 모니터링	근거의 정도[4]
콜레라[2]	I	네	네	아니오	III
	LA	아니오	아니오		III
황열[3]	LA	네	아니오	아니오	III
일본뇌염	I	네	네	아니오	III
장티푸스(근육주사용)	I	네	네	아니오	III
장티푸스(경구용)	LA	네	아니오	아니오	III

1) I, inactivated (불활화); LA, live attenuated (약독화 생)
2) 약독화 생백신은 면역저하 환자에서는 금기이다. 그러나 경구용 불활화백신은 면역저하 환자에서 금기가 아니다. Dukoral®은 경구용 불활화백신으로 콜레라와 장독소형 대장균에 대하여 단기간 예방능력을 가지고 있다.
3) 황열 백신은 아프리카나 일부 남아메리카로 여행하는 사람에서 필수 접종이지만 면역저하 환자에서는 금기이다. 고형장기이식 수혜자는 황열이 유행하는 지역으로의 여행을 최대한 자제하도록 권장된다. 부득이한 경우 예방접종금기임을 확인 받으면 유행 국에 입국이 가능하다.
4) I, 무작위 대조연구; II-1, 무작위가 아닌 대조연구; II-2, 코호트 혹은 환자 대조군 연구; III, 전문가 의견 혹은 역학자료

표 34-3. 고형장기이식 수혜자 또는 고형장기이식 예정자를 돌보는 가족과 의료진에게 권장되는 예방접종

백신	특성[1]	이식 전 접종권장	이식 후 접종권장	근거의 정도[2]
인플루엔자	I	네	네	II-2
	LA	네	아니오	III
B형간염	I	네	네	II-2
A형간염	I	네	네	II-1
b형 헤모필루스균	I	네	네	II-2
백일해(Tdap)	I	네	네	II-2
수두	LA	네	네	II-2
홍역	LA	네	네	II-2
볼거리	LA	네	네	II-2
풍진	LA	네	네	II-2

1) I, inactivated (불활화); LA, live attenuated (약독화 생)
2) I, 무작위 대조연구; II-1, 무작위가 아닌 대조연구; II-2, 코호트 혹은 환자 대조군 연구; III, 전문가 의견 혹은 역학자료

져 있지 않지만 대부분의 센터에서는 이식 3–6개월 후 기초 면역억제가 안정된 이후에 예방접종을 실시하고 있다. 고형장기이식 환자에서 예방접종 후 항체의 형성 유무와 시기는 면역억제제의 종류 또는 면역억제의 정도에 따라 차이가 있으며 예방접종 후 항체가 측정은 최소 4주 후에 실시한다. 성인에서 이식 전과 후에 권장되는 예방접종은 표 34-1과 같으며, 표 34-2는 여행과 관련된 예방접종, 표 34-3은 이식환자를 돌보는 가족과 의료진에서 권장되는 예방접종이다.

1) 인플루엔자백신

인플루엔자백신에는 다양한 제형이 있지만 고형장기이식 수혜자에서 면역원성과 안전성에 대한 자료는 주로 표준 용량의 불활화백신에 대한 것이다. 인플루엔자 불활화백신은 안전하므로 면역억제제 사용 중인 이식 후에도 언제든 접종이 가능하다. 간이식 수혜자를 대상으로 한 연구들에서 인플루엔자 예방접종은 안전하며 간 수치의 상승이나 이상반응과 관련이 없다고 보고되었다. 고형장기이식 수혜자들은 예방접종 후 항체생성률이 일반인에 비해 떨어지지만, 백신접종 후 항체역가를 추적 조사할 필요는 없다.

비강 내 접종용 생백신은 고형장기이식 환자를 대상으로 한 안전성에 대한 연구가 없어서 금기이다. 고형장기이식 수혜자에서 부주의로 비강 내 접종용 생백신이 투여되었다면 항바이러스제 투약을 하고 이어서 불활화백신으로 재접종한다. 고형장기이식 대기자에서 비강 내 접종용 생백신 투여가 꼭 필요한 경우라면 이식 수술을 받기 적어도 2주 전에 접종하여야 한다.

인플루엔자백신은 매년 접종받아야 하므로 이식 후 접종 시기가 중요하다. 이식 후 첫 6개월 이내에 접종을 받으면 면역원성이 현저히 떨어지지만 안전성에 대한 문제는 없다. 이식 후 첫 6개월 이내에는 면역원성이 떨어진다고 이 시기에 접종을 받지 않고 인플루엔자 유행 시기를 그냥 넘기기보다는 우선 접종을 한 후 3–6개월 후 아직 유행시기가 끝나지 않았다면 재접종을 받는 것이 더 좋다.

2) 폐렴사슬알균백신

고형장기이식 수혜자는 폐렴사슬알균백신 접종시 예방효과가 정상인에 비해 감소될 수 있으나 중증 폐렴사슬알균 질환에 대한 고위험군이기 때문에 백신접종을 권장한다. 고형장기이식 수혜자가 과거 폐렴사슬알균백신을 접종한 적이 없다면 13가 단백결합백신을 접종한 후 최소 8주 후에 23가 다당류백신을 접종한다. 그리고 5년 후 23가 다당류백신을 재접종한다. 과거 23가 다당류백신을 1회 접종한 경우, 23가 다당류백신을 접종한 지 최소 1년이 지난 후 13가 단백결합백신을 접종한다. 13가 단백결합백신접종 후 최소 8주가 경과하였고 과거 마지막으로 23가 다당류백신을 접종한 지 5년 이상 경과하였다면 23가 다당류백신을 접종한다. 과거 23가 다당류백신을 2회 접종한 경우, 마지막 23가 다당류백신을 접종한지 1년 이상 경과하였을 때 13가 단백결합백신을 접종한다(그림 34-1).

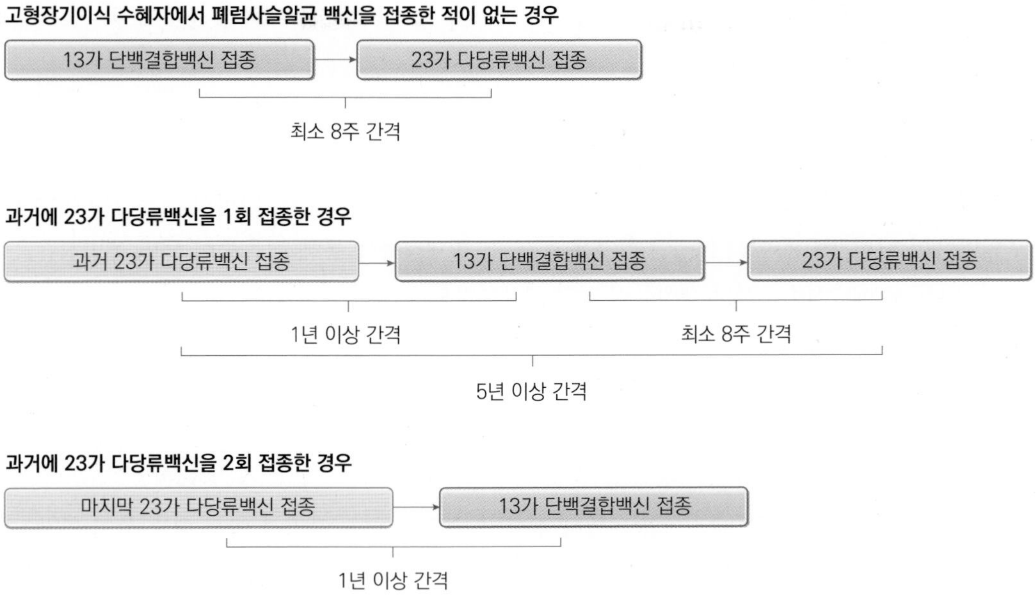

고형장기이식 수혜자에서 폐렴사슬알균 백신을 접종한 적이 없는 경우

| 13가 단백결합백신 접종 | → | 23가 다당류백신 접종 |

최소 8주 간격

과거에 23가 다당류백신을 1회 접종한 경우

| 과거 23가 다당류백신 접종 | → | 13가 단백결합백신 접종 | → | 23가 다당류백신 접종 |

1년 이상 간격   최소 8주 간격

5년 이상 간격

과거에 23가 다당류백신을 2회 접종한 경우

| 마지막 23가 다당류백신 접종 | → | 13가 단백결합백신 접종 |

1년 이상 간격

그림 34-1. 고형장기이식 수혜자에서 폐렴사슬알균백신 접종

3) 파상풍-디프테리아-백일해 혼합백신

파상풍-디프테리아-백일해는 어린이 기본예방접종에 포함되어 있고 청소년과 성인에서는 10년마다 파상풍-디프테리아 혼합백신(Td)을 추가접종하여야 한다. 백일해는 기초접종 5-10년 후에는 항체가가 방어 수준 이하로 감소하며 현재 국내에 성인용 백일해백신인 Tdap (tetanus, diphtheria, acellular pertussis)이 도입되어 있으므로 Td 접종 후 10년이 지난 성인은 적어도 한 차례는 백일해가 포함된 Tdap으로 추가접종한다. Td와 Tdap 모두 생백신이 아니므로 고형장기이식 후 접종이 가능하다. 단, Tdap의 고형장기이식 후 접종 효과에 대한 연구는 아직 시행되지 않았다.

4) B형간염백신

B형간염백신은 고형장기이식 후 예방접종 시 효능이 매우 낮으므로 anti-HBs 항체가 음성인 환자는 이식 전 예방접종을 하도록 권장한다. 그러나 투석을 하는 신부전 환자나 간부전 환자의 경우 일반인에 비해 백신의 면역반응이 떨어진다. 젊은 나이, 경증의 간질환일수록 백신의 면역반응이 우수하다. 간이식 수혜자의 경우 항체역가가 급격하게 감소하며 일부 환자에서는 다시 항체 음성이 된다. 따라서 효과를 극대화하기 위해서는 이식 전 예방접종을 하는 것이 가장 이상적이다. B형간염백신은 3회 접종을 기본으로 0, 1, 6개월 스케줄로 접종한다. 이식 전 기간이 부족하여 접종 간격을 단축하는 스케줄도

있으나 면역반응이 떨어지므로 권장되지는 않는다. 혈액투석 환자에서는 1회 용량을 고용량(40 μg)으로 접종한다.

5) A형간염백신

만성 간질환 환자에서 A형간염은 중증의 경과로 치명적이 될 수도 있다. 따라서 일반인에 비해 접종 후 면역반응이 낮더라도 간이식 예정인 환자는 이식 전 항체검사를 통해 적응증이 되면 예방접종을 해야 한다. 이식 후 예방접종은 항체생성률이 낮고 항체역가도 급속히 감소한다.

6) 주의하거나 금하여야 하는 예방접종

(1) 홍역-볼거리-풍진 혼합백신

MMR은 약독화 생백신이므로 고형장기이식 후 접종은 금기이다. 따라서 이식 대기 중인 환자는 항체 검사를 한 후 항체가 없을 경우 예방접종을 이식 전에 해야 한다. 접종 후 적어도 4주 이상의 간격을 두고 이식을 하도록 권한다. 항체가 없는 성인은 MMR 백신을 한번 접종하고 항체가 생겼는지 확인해야 한다. 항체가 생기지 않았을 때 이식 전에 시간적인 여유가 있으면 한 번 더 재접종할 수 있다. 가족이 MMR을 접종받은 경우 고형장기이식 수혜자와 접촉하지 말아야 한다.

(2) 수두백신

고형장기이식 후 수두바이러스 초감염이 발생하면 중증 질환을 일으키거나 치명적일 수 있다. 수두백신은 생백신이므로 이식 후 접종은 금기이다. 따라서 이식 대기 중인 환자는 수두바이러스에 대한 항체 검사를 한 후 항체가 없을 경우 이식 전에 백신을 접종해야 한다. 수두백신접종을 하는 경우 접종 후 적어도 4주 이상의 간격을 두고 이식을 하도록 권한다.

(3) 대상포진백신

대상포진백신은 생백신이므로 이식 전 접종은 가능하나 이식 후 접종은 금기이다. 향후 불활화백신이 도입되면 고형장기이식 후 접종도 가능해질 것으로 예측된다.

참고문헌

1. 대한감염학회 성인예방접종 가이드라인. Accessed at: http://www.ksid.or.kr/data/sub07.html
2. Avery RK, Michaels M. Update on immunizations in solid organ transplant recipients: what clinicians need to know. Am J Transplant 2008;8:9-14.
3. Centers for Disease Control and Prevention (CDC). Use of 13-valent pneumococcal conjugate vaccine and 23-valent pneumococcal polysaccharide vaccine for adults with immunocompromising conditions: recommendations of the Advisory Committee on Immunization Practices (ACIP). MMWR Morb Mortal Wkly Rep 2012;61:816-9.
4. Danzinger-Isakov L, Kumar D; AST Infectious Diseases Community of Practice. Vaccination in solid organ transplant candidates and recipients. Am J Transplant 2013;13 (Suppl 4):311-7.
5. Kim YJ, Kim SI. Vaccination strategies in patients with solid organ transplant: evidences and future perspectives. Clin Exp Vaccine Res 2016;5:125-31.
6. Ljungman P. Vaccination of transplant recipients. In: Bowden RA, Ljungman P, Snydman DR, eds. Transplant infections. 3rd ed. Philadelphia: Lippincott Williams & Wilkins; 2010;691-704.
7. Pittet LF, Posfay-Barbe KM. Immunization in transplantation: review of the recent literature. Curr Opin Organ Transplant 2013;18:543-8.

조혈모세포이식

가톨릭대학교 의과대학 **조성연**
가톨릭대학교 의과대학 **이동건**

1 대한감염학회 권장 조혈모세포이식환자 예방접종

백신	이식 후 접종 시작 시기	횟수
폐렴사슬알균백신	3-6개월	3-4회
불활화 인플루엔자백신	3-6개월	매년 1회
소아용 파상풍-디프테리아-백일해백신	6-12개월	3회
불활화 폴리오백신	6-12개월	3회
b형 헤모필루스균백신	6-12개월	3회
수막알균백신	6-12개월	1-2회
A형간염백신	6-12개월	2회
B형간염백신	6-12개월	3회
홍역-볼거리-풍진 혼합백신	24개월 이후	1-2회
수두백신	24개월 이후	1회

2 주의 및 금기사항

백신	주의/금기사항
홍역-볼거리-풍진 혼합백신	이식 24개월 미만, 이식편대숙주반응이 있는 경우,
수두백신	면역억제제 복용 중인 경우는 금기
대상포진백신	금기
Bacillus Calmette-Guérin (BCG) 백신	금기

1. 배경과 필요성

동종 조혈모세포이식 후 수혜자(recipient)의 면역계(immune system)는 시기에 따라 변화한다. 이식 초기에 공여자의 이식편(graft)으로부터 전달된 면역(transferred immunity)은 일정 기간 동안만 유지되다가 이후에는 점차 감소하며 수개월에서 수년에 걸쳐 면역재구성(immune reconstitution)이 일어난다. 수혜자의 면역기능 저하는 기저 혈액질환, 이식 전처치 과정에 사용된 약제들, 이식 후 복용하는 면역억제제, 그리고 이식편대숙주반응 등에 의해 발생한다. 이식 후 호중구의 생착과 함께 면역계의 회복이 시작되지만, 림프구의 기능적 회복은 장기간에 걸쳐 일어난다. 따라서 공여자의 면역상태 또한 이식 초기의 전달면역의 측면에서 중요하다.

대부분의 조혈모세포이식 수혜자는 이식 전 강력한 면역억제치료로 이미 항체가가 감소되어 있거나 없는 경우가 많다. 또한, 이식 후 특이 항체가 있을 확률은 이식 전 수혜자의 면역상태뿐만 아니라 공여자의 면역체계에 따라 달라진다. 수혜자에서는 특이 B세포 면역이 저하된 상태로 홍역, 볼거리, 풍진, 폴리오바이러스, 파상풍 등에 이환될 수 있어 예방접종이 필요하다. 그러나 홍역의 경우 자연 감염 후 생긴 면역에 비해 예방접종 후 획득된 면역은 소실이 더 빠르다. 이식 후 예방접종을 할 때에는 적어도 부분적으로라도 적절한 면역반응이 재구성되어 있어야 하는데, B세포 수는 이식 1–3개월째에는 매우 낮고, 이식 후 3–12개월이 경과되어야 정상으로 회복된다. Rituximab을 사용한 경우 B세포 회복은 더 늦어진다. T세포의 수 역시 이식 1–3개월에는 매우 낮다. 이식 후 T세포 수 회복은 수혜자의 나이, 이식편의 T세포 고갈 정도, 만성 이식편대숙주반응 등에 영향을 받는다. 그 외 조혈모세포의 종류(골수, 말초혈, 제대혈, 중간엽세포 등), 공여자(형제, 타인, 홑배수동종[haploidentical]), 전처치(표준, 저강도)의 종류에 따라 면역기능의 회복은 다양하고 이에 따라 예방접종의 종류와 시기를 다르게 할지 등에 대해서는 아직 충분한 정보가 없다.

자가 조혈모세포이식 환자의 면역계는 고용량의 항암 및 방사선 치료로 약화되지만 동종이식에서 관찰되는 이식편과 숙주간의 불일치는 없다. 또한 이식 초기에 백신으로 예방이 가능한 질환의 중증 감염이 발생할 가능성은 적으나, 폐렴사슬알균, 인플루엔자 등의 중증감염이 보고된 바 있다. 일반적으로 면역의 회복은 자가이식이 동종이식보다 빠르고, 말초 조혈모세포가 골수 또는 제대혈 이식에 비해 더 빠르다. 자가 조혈모세포이식 후 후기 면역저하는 많이 알려져 있지 않지만 림프종으로 자가 조혈모세포이식을 시행한 환자에서는 이식 후 수년까지 림프구 아집단(subset)의 이상이 지속된다는 보고가 있다. 자가 조혈모세포이식 환자에서 장기간 추적하는 중에 파상풍, 폴리오바이러스, 홍역에 대한 방어면역이 사라진다는 보고도 있다.

일반적으로 예방접종을 하지 않으면 동종 혹은 자가 조혈모세포이식 후 백신으로 예방이 가능한 질환(예: 파상풍, 폴리오, 홍역, 볼거리, 풍진 등)의 항체가는 1–10년에 걸쳐 감소한다고 알려져 있다.

미국을 비롯한 북미, 유럽의 여러 학회 및 단체가 위원회를 구성해 2009년 조혈모세포이식환자의 감염 합병증을 예방하기 위한 지침을 발표하였다. 이 지침에서는 이식의 종류(동종 혹은 자가), 조혈모세포의 종류(골수, 말초혈, 제대혈)등에 따라 권고 내용을 구분하지 않았다. 감염질환의 역학이 외국과는 다르고 지침도 같을 수 없지만 국내 자료는 매우 제한적이다. 각 백신의 접종간격을 어떻게 할지에 대해서는 연구마다 차이가 있어 일괄적으로 권장하기 어렵지만 일반적으로 최소 1개월 간격을 두는 것이 적절하다고 판단된다.

2. 조혈모세포 이식 환자에서의 항체검사

조혈모세포이식 수혜자의 면역저하 정도는 다양하며, 예방 가능한 질병 중에서 혈액검사가 가능한 바이러스의 항체 유무를 확인해볼 수 있다. 하지만 혈청 항체의 유무가 곧 예방가능한 면역력을 가진다는 것을 의미하지는 않기 때문에 해석에 주의가 필요하다.

1) 백신접종 전
이식 후 A형간염, B형간염 항체의 유무를 확인하고 예방접종을 시행해야 한다. 하지만, 면역글로불린을 투여하는 환자의 경우에는 위양성을 보일 수 있으므로 주의해야 하며, 위양성의 가능성이 있다면 추적검사가 필요하다.

2) 백신접종 후
백신접종 후 항체 검사를 시행하는 것은 면역원성을 획득하였는지, 추가접종이 필요한지, 혹은 백신의 면역원성 또는 효과가 얼마나 오래 지속되는지 알고자 하는 것이다. 3-4회의 폐렴사슬알균 예방접종을 하고 1개월 혹은 그 이후에 항체를 검사하는 것이 필요하지만 일반검사로 시행하기는 어렵다. 또한 아직까지 적절한 면역반응에 대한 정의가 확실하지 않아 무반응자에 대한 권장사항은 없다. B형간염 예방접종의 경우에는 3회 접종이 끝나고 1개월 혹은 그 이후에 검사를 권장하며, 무반응자에게는 3회의 재접종을 다시 고려한다. 이식편대숙주반응의 유무와 정도 등 환자의 상태에 따라 재접종(second series)을 시작하는 시기는 달라질 수 있다. 장기간 생존하는 조혈모세포이식환자는 정기적으로 항체검사를 시행하는 것을 권장하며 결과에 따라 재접종이 필요할 수 있다.

3. 권장사항(표 35-1)

1) 폐렴사슬알균백신

폐렴사슬알균백신에는 단백결합백신(protein conjugate vaccine, PCV)과 23가 폐렴사슬알균 다당류백신(polysaccharide vaccine, PPSV23)이 있다. 조혈모세포이식 수혜자에서는 PCV가 PPSV23보다 면역원성이 더 우월하다. 7가, 10가, 13가 PCV는 포함하는 혈청형이 더 넓어지기는 했지만, PPSV23의 23개 혈청형보다는 범위가 좁다. 그러나 PPSV23은 면역반응이 약하고, 특히 만성 이식편대숙주반응이 있는 환자에서 특이 면역글로불린 G2 (IgG2) 항체생성률이 낮다. 최근 조혈모세포이식 수혜자를 대상으로 한 여러 임상시험에서 PCV가 더 좋은 효과를 보여, 이들 환자군에서는 PCV를 권장하는 것으로 변경되었다.

PCV 백신은 일반적으로 이식 후 3–6개월 후 접종을 시작한다. EBMT–IDWP01 임상연구에서 이식 3개월(조기)과 9개월(후기)에 예방접종을 시작하는 두 경우에 항체반응이 비슷하여 조기에 폐렴사슬알균 예방접종을 시작하는 것이 방어효과가 있음을 보고하였다. 그러나 만성 이식편대숙주반응이 있는 환자들은 조기에 접종을 할 경우 이식편대숙주반응이 없는 환자에 비해서 항체 역가가 오래 유지되지 않을 수 있으므로 추가접종(booster injection)이 특히 중요하다. 일개 전향적 연구에서는 PCV13을 4회 접종하였을 때 강한 면역반응을 획득함을 확인하였으나, 이상반응에 유의해야 함을 보고하였다. PCV는 최소 1개월 간격으로 3회 투여함을 원칙으로 하며, 4번째에는 혈청형을 넓히기 위해 PPSV23을 투여하는 것이 효과적이다. 첫 번째 PCV와 PPSV23의 투여 간격은 약 6개월–1년으로 권고된다. 하지만, 만성 이식편대숙주반응이 있어 면역억제제를 복용 중인 환자에서는 4번째에 PPSV23 대신에 PCV를 투여하는 것이 항체생성률을 더 높일 수 있다.

폐렴사슬알균 예방접종 후에 미생물학적으로 확인된 폐렴사슬알균 질환이 발생할 경우 폐렴사슬알균백신에 포함되지 않은 혈청형인지, 백신에 반응이 없었던 것인지 확인하기 위하여 혈청형을 확인할 것을 권장한다. 확인된 혈청형에 따라 폐렴사슬알균백신의 추가접종을 고려할 수 있다.

2) 인플루엔자백신

조혈모세포이식을 시행할 예정이거나 시행한 모든 환자에서는 매년 인플루엔자 유행 시기 이전에 인플루엔자 백신접종을 권장한다. 상황에 따라 접종 시기는 달라질 수 있으나, 조혈모세포이식 6개월 후에 불활화 인플루엔자백신을 접종하면 인플루엔자 감염 위험을 낮춘다. 이식 후 6개월 이내에 접종하는 경우에는 약 4주 후 2차 접종을 고려할 수 있다는 보고가 있다. 지역사회에서 인플루엔자가 유행하고 있거나 조혈모세포이식 수혜자가 아직 인플루엔자백신을 접종하지 않은 경우, 이식 후 4개월이 경과하였으면 즉시 접종한다. 최근 자료들은 이식 후 3개월이 경과하면 인플루엔자 예방접종을 시행하는 것으로 시기가 당겨지고 있다. 비강내 분무하는 인플루엔자 생백신은 조혈모세포이식 환자에서 안전성과 효과에 대한 자료가 없으므로 권장하지 않는다.

3) 파상풍-디프테리아-백일해 혼합백신

대부분의 조혈모세포이식 수혜자는 파상풍과 디프테리아에 대한 특이면역이 소실된 상태이므로 예방접종이 중요하다. 파상풍, 디프테리아를 포함하는 백신은 포함된 항원의 종류와 양에 따라 디프테리아-파상풍-백일해 혼합백신(DTP), 파상풍-디프테리아 혼합백신(Td)와 성인용 파상풍-디프테리아-백일해 혼합백신(Tdap)이 있는데, D에 비하여 d는 디프테리아 변성 톡소이드의 양이 적다. 조혈모세포이식 수혜자에게 적은 양의 디프테리아 변성 톡소이드는 효과가 낮을 수 있다. 따라서 가능하다면 충분한 양의 변성 톡소이드를 접종하는 것이 효과적이다. DTP 백신은 이상반응의 위험으로 7세 이상에는 허가를 받지 못했으나 성인 조혈모세포이식 수혜자에서 사용하였을 때 이상반응의 빈도가 높지 않다는 보고가 있다. 성인 조혈모세포이식 수혜자에서 Td가 적절한 면역반응을 보일 수 있지만 DTP와 동일한 정도인지는 연구된 바 없다.

조혈모세포이식 수혜자는 만성 이식편대숙주반응이 발생하지 않아도 항암치료와 전신 방사선조사 등으로 폐손상이 발생할 수 있기 때문에 백일해에 감염될 경우 합병증이 발생할 위험성이 증가한다. 백신의 종류와 상관없이 백일해 변성 톡소이드에 대한 반응은 좋지 않다. 따라서 백일해 항원 함량이 많은 백신이 면역원성의 측면에서 더 좋을 것으로 예상된다. 최근 국내에 도입된 Tdap은 Td에 개량형 백일해 백신(acellular pertussis vaccine)의 함량을 줄여서 혼합한 것으로 디프테리아와 백일해 단백질의 양이 적어 통증, 발적, 압통 등의 이상반응이 DTP보다 적다. 하지만, 조혈모세포이식 수혜자를 대상으로 한 예비보고에서 Tdap의 효과는 접종시기에 관계없이 낮았다. 자가 조혈모세포이식을 시행한 성인에서 Tdap을 초기에 파상풍 포함 백신으로 사용하는 것은 효과가 낮아 초기 접종이 아닌 추가접종할 때에 사용하도록 권고된다. 조혈모세포이식 수혜자에서 백일해 백신의 면역원성에 대한 연구가 많이 이루어지지 않았지만, 위와 같은 내용을 근거로 가능한 DTP를 3회 접종하도록 한다.

4) 불활화 폴리오백신

동종 및 자가 조혈모세포이식 수혜자에서 시간이 경과할수록 폴리오바이러스에 대한 면역이 소실된다. 대부분의 선진국에서 폴리오바이러스는 박멸되었다고 보고되었으나 아직 면역이 없는 집단에서 소규모의 발생이 보고되고 있어 예방접종이 필요하다. 백신에 의하여 마비가 발생하는 것을 예방하기 위해 불활화 폴리오(inactivated poliovirus, IPV) 백신을 사용해야 한다. 또한 환자의 가족, 의료인도 불활화 폴리오백신을 접종하는 것이 중요한데, 경구용 생백신 접종으로 면역저하환자에게 폴리오바이러스가 전이(transfer) 되었다는 보고가 있기 때문이다. 이식 후 6-12개월에 접종을 시작하며 최소 1개월 간격으로 3회 접종한다.

5) b형 헤모필루스균백신

대부분의 조혈모세포이식센터에서 b형 헤모필루스균(*Haemophilus influenzae type* B, Hib)에 의한 치명적인 감염질환이 확인된 경우는 드물지만 조혈모세포이식 후 감염질환을 일으킬 수 있는 중요한 세균 중 하나이다. 따라서 모든 조혈모세포이식 수혜자에서 이식 후 6–12개월에 1개월 간격으로 3회의 접종을 권고한다. Hib 단백결합백신 3회 접종으로 획득되는 방어면역은 47–92%로 다양한데, 이는 접종 시기에 따라 차이가 있으며 이식 전 공여자가 접종을 한 경우에 더 높은 반응을 보인다.

최근 도입된 DTP–IPV–Hib 백신은 소아에서 주로 사용되며, 국내 성인의 자료는 아직 없으나, 독일, 호주, 스위스 등에서는 Hib 단독백신이 없기 때문에 복합백신을 조혈모세포이식 수혜자들에게 사용하고 있다. DTP–IPV와 DTP–IPV–Hib의 성분을 비교했을 때 파상풍, 디프테리아, 백일해와 폴리오바이러스의 항원 함량은 동일하지만, Hib는 함량이 적고, 단백결합백신이 아닌 다당류–파상풍 톡소이드 접합 백신이므로, 특히 면역억제치료를 하는 경우에는 면역반응이 낮을 수 있는 제한점이 있다.

6) A형간염, B형간염백신

조혈모세포이식 6–12개월부터 B형간염 예방접종을 시행할 수 있다. 조혈모세포이식 수혜자에서는 이식 전 존재하던 B형간염바이러스에 대한 면역력이 소실되는 일이 흔하며, 따라서 간염의 증상이 없이도 바이러스의 활성화가 일어날 수 있다. 공여자가 면역이 없는 경우, 이식 후 초기에 수혜자의 B형간염 예방접종은 효과가 낮을 수 있다. 최근 조혈모세포이식 공여자를 대상으로 공여 전에 적어도 1회 이상 예방접종을 시행하면, 이식 후 수혜자에게 예방접종을 할 때 항체생성률이 호전된다는 보고가 있다. 공여자가 가지고 있던 항체는 수혜자에게 전달되고 적어도 50%의 환자에서 장기간 유지되지만 수혜자가 재접종을 받으면 더 오래 지속된다. 일반적으로 조혈모세포이식 수혜자는 정상면역인 성인에 비해 예방접종 후 항체양전율(seroconversion rate)이 낮으며, 고령이거나 만성 이식편대숙주반응이 있는 경우 낮은 면역원성의 요인이 된다. Anti–HBs항체 양성인 사람에서 혈청전환(seroreversion)을 예방하는 것이 중요한데, 예방접종을 한 사람은 예방접종을 하지 않은 경우보다 바이러스가 재활성화되는 경우가 낮다. Anti–HBc항체 양성인 환자는 이식 후 혈청전환을 막기 위해 예방접종을 할 수 있을 때까지 예방적 항바이러스제 투여를 고려해야 한다. 이식 전에 공여자에게 예방접종을 3회 모두 시행하기는 어려울 수 있으나, 공여 전 접종이 가능하다면 1회라도 접종을 한다. B형간염백신의 경우 0, 1, 6개월 간격으로 3회 접종 후 1–2개월 후에 항체가 형성되었는지 확인한다.

A형간염 예방접종은 미국과 유럽의 경우 상대적으로 낮은 근거수준으로 권장하고 있지만, 국내에서는 A형간염 환자 수가 증가하고 있고, 전국적인 대규모 환자발생이 보고되고 있으므로 A형간염 항체 음성인 조혈모세포이식 수혜자를 대상으로 백신접종을 권장한다. 접종용량과 방법(간격 등)은 일반 성인에게 권고하는 것과 같다.

7) 홍역-볼거리-풍진 혼합백신

조혈모세포이식 후 시간이 경과할수록 홍역에 대한 면역은 대부분의 환자에서 소실된다. 조혈모세포이식 수혜자에서 중증의 치명적인 홍역이 발생한 보고가 있지만 볼거리에 의한 중증 감염의 보고는 없다. 풍진 역시 조혈모세포이식환자에서 감염의 위험이 높지는 않지만 최근 이식 후 가임기 여성에서 임신의 가능성이 높아지고 있기 때문에 접종을 고려할 수 있다. 소아 조혈모세포이식 수혜자의 경우 1회의 홍역-볼거리-풍진 혼합백신 접종으로는 면역이 장기간 지속되지 않는다는 보고가 있어서 최소 4-8주 이상 간격으로 2회 접종이 권장된다. 홍역-볼거리-풍진 혼합백신은 약독화 생백신으로 브라질에서 홍역 유행이 있었을 당시에 조혈모세포이식 수혜자에서 이식 1년 후 접종했을 때 안전했다는 보고가 있지만 현재는 이식 후 2년까지는 접종하지 않고, 만성 이식편대숙주반응이 있거나 면역저하상태가 지속되는 경우에는 접종하지 않는다. 면역억제제를 중단하고 3개월이 경과한 후에 접종하는 것이 권고된다.

8) 수막알균백신

단백결합백신과 다당류백신이 있고, 아직 양 백신을 비교하는 임상시험은 없었지만 폐렴사슬알균 및 b형 헤모필루스균 백신처럼 단백결합백신을 사용하는 경우 면역원성이 더 높을 수 있다. 현재 성인 조혈모세포이식 수혜자에서 A, C, Y, 그리고 W-135를 포함하는 4가 수막알균 단백결합백신(tetravalent protein-conjugated meningococcal vaccine, MCV4)의 면역원성에 대한 자료는 부족하다. 일개 연구에서 동종 조혈모세포이식 수혜자를 대상으로 MCV4를 1회 접종 하였을 때, A, C, Y, W-135에 대한 항체양전률은 각각 52%, 30%, 46%, 33%로 비교적 낮았으며, 약 33%의 환자에서 4가지 혈청형 모두에 대해 적절한 면역반응을 획득하지 못했던 반면, 2회 접종한 환자들에서는 전원이 4가지 혈청형 모두에 대해 면역원성을 얻을 수 있었다. 따라서 현재로서는 무비증, 보체결핍증, 사람면역결핍바이러스 감염인에서 권고되는 2회 접종을 조혈모세포이식 수혜자에도 적용하는 것이 적절하나, 이에 대해 추가 연구역시 필요하다.

9) 수두, 대상포진백신

현재 수두-대상포진바이러스(varicella zoster virus, VZV)에 대한 백신은 수두백신과 대상포진백신이 있으며, 이들은 약독화 생백신이므로 생백신 투여가 가능한 상황에 있는 조혈모세포이식 수혜자가 접종대상이다. 수두백신은 이식 24개월 미만, 이식편대숙주반응이 있거나 면역억제제를 복용하고 있는 기간 중에는 금기이며, 이식한 지 24개월을 초과했고 이식편대숙주반응이 없는 경우에는 접종을 고려할 수 있다. 하지만, 외국에 비해 수두의 혈청양성률이 높은 국내 상황에서 일괄적 수두예방접종이 필요한가에 대해서는 추가 연구가 필요하다. 2009년 미국 및 유럽의 지침에서 수두 백신은 선택적으로 고려하고 있다. 대상포진 생백신은 금기이다. 이식 후 대상포진 예방을 위해서는 장기간 acyclovir 예방요법이 권고되며, 2017년 11월부터 국내에서도 이식 후 1년까지 예방적 목적의 acyclovir의 사용이 인정되

표 35-1. 조혈모세포이식 수혜자의 예방접종 일정

백신	이식 후 예방접종 시작 가능 시기			횟수	최소간격
	3개월	6개월	24개월		
폐렴사슬알균백신				3-4회	4주*
불활화 인플루엔자백신				매년 가을	–
디프테리아-파상풍-백일해 혼합백신				3회	4주
불활화 폴리오백신				3회	4주
b형 헤모필루스균백신				3회	4주
수막알균백신				1-2회	
A형간염백신				2회	0, 6개월
B형간염백신				3회	0, 1, 6개월
홍역-볼거리-풍진 혼합백신				1-2회	4주
수두백신†				1회	–

* 폐렴사슬알균에 대한 예방접종은 단백결합백신으로 이식 후 3-6개월에 시작하여 1개월 간격으로 3회 접종 후, 6개월 이상 간격을 두고 다당류백신으로 추가접종을 권고함. 단, 이식편대숙주반응이 있는 경우에는 단백결합백신으로 접종

† 24개월이 경과한 상태에서 이식편대숙주반응이 없고, 면역억제제 중단 후 최소 3개월이 경과한 경우에 접종을 고려

는 것으로 보험 급여가 확대되었다. 최근에는 불활화 대상포진 백신에 대한 연구가 진행되었으며, 연구 결과에 따라 추후에는 조혈모세포이식 수혜자에서 사용될 가능성이 있다.

10) 기타

인유두종바이러스백신의 이식 후 적절한 접종 시기에 대한 자료는 없으나, 조혈모세포이식 수혜자의 생존율이 향상됨에 따라 성인예방접종 권장사항에 해당하는 경우 4가백신(GARDASIL®, 0, 2, 6개월) 또는 2가백신(CERVARIX®, 0, 1, 6개월)의 접종을 고려할 수 있다. 하지만, 조혈모세포이식 수혜자에서는 일반인에 비해 백신의 면역반응은 낮을 수 있다.

일본뇌염백신은 햄스터 신장세포 유래 약독화 생백신(CD JEVAX®), 베로세포 배양(cell culture-derived) 키메라바이러스 생백신(IMOJEV®), 그리고 베로세포 배양 불활화백신(ENCEVAC®)이 현재 국내에서 사용 가능하다. 일본뇌염 생백신 중에서는 베로세포 배양 키메라바이러스 생백신(IMOJEV®)만이 성인에서 사용 허가되어 있으며 1회의 기초접종 후 추가접종을 고려할 수 있다. 하지만, 생백신이므로 이식 후 만 24개월 이상 경과하고 면역억제제를 복용하지 않으며, 이식편대숙주반응이 없는 경우에만 사용 고려할 수 있다. 베로세포 배양 불활화백신은 국내 성인에게 식품의약품안정청 허가 사항은 아니나 질병관리본부 성인예방접종 가이드(2018)와 '예방접종 대상 감염병의 역학과 관리'에서는 필요시

표 35-2. 조혈모세포이식 수혜자에게 선택적으로 권장하거나 금기인 예방접종

백신	권장사항
인유두종바이러스 백신	이식 후 언제 접종하는 것이 효과적인지에 대한 자료는 없음. 성인예방접종 권장사항에 따라 해당되는 경우 고려할 수 있음
일본뇌염백신	권장할 수 있으나 이식 후 언제, 몇 회 접종하는 것이 효과적인지에 대한 자료는 없음. 성인예방접종 권장사항에 따라 해당되는 경우 접종을 고려할 수 있음
Bacillus Calmette-Guérin (BCG)백신	조혈모세포 이식 수혜자에게 금기
경구 폴리오 생백신	조혈모세포 이식 수혜자에게 금기
인플루엔자 생백신	조혈모세포 이식 수혜자에게 금기
콜레라백신	조혈모세포 이식환자에 대한 자료는 없음
경구 및 주사용 장티푸스 생백신	조혈모세포 이식환자에 대한 자료는 없음
황열백신	이식 24개월 이상, 이식편대숙주반응이 없으면서 면역억제제를 복용하지 않는 조혈모세포이식 수혜자가 유행 지역에 반드시 가야하는 경우 고려

접종할 수 있도록 되어 있으므로 이에 준하여 접종할수 있다. 일본뇌염 백신에 대해서도 이식 후 언제부터 접종을 시작하는 것이 효과적인지에 대한 자료는 없으며, 조혈모세포이식 수혜자의 면역상태와 위험요인에 따라 필요성을 개별적으로 판단하여야 한다.

최근 조혈모세포이식 수혜자에서 생존률이 향상되면서 해외여행도 늘어나고 있다. 콜레라백신, 장티푸스백신에 대해서는 이식 환자에서의 자료가 불충분하며, 황열백신은 생백신의 금기가 아닌 경우에 이식 후 24개월이 경과한 환자에서 접종을 시행한 자료가 있어 위험 지역에 반드시 방문해야 하는 경우에 고려할 수 있겠다. 조혈모세포이식 수혜자에게 선택적으로 권장하거나 금기인 예방접종은 표 35-2와 같다.

4. 공여자 예방접종

파상풍 톡소이드, 폐렴사슬알균, b형 헤모필루스균 백신의 경우 공여자에게 접종하면 수혜자에서 이식 후 면역이 개선된다는 보고가 있지만, 윤리적인 문제 등 여러 가지 요소들을 고려해야 하기 때문에 아직 일괄적으로 권장하지는 않는다.

5. 의료인 및 수혜자 가족에 대한 예방접종

조혈모세포이식 수혜자의 가족, 밀접한 접촉자, 환자를 돌보는 의료인은 필요에 따라 예방접종을 할 수 있다. 수혜자 가족 또는 밀접한 접촉자는 조혈모세포 이식 전부터 면역저하기간 동안 매년 가을 인플루엔자를 접종한다. 단, 인플루엔자 생백신은 금기이다. 의료인 역시 매년 인플루엔자백신을 접종한다. 경구 폴리오백신에 포함된 바이러스는 사람 사이에서 전파가 가능하기 때문에 접종하지 않지만, 불활화 폴리오백신은 적응증에 해당될 경우 접종할 수 있다. 홍역-볼거리-풍진 혼합백신은 약독화 생백신으로 이에 포함된 바이러스가 사람 사이에서 전파된다는 증거는 없으므로 임신 중이거나 면역저하 상태가 아니라면 권장한다. 수두백신은 대상자가 항체 검사가 음성이거나 수두를 앓은 병력이 확실하지 않고, 임신 혹은 면역저하 상태가 아니라면 최소 28일 간격으로 2회 접종한다.

참고문헌

1. Carreras E. Risk assessment in haematopoietic stem cell transplantation: the liver as a risk factor. Best Pract Clin Haematol 2007;20:231-46.
2. Cordonnier C, Labopin M, Chesnel V, et al. Randomized study of early versus late immunization with pneumococcal conjugate vaccine after allogeneic stem cell transplantation. Clin Infect Dis 2009;48:1392-401.
3. Cordonnier C, Ljungman P, Juergens C, et al. Immunogenicity, safety, and tolerability of 13-valent pneumococcal conjugate vaccine followed by 23-valent pneumococcal polysaccharide vaccine in recipients of allogeneic hematopoietic stem cell transplant aged ≥2 years: an open-label study. Clin Infect Dis 2015;61:313-23.
4. Hilgendorf I, Freund M, Jilg W, et al. Vaccination of allogeneic haematopoietic stem cell transplant recipients: report from the international consensus conference on clinical practice in chronic GVHD. Vaccine 2011;29:2825-33.
5. Ljungman P, Cordonnier C, Einsele H, et al. Vaccination of hematopoietic cell transplant recipients. Bone Marrow Transplant 2009;44:521-6.
6. Ljungman P. Vaccination of Immunocompromised Hosts. In: S Plotkin, W Orenstein, P Offit, KM Edwards, eds. Vaccines. 7th ed. Philadelphia: Elsevier; 2018.
7. Ljungman P. Vaccination of transplant recipients. In: Bowden RA, Ljungman P, Snydman DR., eds. Transplant infections. 3rd ed. Philadelphia: Wolters Kluwer/Lippincott Williams & Wilkins; 2010;691-704.
8. Mahler MB, Taur Y, Jean R, et al. Safety and immunogenicity of the tetravalent protein-conjugated meningococcal vaccine (MCV4) in recipients of related and unrelated allogeneic hematopoietic stem cell transplantation. Biol Blood Marrow Transplant 2012;18:145-9.
9. Tomblyn M, Chiller T, Einsele H, et al. Guidelines for preventing infectious complications among hematopoietic cell transplantation recipients; a global perspective. Biol Blood Marrow Transplant 2009;15:1143-238.
10. Ullmann AJ, Schmidt-Hieber M, Bertz H, et al. Infectious diseases in allogeneic haematopoietic stem cell transplantation: prevention and prophylaxis strategy guidelines 2016. Ann Hematol 2016;95:1435-55.

기타 면역억제제 사용

한림대학교 의과대학 **서유빈**
가톨릭대학교 의과대학 **위성헌**

1 대한감염학회 권장 면역억제제 사용자 예방접종

　가. 인플루엔자백신: 불활화백신으로 매년 1회 접종

　나. 폐렴사슬알균백신: 13가 폐렴사슬알균 단백결합백신을 접종하고, 최소 8주가 지난 후에 23가 폐렴사슬알균 다당류백신을 접종함

2 주의 및 금기사항

　가. 생백신(홍역-볼거리-풍진 혼합백신, 수두백신, 대상포진백신) 접종 주의

3 면역억제제 치료 환자의 예방접종 시기

　가. 면역매개 염증질환의 진단 초기에 백신접종력을 확인하고, 가능하면 면역억제제 투여 전에 미리 필요한 예방접종을 시행

　나. 불활화백신의 경우 면역억제제 투여 2주 이전에 접종

　다. 약독화 생백신은 면역억제제 투여 4주 이전에 접종

　라. 면역억제제를 중단하고 백신접종을 계획한다면 약제의 종류에 따라서 중단 3-12개월 후에 접종

1. 배경과 필요성

　면역매개 염증질환(immune-mediated inflammatory disease)은 자가면역 염증성 류마티스질환 (autoimmune inflammatory rheumatic diseases), 염증성 장질환(inflammatory bowel disease), 건선 (psoriasis) 등과 같이 원인은 명확하지 않지만 면역 체계의 조절장애로 인해 다양한 기관과 전신에 염증이 발생하는 질환군을 말한다. 면역매개 염증질환자는 질환 자체에 의해 면역이 저하되고 치료제로 면역억제제 또는 면역조절제를 사용하면서 감염의 위험이 증가한다.

　예방접종은 감염질환 예방에 가장 효과적인 방법 중 하나로 면역억제제를 사용해야 하는 면역매개 염증질환자들에게 중요하다. 백신접종 후 기저질환이 악화되었다는 보고가 있기도 하지만 대다수의 연구에서는 기저질환의 악화 없이 불활화백신, 약독화 생백신 모두 안전하게 접종이 가능하다고 언급하고 있다. 백신접종 후 면역매개 염증질환이 새롭게 발현된 사례가 있어 백신접종 자체가 자가면역 질환의 잠재적 원인이 될 수 있다는 주장도 있다. 백신은 자연 감염과 유사한 면역 자극을 유발하기 때문에 기저 유전적 소인이 있는 경우에는 실제 자가면역질환이 발생할 수 있다. 대표적으로 인플루엔자 백신 접종 후 발생한 길랭-바레 증후군(Guillain-Barré syndrome), B형간염백신 접종 후 발생한 다발성 경화증(multiple sclerosis), 홍역-볼거리-풍진 혼합백신 접종 후 특발성 혈소판 감소증 발생이 그 예이다. 그러나 대규모 역학연구에서 보면 면역매개 염증질환자에서 발생하는 이상반응 정도가 일반인에서의 발생 정도와 다르지 않다. 세계보건기구에서는 소규모 이상사례로 백신의 위험성을 판단하지 않도록 권고하고 있으며, 백신접종으로 인한 위험보다는 백신접종을 하지 않아 발생하는 감염이 더 흔하고 중대한 문제이다.

2. 면역억제제 사용자에서 백신의 안전성

면역매개 염증질환 진단 초기에 백신접종력을 확인하고 면역억제제 투여 전에 미리 필요한 예방접종을 시행해야 한다. 백신접종은 대한감염학회에서 일반 성인에게 권장하는 예방접종지침을 따르지만, 환자가 가지고 있는 다른 기저질환 유무, 감염의 노출 위험도, 사용할 면역억제제 종류와 용량, 사용기간을 종합적으로 고려하여 결정한다. 면역매개 염증질환자에게 우선 권장하는 백신은 국가별로 차이가 있다. 대부분 인플루엔자 백신과 폐렴사슬알균 백신은 반드시 접종하도록 권장하고 있으며 파상풍 백신, A형간염백신, B형간염백신, 인유두종바이러스 백신, 수두백신, 대상포진백신, 홍역-볼거리-풍진 혼합백신 또한 중요한 백신으로 언급된다. 접종하려는 백신의 보호항체를 확인할 수 있는 검사방법이 있다면 검사결과에 따라 접종계획을 세운다. 그리고 가능하면 접종 4-6주 후에 항체형성 여부를 확인하는 것이 추천된다. 일부 전문가 집단은 B형간염백신 이외 다른 백신에 대해서는 반드시 항체형성 여부를 확인할 필요가 없다고 언급하기도 한다. 면역억제제 사용 중 초회 접종에 대한 면역원성은 감소할 수 있지만, 추가접종에 대한 면역원성은 의미있는 수준으로 유지된다. 따라서 면역억제제를 사용 중이더라도 권장 스케줄에 따라 추가접종을 마무리하여야 한다.

1) 불활화백신

일반적으로 불활화백신은 면역억제제를 사용 중이더라도 안전하다. 동일한 감염질환에 대해 두 종류의 백신을 사용할 수 있다면 불활화백신을 우선 선택하도록 한다. 그리고 불활화백신 중 다당류백신과 단백결합백신 모두 사용 가능하다면 면역원성과 장기면역을 고려하여 단백결합백신을 우선 사용하도록 한다. 면역원성을 높이기 위해 면역억제제 사용 전에 미리 백신을 접종하는 것이 이상적이다. 대부분의 국가에서는 불활화백신의 경우 면역억제제 투여 2주 전에 접종하도록 권장하고 있다. 만약 면역억제제를 중단하고 백신접종을 계획한다면 중단 3개월 후에 접종하도록 추천하고 있다. 면역억제제를 중단하기 어렵고 백신을 접종해야 한다면 약제의 반감기와 감염의 위험도를 고려해서 접종시점을 결정해야 한다. 치료제의 면역억제 효과가 가장 낮은 시기에 접종하는 것이 이상적이다. 불활화백신을 접종할 때 면역억제제 중 abatacept와 rituximab을 사용 중이라면 특별한 주의가 필요하다. Abatacept가 백신의 면역원성을 유의하게 낮춘다는 연구가 있어 일부 전문가 집단에서는 치료 시작 2주 전에 미리 백신을 접종하도록 권장하고 있다. Rituximab 치료 시작 후 B세포가 6-10개월까지 감소하는데 그 사이에 백신을 접종하면 항체 생성이 거의 되지 않는다. 따라서 rituximab을 사용할 계획이 있다면 투약 2-4주 전에 백신을 미리 접종하도록 한다. 만약 rituximab을 이미 사용 중이라면 마지막 투약시점을 기준으로 6개월 후에 접종하도록 한다.

2) 약독화 생백신

면역억제제 투여 중 생백신 접종은 금기이다. 따라서 면역억제제를 투약하기 전에 미리 예방접종을 하는 것이 안전하다. 생백신 접종 후 바이러스의 증식과 면역 생성은 대개 3주 이내에 이루어지므로 약독화 생백신은 면역억제제 치료 시작 4주 이전에 접종하도록 권장한다. 대부분의 전문가 집단에서는 면역억제제 사용 중 체내 증식률이 높은 로타바이러스백신과 황열 백신은 접종을 피하도록 권고하고 있다. 그러나, 일부 전문가들은 저용량의 면역억제제(corticosteroid (prednisolone기준) < 20 mg/day, methotrexate ≤ 0.4 mg/kg/week, azathioprine ≤ 3.0 mg/kg/day, 6-mercaptopurine < 1.5 mg/kg/day) 투약 중에는 수두-대상포진백신을 접종할 수 있다고 언급하고 있다. 면역억제제 사용으로 생백신을 접종하기 어려운 상태라면 노출 후 예방법을 고려할 수 있다. 생백신을 반드시 접종해야 하는 상황이라면 약제를 잠시 중단하고 예방접종을 하도록 한다. 약제의 종류에 따라 반감기가 다르고 면역억제 정도가 다르기 때문에 사용 중인 약제에 따라 중단 기간은 다르다. 일반적으로 고용량 스테로이드를 사용하는 경우 중단 1-3개월 후에 접종하도록 추천하고 있으며, DMARDs (disease-modifying antirheumatic drugs)은 중단 3-6개월, 생물학적 제제는 중단 3-12개월 후에 접종한다. 그리고 생백신 접종 2-6주 후에 면역억제제를 투약을 시작하도록 권하고 있다. 국가별 사용 약제에 따른 백신접종시기의 권고(표 36-1) 사항과 대표적인 생물학적 제제의 반감기(표 36-2)를 참고하여 접종 시기를 결정하도록 한다. 생물학적 제제의 경우 반감기의 5배 시간이 경과한 이후에 백신접종을 권장하기도 한다.

3) 생백신의 안전성

면역억제제를 사용하지 않는 면역매개 염증질환자에게 생백신을 접종하는 것은 가능하지만, 면역억제제를 사용 중인 환자에게 생백신을 접종하는 것은 일반적으로 금기이다. 그러나, 의료기관이나 지역사회 내 유행으로 빠른 시일 내 예방접종을 완료해야 하는 경우가 있을 수 있어 면역억제제 사용 중 생백신을 접종한 사례들을 살펴볼 필요가 있다. 소아 특발성 관절염(juvenile idiopathic arthritis)으로 methotrexate 또는 etanercept를 사용 중인 137명의 소아환자에게 홍역-볼거리-풍진 혼합백신을 접종한 사례에서는 안전성과 면역원성에 문제가 없다는 보고가 있다. 207명의 소아 류마티스성 질환자를

표 36-1. 국가별 면역억제제 종류에 따른 생백신의 접종시기와 접종 후 면역억제제 사용 시기 권고사항

	면역억제제 중단 후 생백신 접종시기	생백신 접종 후 면역억제제 사용 시기
스위스	3개월 (rituximab: 12개월, leflunomide: 2년)	4주
스페인	3개월	2주
독일	3-6개월(rituximab: 6개월)	2주(rituximab: 2-4주)
미국	3개월	2주
영국	3-6개월	4주(rituximab: 4-6주)
네덜란드	3개월	2주(infliximab, etanercept, adalimumab, methotrexate, leflunomide) 4주(rituximab, abatacept)
프랑스	Rituximab: 6-12개월 (B세포수가 정상으로 회복된 시기) Tocilizumab: 70일 TNF-α차단제: 반감기의 5배 이후 Methotrexate: 1-3개월	4주
캐나다	3개월 Rituximab: 12개월 TNF-α차단제, abatacept, tocilizumab: 반감기 5배기간 이후	2-4주

표 36-2. 대표적인 생물학적 제제의 반감기

	평균 반감기	반감기 5배 기간
Etanercept	4.3일	21.5일
Infliximab	8-10일	40-50일
Abatacept	13일	65일
Tocilizumab	13일	65일
Adalimumab	14일	70일
Certolizumab	14일	70일
Rituximab	21일	105일

대상으로 한 후향적 연구에서도 methotrexate를 사용 중인 환자에서 홍역-볼거리-풍진 혼합백신 접종 후 중대한 이상 소견은 없다고 보고하였다. 그러나 모두 소아환자를 대상으로 한 연구이고 소규모 후속 연구들 또한 corticosteroid, methotrexate, TNF-α 차단제에 국한되어 있어 성인과 모든 면역억제제로 확대 해석하지 말아야 한다. 브라질에서 황열 유행 시기에 생물학적 치료제를 복용 중인 환자들에게 황열 백신을 추가접종 한 사례가 있는데 당시 중대한 이상반응은 없었고 항체가 충분히 형성되었다고 보고하였다. 그러나 대부분의 생물학적 치료제가 TNF-α 차단제였고, 초회접종이 아닌 추가접종이었 기 때문에 이 또한 안전하다고 일반화하기는 어렵다. 수두백신에 대해서는 methotrexate와 corticoste- roid를 사용 중인 소아 류마티스 질환자를 대상으로 한 후향적 연구가 있는데, 항체양전율은 다소 감소 하였지만 안전하다고 보고하였다. 대상포진백신과 관련한 두 개의 대규모 후향적 연구에서는 생물학적 제제, corticosteroid, DMARDs 모두 안전하다고 보고했지만 포함된 환자군의 기저질환과 사용약제가 다양하였다는 점들을 고려해야 한다. 면역억제제 사용 중 생백신을 사용한 보고가 많지 않아 일반화하 기 어렵지만 위험성이 생각보다 높지 않을 수 있다. 그러나, 대상질환과 약제의 종류가 매우 이질적이고 근거가 불충분하기 때문에 생백신을 반드시 접종해야 하는 상황에서는 긴급성, 필요성과 안전성을 따 져 환자와 상의 하에 접종해야 한다.

3. 면역억제제 종류에 따른 백신의 면역원성

면역매개 염증질환을 치료하기 위해 사용되는 대표적인 약제로는 corticosteroid, 일반적 DMARDs (sulfasalazine, hydroxychloroquine, methotrexate, leflunomide), 면역조절제(cyclophosphamide, aza- thioprine, cyclosporine, tacrolimus), 생물학적 제제로 분류되는 TNF-α차단제(infliximab, adalim- umab, etanercept, golimumab, certolizumab), 비 TNF-α차단제(tocilizumab, anakinra, secukinum- ab, ustekinumab), B세포면역 관련약제(belimumab, rituximab), T세포면역 관련약제(abatacept), JAK inhibitor (tofacitinib, baricitinib) 등이 있다. 이들 중 sulfasalazine, hydroxychloroquine을 제외한 나 머지 약제들은 모두 면역기능을 억제시키기 때문에 백신접종 시 주의가 필요하다. 면역매개 염증질환의 종류가 다양하고 사용되는 약제 또한 종류가 다양하기 때문에 면역억제제별 백신의 면역원성과 안전성 에 대한 연구가 충분하지 않다. 아직은 참고할 수 있는 자료가 한정적이고, 이들마저 결과가 일관되지 않은 경우가 많아 권고를 위한 근거가 불충분하다.

1) 스테로이드

일반적으로 프레드니손 기준 하루 10 mg 미만을 사용할 경우 인플루엔자, 폐렴사슬알균, A형간염, B형간염, 인유두종바이러스, 파상풍, 대상포진백신의 안전성과 면역원성은 만족스러운 것으로 보고되었다. 고용량의 스테로이드를 사용할 경우 백신의 면역원성 감소와 함께 생백신 사용과 관련하여 안전 상에 문제가 될 수 있다. 전문가 집단마다 고용량에 대한 기준을 다르게 제시하고 있다. 미국, 독일, 스 페인, 캐나다에서는 프레드니손 기준 하루 20 mg 이상을 2주 이상 사용한 경우로 정의하고, 영국, 프랑 스, 네덜란드에서는 하루 10 mg 이상을 2주 이상 사용한 경우로 정의하고 있다. 고용량 스테로이드 사 용 중 생백신 접종을 위해 약제를 중단해야 하는 경우에는 미국, 독일, 캐나다에서는 스테로이드 치료 중단 4주 후, 영국과 스페인은 중단 12주 후에 백신을 접종하도록 권고하고 있다. 생백신 접종 후 고용 량 스테로이드 치료는 접종 2-4주 후에 시작해야 한다. 스테로이드 용량과 상관없이 불활화백신은 안 전하게 사용할 수 있으나 스테로이드 사용량이 많을 경우 백신의 면역원성이 떨어질 수 있어 기저질환 의 활성도, 스테로이드 사용량, 백신접종의 시급성을 종합적으로 판단하여 접종을 시행해야 한다. 하이 드로코르티손(hydrocortisone), 국소 또는 흡입용 스테로이드제의 경우에는 면역원성에 영향이 없는 것 으로 알려져 있다.

2) Methotrexate

Methotrexate와 관련된 백신의 면역원성 감소는 백신의 종류에 따라 다르게 보고된다. 인플루엔자 백신 접종 후 항체 형성은 다소 감소하지만 대부분 감염을 예방할 수 있는 항체가 형성되는 것으로 보고되었다. 다당류 폐렴사슬알균백신은 일부 연구에서 면역원성이 많이 감소한다고 보고하였지만 대 부분의 연구에서는 현저한 감소는 아니라고 기술하고 있다. 단백결합 폐렴사슬알균백신의 경우 면역원 성이 감소한다고 보고된 경우가 많아 단편적으로 볼 때 다당류백신이 단백결합백신보다 면역원성이 우 수해 보일 수 있다. 그러나 다당류 폐렴사슬알균백신과 단백결합백신을 직접 비교한 연구에서는 면역원 성에 차이가 없었다. 파상풍백신과 B형간염백신에 대한 연구가 부족해서 일반화하기 어렵지만 보고된 연구 모두에서 미흡한 면역원성을 보였다. A형간염백신의 경우 1회 접종 후 6%에서만 항체가 10 mIU/mL 이상 되었지만 2회 접종을 할 경우 80%에서 항체양성률을 보여 2회 접종을 반드시 준수해야 한다. 따라서 methotrexate를 사용하기 2-4주 전에 백신을 미리 접종하는 것이 바람직하다. 약제를 사 용 중이라면 투약을 잠시 중단하고 접종을 고려할 수 있다. 불활화백신의 경우 잠시 중단하고 접종을 시도할 수 있는데 인플루엔자백신에 대해 2주와 4주 중단 후 접종한 연구가 있어 참고할 수 있겠다. 생 백신의 경우 사용 금기가 되지만 일부 전문가는 저용량(0.4 mg/kg/week 이하)을 사용 중이라면 수두백 신과 대상포진백신은 접종이 가능하다고 언급하고 있다. 대부분의 국가에서는 생백신을 접종하기 위해 서는 methotrexate를 중단하고 3개월 후에 접종하도록 권고하고 있다.

3) Leflunomide

Leflunomide와 백신의 면역원성, 안전성에 대한 연구는 거의 없다. Leflunomide 투약 중 인플루엔 자백신의 면역원성이 감소한다는 연구가 있다. 그러나 다른 연구에서는 면역원성에 차이가 없다고 보고하여 추가적인 연구가 필요하다. Leflunomide 투약 중에는 생백신 접종을 금지하고 있다. 생백신을 접종하려면 leflunomide의 반감기가 길기 때문에 투약 중단 3–6개월 후에 백신을 접종하도록 권장하고 있다. 그러나 체내에 2년까지 활성화된 형태로 잔존해 있을 수 있기 때문에 중단 2년 후를 권장하는 경우도 있다. 투약 전 접종시에는 생백신 접종 2–4주 후에 leflunomide를 투약하도록 권고하고 있다.

4) Cyclosporine

Cyclosporine은 건선의 주요 치료제로 사용하고 있으나 백신의 면역원성과 안전성에 대한 연구는 주로 장기이식 환자에서 보고되었다. 일반적으로 장기이식 환자에게 사용하는 용량이 면역매개 염증질환자에게 사용하는 용량보다 크기 때문에 연구결과를 그대로 적용하는데 한계가 있다. 인플루엔자백신의 경우 면역원성이 일반인에 비해 낮지만 다당류 폐렴사슬알균 백신에 대해서는 비슷하다고 보고하고 있다. A형간염백신, B형간염백신, 파상풍백신은 면역원성이 유지되지만 항체가가 빠르게 감소된다. Cyclosporine 투약 중 대상포진의 발생이 증가하는데 고령이고 대상포진에 대한 추가적인 위험인자(고령, 만성질환자, 폐경기 여성, 암환자 등)가 있을 경우에는 투약 전 대상포진 백신을 접종하도록 권고된다.

5) Azathioprine

Azathioprine과 백신의 면역원성에 대한 연구는 장기이식 환자에서 주로 이루어졌지만, 면역매개 염증질환자 대상으로도 여러 연구가 보고되었다. 일반적으로 인플루엔자 백신은 면역원성이 감소한다고 보고된다. 그러나 파상풍백신과 폐렴사슬알균백신의 경우는 접종 후 세포성 면역과 체액성 면역 모두 유지된다고 보고되었다. 루프스 환자를 대상으로 한 인유두종바이러스 백신 연구에서도 면역원성이 의미있게 유지되는 것으로 나타났다. 이외의 백신과 관련한 연구에서는 대부분 면역원성이 감소한다고 보고하였지만, 다른 면역억제제를 같이 사용 중인 상태에서 진행된 연구가 많아 해석에 주의해야 한다. Azathioprine 투약 중 생백신의 접종은 금기이다. 그러나 일부 전문가는 저용량(<3 mg/kg/day)을 사용 중이라면 수두백신과 대상포진백신을 접종할 수 있다고 언급하고 있다. 만약 azathioprine을 중단하고 생백신을 투약한다면 최소 3개월의 기간이 지난 후 접종하고, 재투약은 접종 2–4주 후에 시작하도록 한다.

6) Tumor necrosis factor-α inhibitors (TNF-α 차단제)

TNF-α차단제 사용 중 백신의 면역원성에 대한 연구는 사용하는 약물의 종류에 따라 결과가 상이하다. 일반적으로 TNF-α 차단제 사용 중에는 인플루엔자백신과 폐렴사슬알균백신의 면역원성에 큰 문제는 없는 것으로 알려져 있다. 그러나 infliximab, certolizumab, etanercept 투약 중 면역원성이 감소한다는 보고가 있다. 그리고 methotrexate, azathioprine와 같이 다른 면역억제제를 같이 사용하는 경우에는 면역원성이 크게 감소하므로 주의가 필요하다. TNF-α 차단제 사용 중에도 인플루엔자 백신 접종 후 면역원성이 6개월간 유지되지만, 단백결합 폐렴사슬알균백신을 접종한 후 1.5년 동안만 항체가 유지된다는 보고가 있다. 따라서 폐렴사슬알균백신의 경우 추가접종이 필요할 수 있으며 일부 전문가 집단에서는 5년마다 추가로 다당류백신을 접종해야 한다고 주장하기도 하나 반복접종에 따른 장기면역 과 안전성에 대한 연구가 없다. A형간염백신의 경우 전반적으로 항체양성률이 낮은 것으로 알려져 있는 데, 1회 접종 시 46%의 혈청 양성률을 보이지만 2회 접종 후 79%까지 증가하므로 반드시 2회 접종을 준수해야 한다. 염증성 장질환이 있는 환자를 대상으로 한 연구에서 B형간염백신을 3회 접종했음에도 불구하고 46%에서만 항체양성률을 보였다. 따라서 접종 완료 후 항체검사를 시행하여 재접종을 할지 판단해야 한다. Infliximab 투약중단 3주 후 인플루엔자백신을 접종한 경우보다 투약과 접종을 동시에 한 경우가 면역원성이 높아 급한 경우 투약을 시작하면서 동시에 접종하는 것을 고려해 볼 수 있다. 인 유두종바이러스 백신의 경우 연구의 규모는 작지만 소아 자가면역질환자에서 면역원성은 만족스러웠 다. TNF-α 차단제를 사용하는 동안 생백신 사용은 금기이기 때문에 투약 최소 2주 전에 미리 예방접 종을 시행하는 것이 바람직하다. 만약 TNF-α 차단제 사용 중이라면 약제를 중단하고 접종을 시행하 는 것이 안전한데 접종 시점은 표 36-1과 표 36-2를 참고한다. TNF-α 차단제 사용 중 수두 또는 대상포 진이 발병할 위험이 크게 증가하기 때문에 약제를 사용하기 전에 수두 항체를 확인해서 적극적으로 접 종을 권해야 한다.

7) Rituximab

Rituximab은 B세포의 CD20 표면단백질에 결합하여 기존의 B세포를 제거한다. 따라서 백신접종과 관련하여 면역원성에 큰 영향을 미치는 약제 중 하나이다. 항체형성 정도는 접종 당시의 B세포수와 B 세포의 회복 속도와 관련 있다. Rituximab 사용 중 인플루엔자 백신에 대한 항체가 상당히 낮고, rituximab 투약 6-10개월까지 면역원성이 오랜 시간 동안 감소하는 것으로 알려져 있다. 폐렴사슬알균 백신에서도 면역반응이 감소하는데 rituximab 치료 중인 환자에게 단백결합백신을 사용한 경우 10.3% 만이 항체생성률을 보였다. 그러나 항체생성에 있어 T세포 의존형인 파상풍 백신의 경우에는 ritux-imab 투여 6개월 후에도 면역원성이 유지된다는 연구 결과가 있다. Rituximab은 다른 생물학적 제제 와 달리 백신에 대한 면역원성을 심각하게 낮추기 때문에 약물 사용 중에는 불활화백신이라도 접종을 피하도록 권장하고 있다. Rituximab 투약 2-4주 전에 미리 접종을 하거나, 투약 중이라면 중단 6-12개 월 후에 접종하도록 한다. 일부 전문가는 추가접종인 경우 6개월, 초회 접종 또는 따라잡기 접종인 경 우에는 12개월 후로 세분하여 추천하기도 한다. Rituximab 사용 중 생백신은 접종 금기이다. 치료 시 작 전에 생백신을 접종하고자 한다면 2-4주 전에 접종하도록 권장하고 있으며 치료 시작 후 생백신의 접종시기는 표 36-1과 표 36-2를 참고한다.

8) Abatacept

Abatacept는 T세포의 공동 자극 신호를 억제하는 약물이다. 주로 류마티스 관절염 환자에서 사용하는 약제로 대부분의 연구가 이 질환군에서 보고되었다. 인플루엔자백신 접종 후 혈청양성률이 methotrexate 치료군(58%)보다 훨씬 낮은 9%을 보인다. 이러한 감소된 반응은 폐렴사슬알균 단백결합백신에서도 동일하게 나타난다. Abatacept 투약 중단 2주 후에 폐렴사슬알균 다당류백신 파상풍백신을 접종한 경우에도 면역원성이 감소한다는 보고가 있다. 따라서 abatacept를 투약하기 전에 예방접종을 해야 하며 투약 중에 백신접종은 피해야 한다. 불활화백신의 경우 투약 최소 2주 전에 접종하도록 권장하고 있으며, 생백신의 사용은 금기이다. 만약 생백신을 접종해야 한다면 표 36-1과 표 36-2를 참고한다.

9) Tocilizumab

Tocilizumab은 IL-6 receptor antibody로 이론적으로 백신접종 후 항체생성을 저해할 수 있다. 그러나 류마티스 관절염 환자에게 인플루엔자백신과 23가 폐렴사슬알균 다당류백신(PPSV23, PCV7)을 접종한 후에 면역원성이 유지되는 것으로 보고되었다. 류마티스 관절염 환자를 대상으로 한 파상풍 백신 연구에서도 면역형성에 문제가 없었다. A형간염백신 또한 2회 접종 후 100%의 항체양성률을 보인다. 현재까지의 연구를 종합해 볼 때 tocilizumab 투약 중 불활화백신을 접종해도 면역원성과 안전성에 문제는 없는 것으로 보인다. 생백신의 사용은 금기이기 때문에 투약 2–4주 전에 미리 접종을 시행한다. 치료 중 생백신 접종을 계획한다면 표 36-1과 표 36-2를 참고한다.

10) Tofacitinib

Tofacitinib은 Janus kinase (Jak) 저해제로 생물학적 제제로 분류되지 않지만 여러 경로로 시토카인에 영향을 미쳐 백신의 면역원성을 감소시킬 수 있다. 그러나 백신의 면역원성과 관련한 연구는 거의 없는 상태이다. 인플루엔자백신 접종 후 약간의 면역원성 감소를 보이지만 일반인과 큰 차이는 없었다. Tofacitinib을 2주간 중단 후 폐렴사슬알균 다당류백신을 접종한 환자와 중단 없이 백신을 접종한 환자에서 면역원성에 큰 차이는 없었으나 중단할 경우 좀 더 나은 결과를 보였다. Tofacitinib 투약 중 생백신은 금기이다. Tofacitinib을 투약 중인 환자에서 대상포진의 발병률이 높기 때문에 투약 전 대상포진백신 접종을 적극적으로 권고해야한다. 투약 2–3주 전 대상포진백신을 접종한 임상연구에서는 55명의 환자 중 1명에서 대상포진이 발생한 사례가 있어 안전을 위해 생백신 접종과 tofacitinib 투약 간격을 고민해야 하며 최소 4주 이상의 간격이 필요해 보인다. 아직은 tofacitinib와 생백신 사용 시점에 따른 면역원성과 안전성에 대한 연구가 없어 향후 근거 마련을 위한 연구가 필요하다.

4. 권장사항

1) 불활화백신

(1) 인플루엔자백신

사용 중인 면역억제제 종류와 상관없이 모든 면역매개 염증질환자는 매년 불활화 인플루엔자백신을 1회 접종한다. 만약 인플루엔자백신을 생애 처음 접종하거나 대유행 발생처럼 아형이 새로 바뀐 경우에는 1개월 간격을 두고 2회 접종해야 한다. 백신접종은 인플루엔자 유행시기 전에 시행해야 하나 유행 중이라도 백신접종을 적극 권장해야 한다. 면역억제제를 사용하기 전에 백신을 접종하고, 접종 2-4주 후에 면역억제제 투약을 시작한다. 면역억제제 사용 중 접종을 미룰 수 없다면 면역원성이 다소 감소하더라도 면역억제제를 중단하지 않고 접종할 수 있다. 면역억제제 중 TNF-α 차단제, methotrexate, tocilizumab, tofacitinib, 저용량(<10 mg/day)의 corticosteroid는 사용 중 백신항원에 대한 면역이 어느 정도 생성되는 것으로 보고되었다. 그러나 abatacept 사용 중에는 항체형성이 효과적이지 않기 때문에 가능한 투약 전에 접종해야 하나 급한 상황이라면 언제라도 접종할 수 있다. Rituximab의 경우에는 6-10개월까지 면역형성이 거의 되지 않기 때문에 B세포 감소 정도와 인플루엔자 유행수준을 종합적으로 판단하여 적기에 접종을 시행하도록 한다. 일부 전문가는 면역원성을 높이기 위해 고용량의 인플루엔자 백신, 면역증강제 함유 백신을 접종하도록 권장하기도 하지만 아직은 관련연구가 부족하다. 면역억제제를 사용 중에는 약독화 생백신의 접종은 금기이다.

(2) 폐렴사슬알균백신

면역억제제를 투약 중인 경우 건강인에 비해 면역원성이 다소 낮지만 예방효과를 고려할 때 적극적으로 접종해야한다. 대부분의 국가에서는 단백결합백신을 우선 접종하고 다당류백신을 추가접종하도록 권장하고 있다. 과거 폐렴구균백신 접종력이 없는 경우에는 13가 폐렴사슬알균 단백결합백신을 먼저 접종하고, 최소 8주가 지난 후에 23가 폐렴사슬알균 다당류백신을 접종한다. 미국에서는 면역저하자의 경우 5년 이후 1회 더 다당류백신을 접종하고, 65세 이상이 되면 마지막으로 1회 더 다당류백신을 접종하도록 권장하고 있다. 이는 면역저하자와 고령에서 접종 후 항체가가 빠르게 감소하기 때문이다. 일부 전문가는 5년마다 정기적으로 다당류백신을 접종하는 것을 주장하기도 하나 반복 접종에 따른 안전성과 효과에 대한 연구가 없어 일반적으로 추천하기 어렵다. 만약 이전에 다당류백신을 1회 접종한 경우에는 이전 접종으로부터 최소 1년 후 단백결합백신을 접종한다. 단백결합백신을 접종하고 최소 8주 경과하고 다당류백신 접종 후 5년 이상 경과하면 다당류백신을 1회 더 추가접종하고 65세 이상 이상이 되면 마지막으로 1회 더 다당류백신을 접종한다. 다당류백신을 2회 접종한 경우에는 마지막 접종 후 최소 1년이 경과한 시점에 단백결합백신을 1회 접종하고 65세 이상이 되면 마지막으로 1회 더 다당류백신을 접종한다. 백신의 면역원성은 사용 중인 면역억제제의 종류에 따라 다르게 나타난다. TNF−α 차단제, tocilizumab, belimumab, ustekinumab, azathioprine, 저용량(<10 mg/day)의 corti-costeroid를 사용하는 경우 면역원성이 감소하지만 예방효과는 어느 정도 있는 것으로 보고되었다. 그러나 methotrexate, abatacept, tofacitinib은 면역원성이 낮아 일반적인 불활화백신의 접종 원칙에 따라 면역억제제 사용 2주 전에 미리 접종하거나, 면역억제제를 중단하고 3개월 후에 접종하는 것을 고려한다. Rituximab의 경우에는 중단 후 6−10개월까지 면역형성이 거의 되지 않기 때문에 접종시기의 결정이 중요하다.

(3) B형간염백신

B형간염 항체가 없는 모든 환자는 접종의 대상이 된다. 일부 국가에서는 B형간염의 고위험군(가족 또는 밀접 접촉자 중 B형간염 보균자가 있는 사람, B형간염환자와 성관계 하는 사람, 다수와 성관계를 하는 사람, 동성애자, 마약 투여자, 발달장애인과 같이 생활하는 사람, 의료기관종사자, B형간염 유행 지역에 거주하거나 여행을 계획하는 사람, HIV 감염인, 만성 신장질환자 또는 만성 간질환자)에서만 접종하도록 권장한다. 그러나 면역억제제 사용 중 B형간염의 발병률이 높고, 국내의 경우 B형간염 보유율이 높기 때문에 모든 면역매개 염증질환자는 면역억제제를 사용하기 전 접종력과 혈청검사를 확인하고 적극적으로 예방접종을 해야 한다. 예방접종은 3회 접종을 기본으로 하며, 성인용량(recombinant HBs Ag 20 μg)을 0, 1, 6개월에 접종한다. 면역억제제가 면역원성에 미치는 영향에 대한 연구가 많지 않지만, corticosteroid, methotrexate, azathioprine 투약 중에는 항체생성률이 68%, TNF−α 차단제 사용 중에는 22.2%밖에 되지 않는다는 보고를 볼 때 대부분의 면역억제제에서 면역원성이 감소할 것으로 예상된다. 따라서 3회 접종 후 반드시 항체형성여부를 확인하는 것이 안전하다. 접종 종료 후 anti-HBs Ab가 10 mIU/mL 미만이라면 무반응자로 판단하고 재접종을 시행한다. 무반응자의 경우 일부 전문가는 두 배의 용량으로 3회 접종(0, 1, 6개월)하거나 4회 접종(0, 1, 2, 6개월)하는 것을 주장하기도 한다. 만약 단기간에 접종을 완료해야 한다면 0, 1, 2개월에 접종하는 것도 언급된다. 백신접종 또는 자연면역으로 항체가 형성되었더라도 시간이 지나면서 항체가가 낮아지거나 음전될 수 있는데 면역력이 정상인 사람이라면 면역기억이 남아 있어 추가접종은 필요하지 않다. 그러나 면역억제제를 사용하는 환자는 항체가가 낮을 경우 감염될 위험이 있기 때문에 정기적으로 항체가를 측정하고 10 mIU/mL 미만인 경우 추가접종을 하도록 권고하기도 한다.

(4) A형간염백신

대부분의 국가에서는 A형간염의 위험인자(만성 간질환자, 어린이를 돌보는 시설에 근무하는 사람, A형간염바이러스에 노출될 위험이 있는 의료진과 실험실 종사자, 음식물을 다루는 요식업체 종사자, A형간염 유행지역으로 여행이 예정된 경우, 혈액제제를 자주 투여받는 경우, 남성 동성애자, 마약주사 남용자, 최근 2주 이내에 A형간염 환자와 접촉한 경우)가 있는 경우 접종하도록 추천하고 있다. 그러나 국내의 경우 A형간염의 발생률이 높고 감염될 경우 중증도가 높아 모든 환자를 대상으로 예방접종을 시행하는 것이 바람직하다. 접종 전 혈청검사로 항체 존재 여부를 확인하는 것에 대해서는 명확한 지침은 없지만 면역억제제 사용 중 항체생성이 되지 않을 수 있기 때문에 미리 검사를 시행하고 접종 계획을 세우도록 한다. 백신접종은 2회 접종(0, 6–12개월)을 기본으로 한다. 면역원성이 우수하기 때문에 일반 성인에서 1회 접종만으로도 95%에서 높은 항체가 생성된다. 그러나 면역억제제를 사용 중인 경우 항체생성률이 낮다. Corticosteroid를 사용 중인 여행자를 대상으로 한 연구에서 항체생성률은 2회 접종 후 72%였으며, methotrexate 57–98% (1차 접종 후 6%), azathioprine 98% (1차 접종 후 62%)로 보고되었다. TNF–α차단제는 1차 접종 후 46%, 2회 접종 후 79%로 보고된다. 따라서 위험지역으로 여행하기 위해 예방접종을 계획한다면 2회 접종을 위해 최소 6개월 전부터 접종을 시작해야 한다. 일부 전문가는 접종 완료 4–6주 후에 항체형성 여부를 확인하고 항체가 형성되지 않았다면 재접종을 권장하기도 한다.

(5) 인유두종바이러스 백신

13–26세 여성과 남성 중 미접종자나 3회 백신접종을 완료하지 못한 경우 접종한다. 인유두종바이러스 백신의 접종 대상자라면 일반 성인예방접종 권고사항에 따라 접종한다. 일반적으로 3회 접종 (0, 1–2, 6개월)을 시행하며 제품별 권고 사항을 따른다. 면역억제제 종류별 인유두종바이러스백신의 면역원성에 대한 연구가 거의 없으나 corticosteroid, methotrexate 투약 중 면역원성이 유지되는 것으로 알려져 있다.

(6) 파상풍-디프테리아-백일해 혼합백신

파상풍–디프테리아–백일해 혼합백신은 국내 성인예방접종 권고를 따른다. 1967년 이전 출생자 중 소아 때 DTP나 최근 10년 이내에 파상풍 관련 백신을 접종받은 적이 없는 성인은 3회 접종(0, 4–6주, 6–12개월)하는 것을 원칙으로 하되, 첫 접종은 Tdap으로, 나머지는 Td로 접종한다. 그리고 10년마다 Td를 추가접종한다. 1967년 이후 출생자는 최근 10년 내 파상풍 관련 백신의 접종력이 없다면 Tdap을 1회 접종하고 이후 10년마다 Td를 접종한다. 면역억제제 사용에 따른 백신의 항체가 감소는 methotrexate, azathioprine, cyclophosphamide 등에서 나타나지만 건강인에 비해 약간 감소한 정도로 보인다. Corticosteroid, tocilizumab 사용 중에는 면역원성에 문제가 없는 것으로 보인다. 인플루엔자백신, 폐렴사슬알균백신에서와 마찬가지로 abatacept 사용 중에는 면역원성이 감소하므로 투약 2주 전에 미리 접종하거나, 면역억제제를 중단하고 3개월 후에 접종한다. Rituximab 치료 2주 후에 파상풍 백신을 접종한 경우 methotrexate 치료군과 비교하여 면역원성에 차이가 없는 것으로 보고되었다. 그러나 methotrexate와 같은 다른 면역억제제를 같이 사용하는 경우에는 면역원성이 감소하고, B세포가 감소할 때 면역원성도 함께 감소할 것으로 예상되므로 투약 2–4주 전에 백신을 미리 접종하도록 한다. 만약 rituximab을 이미 사용 중이라면 마지막 투약 중단시점을 기준으로 6개월 후에 접종하도록 한다.

2) 약독화생백신

(1) 대상포진백신

국내 식품의약품안전처에서 사용 허가 연령이 50세 이상으로 되어 있지만, 비용–효과 측면을 고려해서 일반적으로 60세 이상에서 접종하도록 추천하고 있다. 그러나 50–59세 성인 중 대상포진 감염의 위험이 높다면 접종을 할 수 있다. 투여는 1회 피하주사한다. 현재 유통 중인 대상포진 백신은 생백신이기 때문에 면역억제제를 사용 중이라면 대상포진 백신은 금기이다. 면역매개 염증질환을 가지고 있는 환자의 경우 감염의 위험이 높고, 중증도가 높기 때문에 미리 접종해야 한다. 유럽 가이드라인과 미국 질병관리본부에서는 저용량의 methotrexate (<0.4 mg/kg/week 또는 <20 mg/week), glucocorticoid (<20 mg/day prednisone or equivalent), azathioprine (<3.0 mg/kg/day), 6–mercaptopurine (<1.5 mg/kg/day)을 사용 중이더라도 접종을 할 수 있다고 기술하고 있다. 그러나 고용량의 스테로이드 또는 면역억제제를 사용하는 경우, 두 종류 이상의 저용량 면역억제제를 사용하는 경우, 생물학적 제제 (adalimumab, infliximab, etanercept 등)를 사용 중인 경우에는 접종금기이다. 예방접종은 면역억제제를 잠시 중단하고 시행하는데 이는 전문가 의견에 따라 다르지만 일반적으로 표 36-1과 표 36-2의 참고에 따라 접종할 수 있다.

(2) 수두백신

수두백신은 1970년 이후 출생자, 수두 유행이 가능한 환경에 노출되는 학생, 군인, 의료인, 학교 및 유치원 종사자, 유행지역으로 여행을 계획하는 사람, 면역저하자의 가족 또는 밀접 접촉자, 임신을 계획하는 여성 중 수두바이러스에 면역이 없는 사람이 접종의 대상이 된다. 면역매개 염증질환자들에게 일괄적으로 접종을 해야 하는지에 대해서는 연구가 되어 있지 않다. 유통 중인 수두백신은 모두 생백신이기 때문에 면역억제제를 투약하는 중에는 금기이며, 투약 전에 미리 접종 여부를 결정해야 한다. 면역상태를 확인하기 위해 varicella zoster virus IgG 검사를 시행하여 음성인 경우는 수두백신을 2회 접종하는데, 2차 접종은 1차 접종 후 4–8주 후에 시행한다. 면역억제제는 접종 4주 후부터 사용이 가능하다. 면역억제제를 사용 중이라면 면역억제제를 중단하고 3–6개월 후에 접종하도록 한다. 일부 전문가는 대상포진 백신의 경우와 마찬가지로 일부 저용량의 면역억제제를 사용 중인 경우에도 접종이 가능하다고 언급하고 있다. 5–aminosalicylic acid (5–ASA)를 사용 중인 경우에는 라이 증후군(Reye syndrome) 발생의 위험이 높기 때문에 수두백신 접종 후 6주 간 투약을 하지 말아야 한다. 그리고 임신을 계획 중인 여성의 경우에는 접종 후 1개월 간 피임을 해야 한다. 수두 백신을 접종하지 못한 상태에서 수두에 노출된 경우에는 수두 면역글로불린을 사용하도록 한다.

(3) 홍역-볼거리-풍진 혼합백신

홍역, 볼거리, 풍진에 대해 면역력이 없는 성인은 모두 예방접종의 대상자가 된다. 일반적으로 학생, 군인, 의료인, 학교 및 유치원 종사자, 유행지역으로 여행을 계획하는 사람, 면역저하자의 가족 또는 밀접 접촉자, 임신을 계획하는 여성의 경우 적극적으로 접종을 권장한다. 면역매개 염증질환자들에게 일괄적으로 접종을 해야 하는지에 대해서는 연구가 되어 있지 않다. 유통 중인 홍역-볼거리-풍진 혼합백신은 모두 생백신이기 때문에 면역억제제 투약 중에는 금기이며, 투약 전에 미리 접종 여부를 결정해야 한다. 접종을 결정하기 위해 각각의 질환에 대해 항체검사를 시행한다. 면역매개 염증질환자에게 1회 접종을 해야 하는지, 아니면 2회 접종까지 해야 하는지에 대해서는 연구가 되어 있지 않지만 대부분 1개월 간격으로 2회 접종을 권장한다. 접종을 시행했다면 면역억제제는 접종 4주 후부터 사용이 가능하다. 만약 감염의 위험이 높은 군에 속한다면 투약 중인 면역억제제를 중단하고 3개월 후에 접종하도록 한다. 홍역-볼거리-풍진 혼합백신을 접종하지 못하는 상황에서 감염원에 노출된 경우에는 면역글로불린을 사용하도록 한다.

5. 특별한 상황에서의 예방접종

1) 가족과 밀접 접촉자 예방접종

면역억제제를 사용 중인 환자의 가족 또는 밀접 접촉자는 환자에게 감염성 질환을 전파할 수 있기 때문에 백신접종을 해야 한다. 대부분의 국가에서 추천하는 백신은 인플루엔자백신, 홍역-볼거리-풍진 혼합백신, 수두백신, 대상포진백신이다. 가족과 밀접 접촉자의 경우 황열백신과 경구 장티푸스백신은 접종이 가능하지만, 경구용 폴리오 백신은 사용금기이다. 불활화백신의 경우 환자에게 전파의 위험성이 낮아 안전하게 사용할 수 있다. 그러나 생백신은 전파의 가능성이 있으므로 접종 후 2주 동안 환자와 접촉에 주의해야 한다. 가족 중 로타바이러스 백신을 사용한 경우에는 4주간 접종자의 대변과 접촉을 피하고 손위생에 각별한 신경을 써야 한다.

2) 해외여행 시 예방접종

국내 성인예방접종에서 해외여행 시 추천하는 백신을 동일하게 적용한다. 면역억제제 사용 중 생백신은 접종금기이기 때문에 필요한 경우 면역억제제를 중단하고 접종해야 한다. 안전성과 면역원성을 높이기 위해 약제 중단 후 일정 시간이 경과해야 하고, 일부 백신의 경우 다회 접종이 필요하기 때문에 여행 6개월 전에 미리 상담하고 접종 계획을 수립해야 한다. 백신은 불활화백신이 우선 추천된다. 그러나 황열백신처럼 생백신 종류만 있는 경우에는 주의가 필요하다. 면역억제제를 복용 중이라면 황열백신은 금기이기 때문에 가능하면 여행을 피하는 것이 좋다. 만약 황열 유행지역으로 여행이 불가피하고 면역억제제 중단이 어렵다면 면제서류(waiver letter)를 작성하고, 해당 지역에서 모기에 물리지 않도록 하는 방법을 강구해야 한다.

참고문헌

1. Bühler S, Eperon G, Ribi C, et al. Vaccination recommendations for adult patients with autoimmune inflammatory rheumatic diseases. Swiss Med Wkly 2015;145:14159.
2. Cordeiro I, Duarte AC, Ferreira JF, et al. Recommendations for vaccination in adult patients with systemic inflammatory rheumatic diseases from the Portuguese Society of Rheumatology. Acta Reumatol Port 2016;41:112-30.
3. Kim DK, Riley LE, Harriman KH, et al. Advisory Committee on Immunization Practices recommended immunization schedule for adults aged 19 years or older - United States, 2017. MMWR Morb Mortal Wkly Rep 2017;66:136-8.
4. Rubin LG, Levin MJ, Ljungman P, et al. 2013 IDSA clinical practice guideline for vaccination of the immunocompromised host. Clin Infect Dis 2014;58:e44-100.
5. Singh JA, Saag KG, Bridges SL Jr, et al. 2015 American College of Rheumatology guideline for the treatment of rheumatoid arthritis. Arthritis Rheumatol 2016;68:1-26.
6. van Assen S, Agmon-Levin N, Elkayam O, et al. EULAR recommendations for vaccination in adult patients with autoimmune inflammatory rheumatic diseases. Ann Rheum Dis 2011;70:414-22.

Chapter 37 무비증

서울대학교 의과대학 **송경호**
서울대학교 의과대학 **김홍빈**

1 대한감염학회 권장 무비증 환자 예방접종

병원체	백신종류	일정	재접종
폐렴사슬알균	13가 단백결합백신 23가 다당류백신	13가 단백결합백신 접종, 최소 8주 후 23가 다당류백신 접종 * 23가 다당류백신을 과거에 접종받은 경우, 　접종 1년 이후 13가 단백결합백신 접종 * 13가 단백결합백신을 과거에 접종받은 　경우, 최소 8주 후 23가 다당류백신 접종 　늦어도 비장절제 2주 전(가능하면 수술 　전 접종) 　혹은 비장절제 2주 후(또는 퇴원 직전) * 기능적 무비증 환자는 가능한 빨리 접종	5년 후 23가 다당류 백신 1회만 재접종
b형 헤모필루스균	단백결합백신	늦어도 비장절제 2주 전(가능하면 수술 전 접종) 혹은 비장절제 2주 후(또는 퇴원 직전) * 과거에 예방접종을 받지 않은 경우 1회 　투여	권장하지 않음
수막알균	4가(A, C, W, Y) 단백결합백신	4가(A, C, W, Y) 단백결합백신 2회(0, 8-12주) 접종 늦어도 비장절제 2주 전(가능하면 수술 전 접종) 혹은 비장절제 2주 후(또는 퇴원 직전)	5년마다 4가(A, C, W, Y) 단백결합백 신 재접종
인플루엔자	불활화백신 약독화 생백신	인플루엔자 유행 시기에 접종	매년

2 주의 및 금기사항

해당 없음

1. 배경과 필요성

비장은 수명이 다되었거나 결함이 있는 적혈구를 골라내고 항체를 형성하며 피막세균(encapsulated bacteria)을 제거하는 역할을 한다. 무비증(asplenia) 환자에게 중증감염증이 잘 발생한다는 사실은 1952년에 King 등의 보고에 의해 처음 알려지게 되었다.

무비증 혹은 비장기능저하증(hyposplenism) 환자에게 발생하는 중증감염증을 비장절제후패혈증 (postsplenectomy sepsis, PSS) 또는 비장절제후중증감염(overwhelming postsplenectomy infection, OPSI)이라고 한다. 일반적으로 무비증 환자는 중증감염증과 이로 인한 사망률이 정상인에 비해 매우 높다. 중증감염증의 발생빈도와 사망률은 환자의 연령이나 무비증의 원인에 따라 차이를 보인다.

1) 무비증 또는 비장기능저하증의 원인

성인의 경우 무비증의 가장 흔한 원인은 외상, 혈액질환, 악성종양 등의 치료를 위하여 시행한 비장 절제수술이다. 중증 패혈증이 발생한 후에 무비증을 처음으로 발견하는 경우도 드물게 있다. 그 밖에 도 반복적인 비장경색, 혈액의 충혈, 침윤질환 등 비장기능저하증을 유발하는 상태 또는 원인질환은 매우 다양하다(표 37-1).

표 37-1. 비장기능저하증의 원인

자가면역질환	**침윤질환**
담관간경화	아밀로이드증
만성활동간염	사르코이드증
그레이브스병(Graves' disease)	**장질환**
하시모토갑상샘염(Hashimoto's thyroiditis)	만성소화장애증(celiac disease)
류마티스관절염	아교질대장염
쇼그렌증후군(Sjögren's syndrome)	크론병
전신홍반루푸스	장림프관확장증
혈관염	궤양성대장염
혈액질환	휘플병(Whipple's disease)
본태저혈소판증	**기타**
판코니증후군(Fanconi's syndrome)	알코올중독
혈우병	연령(신생아 또는 미숙아, 70세 이상)
낫적혈구(sickle cell)혈색소병증	골수이식
악성종양	만성이식대숙주병
유방암	뇌하수체저하증
만성골수백혈병	만성비경구영양법
비장혈관육종	원발폐동맥고혈압
비호지킨림프종	비장방사선조사
세자리증후군(Sézary's syndrome)	비장혈관혈전증

Lutwick LI. Infections in asplenic patients. In: Mandell GL, Bennett JE, Dolin R. Principles and practice of infectious diseases. 7th ed. Philadelphia: Elsevier Churchill Livingstone; 2010;3565-73.

표 37-2. 비장절제를 받은 원인에 따른 패혈증 발생의 위험도

	위험도	증례 수	범위
낮은 위험도			
수술 중 예기치 않은 비장절제	1.17	2,521	1.0-2.4
특발혈소판감소자색반병	2.03	2,728	1.5-3.3
외상	2.07	6,612	1.5-2.4
중간 위험도			
둥근적혈구증(spherocytosis)	3.15	4,816	2.4-3.6
호지킨림프종	6.15	2,507	4.1-11.6
문맥고혈압	6.72	610	4.1-8.6
높은 위험도			
지중해빈혈증(thalassemia)	11.6	852	7.0-24.8
자가면역림프증식증후군	31.3	16	–

Lutwick LI. Infections in asplenic patients. In: Mandell GL, Bennett JE, Dolin R. Principles and practice of infectious diseases. 7th ed. Philadelphia: Elsevier Churchill Livingstone; 2010;3565-73.

2) 비장절제후패혈증의 빈도

비장절제후패혈증의 발생 빈도와 치명률은 환자의 연령과 비장절제를 받은 원인에 따라 다르다. 비장 절제 후 피막 세균 감염 위험이 10-40배 증가하며, 평생 1-5%가 감염된다. 성인보다는 소아에서 발생률이 더 높다. 소아의 경우 175 환자-년(patient-years)당 1건의 패혈증이 발생하고 350 환자-년당 1건의 사망 예가 발생하는 것으로 알려져 있다. 반면 성인의 경우 400-500 환자-년당 1건의 패혈증이 발생하고 800-1,000 환자-년당 1건의 사망 예가 발생하여 차이를 나타냈다. 비장절제를 받게 된 원인에 따른 패혈증 발생 위험도를 표 37-2에 기술하였다. 일반적으로 비장 절제의 원인이 악성 종양일 때 외상으로 절제를 한 경우보다 위험이 높고, 특발혈소판감소자색반병의 경우 위험도가 낮은 반면 지중해빈혈증(thalassemia)이나 자가면역림프증식증후군의 경우 위험도가 높다. 국내에서 비장절제후패혈증의 발생률은 알려져 있지 않다.

3) 비장절제후패혈증의 발생 시기

비장절제후패혈증은 수술 후 처음 수년간 발생이 가장 흔하다. Holdsworth 등이 비장절제후패혈증 288예를 분석한 결과, 수술 후 1년 이내에 32%가 발생하였고 수술 후 2년째까지 52%가 발생하였다. 비장절제를 받을 당시 나이가 어릴수록 수술 후 패혈증 발생에 걸리는 기간이 더 짧았다.

4) 비장절제후패혈증의 사망률

비장절제후패혈증은 적절한 치료에도 불구하고 50-70%의 높은 사망률을 보인다. 사망예의 경우 68%가 첫 증상이 발생하고 24시간 이내에 사망한다. 따라서 적절한 예방조치가 매우 중요하고 증상발현 후에는 즉각적인 치료가 필요하다.

5) 주요 원인균

비장절제후패혈증의 원인균은 다양하다. 그러나 비장이 피막세균(encapsulated bacteria)을 제거하는 데 매우 중요한 역할을 하고 있기 때문에 폐렴사슬알균(*Streptococcus pneumoniae*, pneumococcus), b형 헤모필루스균(*Haemophilus influenzae* type b, Hib), 수막알균(*Neisseria meningitidis*, meningo-coccus) 등의 피막세균이 가장 흔하다.

(1) 폐렴사슬알균

비장절제후패혈증 중에서 50-90%가 폐렴사슬알균에 의해 발생하는 것으로 알려져 있다. 성인의 경우 소아에 비해 폐렴사슬알균이 차지하는 비율이 더 높다. 다양한 혈청형의 폐렴사슬알균에 의해 패혈증이 발생하는데 혈청형의 분포는 비장기능이 정상인 사람에게 발생한 침습성 감염증과 큰 차이가 없다.

(2) 헤모필루스균

헤모필루스균 가운데 비장절제후패혈증을 일으키는 혈청형은 대부분 b형이다. 비장절제후패혈증의 두 번째로 흔한 원인균이며 대부분의 증례가 15세 미만의 소아에게 발생한다. 백신의 보급과 함께 침습성 감염증의 빈도가 많이 감소하였다. 그러나 예방접종을 받지 않은 무비증 또는 비장기능저하증 성인 환자의 경우 b형 헤모필루스균에 의한 패혈증이 발생할 수 있다.

(3) 수막알균

비장절제후패혈증의 세 번째로 흔한 원인균으로 알려져 있다. 그러나 무비증 환자의 수막알균 감염증이 비장기능이 정상인 경우보다 더 흔하다거나 치명적이라는 증거는 없다.

2. 권장사항

1) 폐렴사슬알균백신

해부학적 혹은 기능적 무비증 또는 비장기능저하증이 있는 성인 환자에게 13가 단백결합백신과 23가 다당류백신을 반드시 접종해야 한다. 무비증 환자는 정상인에 비해 23가 폐렴사슬알균 다당류백신에 대해 충분한 면역반응을 유발하지 못하는 경우가 많다. 13가 단백결합백신은 T세포의존 기억반응을 유발하여 면역원성이 더 강한 것으로 알려져 있고 무비증 환자의 경우 백신에 대한 면역반응이 상대적으로 약하기 때문에 단백결합백신이 더 우수한 예방 효과를 나타낼 가능성이 높다. 따라서, 이전에 폐렴사슬알균백신을 접종한 적이 없는 해부학적 혹은 기능적 무비증 또는 비장기능저하증이 있는 성인은 13가 단백결합백신을 먼저 접종하고, 최소 8주 후 23가 다당류백신을 투약하는 것을 추천한다. 기존에 23가 다당류백신을 접종하였던 사람의 경우에는 이전 다당류백신에 의하여 유도된 면역억제/면역관용반응을 피하기 위하여 1년 이상의 간격을 두고 13가 단백결합백신을 접종하는 것을 추천한다.

충분한 면역반응을 유도하기 위해서 비장절제가 예정되어 있는 경우에는 늦어도 수술 2주 전에 예방접종을 받아야 한다. 외상으로 인해 응급수술을 하거나 수술 중 예기치 않게 비장을 절제하는 경우에 예방접종의 시기에 대해서는 확실하게 정립되어 있지 않다. Shatz 등은 외상으로 인해 비장절제술을 받은 환자들을 대상으로 수술 후 각각 1일, 7일, 14일째 백신을 접종한 환자의 면역반응을 정상 대조군의 면역반응과 비교하였다. 그 결과 각 군 사이에 IgG 항체가의 차이는 없었으나 수술 후 1일, 7일에 예방접종을 받은 군의 항체기능(opsonophagocytic function)은 대조군에 비해 떨어졌고 14일째에 백신접종을 받은 군의 경우 항체기능이 대조군과 비슷하였다. 또한 비장절제 후 14일째와 28일째 예방접종을 시행한 비교연구에서 두 군 사이에 IgG 항체가와 항체기능에 큰 차이가 없었다. 결론적으로 비장절제를 받은 후 폐렴사슬알균백신은 수술 후 2주째에 접종하는 것이 적절하다. 만일 수술 2주 이내에 퇴원하게 되는 경우에는 외래에서 예방접종을 잊게 될 가능성이 있으므로 퇴원 직전에 백신을 접종하는 것이 바람직하다.

항암화학요법이나 방사선치료를 하는 경우에는 치료 후 3개월이 지나서 예방접종을 하는 것이 일반적이다. 그러나 비장절제 이전에 항암화학요법을 먼저 받아야 할 경우에는 예방접종을 미루지 말고 수술 전에 폐렴사슬알균백신을 접종하도록 한다. Zandvoort 등의 연구에 따르면 항암화학요법을 받은 환자들의 경우에도 최소한 항암제 투여 후 24일간은 체액면역능이 유지되어 백신에 대한 면역반응을 기대할 수 있을 것으로 생각된다.

무비증 환자의 경우 항체 역가가 정상인에 비해 빠른 속도로 감소하기 때문에 폐렴사슬알균 다당류백신을 추가적으로 접종해야한다. 백신을 추가로 접종할 때 문제가 되는 것은 아르투스반응(Arthus-type response, Ⅲ형 과민반응)에 의한 주사부위 국소반응이다. 대부분의 경우 예방접종 후 2년 이내에 추가접종을 할 때 문제가 되므로 다당류백신을 접종하고 2-3년이 지난 이후에는 비교적 안전하게 추가접종을 할 수 있을 것으로 생각된다. 미국 질병관리본부(CDC)는 19-64세의 무비증 환자에게 폐렴사슬알균 다당류백신을 접종하고 5년이 지난 후에 1회만 추가로 접종할 것을 권장하고 있다. 이와 달리 유럽에서는 5년마다 추가접종을 권장하는 경우도 있다.

2) b형 헤모필루스균백신

만 5세 이상의 건강한 소아 또는 성인에게 이 백신을 접종할 필요는 없다. 그러나 무비증 또는 비장기능저하증이 있는 성인이 과거에 b형 헤모필루스균백신을 접종받지 않은 경우에는 1회 접종을 추천한다. 국내에서 b형 헤모필루스균에 대한 다당류-단백 결합백신은 2013년 3월에 어린이 국가예방접종 지원사업에 포함되었다. 국가예방접종으로 포함되기 전인 1999-2001년에 전라북도에서 이루어진 연구에 따르면, 5세 미만의 어린이를 대상으로 한 b형 헤모필루스균백신 접종률은 16%이었다. 이후 민간 의료기관을 중심으로 기타접종 백신의 형태로 많은 영아가 접종받아 우리나라도 b형 헤모필루스균에 의한 침습성 감염이 현저히 감소하였다. 2012년에 시행된 전국 예방접종률 조사에서 기초접종을 완료한 소아는 89.3%이었고, 추가접종까지 완료한 소아는 81.2%이었다. 그러나 b형 헤모필루스균에 의한 침습성 감염증의 치명률이 높고 국내에서 b형 헤모필루스균백신이 국가예방접종에 포함된 지 얼마 지나지 않았기 때문에 예방접종 여부를 확실하게 알지 못하는 무비증 또는 비장기능저하증이 있는 성인의 경우 백신접종을 추천해야 한다.

비장절제술을 시행할 때 백신의 접종 시기는 폐렴사슬알균백신과 마찬가지로 적어도 수술 2주 전 또는 수술 2주 후가 적절하다. b형 헤모필루스균백신 0.5 mL를 어깨세모근에 근육주사한다. 출혈의 위험성이 있는 경우에는 피하주사 할 수 있으나 근육주사에 비해 국소반응이 더 흔하다.

비장절제술을 받은 환자들을 대상으로 시행한 연구에서 b형 헤모필루스균백신은 안전하고 유효한 항체반응을 유발하였다. 백신을 접종한 일부 환자의 경우 2-3년 후에 항체의 역가가 매우 낮아서 면역능이 장기간 유지되지는 않는 것으로 알려져 있다. 그러나 대부분의 지침들이 추가접종을 권장하지는 않는다.

3) 수막알균백신

무비증 혹은 비장기능저하증 환자의 수막알균 감염위험성은 폐렴사슬알균이나 b형 헤모필루스균에 비해 상대적으로 낮지만, 전격성 진행 때문에 과거부터 수막알균 예방접종이 권고되었다. 비장기능이 정상인 사람보다 더 전격성 진행을 보이는지 여부는 명확하지 않다. 국내에서 수막구균 발생현황에 대해 정확히 파악하기 어렵다. 선진국에서의 발생률(10만 명당 0.5-4명)로 추정한다면 국내에서는 적어도 매년 250-2,000명이 발생할 것으로 예상되지만 질병관리본부에 보고된 수막알균성 수막염 환자 수는 매년 15명 이하이며, 다른 해보다 발생이 많았던 1988년과 2003년에는 각각 42명과 38명이었다.

2015년 10월 현재 국내에 허가된 수막알균백신은 4가 단백결합백신인 멘비오(Menveo®)와 메낙트라

(Menactra®)이며, 각각 2개월–55세, 9개월–55세 연령에서 허가되었다. 외국에는 2가 다당백신(Mengi-vac®, AC Vax®) 또는 4가 다당백신(ACWY Vax®, Menomune®)이 있고, 단백결합백신에는 C 혈청군만 포함하는 백신(Meningitec®, Menjugate®, NeisVac-C®)과 아프리카 국가에서 사용하는 혈청군 A에 대한 1가 단백결합백신(MenAfriVac®)이 있다. 또한 A, C, Y, W-135를 포함하는 4가 단백결합백신(Menactra®, Menveo®, Numenrix®)과 최근에는 혈청군 B에 대한 백신(Bexero®, Trumenba®)도 있다. 미국 질병관리본부에서는 4가 단백결합백신을 2회(0, 2개월) 접종하고, 혈청군 B에 대한 백신을 2-3회 투약하는 것을 추천한다. 그러나, 국내에서는 혈청군 B, X에 의한 감염 수준이 알려져 있지 않아 효과를 평가하기 어렵고, 혈청군 B에 대한 백신이 도입되지 않아 사용이 불가능하다.

　　55세 이하의 무비증 또는 비장기능저하증 환자에게 4가 단백결합백신을 2회(0, 2개월) 접종하고 56세 이상의 환자에게는 다당류백신을 1회 접종하도록 권장한다. 55세 이하의 성인에게만 4가 결합백신을 투여하도록 허가되어 있기 때문이다. 단백결합백신 접종 5년 후 50% 내외에서 혈청 항체가 유지되는 것으로 알려져 있어, 처음으로 4가 결합백신(2회) 혹은 다당류백신(1회) 접종을 받은 후에는 5년마다 재접종을 받도록 권장한다. 과거에 4가 결합백신접종을 1회만 받은 55세 이하 성인의 경우 가급적 빨리 추가접종을 받고 이후 5년마다 재접종을 받으면 된다. 56세 이상인 경우에는 다당류백신이 권장되나 국내에 도입되지 않았다. 그러나 이 연령에서 단백결합백신도 면역원성이 우수하고 이상반응도 더 높지 않다는 연구들이 있어 대체가능할 것으로 예상된다. 비장절제 환자의 예방접종 시기는 다른 백신과 동일하다.

　　불활화백신이므로 접종부위만 달리한다면 다른 백신과 동시접종이 가능하다. 그러나 메낙트라(Menactra®)는 13가 폐렴사슬알균 단백결합백신과 면역간섭 현상이 있을 수 있으므로 13가 폐렴사슬알균 단백결합백신 접종 완료 최소 4주 이후 접종한다. 멘비오(Menveo®)는 13가 폐렴사슬알균 단백결합백신과 동시접종 가능하다.

4) 인플루엔자백신

　　무비증 또는 비장기능저하증 환자는 매년 인플루엔자백신을 접종받아야 한다. 무비증 또는 비장기능저하증 환자가 인플루엔자에 감염되었을 때에 중증 질환이나 합병증이 발생할 위험성에 대해서는 알려진 바가 없다. 그러나 인플루엔자에 동반하여 이차적인 세균감염이 발생할 경우 중증 질환이 될 위험성이 있기 때문에 예방접종이 필요하다. 인플루엔자백신의 면역원성에 대한 연구에서 비장절제술을 받은 환자들의 경우 정상인과 비교하여 항체역가의 차이를 보이지 않았다. 무비증 또는 비장기능저하증 환자의 경우에도 다른 예방접종 대상자들과 마찬가지로 인플루엔자의 유행 시기에 맞추어서 백신을 접종하면 된다. 건강한 무비증 또는 비장기능저하증 환자에게 약독화 생백신의 투여도 가능하다.

5) 그 외의 백신

무비증 또는 비장기능저하증 자체로는 생백신 또는 약독화 생백신의 금기가 되지 않는다. 따라서 위에 언급하지 않은 성인백신의 경우 정상인과 동일한 적응증을 적용하도록 한다. 파상풍–디프테리아 혼합백신(Td) 또는 성인용 파상풍–디프테리아–백일해 혼합백신(Tdap)과 인유두종바이러스(human papil-loma virus, HPV) 백신의 경우 특별한 금기가 없다면 정상인과 동일한 연령기준과 간격으로 무비증 또는 비장기능저하증 환자에게 접종하면 된다. 그 밖의 상황에서 성인에게 접종이 필요한 A형간염백신, B형간염백신, 홍역–볼거리–풍진 혼합백신(MMR), 수두백신 등도 일반적인 적응증에 맞추어서 접종하도록 한다.

참고문헌

1. Bisharat N, Omari H, Lavi I, et al. Risk of infection and death among post-splenectomy patients. J Infect 2001;43:182-6.
2. Centers for Disease Control and Prevention. Meningococcal Disease. Epidemiology and prevention of vaccine-preventable diseases. Hamborsky J, Kroger A, Wolfe C, eds. 13th ed. Washington DC. USA: Public Health Foundation; 2015.
3. Di Sabatino A, Carsetti R, Corazza GR. Post-splenectomy and hyposplenic states. Lancet 2011;378:86-97.
4. Hansen K, Singer DB. Asplenic-hyposplenic overwhelming sepsis: Postsplenectomy sepsis revisited. Pediatr Dev Pathol 2001;4:105-21.
5. Holdsworth RJ, Irving AD, Cuschieri A. Postsplenectomy sepsis and its mortality rate: actual versus perceived risks. Br J Surg 1991;78:1031-8.
6. Kabayashi M, Bennett NM, Gierke R, et al. Intervals between PCV13 and PPSV23 vaccines: Recommendations of the Advisory Committee on Immunization Practices (ACIP). MMWR 2015;64:944-7.
7. Kim JS, Jang YT, Kim JD, Park TH, et al. Incidence of Haemophilus influenzae type b and other invasive diseases in South Korean children. Vaccine 2004;22:3952-6.
8. King H, Shumacker HB Jr. Splenic studies. I. Susceptibility to infection after splenectomy performed in infancy. Ann Surg 1952;136:239-42.
9. Lutwick LI. Infections in asplenic patients. In: Mandell GL, Bennett JE, Dolin R. Principles and practice of infectious diseases. 7th ed. Philadelphia: Elsevier Churchill Livingstone; 2010:3565-73.
10. Musher DM, Ceasar H, Kojic EM, et al. Administration of protein-conjugate pneumococcal vaccine to patients who have invasive disease after splenectomy despite their having received 23-valent pneumococcal polysaccharide vaccine. J Infect Dis 2005;191:1063-7.
11. National Center for Immunization and Respiratory Diseases. General recommendations on immunization-Recommendations of the Advisory Committee on Immunization Practices (ACIP). MMWR Recomm Rep 2011;60:1-64.
12. Shatz DV, Romero-Steiner S, Elie CM, et al. Antibody responses in postsplenectomy trauma patients receiving the 23-valent pneumococcal polysaccharide vaccine at 14 versus 28 days postoperatively. J Trauma 2002;53:1037-42.
13. Shatz DV, Schinsky MF, Pais LB, et al. Immune responses of plenectomized trauma patients to the 23-valent pneumococcal polysaccharide vaccine at 1 versus 7 versus 14 days after splenectomy. J Trauma 1998;44:760-6.
14. Shazt DV. Vaccination practices among North American trauma surgeons in splenectomy for trauma. J Trauma 2002;253:950-6.
15. Singer DB: Postsplenectomy sepsis. Rosenberg HS Bolande RP Perspectives in Pediatric Pathology 1973 Year Book Medical Chicago 1973;1:285-311
16. Styrt B: Infection associated with asplenia: Risks, mechanisms, and prevention. Am J Med 1990;88:33N-42N.
17. Willekens FL, Roerdinkholder-Stoelwinder B, Groenen-Dopp YA, et al.: Hemoglobin loss from erythrocytes in vivo results from spleen-facilitated vesiculation. Blood 2003;101:747-51.
18. Zandvoort A, Lodewijk ME, Klok PA, et al. After chemotherapy, functional humoral response capacity is restored before complete restoration of lymphoid compartments. Clin Exp Immunol 2003;131:8-16.

연세대학교 의과대학 **최준용**
국립중앙의료원 **신형식**

HIV 감염

1 대한감염학회 권장 HIV 감염인 예방접종

질환에 따라 필요성이 강조되는 백신	유의할 점
인플루엔자백신	매년 접종
폐렴사슬알균 13가 단백결합백신	13가 단백결합백신 접종 8주 후에 23가 다당류백신 접종, 5
23가 폐렴사슬알균 다당류백신	년 후 23가 다당류백신 추가접종
A형간염백신	항체 확인 필요
B형간염백신	20 μg 혹은 40 μg 사용, 항체 확인 필요
인유두종바이러스백신	9-26세 접종
수막알균백신	처음 접종 시 2개월 간격 2회 접종
일반적인 권고기준에 따른 백신	**유의할 점**
대상포진백신	CD4+ T 세포수 200/μL 이상인 경우만 고려
Td 혹은 Tdap 백신	Tdap 1회 접종 후, Td 10년 마다 추가접종
수두백신	CD4+ T 세포수 200/μL 이상인 경우만 고려
MMR 혼합백신	CD4+ T 세포수 200/μL 이상인 경우만 고려

2 주의 및 금기사항

CD4+ T 세포수 200/μL 미만인 경우는 홍역백신, 수두백신, 대상포진백신, 황열백신, 경구 폴리오백신, 장티푸스 Ty21a 백신, 두창백신 등의 생백신은 금기

1. 배경과 필요성

HIV 감염인은 세포성 면역기능과 체액성 면역기능이 저하되어 있으므로 다양한 감염질환에 이환될 위험을 지니며, 이들 중에는 예방접종으로 그 발생률을 낮추거나 중증도를 낮출 수 있는 질환들이 있다. 하지만, HIV 감염은 예방접종의 효과나 안전성에 영향을 미칠 수 있다. HIV는 CD4+ T 세포를 비롯한 면역 체계를 손상시키며, T 세포뿐 아니라 B 세포의 기능도 손상시킨다. 그로 인해 T 세포 의존 항원, T 세포 비의존 항원 모두에 대한 면역 반응이 영향을 받게 되는데, 면역 반응은 HIV 감염이 진행할수록 더욱 저하된다. 고강도 항레트로바이러스 치료(highly active antiretroviral therapy, HAART)로 인해 CD4+ T 세포수가 회복된 환자들에서는 예방접종에 의한 면역반응도 회복된다는 최근의 연구 결과들이 있다. 몇 가지 예방접종을 받는 것은 질병을 예방하는 데 도움이 되는 것으로 알려져 있으나, 면역저하 상태로 인해 예방접종의 효과가 정상적으로 나타나지 않을 수 있으며, 면역저하가 심한 환자에게 생백신을 접종하면 감염증이 발생할 위험이 있다. 예방접종으로 인하여 면역 반응이 활성화되면 HIV 증식이 활발해져서 바이러스 농도가 증가할 수 있다. 바이러스 농도의 증가가 일시적인 현상이라는 보고들도 있지만, HIV 감염의 질병 상태가 악화될 수 있다는 의견도 있다.

1) HIV 감염인에서 예방접종의 안전성

CD4+ T 세포수가 200/μL 미만인 심한 면역저하 환자에서 생백신(경구 폴리오백신, MMR, 두창백신, BCG, 황열백신, 홍역백신, 수두백신, 대상포진백신, 장티푸스 Ty21a 백신 등)은 약독화된 병원체가 과도하게 증식할 수 있다는 위험성으로 인해 권고되지 않으며, 불활화백신(DTaP, 인플루엔자백신, 폐렴사슬알균백신, Hib, 불활화 폴리오백신, A형간염백신, B형간염백신 등)은 심한 면역저하 환자에서도 사용이 가능하다고 여겨진다. 단, CD4+ T 세포수가 200/μL 이상인 경한 면역저하 환자에서는 생백신도 일반적인 기준에 의해 투여 가능하다.

HIV 감염인에서 생백신이나 다른 백신이 이상반응을 더 많이 유발하였다는 보고는 거의 없다. 하지만 심각한 이상반응이 발생한 몇몇 보고들이 있다. 홍역백신을 맞은 20세 에이즈 환자에서 심각한 바이러스 폐렴이 발생하였다는 보고가 있었다. 이 환자는 CD4+ T 세포수가 매우 낮은 상태였고, 환자의 폐 조직에서 홍역바이러스가 분리되었고 이 바이러스는 백신주와 일치하였다. 이와 같은 증례보고가 있었다는 점, HIV 감염인에서 홍역백신에 대한 면역반응이 저하되어 있다는 점, 그리고, 다른 종류의 심한 면역저하 환자에서 홍역백신으로 인한 질병 발생이 보고되었다는 점 등의 이유로 인해서 홍역백신은 CD4+ T 세포수가 200/μL 이하인 면역저하가 심한 HIV 감염인에서 권고되지 않는다. 그 외에도 두창백신은 맞은 HIV에 감염된 군인에서 두창이 발생하였다는 보고 또는 BCG 접종 후에 *Mycobacterium bovis*-BCG 병이 발생하였다는 보고 등이 있었다. 또한, HIV 감염인이 B형간염바이러스에 감염된 시기와 동시에 B형간염백신을 맞으면, 만성적으로 HBs 항원을 보유하는 빈도가 높아진다는 보고가 있다. 2006년에 미국 식품의약품안전청의 승인을 받은 성인용 수두 대상포진백신은 생백신이며, 소아에서 사용되는 수두백신에 비해 5배 정도 높은 농도의 바이러스를 포함하고 있다. 수두 대상포진백신은 심한 면역저하가 있는 HIV 감염인에서 아직은 금기이다. 하지만, 수두 대상포진 바이러스 항체를 가지고 있는 면역저하가 심하지 않은 HIV 감염인에서 수두 대상포진백신이 안전하게 사용 가능한지, 대상포진 발병율을 낮출 수 있는지에 대한 연구가 필요하다.

2) 예방접종이 HIV의 증식에 미치는 영향

인플루엔자, 폐렴사슬알균, 간염 등의 예방접종이 면역 반응을 유도하여 HIV의 증식을 유도하고, 그로 인해 HIV 감염인의 임상 경과에 좋지 않은 영향을 미칠 수 있다는 우려가 있다. 여러 연구 결과에 의하면 예방접종에 의해서 HIV 농도가 증가하거나 CD4+ T 세포수가 감소할 수도 있지만, 이러한 반응은 일시적이며, 임상적으로 의미 있는 질병의 악화를 초래하지 않는다. 따라서, 인플루엔자, 폐렴사슬알균, A형간염, B형간염, 디프테리아, 파상풍 등의 권고되는 예방접종은 HIV 증식에 미치는 영향과 무관하게 접종가능하다.

2. 권장 사항

1) HIV 감염에 의해 필요성이 강조되는 백신

(1) 인플루엔자백신

HIV 감염인에서 인플루엔자의 임상양상이 비감염인과 크게 다르지는 않았다는 보고가 있지만, 입원률은 HIV 비감염인에 비해 유의하게 높았다는 연구가 있었다. 또한, 인플루엔자에 의한 사망의 위험이 HIV에 감염되지 않은 일반 인구에 비해 HIV 감염인에서 높다고 보고된 바 있다. CD4+ T 세포수가 약 400/μL인 102명의 HIV 감염인을 대상으로 한 임상시험에 의하면, 인플루엔자백신은 호흡기 질환과 확진된 인플루엔자의 발생률을 유의하게 낮추었으며, CD4+ T 세포수나 HIV 역가에 따른 이상반응의 유의한 차이가 없었다. 1,562명을 분석한 메타분석에 의하면 HIV 감염인에서 인플루엔자백신의 효능은 85%였다. CD4+ T 세포수가 낮은 경우 백신의 효능이 감소할 것으로 생각되지만, HIV 감염인에게 CD4+ T 세포수와 HIV 역가에 무관하게 매년 인플루엔자백신을 투여하는 것이 권고된다. 면역력의 지속 기간이 짧을 수 있기 때문에, 9–10월에 접종하기보다는 11월 중순 이후에 접종하는 것이 좋다는 의견도 있다. 그러나 현재의 국내 인플루엔자 역학을 감안하면, 비감염인과 마찬가지로 10–11월에 인플루엔자백신을 접종하는 것이 바람직하다. HIV 감염인에서 비강에 분무하는 약독화 생백신은 일반적으로 사용하지 않는다.

(2) 폐렴사슬알균백신

HIV 감염인에서 침습적 폐렴사슬알균 감염은 비감염인에서보다 더 흔하게 발생한다는 여러 보고가 있으며, 사망률 또한 높다. 고강도 항레트로바이러스 치료 도입 이전에는 HIV 감염인의 침습성 폐렴사슬알균 감염 발생률은 비감염인에 비해 100배 이상 높았다. 고강도 항레트로바이러스 치료가 도입된 이후에 침습성 폐렴사슬알균 감염의 발생이 감소하였지만, 폐렴사슬알균 감염은 여전히 HIV 감염인에서 질병과 사망을 일으키는 원인이 되고 있다. 23가 다당류백신이 권고되어 왔으나, 23가 다당류백신 접종 후 항체 생성률은 HIV 감염인에서 비감염인에 비해 낮은 것으로 알려져 있으며, CD4+ T 세포수가 낮을수록 항체 생성률이 낮고, 다당류백신이 단백결합백신보다 항체 생성률이 낮았다는 보고가 있다. 우간다에서 진행된 한 연구에서는 다당류백신을 접종한 HIV 감염인에서 폐렴의 발생이 오히려 증가하였다 (후속 연구에서는 백신접종군에서 사망률의 감소를 나타냈다). 또한, 메타분석에 의하면 23가 다당류백신이 HIV 감염인에서 폐렴사슬알균 감염을 예방하는 효과가 불확실하였다. 말라위에서 침습성 폐렴사슬알균 감염에서 회복한 15세 이상의 HIV 감염인을 대상으로 7가 단백결합백신의 효능을 평가하기 위한 전향적 임상시험이 진행되었고, 백신 혈청형에 의한 폐렴사슬알균 감염을 예방하는 백신 효능이 74%였다.

모든 HIV 감염인은 CD4+ T 세포수에 관계없이 폐렴사슬알균 예방접종을 받아야 한다. 먼저 13가 단백결합백신을 접종하고, 적어도 8주 이후에 23가 다당류백신을 추가접종한다. CD4+ T 세포수가 $200/\mu L$ 미만인 경우에는 CD4+ T 세포수가 $200/\mu L$ 이상으로 증가할 때까지 23가 다당류백신 접종을 미룰 수 있다. 23가 다당류백신은 첫 접종 5년 후에 추가접종이 권고된다. 또한, 대상자가 65세 이상이 되었을 때, 23가 다당류백신을 접종한 지 5년이 지났다면 23가 다당류백신을 1회 추가접종한다. 23가 다당류백신을 먼저 접종한 대상자는 1년이 지난 후 13가 단백결합백신을 접종한다.

(3) A형간염백신

HIV 감염의 고위험군 중에서 동성애자, 마약 사용자, 성접대부 등은 A형간염바이러스 감염의 고위험군에도 속한다. HIV 감염인에서 A형간염의 발생 빈도가 높았다는 보고들이 많으며, 또한, 만성 C형간염의 빈도가 높기 때문에 A형간염의 예방이 필요하다. 접종 일정은 비감염인과 마찬가지로 1차 접종 후 6-18개월에 2차 접종을 한다. 접종 전 IgG 항체 검사의 필요성 여부는 일반적인 기준에 따른다. 한 연구에 의하면 A형간염백신 접종 7개월 후 항체 생성율이 CD4+ T 세포수가 $200/\mu L$ 이하, $200-500/\mu L$, $500/\mu L$ 이상인 경우 각각 11%, 53%, 73%로 차이가 있었다. 따라서, 백신접종 후에 항체 생성 여부를 검사하는 것이 좋고, A형간염백신에 대한 항체 생성율이 CD4+ T 세포수가 높을수록 증가하므로, CD4+ T 세포수가 낮을 때 백신접종으로 항체가 생성되지 않은 경우 CD4+ T 세포수가 상승된 후에 재접종을 고려할 수 있다.

(4) B형간염백신

B형간염바이러스 감염은 HIV 감염과 감염 경로가 유사하기 때문에 HIV 감염인에서 B형간염바이러스 감염의 빈도가 높으며, B형간염바이러스 감염이 만성 간염으로 진행할 위험성이 더 크고, HIV 감염인에서 만성 간염 바이러스 동시 감염에 의한 간질환은 주요 사망 원인이 된다. 따라서 모든 HIV 감염인은 B형간염백신의 대상이 된다. 접종 일정은 HIV 비감염인과 마찬가지로 0, 1, 6개월에 접종한다. 접종 후 1-6개월에 항체 생성 여부의 확인이 필요하다. 항체가 생성되지 않은 무반응자의 경우는 0, 1, 6개월 일정으로 재접종하는데, CD4+ T 세포수가 낮은 경우에는 CD4+ T 세포수의 상승 이후로 재접종 일정을 미룰 수 있다. 한 연구에 의하면 HIV 감염인에서 B형간염 예방접종 후의 항체 생성율이 20 µg을 사용한 군에 비해서 40 µg을 사용한 군에서 높았고 (34%와 47%), 특히 CD4+ T 세포수가 350/µL 이상인 경우나 HIV 역가가 10,000 copies/mL 이하인 경우에 항체 생성율의 차이가 뚜렷하였다. HIV 감염인에서 일반적으로 사용하는 투여량인 20 µg을 0, 1, 6개월 일정으로 접종하거나, 일반 용량의 2배인 40 µg을 0, 1, 6개월 일정으로 투여하는 방법을 선택할 수 있다. 40 µg을 투여할 2개월째 1회를 추가하여, 0, 1, 2, 6개월 일정으로 투여하는 방법도 선택할 수 있다.

(5) 인유두종바이러스백신

HIV 감염인에서 인유두종바이러스 감염으로 인한 악성 신생물의 발생 위험이 높다. 여성의 경우 자궁경부암, 중증의 자궁경부전암, 외음부 전암, 질내전암, 생식기 사마귀 등이 발생할 수 있고, 동성애 남성의 경우 항문암, 항문 사마귀 등이 발생할 수 있다. 모든 HIV 감염인에서 일반적인 기준에 의해 인유두종바이러스 백신접종을 권고한다. 특히 동성애 남성에서 인유두종바이러스 감염의 위험에 비해 백신접종률이 낮은데, 남성에서의 접종률을 높이기 위한 노력이 필요하다. 성접촉 이전에 접종을 권고하는 백신이지만, 성접촉 이후에도, 또한 인유두종바이러스에 이미 감염된 이후에도 다른 혈청형의 인유두종바이러스에 의한 감염을 줄일 수 있기 때문에, 백신접종이 권고된다.

(6) 수막알균백신

남아프리카, 미국, 영국에서 수행된 연구에 의하면 HIV 감염인에서 수막알균 감염의 발생률은 10만명 당 3.4-6.6 이었는데, 이는 비감염인에 비해 5-13배 높은 수치였다. 특히 CD4+ T 세포수가 낮거나 HIV 농도가 높은 환자에서 위험이 높았다. HIV 감염인이 수막알균 감염 시 사망률이 비감염인에 비해 증가하는지는 연구 결과가 다양한데, 남아프리카에서 진행된 연구에서는 HIV 감염인에서 20%, 비감염인에서 11%의 사망률이 발생하여 감염인에서 유의하게 높았다. HIV 감염인 중 일반적인 기준에 의한 고위험군에서 수막알균 예방접종을 권고한다. 기초 접종으로 단백결합백신을 2회 접종하고, 위험이 지속되면 5년마다 재접종한다.

2) 일반적인 권고기준에 따른 백신

(1) 파상풍-디프테리아-백일해 혼합백신

Td는 톡소이드백신이므로 면역저하 환자에게도 투여할 수 있다. 단, HIV 역가가 일시적으로 상승할 수 있다. 면역기능이 정상인 사람에 비해 면역반응 정도가 낮고 면역 유지기간이 짧을 수 있다. 일반인에서의 투여방법대로 소아시기에 기초접종 3회와 추가접종 2회를 DTaP로 실시하고, 만 11-12세에 시행하는 추가접종은 Tdap을 이용하여 시행한다. 이후 10년마다 Td를 재접종한다. 만약 성인 HIV 감염인이 소아기에 DTP 접종을 받지 않았거나 접종 기록이 불분명한 경우, Td/Tdap을 3회 접종하되 Tdap을 첫 번째로 접종하고 4-8주 후 Td, 6-12개월 뒤 다시 Td를 접종한다. 만약 첫 번째에 Td를 접종하였다면 두 번째 또는 세 번째 일정에서 Tdap을 접종한다. 이후 매 10년마다 Td를 접종한다.

(2) 수두백신

CD4+ T 세포수가 200/μL 미만인 심한 면역저하 환자에서는 금기이나, CD4+ T 세포수가 200/μL 이상인 경한 면역저하 환자에서는 일반적인 기준에 의해 면역력이 없는 성인에서 투여한다.

(3) 홍역-볼거리-풍진 혼합백신

CD4+ T 세포수가 200/μL 미만인 심한 면역저하 환자에서는 금기이나, CD4+ T 세포수가 200/μL 이상인 경한 면역저하 환자에서는 일반적인 기준에 의해 면역력이 없는 성인에서 투여한다.

(4) 대상포진백신

HIV 감염인은 대상포진 발생률이 높고, 대상포진이 생겼을 때 파종성 형태로 발생할 위험도 크다. CD4+ T 세포수가 200/μL 미만인 심한 면역저하 환자에서는 금기이나, 수두 과거력이 있거나 수두바이러스 IgG 항체가 양성이면서 CD4+ T 세포수가 200/μL 이상이고, 환자 상태가 안정적인 경한 면역저하 환자에서는 일반적인 기준에 의해 50세 이상 성인에서 접종을 고려할 수 있다.

참고문헌

1. Panel on Opportunistic Infections in HIV-Infected Adults and Adolescents. Guidelines for the prevention and treatment of opportunistic infections in HIV-infected adults and adolescents: recommendations from the Centers for Disease Control and Prevention, the National Institutes of Health, and the HIV Medicine Association of the Infectious Diseases Society of America. Available at http://aidsinfo.nih.gov/contentfiles/lvguidelines/adult_oi.pdf.
2. The Advisory Committee on Immunization Practices (ACIP). ACIP Web site. Available at: https://www.cdc.gov/vaccines/acip.

고령자

연세대학교 의과대학 **김창오**
경상대학교 의과대학 **배인규**

> **1** 대한감염학회 권장 고령자 예방접종
>
> 가. 인플루엔자백신
>
> 매년 가을에 접종한다.
>
> 나. 폐렴사슬알균
>
> 65세 이상 건강한 고령자에서 PPSV23을 1회 접종하거나, PCV13과 PPSV23을 순차적으로 접종한다.
>
> 다. 파상풍-디프테리아-백일해 혼합백신
>
> 소아기 DTaP 접종을 받지 않았거나, 기록이 분명하지 않은 경우, 또는 1958년(국내 DTP 도입 시기) 이전 출생자의 경우에는 3회를 접종함. Tdap을 첫 번째로 접종하고 4-8주 후 Td, 이후 6-12개월 뒤 다시 Td를 접종함(첫 번째에 Td를 접종하였다면 이후 두 번째 혹은 세 번째 일정 중 한번을 Tdap으로 투여). 이후 매 10년마다 Td를 추가접종함.
>
> 라. 대상포진백신
>
> 60세 이상 성인에서 대상포진 생백신을 1회 접종한다.

1. 배경과 필요성

어느 나라든 보통 고령자를 65세 이상의 연령층으로 분류하는 것이 일반적이기에 대한감염학회 권장안에서도 이 기준에 맞추어 기술하였다.

국내 65세 이상 고령자인구 비율이 2016년 14%를 상회하여 우리사회는 이미 고령사회로 진입하였다. 예전보다 장수노인이 많아진 이유로 질환의 진단법이나 약물 및 의료기술의 발달도 있지만 고령자 스스로 건강하게 살고자 하는 관심과 노력을 기울인 결과이기도 하다.

국내 사망원인 통계에 의하면 고령화에 따라 폐렴의 순위가 점차 상승하여 4위로 부상하였고, 실제 사망 환자의 부검 통계를 보면 감염질환의 빈도가 심혈관계 질환 다음으로 많으며, 악성신생물 또는 심뇌혈관 질환으로 사망한 경우에도 감염질환인 폐렴이 선행된 경우가 많아 고령자 사망원인 중 감염성 질환의 기여도가 매우 높다는 것은 공공연한 사실이 되었다. 이러한 감염질환을 예방하기 위한 백신접종은 단순히 감염질환으로 인한 사망예방뿐 아니라 2009년 인플루엔자 A(H1N1) 대유행 시 경험했듯이 사회경제적 파급효과가 매우 크다.

국내 고령자에서의 백신접종률은 백신종류에 따라 다양하다. 인플루엔자백신의 경우 국가예방접종 지원사업으로 80% 전후에 이르고 있지만, 폐렴사슬알균백신은 60% 정도에 머물러 있다. 따라서 향후 국내 고령자 예방접종은 백신효과를 증가시키기 위한 연구도 필요하지만, 기존백신의 예방접종률을 높이도록 하는, 양과 질 양면에서 관심과 노력이 더욱 필요하다.

2. 권장 사항

지역사회에 거주하는 건강한 고령자뿐만이 아니라, 양로원이나 요양병원에 있는 고령자들에게는 예방접종이 더욱더 필요하다. 여러 감염질환 중 특히 인플루엔자 감염 및 폐렴사슬알균 폐렴의 발생을 주의해야 한다. 미국 질병관리본부에서 발표한 성인예방접종 권고안에서는 65세 이상의 고령자에서 일반적으로 인플루엔자, 폐렴사슬알균, 파상풍 및 대상포진에 대한 예방접종을 권장하는 것으로 되어 있다. 따라서 대한감염학회 권장안도 이와 유사하므로, 본 내용에도 상기 4가지 예방접종을 위주로 설명하고자 한다.

1) 인플루엔자백신

인플루엔자는 특별한 치료없이도 대부분 호전되지만 고령자에서는 폐렴 등 합병증으로 중증 경과를 밟을 수 있고 기저질환의 악화로 입원율 및 사망률이 높아질 수 있다. 실제 인플루엔자와 관련 있는 사망의 약 90%가 65세 이상 연령층에서 발생하는 것으로 알려져 있다. 1990년부터 1999년까지의 인플루엔자와 관련한 사망현황 분석 보고에서는 65세 이상 연령층에서 사망률의 증가가 상대적으로 두드러졌다. 그리고 85세 이상 초고령층에서의 사망률은 65-69세의 사망률보다 16배가 많은 것으로 보고되었다. 인플루엔자와 관련된 사망의 대부분은 폐렴합병증 또는 심폐 기능의 악화가 원인이며 이와 같은 고령자에서의 인플루엔자 질병부담을 줄이기 위해서는 인플루엔자 백신접종이 필수적이다.

예방접종 이후 약 40-60% 정도의 고령자는 적절한 면역력을 획득하며, 접종 이후 약 10-14일 안에 충분한 면역반응이 일어나는 것으로 알려져 있다. 젊고 건강한 사람에서의 면역반응 70-90%보다는 훨씬 낮은 수치이긴 하나 직접적인 인플루엔자 예방효과 이외에도 입원율과 사망률을 감소시키는 부가적 이득이 있다고 판단하고 있다. 또한, 접종 이전의 항체가 및 이전의 예방접종의 횟수도 접종 이후의 항체가 형성에 중요한 역할을 한다. 실제 연구에 따르면 이전 4년 동안 한 번 이상 예방접종을 한 경우가 한 번 접종을 한 경우보다 사망률을 보다 감소시키는 것으로 되어 있다. 또한 건강한 고령자에서의 연구결과에 의하면 접종이후 면역력의 생성 정도가 젊은 연령층에 비하여 H3N2인 경우 큰 차이가 없고 H1N1은 상대적으로 저하되어 있는 것으로 되어 있는데, 매년 반복된 접종을 지속하는 경우에는 이러한 연령 및 아형에 따른 차이는 감소하는 것으로 나타났다. 따라서 고령자에게는 인플루엔자백신을 매년 접종하도록 권장하여야 한다. 하지만 인플루엔자 유행기간 내 추가접종이 항체가를 증가시킨다는 근거는 없으므로 유행기간 내의 추가접종을 권장하지 않는다.

인플루엔자백신의 종류로 불활화백신(inactivated vaccine)과 희석된 비강 내 접종형 약독화 생백신(live attenuated inhaled vaccine) 두 종류가 있지만 생백신의 경우 50세 이상에서는 사용이 허가되어 있지 않다. 최근에는 고용량 불활화(Fluzone High-Dose: 180 μg [각 strain당 60 μg])의 백신이 65세 이상 연령층에서 승인되어 사용할 수 있는데, 기존 용량의 백신에 비하여 비열 등 내지 우월한 효능을 나타내었다. 이상반응 발생이 보다 많은 것으로 보고되었지만, 대개 경증이면서 일시적인 반응들이었다. 국내에는 아직 도입되지 않았으나 국내 백신제조사에서도 고용량 인플루엔자백신을 개발하여 현재 임상시험을 진행하고 있다. 면역증강제가 포함된 3가백신(Fluad®)이 65세 이상 노인층에서 2010년에 승인이 되었으나 2019년 현재 국내에서는 유통되지 않는다.

2) 폐렴사슬알균백신

폐렴사슬알균 감염발생률은 연령 증가에 따라 높아지는데, 외국에서는 폐렴사슬알균에 의한 균혈증의 연발생률이 전체 연령층에서는 100,000명당 15–30명 정도이지만 65세 이상의 경우에는 50–83명 정도로 3–4배 이상 높은 것으로 알려져 있다. 균혈증 또는 뇌수막염과 같은 침습적 폐렴사슬알균 감염증의 사망률은 65세 이상에서는 20% 정도이며 85세 이상에는 더욱 증가하여 40%을 상회하는 것으로 알려져 있다.

고령자에서 오랜 기간 사용되어온 폐렴사슬알균백신은 1983년에 개발된 23가 다당류백신(23-valent pneumococcal polysaccharide vaccine, PPSV23)인데 침습성 폐렴사슬알균 질환의 66–78%에 해당되는 혈청형을 포함하고 있다. 다당류백신 접종 후 생성된 항체는 건강한 성인에서는 적어도 5년 정도 유효한 것으로 되어 있다. PPSV23내 백신항원은 단백질 운반체가 아니고 다당류이므로 면역기억 및 추가접종에 대한 면역력 증가가 상대적으로 낮은 T세포 비의존성 반응을 유도한다. 또한 추가접종에 의한 면역력 증가에 대한 자료가 부족하여 65세 이상 건강한 고령자에서는 기본적으로 단 1회 접종만을 권장한다. 실제 고령자에서 PPSV23의 효과에 대한 연구결과는 다양한데, 이는 대상군의 선정 및 백신효과 지표에서 차이가 있으며 침습성 폐렴사슬알균 감염증의 정의 등이 다르다는 것을 고려해야 한다. 일반적으로 PPSV23 예방접종은 65세 이상에서 침습성 폐렴사슬알균 감염증의 예방효과가 있다고 인정되나 균혈증을 동반하지 않는 폐렴 등 감염증에 대해서는 확실한 효과가 있음이 입증되지 않았다.

그럼에도 불구하고 적어도 침습성 감염증 예방에 대해서는 PPSV23 접종이 비용효과적인 방법으로 인정되므로 이전에 예방접종을 하지 않았던 경우, 5년 이내의 접종력이 없는 경우, 이전의 접종시기가 65세 이전이었던 경우를 모두 포함하여 65세 이상의 모든 고령자에게는 PPSV23을 1회에 한하여 접종하여야 한다. 65세 이전에 접종을 하였던 경우에는 5년 이상경과 후 1회 추가접종을 하도록 권유한다.

소아에서 7가 단백결합백신(7-valent pneumococcal conjugate vaccine, PCV7)의 적극적 접종이 고령자에서 동일한 혈청형 폐렴사슬알균에 의한 폐렴 발생을 의미 있게 감소시켰던 결과를 바탕으로 10가와 13가 폐렴사슬알균 단백결합백신이 개발되었다. 그 이후, 65세 이상 고령자에서 PPV23 대비 13가 단백결합백신의 면역원성의 비열등성, 우위성이 입증되고 폐렴사슬알균 폐렴 예방효과가 발표되면서 미국 예방접종 자문위원회(Advisory Committee on Immunization Practices, ACIP)에서는 고령자에서 13가 단백결합백신(13-valent pneumococcal conjugate vaccine, PCV13)과 PPSV23을 순차적으로 접종하도록 권고를 강화하였다.

대한감염학회 성인예방접종 위원회는 건강한 65세 이상 고령자에서는 PPSV23을 1회 접종하거나 또는 PCV13과 PPSV23을 순차적으로 접종하는 것을 병행 권고하기 시작하였다. 이는, 우리나라 사망의 원인 중 폐렴의 비중이 갈수록 높아지고 있어, 비침습성 폐렴사슬알균 감염증에 대한 예방 효과를 보이는 PCV13의 접종 필요성이 대두되었기 때문이다. 반면, PCV13에는 없고 PPSV23에만 포함된 혈청형의 비중이 늘어나고 있어 PCV13과 PPSV23의 순차적인 접종이 필요할 수도 있다. 최근 국내 비용-효과 분석 연구에서 65세 이상 모든 고령자에게 PPSV23을 단독으로 접종하는 것보다는 PCV13과 PPSV23을 순차적으로 접종하는 것이 더욱 비용-효과적으로 나타났다. 위와 같은 이유에도 불구하고, 비용-효과 분석은 질병 부담과 백신의 효과를 어떻게 가정하느냐에 따라 결과가 다를 수 있고, 일괄적인 순차접종을 권고하기에는 근거가 부족하다고 판단하여 위와 같이 병행 권장으로 결정하였다. PPSV23과 PCV13, 두 백신을 모두 접종하는 경우에는 가능하면 PCV13을 먼저 접종하여 면역반응을 극대화하여야 한다. 순차접종 시 두 백신접종간격은 1년 이상으로 권장하지만, 면역저하자에서는 PCV13/PPSV23 접종간격을 8주까지 줄일 수 있다.

PPSV23과 PCV13은 심한 국소 이상반응 가능성 때문에 근육접종을 시행하며, 인플루엔자백신과는 접종 부위를 달리하여 동시에 접종할 수 있다.

3) 파상풍-디프테리아-백일해 혼합백신

파상풍은 파상풍균(Clostridium tetani)이 생산하는 신경독인 tetanospasmin이 신경계를 침범하여 근육의 긴장성 연축을 일으키는 질환으로 매우 치명적인 질환이다. 지난 약 50년간 파상풍의 발생빈도는 세계적으로 지속적인 감소추세에 있었다. 따라서 인플루엔자와 폐렴사슬알균에 비하여 상대적으로 파상풍 예방접종에 대한 고령자에서의 필요성이 간과되어 있었다. 하지만 2004년도 발생된 파상풍 보고 자료에 의하면 47%가 60세 이상의 연령층이었고 파상풍에 접촉한 약 94% 정도가 파상풍 예방접종을 전혀 하지 않거나, 추가접종 또한 시행하지 않았다. 또한 노인에서 파상풍 감염증에 의한 합병증이 보다 심하게 발생하는 것으로 되어 있어 예방접종이 권장되어야 한다.

파상풍백신은 포름알데히드로 처리된 파상풍 톡소이드로 파상풍-디프테리아 혼합백신인 Td를 사용한다. Tdap은 디프테리아와 파상풍 톡소이드와 함께 3-5가지 백일해 항원을 포함한 청소년 및 성인용 백신으로 두 가지 제품(Adacel®, Boostrix®)이 시판되고 있다. Td는 7세 이상, Adacel®은 11–64세, Boostrix®는 10세 이상에서 사용하도록 허가되어 있다. 65세 이상 연령층을 포함하여 모든 기접종자에게 매 10년마다 추가접종을 권고한다. 이전에 예방접종을 하지 않은 고령자는 첫 번째 접종을 하고, 1–2개월 내에 두 번째 접종을 하며 이후 6개월 내지 12개월 후에 세 번째 접종을 시행한다. 1958년 이전 출생자(국내 DTP 도입 시기)는 DTP 백신접종 기회가 없었을 것으로 간주할 수 있다. 예방효과는 거의 100%에 달하여, 예방접종이 정확히 이행된 경우에는 파상풍은 거의 발생하지 않는 것으로 알려져 있다.

4) 대상포진백신

대상포진은 수두대상포진바이러스(varicella zoster virus, VZV)에 의해 초감염 후 후근신경절에 잠복 감염되어 있던 바이러스가 재활성화되어 발생하는 질환이다. 약 3명 중 1명에 해당되는 사람이 평생에 걸쳐 대상포진을 한 차례 이상 앓는 것으로 되어 있으며, 매년 약 백만 명이 대상포진을 앓는 것으로 알려져 있다. 환자의 약 2/3 이상이 50세 이상에서 발생하며, 외국자료에 따르면 면역력이 정상인 사람은 1,000인년(person-year)마다 1.2–3.4명에서 발생하며, 65세 이상 고령자에서는 1,000인년마다 3.9–11.8명에서 발생한다. 또한 이 중 약 4%에서 재발한다. 대상포진후신경통은 매우 위중한 합병증으로 역시 나이가 들어가면서 이의 발생이나 이환기간이 길어진다. 나이가 들면서 대상포진의 발생이 증가하는 이유는 VZV에 대한 특이 세포매개 면역반응이 감소하기 때문으로 알려져 있다.

2006년 5월에 미국 식품의약국이 승인한 대상포진백신은 생백신으로 이의 적응증은 대상포진 병력과 상관없이 만성질환자를 포함하여 60세 이상 고령자에서 투여하도록 하였으나 2011년 3월에 50세 이상으로 접종연령이 확대되었다. 대상포진 생백신은 임상시험의 결과 대상포진 발생률을 51% 감소시키는 효과를 보였으며, 특히 포진 후 신경통의 경우에는 67% 감소되는 효과를 나타내었다. 비록 예방접종 후 대상포진이 발생되었더라도 그 증상의 중증도가 미접종자에 비하여 현저히 낮았다. 또한 70세 이상의 연령보다는 60–69세 연령층에서 대상포진 발생 예방에 보다 효과적이었다. 그렇지만 예방접종에 의한 포진 후 신경통의 예방 정도는 70세 이상의 연령층에서 보다 효과적이었다. 즉 대상포진백신은 고령일수록 대상포진의 발생 예방보다는 질환의 중증도 예방에 더욱 도움이 된다고 할 수 있다. 또한 일상생활도구(Activities of Daily Living)와 같은 기능상태의 유지에도 도움이 되기 때문에 고령자에서 삶의 질을 향상시킬 수 있다고 평가된다. 면역증강제를 포함한 재조합 대상포진백신은 현재 미국에서는 사용되고 있으나 아직 국내에서는 허가받지 못한 상태이다.

따라서, 2019년 현재 국내에서 60세 이상 고령자에게는 이전 대상포진 병력과 상관없이 MSD사의 조스터박스 또는 SK bioscience사의 스카이조스터 등 두 가지 생백신 중 하나를 접종권장하고 있다.

참고문헌

1. ACIP provisional recommendation for the use of influenza vaccine. Centers for Disease Control and Prevention, 2010. Available at: http://www.cdc.gov/nip/recs/provisional-recs/zoster-11-20-06.pdf.

2. ACIP provisional recommendation for the use of zoster vaccine. Centers for Disease Control and Prevention, 2008. Available at: http://www.cdc.gov/nip/recs/provisional-recs/zoster-11-20-06.pdf.

3. Ahmed AE, Nicholoson KG, Nguyen-Van-Tam JS. Reduction in mortality associated with influenza vaccine during 1989-90 epidemic. Lancet 1995;346:591-5.

4. Bader MS. Immunization for the elderly. Am J Med SCI 2007;334:481-6.

5. Butler J, Schuchat A. Epidemiology of pneumococcal infections in the elderly. Drugs Aging 1999;15(suppl 1):11-9.

6. Chen WH, Kozlovshy BF, Effros RB, et al. Vaccination in the elderly: an immunological perspective. Trend in immunology 2009;30: 351-9.

7. Jackson LA, et al. Effectiveness of pneumococcal polysaccharide vaccine in older adults. N Engl J Med 2003;348:1747-55.

8. Kaml M, weiskirchner I, keller M, et al. Booster vaccination in the elderly: their success depends on the vaccine type applied earlier in life as well as on pre-vaccination antibody titers. Vaccine 2006;24:6808-11.

9. Lexau CA, Lynfield R, Dannila R, et al. Bacterial Core Surveillance Team: changing epidemiology of invasive pneumococcal disease among older adults in the era of pediatric pneumococcal conjugate vaccine. JAMA 2005;294:2043-51.

10. Palache A, Beyer W, Sprenger M. Antibody response after influenza immunization with various vaccine doses: a double-blind, placebo-controlled, multi-center, dose-response study in elderly nursing-home residents and young volunteers. Vaccine 1993;11:3-9.

11. Thompson WW, Shay DK, Weintaun E, et al. Mortality associated with influenza and respiratory syncytial virus in the United States. JAMA 2003;289:179-86.

12. Yang TU, Song JY, Noh JY, et al. Influenza and pneumococcal vaccine coverage rates among patients admitted to a teaching hospital in South Korea. Infect Chemother 2015;47;41-8.

Chapter 40 임신부

가천대학교 의과대학 **엄중식**
가천대학교 의과대학 **조용균**

---

1 권고하는 백신

　가. 인플루엔자(불활화) 백신

　　인플루엔자 감염 시 합병증 발생 가능성이 높아 불활화 인플루엔자 백신접종을 적극 권장

　나. 파상풍-디프테리아-백일해백신

　　임신부는 신생아의 백일해 예방을 위해 임신 27-36주에 성인용 파상풍-디프테리아-백일해
　　혼합백신(Tdap) 접종을 권고함

2 특정 상황에서 권고하는 백신

　가. B형간염백신

　　항체가 없고, 임신 기간 동안 감염될 위험이 높은 경우(지난 6개월 동안 1명 이상의 파트너와 성관계를
　　가진 경우, 성매개 감염증 병력, 마약류 주사제 사용자, HBs항원 양성인 배우자 등) 접종 권고

3 임신 중 금기인 백신

　가. 인플루엔자 생백신

　나. 홍역-볼거리-풍진 혼합백신

　다. 수두백신

　라. 대상포진 생백신

---

1. 배경과 필요성

　임신과 모유 수유 중인 여성에 대한 예방접종의 근거가 제한되어 있어서 예방접종 지침을 수립하는
것이 어렵다. 일부에서 임신부에게 예방접종을 하는 경우 태아에게 해로울 수 있다는 주장이 있으나 임
신부에게 불활화백신 또는 톡소이드를 접종하여 태아가 위험해진다는 증거는 아직까지 없다. 오히려 특
정 질병에 대한 감염 가능성이 높을 경우, 산모에서 질병이 발생하면 태아나 산모에게 상당한 위험을
초래하는 경우, 예방접종 자체의 위험성이 크지 않은 경우 등에서 예방접종으로 인한 이득이 백신으로
인한 잠재적인 위험보다 크다. 그러나 생백신을 임신부에게 접종하는 경우 백신에 포함된 바이러스가

태아를 감염시킬 위험성이 있으므로 금기이다. 만약 생백신을 임신부에게 접종했을 경우 또는 생백신 접종 4주 이내 임신을 하게 될 경우에는 잠재적인 감염 위험성을 확인하기 위해 전문의와 상담해야 한다. 대개는 생백신 접종 자체만으로 임신을 중단시킬 적응증이 되지 않는다. 생백신과 불활화백신 모두 임신부에게 접종을 할 때는 예방접종에 대한 위험성과 특정 상황에서의 예방 효과를 따져서 비교한 후 결정해야 한다. 임신부에게 면역글로불린 제제에 의한 수동면역을 시행할 경우 태아에 대한 위험성은 알려지지 않았다.

2. 권장 사항

1) 일반적인 권장

(1) 인플루엔자백신

임신부와 산후 여성은 임신하지 않은 여성보다 중증 인플루엔자로 진행하거나 합병증 발생 가능성의 위험이 높아서 임신 중이거나 인플루엔자 유행 기간에 임신한 모든 여성에게 인플루엔자 백신접종을 권장한다. 사용 승인이 되어 권고하는 인플루엔자백신은 생백신을 제외하고 모두 접종이 가능하다. 인플루엔자 백신은 임신 주수에 상관없이 일반적인 인플루엔자백신 접종 권고시기에 맞추어 접종할 수 있다. 불활화 인플루엔자백신은 지금까지 연구 결과를 보면 임신 중 접종이 안전하다고 볼 수 있다. 그러나 임신 초기(12주 이내)에는 백신접종에 대한 자료가 다소 제한적이고 최근에 허가된 4가백신이나 세포배양 백신의 경우 임신부에 대한 자료와 경험이 적다.

(2) 디프테리아-파상풍-백일해 혼합백신

디프테리아-파상풍-백일해 백신을 접종하지 않은 임신부에게 Tdap백신의 접종을 권고한다. 임신 중 Tdap백신을 접종하면 유아에게 디프테리아-파상풍-백일해 백신을 접종할 때까지 유아를 백일해로부터 일정 부분 보호할 수 있는 효과를 기대할 수 있다. 임신부에게 접종된 Tdap백신은 백일해에 대한 모체의 항체 형성을 자극하고 이 항체가 태반을 통과하여 신생아에게 예방 효과를 제공한다. 또한 출산 시기의 임신부를 백일해로부터 보호하여 감염을 줄이고 유아에게 백일해가 전파되는 것을 줄인다. 임신 중 Tdap백신을 접종한 경우 다음 번 임신 기간 동안에는 신생아를 보호할 정도로 충분히 높은 항체를 제공하지 않는 것으로 알려져 있다. 따라서 임신할 때마다 Tdap을 접종하는 것을 권고한다. 2011년 미국 예방접종 자문위원회에 의하면 Tdap백신을 접종한 임신부에서 이상반응의 빈도가 높지 않고 중대한 이상반응도 백신이 원인이 아닌 것 같다고 결론지었다. Tdap백신은 임신 중 언제든지 접종 가능하지만 항체의 농도가 모체와 탯줄혈액에서 가장 높아질 수 있는 시기인 임신 27주에서 36주 사이에 접종을 권고한다. 임신 중 접종을 하지 않은 경우 출산 직후 접종을 권고한다.

2) 특정 상황에서 권장하는 백신

(1) B형간염백신

모든 임신부는 과거에 백신을 접종하였거나 검사를 받아도 매 임신 초기에 HBs항원 검사를 받아야 한다. HBs항원 양성인 임신부는 HBV DNA 검사를 받아서 임신 중 산모가 항바이러스요법을 받아야 할지 결정을 해야 한다. 임신이 B형간염백신 접종의 금기는 아니며 B형간염백신은 감염 위험이 없는 B형간염바이러스 표면 항원만을 포함하고 있어서 태아에게 위험이 없는 것으로 알려져 있다. 또한 임신 기간 동안 B형간염바이러스에 감염 위험이 있는 경우 임신부도 예방접종을 해야 한다. 예를 들면, 6개월 이내에 1명 이상의 파트너와 성관계를 가진 경우, 성매개 감염증으로 치료를 받았거나 검사를 한 경우, 마약류를 주사한 경우, HBs항원 양성인 파트너와 성접촉을 가진 경우 등이다. 임신 중 B형간염바이러스 감염의 위험이 있는 임신부는 반드시 B형간염바이러스 감염을 예방하기 위한 방법에 대하여 진료와 상담을 받아야 한다.

3) 위험도와 이득을 고려하여 권장하는 백신

(1) A형간염백신

A형간염백신은 임신부에서의 안전이 아직 확실하지 않지만 불활화된 A형간염바이러스를 이용하여 만들어지기 때문에 태아에 대한 위험성은 낮을 것으로 추정한다. A형간염바이러스에 노출될 가능성이 높은 위험 요인과 A형간염바이러스 백신의 잠재적 이상반응을 고려하여 접종을 결정한다. A형간염바이러스 유행 지역을 여행하는 것과 같이 노출 가능성이 높은 경우나 A형간염바이러스에 노출된 후 접종을 권고한다.

(2) 수막알균백신(MenB)

임신부 또는 수유 중인 여성에서 수막알균백신(MenB)의 사용을 평가하기 위한 무작위 대조 임상 연구가 이루어진 적이 없다. 임신 중 수막알균백신 접종으로 인한 모체와 태아에서의 이상반응의 보고는 없으나, 수막알균감염의 위험이 증가하지 않는 한 임신부와 수유 중인 여성에서 수막알균백신 접종을 연기해야 한다. 그러나, 전문의와 상담하여 예방접종의 이점이 잠재적 위험보다 중요하다고 간주되면 백신접종을 권고할 수 있다. 2019년 현재 국내에는 MenB가 도입되어 있지 않아 사용할 수 없다.

4) 임신 중 금기인 백신

(1) 인플루엔자 생백신

인플루엔자 생백신(live attenuated influenza vaccine, LAIV)은 임신 중 접종을 해서는 안 된다.

(2) 홍역-볼거리-풍진 혼합백신

홍역-볼거리-풍진 혼합백신(measles-mumps-rubella, MMR)과 그 성분으로 구성된 백신은 임신 중이거나 임신을 시도한 여성에게 투여하면 안 된다. 또한 백신의 바이러스가 태아에게 감염될 수 있기 때문에 예방접종 후 4주간 임신하지 않도록 주의해야 한다. 만약 임신한 여성이 부주의하게 예방접종을 받았거나 예방접종 후 4주 이내 임신을 하게 된 경우 반드시 전문의와 상담을 해야 한다. 임신기간 중의 MMR 접종이 임신을 중단하는 이유가 되지는 않으며 MMR 백신을 투여하기 전에 가임기 여성이 임신 검사를 반드시 할 필요는 없다. 풍진에 걸릴 수 있는 여성이 이미 임신한 상태이거나, 또는 임신 가능성이 있어 예방접종을 할 수 없는 경우에는 선천성 풍진 증후군(congenital rubella syndrome)의 위험성에 대한 주의를 주어야 하고 출산 후 예방접종을 받도록 권유해야 한다.

(3) 수두백신

수두백신은 생백신이므로 임신부에게 수두백신을 접종하면 안 된다. 수두백신을 접종한 비임신 여성은 접종 후 4주간 임신을 피해야 한다. 가족 중에 임신부가 있다고 해서 면역이 없는 다른 가족에게 수두 백신접종을 금지할 필요는 없다. 수두백신에 사용하는 약독화바이러스는 야생 수두바이러스에 비해 병독성이 약하여 태아 감염 위험성이 낮기 때문이다. 수두 백신접종 전에 가임기 여성이 임신 검사를 반드시 할 필요는 없다. 만약 임신부가 부주의하게 예방접종을 받거나 접종 후 4주 이내에 임신을 하게 되는 경우 태아의 위험에 대한 상담을 받아야 한다. 그러나 임신 중 수두 예방접종이 임신을 중단하는 이유가 되어서는 안 된다. 감수성이 있는 임신부가 수두 환자에 노출되었을 경우 수두 면역글로불린(varicella zoster immune globulin, VZIG) 투여를 고려하여야 한다. 또한 수두에 면역력이 없는 임신부는 출산 후 예방접종을 하는 것이 좋다.

(4) 대상포진백신

대상포진 생백신을 임신부에게 접종하면 안 된다. 대상포진백신은 일반적인 가임기 연령의 여성에게 허가되지 않았다. 그러나 수두백신과 마찬가지로, 임신부에게 대상포진 생백신이 접종되었다고 하더라도 그 이유만으로 임신 중단을 결정해서는 안 된다.

5) 별도로 명시된 경우 권장하는 백신

(1) 수막알균백신(MenACWY 또는 MPSV4)

임신부에서 MenACWY 또는 수막알균 다당류백신(meningococcal polysaccharide vaccine, MPSV4)을 접종해서는 안 된다. 그러나 MPSV4의 경우는 임신기간 동안 임신부와 태아에게 해가 없음이 보고되어 적응증이 되는 경우 임신부에서 접종이 가능하다.

(2) 폴리오백신

임신부나 태아에서 폴리오백신(inactivated poliovirus vaccine, IPV) 접종에 따른 이상반응이 보고된 적은 없지만, 이론적 감염 위험성 때문에 백신접종을 피해야 한다. 그러나 임신부가 폴리오 감염의 위험성이 있거나, 폴리오에 대한 예방 조치가 빨리 필요한 경우 성인예방접종 일정에 따라 시행할 수 있다.

(3) 파상풍-디프테리아 혼합백신(Td)

파상풍 예방을 해야 하는 상처가 난 경우 임신부에게 Td 부스터가 적응이 되는 상황이면 Tdap을 접종해야 한다. 파상풍 예방접종력을 모르거나 불완전한 경우 산모와 신생아의 파상풍 예방을 위하여 임신부에게 파상풍-디프테리아 혼합백신(Td)을 3회 접종해야 한다. 일정은 0, 4주, 6개월-12개월을 권장한다. 3회 Td 접종 중 한 번은 Tdap으로 대체하여 접종하며 임신 27-36주 사이가 바람직하다.

6) 권장하지 않는 백신

(1) 인유두종바이러스 백신

인유두종바이러스 백신을 임신부에 접종하는 것은 권고하지 않는다. 인유두종바이러스 백신접종 일정을 시작한 후에 임신을 확인하는 경우 나머지 접종 일정은 임신 기간을 마친 후로 연기해야 한다. 백신접종 전에 임신 검사를 할 필요는 없다. 임신 중에 백신접종이 이루어지면 다른 중재를 할 필요가 없다.

(2) 단백결합 및 다당류 폐렴사슬알균백신

13가 단백결합백신의 임신부에 대한 권고는 아직 없다. 임신 초기 우연히 다당류백신을 접종받은 경우 신생아에서 유해한 결과가 보고된 것이 없지만 임신 첫 3개월 동안 다당류백신의 안전성에 평가가 없다.

3. 여행에 필요한 백신과 기타 백신

1) 탄저백신

에어로졸 형태의 *B. anthracis* 포자에 대한 노출 위험이 낮은 상황이 발생하는 경우 임신부의 예방접종을 권고하지 않으며 임신 후로 연기한다. 에어로졸 형태의 *B. anthracis* 포자에 대한 노출 위험이 높은 경우 임신부에서 노출 후 예방적 요법의 금기가 아니다. 탄저 흡입 위험이 있는 임신부는 탄저 백신 접종과 60일 간 항균 요법을 유지해야 한다.

2) 일본뇌염백신

임신부에서 이루어진 일본뇌염백신의 안전성에 대한 연구는 별로 없다. 확인되지 않았지만 이론적으로 태아에게 위험이 있을 수 있기 때문에 임신부에게 접종하는 것은 일반적으로 권장하지 않는다. 그러나 일본뇌염의 발생이 높은 지역으로 여행할 경우에는 예방접종을 고려할 수 있다. 단, 일본뇌염 생백신은 임신부에게 접종하면 안 된다.

3) 공수병백신

공수병의 치명적 결과 때문에 임신부가 공수병 위험에 노출된 경우 공수병백신을 접종할 수 있다. 일부 연구에서 공수병 백신접종과 관련하여 낙태, 조기 출산, 태아 이상의 발생 등이 증가하지 않는다는 보고를 하였다. 또한 공수병에 대한 노출 위험성이 크다고 판단될 경우 노출 전 예방목적의 투여도 가능하다. 산모의 공수병 노출이나 진단을 임신을 종결하는 이유로 간주해서는 안 된다.

4) 장티푸스백신

임신부에 대한 장티푸스백신의 안전성 자료가 보고되어 있지 않다. 일반적으로 Ty21a와 같은 생백신은 임신 중 금기이다. Vi 다당류백신은 명확하게 필요한 경우에만 임신부에게 투여한다.

5) 두창백신

두창의 제한적인 위험에 비하여 태아 감염의 중대한 결과로 인하여 두창백신을 임신 전, 임신 중, 임신을 하려는 여성에서 접종을 하면 안 된다. 임신부가 부주의하게 두창백신을 접종하거나 백신접종 4주 이내에 임신한 경우 태아와 관련하여 반드시 상담을 받아야 한다. 임신부가 두창백신 접종을 한 것으로 임신 종결을 결정하면 안 된다. 임신부가 두창바이러스에 확실히 노출되었을 경우(예; 대면 노출, 가족 노출, 두창 환자와 근접 접촉 등) 감염 위험이 높아 두창백신을 접종해야 한다. 임신부에서 두창이 발생하면 비임신 여성에 비하여 더 심각한 감염이 발생하는 것으로 알려져 있다. 두창을 앓게 되면 산모와 태아의 위험이 백신접종에 의한 잠재적 위험보다 훨씬 더 크다. 두창백신에 의한 기형은 보고된 적이 없고 태아의 발병은 낮다. 노출 위험이 결정되지 않은 경우 두창백신의 이득과 환자의 잠재적 위험을 평가한 후 백신접종을 결정해야 한다.

6) 황열백신

황열백신은 생백신이므로 임신부에게 접종하는 것은 금기이다. 그러나 임신부에게 투여하였을 때 임신에 악영향을 끼치거나 기형을 유발할 가능성은 낮을 것으로 생각한다. 임신부는 황열 유행 지역으로 여행을 피하거나 미루는 것이 바람직하나, 만약 여행을 피할 수 없고 황열에 걸릴 위험이 매우 높은 상황이라면 황열백신 접종을 제한적으로 고려할 수 있다. 건강한 성인과 어린이에 비해 임신부의 항체 생성률이 낮은 것으로 보고되어 임신부에게 예방접종을 한다면 접종 후 항체 생성에 대한 혈청검사 시행을 고려해야 한다. 정확한 근거는 없으나 황열백신 접종을 한 경우 임신을 4주 이상 연기해야 한다.

4. 산전 선별검사

모든 임신부는 풍진과 수두에 대한 면역 상태를 평가해야 하고 매 임신마다 HBs항원 유무를 검사해야 한다. 풍진과 수두에 감수성이 있는 여성은 출산 후 즉각 백신을 접종해야 한다. HBs항원 양성인 여성이 출산하는 경우 신생아가 B형간염바이러스 면역글로불린을 투여 받고 12시간 이내에 B형간염백신을 시작하여 권고하는 접종 일정을 마치도록 주의깊게 모니터링해야 한다.

5. 임신 기간 중 수동 면역

임신부에게 면역글로불린 제제를 투여하여 수동 면역을 하는 경우 태아에 대한 위험이 알려진 것이 없다.

6. 모유 수유와 백신접종

수유 중인 여성에게 투여한 불활화백신 또는 생백신은 여성이나 영아의 모유수유 안전에 영향을 미치지 않는다. 생백신에 있는 살아 있는 바이러스가 백신접종을 받은 사람에서 복제를 할 수 있으나 모유를 통하여 배출되지 않는다는 것이 증명되었다. 수두백신의 바이러스는 모유에서 발견되지 않았다. 풍진백신의 바이러스가 모유를 통하여 배출될 수 있으나 바이러스가 유아를 감염시키지 않는다.

감염이 발생하더라도 약독화된 바이러스이기 때문에 심각한 질환을 유발할 가능성은 매우 낮다. 톡소이드뿐만 아니라 불활화, 재조합, 아단위(subunit), 다당류 및 단백결합백신은 모유 수유 중인 엄마나 영아에게 위험하지 않다. 두창백신은 모유 수유 시에는 금기이다. 황열백신도 모유 수유 시에는 피해야 하지만 수유 여성이 황열 유행지역 여행을 피하거나 연기할 수 없는 경우 황열백신 접종을 고려할 수 있다.

표 40-1. 임신부 예방접종 요약

백신	임신부에서 일반적인 사용 권고
A형간염백신	위험과 이득을 비교하여 결정
B형간염백신	특정 상황에서 권고
인유두종바이러스백신	비권고
인플루엔자백신(불활화)	권고
인플루엔자백신(생)	금기
홍역-볼거리-풍진 혼합백신(MMR)	금기
수막알균(ACWY)백신	적응이 되는 경우 사용 가능
수막알균(B)백신	위험과 이득을 비교하여 결정
13가 폐렴사슬알균 단백결합백신	비권고
23가 폐렴사슬알균 다당류백신	특정 권고에 대한 자료 부족
폴리오백신	필요한 경우 사용 가능
파상풍-디프테리아 혼합백신(Td)	적응이 되는 경우 사용 필요(Tdap 우선 권고)
성인용 파상풍-디프테리아-백일해 혼합백신(Tdap)	권고
수두백신	금기
대상포진백신	금기
탄저백신	저위험 노출 – 비권고 고위험 노출 – 사용 가능
BCG백신	금기
일본뇌염백신	특정 권고에 대한 자료 부족
공수병백신	적응이 되는 경우 사용 가능
장티푸스백신	자료 부족. 필요한 경우 Vi 다당류백신 접종
두창백신	노출 전 – 금기 노출 후 – 권고
황열백신	이득이 위험보다 클 때 사용 가능

참고문헌

1. CDC. Prevention of hepatitis A through active or passive immunization: recommendations of the Advisory Committee on Immunization Practices (ACIP). MMWR 2006;55:15.
2. CDC. A comprehensive immunization strategy to eliminate transmission of hepatitis B virus infection in the United States: recommendations of the Advisory Committee on Immunization Practices (ACIP) part 2: immunization of adults. MMWR. 2006;55:13.
3. CDC. Advisory Committee on Immunization Practices recommended immunization schedule for adults aged 19 years or older - United States, 2017. MMWR 2017;66:136-8.
4. CDC. Closure of varicella-zoster virus-containing vaccines pregnancy registry - United States, 2013. MMWR 2014;63:732-3.
5. CDC. Prevention of measles, rubella, congenital rubella syndrome, and mumps, 2013: summary recommendations of the Advisory Committee on Immunization Practices (ACIP). MMWR 2013;62:13.
6. CDC. Updated recommendations for use of tetanus toxoid, reduced diphtheria toxoid, and acellular pertussis vaccine (Tdap) in pregnant women - Advisory Committee on Immunization Practices (ACIP), 2012. MMWR 2013; 62:131-5.
7. CDC. Use of 9-valent human papillomavirus (HPV) vaccine: updated HPV vaccination recommendations of the Advisory Committee on Immunization Practices (ACIP). MMWR 2015;64:303.
8. CDC. Yellow fever vaccine: recommendations of the Advisory Committee on Immunization Practices (ACIP). MMWR 2010;59:13&21.

해외여행자

인천광역시의료원 **김진용**

1 대한감염학회 권장 해외여행자 예방접종

가. 여행국가 입국시 요구되는 백신

1) 황열: 아프리카와 중남미의 황열 발생 지역 중 황열백신증명서를 요구하는 국가(도착 10일 전까지 국제공인예방접종 지정기관 또는 검역소에 의뢰해서 접종)

2) 수막알균: 사우디아라비아 메카 성지순례(도착 10일 전까지)

나. 개발도상국 여행 시 일반적으로 필요한 백신

1) A형간염: 개발도상국 모든 지역; 면역이 없는 모든 여행객(특히 40세 이하)

2) 장티푸스: 인도, 파키스탄, 방글라데시, 네팔, 인도네시아, 필리핀, 파푸아뉴기니; 장기간 여행하거나 시골을 여행하는 사람

3) 수막알균: 아프리카 중부 국가들, 사우디아라비아; 선교 또는 의료봉사

4) 수두: 개발도상국 모든 국가; 면역이 없는 일부 30대 이하 여행객; 항체검사 필요

5) 홍역-풍진-볼거리: 개발도상국 모든 국가; 면역이 없는 일부 20~30대 여행객

6) 공수병: 남아메리카, 멕시코, 아시아; 1개월 이상 여행, 시골에서 동물연구 또는 봉사활동

7) 인플루엔자: 남반구를 여름에 여행하는 인플루엔자 고위험군

다. 특수상황에서 필요한 백신

1) 진드기매개뇌염: 러시아, 동유럽; 삼림에서 여름에 활동

2) 콜레라: 콜레라 유행지역 중 위생 여건이 좋지 않은 곳에서 근무하게 될 경우나, 난민캠프, 구호활동 참여자, 콜레라균을 다루는 실험실 종사자 등에 접종을 고려

라. 여행을 계기로 면역 상태를 검사하거나 예방접종을 하는 질환

1) A형, B형간염

2) 폐렴사슬알균: 어린이, 고위험군 성인, 노인

3) 인플루엔자

4) 파상풍-디프테리아-백일해

5) 홍역-볼거리-풍진, 수두: 면역력이 없는 성인

1. 배경과 필요성

해외여행 도중 감염질환에 걸릴 위험성은, 여행자의 면역상태와 여행지에서 얻을 감염위험도에 의한다. 면역상태는 여행자가 과거에 앓았던 병과 접종받았던 백신에 의하므로 한국에서 발생하는 질병과 의료상황을 반영하는 지표이다. 현재는 연구들이 많아져 한국인의 면역상태를 알 수 있게 되었지만, 아직도 특정 질병에 대해서는 부족한 부분들이 있다. 여행지에서 특정 질병에 걸릴 위험도는 여행 지역, 목적, 기간 등에 의해 결정되는데, 여행 중 질병이 문제가 되는 국가들은 개발도상국이어서 연구가 많지 않고, 특히 지역마다 발생률의 차이를 알기가 매우 어렵다. 또한, 발생률도 거주민들에 한정되어 나타난 발생률이며 여행자에서 발생률은 조사가 적고, 혹 있다고 해도 과거의 자료여서 현재 위험도를 반영하지 못한다. 한국인 여행자에서 위험도가 서구인들과 다른지는 조사된 바 없다.

여행 중에 생기는 병들을 예방하기 위해 사용하는 방법은 회피, 예방접종, 예방약제 복용이 있으며, 감염 빈도와 중증도를 고려해서 예방법을 선택한다. 회피하는 방법은 이론적으로 가장 이상적이지만 이를 위해서는 상당한 수준의 의학 지식이 필요하므로 일반 여행객들이 이 방법으로 병을 예방하는 것은 무리한 요구이다. 예방약제 사용과 예방접종은 서로 장단점이 있지만, 일반적으로 효과가 우수한 예방접종이 가능하면 예방접종을 사용한다. 예방접종이 없으면 예방약을 복용하지만 이상반응, 비용, 내성 유발, 약제 순응도 등이 문제되므로, 사망률이 높고 흔한 질환을 우선 대상으로 사용하고 있다.

해외여행과 관련되어 백신을 구분해 보면, 국가에서 입국하기 위해 받을 것을 규정한 백신, 여행지에서 감염 위험이 국내보다 더 높아 접종하는 것이 좋은 백신, 해외여행과 관계없이 국내에서도 병에 걸리지 않기 위해 받는 백신으로 나눌 수 있다. 세계보건기구에서 황열, 콜레라, 천연두백신을 국가 간 전파를 막기 위해 여행객이 접종해야 할 백신으로 규정하였으나 천연두는 지구에서 근절이 되어 생물테러 예방 외에는 더 이상 백신을 사용하지 않고, 콜레라백신은 과거보다 여행객들의 위생이 좋아져 발생률이 줄었고 현재 사용하는 백신의 효과가 60-80% 정도여서 적극적으로 권장하지 않고 있다. 일반 여행객에게는 필요가 없고 안전한 물이나 음식을 공급받지 못할경우 접종한다. 수막알균백신은 사우디아라비아에 메카 순례 목적으로 갈 때 필요하다. 광견병은 국내에서는 거의 필요성이 없는 백신이지만 이들 병이 발생하는 지역에서 위험 행위를 할 여행객에게는 필요하다. A형간염, 장티푸스, 수막알균, 일본뇌염은 국내에서도 발생하지만 개발도상국을 여행하면 위험이 더 커지는 경우이다. 폐렴사슬알균, 인플루엔자, 파상풍-디프테리아 혼합백신, A형과 B형간염, 백일해, 홍진-볼거리-풍진, 소아마비 백신들은 국내에서도 위험이 있으므로 필요한 사람에게 여행과 관계없이 접종을 한다(표 41-1).

표 41-1. 한국인 여행객이 해외로 나가기 전에 필요한 예방접종

1. 여행지 입국에 필요한 백신
   - 황열(접종 필요 국가는 황열 백신 참조)
   - 수막알균(사우디아라비아 메카 성지순례)

2. 여행지에서 감염 위험이 국내보다 더 높아 접종이 권고되는 백신
   - A형간염
   - 장티푸스
   - 수막알균
   - 공수병
   - 인플루엔자(여름에 남반구를 여행하는 고위험 여행객)
   - 진드기매개뇌염
   - 콜레라

3. 여행과 관계없이 접종하는 백신
   - A형, B형간염
   - 폐렴사슬알균(어린이, 고위험군 성인, 노인)
   - 인플루엔자
   - 파상풍-디프테리아-백일해
   - 홍역-볼거리-풍진, 수두(이 질환에 면역력이 없는 성인)

접종 후 2주가 지나야 대부분 면역이 생기므로, 백신으로 예방을 하려면 최소한 2주 전에는 병원에 와야 한다. 또한, 한 가지 백신만 접종받을 경우에도 여러 번 접종이 필요한 경우가 있고, 여러 백신을 동시에 접종받지 못한 경우에는 일정한 간격을 두어야 하는 경우도 있으므로, 6주 전에 병원에 오는 것이 이상적이다. 그러나 국내 실정에서 이렇게 일찍 병원에 오는 경우가 흔하지 않으므로, 이를 홍보하는 것이 무엇보다 시급하다. 또한, 대부분 건강한 한국 성인들은 병원에 오지 않으므로, 해외여행 전 상담을 위해 병원에 왔을 때 부족했던 기본 접종을 보완한다. 대표적인 예로 파상풍-디프테리아 혼합백신은 성인에게 10년마다 재접종을 해야 하는데 15-30세는 병원에 올 기회가 적어 백신을 접종할 기회가 없었다.

국내에서는 백신이 없어 접종하지 못하는 경우도 있다. 대부분 백신은 국내에서도 쉽게 접종할 수 있지만, 황열백신은 기존 질병관리본부 국립검역소와 국립중앙의료원에서 접종하던 것을 2015년 9월부터 확대 지정하여 현재 전국 35개의 국제공인예방접종 지정기관에서 접종이 가능하다(표 41-2). 공수병 백신은 한국희귀의약품센터를 통해 구입이 가능하고, 진드기매개뇌염바이러스 백신은 국내에서 얻기가 어려워 꼭 필요하다면 해외에 도착해서 접종받도록 해야 한다.

표 41-2. 전국 국제공인예방접종 지정기관 현황(2019년 2월 현재)

(출처: 질병관리본부 국립검역소 홈페이지, http://nqs.cdc.go.kr/nqs/quarantine/national/ino/ino_in.jsp)

기관명	주소	전화번호	황열	콜레라
국립인천공항검역소	인천시 중구 공항로 272	032-740-2703	○	○
국립부산검역소	부산시 중구 충장대로 20 2층	051-602-0681	○	○
국립인천검역소	인천시 중구 서해대로 365	032-883-7503	○	○
국립김해검역소	부산시 강서구 공항진입로 108	051-973-1922	○	○
국립제주검역소	제주도 제주시 공항로2	064-746-7530	○	○
국립중앙의료원	서울시 중구 을지로 245	1588-1775	○	○
순천향대학교서울병원	서울시 용산구 대사관로 59	02-709-9114	○	○
이화여대부속목동병원	서울시 양천구 안양천로 1071	02-2650-5114	○	○
강북삼성병원	서울시 종로구 새문안로 29	02-2001-1130	○	○
중앙대학교병원	서울시 작구 흑석로 102	1800-1114	○	○
고려대학교구로병원	서울시 구로구 구로동로 148	02-2626-1114	○	○
연세대학교세브란스병원	서울시 서대문구 연세로 50	1599-1004	○	○
가톨릭대학교서울성모병원	서울시 서초구 반포대로 222	1588-1511	○	X
강동경희대학교병원	서울시 강동구 동남로 892	02-440-7000	○	X
건국대학교병원	서울시 광진구 능동로 120-1	1588-1533	○	○
한림대학교강남성심병원	서울시 영등포구 신길로 1	1577-5587	○	○
서울대학교병원	서울시 종로구 대학로 101	1588-5700	○	○
한양대학교병원	서울시 성동구 왕십리로 222-1	1577-6382	○	○
인천광역시의료원	인천시 동구 방축로 217	032-580-6000	○	○
인하대학교병원	인천시 중구 인항로 27	032-890-2114	○	○
분당서울대학교병원	경기도 성남시 분당구 구미로173번길 82	1588-3369	○	X
국민건강보험공단일산병원	경기도 고양시 일산동구 일산로 100	1577-0013	○	○
인제대학교일산백병원	경기도 고양시 일산서구 주화로 170	031-910-7000	○	○
한양대학교구리병원	경기도 구리시 경춘로 153	1644-9118	○	X
가톨릭대학교의정부성모병원	경기도 의정부시 천보로 271	1661-7500	○	X
세종병원	경기도 부천시 소사구 호현로 489번길 28	1599-6677	○	X
충북대학교병원	충북 청주시 서원구 1순환로 776	043-269-6114	○	○
충남대학교병원	대전시 중구 대사동 640	042-280-7114	○	○
조선대학교병원	광주시 동구 필문대로 365	062-220-3006-9	○	○
전남대학교병원	광주시 동구 제봉로 42	1899-0000	○	○
부산대학교병원	부산시 서구 구덕로 179	051-240-7300	○	X
전라북도 군산의료원	전라북도 군산시 의료원로 27	063-472-5000	○	○
목포시의료원	전라남도 목포시 이로로 18	061-260-6500	○	○
여수전남병원	전라남도 여수시 좌수영로 49	061-640-7575	○	○
경상남도 마산의료원	경상남도 창원시 마산합포구 3·15대로 231	055-249-1000	○	○
통영적십자병원	경상남도 통영시 중앙로 97	055-644-8901	○	○
의료법인대우의료재단 대우병원	경상남도 거제시 두모길 16	055-680-8114	○	○
혜명심의료재단 울산병원	울산광역시 남구 월평로 171번길 13	052-259-5000	○	○
경상북도 포항의료원	경상북도 포항시 북구 용흥로 36	054-247-0551	○	○
대구의료원	대구광역시 서구 평리로 157	053-560-7575	○	○
동해시보건소	강원도 동해시 천곡로 100-2	033-530-2401	○	○
강원대학교병원	강원도 춘천시 백령로 156	033-258-2000	○	X
강원도 속초의료원	강원도 속초시 영랑호반길 3	033-630-6000	○	○

2. 백신별 고려사항

1) 황열

황열은 사망률이 20% 이상인 치명적인 질환이며, 아프리카와 중남미의 열대 지방에서 발생한다. 세계보건기구에서 지정한 강제 백신으로 일부 국가에서는 입국에 필요하다. 백신이 매우 효과적이므로 황열 발생지역을 여행하기 전 백신접종을 하고 접종 증명서를 받는다. 계란에 알레르기가 있거나, 면역 저하, 임신, 9개월 이하 어린이는 접종의 금기 사항이다.

(1) 배경 및 필요성

황열은 플라비바이러스에 속하는 황열바이러스에 의한 병으로 아프리카와 아메리카에서 적도를 중심으로 남북 15도 내외 지역에서 발생한다. 대부분 발생 환자가 시골에서 생기지만 때로 도시에서도 발생하며 사람들이 밀집되어 있으므로 도시에서는 매우 빠르게 전파된다. 정글에서는 원숭이 사이에서 모기를 매개로 해서 황열바이러스가 유지되므로 한 번이라도 황열이 발생했던 곳에서는 언제든지 다시 발생할 수 있다. 원숭이로부터 모기를 통해 바이러스가 사람으로 전파되며, 황열에 걸린 사람이 도시로 나오고 그 도시에 황열 매개 모기(*Aedes aegypti*)가 있다면 사람 사이에 전파되기 시작하고 이 단계가 되면 황열 유행이 시작된다. 아프리카나 아메리카에서 자국민들에게 황열백신을 투여하면 황열 발생을 막을 수 있지만, 경제적인 이유로 집단접종을 하지 못하는 지역들이 많아 주기적으로 유행이 발생하곤 한다. 환자 발생 보고가 정확하지 않아 실제 보고 수보다는 많이 발생하리라 생각하며, 세계보건기구는 매년 20만 명이 발생하고 3만 명 정도가 사망할 것으로 추정한다.

한 국가에서 주변 나라로 퍼지는 것을 막기 위해서는 입국자에서 바이러스가 없다는 것을 증명해야 하는데 이것이 백신증명서이다. 세계보건기구는 1963년 세계적으로 질병 전파가 문제되는 병들을 지정하였는데, 황열, 천연두, 콜레라로, 이들에 대해서는 백신 증명서를 요구하도록 하였다. 백신을 요구하는 나라를 입국할 때 황열백신 증명서가 없으면 입국을 거절당하거나 6일 정도 격리되거나 강제로 황열 예방주사를 받을 수 있다. 개발도상국에서는 다른 사람에게 사용했던 주사기를 다시 사용하기도 하며, 한 예로 아프리카에 도착하여 황열백신을 받고 나서 HIV에 감염된 예가 있으므로, 주사기로 전파되는 질환을 막기 위해서도 국내에서 미리 황열백신을 받는 것이 안전하다.

(2) 발생 지역

황열 발생 지역은 실제로 사람에서 황열 발생이 보고되었거나, 사람에서는 보고된 적이 없는 지역이라도 원숭이에서 발생이 가능한 지역도 포함된다. 발생 지역과 유행 상황은 지속적으로 변하므로 질병관리본부 해외여행 건강정보(http://travelinfo.cdc.go.kr/)나, 세계보건기구 웹 사이트(http://www.who. int)를 참고한다.

① 아프리카

가나, 가봉, 감비아, 기니, 기니비사우, 나이지리아, 니제르 남부, 라이베리아, 르완다, 말리 남부, 부르키나파소, 부룬디, 베냉, 상투메 프린시페, 세네갈, 소말리아, 수단 남부, 시에라리온, 앙골라, 우간다, 에티오피아, 자이르, 잠비아, 적도기니, 중앙아프리카공화국, 차드 남부, 카메룬, 케냐, 코트디부아르(아이보리코스트), 콩고, 탄자니아, 토고(보츠와나, 케이프베르데, 지부티, 말라위, 모리나티는 황열이 발생하지는 않지만, 황열 발생 지역으로 규정되는 국가들이다.

② 남아메리카

가이아나, 프랑스령 기아나, 베네수엘라, 볼리비아, 브라질, 수리남, 에콰도르, 콜롬비아, 파나마, 페루(과테말라, 니카라과, 벨리즈, 온두라스, 트리니다드토바고, 코스타리카에서는 황열이 발생하지 않지만, 황열 발생 지역으로 규정되는 지역이다.

(3) 위험도와 위험인자

여행자가 황열에 걸리는 일은 드물기에 발병률이나 위험인자에 대해서는 모른다. 특히 상당수 여행자들이 황열백신을 받고 여행하므로 실제 위험도를 평가하기 어렵다. 여행자에게 발생한 경우는 1980년대까지는 유럽인에서 몇 명이 있었고 미국인의 경우 지난 50년간 한 명도 없을 정도였다가, 1990년대 들어 아프리카와 남미 현지인에서 다시 황열이 늘고 있고 여행자 중에서도 황열로 사망한 사람들이 생기기 시작했다. 현지인 발병률로 추정하면 아프리카에 1개월 거주할 때는 1,000명당 1명의 발병빈도와 5,000명당 1명의 사망빈도를 보인다. 아메리카에서 위험도는 아프리카에서 위험도의 1/10로 낮다. 여행자는 면역이나 생활양식이 현지 주민과 다르므로 이들보다 낮다고 가정하면 미국 여행객이 황열에 걸릴 빈도는 100만 명당 0.4-4.3명으로 추정한다. 도시보다는 정글이나 정글 주변을 여행할 때 위험이 클 것으로 생각하며, 여행 기간이 길어질수록 위험은 커진다.

(4) 예방

모기가 황열바이러스를 전파하므로, 모기에 물리지 않는 조치(방충망, 곤충기피제, 살충제)를 사용한다. 백신은 매우 효과적이고 이상반응이 문제되는 경우가 거의 없어 가능하면 황열이 발생하는 지역을 여행할 사람은 모두 접종하는 것이 좋다.

① 백신접종

입국에 필요하므로 또는 황열 발생지의 시골을 여행할 여행객에게 황열백신을 투여한다. 국가별 황열백신 요구 정도는 다음과 같다. 입국하는 모든 여행객에게 예방접종 증명서를 요구하는 국가도 있지만 [2018년 미국 질병통제센터 기준으로 가나, 가봉, 기니비사우, 니제르, 라이베리아, 말리, 부룬디, 수리남, 시에라리온, 앙골라, 중앙아프리카공화국, 코트디부아르, 콩고공화국, 콩고민주공화국, 토고, 프랑스령 기아나], 대부분 국가는 황열 발생 지역으로 지정된 지역에서 오는 여행객에게만 황열백신 증명서를 요구한다.

황열백신은 세계보건기구에서 인정한 기관에서만 받아야 하며, 국내에서는 기존 질병관리본부 국립검역소와 국립중앙의료원에서 접종하던 것을 2015년 9월부터 확대 지정하여 현재 전국 35개의 국제공인예방접종 지정기관에서 접종할 수 있다. 0.5 mL을 피하로 주사하며 한 번만 접종하면 되고, 주사를 맞고 10일 후부터 면역이 인정되므로 늦어도 황열 위험지역에 도착하기 10일 전에는 접종해야 한다. 2013년 4월 세계보건기구에서 황열백신이 평생 면역을 유지하기에 충분하다고 결론짓고 2016년 6월부터 국제보건규칙에서 10년 재접종 권고를 삭제하였다. 클로로퀸을 복용하기 3주 전에 백신을 주사하는 것이 좋고, 홍역, BCG, B형간염백신과 함께 주사하여도 될 것으로 생각된다. 면역글로불린과 함께 주사해도 황열백신의 효과는 영향을 받지 않는다.

② 주의점과 이상반응

최근에 황열백신의 이상반응 빈도가 과거에 추정했던 빈도보다 높다는 보고들이 있으나, 황열백신은 매우 안전한 백신에 속한다. 현재 사용하는 황열백신은 1965년 이후 사용하기 시작하여, 열대 지방에서 거의 3억 명에게 투여하였지만 심한 이상반응은 드물었다. 백신을 접종받은 사람의 2-5%에서 5-10일 뒤에 두통, 근육통, 발열을 호소하기는 했지만 일을 못 할 정도로 심하면 1%가 되지 않을 정도로 경증이었다.

심각한 이상반응은 크게 세 가지 범주이다.

i. 과민반응: 유정란에서 키운 바이러스를 사용하므로 계란 알레르기나, 백신 성분에 대한 과민반응이 나타날 수 있다.

ii. 약독화 생백신이므로, 면역저하 환자에게는 뇌염(vaccine-associated neurotrophic disease)을 일으켜, 발열, 두통, 인지장애, 뇌척수액 백혈구증다증이 나타난다. 수막염까지 포함하면 빈도가 높아 10만 명당 9.9명으로 추정된다. 9개월 이하, 특히 6개월 이하 어린이에게 잘 생기며, 이런 이유로 9개월 이하 어린이, 임신부, 면역저하자에게는 권하지 않는다. 아주 위험한 지역을 여행할 예정이면 6개월에서 9개월 사이 어린이는 받을 수 있다. 임신부에게 투여했을 때 항체 생성, 임신에 대해 악영향, 기형 유발에 대해서는 이론이 있지만 낮을 것으로 생각하며, 아직 경험이 적으므로 황열 위험이 크지 않은 한 공식적으로 임신부에게는 황열백신을 권하지 않는다. 임신부는 황열 유행 지역으로 여행을 피하거나 미루는 것이 바람직하나, 만약 여행을 피할 수 없고 황열에 걸릴 위험이 매우 높은 상황이라면 황열백신 접종을 제한적으로 고려할 수 있다. 만일 접종을 했다면 항체 형성이 낮다는 보고가 있어 항체 형성 측정을 해볼 수 있다. 수유하는 산모에게도 권하지 않는다. 에이즈 환자의 경우 CD4 림프구 수가 200/mm³이상일 때에만 접종하며, 항체 형성이 낮으므로 접종 후 항체 형성 여부를 확인한다.

iii. 백신접종 후 발열, 황달, 다장기 부전으로 사망하는 이상반응(vaccine—associated viscerotropic disease)이 생길 수 있으며, 60세 이상 접종자의 경우 3–4배 빈도가 높으므로 황열의 위험과 백신의 이상반응을 고려해서 판단한다. 가슴샘(thymus) 질환 또는 절제를 한 환자에서도 금기이다. 의학적 이유로 황열백신을 접종받지 못했을 때에는 면제 이유를 기록한 소견서를 받아야 한다.

2) 콜레라

위생 상태가 좋지 않은 개발도상국의 시골에서 발생하며, 과거에는 세계보건기구에서 지정한 강제 접종 백신이었다. 수분 공급만으로도 사망률이 2% 이하이므로, 백신보다는 음식물 위생과 수분 보충에 더 주의하는 것이 권장된다. 재난 구호나 오지 탐험에서는 경구 백신이 도움이 된다.

(1) 배경 및 필요성

*Vibrio cholerae*에 의한 세균성 장염으로 심한 설사가 특징이며 탈수와 전해질 이상으로 사망한다. 경구 수분 보충의 효과가 입증되면서 사망률은 아프리카에서조차 2% 이하가 되었다.

세계보건기구가 1969년에 입국 시 받아야 할 백신에 콜레라백신을 포함하였으나, 이후 연구에서 콜레라백신이 콜레라 확산 방지에 도움이 되지 않음이 증명되어 콜레라백신을 제외하였다. 이후 점차 콜레라백신 증명서를 요구하는 국가들이 줄어들었으며, 1991년에 파키스탄과 핏케언이 각각 증명서 요구를 없애면서 공식적으로 콜레라백신 증명서를 요구하는 나라는 없어졌다.

(2) 발생 지역

콜레라는 상하수 처리가 불완전하고 오염된 음식이나 식수를 먹게 되는 환경에서 발생한다. 지역을 보면 대개 개발도상국으로 동남아시아, 아프리카, 남아메리카의 일부 지역이며, 이런 지역에서도 대개 위생 상태가 불량한 사람들에게 발생한다. 대부분 여행자는 현지 주민보다는 위생 상태가 좋은 지역에 거주하거나 좋은 식사를 하므로 여행자가 콜레라에 걸릴 가능성은 대개 50만 명 중 1명의 빈도이다.

(3) 위험도와 위험 인자

여행자가 콜레라에 걸리는 빈도는 낮아 위험 인자에 대해서는 조사 된 바 없지만, 많은 환자들이 익히지 않은 해산물을 먹었다는 병력이 있다.

(4) 예방

일반 여행객의 경우 백신이나 예방약보다는 오염된 음식과 물을 주의하는 것이 일차적 예방법이다.

① 백신접종

기존 사용하던 주사용 불활화백신은 접종자의 25-50% 정도에서만 *V. cholerae* O1에 대한 방어력이 생기고, *V. cholerae* O139에는 방어력이 생기지 않았다. 현재 세계보건기구에서 승인된 두 가지의 경구 콜레라 백신이 사용되고 있으며, 기존의 주사용 콜레라 백신보다 이상반응이 덜하고 예방효과도 뛰어난 것으로 알려져 있다. 국내에서 승인되어 사용 중인 듀코랄액은 콜레라 O1 혈청형(*V. cholerae* O1)과 콜레라 독소B 아형(cholera toxin B subunit)에 대한 성분을 함유하고 있으며 6개월째 85%, 3-5년째 50% 정도의 예방효과가 있는 것으로 보고되고 있다. 해외에서 사용 중인 Shanchol은 *V. cholerae* O1 strains와 *V. cholerae* O139의 성분을 함유하고 있으며 60-70%의 예방효과를 3-5년 정도 유지하며, 최근 2012년 아프리카 기니에서 발생한 대유행 시에서 효과도 증명해 보였다. 따라서 콜레라 비유행 시기나 일반적인 여행에는 접종이 권고되지 않으나, 콜레라 유행 시 또는 유행 국가 방문 시에는 단기적인 예방효과를 위해 백신접종 권고를 고려할 수 있다.

3) 수막알균

흔하지는 않지만 수막염과 균혈증으로 발현하며, 전격성 균혈증은 증상 시작 1일 이내에 사망에 이를 정도로 진행이 빠르다. 개발도상국에서 많이 발생하고 특히 아프리카 중부 지역에서 주기적으로 유행한다. 사우디아라비아 메카 순례를 할 때에는 입국에 필요한 강제 백신이고 개발도상국 주민들과 밀접한 접촉이 예상되면 백신접종이 권장된다.

(1) 배경 및 필요성

수막알균(*Neisseria meningitidis*)은 수막염과 패혈증을 일으키는 원인균의 하나이며, 전격성 수막알균 패혈증은 급격히 사망하기로 유명하다. 밀접한 접촉이나 이에 준할 정도 거리에서 작은 비말에 의해 전파된다.

(2) 발생 지역

세계적으로 발생하며, 일반적으로 경제 위생 수준이 낮은 지역에서 발생률이 높다. 선진국에서는 10만 명에 0.5–4명 정도로 발생하고 개발도상국에서는 이보다 10배 정도 더 많다. 유행이 시작되면 이보다 수십 배 증가하며, 한 예로 사우디아라비아의 메카 순례자에게 발생했던 유행에서 여행자 1,000명당 64명의 빈도였다. 수막알균 감염은 한번 유행하면 2–4년 정도 많이 발생하다가 8–14년 정도는 유행이 없다가 다시 유행이 시작된다. 아프리카 중부 지방(나이지리아, 니제르, 말라위, 말리, 모잠비크 베냉, 부르키나파소, 수단, 에티오피아, 중앙아프리카공화국, 차드, 카메룬, 토고 등)이 주기적으로 유행하는 지역으로 "뇌수막염 벨트"라고 한다.

(3) 위험도와 위험 인자

개발도상국에서도 유행 상황만 아니라면 대부분 여행객에게는 문제가 되지 않는다. 현지 주민들과 밀접한 접촉이 적고 여행 기간도 짧기 때문이다. 예외적인 경우가 사우디아라비아 순례, 개발도상국 특히 수막알균 감염이 유행하는 곳의 주민과 접촉이 많은 의료나 선교봉사, 현지인과 성행위는 관련이 될 수 있으므로 이런 여행을 할 사람들은 예방접종을 받는 것이 바람직하다. 또한 사우디아라비아 메카 순례객에게는 수막알균 백신접종 증명서가 있어야 비자를 받을 수 있는 강제 백신이기도 하다.

(4) 예방

흡연자의 경우 보균율이 높으므로 금연이 보균을 줄이는 효과가 있을 수 있다. 상기도 감염은 수막알균 감염을 증가 시키므로, 성지 순례가 겨울철에 있으면, 인플루엔자 백신도 같이 투여한다.

① 백신접종

현재 사용되는 백신에는 다당류백신과 단백결합백신이 있으며 면역 지속 기간과 집락 균 감소 효과에서 단백결합백신이 우수하여 주로 선택되고 있지만, 해외여행에서는 개인이 단기간 예방하는 목적이므로 두 백신 사이에 효과 차이는 없으리라 생각된다.

각 국가마다 유행하는 혈청군이 다르므로, 여행 전에 접종받는다면 가능한 많은 혈청군을 포함하는 4가 백신(혈청군 A, C, W, Y135를 예방)이 권장된다. B형 혈청군 단독 백신이 있기는 하지만, B 혈청군 감염이 주로 선진국에서 발생하므로 여행객에서는 문제가 되지 않을 것으로 생각된다. 백신을 접종받고 10일이 지나야 항체가 생기며, 위험이 지속한다면 단백결합백신이 권장되고 5년 후 재접종을 한다.

② 주의점과 이상 반응

다당류백신에서는 국소 합병증 정도이며, 단백결합백신에서는 이상 반응이 조금 더 심하고 길랭–바레 증후군이 보고되었지만 일반인에 비해 더 높은 것은 아니다. 혈청군 B에 대해서는 4가 백신을 접종

받았다고 해도 예방이 되지 않으므로 예방적 항균제 사용이나 치료가 지연되지 말아야 한다.

4) A형간염

> 개발도상국에서 많이 발생하는 질환이며, 40세 이하에서는 상당수 면역이 없으므로 감염될 수 있다. 성인이 되어 감염되면 증상이 심하며 백신이 매우 효과적이며 안전하므로, 다른 백신보다 우선적으로 권장된다.

(1) 배경 및 필요성

오염된 음식으로 전파되며, 세계적으로 발생하지만 특히 물과 음식 위생이 떨어지는 개발도상국에서 흔하다. 이런 지역에 거주하는 사람들에서는 대부분 어릴 때 감염되며 증상이 없이 자연적으로 호전되거나 경증으로 앓고 사망률도 0.15%이므로 크게 문제되지 않는다. 선진국에서는 성인이 될 때까지 감염이 되지 않다가 개발도상국을 여행할 때 A형간염에 걸리게 된다. 성인이 A형간염에 걸리면 대부분 증상이 나타나고, 사망률도 어린이는 0.15%이지만 어른은 2%에 달할 수 있다. A형간염은 세계적으로 매년 150만 명 정도가 걸린다고 추정하며 실제 발생 수는 이보다 10배 정도 많으리라 생각한다. 해외여행자에서 바이러스 간염 발생 수는 콜레라의 1,000배, 장티푸스의 100배에 해당한다. 해외여행자에게 발생하는 바이러스 간염은 A형간염 60%, B형간염 15%, A형과 B형이 아닌 바이러스 간염 25%이다. A형과 B형이 아닌 바이러스 감염 중에서는 E형간염이 제일 흔하다. 따라서 선진국 여행자가 개발도상국으로 갈 때 백신으로 예방이 가능한 병 중에서 가장 흔한 병이 A형간염이다.

(2) 발생 지역

개발도상국 모든 지역에서 발생한다(장티푸스 발생 지역 참고). 수인성 세균 감염보다 감염 위험성이 더 높아 도시만 여행하고 위생 시설이 좋은 호텔에만 거주하고 여행 기간이 짧으면 장티푸스의 위험성은 낮은데 비해 A형간염은 발생할 수 있다.

(3) 위험도와 위험 인자

해외여행 후 증상이 있는 A형간염이 발생할 위험도는 여행의 종류에 따라 다르다. 1개월간 머무른다고 가정할 때, 호텔에서 숙식을 하면 1,000명당 3명이고, 배낭족이나 음식과 물이 깨끗하지 못할 때에는 1,000명당 20명 빈도로 발생한다. 선교 봉사나 의료 봉사와 같이 주민들과 밀접한 접촉을 할 사람이 위험이 높다. 지역에 따른 차이로는 아프리카(10만 명당 25–28명)와 인도 주변국(10만 명당 25명)이 제일 높고, 중남미와 터키(10만 명당 15명 내외), 극동 아시아와 카리브 해 지역(10만 명당 5명)의 순이며 북미와 북서부 유럽에서는 10만 명당 1명 이하이다. 선진국의 통계를 보면 A형간염 환자의 40−50%가 해외여행을 한 후 발생하였다. 한국인의 경우 선진국 여행자보다는 면역이 있는 경우가 더 흔하므로 선진국 여행객의 빈도보다는 낮으리라 생각한다. 선진국 사람들에서는 40대가 되어야 20% 정도만이 감염될 정도인데 비해, 20대 한국 사람에서 감염률은 2-30%이고, 40대 이상은 대부분 감염되었다. 30대는 성장 환경에 따라 감염되지 않은 사람들이 있다. 위험 인자에 대해서는 몇몇 조사가 있지만, 감염인의 면역 상태를 간접적으로 반영하는 인자들로 생각된다.

(4) 예방

여행자 본인이 물이나 음식을 조심하고 손을 열심히 씻어서 A형간염을 막기는 어렵고, 백신을 투여하는 것이 가장 효과적이다. 예방하는 방법에는 과거에는 면역 글로불린을 사용했으나, 1990년 이후 효과적인 백신이 개발되면서 면역 글로불린 사용을 대치하였다. 면역 글로불린은 일정 기간(3-5개월)에만 예방 효과가 있으나 A형간염 백신은 20년 이상 예방 효과가 지속하며, 현재 A형간염은 국내에서 유행 수준이므로 귀국해서 감염되는 것을 예방하기 위해서도 예방접종이 최선이다.

① 백신접종

한국인의 A형바이러스에 대한 항체 양성률이 나이에 따라 다르므로, 40세 이하 여행객에게는 검사 없이 백신을 접종하고, 40대의 여행객에게는 검사를 하고 결과에 따라 백신을 접종하는 것이 경제적이다 두 번 접종 후 예방 효과는 95% 이상이다. 처음 접종 후 6-18개월 후 두 번째 접종을 하는 것이 원칙이지만, 여행 직전에 온 사람들에게 두 번 접종은 불가능하다 두 번 접종은 항체 지속 기간과 관련이 있으므로, 이번 여행에서는 한 번 접종으로도 예방이 가능하다. 한 번 접종 2주 후 50%에서 항체가 생기고 4주가 되면 90% 이상에서 항체가 생긴다. 다른 백신(황열, B형간염, 디프테리아, 파상풍, 경구 장티푸스, 콜레라, 일본뇌염, 공수병)와 같이 투여해도 효과가 줄지 않는다. 일반적으로 임신부는 A형간염 백신 접종이 권고되지 않으나, A형간염 백신은 불활화 백신이므로 위험-이득을 고려하여 임신부에게 접종할 수 있다. 면역이 있는 어른에게 백신을 투여해도 이상 반응은 더 많지 않다.

② 면역글로불린

과거에 백신이 없을 때 쓰이던 방법이었으나 현재는 대부분 백신에 의해 대치되었다. 단, 백신접종 후 항체가 생기기 전 4주 동안 예방하기 위해 백신과 동시 접종을 권하기도 하지만, 우리나라에는 A형간염 면역글로불린이 시판되지 않는다. A형간염 면역글로불린을 사용하는 방법은, 성인은 여행 기간이 3개월 이하일 때 2 mL를 근육으로 주사하고, 여행 기간이 3개월 이상일 때에는 5 mL를 근주한다. 소아는 3개월 이하 여행에 0.02 mL/kg, 3개월 이상 여행에서는 0.06 mL/kg를 주사한다. 이후 2 mL를 받았으면 3개월마다, 5 mL를 받았으면 5개월마다 다시 접종한다. 예방 효과는 85-90 %이다.

5) 장티푸스

개발도상국, 특히 인도 파키스탄, 방글라데시, 네팔 인도네시아 파푸아 뉴기니가 고위험 지역이다. 오래 여행을 할수록 위험이 높아지고 통상의 관광 코스가 아닌 시골을 여행할 때 위험이 높으므로 이런 경우 백신 접종이 도움이 된다.

(1) 배경 및 필요성

장티푸스는 *Salmonella* Typhi에 의한 전신 감염증이며, 파라티푸스도 임상상이 비슷하다. 국내에서도 흔했던 병이었지만 현재는 위생 상태가 좋아지면서 장티푸스 발생이 줄어 백신을 받을 정도는 아니어서 대부분 사람들은 면역이 없다. 장티푸스는 사람만이 보균자이며, 보균자의 대변을 통해 나온 균이 상수를 오염시켜 다른 사람을 감염시킨다. 즉, 장티푸스는 보균자 검색−치료가 되지 않고 상하수 처리가 불량한 지역에서 발생하는 질환이다. 파라티푸스는 동물도 보균을 하는 점이 장티푸스와 다르며 전파 방법이나 증상들은 비슷하다. 역학 사항은 장티푸스보다 연구가 더 되지 않아 잘 모르지만, 일부 지역에서 파라티푸스 발생 빈도가 늘면서 장티푸스보다 많이 발생한다.

(2) 발생 지역

국내보다 위생 상태가 좋지 않은 국가에서는 아직도 많이 발생하고 있고 선진국인 일본, 미국 캐나다, 유럽, 오스트레일리아, 뉴질랜드, 이스라엘을 제외한 모든 지역에서 발생한다. 세계적으로 매년 1,600만 명 정도가 감염되고, 60만 명 정도가 사망할 것으로 추정된다.

(3) 위험도와 위험 인자

개발도상국을 여행하는 여행자에서 장티푸스가 생길 가능성은 25,000명 중 1명꼴이고, 지역마다 차이가 심해 인도, 파키스탄, 방글라데시, 네팔(100,000명당 23−81명)이 다른 지역에 비해 월등히 높다. 또한 이들 지역에서 발생하는 장티푸스는 항생제 치료가 어려워, 클로람페니콜, 암피실린, 트리메토프림−설파메톡사졸에 대한 다약제 내성 장티푸스가 발생하고 시프로플록사신에 내성인 장티푸스도 인도, 파키스탄, 베트남에서는 흔하다. 인도네시아, 필리핀, 파푸아 뉴기니에서도 발생이 많고, 인도네시아에서는 파라티푸스가 장티푸스만큼 흔하고 퀴놀론 내성이 흔하다. 그 외 지역에서는 100,000명당 1명 정도의 빈도이며 많이 언급되는 지역이 중남미(멕시코, 아이티)이다. 아프리카에서도 높을 것으로 예상하나 정보가 적다. 이런 지역을 여행할 여행객 중에서 장티푸스에 걸릴 위험 인자들로, 여행 기간이 길 경우와 도시를 벗어나 시골을 여행할 경우들이 언급되고 있다. 시골의 아는 친척을 방문하거나 여행 전 자문을 받지 않은 경우도 위험 인자로 언급되나 시골을 장기간 여행하는 것과 같은 의미로 해석된다. 따라서 이런 위험 인자를 갖는 여행객에게는 백신을 접종한다.

(4) 예방

예방접종 후에도 경구로 장티푸스균이 많이 들어오면 장티푸스에 걸릴 수 있으므로 물과 음식에 대한 주의를 소홀히 하지 말아야 한다.

① 백신접종

주사용 백신과 경구 백신이 있으며 현지 주민에서 효과는 50-80% 정도로 비슷하다. 여행자의 경우 예방 효과는, 발생이 적어서 조사하기가 쉽지 않으며, 원주민과 다를 가능성이 있다. 주사용 백신에는 장티푸스균 전체를 페놀이나 열로 불활화시킨 장티푸스백신(whole cell vaccine)이 오래 전부터 사용되었으나 이상 반응이 흔하여 현재는 사용하지 않는다. 최근에는 장티푸스균의 Vi 항원만을 추출한 다당류백신을 타이핌 브이아이(제일 제당), 지로티프(보령바이오파마), 티오포박스(녹십자)로 판매하고 있다. 0.5 mL를 한 번 근육 주사한다. 다른 백신이나 항생제와 동시에 투여해도 면역원성에는 차이가 없다. 단점으로 다당류백신이어서 면역원성이 낮고 18개월 이하 어린이에게는 면역 형성을 못하므로 18개월 이상 어린이나 성인만 접종 가능하다. 접종 10일 후부터 예방 효과가 있다. 면역 지속 기간도 짧아 2-3년 정도만 예방 효과가 있으므로 2년 후 다시 투여해야 한다. 단백결합백신에 대해 연구 중이다. 경구 백신(Ty21a)은 병원성을 결정하는 Vi 항원이 없으면서 면역원성을 나타내는 세포벽을 유지하는 균주를 포함하는 약독화 생백신이다. 1캡슐을 2일간격으로 4회 복용한다. 6-7일에 걸쳐 사용해야 하므로 불편하나 주사 맞기를 싫어하는 사람에게 적당하며 이상반응이 적다. 예방 효과는 4번 복용 2주 후부터 나타나고 3-4년 지속한다. 면역을 지속하려면 5년마다 복용한다. 항균제와 함께 복용하면 균이 죽어 면역원성이 떨어지므로 백신 복용 1주 전후로 항균제를 사용하지 말아야 한다. 메플로퀸도 장티푸스균을 억제 할 수 있으므로 경구 장티푸스 백신과 함께 사용하지 말아야 하고 7-10일 정도 간격을 두어야 한다. 먹을 때 가능하면 37℃ 이하의 찬물로 먹어야 하고, 백신은 냉장보관해야 한다. 경구 소아마비 백신도 동시에 투여해야 한다면, 경구 장티푸스 백신을 투여하기 7-10일 전이나 10-14일 후에 투여한다. 임신부에게는 투여하지 않는다. 6세 이하 어린이에게도 부여하지 말라고 되어 있으나, 투여는 가능하며, 나이가 어리면 효과가 낮아 6세 어린이의 경우 81%이고 3세 어린이의 경우 60%이다. 캡슐을 먹지 못한다면 캡슐을 열어 내용물을 우유-소다와 함께 먹는다. 투여 횟수를 한 번으로 줄인 경구 백신이 연구 중이다. 현재 국내에서 시판되는 경구용 백신은 없다.

② 주의점

장티푸스가 유행하는 지역에는 파라티푸스도 유행하는데 파라티푸스에 대한 예방 효과는 장티푸스에 대한 예방 효과보다 떨어지며 특히 Vi 항원 주사 백신은 경구 백신(Ty2la)보다 파라티푸스 예방 효과가 낮다. 장티푸스와 파라티푸스를 동시에 효과적으로 예방할 수 있는 백신은 아직 개발되지 않았다.

6) 공수병

발병하면 치명적이므로 예방접종이 중요한 병이다. 개발도상국에서 시골을 1개월 이상 여행하거나 직업적으로 동물과 접촉이 예상되는 여행객들에게 백신이 권장된다.

(1) 배경 및 필요성

광견병에 걸린 가축이나 야생 동물의 타액을 통해 전파되는 질환이며, 일단 발병하면 모두 사망하는 치명적인 바이러스 뇌척수염이다. 공수병은 과거 국내에서도 종종 발생하던 병이었으나 현재는 가축에게 광견병 백신을 사용하면서 가축과 관련된 공수병은 발생하지 않는 선진국 양상으로 되었다. 휴전선 부근에서 야생 동물과 관련되어 간헐적으로 사람에서 발생한다. 경제력이 낮아 애완동물이나 가축에게 광견병 백신을 투여하지 못하는 개발도상국에서는 아직도 만연하는 병이다.

(2) 발생 지역

원칙적으로 동물이 있는 곳에서는 어디에서나 발생하는 병이지만 예방접종에 따라 발생률과 발생 양상이 결정된다. 결과적으로 공수병 발생은 선진국과 개발도상국에서 양상이 다르다. 선진국에서는 애완동물에 대해 예방주사를 투여하였기에 야생 동물(오소리, 여우, 늑대, 스컹크 등)만이 원인이었다가, 야생 동물에 대해서도 경구 백신을 투여하면서 야생 동물이 원인이 되어 발생하는 공수병도 감소 또는 근절되었다. 따라서 일반 여행객에게는 공수병이 문제되지 않는다. 야생 박쥐는 이 방법으로 예방접종을 할 수 없어 박쥐가 원인이 되어 사람에서 공수병이 가끔 발생한다. 박쥐 배설물에 광견병바이러스가 있다가 사람 폐로 들어와 공수병을 일으키므로, 박쥐가 많이 사는 동굴을 조사하는 사람도 공수병 백신을 받는 것이 좋다. 개발도상국에서는 애완동물에 대한 예방접종률이 낮아 개(때로 고양이)가 원인이므로 여행객에게 문제가 된다. 공수병이 발생하지 않는 지역들은 일반적으로 서부 유럽, 오세아니아, 카리브 해 지역이며, 아프리카에서는 섬 국가들, 아시아에서는 일본, 홍콩, 쿠웨이트, 레바논, 카타르, 싱가포르, 아르메니아, 키프로스다. 특히 국내인에게 문제가 되는 지역은 인도와 태국이고, 네팔, 필리핀, 스리랑카, 베트남, 멕시코, 엘살바도르, 과테말라, 페루, 콜롬비아, 에콰도르에서도 많이 발생한다.

(3) 위험도와 위험 인자

발생 빈도를 정확히 알기가 어렵다. 주로 보건통계가 불충분한 지역에서 많이 발생하기 때문이며, 세계적으로 1년에 약 55,000명이 공수병으로 사망할 것으로 추정되고, 95% 이상이 아시아와 아프리카의 시골에서 발생한다. 매년 1,500만 명 이상이 동물에 물리거나 접촉 후 예방주사를 받는다는 통계가 있어, 공수병에 걸릴 위험을 추정 할 수 있다. 인도에서는 매년 10만 명당 2명이 공수병으로 사망하고 아프리카에서는 10만 명당 4명의 빈도이다. 지역별로 빈도를 알 수 있는 자료로, 평화 봉사단원이 1년 간 외국에 있을 때 공수병에 대한 접촉 후 예방접종을 한 빈도를 보면 아프리카 1,000명당 30.3명, 아시아와 태평양 국가들 33.2 명, 남아메리카 741명이었다. 단기간 여행자에서 위험도는 연구되지 않았지만, 평화 봉사단원의 빈도보다 낮을 것으로 추정한다. 공수병이 발생하는 지역을 여행할 사람으로, 여행 기간이 1개월을 넘는 경우, 여행 기간이 1개월 미만 이어도 직업적으로 동물과 접촉할 경우(수의사, 애완동물과 같이 여행하는 사람, 동물 연구가), 여행 기간과 관계없이 의료 시설을 바로 이용할 수 없을 경우(트레킹 뒤에는 공수병백신을 투여하는 것이 안전하다. 도시보다 시골을 여행할 때 또는 봉사활동을 할 때 동물에 물릴 위험성이 높고, 특히 어린이가 물리기 쉽다. 또한, 시골에서는 광견병 예방주사를 받지 않은 동물이 많으므로 물리면 공수병의 위험이 높다.

(4) 예방

개발도상국에서는 애완동물에서 광견병이 발생하므로, 애완동물이라도 귀엽다고 만지지 말아야 한다. 여행 중에 동물에 물리거나 긁혔을 때에는 즉시 비누와 물로 상처 부위를 씻어야 하고, 소독제(포비돈 아이오다인이 있으면 소독을 한다. 동물에서 광견병이 의심된다면 현지 의사와 치료를 받아야 한다. 여행지의 공수병 발생 상황을 제일 잘 알고 있으므로 필요한 치료를 받고 귀국해서 나머지 치료를 받는다.

① 백신접종

노출전 공수병 백신을 받았어도 광견병이 의심되는 동물에 물렸으면 즉각 치료를 받아야 한다. 백신은 공수병을 예방하는 것이 아니고 단지 물린 후 치료를 간단히 하는 것뿐이다. 동물에 물렸을 때, 미리 백신을 접종했었다면 2회백신접종으로 충분하므로 물린 직후 가능한 한 빨리 한 번 접종하고 3일 후 2번째 백신을 접종한다). 사전 예방접종이 되어있지 않은 상황에서 노출이 되면 면역글로불린 주사와 함께 백신접종을 시행하여야 한다.

i. 노출 전 예방

노출전 예방접종은 3회(0, 7, 21일 또는 0, 7, 28일) 시행한다. 현재 사용하는 공수병 백신은 효과가 우수하며, 근육으로 주사하는 방법(1.0 mL)이 있고 피내로 주사하는 방법(0.1 mL)이 있다. 피내로 주사하는 방법은 클로로퀸이 항체가 생기는 것을 방해하기 때문에, 클로로퀸을 복용하기 4주 전에 공수병 백신 주사를 투여해야 하고 피부 내 주사보다는 근육주사하는 것이 좋다. 공수병에 걸릴 위험이 계속되면 2년마다 한 번 더 주사한다. 국내에는 백신이 정식으로 수입되지 않았지만 국립중앙의료원 또는 한국희귀의약품센터를 통해 구입하여 사용할 수 있다. 도착지에서 받으려면 0, 3, 7일에 접종할 수 있다. 이 신속 스케쥴 접종은 근육주사만이 연구되었고 항체 역가가 공수병을 예방할 정도는 된다. 피내주사는 연구되지 않았다.

ii. 노출 후 예방

공수병이 발생하는 지역에서 개나 고양이에게 물렸을 때에는 가능하면 문 동물을 죽여 광견병 여부를 검사해야 한다. 아니면 바로 치료를 받기 시작하고 문 동물을 가두어 2주간 관찰한다. 2주간 관찰하여 개나 고양이에 이상이 없었다면 3주째 접종예정이던 백신은 접종하지 않는다. 야생 동물에서 광견병이 발생하는 지역에서 야생 동물에 물렸다면 바로 치료를 받기 시작해야 한다. 야생 동물을 잡아서 2주간 상태를 관찰할 수 없으므로 안전하게 하기 위해 광견병에 걸린 동물에 물렸다고 가정하고 치료하는 것이 안전하다. 대개 물린 현지에서 바로 상처 치료를 하고 면역 글로불린을 받고 백신을 한 번 접종해야 한다. 이후 3, 7, 14일 후 접종하며, human diploid cell vaccine (HDCV)이나 purified chick embryo cell vaccine은 4번 접종한다. 물린 후 사용할 때에는 근육 주사(1.0 mL)만 사용하는 것이 안전한데 피내접종후 실제 공수병이 생긴 예들이 있기 때문이다. 임신부에게도 안전하게 사용할 수 있다.

② 주의점과 이상 반응

주사 부위에 국소 이상 반응(통증, 발적, 가려움)이 생길 수 있고, 경증의 전신 이상 반응(두 통, 근육통)이 생길 수 있다. 경증의 이상 반응이 생겨도 접촉 후 접종을 중단해서는 안 된다. HDCV 백신 재접종 시 두드러기나 가려움증이 생길 수 있다.

7) 일본뇌염

한국을 포함해서 아시아와 오세아니아에서 발생한다. 이들 지역의 사골에서 4주 이상 거주 할 때 백신이 필요할 정도로 위험하다고 하나, 한국인에게는 한국에 거주하는 것과 위험도가 같으리라 생각되므로 어린이에게 국내에서와 같이 예방접종을 한다. 성인에게는 필요하지 않으리라 생각한다.

(1) 배경 및 필요성

아시아와 오세아니아에서만 발생한다. 99 % 이상의 감염이 무증상이고, 발생 지역이 주로 개발도상국이어서 검사가 불충분하여 전체 감염 수를 알기는 어렵지만, 증상을 동반 한 감염은 매년 35,000-50,000명에서 발생한다. 이들 환자 중 10-30%가 사망하고, 회복된 사람의 경우에도 30% 정도에서 신경계 후유증이 생기며 정신적 이상까지 포함하면 80%의 환자에서 후유증이 남는다. 일본뇌염바이러스를 갖고 있는 모기가 돼지나 새를 물어 동물을 감염시키고, 물린 동물에서 바이러스가 증식한다. 감염 되지 않은 모기가 바이러스를 보유하고 있는 동물을 물면서 바이러스 순환이 지속한다. 이런 모기들이 사람을 물면 사람에서 일본뇌염이 생기며, 혈액 중 바이러스 양이 적어 다른 사람 또는 동물로 전파 시 키지는 않는다. 모기(*Culex tritaeniorhynchus*)는 주로 얕은 물에서 알을 낳으므로, 벼농사를 짓는 논 이 모기가 번식하기에 좋은 조건이다. 돼지에서 증식하므로 돼지를 키우는 지역에서 역시 일본뇌염이 많이 발생한다. 이런 조건들은 대개 시골에서 가능하며 환자 역시 시골에서 많이 발생한다. 한국의 과 거 상황을 생각해 보면 일본뇌염은 주로 남쪽 지방, 특히 전라도에서 많이 발생했다. 모기는 해가 지고 나면 흡혈을 한다.

(2) 발생 지역

한국을 포함해서 아시아와 오세아니아에서 발생한다. 온대 지방(네팔, 라오스, 미얀마, 방글라데시, 베트남, 북한, 인도, 일본, 소련 동남부 중국, 캄보디아, 태국)에서는 여름과 가을에 계절적으로 발생하 고 아열대나 열대 지방(말레이시아, 스리랑카, 싱가포르, 인도 남부, 인도네시아, 필리핀, 타이 남부, 타 이완)에서는 연중 발생하며 특히 우기에 많이 발생한다. 이런 발생 상황은 예방접종에 의해 크게 영향 을 받으니 아시아 국가 중에서는 일본, 한국, 중국이 백신을 사용하면서 유행을 조절하였고, 최근에는 태국과 스리랑카에서도 일본뇌염백신을 기본 접종으로 시행하면서 발생 수가 급감하였다. 베트남에서 도 백신을 접종하고 있으나 여전히 유행 적 발생이 있다. 말레이시아가 고위험군에게 백신을 접종하고 있다. 다른 지역에서는 대규모 백신접종을 하지 않아 발생 양상이 여전하다.

(3) 위험도와 위험 인자

예방접종이 이루어지기 전에 일본뇌염은 주로 15세 이하 어린이에서 발생하던 질환이었고, 백신이 접종된 후로 전체 수는 줄었지만, 어린이뿐만 아니라 성인도 발생한다. 서양 여행자는 면역면에서 보면 어린이와 같으므로 어린이와 성인 모두에서 일본뇌염이 가능하다. 발생 가능성은 일본뇌염 발생지를 4 주 이하로 여행할 때 1백만 명 중 1명 이하로 매우 낮다. 시골(논이 있거나 돼지를 기르는 지역)로 여행 하는 사람의 경우 2만 명이 1주일간 있을 때 1명꼴로 발생한다. 한국인의 상황은 조금 다르다. 예방접종 을 받지 않은 어린이들은 면역이 없다는 점에서 서양인과 동일하므로 위험도가 같으리라 예상된다. 성 인은 백신을 받았거나 자연 감염에 의해 면역을 갖고 있으리라 생각하지만, 2010년 우리나라 40대 성인 에서 일본뇌염이 많이 발생하여, 발생 양상이 일본의 양상과 유사해지는 듯하다. 항체 검사 연구가 많 은 일본에서 조사 결과로는 성인의 항체 음성률이 점차 늘고 있지만 2008년 조사에서 50대 전후로 85%가 중화 항체가 음성이었고, 환자는 50대 이후에서 주로 발생하고 있다. 아마도 시간이 지나면서 면 역이 약해지는 것으로 추정되지만 연구로 규명된 것은 아니다. 이런 사실로 판단하면 40대 이상의 성인 들은 완전히 일본뇌염에서 면제된 것도 아니고, 그렇다고 모든 성인이 전혀 면역이 없는 것도 아니어서,

선별적 추가접종이 필요할 것으로 생각되나 위험률이나 대상에 대해서는 일치된 의견이 없다.

(4) 예방

백신과 관계없이 모기에 물리지 않도록 주의해야 한다.

① 백신접종

불활화백신과 약독화 생백신이 있으며, 불활화백신은 일본에서 시작하여 여러 나라에서 사용한 전통적인 백신이고, 약독화 생백신은 중국에서 사용하기 시작하였고 불활화백신에 비해 효과가 더 좋다고 하며, 1년 간격으로 2회 접종했을때 효과는 98%에 달한다. 안전성에 대해서 연구가 부족하다. 한국에서는 불활화백신과 약독화 생백신 모두 사용이 가능하다. 이전에 일본뇌염바이러스에 감염된 적이 없는 서양인에서의 3회 접종이 연구되었으며, 한국 어린이에게도 3회 접종을 기본 접종으로 하고 있다 한국 성인에 대해서는 연구된 바 없다.

② 주의점과 이상 반응

주사를 맞은 부위가 아프거나 붓고, 몸에 열감이 생기는 이상 반응은 20% 정도에서 생기지만 자연적으로 2–3일이면 없어진다. 제일 문제가 되는 이상 반응은 알레르기에 의한 이상 반응으로 때로 생명이 위험할 수 있다. 심한 이상 반응이 나오면 바로 병원에서 치료해야 하며 늦게는 2주 후에도 나오므로 여행 떠나기 2주 전에 모두 접종받아야 한다. 이상 반응이 나타났을 때 바로 치료받기 위해서이다. 이전에 두드러기를 앓았던 사람이나 약에 의해 아나필락시스가 생겼던 사람에게 잘 생기지만 이런 사람들이 백신을 접종받지 말아야 할지는 정해지지 않았다.

8) 진드기매개뇌염(Tick-borne encephalitis)

유럽과 남부 러시에서 발생하며, 여름철 삼림 지역에서 활동하는 것이 위험 인자이나 위험도를 알기 어렵다. 국내에는 백신이 없으므로, 위험군 여행객은 현지에서 접종한다.

(1) 배경 및 필요성

플라비바이러스에 속하는 진드기매개뇌염바이러스(tick–borne encephalitis virus)에 의한 뇌염이다. 자연계에서 야생 동물(주로 야 생쥐)과 참 진드기 사이에서 전파되며 사람은 우연히 감염되는 경우이다. 지구 온난화에 따라 진드기 밀도가 증가하고 사회 환경 변화에 따라 사람의 생활이 바뀌면서 전반적으로 진드기매개뇌염 환자 수가 증가하는 양상이다. 러시아에서는 매년 11,000명, 유럽에서는 3,000

명 정도가 발생한다. 임상상은 두 가지 양상으로 극동 아시아 아형은 중증으로 사망률이 5-20%에 달하지만, 유럽에서 유행하는 유럽 아형 또는 시베리아 아형은 경증으로 사망률은 0.5-3%이고 회복 한 사람 10-20%에서 신경 후유증이 발생한다. 발생 지역 유럽, 스칸디나비아반도, 러시아에서부터 일본 북부 지역까지 발생한다.

(2) 위험도와 위험 인자

러시아 주민 중 발병률은 10만 명 45명 정도이다. 진드기 밀도가 높아지는 3-11월 사이에 삼림에서 활동 (캠핑, 사냥 등)이 위험 인자로 언급된다. 예방 진드기에 물리지 않도록 곤충 기피제를 사용한다.

백신 진드기 밀도가 최고가 되는 시기(유럽에서는 5-6월과 9-10월, 러시아에서는 5-6월)에 유행 지역의 삼림 지역에서 활동할 예정이라면 예방접종도 고려하지만, 위험도는 정확히 모른다. 백신의 예방 효과와 안전성은 연구가 되었지만 다른 백신만큼 충분하지는 않다. 사람에게 사용하는 백신에는 FSME-IMMUN (Baxter 사)과 Encepur (Chiron 사)가 있다. 국내에 수입을 고려한 적이 있기는 하지만, 수요가 많지 않을 것으로 예상되어 실제로 시판되지는 않았다. 두 백신 모두 불활화백신으로 서로 교차 접종이 가능하다. 초기 제품들은 어린이에서 발열과 경련을 일으키는 빈도가 높았으나, 보존제들을 개선하면서 현재 판매하는 백신은 매우 안전하고 효과도 우수하다. 기본 접종으로 0, 1-3개월, 9~12개월에 1번씩 주사하며, 재접종은 3년 후에 하고 이후 재접종은 3년(60세 이상 노인)-5년(60세 이하마다 한다. 시간이 없는 사람에게는 0, 1, 3주로 투여하며 이 경우에는 새 접종을 12-18개월 후에 해야 한다. 이후 재접종은 3(60세 이상)-5년(60세 이하)마다 한다. 계란에 알레르기가 있을 때 주의해야 하며, 임신부에서 이상 반응은 밝혀지지 않았다.

9) 인플루엔자

인플루엔자백신의 사용은 해외 여행객이나 국내 거주민이나 차이가 없지만, 남반구에서는 인플루엔자가 4-9월에 유행하고, 열대 지방에서는 연중 발생하는 것을 고려한다. 따라서 위도 22도 이하의 적도 부근 지방에서는 가기 전, 남반구에서는 4-9월 사이에, 여행을 떠나기 2주 전에 백신을 투여한다. 대부분 병원에서 겨울이 지나면 인플루엔자백신을 폐기하여 여름에 남반부를 여행하는 여행객에게 주사하기가 어려우므로 이를 예상해서 몇 명분은 예치를 해두는 것이 바람직하다. 특히 인플루엔자의 합병증이 생기기 쉬운 환자들은 새로운 아형을 포함한 백신을 접종하는 것이 좋으나, 세계 보건기구에서 권장하는 인플루엔자바이러스 아형을 포함하는 백신이 나오지 않았을 때이므로, 실제로 다음 해 백신을 접종하기는 어렵다.

10) 폴리오

세계 보건기구가 주관하는 폴리오 박멸 계획이 성공적으로 수행되어 세계적으로 발생이 급감하였다. 아시아(인도, 파키스탄, 아프가니스탄)와 아프리카(나이지리아)에서 풍토병으로 소수 발생하고, 나머지 국가(콩고 등)에서는 앞의 4개 국가에서 유입된 예들이다. 2010년 이후 타지키스탄, 러시아, 우즈베키스탄, 투르크메니스탄, 카자흐스탄, 키르기스스탄에서 여행과 관련된 폴리오 발생이 많다. 선진국에서는 예방접종률이 90%를 넘어 군중 면역에 의해 유행이 발생하지 않으므로 폴리오는 더이상 발생하지 않지만 유행지로 여행할 때에는 폴리오에 걸릴 수 있다. 미국 질병통제센터는 아프리카와 아시아 지역을 방문할 예정이면서 어릴 때 백신을 받고 10년이 지났으면 1회 추가접종을 권하고 있다. 국내 50대 이상 성인은 어릴 때 감염되어 면역을 얻었으므로 예방접종이 필요 없다. 30대 이하 젊은 성인들은 백신에 의해 면역을 얻었으며, 백신 효과가 지속되기는 하지만 자연 감염에 의한 면역보다는 예방 효과가 떨어지므로 위험 지역 여행이라면 1회 추가접종이 필요할 수 있다. 일부 국내 성인은 어릴 때 예방접종을 받지 않았으리라 추정되고 이들은 예방접종을 3번 받아야 하지만 이를 확인하기가 어렵다.

11) B형간염

B형간염바이러스 감염률을 지역적으로 보면 다음과 같다 : (1) 낮은 지역(보균율이 2% 이하) : 미국, 캐나다 오스트레일리아, 북부 유럽, 남아메리카 남부, (2) 중등도 지역(2–7%의 보균율) : 일본, 남아메리카, 동부와 남부 유럽, 중앙아시아, (3) 높은 지역(보균율이 10–20%) : 극동 아시아, 아프리카, 중동의 아랍권 국가들, 알래스카. 보균율이 높은 지역에서는 주산기 감염과 수평 전파가 중요하지만, 성인이 되어 감염된다면 성 접촉도 관여한다. 한국도 높은 지역이었으나 신생아 때 기본 예방접종을 하면서 현재는 급격히 감소하였다. 대부분 젊은 사람은 백신에 의해 항체를 갖고 있고 나이가 더 많은 사람들은 자연 감염에 의해 항체를 얻었거나 백신을 접종받은 상태이므로, 한국 여행객에게 B형간염은 해외여행이 더 큰 위험 인자가 아니다. 면역이 없는 선진국 사람이 개발도상국을 여행할 때 B형간염에 걸릴 가능성은 10만 명당 80–420명이며, 영국에서 보고된 B형간염의 10%, 취리히에서 보고된 B형간염의 15%가 외국에서 걸린 것이다. 주민들과 밀접한 접촉이 예상되는 여행(의료, 선교, 성행위)이 위험 인자라고 할 수 있다. 여행 중 문신, 귀 뚫기, 한방 침 등도 전파와 관련될 수 있다. 20대 중반 이후 한국인 중 예방접종을 받지 않았거나 감염이 되지 않아 면역이 없으면서 고위험 여행이라면 백신접종을 고려할 수 있다. 통상 접종 방법은 1개월과 6개월 후에 2%, 3차 접종을 하는 것이므로, 여행 직전에 온 경우라면 이 방법을 사용할 수 없다. 연구는 적지만 0, 7, 21일에 접종하는 방법(아마도 12개월 후 다시 접종해야 할 것으로 생각된다)이나 1개월마다 3회 접종 후 12개월 후 4차 접종을 하는 방법을 고려해 볼 수 있다.

12) 페스트

사람들을 공포에 떨게 했던 대표적인 질환이었으나 원인균(*Yersinia pestis*)과 전파 방법이 밝혀지고, 효과적으로 치료가 되면서, 20세기에는 문제가 되지 않는 병이다. 야생 동물에서 발생하고 있다가 벼룩을 통해 또는 직접 접촉, 공기 전염, 드물게 감염된 동물을 먹어서 감염된다. 현재 페스트는 가끔 발생하는 정도이다. 아프리카가 주 발생 지역이고, 남아메리카의 오지 베트남, 중국, 미국 등에서도 보고가 있다. 사람에서 발생이 없어도, 동물 페스트가 발생하는 곳에서는 언제든지 사람의 페스트가 발생할 가능성이 있다. 야생 동물(쥐나 토끼)과 접촉해야만 감염되므로, 페스트가 발생하는 지역의 시골이나 산악에서 야생 동물을 직접 다루고자 하는 여행이 가장 중요한 위험 인자이자 백신 적응증이다. 야외 생활 거주지 주변으로 야생쥐들이 모이지 않도록 철저히 음식물 쓰레기를 처리한다. 쥐벼룩에 물리는 것을 줄이기 위해 곤충 기피제나 옷에 뿌리는 살충제가 권유되기도 한다. 이전에 사용하던 불활화 백신은 현재 미국에서도 사용이 불가능하다. 과거에 페스트 불활화백신을 고위험군에게 사용을 하기는 했지만 효과가 얼마나 되는지는 모르며 페스트 환자가 많지 않아 효과를 검정할 수 없기 때문이다. 국내에서는 시판된 적이 없다. 생물 테러 위험성으로 새로운 페스트백신을 개발 중이기는 하지만, 연구 중 감염되어 사망한 예가 생긴 이후로는 진행이 더디다.

13) 뎅기열

동남아시아 여행에서 가장 문제가 되는 질환이지만, 예방약이나 치료제가 없다. 백신이 개발되어 있으나 각 국가별로 사용이 승인된 경우, 역학적으로 질병부담이 많은 유행지역에서 중증 뎅기바이러스 감염 예방을 목적으로 한다. 단, 첫 백신 시점에 혈청학적 뎅기바이러스 양성인 사람들에게만 권고한다. 매개 모기인 *Aedes aegypti*의 분포 확산에 따라, 뎅기바이러스 감염은 증가하고 있어 유행지역에서 낮에 모기에 물리지 않도록 노력하는 것이 중요한 예방법이다.

참고문헌

1. Behrens RH, Roberts JA. Is travel prophylaxis worth while? Economic appraisal of prophylactic measures against malaria, hepatitis A, and typhoid in travellers. Bmj 1994;309:918.
2. Brunette GW, Centers for Disease Control (U.S.). CDC health information for international travel?: the yellow book 2018. Oxford University Press; 2017.
3. Costas L, Vilella A, Trilla A, et al. Vaccination strategies against hepatitis a in travelers older than 40 years: An economic evaluation. J Travel Med 2009;16:344-8.
4. Davis CE. The international traveler's guide to avoiding infections. Johns Hopkins University Press; 2012.
5. Feasey NA, Dougan G, Kingsley RA, et al. Invasive non-typhoidal salmonella disease: An emerging and neglected tropical disease in Africa. Lancet 2012;379:2489-99.
6. Freedman DO, Chen LH, Kozarsky PE. Medical Considerations before International Travel. N Engl J Med 2016;375:247-60.
7. Glidewell J, Olney RS, Hinton C, et al. State Legislation, Regulations, and Hospital Guidelines for Newborn Screening for Critical Congenital Heart Defects - United States, 2011-2014. MMWR Morb Mortal Wkly Rep 2015;64:625-30.
8. Harris JB, LaRocque RC, Qadri F, et al. Cholera. Lancet 2012;379:2466-76.
9. Steffen R, Hill DR, DuPont HL. Traveler's Diarrhea. JAMA 2015;313:71.
10. Thwaites GE, Day NPJ. Estudio de fiebre en el viajero. N Engl J Med 2017;6:548-60.

Chapter

42

군 입대자

국군수도병원 **오홍상**
전북대학교 의과대학 **이창섭**

1 대한감염학회 권장 군 입대자 예방접종

가. 질환에 따라 필요성이 강조되는 백신: 인플루엔자, A형간염, 수막알균, 파상풍-디프테리아 혼합백신(Td) 또는 성인용 파상풍-디프테리아-백일해 혼합백신(Tdap)

나. 일반적인 권고 기준에 따라 접종하는 백신: 폐렴사슬알균, B형간염, 수두, 홍역-볼거리-풍진 혼합백신(MMR)

2 현역 군인에게 투여하고 있는 백신

가. 입대하는 신병에게 일괄 투여하고 있는 백신

1) 파상풍-디프테리아-백일해 혼합백신: 군에 입대하는 모든 신병을 대상으로 성인용 파상풍-디프테리아-백일해 혼합백신 (Tdap)을 1회 접종하고 있음

2) 수막알균백신: 2012년부터 군에 입대하는 모든 신병들에게 4가 백신을 1회 접종하고 있음

3) A형간염백신: 2015년부터 군에 입대하는 모든 신병들에게 1회만 접종을 하고 있으며, 면역원성을 고려하여 군 입대 전에 1차 접종하는 것이 도움이 될 수 있음

4) 홍역-볼거리-풍진 혼합백신: 2012년부터 군에 입대하는 모든 신병들에게 1회 접종하고 있음

5) 인플루엔자백신: 2015년부터 동절기(10월-다음 해 2월)에 입대하는 신병을 포함하여 전 군인들에게 접종하고 있음

나. 상황에 따라 투여하는 백신

1) 한탄바이러스 백신: 1993년도부터 위험도에 따라 선택적인 접종을 하고 있으며, 최근 3년간 환자가 발생한 부대에 근무하는 군인들을 대상으로 접종하고 있음(총 4회 접종 : 0, 1, 2, 12개월)

2) 장티푸스백신: 부대에 배치된 후 식품취급업무, 급수시설업무에 종사하는 군인에게 장티푸스 Vi 다당류 백신을 1회 접종하고 있음

3) 공수병백신: 군견에게 동물용 광견병백신을 접종하고 있으며, 군인들에게는 노출 후 예방 조치로 백신을 접종함

3 현역 군인에게 투여를 고려할 수 있는 백신

가. B형간염백신: 항체 검사 후 음성이면 투여를 고려할 수 있음

나. 수두백신: 입대 전 4-8주 간격으로 2회 접종 고려할 수 있음

4 주의 및 금기사항

– 해당 없음

1. 감염병과 군대의 특수성

역사적으로 전쟁터에서 외상으로 사망하는 군인보다 불결한 전장의 환경으로 감염병에 의해 사망하는 군인이 더 많았다. 정밀 타격전, 사이버전 등 현대 전쟁의 양상이 변했고 의학이 발달하여 예방이 가능한 감염병의 수가 많아졌지만 여전히 군대에서 감염병은 중요한 문제이다. 군인의 건강은 곧 전쟁에서의 전투력이고 국가의 흥망성쇠와 연결되기 때문이다.

군대는 주로 건장한 젊은 성인 남성들로 구성된 집단이어서 다른 연령이나 여성에 비해 질병이 상대적으로 적긴 하나 아래와 같은 군대의 특수성으로 몇 가지 감염병들이 문제가 되는 경우가 많다.

- 입대 후 같은 공간에 머물며 밀접한 접촉이 이루어지는 단체 생활을 하게 되므로, 입대 전에는 접하지 못했거나 면역력이 없는 미생물에 노출되면서 다양한 감염병에 걸릴 위험이 있다. 호흡기 또는 비말 전파를 하는 홍역, 수두, 백일해, 결핵, 인플루엔자, 수막알균 감염 등이 문제가 되며, 대변-경구 전파에 의한 A형간염과 옴, 사면발니와 같은 접촉성 질환들도 문제가 된다.

- 단체로 공동 급식을 하고 있어 수인성이나 식품매개 감염병이 공동 매개물을 통해 전파 및 유행할 수 있다. 그리고 상수 시설이 완비되지 않은 최전방의 군부대에서 안전한 상수를 공급받기 어려워 수인성 감염병이 발생할 수 있다.

- 군 입대를 전후로 전혀 낯선 환경에서 생활을 해야 하므로 육체적, 정신적으로 심한 스트레스를 받게 된다. 이에 따라 결핵이나 대상포진과 같은 잠복 감염이 재발 가능성이 높아진다.

- 전쟁이라는 최악의 조건을 항상 전제로 해야 하므로 군인들은 극한의 훈련 상황을 견디어야 하며, 해외파병이나 재난지역에서 대민지원과 같이 적절한 위생 상태를 유지하기 어려운 상황에도 근무를 하게 된다. 숲이나 들판에서 야외 훈련이나 경계 근무를 하는 경우가 많으므로 파상풍, 곤충 매개 감염병(쯔쯔가무시병, 홍반열 리케치아증, 라임병, 들토끼병, 중증 혈소판 감소 증후군), 인수 공통 감염병(공수병, 신증후군 출혈열, 렙토스피라증) 등에 걸릴 위험이 있다. 또 육체적 활동이 많아 땀을 많이 흘리게 되는 데 비해 군복이나 군화 때문에 땀 배출이 쉽지 않아서 무좀, 완선, 어루러기와 같은 피부 곰팡이 질환이 많으며, 훈련 중의 사소한 외상이 피부연조직 감염으로 진행하는 경우가 흔하다.

- 대부분 20대 초반의 건강한 성인들이어서 질병을 앓아 본 경험이 적으므로 심각해질 수 있는 질병이 발생하여도 초기 증상을 대수롭지 않게 생각할 가능성이 있다. 한편, 힘든 훈련을 피하기 위해 이른 바 '꾀병'을 호소하는 군인들이 간혹 있어, 실제로 아픈 환자들이 초기 대처가 늦어지는 피해를 볼 수도 있다. 20대는 성 매개 질환이 가장 많이 발생하는 나이이므로 군인들도 예외는 아니다.

- 북한에서 무기화하여 보유하고 있는 것으로 추정하고 있는 탄저, 두창, 페스트 등 생물학 작용제에 의한 생물학전이나 생물학테러의 가능성도 있다. 생물학전/테러는 언제 발생할지를 예측할

수 없으며, 실제 발생할 경우 단기간에 다량의 백신이나 예방약이 필요하게 되어 평소 군에서 백신과 예방약의 비축과 보관에 많은 예산을 투입하고 있다.

- 성장 과정이나 환경이 다른 다양한 사람들이 입대하게 되므로, 과거에 앓았던 질병이나 예전에 받았던 예방접종력이 다르고 개인위생에 대한 개념들도 제각각이어서 질병에 대한 예방대책을 세우고 시행하기가 쉽지 않다.

군대에서의 보건정책이나 보건관련 통계는 우리나라의 전체적인 보건 정책에도 매우 중요한 영향을 미친다. 우리나라 대다수의 남성이 군복무를 하고 있고 전역 후에 사회로 편입되고 있어, 군에서의 예방접종을 통해 전 국민의 집단 면역효과를 기대할 수 있기 때문이다.

이러한 중요성이 있어 현재 군에서는 질병관리본부, 민간 감염 전문가 등이 참여하는 '군 예방접종심의위원회'를 매년 개최하여 예방접종 대상이나 접종 시기를 결정하고 있다. 특히 2011년 육군훈련소에서 발생한 수막구균 감염 유행으로, 군대에서의 예방접종의 중요성과 예방접종을 점차 확대하는 정책이 세워졌다.

군대에서의 예방접종은 현재 시행하고 있는 종류와 필요도에 따라 3가지로 구분할 수 있다. 첫째로 현재 군인들에게 투여하고 있는 예방접종이다. 입대하는 모든 신병을 대상으로 투여하고 있는 예방접종이 있고, 적응증에 따라 투여하는 예방접종이 있다. 효과적인 백신이 개발되어 있지 않아 고위험군을 대상으로 예방적으로 항생제를 투약하는 화학예방요법이 있다. 두 번째로는 군인들에게 투여를 고려할 수 있는 예방접종이 있다. 마지막으로는 해외파병과 같이 지역적인 특성에 따라 추가적으로 필요한 예방접종이 있으나 이는 '해외여행자를 위한 예방접종'을 참고하기 바란다.

2. 입대하는 신병에게 투여하고 있는 예방접종

1) 파상풍백신

(1) 배경

파상풍은 파상풍균(*Clostridium tetani*)이 생산하는 신경 독소인 테타노스패스민(tetano-spasmin)이 신경계를 침범하여 근육의 긴장성 연축을 일으키는 질환으로, 신경 독소는 사람에서 10^{-5} mg/kg 정도의 극소량만으로도 치명적이다. 파상풍균은 동물의 정상 집락균으로 배설물을 통해 주변 환경을 오염시키며, 포자상태로 있으므로 계속 환경에 남게 된다. 이 상태에서 피부나 점막의 상처를 통해 사람의 몸 안으로 들어오는데, 특히 녹슨 못에 의한 깊은 관통상이나 조직 괴사를 일으킨 상처에서 흔히 발생한다. 동물에게 물려서 감염되기도 하며 외견상 보이지 않을 정도의 작은 상처를 통해 발생할 수도 있다. 군인들은 특히 야외에서 상처가 많이 생기는데, 야외의 토양은 야생동물의 분변으로 오염되어 있으므로 같은 상처라도 야외에서 생긴 상처가 더 파상풍의 위험이 높을 수 있다. 또한 전쟁 중에는 사소한 상처는 관리가 잘되지 않으므로 파상풍 예방접종은 꼭 이루어져야 한다.

(2) 효과

파상풍-디프테리아 혼합백신(Td) 혹은 성인용 파상풍-디프테리아-백일해 혼합백신(Tdap)에 포함되어 있는 파상풍 톡소이드는 파상풍 예방에 효과적이다. 100%의 방어면역생성 및 임상적 효과가 확인되었다. 현재 국내에서 사용되는 Td 혹은 Tdap 백신에 포함되어 있는 정도의 파상풍 톡소이드 양이라면 90% 이상의 접종자에서 10년 이상 보호항체가 유지된다.

(3) 접종 대상과 시기

3차 군병원에서 전향적으로 조사한 자료에 따르면 응급실을 방문한 군인 환자들의 91%가 파상풍 항체를 가지고 있었다. 이는 군에서 1975년경부터 파상풍 단독백신(Tetanus Toxoid, TT, 2011년까지만 접종)을 투여했었기 때문이다. 현재는 성인용 파상풍-디프테리아-백일해 혼합백신(Tdap)을 입대하는 모든 군인들을 대상으로 접종하고 있다.

국가예방접종 지침에 따르면 청소년 및 성인에 대한 파상풍 예방접종은 한번은 Tdap으로 접종하되, 가능한 만 11-12세에 Tdap을 접종하고 이후 10년마다 Td접종을 추천하고 있다. 이 지침은 2010년부터 시작되었기에 현재 입대하는 대부분의 군인들이 Tdap접종을 받지 않았을 가능성이 높아 2013년부터는 Td에서 Tdap으로 변경되었다. 이와 같이 입대와 동시에 일괄접종을 하기 때문에, 입대 전에는 Td 혹은 Tdap백신을 접종하지 않는 것이 좋겠고 제대 후에는 10년마다 Td백신을 접종받는 것이 좋겠다. 군 예방접종의 효과로 2010년 이후로 군내 파상풍은 연간 3건 이내로 보고되고 있다.

2) 백일해백신

백일해는 성인에서 치명적인 질병은 아니지만 만성 기침을 일으키고, 호흡기를 통해 감염되므로 집단생활을 하는 군인에서 발생할 가능성이 높다. 선진국에서 젊은 성인(11-19세)에서 백일해 발생이 늘고 있는데, 백신에 의한 방어면역의 감소와 자연감염의 기회가 적은 것을 주요 이유로 보고 있다. 국내에서도 학교 기숙사나 조리원 등에서 소규모 발생이 2-3년 간격으로 반복되고 있다. 지금 군 입대자들이 대부분 어릴 때 백일해 백신을 접종받았겠지만, 입대 연령을 감안했을 때 10년이 넘어 백신에 의한 방어를 기대하기는 어려워 Tdap백신을 도입한 것이다.

3) 수막알균백신

(1) 배경

수막알균(*Neisseria meningitidis*)은 인간이 유일한 숙주이며, 정상인의 비인두 점막에 있는 집락균이다. 대개는 비병원성 혈청군이나, 병원성 혈청군의 경우 수막염(meningitis), 패혈증(meningococcemia)과 같은 중증 감염을 일으킬 수 있다. 이 경우 사망자의 절반이 첫 증상이 생긴 지 24시간 이내에 사망할 정도로 매우 빠른 속도로 진행할 수 있고 치사율이 높다. 또한 생존자 중에서도 후유증으로 청력 소실, 신경학적 장애, 사지 절단과 같은 심각한 신체장애를 남길 수 있는 무서운 질병이다.

수막알균 감염병은 젊은 성인에서 많이 발병하는 것으로 알려져 있다. 20세 전후의 젊은 성인들 중에서도 특히 군에 갓 입대한 신병에서 많이 발생한다. 그 이유는 고위험 연령대라는 점뿐만이 아니라, 여러 지역에서 모인 젊은이들이 밀집된 공간에서 집단생활을 하며 감염되기 때문이다.

미군에서는 1971년부터 혈청군 C에 대한 단가 다당류백신을, 1978년부터는 혈청군 A와 C에 대한 2가 다당류 백신을 도입하였고 1982년부터는 A, C, Y, W-135 혈청군을 포함하는 4가 다당류백신을 모든 신병을 대상으로 접종하고 있다.

국내의 발생상황은 정확한 조사가 없어 알기는 어렵지만 대략 매년 10명 이하의 환자가 발생하고 있다. 우리나라에서도 군인들은 역시 고위험 집단에 속한다. 국군수도병원에서 2000년 8월부터 2001년 7월까지 1년간 전향적으로 조사한 자료에서는 수막알균 감염병의 발생률을 군인 10만 명당 2.2건(95% 신뢰구간, 1.3-3.8)으로 추정하였으며, 이는 미국 기숙사 거주 대학생들의 발생률인 10만 명당 2.2건과 유사한 수준이었다. 이 연구에서 1년 동안 총 12명의 환자가 발생하였고 이 중 2명이 사망하였는데, 혈청군 확인이 가능하였던 4명에서는 혈청군 C가 3명, A가 1명이었다. 2011년 4월 육군훈련소에서 집단 발병한 수막알균 감염 환자 4명은 W-135 혈청군에 의한 것으로 확인되었다.

(2) 효과

수막알균백신에는 다당류백신(polysaccharide vaccine)과 단백결합백신(protein conjugate vaccine)이 있다. 세균의 다당류가 T 세포 비의존형 항원(T-cell independent antigen)이어서 다당류백신은 면역기억 반응(anamnestic response)을 유발하지 않으므로, 면역력이 오래 지속되지 못하며 군집면역(herd immunity)에도 기여하기가 어렵다는 단점이 있다. 이에 다당류를 T-세포 항원결정인자(epitope)를 포함하는 단백 운반체(protein carrier)와 공유결합(covalent coupling)시켜 만든 단백결합백신이 나오게 되었다. 단백결합백신은 영국에서는 1999년부터, 미국에서는 2005년부터 식품의약국에서 허가를 하여 사용하고 있다. 단백결합백신은 다당류백신보다 혈청 살균력이 높고 비인두 보균율을 떨어뜨려, 군집면역 효과를 통해 백신을 접종받지 않은 사람들도 보호해 주는 부가적인 이득을 얻을 수 있다.

(3) 접종 대상과 시기

수막알균 감염병은 매우 치명적인 질병이며 군인들은 잘 알려진 고위험군이므로, 2012년부터 입대하는 모든 군인들을 대상으로 예방접종을 하고 있다. 기존의 국내 연구에서 혈청군 A와 C가 확인되었고(2000-2001년 군 자료), 2011년 육군훈련소에서 집단 발병한 수막알균 감염 환자들이 혈청군 W-135에 의한 것으로 확인되었기에 4가 단백결합백신을 도입하였다. 단백결합백신은 접종 5년 후 50% 내외에서 혈청 항체가 유지되어 복무 기간이 2년인 군인에게 개개인을 보호한다는 목적으로는 충분하다.

4) A형간염백신

(1) 배경

A형간염바이러스(Hepatitis A virus, HAV)에 감염된 환자의 대변으로 바이러스가 배출되고 경구 전파에 의해서 다른 사람에게 A형간염이 전파된다. A형간염은 소아에서는 증상이 미미하지만, 성인에서 발병하는 경우 더 위중한 경과를 보일 수 있다. 특히 단체급식과 집단생활을 하는 군대의 특성으로 인해 집단발생의 가능성이 항상 있다. 2000년 1월부터 2004년 12월까지 국군의무사령부로 신고된 자료를 분석한 연구 결과에 따르면 급성 A형간염의 군인 10만 명당 발생건수는 2000년 7.4건, 2001년 1.6건, 2002년에 4.4건, 2003년 9.8건, 2004년에 6.2건이라고 하였다. 예방접종이 부분적으로 도입된 2013년부터 모든 군인으로 확대된 2016년까지 조사한 자료에 따르면 군인 10만 명당 발생건수는 1.48건이다.

(2) 효과

현재 사용 중인 A형간염백신은 세포 주에서 배양한 HAV를 포르말린으로 불활성화하여 제조한다. A형간염 백신은 2회 접종하면 정상 성인에서 100%에 가까운 항체 양전율을 보이며, 95% 이상의 간염 예방효과가 있다. 백신에 의해 생성된 항체는 10년(추정하기로는 20년 이상) 이상 지속되며, 항체 역가가 낮아져도 간염을 예방할 수 있어서 추가 재접종은 필요 없다.

(3) 접종 대상과 시기

우리나라는 20대와 30대 인구의 A형간염 항체보유율이 낮은 특징을 보인다. 2001년 1월부터 2008년 5월까지 일개 군병원을 방문한 24세 미만의 군인 602명 중 4.7%만 HAV에 대한 IgG 항체가 있었다. 이와 같이 우리나라 군인에서도 항체 양성률이 낮았다. 이에 2015년 이후 입대하는 모든 군인들에게 예방접종을 1회 하고 있다.

A형간염백신은 근육주사로 2회 접종하는데, 첫 접종 후 6-18개월에 추가접종한다. 추가접종은 항체 지속 기간과 관련이 있다. 1차 접종만 하면 항체 역가가 낮아 지속 기간이 짧은 단점이 있지만, 1차

접종 후 4주가 되면 항체 양성률이 90% 이상이 되고 일단 항체가 만들어지면 설령 감염이 되더라도 임상 양상이 가볍게 나타날 가능성이 있다. 현재 군에서는 1차 접종만 하고 있으므로, 첫 접종 후 6-18개월 사이에 휴가 등으로 병원에 방문을 할 수 있을 때 2차 접종을 고려할 수 있다.

5) 홍역-볼거리-풍진 혼합백신

군 입대자의 일부에서는 홍역, 볼거리, 풍진에 걸릴 수 있다. 이들은 호흡기 비말이나 공기 전파로 감염되므로 집단생활을 하는 군대에서는 유행의 가능성이 있다. 국가예방접종에 의해 1995년 출생자부터 2회의 홍역-볼거리-풍진 혼합백신을 접종하기 시작하였다. 현재 입대한 군인들은 이 2회 접종을 대부분 받은 상태이나, 학교 등 밀집한 환경에 있는 젊은 성인들 사이에서 지속적으로 볼거리 발생이 보고되고 있다. 이에 2011년도부터 입대하는 모든 군인들을 대상으로 예방접종을 1회 시행하고 있어, 최대 3차 홍역-볼거리-풍진 백신을 맞을 수 있다.

6) 인플루엔자백신

건강한 젊은 성인은 인플루엔자 예방접종의 우선 대상은 아니지만, 인플루엔자백신은 원하는 사람은 누구나 받아도 비용-효과적으로 우수한 백신이므로 원한다면 접종이 가능하다.

우리나라 질병관리본부에서는 1997년부터 인플루엔자 표본감시를 시작하였고, 2000년 전염병 예방법 개정으로 3군 법정전염병에 지정된 후 표본감시를 전국적인 규모로 확대하여 시행하고 있다. 이 표본감시 결과에 따르면 12월부터 1월이 인플루엔자의 주된 유행시기이며 4-5월에 유행이 발생하기도 한다.

이런 역학적인 자료에 근거하여 2005년부터 10월에서 2월 사이(동절기)에 입대하는 신병들이 접종받을 수 있도록 하고 있으며, 접종률은 대략 85% 정도이다. 그러나 인플루엔자는 입대하는 신병에서만 문제되는 것이 아니므로 2015년 이후로 전체 군인으로 확대하여 매년 접종하고 있다.

3. 상황에 따라 투여하는 백신

1) 한탄바이러스 백신

(1) 배경

한탄바이러스(Hantaan virus)는 급성 발열질환인 신증후군 출혈열(hemorrhagic fever with renal syndrome, HFRS)을 일으킨다. 주로 야생에서 서식하는 등줄쥐(*Apodemus agrarius*)가 원인 바이러스를 옮기는데, 쥐의 배설물(요, 타액, 대변 등)로 배출된 바이러스가 건조되어 호흡기를 통해 사람에 감염되는 것으로 알려져 있다.

국내에서 연중 발생하나 대부분이 10-12월까지의 대유행기에 발생되고 있고, 5-7월의 소유행기는 점차 없어지고 있다.

예전에는 군인들도 고위험군에 속했으나 현재는 발생률이 크게 줄었다. 2012년 28명, 2013년 45명, 2014년 32명, 2015년 52명, 2016년 31명 정도의 환자가 발생하였다.

(2) 효과

국내에서는 불활화 한탄바이러스 백신인 한타박스(Hantavax®)가 사용되고 있으며, 전향적 임상 연구 결과가 아직 없어 효과에 대해서는 이견이 있다. 2002-2004년 군인 대상 환자-대조군 연구에서 백신의 효과를 증명하지 못하였지만, 군대에서의 백신접종을 신증후군 출혈열을 감소시키고 있는 원인의 하나로 꼽기도 한다. 그 외 기후 변화 등 다른 원인들도 영향을 미쳤을 것으로 추정하고 있다.

(3) 접종대상과 시기

확립된 적응증은 없으나 사용한다면 신증후군 출혈열 다발지역에서 야외 활동이 많은 군인들에게 백신접종이 필요하다. 군대에서는 1993년부터 접종을 시작했으며, 현재 접종 대상은 3년간 신증후군 출혈열 확진 환자가 발생한 부대에 복무 중인 모든 군인들이다. 환자가 발생한 훈련장에서 등줄쥐 채집 활동을 통해 등줄쥐 및 환자에서 동일한 바이러스가 확인된 경우, 해당 훈련장을 사용하는 부대의 군인들에게도 접종을 하고 있다. 접종은 0, 1, 2, 13개월에 걸쳐 4회 접종하며 0.5 mL를 근육주사한다.

2) 장티푸스 백신

(1) 배경

장티푸스는 *Salmonella Typhi* 에 의한 전신 감염증이다. 과거에는 국내에서도 흔했던 질병이었지만 현재는 위생 상태가 좋아지면서 장티푸스 발생이 줄어 접종을 받을 정도는 아니고, 대부분 사람들은 면역이 없다. 장티푸스는 사람만이 보균자이며, 보균자의 대변을 통해 나온 균이 상수나 음식을 오염시켜 다른 사람을 감염시킨다. 보균자에 대한 검색 및 치료가 되지 않고 상하수처리가 불량한 지역에서 발생하는 질환이다.

(2) 효과

주사용 백신으로 장티푸스균의 Vi 항원만을 추출한 다당류백신(Typhoid Vi polysaccharide antigen vaccine)이 있다. 다른 백신이나 항생제와 동시에 투여해도 면역성에는 차이가 없다. 접종 후 10일 후부터 70-80%의 예방 효과가 있다.

(3) 접종대상과 시기

　군대에서는 식품취급업무에 종사하는 군인에게 장티푸스 Vi 다당류 백신을 1회 접종하고 있다. 음식물을 다루는 군인(취사병, 부식 관리병, 급수시설 관리병 등)들이 장티푸스에 걸리지 않게 하여 보균자가 되지 않도록 하는 조치 차원에서 접종이 이루어지지만, 장티푸스 백신이 보균자 발생을 예방하거나 치료하는 것은 아니다. 그러므로 예방접종으로 장티푸스를 예방하는 것보다 조리에 종사하는 사람의 설사병 유무를 확인하고 이에 대한 관리조치 등을 강화하는 방법을 병행하는 것이 더욱 현실적이고 적절한 조치일 수 있다. 단, 개발도상국 등 해외 파병 군인의 경우에는 장티푸스 백신접종이 필요한 경우가 많다.

3) 공수병백신

(1) 배경

　공수병은 광견병에 걸린 가축, 야생동물 등의 타액을 통해 Rabies virus가 전파되어 발생하는 인수공통질환이며, 일단 발병하면 대부분 사망하는 치명적인 질환이다. 광견병은 과거 국내에서도 종종 발생하던 병이었으나, 1950년도부터 가축에게 광견병백신을 사용하면서 점차 발생이 감소하였다. 경기도 연천, 포천, 동두천, 파주와 강원도의 철원, 화천, 인제, 양구와 같은 전방지역의 야생동물(너구리 등)에서 주로 발생해 왔고 2014년 이후로 국내 발생 사례는 없다.

　사람에게 발병한 경우는 질병관리본부 자료에 따르면 경기도 포천에서 2003년에 60세 남자가 개에 물린 후, 2004년 경기도 고양에서 72세 남자가 개에 물린 후 발병한 사례가 있었다.

(2) 효과

　현재 사용하는 공수병백신은 효과가 좋으나 물리기 전에 공수병 백신을 접종받았어도 광견병이 의심되는 동물에 물렸으면 즉각 치료를 받아야 한다. 백신은 공수병을 예방하는 것이 아니고, 물린 후 치료를 간단하게 한다. 광견병이 의심되는 동물에 물린 경우, 이전에 백신접종을 했었다면 2회(물린 직후 가능한 신속히 1회, 3일 후 2번째) 접종이면 충분하나 이전 접종력이 없다면 면역글로불린과 함께 4회(0일, 3일, 7일, 14일) 백신 접종이 필요하다. 단, 노출 후 면역글로불린을 접종하지 않았거나 면역저하자인 경우 총 5회(0일, 3일, 7일, 14일, 28일) 공수병 백신을 접종받아야 한다.

(3) 접종 대상과 시기

　군대에서는 군견에게 연 1회 광견병 예방접종을 시행하고 있고, 고위험군에 속하는 군인(해외파병 수의장교 등)에게만 공수병백신을 접종하고 있다. 우리나라는 광견병 발생률이 낮으므로 광견병이 발생하였던 지역이라고 하여 군인들에게 일률적으로 접촉 전 백신을 접종할 필요는 없으나, 광견병이 발생하였던 지역에서 의심 동물에 의한 교상 사고가 발생하면 면역글로불린 치료와 접촉 후 예방접종을 고려해야 한다. 광견병 위험지역 인근 군 병원에서는 광견병에 대한 노출 후 치료에 대비하여 면역글로불린과 백신을 보유하고 있다.

4. 화학예방요법이 필요한 감염병

1) 말라리아

(1) 배경

우리나라에서 말라리아는 1970년대 이후 급격히 감소하여 1984년 이후 환자 발생이 없었다. 그러나 1993년 경기도 파주의 현역 군인에서 삼일열 말라리아가 다시 처음으로 발견된 이후 주로 전방 지역을 중심으로 해마다 급격히 증가하였다.

*Plasmodium vivax*에 의한 삼일열 말라리아는 열대열 말라리아에 비해 합병증이 생기거나 사망하는 경우가 드물고 치료가 잘 되지만, 군대에서는 전방 지역에서 한 해에 수 천 명의 환자가 발생하면서 전투력 손실의 우려가 있어 1997년부터 위험지역의 군인들에게 화학예방요법을 시행하고 있다. 한 해에 356명이 발생하였던 1996년까지는 전방지역 중에서도 주로 경기도 서부에 집중되어 있었다. 이에 따라 화학예방요법을 시행하기 시작한 1997년에는 경기도 서부지역에서 환자 발생이 있었던 부대를 중심으로 16,000명의 군인들에게 화학예방요법이 시행되었다. 이후 환자 발생지역이 점차 동쪽으로도 확대되면서 1998년과 1999년 이후로는 경기도뿐 아니라 강원도 동쪽 끝까지 거의 전체 전방 지역에서 환자가 발생하여 한 해에 3,932명까지로 증가하였다. 이에 따라 화학예방요법의 대상이 되는 군부대의 수도 늘어나면서 2002년에는 약 140,000명의 군인들에게 화학예방요법을 시행하기에 이르렀다.

화학예방요법의 효과만이라고 단정하기는 어렵지만 현역과 전역 군인환자 발생이 1998년에 최고 2,782명까지 증가하였다가 이후 점차 감소하여 2016년에는 149명 정도에 이르고 있다. 그동안 대규모로 하이드록시클로로퀸을 투약해왔기에 클로로퀸 내성 말라리아의 출현 가능성에 대해 우려가 있어 왔다. 그동안은 확인된 내성 사례가 없었다가 2009년에 처음으로 내성 사례가 보고되었다. 이와 같은 이유로 2010년부터 점진적으로 투여 대상을 감축하고 있으며 투여 기간도 축소하였다.

(2) 투약 대상과 시기

화학예방요법 대상이 되는 부대의 군인들에게는 해마다 대략 7월 초부터 10월 초까지 하이드록시클로로퀸(hydroxychloroquine sulfate) 400 mg을 1주일에 한 번씩 투약하고, 하이드록시클로로퀸 투약이 끝나면 연이어 프리마퀸(primaquine phosphate) 15 mg을 매일 2주간 투약하고 있다. 장기간으로 다수에게 투여하기에 순응도는 그리 높지 않은 편으로 2006년 6월부터 9월까지 시행된 한 연구에서는 64.7%만이 복용하였다.

군에서는 위험지역에 근무하는 군인들에게 전역 2주 전부터 간에 잠복하고 있는 수면소체(hypnozoite) 활성화를 막기 위해 프리마퀸을 복용시키고 있지만, 전역 후 재발하는 환자들이 빈번하게 생기고 있다. 이는 프리마퀸이 엄격하게 투약이 되고 있지 않기 때문일 것으로 생각된다. 하이드록시클로로퀸의 투약뿐 아니라 프리마퀸도 2주간 끝까지 복용하도록 철저한 관리가 필요하겠다.

2) 렙토스피라증

(1) 배경

렙토스피라에 감염된 설치류 등의 야생동물의 배설물이 야외 토양에 있다가 장마철에 낮은 지대의 논, 늪, 연못 등을 오염시켜 이곳에서 작업하는 사람의 피부 상처를 통해 감염이 된다. 렙토스피라증의 잠복기는 보통 5-14일이고 대부분의 환자는 비황달성으로 감기와 같은 증상을 앓고 자연 치유되는 경우가 많으나 일부에서는 신부전이나 대량의 폐출혈과 같은 위중한 경과를 보일 수 있다.

우리나라에서 환자 발생의 양상은 8월 초부터 시작하여 9-10월에 최고에 이른다. 1984년부터 1987년까지 경기도, 강원도, 전라도에서 약 200-500명가량의 대규모 유행이 있었으나, 1990년 이후 감소하였다가 1998년 이후 다시 증가 추세를 보이며 현재는 연간 약 100명 정도의 환자가 보고되고 있다. 군인들은 대부분 추수기 전에 집중호우나 홍수로 인해 농작물 피해가 많은 해에 대민지원으로 물이 덜 빠진 논에 들어가 작업을 한 후 렙토스피라증에 걸리는 경우가 많다.

(2) 투약 대상과 시기

군대에서는 매해 가을경 대민지원을 나갈 경우 렙토스피라증 등 가을철 발열성 질환 예방 대책을 각급 부대에 권고하고 있다. 우선 작업 전에 논의 물을 완전히 빼도록 협조를 구하게 한다. 군인들에게는 피부가 직접 물에 닿지 않도록 적절한 보호 장구를 착용시키고 작업 직후 손발을 깨끗이 씻도록 교육하고 있다.

이외에도 화학예방요법이 있을 수 있는데, 우리나라에서 렙토스피라증의 발생위험이 예방 약제를 복용할 정도로 높은지에 대해서는 아직 확실한 연구 자료가 없으므로, 필요하다면 투약을 할 수 있다는 정도의 권고를 내고 있다.

화학예방요법으로는 대민지원을 나가기 전날 또는 당일에 독시사이클린(doxycycline) 200 mg을 1회 복용하게 한다. 1주일 이상 지속적으로 대민지원을 나갈 때에는 1주일에 한 번씩 투약할 수 있다.

5. 현역 군인에게 투여를 고려할 수 있는 백신

1) B형간염백신

1995년에 영유아 대상 정기예방접종으로 도입되었기에, 현재 군에 입대하는 연령층은 어릴 때 B형간염백신을 일제히 접종하였을 나이이다. 하지만 혹시 예방접종을 받지 않았다면, 항체검사를 하여 음성인 경우 예방접종을 받으면 도움이 된다. 20대가 되어 B형간염에 걸리면 만성화될 위험은 적지만 급성간염을 예방하는 것만으로도 의미가 있다. 특히 군인에서 급성 B형간염이 걸릴 수 있는 주된 이유 중하나가 성 접촉이기 때문에 군 입대 전 시기가 B형간염백신을 접종할 수 있는 좋은 시기가 될 수 있다.

2) 수두백신

2005년 이후 국가예방접종 대상으로 선정되어, 현재 병역을 이행하는 20대 초반 청년들의 접종률은 그리 높지 않을 것으로 보인다. 군에서 연간 100여 명 내외의 수두 환자가 발생하고 있으며, 이는 돌파감염(break through infection) 또는 자연 감염으로 판단된다. 현재 군대에서는 수두 예방접종을 하지 않고 있어 입대 전 4-8주 간격으로 2회 접종을 고려해볼 수 있겠다.

참고문헌

1. Artenstein AW. Vaccines for military use. Vaccine 2009;27 (Suppl 4):D16-22.
2. CS Lee, KS Kwon, DH Koh, et al. Declining Hepatitis A Antibody Seroprevalence in the Korean Military Personnel. Jpn J Infect Dis 2010;63:192-4.
3. Heo JY, Choe KW, Yoon CG, et al. Vaccination policy in Korean armed forces: current status and future challenge. J Korean Med Sci 2015;30:353-9.
4. Kang CI, Choi CM, Park TS, et al. Incidence and seroprevalence of hepatitis A virus infections among young Korean soldiers. J Korean Med Sci 2007;22:546-8.
5. Kim CK, Shin JH. Qualitative analysis of the tetanus antibody in Korean Army personnel after visiting a tertiary armed forces hospital. J Korean Soc Traumatol 2007;20:65-71.
6. Lee KS, Kim TH, Kim ES, Lim HS, Yeom JS, Jun G, Park JW. Short report: chloroquine-resistant Plasmodium vivax in the Republic of Korea. Am J Trop Med Hyg 2009;80:215-7.
7. Lee SO, Ryu SH, Park SJ, Ryu J, Woo JH, Kim YS. Meningococcal disease in the Republic of Korea Army: incidence and serogroups determined by PCR. J Korean Med Sci 2003;18:163-6.
8. Lee SO. Meningococcal vaccine. Hanyang Med Rev 2008;28:70-6.
9. Park JW, Jun G, Yeom JS. Plasmodium vivax malaria: status in the Republic of Korea following reemergence. Korean J Paracytol 2009;47 (Suppl):S39-50.
10. Park Y, Lee H, Lee Y, Hwang J, et al. Seroprevalence of Mumps and Seroconversion Rate after MMR Vaccination in ROK Army. Koean J Mil Med Assoc 2012;43:29-34.
11. Vizzotti C, González J, Gentile A, Rearte A, Ramonet M, Cañero-Velasco MC, Pérez Carrega ME, Urueña A, Diosque M, Impact of the single-dose immunization strategy against hepatitis A in Argentina. The Pediatr Infect Dis J 2014;33:84-8
12. YJ Jim, CS kim, IH Park, et al. Short Report : Therapeutic Efficacy of Chloroquine in Plasmodium vivax and the pvmdr1 Polymorphisms in the Republic of Korea Under Mass Chemoprophylaxis. Am J Trop Med Hyg 2011;84:532-4.
13. YM Jo, SM Bae, YH Kang. Cluster of Serogroup W-135 Meningococcal Disease in 3 Military Recruits. J Korean Med Sci 2015;30:662-5.

의료기관종사자

이화여자대학교 의과대학 **김충종**
이화여자대학교 의과대학 **최희정**

대한감염학회 접종 권장대상과 시기

- B형간염: 0, 1, 6개월 3회 접종 후 항체검사 필요
- 인플루엔자: 매년 접종
- 홍역-풍진-볼거리: 홍역-볼거리-풍진 혼합백신 2회(홍역 혹은 볼거리 항체 음성이면 2회 접종)
- 수두: 0, 4-8주 2회 접종
- A형간염: 0, 6-18개월 2회 접종
- 파상풍-디프테리아-백일해: 성인용 파상풍-디프테리아-백일해 혼합백신(Tdap)으로 1회 접종, 10년마다 파상풍-디프테리아 혼합백신(Td) 추가접종

국내의 의료기관종사자에게 추천되는 백신

백신	면역력의 증명	적응증	투여	주요 금기
B형간염백신	항체양성; 적절한 스케줄로 3회 백신접종 받은 자	혈액 및 체액에 노출될 위험이 있는 모든 의료기관종사자	1.0 mL 근주 0, 1, 6개월; 항체 생성되면 추가 접종 불필요	제빵 효모에 아나필락시스 과거력
인플루엔자백신	매년 예방접종 필요	모든 의료기관종사자	0.5 mL 근주	계란 알레르기 과거력
A형간염백신	항체 양성	20-30대 의료기관종사자	1.0 mL 근주 0, 6-18개월	백신 성분 과민반응
홍역-볼거리-풍진 혼합백신	의사가 실험실 검사를 통해 홍역으로 진단한 과거력; 항체 양성; 과거 백신접종 (생백신으로 홍역-볼거리-풍진 혼합백신 2회 접종)	모든 의료기관종사자	0.5 mL 피하 2차 접종은 적어도 1개월 뒤	임신; 젤라틴이나 네오마이신에 아나필락시스 과거력; 면역저하자; 최근 (11개월 이내) 면역글로불린 투여자
수두백신	과거 감염력 혹은 항체양성; 13세 이상에서 과거 1개월 이상 간격으로 2회 접종	모든 의료기관종사자		임신; 젤라틴이나 네오마이신에 아나필락시스 과거력; 면역저하자; 최근 (11개월 이내) 면역글로불린 투여자 접종 후 6주간 살리실레이트 사용 금기

파상풍-디프테리아-백일해 혼합 백신	최근 10년 이내 백신 접종력	모든 의료기관종사자		파상풍, 디프테리아 톡소이드 성분에 대해 중증 알레르기력, 접종 전 7일 이내 원인 모르는 급성 뇌병증

1. 배경과 필요성

의료기관종사자란 의사, 간호사, 응급실 직원, 치과 근무자와 학생, 의과대학생, 간호대학생, 검사실 직원, 병원 자원봉사자, 그리고 병원행정직원 등을 포함한다. 의료기관종사자의 예방접종은 두 가지 측면에서 그 목적이 있는데, 첫째, 면역력을 만들어 환자와 접촉 시 노출될 수 있는 다양한 감염원에 대해 보호하는 것과 둘째, 의료기관종사자들에 대한 예방접종으로 환자에게 병원체가 전파되는 위험을 줄이는 것이다. 의료기관종사자의 경우 전염병에 걸리게 되면 의료기관 근무에 문제가 발생할 수 있을 뿐 아니라 환자나 다른 의료진에게 전파시킬 수 있고 원내 집단감염까지 일으킬 수 있어 백신으로 예방이 가능한 병에 대하여 미리 면역력을 갖도록 하는 것이 중요하다. 따라서, 의료기관종사자의 예방접종은 직업 건강프로그램의 일부로 포함되어야 한다. 의료기관종사자가 백신으로 예방 가능한 병에 면역력이 있는지를 확인하는 것은, 성인에서 감염되었을 때 심각한 합병증을 가져올 수 있는 감염(예; 풍진, 수두, B형간염)으로부터 의료기관종사자를 보호하기 위해 필요하며, 환자에게 감염시킬 수 있는, 특히 면역저하환자에게 심각한 상태를 유발할 수 있는 질환(예; 수두)을 예방하기 위해서도 중요하다.

의료기관에 새로 고용된 모든 의료기관종사자는 일을 시작한지 10일 이내에 백신 예방 가능한 질환에 면역력이 있는지 검사를 받아야 한다. 면역력이 없다면 적절한 예방접종을 받아야 하고 의료기관은 예방접종 전의 혈청검사 필요여부를 비용, 검사의 예민도 및 특이도, 그 지역의 항체 보유율 등을 고려하여 평가한다. 의료기관종사자의 면역 상태는 의무기록으로 보관해야 한다.

2. 일반적 고려사항

지금까지의 원내 전파 자료를 근거로 하여 모든 의료기관종사자에게 추천되는 예방접종 항목은 B형 간염, 인플루엔자, 홍역, 풍진, 볼거리, 수두, 백일해와 국내에서는 A형간염이며 모두 백신으로 예방 가능하다. 여기에서 의료기관종사자의 범위는 직접 환자진료에 관계하는 고용인(의사, 간호사, 치과의사, 호흡기계 치료사, 물리치료사, 영상의학과 기사, 사회사업과 직원, 병원소속 종교인) 및 직접 환자진료 책임은 없는 고용인(영양사, 환경 청소부, 안전요원, 행정직원), 응급실 직원, 협력업체직원, 자원봉사자 등이 포함된다. 일반 성인에게 권고되는 백신들(파상풍, 디프테리아 및 백일해 혼합백신, 폐렴사슬알균 백신, 대상포진백신, 인유두종바이러스 백신)도 의료기관종사자가 이에 해당된다면 접종을 받아야 한다. 실험실 종사자나 의료기관종사자는 특수상황에서는 소아마비 백신, 4가 수막알균백신, BCG, 공수병, 페스트, 장티푸스, 두창, 탄저 백신 등이 필요하다.

그 의료기관종사자가 면역저하자라면 다음 사항을 고려하여야 한다. 첫째, 바이러스 생백신(홍역-볼거리-풍진 혼합백신, 수두, 소아마비, BCG)은 금기이다. 둘째, 일반적으로는 권고되지 않는 백신이 적응증이 된다(폐렴사슬알균백신, 수막알균백신, b형 헤모필루스 인플루엔자백신 등). 셋째, 면역저하자의 예방접종은 더 낮은 항체반응을 보이기 때문에 더 많은 항원량을 사용하거나 혹은 추가접종이 필요할 수 있다. 또한 접종 후 항체 검사가 필요할 수 있다(예; 신부전 환자의 B형간염백신).

임신한 근무자는 이론적으로 예방접종에서 오는 위험이 있기 때문에, 예방접종의 이득이 이상반응보다 많을 때 특히 질병노출의 위험이 높을 때, 감염 시 산모나 태아에 위험을 줄 수 있을 때, 백신이 임신부나 산모에게 유해하지 않은 것이 확인되었을 때에는 예방접종이 필요하다. 이상적으로는 가임 연령의 여성은 임신 이전에 풍진, 홍역, 볼거리, 수두, 파상풍, 디프테리아, 백일해, A형간염, B형간염에 대한 면역력이 있어야 한다. 특히, 태아에 대한 영향 때문에 풍진에 대한 면역력은 항체검사를 통해 확인해 놓는 것이 필요하다. 임신한 의료기관종사자는 임신 27-36주에 성인용 파상풍-디프테리아-백일해 혼합백신(Tdap)을 맞도록 한다.

모든 의료기관종사자는 백신접종 전 금기에 해당하는지 확인이 필요하다. 즉 이전에 백신이나 백신 성분에 아나필락시스 과거력이 있으면 금기이다. 그러나 가족 중 임신부가 있거나 모유 수유, 이전 백신 접종시의 국소 동통, 40.5℃ 미만의 발열이 있었던 경우는 금기가 아니다. 또한, 현재 항생제 치료 중(경구용 장티푸스백신은 예외임), 최근 질병에서 회복한 경우, 백신 이외의 다른 알레르기력(neomycin 알레르기는 홍역-볼거리-풍진 혼합백신 사용시 금기)은 금기가 아니다. 그리고 백신 알레르기의 가족력이나 경련의 가족력은 금기에 해당하지 않는다.

3. 노출 후 예방

전염병에 노출되었을 가능성이 있는 모든 의료기관종사자는 의료기관의 직업건강 프로그램에 의해 검사 받아야 하며 업무를 제한할지를 판정해서 다른 환자나 의료진에게 이차 감염이 발생하지 않도록 해야 한다.

노출 후 예방시 확인해야 할 사항은 다음과 같다.

1) 환자가 전파 가능한 병을 가지고 있거나 해당 질병이 의심되는 상황이 맞는지 확인
2) 전파 가능성 있는 접촉이 발생하였는지 확인
3) 노출된 의료기관종사자가 적절한 개인보호장구를 사용하였는지 여부를 확인
4) 노출된 의료기관종사자가 해당 질병에 걸릴 감수성이 있는지 확인
5) 적절한 노출 후 예방 방법이 있는 감염병인지 확인
6) 노출된 의료기관종사자가 노출 후 예방 방법 사용에 대한 금기가 있는지 확인
7) 노출된 의료기관종사자에게 전파 가능한 감염병의 증상, 징후, 노출 후 예방에 따른 위험 등에 대해 설명
8) 노출 후 예방법 사용에 대한 동의 획득
9) 노출된 의료기관종사자가 업무를 할 수 있을지, 아니면 업무 배제해야 할지 결정

노출 후 예방 목적으로 사용하는 백신에는 파상풍-디프테리아 혼합백신(Td), 성인용 파상풍-디프테리아-백일해 혼합백신(Tdap), A형간염백신, B형간염백신, 홍역-볼거리-풍진 혼합백신(MMR), 수두백신, 공수병백신 등이 있다.

A형간염 환자에 노출된 경우 40세 이하의 의료기관종사자에서는 노출 후 예방을 위해서 A형간염백신을 사용하는 것을 더 추천하고 있다. 이는 면역글로불린 사용에 비해 백신을 투여하는 것이 장기적인 예방 효과를 얻을 수 있는 점과 투여가 간편하다는 점 때문이다. 따라서 A형간염 항체가 없는 40세 이하의 의료기관종사자가 A형간염 환자에 노출된 경우 A형간염백신 사용을 추천한다.

원내 집단 감염 등을 조절할 목적으로 투여되었던 것은 A형간염, 수막알균백신, 백일해백신 등이 있다. 면역글로불린은 A형간염, B형간염, 홍역, 공수병, 파상풍, 수두에 노출 시 예방목적으로 투여되기도 한다.

임신부의 경우 A형간염(면역글로불린), B형간염(B형간염 면역글로불린), 공수병(공수병 면역글로불린), 수두(수두바이러스 면역글로불린) 등을 사용할 수 있다.

특별한 경우, 의료기관종사자나 실험실 종사자는 다른 백신(폴리오백신, 4가 수막알균백신, BCG, 공수병, 페스트, 장티푸스, 두창, A형간염, 탄저)이 필요하다. 또한, 생물 테러의 가능성이 있는 경우 사람에서 사람으로 전파되면서 높은 치명률을 가져올 수 있는 병원체들로 탄저, 페스트, 두창, 보툴리즘,

야토병, Filovirus (에볼라, Marburg 병), 아레나바이러스(라사열, 아르헨티나 출혈열) 등이 있다. 의료기관종사자들은 오염된 옷(두창, Q열, 페스트, 탄저)이나 환자로부터 감염이 될 수 있다. 이들에 대한 노출 후 예방은 각 해당 백신에서 논의하기로 한다.

4. 각각의 백신

1) 홍역-풍진-볼거리 혼합백신

(1) 원내 유행

의료기관에서 볼거리가 환자에서 환자로, 환자에서 의료진으로 전파된 예가 드물게 보고되었다. 성인은 소아의 볼거리보다 고환염 발생 위험이 더 높아 남자 의료진에서 발생 시 문제가 된다. 홍역이 병원 내에서 전파되는 경우는 종종 보고되고 있다. 외래나 응급실, 혹은 병실 등 다양한 장소에서 홍역 전파가 발생할 수 있으며 환자 간 전파, 환자에서 의료진으로의 전파, 의료진에서 환자로의 전파가 모두 보고된 바 있다. 그 외 풍진의 원내 집단감염이 보고된 적이 있는데 볼거리, 풍진은 주로 비말전파로 감염되었고 홍역은 공기전파로도 가능하다.

이전 질병을 앓았던 과거력은 의료기관종사자가 면역력이 있는지를 결정하는데 신뢰성이 없어 적절한 주의를 하지 못하는 경우가 있다. 예방접종을 적절히 시행하지 못하면 원내감염의 유행을 가져올 수 있으며 집단감염 시 비용이 많이 들게 된다. 또한, 선천성 풍진을 가진 환자는 상당 기간 감수성 있는 성인에게 풍진을 전파시킬 수 있다.

(2) 노출 전 예방

전 의료기관종사자는 홍역, 풍진, 볼거리에 면역이 있어야 하며 다음의 기준 중 한 가지를 만족하면 면역력이 있다고 판단한다. ① 혈청검사로 항체 확인 ② 적절히 예방접종을 한 증거(홍역과 볼거리는 2회 접종, 풍진은 1회 접종). 미국 예방접종 자문위원회는 홍역, 풍진, 볼거리의 면역력이 확실하지 않으면 1957년 이전 출생자도 홍역 예방접종을 하도록 한다. 예방접종이 필요한 경우, 홍역과 볼거리는 2회 접종, 풍진은 1회 예방접종을 권고한다.

최근 1964년부터 2014년 사이 출생한 일반인을 대상으로 시행한 연구에서 홍역에 대한 항체 양성률은 1964–1974년 출생자에서 93.3%로 가장 높았고, 1999–2001년 사이 출생자에서 66.0%로 가장 낮았다. 국내에서 병원 근무자를 대상으로 한 항체 검사가 일개 대학병원에서 시행된 결과를 보면 1995년 홍역, 풍진의 항체 양성률은 각각 95.6%, 87.9%였고, 2003년 다른 병원에서 시행된 것은 94.5%, 85.2%로 비슷하여 풍진에 대한 백신접종이 지속적으로 필요하다.

(3) 노출 후 예방

볼거리나 풍진에 노출된 경우 특별히 효과가 있는 예방 방법은 없다. 볼거리나 풍진에 노출된 의료기관종사자는 의료기관 업무를 제한해야 한다. 볼거리나 풍진 감염이 있거나 혹은 감염이 의심되는 환자를 접할 때는 비말주의가 필요하며 홍역이 있거나 의심되는 경우 공기전파주의가 필요하다.

홍역백신은 노출 72시간 내에 투여하면 노출 후 예방에 효과가 있다. 다만, 노출 72시간 내에 홍역백신을 접종한 경우라도 노출 후 5–21일 간은 의료기관 업무를 제한해야 한다. 면역글로불린 0.5 mL/Kg (최대 15 mL)이 홍역에 노출된 후 예방을 위해 사용될 수 있으나 노출된 지 6일 이내에 투여되어야 한다. 특히 임신부와 면역저하자에게 권고된다(0.5 mL/kg, 최대 15 mL).

2) 수두 백신

(1) 역학

소아의 수두는 가볍게 앓고 지나가나, 성인, 면역저하자, 신생아에서는 심각한 합병증을 일으킬 수 있기 때문에 수두환자의 격리 및 환자와 의료기관종사자에 대한 대책 지침이 필요하다. 수두대상포진 바이러스(VZV)는 비말경로에 의한 사람 대 사람 접촉으로 가장 흔히 감염되나 공기전파도 가능하다.

(2) 원내 유행

수두와 대상포진이 매우 전염력이 높기 때문에 원내 VZV의 통제가 중요하다. 미국 질병관리본부에서는 수두나 파종성 대상포진에 걸린 모든 환자, 그리고 면역저하자에서 발생한 국소 신경절 대상포진의 경우는 결핵환자격리(1인실, 음압시설, 시간당 6회 이상의 공기교환, 외부로 직접 공기가 빠져나가는 방)에 준하여 격리시키도록 한다. 격리 기간은 모든 병변이 다 건조해지고 딱지가 앉을 때까지로 한다.

(3) 노출 전 예방

모든 의료기관종사자는 VZV에 면역력이 있어야 한다. 비용 효과면으로 VZV에 감수성이 있는 전 의료기관종사자의 예방접종이 효과적이다. 의료기관종사자는 입사 시 VZV에 대한 면역력이 있는지 검사를 받아야 한다. 백신금기가 없는 의료기관종사자에서 수두백신은 적어도 4주 이상 간격으로 2회 접종하며 접종 후 항체생성 확인은 필요 없다. 백신접종 후 발진이 생긴 의료기관종사자는 그 부위를 덮고 면역저하자가 아닌 환자를 보게 할 수 있으나 전신발진이 생긴 경우 발진이 없어질 때까지(5일간) 휴가를 주어야 한다. 이 발진은 백신 때문만이 아니라 수두바이러스의 잠복기가 3주이기 때문에 백신접종 이전에 노출된 바이러스 때문일 수도 있다. 국내에서 의료기관종사자는 수두에 대한 항체양성률은 1995–2014년에 시행된 세 개 기관의 연구에서 82.4–96.2%를 보여주고 있다.

(4) 노출 후 예방

수두나 대상포진에 노출된 혹은 노출가능성이 있는 전 의료기관종사자는 가능한 빨리 조사되어야
한다. 우선 수두의 과거력이 없거나 불확실하면 수두 항체검사를 시행하여야 하며 수두에 걸릴 감수성
이 있는 경우, 특히 임신부와 면역저하 의료기관종사자에게 수두면역글로불린(VZIG)를 투여하고 노출
된 시점으로부터 8–21일까지 의료기관의 근무를 제한시킨다. 또한, 수두나 대상포진에 노출된 의료기
관종사자들 중 수두 항체가 없는 경우에는 수두 백신을 접종해야 한다. 다만, 임신부나 면역저하자는
수두 백신의 금기에 해당한다. 수두백신을 3–5일 이내에 사용하면 수두 발생을 약화시킬 수 있고, 5일
이상 지나서 투여하면 노출 후 예방에 대한 효과는 떨어진다. 임신부 혹은 면역저하자 등 수두백신을
사용할 수 없는 경우에는 수두면역글로불린을 사용해야 하며, 수두면역글로불린은 125 U/10kg (최대,
625 U 또는 5 바이알)을 투여한다. 수두면역글로불린은 가능한 빨리 사용하는 것이 좋으며, 노출된 지
72시간 이내에 줄 때 가장 효과적이고 10일 이내에는 투여해야 한다. 수두면역글로불린은 근육주사로
투여하고 정주는 안 된다. 이것은 임신부에서 수두를 약화시킬 수 있으나 선천성 감염을 막지는 못하며
질병 이전의 잠복기를 연장시킬 수 있어 수두면역글로불린 투여 받은 의료기관종사자는 8–28일까지 근
무제한을 시켜야 한다. 수두면역글로불린을 사용할 수 없는 경우 항바이러스제(acyclovir)를 투여할 수
있는데 그 효과가 아직 입증되어 있지 않았다.

모든 수두바이러스 감염이 발생한 모든 의료기관종사자는 확진 시 항바이러스제가 투여되어야 하며
증상 시작 시 72시간 이내에 시작되어야 한다.

3) B형간염백신

(1) 역학

주사침 자상 혹은 점막접촉에 의해 혈액으로 전파되는 병원체에 노출되는 것이 의료기관종사자에게
큰 위험이 된다. 점막 노출이나 주사침 자상에 의해 30가지 이상의 질환이 전파 가능한데 그 중 HBV,
HCV, HIV가 가장 문제이다. 미국의 경우 B형간염 백신이 도입되기 이전에는 일반인구보다 의료진에서
의 B형간염 유병률(과거 혹은 현재의 감염)이 3–5배 높았으나 이후 백신도입과 주사침 없는 기구도입,
표준주의 준수 등으로 그 유병률은 많이 감소하였다.

B형간염바이러스 획득은 의료기관종사자에게 특히 큰 위협이 되는데 첫째, 의료기관종사자가 경피
적(percutaneous) 혈액 접촉률이 높고, 둘째 그 바이러스가 건조한 실온 환경에서도 비교적 안정적이고
셋째, 자상으로 인한 전파율이 HIV나 HCV보다 30% 가까이로 높기 때문이다. 또한, 상당수 환자가 의
료진에게 본인의 B형간염 여부를 알리지 않기 때문에 감염성이 높고, 많은 의료기관종사자가 면역력이
없기 때문이었다.

혈액투석실은 특히 고위험장소로 감염경로는 오염된 환경표면, 공유하는 장치 등이 문제가 될 수 있

어 표준주의 외에 다음과 같은 감염통제법이 필요하다. 첫째, 모든 감수성 환자는 HBs항원를 1개월에 1회씩 검사한다. 또한 처음 투석실 이용을 시작하는 환자는 B형간염 항원, 항체 검사를 시행한다(HBs항원, HBsAb, hepatitis core antigen과 antibody). 둘째, HBs항원 양성 환자는 방, 기계, 기구, 주사제, 의료진을 모두 다른 환자와 격리해야 한다. 셋째, 기계, 기구, 주사제는 다른 환자와 공유해선 안 되며 여러 번 사용하는 주사제는 외부와 차단된 중앙 시설에서 따로 관리한다. 또한 이러한 주사제를 둘 때 다른 환자 것과 구분되는 장소에 두도록 한다. 넷째, 통상적인 청소와 소독을 해야 한다. 또한 모든 감수성 있는 혈액투석중인 환자는 백신접종을 하고 매년 anti-HBs 항체역가가 10 mIU/mL 미만이면 추가접종을 해야 한다. 의료기관종사자에서 환자로의 HBV 전파는 많이 보고되어 있는데 감염원으로 치과의사, 외과의사, 부인과의사 등이 가장 흔하며 침습적 처치 중 가장 위험한 인자는 HBe항원 양성자, 침습적 처치정도, 감염 의료기관종사자가 장갑을 끼지 않는 경우, 감염의료기관종사자의 자상 등이다. 2003년 국내의 한 대학병원에서 병원근무자를 대상으로 시행된 연구결과, anti-HBs 항체양성률 76.9%, HBs항원 양성률 2.4%로 일반인과 비슷하였다.

(2) 노출 전 예방

혈청에서 anti-HBs 항체 역가가 10 mIU/mL 이상이면 B형간염에 대한 면역이 있는 것으로 간주한다. 40세 이하의 건강한 성인에서는 3회의 B형간염백신 근주 후 90% 정도에서 항체가 생성된다. 40세 이후의 성인은 항체 생성률이 약간 떨어지는 것으로 알려져 있다. 성인에서는 B형간염백신을 어깨세모근에 근주한다. 임신은 B형간염백신의 금기가 아니다. 모든 의료기관종사자는 3번째 접종 후 1–2개월 뒤 anti-HBs 항체가를 조사해야 한다. 3번의 백신접종 스케줄을 끝마치지 않을 경우 면역력을 획득하지 않은 것으로 간주하므로 3번의 스케줄을 모두 마쳐야 한다. 의료기관종사자에서 전파 위험이 높은 경우는 주로 수련단계에서 발생하므로, 가능하면 학생 시기, 혹은 실제 환자 접촉이 발생하기 전 단계에 백신접종을 미리 해 놓는 것을 추천한다.

1차 접종으로 적절한 항체가 안 생기는 사람의 약 반은 추가접종 후 항체가 생기므로 2차 접종을 3회 다시 시행한다. 3회 접종 후 다시 항체검사를 하며 이때도 항체가 없으면 무반응자로 하여 노출 후 예방의 적응이 될 때 HBIG를 투여 받아야 하며 이런 경우 HBs항원 및 anti-HBc를 조사해야 한다. HBV 백신에 항체가 있던 의료기관종사자에게 정기적인 재접종은 권고되지 않는다.

(3) 노출 후 예방 (표 43-1)

이 때의 노출은 비경구적 노출로, 점막이나 손상된 피부에 혈액이나 오염된 체액이 노출된 경우로 정의한다. 감염원에 대해 HBs항원, C형간염, HIV를 검사해야 한다. 감염원이 HBs항원 양성이면 노출 후 예방조치가 시작되어야 하며 HBIG는 7일 이내에 사용하면 효과가 있다. 면역글로불린은 효과가 없다. HBIG와 HBV백신의 동시 투여는 백신효과를 감소시키지 않는다.

표 43-1. B형간염 바이러스에 노출시 권고되는 노출 후 예방

노출된 의료기관종사자의 예방접종 및 항체반응	처치		
	감염원이 HBs항원 양성	감염원이 HBs항원 음성	감염원에 대한 검사 미실시 혹은 모를 경우
예방접종 받지 않은 경우	HBIG 1회+ HBV 예방접종시작	HBV예방접종 시작	B형간염 예방접종 시작
예방접종 받은 경우			
항체가 있는 경우	처치 불필요	처치 불필요	처치 불필요
항체가 없는 경우	HBIG 1회 + B형간염 예방접종 시작 또는 HBIG 2번투여	처치 불필요	만약 감염원이 고위험군이면 감염원이 HBs항원 양성인 경우에 준해서 처치
항체유무를 모르는 경우	노출된 의료기관종사자의 항체검사를 시행 1. 항체가가 적절한 경우: 　처치 불필요 2. 항체가가 적절하지 않은 경우: 　HBIG 1회+백신 1회 추가접종	처치 불필요	노출된 의료기관종사자의 항체검사를 시행 1. 항체가가 적절한 경우: 　처치 불필요 2. 항체가가 적절하지 않은 경우: 　백신 1회 추가접종,1-2개월 후 항체검사 재실시

(MMWR 46(RR-18);1-42, 1997)

4) 인플루엔자백신

(1) 역학

인플루엔자바이러스는 작은 입자의 에어로졸 전파에 의해 사람에서 사람으로 전파된다. 성인에서는 증상 시작 후 5일까지도 바이러스를 전파시킬 수 있고 소아는 7일까지도 가능하다. 의료기관 내에서 인플루엔자의 전파가 발생하고, 이로 인해 원내 감염이 발생할 수 있음이 잘 알려져 있다.　원내 감염전파는 원외에서 집단감염발생으로 환자가 입원할 때 가장 흔히 발생하며, 유행시 예방접종을 받지 않은 의료기관종사자의 25%까지 인플루엔자에 걸려 병원에 바이러스를 퍼뜨릴 수 있다. 또한, 의료기관종사자가 의료기관 외부에서 인플루엔자에 걸린 후 이를 의료기관 내에 전파시킬 수도 있다. 환자로부터 바이러스가 의료기관종사자에 전파되어 환자와 다른 의료기관종사자에게 이차전파를 일으킬 수 있다.

지금까지의 원내 집단감염으로부터 알게 된 사실은 다음과 같다. 첫째, 인플루엔자 환자를 모두 찾아내는 것은 불가능하다. 특히, 지역사회에 인플루엔자 유행이 없는 경우라도 원내 감염 및 전파가 발생할 수 있다. 둘째, 의료기관종사자의 인플루엔자 감염은 큰 업무차질을 가져올 수 있다. 집단 감염시 환자 및 의료기관종사자 전체의 25-80%까지의 이차발병률을 보인다. 셋째, 항바이러스제 사용이 증가함에 따라 약물 내성바이러스의 전파가 발생할 수도 있다. 원내 인플루엔자의 예방과 통제에 대한

권고사항은 ① 인플루엔자의 역학과 감염경로, 전파를 예방하는 방법에 대해 교육을 한다. ② 인플루엔자 경보가 있을 때 의료기관종사자가 따라야 하는 근거를 만든다. ③ 특히 11월-4월까지 인플루엔자를 확진하기 위해서 임상의가 사용할 수 있는 실험실 검사를 만든다. ④ 9월부터 인플루엔자 활동기가 줄어드는 시기까지 외래환자 및 입원환자에게 인플루엔자 백신을 투여한다. ⑤ 매년 인플루엔자 유행시기 이전에(10월 중순에서 11월 중순 사이에) 의료기관종사자들을 대상으로 예방접종을 한다. ⑥ 인플루엔자로 확진되거나 의심되는 자는 격리실에 격리하고, 가능하면 음압시설이 있는 방에 둔다. ⑦ 인플루엔자 환자 방에 들어갈 때 마스크를 쓴다. ⑧ 인플루엔자 증상이 있는 의료기관종사자를 조사하고 직접 환자진료를 제한하도록 한다. ⑨ 원외 혹은 원내 집단 감염 시 호흡기 증상이 있으며 발열이 있는 의료기관 방문자는 출입을 제한시킨다.

원내 집단 감염 시는 ① 집단감염 초기에 바이러스 배양이나 항원검사를 위해 증상 있는 환자의 비강 인두부 도찰검사나 비강세척액을 얻는다. ② 최근의 인플루엔자 백신을 환자 및 의료진에게 투여한다. ③ 금기가 아니면 관련병동에 있는 비감염 환자에게 항바이러스 예방약을 투여한다. ④ 백신을 투여해도 항바이러스 예방약은 백신접종 2주 후까지 지속한다. ⑤ 고위험군과 현재 항바이러스치료를 하고 있는 환자나 의료진 사이에 접촉하지 않도록 하고 치료종료 후 2일까지 접촉하지 않도록 한다.

(2) 노출 전 예방

인플루엔자백신은 모든 의료기관종사자에게 권고되는데 대개 증상이 있을 수도 있고 무증상 감염도 가능해서 고위험군에게 바이러스를 전파시킬 수 있기 때문이다. 특히 의사, 간호사, 외래 근무자, 양로원 종사자, 노인병원 종사자에게는 예방접종이 반드시 필요하다.

항바이러스제(amantadine, rimantadine, zanamivir, oseltamivir)를 노출 후 예방, 혹은 계절 인플루엔자 노출 전 예방약으로 사용할 수 있다. 다만, amantadine과 rimantadine은 내성이 크게 증가하여 최근에는 예방 혹은 치료 목적의 약제로 거의 사용하지 않는다. 따라서, 항바이러스 예방약 중 zanamivir와 oseltamivir를 인플루엔자 A와 B 노출 전과 노출 후 예방 모두에 사용할 수 있다. 예방약이 백신을 대체할 수 없으며 각 병원은 의료기관종사자의 인플루엔자 접종률을 높이기 위한 혁신적 방법을 모색해야 한다.

(3) 노출 후 예방

원외 혹은 원내 집단 감염 시 의료기관은 의료기관종사자들에게 인플루엔자백신 투여를 권고해야 한다. 인플루엔자 유행 시기에 새로 백신접종을 받았어도 환자접촉이 있는 의료기관종사자들에게는 백신 투여 후 2주까지 항바이러스 예방약을 제공해야 한다. 유행이 백신으로 조절되지 않을 수 있는 변이주에 의한 것이라면 예방접종여부와 상관없이 예방약이 제공되어야 한다. 노출 후 예방 효과에 대한 대조군 연구가 매우 적지만 이런 조치가 어느 정도 효과가 있다고 되어 왔다. 노출 후 예방을 위한 항바이러스제 투여는 증상 발생 48시간 이내에 투여하여야 질환의 중증도와 유병 기간을 감소시킬 수 있으므로 가능한 빨리 제공하는 것이 좋다. 항바이러스제로 치료를 받고 있는 인플루엔자 환자가 다른 사람과 접촉하는 경우 약물 내성바이러스가 접촉자에게 전파되는 것이 입증되어 미국 질병관리본부에서는 항바이러스제로 치료받는 모든 환자는 격리시키도록 하고 있다.

(4) 국내 병원에서의 예방접종

전세계적으로도 의료기관종사자에서 인플루엔자 예방접종률을 높이기 위한 노력이 계속되고 있는데, 원내 전파를 막기 위해 적극 권장되고 있으나 그 접종률은 높지 않다. 2003년에 국내의 한 대학병원에서 시행한 조사에 의하면 그 해에 74.7%의 예방접종률을 보였고, 시행한 의료기관종사자에서의 이상반응은 2개 회사의 백신을 비교하였는데 주사부위의 통증(44.3%), 발적(19.7%), 열감(23.6%), 업무제한(8.7%) 등이 있었으나 제조회사간 차이나 심각한 이상반응은 없었다. 국내 일개 대학병원에서 2005-2006년 시즌부터 2007-2008년 시즌까지 3개년도 간의 예방접종률을 본 연구에서는 82.3%의 예방접종률을 보였으며 이 연구에서 의사직이 67.9%로 가장 낮았으며 간호직이 91.2%로 가장 높은 접종률을 보였다. 또한, 의료기관종사자의 예방접종 순응도를 연구한 병원에서의 조사를 보면, 원내 접종 시 의료제공자의 권고가 백신접종률을 향상시킬 수 있으며, 이상반응을 두려워하는 것보다는 바빠서 못 맞는 이유가 더 크다고 하여 인플루엔자 접종에 대한 홍보가 의료기관종사자 백신접종률을 높이는데 중요하다고 할 수 있다. 2006년 일개 대학병원에서는 의료기관종사자에서의 인플루엔자 예방접종이 동료의 권고보다는 병원의 강력한 예방접종홍보가 더 효과적이라고 하여 이 방법으로 27%에서 52%로 접종률을 향상시켰음을 보고하였다.

5) A형간염백신

(1) 역학

A형간염으로 매년 상당수가 병원에 입원하는 것에 비해 A형간염의 원내 유행은 흔하지 않다. 코호트 연구는 의료기관종사자가 대조군에 비해 A형간염 획득 위험이 더 높다는 것을 증명하지 못했다. 하지만, 국내의 젊은 성인에서 A형간염 발생이 높아 이로 인한 원내 감염의 위험이 증가할 수 있는데 실제 국내병원에서의 원내감염도 보고되고 있는 실정이다. 대부분의 원내 집단 감염경로는 첫째, 감염원 환자가 황달이 없고 입원 시 감염이 뚜렷하지 않은 경우, 둘째, A형간염 환자가 설사를 하거나 대변실금이 있는 경우이다. 또한 오염된 수혈, 오염된 음식과 관련이 있었다. A형간염 전파의 위험인자는 분변구강 오염 위험을 증가시키는 활동으로 모르던 A형간염 감염인을 간호하는 경우, 음식, 음료수 혹은 담배를 환자와 혹은 의료진과 공유하는 경우, 손톱을 깨무는 행동, 적절한 주의 없이 담즙을 다루거나, 감염자를 간호할 때 손을 씻지 않거나 장갑을 끼지 않는 경우 등이다. 원내에서 A형간염예방은 엄격한 표

준주의를 필요로 하며 환자의 분비물과 체액을 다룰 때마다 장갑사용을 필요로 한다. 손씻기는 환자와 접촉하기 이전과 접촉 후에 시행되어야 한다.

2008년 국내 4개 대학병원에서 의료기관종사자의 혈청검사를 시행한 결과 A형간염 항체양성률은 25세 미만 1.8%, 25–29세 14.7%, 30–35세 41.8%, 35–39세 75.5%, 40세 이상 93.7%로 연령에 따른 차이를 보였고 20–39세 의사직은 다른 직종보다 항체양성률이 낮았다.

(2) 노출 전 예방

미국 질병관리본부에서는 비용효과분석에서 모든 의료기관종사자에게 A형간염백신 투여를 권고하고 있지 않다. 하지만, 국내의 A형간염 항체보유율이 20–30세 연령에서 낮기 때문에 의료기관종사자들에게의 투여는 이 연령대에서는 권고를 고려할 필요가 있으며 추후 연구가 더 필요하다.

(3) 노출 후 예방

노출 후 예방은 A형간염의 원외 유행 시 적용될 수 있다. 의료기관에서 원내유행을 조절하기 위해 A형간염 백신을 투여하는 것은 아직 조사되어 있지 않다. 면역 글로불린으로 노출 후의 예방은 집단 감염 시 감염원에 노출 후 2차 감염을 줄이는데 효과가 있는 것으로 증명되어 있다. 어깨세모근이나 둔부에 0.02 mL/kg 근주는 3개월 동안 효과가 있고 0.06 mL/kg는 5개월까지 예방효과가 있다. 면역글로불린은 백신접종을 받지 못한 노출자에, 노출 후 2주 이내에 투여되어야 효과가 있다. 병원에 한 명의 감염 환자가 있을 때 의료기관종사자에게 통상적으로 면역글로불린 접종은 권고되지 않는다. 면역글로불린은 역학조사로 A형간염 전파가 환자와 의료진 사이에서 일어났다면 감염원 환자와 접촉을 한 모든 사람들에게 제공되어야 한다. A형간염 백신 1회 접종한 지 적어도 1개월이 지난 사람은 면역글로불린은 필요 없다.

6) 백일해백신

(1) 역학

의료기관에서 백일해의 전파는 미국의 소아와 성인 응급실, 외래, 요양원 등에서 보고된 바가 있다. 의료기관 내에서 백일해 유행이 발생하는 이유는 첫째, 기침 등 호흡기 증상이 있는 환자들 중에서 백일해 환자를 조기에 발견하여 격리하지 못하고, 둘째, 노출된 의료진에게 적절한 예방 항생제를 공급하지 못하며, 셋째, 증상이 발생한 의료기관종사자를 대상으로 적절한 업무 배제를 하지 못하기 때문이다. 특히 병원에서 백일해에 걸린 유아들은 중증으로 진행할 위험을 가지고 있다. 의료기관종사자들은 소아과 입원병동과 외래에서, 성인은 응급실을 포함한 병동과 외래에서 노출될 위험이 있다. 한 연구에 의하면, 의료기관종사자들이 일반인과 비교하여 백일해 위험이 1.7배 정도 높은 것으로 보고되고 있다.

의료기관에서 백일해 노출 후 예방하거나 집단감염을 조절하는 방법은 알려져 있는데 일단 의료기관종사자와 환자들 중 접촉한 사람을 파악해서 무증상 밀접 접촉자에 대해 노출 후 예방을 하고 효과적 치료를 받을 때까지 증상 있는 의료진을 근무제한을 하도록 한다. 이러한 통제법을 사용해도 전파 사이클이 1-2번 정도 더 발생할 수 있는데, 보고된 집단감염 관련 이차 환자의 수는 인덱스 환자당 0에서 80까지이다. 2009년 조사한 국내의 한 대학병원 근무자에서의 백일해 감수성을 항체검사로 알아본 바 약 20%가 백일해 감수성으로 나와 국내 의료기관종사자에서의 백일해 예방접종이 필요함을 시사하고 있다.

(2) 노출 전 예방

의료기관 내 전파의 가능성으로 미국 예방접종 자문위원회는 의료기관종사자에게 개량형 백일해 백신 (Tdap, 23장, 백일해백신 참조)을 최근 권고하고 있다. 2011년 발표에 의하면 과거에 성인용 파상풍-디프테리아-백일해 혼합백신(Tdap) 접종을 받지 않았다면 나이와 무관하게 모든 의료진은 적어도 Tdap을 1회 접종받도록 권고하고 있다. 백일해에 대한 항체 검사가 있지만 항체 보유 여부와 면역력 형성과의 관련성이 높지 않기 때문에 접종 전 항체검사로 접종 여부를 결정하는 것은 적절한 방법이 아니다. 또한, 과거에 언제 파상풍-디프테리아 혼합백신을 맞았는지와 무관하게 성인용 파상풍-디프테리아-백일해 혼합백신 접종을 하도록 권고하고 있다. 그 이후에는 이전 지침과 마찬가지로 파상풍-디프테리아 혼합백신 추가접종을 하도록 하고 있다. 국내에서도 Tdap이 2010년 수입되어 사용 가능하며 의료기관종사자 대상의 연구가 더 필요하지만 국내에서도 병원근무자의 백일해 감수성이 높아 이에 대한 접종이 요구된다.

(3) 노출 후 예방

의료기관은 백일해에 대한 노출을 예방하기 위해 호흡기 비말 주의를 하는 노력을 해야 한다. Tdap을 접종한 의료기관종사자에서 노출 후 항생제 예방요법을 시행해야 하는지에 대한 자료는 충분하지 않으나 예방접종을 한 의료기관종사자라도 백일해 위험이 아직 있을 수 있다. 따라서, Tdap을 접종하였다는 것만으로는 노출 후 항생제 예방요법에 대한 필요성을 없애지는 못한다. 또한, 노출 후 항생제 예방요법은 심한 백일해의 위험이 있는 환자(입원한 신생아와 임신부)에 전파시킬 가능성이 있는 모든 의료기관종사자들에게 권장된다. 다른 의료기관종사자들은 노출 후 예방 항생제 투여를 받거나 백일해 노출 후 21일간 매일 모니터를 받아 백일해의 증상과 징후가 나타나면 치료를 받도록 하여야 한다.

백일해 노출 후 예방에는 erythromycin, azithromycin, clarithromycin, trimethoprim-sulfamethoxazole 등의 약제를 사용할 수 있다. 최근에는 단기간 사용할 수 있는 azithromycin (5일간 투여)이 erythromycin (7-14일간 투여)에 비해 좀 더 선호된다.

표 43-2. 백신으로 예방 가능한 질환에 대한 의료기관내 근무제한 규정

질병	근무 제한	기간
A형간염	직접적인 환자 접촉과 음식 취급을 금지	황달 시작 이후 7일까지
B형간염		
급성기	직접적인 환자 접촉 금지	황달이 없어질 때까지
만성기	근무제한 없음	표준주의, B형간염 항원혈증이 없어질 때까지 침습적 처치 및 환자 장치와 직접 접촉을 금지
홍역		
활동성	근무 제한	발진 나타난 뒤 4일까지
노출 후(감수성인 경우)	근무 제한	첫 노출 후 5일부터 마지막 노출 후 21일째까지 휴가
볼거리		
활동성	근무 제한	이하선염 시작 후 5일까지
노출 후(감수성인 경우)	근무 제한	첫 노출 후 12일부터 마지막 노출 후 25일째까지
백일해		
활동성	근무 제한	감기증상 시작부터 발작시작 후 3주째까지 혹은 효과적인 항생제 치료 시작 후 5일까지
노출 후(무증상)	예방적 항생제 사용 중이면 근무제한 없음	-
노출 후(증상 있음)	근무 제한	활동성인 경우와 같음
수두		
활동성	근무 제한	피부 병변에 딱지 앉을 때까지
노출 후(감수성인 경우)	근무 제한	첫 노출 후 8일째부터 마지막 노출 후 21일째까지(VZIG 투여시 28일까지)
대상포진		
국소적(노출되지 않은 피부), 면역 정상인	병변을 덮는다: 고위험군 환자 진료제한	병변에 딱지가 앉을 때까지
국소적(노출된 부위); 면역저하환자의 국소적 병변 전신적 병변	근무 제한	병변에 딱지가 앉을 때까지
노출 후(감수성인 경우)	근무 제한	첫 노출 후 8일째부터 마지막 노출 후 21일째까지(VZIG 투여시 28일까지)

(MMWR 46(RR-18);1-42, 1997)

참고문헌

1. 문향미, 서미례, 정재심 외. Varicell-zoster virus에 노출된 의료인의 감수성. 병원감염관리학술대회 초록집. 2002;35.
2. 신형식, 오향순, 김성민 외. 병원근무자에서 홍역, 풍진 및 수두 항체양성률에 관한 연구. 감염과 화학요법. 1997;29:29-32.
3. 정희진, 손장욱, 최선주 외. 일개 대학병원근무자들에서의 인플루엔자 예방접종 순응도 관련요인. 감염과 화학요법. 2004;36:213-218.
4. 최새로운, 김수미, 김은실 외. 일개 대학병원 직원에서 인플루엔자 백신접종 후 이상반응. 감염과 화학요법. 2004;36:319-20.
5. 최희정, 심윤수, 정선영. 일개 대학병원 의료인의 홍역, 풍진, 수두에 대한 감수성. 감염과 화학요법. 2003;35:401-6.
6. Stanley Plotkin, Walter Orenstein, Paul Offit, et al. Plokin's Vaccines. 7th ed. Philadelphia: Elsevier; 2017.
7. Advisory Committee on Immunization Practices; Centers for Disease Control and Prevention (CDC). Immunization of health-care personnel: recommendations of the Advisory Committee on Immunization Practices (ACIP). MMWR Recomm Rep 2011;60(RR-7):1-45.
8. Fiore AE, Wasley A, Bell BP. Prevention of hepatitis A through active or passive immunization: recommendations of the Advisory Committee on Immunization Practices (ACIP). MMWR Recomm Rep 2006;55:1-CE-4.
9. Guiso N, von König C-HW, Forsyth K, et al. The Global Pertussis Initiative: report from a round table meeting to discuss the epidemiology and detection of pertussis, Paris, France, 11–12 January 2010. Vaccine 2011;29:1115-21.
10. Jung SI, Lee CS, Park KH, et al. Sero-epidemiology of hepatitis A virus infection among healthcare workers in Korean hospitals. Journal of J Hosp Infect 2009;72:251-7.
11. Kang HJ, Han YW, Kim SJ, et al. An increasing, potentially measles-susceptible population over time after vaccination in Korea. Vaccine 2017;35:4126-32.
12. Kang JH, Park YS, Park SY, et al. Varicella seroprevalence among health care workers in Korea: validity of self-reported history and cost-effectiveness of prevaccination screening. Am J Infect Control 2014;42:885-7.
13. Kim DK, Riley LE, Harriman KH, et al. Recommended Immunization Schedule for Adults Aged 19 Years or Older, United States, 2017. Ann Intern Med 2017;166:209-19.
14. Kim S, Oh H, Ham O, et al. Susceptibility and factors of pertussis vaccination adherence in Korean health care workers. Am J Health Behav 2010;34.
15. Kretsinger K, Broder KR, Cortese MM, et al. Preventing tetanus, diphtheria, and pertussis among adults: use of tetanus toxoid, reduced diphtheria toxoid and acellular pertussis vaccine recommendations of the Advisory Committee on Immunization Practices (ACIP) and recommendation of ACIP, supported by the Healthcare Infection Control Practices Advisory Committee (HICPAC), for use of Tdap among health-care personnel. MMWR Recomm Rep 2006;55(RR-17):1-37.
16. Lee CS, Lee KH, Jung MH, et al. Rate of influenza vaccination and its adverse reactions seen in health care personnel in a single tertiary hospital in Korea. Jpn J Infect Dis 2008;61:457-60.
17. Park J, Lee J, Jeong S, et al. Molecular characterization of an acute hepatitis A outbreak among healthcare workers at a Korean hospital. J Hosp Infect 2007;67:175-81.
18. Ruef C. Immunization for hospital staff. Curr Opin Infect Dis 2004;17:335-9.
19. Shin BM, Yoo HM, Lee AS, et al. Seroprevalence of hepatitis B virus among health care workers in Korea. J Korean Med Sci 2006;21:58-62.
20. Song JY, Park CW, Jeong HW, et al. Effect of a hospital campaign for influenza vaccination of healthcare workers. Infect Control Hosp Epidemiol 2006;27:612-7.

SECTION

04

개발 중인 백신
(Vaccines under development)

사람면역결핍바이러스

가톨릭관동대학교 의과대학 **신소연**
부산대학교 의과대학 **이선희**

1. 배경

1983년 사람면역결핍바이러스(human immunodeficiency virus, HIV)가 에이즈(acquired immuno-deficiency syndrome, AIDS)의 원인 병원체라는 사실이 처음 알려진 후 35년이 경과하였다. 2016년에 발표된 유엔에이즈프로그램(joint united nations programme on AIDS, UNAIDS)의 통계에 의하면 전 세계에서 HIV에 감염되어 살고 있는 사람은 총 36,700,000명이고 1년에 약 1,800,000명의 신환이 발생하였으며 2017년 기준 20,900,000명이 항레트로바이러스 치료를 받고 있다. 우리나라의 경우 2016년에 HIV/AIDS에 감염되어 살고 있는 내국인은 11,439명이고, 1,199명이 신규감염자로 신고되었다. 우리나라의 HIV/AIDS 유병률은 낮은 편이지만 전 세계적으로는 신규감염자가 감소하는 반면, 국내에서는 신규감염자수가 증가하고 있어 우려된다.

HIV/AIDS의 경우 1990년대 후반부터 도입된 항바이러스치료가 급속히 발전하여, 다른 만성질환들의 약물치료보다도 환자들의 수명연장 효과가 우월한 수준까지 이르렀다. 또한 세계적으로 효과적인 예방 전략들이 제시되어 HIV/AIDS의 발생과 사망률을 감소시켰다. 따라서 HIV 감염은 20세기 말의 '저주받은 병'이 아니며, 모든 감염자들이 더 수준 높은 치료를 받을 수 있도록 사회가 고민해야 할 때다. 그러나, 치료가 필요한 모든 HIV 감염인들에게 항레트로바이러스 치료의 접근성을 높여주고, 다양하고 효과적인 예방 전략들(대규모 포경수술 프로그램, 노출 전/후 화학예방요법, 국소 살균제의 사용, 항레트로바이러스 치료를 통한 모자감염의 예방 등)을 실행하여도 제한된 물적 또는 인적 자원과 낮은 순응도로 인하여 바람직한 HIV 감염 억제 수준을 달성하지 못하고 있다. 전 세계 감염자의 대부분은 적절한 치료를 받을 수 없는 개발도상국에 살고 있으므로, 전세계적 대유행의 통제를 위해서는 효과적인 HIV백신 개발이 필요하다.

1) 원인바이러스와 역학

HIV는 레트로바이러스과, 렌티바이러스 아과에 속한다. HIV는 침팬지와 고릴라에서 유래된 것으로 알려져 있는 HIV-1과 검댕맹거베이(sooty magabey)에서 유래된 HIV-2가 있으며, 주로 HIV-1이 세계적인 대유행을 주도한다.

HIV 비리온은 정이십면체 구조를 가지고 있으며 표면에 외피단백인 gp120과 막통과단백인 gp41로 구성되어 있는 외부돌기를 가진다. HIV는 단일쇄 RNA를 가지고 있고 이를 이중쇄 DNA인 프로바이러스(provirus)로 전사시키는 역전사 효소를 가지고 있는데 역전사단계가 바이러스의 증식에 중요한 역할을 한다. HIV-1은 구조단백질을 부호화(encoding)하는 *gag*, *pol*, *env* 유전자 및 바이러스가 쉽게 숙주세포를 감염시키고 복제할 수 있도록 도와주는 단백질을 생성하는 *tat*, *rev*, *nef*, *vif*, *vpr*, *vpu* 유전자를 가지고 있다. *gag*은 p24 항원을 포함하는 HIV 비리온의 중심부를 형성하는 단백질을 부호화하고, *pol*은 단백분해효소(protease), 통합효소(integrase), 역전사효소(reverse transcriptase)를 부호화하며, *env*는 피막당단백을 부호화한다. 유전자의 양 끝에는 유전자의 발현에 작용하는 조절인자가 포함된 긴 말단반복순서(long terminal repeats, LTRs)가 존재한다. HIV-2의 경우 *vpu* 대신 *vpx* 유전자를 가지고 있다.

HIV-1은 유전체의 길이에 따라 M (major), O (outlier), N (non-M, non-O)로 나뉜다. 각각은 여러 가지의 아형으로 나뉘는데 대부분의 아형은 M군에 속한다. M군에 속하는 아형 중 9가지는 A-D, F-H, J-K 아형 또는 클레이드(clades)라고 명명한다. 이들은 *env* 염기서열에서 25-35%까지, *gag* 염기서열에서 15%까지 서로 다르다. 또한 바이러스는 다양한 변이를 일으키고 있어 13가지 순환 유전자 재조합형(circulating recombinant forms, CRFs)이 알려져 있다. HIV-2는 주로 서부아프리카에서 발생하며 병원성이나 전염성이 HIV-1보다 낮다. 우리나라에는 미국이나 유럽과 유사하게 HIV-1 B아형에 의한 감염이 대부분을 차지하고 있다.

2) 병태생리

CD4 + 세포들(조력 T 세포, 단핵구/대식세포, 수지상세포/랑게르한스 세포)의 표면에 있는 CD4에 HIV의 gp120이 결합하고 CCR5, CXCR4 등의 보조수용체가 관여하여 세포내로 침투한다. HIV-1의 보조수용체들은 바이러스의 세포에 대한 친화성(tropism)을 결정하며, 바이러스가 세포 안으로 들어오는 데 매우 중요한 역할을 한다. HIV의 gp120이 CD4와 결합한 후 형태학적 변형이 일어나면, 새롭게 gp41이 노출되고 바이러스는 gp41을 통해서 숙주세포와 융합한다. 바이러스 RNA와 효소가 캡시드 단백으로 싸여져 구성된 통합전 복합체(preintegration complex)를 형성하고, 이는 융합한 숙주세포의 세포질 안으로 방출된다. 통합전 복합체가 세포질을 통과하여 핵에 도달하면, 바이러스의 역전사 효소가 유전체 RNA를 DNA로 역전사시키고, 단백껍질이 열리며 역전사된 두 가닥의 프로바이러스가 나온다. 세포가 활성화되면, 바이러스 DNA는 핵공(nuclear pore)을 통해 세포질에서 핵으로 들어와 숙주세포의 염색체에 통합(integration)된다. 이렇게 통합된 프로바이러스는 전사가 되지 않고 잠복해 있거나, 항원이나 외부적인 자극에 의해 활성화되어 복제할 수 있다.

3) 치료

HIV 치료는 적어도 3가지 약제를 동시에 투여하여 HIV의 증식을 강력히 억제하는 3제 병합요법이 표준요법이다. 최근 복약 편의성을 증가시키는 2가지 또는 3가지 약제를 병합한 복합제가 사용되고 있다. 병합요법으로 HIV 감염인의 기회감염증은 현저히 줄어들고 예후는 크게 개선되었다. 그러나, 현재까지 개발된 항 HIV 약제로는 HIV의 근치가 불가능하기 때문에 HIV 치료의 목표는 다음과 같다.

(1) HIV와 관련된 이환률을 줄이고, 생존기간을 연장시키면서 삶의 질을 향상시킨다.

(2) 면역능을 회복시키고 유지시킨다.

(3) 혈장 HIV 증식을 최대한 그리고 가능한 오랜 기간 억제한다.

(4) HIV 전파를 막는다.

4) HIV/AIDS의 예방전략

HIV 전파 경로는 이성 혹은 동성 간의 성접촉, 오염된 주사바늘의 공동 사용, 산모에서 태아로 전파되는 수직감염, 바이러스에 오염된 혈액이나 혈액제제의 수혈, 의료행위 중 바이러스가 있는 체액에 노출되는 직업관련 감염이 있다. 항레트로바이러스치료의 확대를 통한 노출 후 예방, 노출 전 예방(pre-exposure prophylaxis, PrEP), 질이나 직장에 직접 사용하는 국소살균제, 감염자들이 교육을 통한 고위험 행위의 예방과 병발한 생식기 감염의 치료, 포경수술 등 많은 알려진 예방전략들이 있지만 비용, 인력, 낮은 순응도 때문에 원하는 효과를 달성하지 못하고 있다. 최근 발전된 HIV 예방 전략에도 불구하고 전 세계적으로 매해 2백만 명 이상의 신규감염자가 발생하고 있다. HIV/AIDS 유행을 종식시키기 위해서는 궁극적으로 성공적인 백신의 개발이 필요하다.

2. HIV백신 개발

백신은 가장 근본적이고 이상적인 HIV 통제방법임에도 불구하고, 아직까지 성공적인 예방백신은 개발되지 못하였다. 현재까지 사람을 대상으로 한 HIV백신 효능 임상시험은 6개가 있었으며, 이 중 미약하지만 RV 144 trial에서 유일하게 백신의 효능이 증명되었다(표 44-1).

표 44-1. HIV 백신 효능 시험

Study	Antibody		T cell		Combination (Antibody/T cell)	
	VAX 003	VAX 004	STEP	Phambili	RV 144	HVTN 505
Timeline	2000–2003		2005–2007		2003–2009	2009–2013
Immunogen	Clade B/ B-Env	Clade B/ E-Env	Clade B-Gag/ Pol/Nef	Clade B-Gag/ Pol/Nef	Clade B-Gag/ Pol Clade E-Env Clade B/E-Env	Clade B-Gag/ Pol/Nef Clade A/B/ C-Env Clad B-Gag/ Pol Clades A/B/ C-Env
Delivery Vehicles	Protein	Protein	Ad5	Ad5	Canary pox protein	DNA Ad5
Site	Thailand	USA/ Netherlands	North America, the Caribbean, South America, Autstralia	South Africa	Thailand	USA
Characteristics of participants	5,100 MSM/300 women	2,500 men and women IDUs	3,000 MSM and heterosexual women and men	801 heterosexual men and women	16,402 community- risk men and women	2,504 men/ transgender women who have sex with men
Results	No vaccine efficacy	No vaccine efficacy	No vaccine efficacy, Safety issue	No vaccine efficacy	31.2% vaccine efficacy at 42 months	No vaccine efficacy

Note: MSM, men who have sex with men; IDUs, IV drug users.

1) 낙관(Optimism)에서 비관(Pessimism)으로: 중화항체 vs. 세포살상 T 세포 반응

백신의 가장 이상적인 목표는 침입한 감염원을 완전하게 멸균시키는 충분한 역가의 중화항체를 얻는 것이다. 중화항체가 이론적으로는 감염을 예방할 수 있는 유일한 기전이고, 지금까지 소개된 대부분의 감염병에 대한 백신들이 이러한 기전으로 개발되었다. 1990년대 말 실제로 많은 감염병에 대한 성공적인 백신이 전통적인 중화항체를 유도하는 백신전략을 통해 개발되었으므로, HIV의 발견 초기만 해도 백신에 대한 낙관론이 지배적이었다. 당시, 새로운 재조합 DNA 기술의 발전과 HIV에 대한 분자생물학적 지식의 발전을 통해 두 개의 gp120 산물이 유망한 후보물질로 대두되었다. 1990년대 말 HIV가 급속히 확대되고 있을 때 재조합 gp120 산물을 대상으로 최초의 HIV/AIDS백신 3상 시험인 VaxGen사의 AIDSVAX gp120이 시작되었다. 첫 임상시험인 VAX004는 북아메리카와 유럽에서 남성동성애자를 대상으로, VAX003은 태국 방콕에서 주사마약사용자를 대상으로 대규모로 진행되었다. 그러나 백신이 감염을 예방하지 못하고 질병의 경과를 좋게 하지 못하여 실패하였다. HIV 외피는 체액면역을 효과적으로 회피하여 효율적인 중화항체의 생성을 저해할 수 있기 때문에 전통적인 중화항체를 유도하는 방법으로는 성공적인 HIV백신 개발이 어렵다는 것을 알게 되었다. 약독화 생백신이나 불활화 전 바이러스 백신은 프로바이러스 DNA가 숙주염색체에 통합될 위험이 있어 개발이 불가능하기 때문에 HIV백신 개발의 방향은 HIV 특이 세포살상 T 림프구(cytotoxic T cell) 생성을 통하여 세포면역을 증가시키는 것으로 바뀌었다.

HIV 특이 세포살상 T 림프구의 생성을 자극하는 백신의 효과는 새로운 HIV 감염을 예방하는 것보다 감염자의 체내에서 바이러스의 복제를 억제함으로서 바이러스 조절점(viral set point)을 낮추어 질환의 진행을 지연시키고 바이러스의 전파를 억제하는데 있다. 면역작용세포는 세포표면에 존재하는 HIV의 항원결정기를 사람백혈구항원(human leukocyte antigen, HLA)과 함께 인식하지만 유리된 바이러스 자체를 직접 인식할 수 없다. 세포살상 T 림프구가 감염의 전파를 억제하는 기전은 감염된 세포를 직접 사멸시키거나 바이러스의 전파를 억제하는 케모카인과 시토카인들을 분비하는 것이다. 세포살상 T 림프구가 바이러스 조절에 매우 중요하다는 것은 유인원의 감염모델과 elite controller를 대상으로 시행된 사전 연구들을 통하여 증명되었다. 세포살상 T 림프구를 유발하는 백신은 폭스바이러스(pox virus)와 아데노바이러스(adenovirus)를 주로 사용하는데 아데노바이러스 5형(Ad5)을 벡터로 이용한 백신 후보가 동물연구와 사람을 대상으로 한 초기 연구에 좋은 효능을 보였다. 2005년에 Merck에서 개발한 MRKAd5 HIV-1 gag/pol/nef 백신으로 IIb 임상 연구인 STEP과 Phambili가 시작되었는데 2009년에 갑자기 중단되었다. 임상 연구 중단은 백신이 예방효과가 없었을 뿐만 아니라 대조군보다 시험군에서 신규감염이 증가한 양상이 관찰되었기 때문이었다. 후속연구들은 백신에 의한 면역활성이 HIV 감염에 대한 감수성을 증가시켰을 가능성을 제시하였다. gp120 백신과 세포살상 T 림프구 유발 백신의 실패로 HIV백신 개발은 낙관적 기대에서 비관적 전망으로 바뀌었다.

2) RV144의 교훈: HIV 예방과 상관관계가 있는 면역반응 찾기

AIDSVAX B/E gp120 백신과 CD4 양성 T 세포를 자극하는 ALVAC 카나리아 두창(canarypox) 백신(ALVAC-HIV/AIDSVaX B/E)의 임상시험은 이 시기에 큰 비판과 함께 진행되었다. RV144는 재조합 카나리아 두창(canarypox) 벡터 백신으로 16,402명의 HIV 감염 위험이 있는 건강한 태국인들을 대상으로 시행되었다. AIDSVAX B/E gp120 백신은 이미 실패한 바 있고, ALVAC은 전임상 연구에서 Ad5 백신보다 면역원성이 약했기 때문에 RV144 임상시험에 대해서 큰 기대를 하지 않았다. 그러나, 첫해 60%, 연구종료 시점인 42개월 후에는 31.2%의 효능을 보여 RV144 trial은 HIV 백신 임상시험에서 유일하게 백신 효능이 증명된 연구가 되었다. 효능이 크지는 않았지만 RV144의 백신 효능은 이후 백신 예방효과와 상관관계가 있는 면역반응을 찾는 대규모 후속연구로 이어졌으며 이를 통해 다음 두 가지 중요한 인자가 확인되었다. 혈중 gp120의 V1V2 고리 구역(loop region) 특이 IgG 항체가가 HIV 감염과 역상관관계를 나타내었으며 HIV-1 env에 대한 IgA 항체가 HIV 감염과 정상관관계를 가지고 있었다. RV144 후속 연구 결과들은 중화항체를 유도하는 백신전략을 재조명하였다. 또한, 낮은 Env 특이 IgA 항체와 IgG 결합활성(avidity), 항체의존성 세포매개 세포살상(antibody-dependent cell-medicated cytotoxicity), 비중화항체(non-neutralizing antibodies), Env-특이 CD4+ T세포가 감염위험과 역상관관계를 가지고 있다는 사실이 밝혀졌다. HIV 백신의 예방효과와 상관관계가 있는 면역반응에 대한 연구들은 정체되어 있던 HIV 백신연구에 새로운 방향을 제시해 주었다.

3) 광범위 중화항체(broadly neutralizing antibodies)

최근 광범위 중화항체에 대한 연구가 많이 진행되고 있다. HIV 감염 2-3년 후 약 20%의 감염인들이 광범위 중화항체를 생성한다는 것이 보고되었다. 그러나 다른 바이러스 감염과 다르게 HIV는 돌연변이 바이러스를 지속적으로 생성하기 때문에 특이 중화항체는 HIV를 성공적으로 조절하지 못한다. 광범위 중화항체는 CD4 결합 자리의 대부분, V1/V2의 변동이 심한 고리(variable loops), 노출된 글리칸, membrane proximal external region의 보존된 항원결정인자(conserved epitope)를 인식할 수 있다 (그림 44-1).

사람을 대상으로 한 연구에서 HIV 감염에 대한 예방효과는 아직 증명되지 않았으나 유인원을 대상으로 한 연구에서는 광범위 중화항체의 수동전달(passive transfer)이 HIV 감염을 예방하고, 이미 감염된 동물에서 바이러스혈증을 낮추는 결과가 관찰되었다. 또한, *ex vivo* 연구나 사람을 대상으로 한 *in vivo* 연구에서 광범위 중화항체의 수동전달은 혈액 내 바이러스 농도를 감소시키는 효과를 가지고 있다는 것이 증명되었다. 그러나, 광범위 중화항체는 HIV 감염된 후 수년이 지나야 생성되며 발생단계에서 자가면역성을 띄어 제거되거나, 생성하기 어려운 특이한 구조를 갖거나, 높은 수준의 체세포 돌연변이가 필요하기 때문에 생성하는 데 어려운 점들을 가지고 있다. 최근 광범위 중화항체를 생성할 수 있는 B세포 계열 백신 디자인 전략을 통해 광범위 중화항체를 유발할 수 있는 면역원을 디자인하는 연구

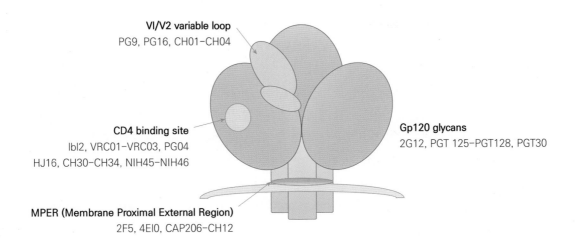

VI/V2 variable loop
PG9, PG16, CH01-CH04

CD4 binding site
Ibl2, VRC01-VRC03, PG04
HJ16, CH30-CH34, NIH45-NIH46

Gp120 glycans
2G12, PGT 125-PGT128, PGT30

MPER (Membrane Proximal External Region)
2F5, 4EI0, CAP206-CH12

그림 44-1. 삼합체(trimer)와 광범위 중화항체의 항원결정인자(epitope).
[Adapted and modified from Haynes et al. (2013), Nat. Biotechonol.]

가 진행되고 있다. 현재까지의 백신 임상연구에서 높은 농도의 광범위 중화항체가 유발되는 것이 증명된 경우는 없었지만, B세포 계열 백신 디자인 전략을 통해 광범위 항체를 유발하는 면역원을 도출하여 이를 통해 HIV 백신의 예방효과를 강화시킬 수 있을 것으로 기대된다.

4) 세포 매개 면역 반응

Gag를 표적으로 하는 세포살상 T 림프구 반응이 생체 내에서 바이러스 복제를 조절한다는 여러 선행연구결과가 있었지만 STEP Trial의 실패로 세포살상 T 림프구 백신에 대한 기대는 실망으로 바뀌었다. 그러나 STEP trial의 후속 분석결과와 이후 발표된 유인원 대상 연구의 결과로 세포살상 T 림프구 백신 전략은 추가로 연구할 가치가 있음이 제시되었다. 효과적인 세포살상 T 림프구 백신의 경우 세포살상 T 림프구 탈출 돌연변이(escape mutant)의 발생이 항상 문제가 되는데, 이를 극복하기 위해 HIV의 생존에 매우 중요한 구조나 돌연변이 발생 시 복제가 어려워지는 위치의 구조적으로 매우 보존되어 있는 항원결정부위를 표적하는 전략을 세우거나, 다가의 모자이크 단백을 통한 광범위 T세포 반응을 유발하는 전략이 연구되고 있다.

5) 새로운 전략: 면역 조절과 다양한 전략의 조합

현재까지는 RV144 trial이 미약하지만 유일하게 백신 효능이 입증된 임상시험이다. RV144의 연구결과는 HIV 예방효과와 상관관계가 있는 면역반응을 찾는 대규모 후속연구로 이어졌으며 HIV 백신개발의 새로운 가능성과 연구방향을 제시해 주었다. 최근 Bekker 등은 RV144 임상시험을 기반으로 12−18개월 후 추가접종을 시행하는 1/2상 임상시험인 HVTN100의 결과를 발표하였으며 비교적 고무적인 결과를 얻어 2b/3상 시험인 HVTN702가 시작되었다. 또한 아데노바이러스 벡터를 사용하고, 다가의 모자이크 단백을 통한 광범위 T세포 반응을 유도하며 env gp140으로 추가 접종하는 HVTN705도 진행되고 있다. 현재까지의 백신 임상연구에서 광범위 중화항체가 성공적으로 유발된 경우는 없었지만, 백신 유발 기억 B 세포 레퍼토리의 깊이 있는 분석과 항체의 작용기능에 대한 연구들은 광범위 중화항체를 유발하는 면역원의 개발로 진행될 것으로 기대되며 이는 새로운 HIV백신 개발전략이 될 것으로 사료된다. 또한, 항원 전달 방법 또는 시토카인이나 면역 체크포인트 차단제와 같은 면역 조절 시그널을 통한 면역계의 재프로그래밍을 통한 백신개발 연구가 필요할 것으로 판단된다. HIV 또는 SIV (simian immunodeficiency virus)에 감염되었지만 바이러스를 성공적으로 조절하여 질병의 진행을 늦추거나 질병으로 진행하지 않는 HIV 엘리트 콘트롤러 또는 아프리카 녹색원숭이(african green monkey)나 검댕맹거베이(sooty mangabey)와 같은 SIV 자연숙주에서의 바이러스 면역반응을 연구하는 것은 성공적인 HIV백신의 개발에 매우 중요한 정보를 줄 것으로 기대된다.

참고문헌

1. 대한감염학회. 감염학. 2판. 서울:군자출판사;2014.
2. 질병관리본부, 2016 HIV/AIDS 신고현황.
3. Bekker L, Moodie Z, Grunenber N, et al. Subtype C ALVAC-HIV and bivalent subtype C gp120/MF59 HIV-1 vaccine in low-risk, HIV-uninfected, South African adults: a phase 1/2 trial. Lancet HIV 2018;5:e366-78.
4. CDC. 1993 revised classification system for HIV infection and expanded surveillance case definition for AIDS among adolescents and adults. MMWR Recomm Rep 41(RR-17):1992;1-19.
5. Escolano A, Dosenovic P, Nussenzweig M. Progress toward active or passive HIV-vaccination. J Exp Med 2017;214:3-16.
6. Excler JL, Robb ML, Kim JH. Prospects for a globally effective HIV-1 vaccine. Vaccine 2015;33 Suppl : D4-12.
7. Haynes BF, Kelsoe G, Harrison SC, et al. B-cell-lineage immunogen design in vaccine development with HIV-1 as a case study. Nat Biotechnol 2012;30:423-33.
8. Pollara J, Easterhoff D, Fouda GG. Lessons learned from human HIV vaccine trials. Curr Opin HIV AIDS 2017;12:216-21.
9. Seddiki N, Levy Y. Therapeutic HIV-1 Vaccine: time for immunomodulation and combinatorial strategies. Curr Opin HIV AIDS 2018;13:119-27.
10. Shin SY. Recent update in HIV vaccine development. Clin Exp Vaccine Res 2016;5:6-11.
11. WHO/UNAIDS. UNAIDS DATA 2017.

말라리아

연세대학교 의과대학 **염준섭**

1. 배경

　말라리아는 열원충(*Plasmodium*) 속(genus)에 속하는 열원충이 포유류의 적혈구를 침범하여 감염증을 유발하는 질환이다. 현재까지 약 100여 종의 열원충이 보고되어 있으나 사람에게 감염증을 유발할 수 있는 열원충은 열대열원충(*Plasmodium falciparum*), 삼일열원충(*P. vivax*), 사일열원충(*P. malariae*), 난형열원충(*P. ovale*), 원숭이열원충(*P. knowlesi*)이다. 세계적으로 30억 명 이상이 말라리아 위험지역에 살고 있고 매년 약 2억 1천만 명의 환자가 발생하며 약 445,000명 이상이 사망하는 것으로 추정된다. 사망자의 대부분은 열대열원충 감염 때문이며, 열대지방에 거주하는 어린이와 임신부들이 고위험군이며 열대열 말라리아가 발생하는 지역을 여행하는 여행자들에서도 사망자가 발생하고 있다. 이러한 이유로 말라리아 예방을 위해 여러 가지 방법들이 시도되었으나 아직까지 상용화된 예방백신은 없으며 화학예방요법 및 약품처리한 모기장 설치를 통한 모기 물림 예방 정도만이 시행되고 있다. 현재는 주로 열대열원충에 대한 백신 개발을 위해 많은 연구가 진행되고 있으나 전 세계적으로 말라리아 감염의 약 25%는 삼일열원충에 의한 것이며 일부 삼일열 말라리아 환자에서 사망 사례가 보고되고 있고 이로 인한 경제학적 비용 손실도 커서 삼일열원충에 대한 백신도 연구가 진행되고 있다.

1) 열원충의 생활사

　열원충은 종숙주인 얼룩날개모기(anopheles)와 중간숙주인 각종 포유류 사이를 이동하면서 여러 형태로 변화하는 복잡한 생활사를 갖고 있다. 모기의 침샘에 있던 포자소체(sporozoite)는 암컷 모기가 산란을 위해 흡혈을 할 때 사람을 비롯한 중간숙주의 혈류로 유입되고 수분 내에 간세포를 침범하여 세포 분열을 시작한다. 세포분열을 통하여 보통 6-16일 동안 수천 개의 분열소체(merozoite)가 만들어지고 이들이 간세포를 터뜨리고 나와 혈액 속에 있는 적혈구를 침범한다. 삼일열원충과 난형열원충 감염에서는 포자소체의 일부가 간세포 내에서 수면소체(hypnozoite)의 형태로 남아 길게는 1년까지도 잠복감염 상태를 유지한다. 적혈구 내 분열소체들은 반지형(ring form), 영양형(trophozoite)으로 발육된 후 분열체(schizont)가 되고 수차례의 핵분열을 통해 분열소체가 만들어지면 적혈구를 터뜨리고 나와 새로운 적혈구를 침범하는 적혈구생활사를 48-72시간의 주기로 반복하게 된다. 원충의 종류에 따라 적혈구 생활사 반복주기가 다르며 대체로 환자의 고열 발생 주기와 일치한다. 일부 분열소체는 암, 수 생식모세포로 분화하며 모기가 사람의 혈액을 흡혈하는 과정 중 다시 모기로 이동하게 되면 모기의 체 내에서 10-22일 간의 유성 생식기를 거쳐 포자소체로 변하면 다시 모기의 침샘으로 이동, 다음 흡혈 시 또 다른 중간숙주를 감염시킨다.

2) 임상양상

말라리아의 주 증상은 주기적으로 나타나는 고열이다. 이러한 고열이 나타나기 2-3일 전부터 비특이 적인 전구 증상들 즉, 전신권태, 피곤함, 두통, 어지러움 근육통, 식욕부진, 오심, 구토 등이 나타난다. 이러한 전구 증상이 있은 후에 오한이 생기고 이어서 체온이 급격히 상승하여 고열과 함께 심한 열경 직, 떨림이 동반된다. 연이어 발한과 함께 수 시간에 걸쳐 열이 떨어진다. 이런 "열발작(febrile paroxysm)"이 사일열 말라리아는 72시간, 그 외 말라리아는 48시간의 주기(열대열 말라리아는 불규칙적인 열을 보이는 경우가 많다)로 나타난다. 고열이 있을 때 구토 증상이 동반될 수 있고 소아에서는 열경련 이 발생할 수 있다. 열대열 말라리아에서는 조기 진단과 치료가 이루어지지 않으면 중증 말라리아로 진 행할 수 있는데 저혈당, 뇌말라리아, 젖산산증, 폐부종, 급성신부전, 심한 빈혈 등이 발생하고 이로 인 해 사망하거나 회복 후에도 합병증이 남게 되는 경우가 많다.

2. 말라리아백신 개발이 어려운 이유

지난 수십 년간의 노력에도 불구하고 아직까지 상용화된 말라리아백신이 개발되지 못하고 있는 이 유는 다음과 같다.

1) 열원충은 복잡한 생활환을 가지며 각 시기별로 특이한 항원 혹은 단백질을 만든다. 이로 인해 특 정 시기의 항원에만 효과가 있는 백신은 다른 시기의 열원충에는 효과가 없다.

2) 열대열원충은 14개의 염색체에 약 5,300개의 유전자가 있는 큰 유전체를 갖고 있다. 또한 적혈구 는 주조직적합복합체(major histocompatibility complex)가 없어 적혈구 내에 있는 열원충은 인체 면역 세포로부터 보호를 받게 된다.

3) 환자가 서로 다른 여러 균주(strain)의 열원충에 동시에 감염될 수 있으며 이런 경우 서로 다른 항 원성을 갖는 항원을 생성하여 숙주의 면역 체계에 효과적으로 대응할 수 있다.

4) 자연 상태에서도 열원충에 반복적으로 노출되어 형성되는 보호항체가 오래 지속되지 못하고 부 분면역만 유도하므로 개발되는 백신은 적어도 이 이상의 면역반응을 유도할 수 있어야 한다.

3. 말라리아백신의 개발 방향 및 현황

현재 개발되고 있는 말라리아의 백신은 열원충 생활사에서 작용하는 시기에 따라 크게 3가지 즉, 전적혈구기에 작용하는 백신(pre−erythrocytic vaccine), 적혈구기에 작용하는 백신(blood−stage vaccine), 전파차단백신(transmission−blocking vaccine)으로 구분된다. 첫 두 단계의 백신은 인체 내에서 작용하는 백신으로 pre−erythrocytic vaccine은 포자소체의 감염을 차단하거나 간세포 내에서 발생을 억제하는 것이 목적이며 모든 임상증상이 예방될 수 있으므로 열원충에 대한 면역력이 전혀 없는 사람들에게 적절한 백신이다. 적혈구기에 작용하는 백신은 이미 열원충에 감염된 후 전적혈구생활사를 거쳐 혈액으로 분열소체가 유리되어 적혈구를 침범하는 단계에 작용하는 백신들로 말라리아 임상 양상의 중증도를 경감시켜 뇌말라리아와 같은 중증 말라리아의 발생을 예방하여 사망률을 낮추는 효과를 기대하는 백신이다. 전파차단백신은 열원충의 유성생식기에 작용하는 백신으로 사람에서 모기로 생식모세포의 전파를 차단하거나 모기 체내에서 포자소체의 형성을 차단하여 궁극적으로 모기로부터 사람으로 열원충이 전파되는 것을 차단하는 백신이다. 이 백신을 접종받는 사람은 정작 아무런 효과가 없으나 지역사회 내에서 열원충의 전파를 차단하는 효과가 나타나며 비교적 말라리아 발생 밀도가 높지 않고 섬과 같이 비교적 차단된 제한적 공간에서 더 큰 효과를 발휘할 수 있는 백신이다. 이렇게 다양한 단계에서 서로 다른 목적의 백신이 개발되는 이유는 말라리아가 발생하는 지역과 비 발생지역 사람들의 면역상태가 서로 다르고 말라리아 발생지역 내에서도 연령, 임신 여부 등에 따라 면역상태 및 이로 인한 임상 양상이 다르게 나타나기 때문이다. 또한 열원충의 다양한 항원 변이성 때문에 모든 단계에서 모든 사람에게 동일한 효과를 발휘하는 백신의 개발이 대단히 어렵기 때문이다.

1) 전적혈구기백신(Pre-erythrocytic vaccine)

말라리아백신 개발을 위한 최초의 시도는 열원충에 방사선을 가하여 약독화된 살아 있는 포자소체를 접종하는 것이었다. 열원충에 감염된 모기에 방사선을 가하여 모기 체내에 있는 포자소체의 독성을 약화시킨 후 1,000여 마리 이상의 모기가 자원자를 인위적으로 물게 한 결과 모든 대상자들이 자연 상태에서 열대열원충 감염이 완벽하게 차단되었으며 이러한 면역력이 10개월 이상 유지되는 것이 확인되었다. 이렇게 탁월한 효과가 있지만 포자소체를 이용한 약독화 생백신은 접종자의 신체 내에 살아 있는 포자소체가 그대로 남아 있게 되는 문제가 있으며 아직까지 포자소체의 보존 및 실험실적 배양 기술이 없어 대량 생산이 불가능하므로 상용화할 수가 없다. 그러나 최근에는 분자유전학적 기술이 발전하였고 열대열원충의 전체 유전자배열이 밝혀져 포자소체가 간세포를 침범할 때 필요한 중요한 유전자를 찾아 이를 제거한 유전자변형 열대열원충을 만들어서 접종하는 방법들이 시도되고 있다.

대부분 제약회사들은 비용의 문제로 열원충 단백질의 일부분을 이용하는 아단위백신의 개발을 위해 노력하고 있다. 현재 가장 많이 이용되는 단백질은 CSP (circumsporozoite protein)으로 열원충에 감염된 간세포를 죽일 수 있는 능력이 있는 CD8+ T 림프구를 유도할 수 있는 단백질이다. CSP를 이용한 아단위백신인 RTS,S/AS01 (Mosquirix™) 백신이 임상 연구에서 현재까지 유일하게 좋은 성적을 보이고 있다. 이 백신은 *Saccharomyces cerevisiae*에서 HBs항원과 CSP 폴리펩티드의 재조합으로 만든 것으로 AS01은 리포솜과 병합된 강력한 면역증강제가 첨가되어 있고 AS02는 oil-in-water emulsion과 병합된 면역증강제가 첨가되어 있다. 두가지 면역증가제가 포함된 RTS,S백신중 RTS,S/AS01 백신의 면역유도능이 더 우수하여 3상 임상시험은 RTS,S/AS01으로 진행되었다. 생후 6-12주 영아에서 3회 접종(1개월 간격으로 접종) 후 20개월째 평가한 백신 효능은 27%였고 48개월째에는 18.3%로 감소하였다. 생후 5-17개월 어린이에서 3회 접종 후 20개월째 백신 효능은 45.1%였으나 48개월째에는 28.3%로 역시 감소하였다. 추가 접종은 효능을 증가시켜 4회 접종이 필요할 것으로 보였으며 안전성 면에서는 큰 이상은 없었으나 5-17개월 어린이 접종군에서 이유를 알 수 없는 수막염이 더 많이 발생하였다. RTS,S/AS01 백신의 효능은 백신에 포함된 CSP 대립유전자와 실제 감염된 열원충의 CSP 대립유전자가 일치할 경우에는 백신 효능이 50.3%로 높았고 다를 경우에는 33.4%였다. 그러나 접종 후 첫 50일 간은 대립유전자가 일치할 경우 백신 효능은 100%였고 일치하지 않아도 75%의 효능을 보여 초기에는 전파 차단 효과는 있을 것으로 판단되었다. 이러한 제한점이 있지만 열대열말라리아 유행지역의 질병 부하를 감안하여 European Medicine Agency for immunization에서는 RTS,S/AS01 백신을 생후 6주-17개월 소아에서의 사용하도록 허가하였다.

방사선으로 약독화한 열대열원충 포자소체(radiation-attenuated *P. falciparum* sporozoite)를 이용하여 예방접종을 시행하면 열원충에 의한 감염을 차단하는 효과가 있다는 것은 오래 전부터 알려져 있었으나 충분한 양의 방사선-약독화 포자소체를 확보할 수 있는 기술이 없어 진전이 없었다. 그러나 근래에 Sanaria라는 회사에서 동결보존 열대열원충 포자소체 백신을 생산하는 데 성공하여 임상 연구가 진행되고 있다. 선행 연구에서 2.7×10^5개의 포자소체가 포함된 백신으로 4회 접종한 총 11명 중 6명은 21주 후에도 원충혈증이 발견되지 않았다. 현재 2상 연구가 진행 중이다.

개발중인 또 다른 전적혈구기백신으로는 cell-traversal protein for ookinetes and sporozoites (PfCelTOS)과 항원을 사람 아데노바이러스(Ad26, Ad35) 또는 침팬지 아데노바이러스(chAd63) 전달체와 결합시킨 백신이 효능이 있을 것으로 예상되어 연구가 진행되고 있다(표 45-1).

2) 적혈구기백신(Blood-stage vaccine)

말라리아가 토착화되어 고밀도로 발생하는 지역의 성인들은 열원충에 자주 노출되어 혈액 내에 열원충이 있으나 임상 증상은 전혀 없는 항질병면역력을 갖고 있다. 적혈구기백신은 이러한 면역력이 백신 접종을 통해서 획득할 수 있도록 개발되고 있다. 주로 이용되는 단백질들은 MSP (merozoite surface protein), AMA (apical membrane antigen)이나 이외에도 여러 가지 항원들이 사용되고 있다(표 45-1).

표 45-1. 임상 연구가 진행 중인 주요 말라리아백신들

(출처: http://www.who.int/vaccine_research/links/Rainbow/en/)

Translational projects				Vaccine Candidate	
Phase 1a	Phase 2a		Phase 1b	Phase 2b	Phase 3
ChAd63/MVA ME-TRAP + MatrixM™	RTS,S-AS01ChAd63/ MVA ME-TRAP	ChAd63/MVA msp 1	Pf25-EPA	ChAd63/MVA ME-TRAP	RTS,S-AS01
PfCelTOS FMP012	RTS,S-AS01 fractional dose	ChAd63.AMA1/ MVA.AMA1	AMA1-DiCo	PfSPZ	
ChAd63/ MVAPvDBP					
Pfs25-VLP					

MSP는 분열소체의 표면에 있는 항원으로 이에 대한 항체는 분열소체의 적혈구 침범을 억제한다. 그러나 근래 아프리카 어린이를 대상으로 AMA1과 MSP1을 이용한 백신의 2상 연구 결과에서는 이들 백신이 효과가 없는 것으로 확인되었다. 최근에는 AMA1과 MSP1의 면역원성을 증가시키기 위해 새로운 면역증강제를 이용한 백신이 개발되고 있다. AMA에 AS0와 같은 강력한 면역증강제를 결합한 결과 60%의 백신 효과가 나타났다. 삼일열말라리아에 대한 백신으로는 유일하게 Duffy binding protein을 표적으로 한 백신이 1상 연구가 진행되고 있다. 적혈구기백신들은 아직 개발 초기 단계에 있어 향후 지속적인 연구가 필요하다.

3) 전파차단백신(Transmission-blocking vaccine)

모기가 말라리아에 감염된 사람의 혈액을 흡혈할 때 생식모세포뿐만 아니라 항체 및 보체가 함께 모기로 흡입되는데, 이후 모기 체내에서 열원충의 성숙 과정을 항체가 차단하는 원리를 이용한 백신이다. 아직 개발 초기 단계로 지속적인 연구가 필요하다.

참고문헌

1. Dubovsky F, Rabinovich NR: Malaria vaccines, In: Plotkin SA, Orenstein WA, eds. Vaccines. 4th ed. Philadelphia, WB Saunders Co.; 2004;1283-89.
2. RTS,S Clinical Trials Partnership. Efficacy and safety of RTS,S/AS01 malaria vaccine with or without a booster dose in infants and children in Africa: final results of a phase 3, individually randomised, controlled trial. Lancet 2015;386:31-45.
3. Gosling R, von SL. The future of the RTS,S/AS01 malaria vaccine: an alternative development plan. PLoS Med 2016;13:e1001994.
4. Lyke KE. Steady progress toward a malaria vaccine. Curr Opin Infect Dis 2017;30;463-70.
5. Neafsey DE, Juraska M, Bedford T, et al. Genetic diversity and protective efficacy of the RTS,S/AS01 malaria vaccine. N Engl J Med 2015;373:2025-37.
6. Thera MA, Doumbo OK, Coulibaly D, et al. A field trial to assess a blood-stage malaria vaccine. N Engl J Med 2011;365:1004-13.

한양대학교 의과대학 **김지은**
한양대학교 의과대학 **배현주**

클로스트리디오이데스 디피실레

1. 질병의 개요

1) 원인 병원체

클로스트리디오이데스 디피실레(*Clostridioides difficile*)는 혐기성 그람 양성균으로 대표적인 병원감염 원인균 중 하나이다. 포자를 형성하는 특징으로 인해 외부 환경에서 오래 생존할 수 있으며, 대변-경구 경로를 통해 전파된다. 항생제 노출력, 입원력, 고령, 위장관 수술 등 다양한 위험 요인에 의해 포자가 발아하게 된다. 클로스트리디오이데스 디피실레는 대장 상피세포의 관내강 표면에 집락을 형성하고 외독소를 분비함으로써 증상을 유발한다.

클로스트리디오이데스 디피실레의 병원성 유전자 자리에는 *tcdA*와 *tcdB* 유전자가 있고, 각각 독소 A와 독소 B를 부호화(encoding)하여 주요 발병인자로 작용한다. 독소 A는 장내독소(enterotoxin)로서 장관 내에서 체액과 전신성 염증의 분비와 관련이 있다. 독소 B는 세포독소(cytotoxin)로서 클로스트리디오이데스 디피실레 감염 병독성의 주요 결정 요소이며, 대장의 손상과 관련이 있다. *TcdC* 유전자는 독소 A와 B의 생성을 억제하는 조절자(regulator)이다. *CdtA*와 *cdtB* 유전자는 병원성 유전자자리 밖에 존재하며, 클로스트리디오이데스 디피실레 전이효소(CDT)를 생성하는 binary toxin을 부호화한다. Binary toxin은 독소 A와 B의 독성을 강화하여서 중한 질병 경과를 일으킬 수 있다. 특히 고병원성 BI /NAP1/027 균주는 *tcdC* 유전자의 결손으로 인해 독소 생성을 억제하는 능력이 소실되어 독소 A와 B의 과생성을 초래하고 이로 인한 중증의 증상을 야기한다.

2) 역학

캐나다에서 고병원성 BI/NAP1/027 균주에 의한 대규모 유행이 발생하기 전 클로스트리디오이데스 디피실레 감염은 인구 10만 명당 35.6건의 발생을 보였다. 2003년 대규모 유행이 발생하면서 발생률은 156.3건으로 5배 이상 증가를 보였으며 이후 지속적으로 증가하는 추세이다.

국내에서는 고병원성 BI/NAP1/027 균주 감염이 2009년 처음 보고되었다. 과거 국내 발생률은 1만 환자입원당 8.8건에서 71.7건으로 연구자와 연구 방법에 따라 다양하게 보고되었다. 전향적으로 시행된 2009년 한 발생률 조사 연구에서 국내 의료관련 클로스트리디오이데스 디피실레 감염의 발생은 평균

10만 환자 일당 71.6건이 발생하였으며, 아직까지 대규모 유행은 없었다.

클로스트리디오이데스 디피실레 감염은 발생 시기와 장소에 따라 의료관련 감염과 지역사회 획득 감염으로 나눌 수 있다. 국내에서는 지역사회 감염이 아직 흔하지 않으나 북미지역에서는 지역사회 감염이 큰 문제가 되고 있다.

3) 임상적 특징

독소 생성 클로스트리디오이데스 디피실레 균주에 의한 감염은 증상이 없는 보균 상태나 경증의 설사부터 거짓막대장염(pseudomembranous colitis), 거대결장 및 사망을 포함하는 중증의 임상양상까지 다양하다. 클로스트리디오이데스 디피실레는 집락형성 후 평균 2–3일 뒤 증상이 나타난다. 클로스트리디오이데스 디피실레 설사는 수양성 혹은 점액성 설사이고 잠재혈액이 섞일 수는 있으나 혈변 배설이나 흑색변으로 나타나는 경우는 드물다. 발열, 경련, 복부 불편감, 말초백혈구증가증이 동반될 수 있다. 중증 감염은 탈수, 전해질 불균형, 저알부민혈증, 독성 큰결장증, 장 천공, 저혈압, 콩팥기능부전 및 패혈증으로 증상이 나타나고 사망에 이를 수 있다.

감염의 중증도에 대한 평가 방법은 다양하다. 그 중 한가지는 60세 초과, 체온 38.3℃ 초과, 혈중 알부민 2.5 mg/dl 미만, 백혈구 15,000 cells/mm³인 경우 각각 1점을, 중환자실에 입원한 경우나 거짓막대장염을 확인한 경우 각각 2점을 부여하고 이들 점수의 합산이 2점 이상인 경우를 중증 클로스트리디오이데스 디피실레 감염으로 평가하는 것이다. 또 다른 평가 방법은 백혈구 수치가 15,000 cells/mm³ 이상인 경우 또는 혈중 크레아티닌 수치가 평상시의 1.5배 이상 증가한 경우를 중증으로 판단하는 것이다. 이러한 중증도에 따라 예후를 예측할 수 있으며 초기 치료 약제 선택이 달라진다. 재발율은 15–35%이며, 한번 재발한 환자에서 다시 재발할 확률은 33–65%이다. 재발의 경우 이전 감염이 치료되지 않아 재발할 수도 있으나 새로운 균주에 의해 재감염될 수도 있다. 재발한 경우에도 균주는 항생제에 민감하여 치료 반응이 좋으며, 내성이 생긴 경우는 드물다.

4) 진단

설사가 있는 환자에서 독소 혹은 독소배양 결과 양성이거나 내시경 혹은 조직학적으로 거짓막대장염을 확인한 경우 진단한다. 클로스트리디오이데스 디피실레 감염 진단은 두 단계로 할 것을 권장한다. GDH (glutamate dehydrogenase) + 독소 ELISA, GDH + nucleic acid amplification test (NAAT) 혹은 NAAT +독소 검사를 하는 것이 좋고 클로스트리디오이데스 디피실레 감염이 강력하게 의심되는 경우를 제외하고는 NAAT 단독 검사는 추천되지 않는다. 설사 등의 증상이 없는 환자에서 양성 결과는 임상적 의의가 없다.

5) 치료

원인 항생제를 가급적 중단한다. 현재 FDA에서 승인된 치료제는 vancomycin과 fidaxomicin이다. 국내에서 주로 사용하는 치료는 metronidazole과 vancomycin 경구 복용이다. 경증일 경우 metronidazole 500 mg을 하루 3회 경구 복용하고 중증의 경우 vancomycin 125 mg을 하루 4회 복용한다. 치료 기간은 10–14일이다. 중증 감염은 vancomycin 500 mg을 하루 4회 경구나 비위관을 통해 투약하고 8시간 간격으로 metronidazole 500 mg을 정주할 수 있다. 장폐쇄증이 있어 경구 투약이 어려운 경우 metronidazole 500 mg 하루 3회 정맥주사와 vancomycin 관장을 할 수 있다. 1회 재발 시 동일 항생제로 치료하며 2회 이상 재발하면 vancomycin으로 치료 후 투약 간격을 연장하여 점차 감량할 수 있다. 또한 2회 이상 재발한 환자는 정상 대변세균총 이식을 고려할 수 있다.

6) 환자 및 접촉자 관리

클로스트리디오이데스 디피실레는 환자 주변을 오염시키고 외부 환경에서 오래 생존한다. 따라서 접촉격리를 적용하여 환자와 보호자를 관리해야 한다. 물과 비누를 사용한 손씻기가 필요하며 염소가 포함된 소독제나 포자를 죽일 수 있는 소독제를 사용하여 환자 주변 환경을 관리해야 한다. 국내 격리지침은 감염력이 소실될 때까지 고시 제2015-90호에 의거하여 클로스트리디오이데스 디피실레 감염환자를 격리할 수 있다.

2. 백신 개발의 필요성

클로스트리디오이데스 디피실레 감염은 기존의 입원기간을 연장시키고 중증의 경우 수술이나 중환자실 치료가 필요할 수 있어 의료 비용이 많이 요구된다. 적극적인 손위생이나 접촉주의 등 감염관리를 열심히 해도 클로스트리디오이데스 디피실레 감염을 줄이거나 막는데 많은 어려움이 있다. 따라서 감염 자체를 예방할 수 있는 백신의 도입이 필요하다. 2018년 8월 현재 Clinicaltrials.gov에 등록된 임상 연구는 총 36개이며, 이 중 21개가 백신관련 연구이다. 1개의 임상 2상 연구가 대상자 모집 준비 중이고 3개의 임상 3상 연구 중 2개가 진행하였거나 진행중이며 한 개의 연구가 준비 중이다.

3. 능동면역

1) 독소 표적 백신

가장 먼저 백신 후보물질로 개발되었고 가장 많은 임상연구가 진행되었다. 클로스트리디오이데스 디피실레를 보균한 환자에서 병으로 이환하는 단계를 막고 재발을 낮추는 것이 주된 목표이다.

Sanofi Pasteur는 포르말린-불활화 정제 독소 백신을 개발하였다. 독소 A와 B는 2상 임상연구에서 50, 100 μg 항원 용량을 0-7-30일, 0-7-180일, 0-30-180일 일정으로 접종했을 때 180일째 면역력을 비교하였고 이 중 100 μg 항원 용량을 0-7-30일 일정으로 접종했을 때 가장 효과적이었다. 50-85세의 클로스트리디오이데스 디피실레 감염 발생 위험이 높은 건강인을 대상으로 3상 임상연구를 진행하였으나 효과를 입증하지 못하여서 2017년 12월 백신 연구 중단을 선언하였다. Pfizer에서는 N-말단기 당전이효소 세포독성 도메인의 유전자를 변이시킨 변성독소 A와 B를 함유한 백신을 개발하였다. 1상 임상연구에서 50, 100, 200 μg 항원 용량을 0-1-6개월 일정으로 3회 접종하였을 때 50-85세 연령군 모두에서 항독소 A와 B의 효과적인 항체가 증가를 확인하였다. 현재 50세 이상을 대상으로 효과와 안전성을 확인하기 위한 3상 임상연구를 진행 중이다(NCT03090191). VLA84는 독소 A와 B의 수용체 부착 도메인을 함유한 합성 단백이다. 18-65세의 건강인에서 0, 7, 21일 일정으로 각각 20, 75, 200 μg을 접종하고, 65세 이상의 건강인에서 0, 7, 28, 56일 일정으로 각각 75, 200 μg을 접종했을 때, 안전성과 면역형성면에서 효과적이었다. 현재 Valneva에서 2상 임상연구를 종료한 상태이다(NCT02316470).

또한 binary toxin을 함유한 백신을 개발하여 NAP1 균주에 의한 클로스트리디오이데스 디피실레 감염 유행을 막고자 하는 연구가 진행 중이다.

2) 세포표면단백 표적 백신

S-층 단백, 편모 단백질, FliC와 FliD, 프로테아제 Cwp84 등 표면 단백질을 이용하여 클로스트리디오이데스 디피실레의 보균 자체를 막고자 하는 연구가 진행되고 있다. 아직까지는 동물 실험단계이다.

4. 수동면역

1) 면역글로불린

중증 또는 재발성 클로스트리디오이데스 디피실레 감염에서 독소 A와 B에 대한 특정 IgG 항체를 포함한 면역글로불린이 치료제로 시도되었으나 결과가 일정하지 않아 실제 임상에 활용하기 어렵다.

2) 클로스트리디오이데스 디피실레 독소 A (CDA1)와 B (CDB1)에 대한 단클론 중화항체 (Neutralizing monoclonal antibody)

최근 단클론 중화항체를 이용한 재발성 클로스트리디오이데스 디피실레 감염 예방에 대한 3상 임상 연구 결과가 발표되었다. CDB1에 대한 단클론 항체 bezlotoxumab (MK-6072/MDX-1388/CDB1)과 CDA1에 대한 단클론 항체 actoxumab (MK-3415/GS-CDA1/CDA1)을 각각 10 mg/kg 용량으로 MODIFY I (NCT01241552)와 MODIFY II (NCT01513239) 임상연구를 진행하였다. 치료 후 12주 이내 재발을 1차 목표로 했을 때, bezlotoxumab은 위약과 비교하여 재발률이 MODIFY I에서 10.1% (95% 신뢰구간, -15.9~-4.3; $p < 0.001$), MODIFY II에서 9.9% (95% 신뢰구간, -15.5~-4.3; $p < 0.001$) 감소하였다. Actoxumab-bezlotoxumab 병합과 위약 비교시 재발률이 MODIFY I에서 11.6% (95% 신뢰구간, -17.4~-5.9; $p < 0.001$), MODIFY II에서 10.7% (95% 신뢰구간, -16.4~-5.1; $p < 0.001$) 감소하였다. 반면 actoxumab과 위약의 비교에서 재발률의 차이는 없었다. 이상반응 조사에서 bezlotoxumab은 위약과 비교하여 심각한 이상반응을 포함한 통계적으로 유의한 이상반응 보고는 없었다.

Bezlotoxumab (Zinplava®, Merck & Co.)은 18세 이상에서 클로스트리디오이데스 디피실레 감염에 대해 항생제 치료받은 사람과 클로스트리디오이데스 디피실레 감염의 재발 위험이 높은 사람에 대해 클로스트리디오이데스 디피실레 감염의 재발 예방약으로 2016년 10월 21일 미국 FDA 승인을 받았다.

참고문헌

1. Barbut, F., A. Richard, K. Hamadi, et al. Epidemiology of recurrences or reinfections of *Clostridium difficile*-associated diarrhea. J Clin Microbiol 2000;38:2386-8.
2. Bezay, N., A. Ayad, K. Dubischar, et al. Safety, immunogenicity and dose response of VLA84, a new vaccine candidate against Clostridium difficile, in healthy volunteers. Vaccine 2016;34:2585-92.
3. Cohen, S.H., D.N. Gerding, S. Johnson, et al. Clinical practice guidelines for *Clostridium difficile* infection in adults: 2010 update by the society for healthcare epidemiology of America (SHEA) and the infectious diseases society of America (IDSA). Infect Control Hosp Epidemiol 2010;31:431-55.
4. de Bruyn, G., J. Saleh, D. Workman, et al. Defining the optimal formulation and schedule of a candidate toxoid vaccine against *Clostridium difficile* infection: A randomized Phase 2 clinical trial. Vaccine 2016;34:2170-8.
5. Evans, C.T. and N. Safdar, Current Trends in the Epidemiology and Outcomes of *Clostridium difficile* Infection. Clin Infect Dis 2015;60 (Suppl 2):S66-71.
6. Fujitani, S., W.L. George, and A.R. Murthy, Comparison of Clinical Severity Score Indices for *Clostridium difficile* Infection. Infect Control Hosp Epidemiol 2011;32:220-8.
7. Ghose, C. and C.P. Kelly. The prospect for vaccines to prevent *Clostridium difficile* infection. Infect Dis Clin North Am 2015;29:145-62.
8. Giannasca, P.J. and M. Warny, Active and passive immunization against *Clostridium difficile* diarrhea and colitis. Vaccine 2004;22:848-56.
9. Kim, J., H. Pai, M.R. Seo, et al. Epidemiology and clinical characteristics of Clostridium difficile infection in a Korean tertiary hospital. J Korean Med Sci 2011;26:1258-64.
10. Kufel, W.D., A.S. Devanathan, A.H. Marx, et al. Bezlotoxumab: A Novel Agent for the Prevention of Recurrent *Clostridium difficile* Infection. Pharmacotherapy 2017;37:1298-308.
11. Lee, J.H., S.Y. Lee, Y.S. Kim, et al. The incidence and clinical features of *Clostridium difficile* infection; single center study. Korean J Gastroenterol 2010;55:175-82.

12. McDonald, L.C., G.E. Killgore, A. Thompson, et al. An epidemic, toxin gene-variant strain of *Clostridium difficile*. N Engl J Med 2005; 353: 2433-41.

13. Mulvey, M.R., D.A. Boyd, D. Gravel, et al. Hypervirulent *Clostridium difficile* strains in hospitalized patients, Canada. Emerg Infect Dis 2010;16:678-81.

14. Secore, S., S. Wang, J. Doughtry, et al. Development of a Novel Vaccine Containing Binary Toxin for the Prevention of *Clostridium difficile* Disease with Enhanced Efficacy against NAP1 Strains. PLoS One 2017;12:e0170640.

15. Sheldon, E., N. Kitchin, Y. Peng, et al. A phase 1, placebo-controlled, randomized study of the safety, tolerability, and immunogenicity of a *Clostridium difficile* vaccine administered with or without aluminum hydroxide in healthy adults. Vaccine 2016;34:2082-91.

16. Soriano, M.M. and S. Johnson, Treatment of *Clostridium difficile* infections. Infect Dis Clin North Am 2015;29:93-108.

17. Tae, C.H., S.A. Jung, H.J. Song, et al. The first case of antibiotic-associated colitis by *Clostridium difficile* PCR ribotype 027 in Korea. J Korean Med Sci 2009;24:520-4.

18. Wilcox, M.H., D.N. Gerding, I.R. Poxton, et al. Bezlotoxumab for Prevention of Recurrent *Clostridium difficile* Infection. N Engl J Med 2017;376:305-17.

황색포도알균

울산대학교 의과대학 **김양수**

1. 질병의 개요

황색포도알균(*Staphylococcus aureus*)은 지역사회 감염을 빈번히 일으키는 세균이고 원내 감염의 흔한 원인균이기도 하다. 황색포도알균은 주변 환경의 변화에 뛰어난 유전적 적응력을 보여 왔으며, 이 덕택으로 세균역학, 병인, 항생제 내성 등의 측면에서 지속적으로 진화를 이루어 왔다. 이런 적응력과 진화 능력 때문에, 의학적 발전이 있었음에도 불구하고, 황색포도알균 감염에 의한 사망률은 별로 나아진 것이 없다.

황색포도알균 감염의 특징을 요약하면 다음과 같다.

1) 항생제 내성에 있어서, 메티실린내성 황색포도알균(methicillin−resistant *S. aureus*, MRSA)에 의한 감염이 지속적으로 증가하고 있다. 최근에는 MRSA 감염의 선택적 치료제인 glycopeptide 계열의 항생제(vancomcyin, teicoplanin)에 감수성이 저하된 균주가 증가하는 양상이 관찰되고 있다.

2) 얼마 전까지만 해도 MRSA 감염이 주로 의료기관 관련 감염(healthcare−associated infection)에 국한되었던 것과는 달리, 최근에는 지역사회에 거주하면서 MRSA 감염의 위험인자를 갖고 있지 않은 건강한 사람에게 MRSA 감염(community−associated MRSA infection, CA−MRSA infection)이 나타나고 있다.

3) 황색포도알균은 일부의 사람에게서 비강 내 정상 상재균으로 존재한다.

4) 황색포도알균은 균혈증을 비롯하여 다양한 임상 양상을 보인다.

5) 황색포도알균은 다른 세균과 비교할 때 상대적으로 감염 조직에서 제거가 어렵다.

황색포도알균 감염의 질병 부담이 크고 황색포도알균의 항생제 내성으로 항생제 치료에 어려움이 있으며 황색포도알균 감염의 치료 자체가 어렵다는 점 때문에, 기존의 항생제 요법 이외에도 백신이나 면역요법에 대한 필요성이 있다.

1) 병원체의 특성

황색포도알균 게놈은 2,800 kbp의 염색체로 구성되어 있으며 prophage, plasmid, transposon 등의 염색체 외 유전 요소도 존재한다. 독성과 항생제 내성을 조절하는 유전자는 염색체 또는 염색체 외 유전 요소에 위치한다. 황색포도알균에는 캡슐, 세포벽, 표면 단백질, 독소, 효소 등의 구성 성분이 있으며, 구성 성분의 전체나 일부가 항원으로 이용될 수 있다.

캡슐은 항식균 작용(antiphagocytosis)의 역할을 갖고 있으며, 11개의 혈청형이 있다. 인체 감염의 대부분은 제5형과 8형에 의하여 발생하며, MRSA의 대부분은 제5형에 속한다. 세포벽의 많은 부분을 peptidoglycan이 차지하고 있는데, peptidoglycan은 대식세포에서 시토카인을 배출하도록 자극하며, 보체를 활성화시킨다. Ribitol teichoic acid, lipoteichoic acid 등이 peptidoglycan과 연결되어 있다. 표면 단백질은 리간드 부착 도메인인 N 말단 부위가 세포벽 바깥쪽에 노출되어 있어서 adhesin으로서의 기능을 수행할 수 있으며, 황색포도알균이 조직에 집락을 형성하는데 있어서 중요한 역할을 담당한다. 이런 역할 때문에 표면 단백질을 microbial surface components recognizing adhesive matrix molecules (MSCRAMM)이라고도 부르며, protein A, elastin-binding protein, collagen-binding protein, fibronectin-binding protein, clumping factor 등이 여기에 속한다. 황색포도알균은 다수의 독소를 생산하며, cytotoxin (α-toxin), enterotoxin, toxic shock syndrome toxin 1 (TSST-1), exfoliative toxin, Panton-Valentine leukocidin (PVL) toxin 등이 있다. 그밖에도 다양한 효소를 분비하여 감염이 주변 조직으로 퍼지도록 한다. 감염 초기에는 표면 단백질이 발현되어 조직에 부착되는 것을 용이하게 하다가 세균 증식의 정지기에 도달하면 표면 단백질의 발현은 억제되고 독소의 발현이 증가하게 되는데, 이러한 조절은 accessory gene regulator (agr)에 의하여 이루어진다.

병인에 관련된 병원체의 특성을 분석하여 감염의 단계별로 면역요법에 이용할 수 있는 항원을 결정할 수 있다.

2) 비강 내 보균 상태의 의미

최근 미국에서 시행된 연구 결과에 따르면 미국인의 1/3이 황색포도알균을 비강 내 갖고 있었으며, 보균율은 6-11세에서 가장 높았다. MRSA 보균율은 0.8%이었으며, MRSA 보균의 위험 인자는 65세 초과하는 나이, 장기 요양시설 거주, 당뇨병 등이었다. 황색포도알균 감염이 발생하기 전 대부분 비강 내 보균화가 선행되기 때문에 감염이 발생할 수 있는 위험군을 찾아내어 백신을 투여함으로써 독성이 강한 균주에 의하여 보균화가 되는 것을 방지하는 것은 유효한 전략이 될 수 있다.

3) 역학의 변화

1990년대부터 지역사회에 거주하면서 MRSA 감염의 위험인자를 갖고 있지 않은 건강한 사람에게서 CA-MRSA 감염이 나타나기 시작하였고, 일부 국가에서는 집단발병의 형태로 발생하기도 하였다. 이런 특징들은 CA-MRSA가 기존의 healthcare-associated MRSA (HA-MRSA)에 비하여 독성이 더 강하고 쉽게 전파됨을 시사하며, 백신접종의 대상이 기존 HA-MRSA의 경우와 달라질 수 있음을 의미하기도 한다. CA-MRSA에 의한 감염은 미국과 유럽 및 아시아의 일부 지역에서 보고되었다. 기존의 HA-MRSA가 staphylococcal chromosomal cassette *mec* (SCC*mec*) I-III형에 속하는 반면 전형적인 CA-MRSA는 SCC*mec* IV형에 속한다. SCC*mec* I-III가 다제 내성을 유발하는 반면, SCC*mec* IV는 내성이 β-lactam계 항균제에 국한되는 경우가 대부분이다. CA-MRSA는 SCC*mec*이 반복적으로 다양한 계통의 methicillin-susceptible *S. aureus* (MSSA)에 전달되어 만들어지고 있으며, 미국의 경우 가장 우위를 보이는 CA-MRSA 계통은 pulsed-field type USA300이다. CA-MRSA 감염이 증가함에도 불구하고 비강 내 보균자가 별로 발견되지 않아서, CA-MRSA 감염 전 비강 내 보균화가 이루어지지 않는 것으로 생각하였지만, 최근 비강 내 보균자의 숫자가 증가하고 있어서 우려를 자아내고 있다.

PVL 독소가 역학적으로 CA-MRSA 감염과 연관되어 왔기 때문에, CA-MRSA 감염의 병인에 매우 중요할 것이라 생각되어 왔다. 병인에 있어서의 PVL의 역할을 알아보기 위하여 PVL 유전자인 *lukS/F-PV*를 유지한 균주와 *lukS/F-PV*를 제거한 동종 균주(isogenic strain)를 사용하여 다양한 감염 동물 모델을 만들어 비교해 보았다. 두 균주를 비교해 본 실험은 CA-MRSA 감염의 병인에 있어서 PVL의 역할이 없거나 미약하다는 결과를 보여주었다. 이후 병인에 관련된 다른 인자를 찾게 되었는데, α-toxin, phenol-soluble modulin (PSM)이 주목을 받고 있다. α-toxin, PSM 유전자는 core genome에 위치하기 때문에 CA-MRSA, HA-MRSA에서 모두 발현되지만, CA-MRSA에서 더 왕성하게 발현되어 더 강한 독성을 보이는 것으로 추정된다. 한편 USA300은 피부에서의 생존을 돕는 유전자인 argi-nine catabolic mobile element (ACME)라고 하는 mobile genetic element를 보유함으로써 피부에서의 서식이 용이하고 사람 간 전파가 잘 일어날 것으로 생각하고 있다. 황색포도알균의 경우 전통적인 백신의 형태인 opsonophagocytic 백신을 만들기가 어려운 상황에서 CA-MRSA의 다제 내성이 진행되고 있기 때문에, 독소에 대한 항체를 이용하여 수동면역을 증강시킴으로써 감염의 중증도를 경감시키려는 노력들이 진행 중에 있다.

한국의 경우 정확한 자료를 토대로 작성된 보고는 없으나, 전형적인 CA-MRSA 균주에 의한 감염은 매우 적을 것으로 추정된다. 면역 요법 개발에 이용될 항원을 찾아내고 면역 요법을 시행할 대상을 결정하기 위해서는 국내 황색포도알균 감염의 역학적 상황과 세균학적 특성을 알아내야 한다.

2. 면역 요법

1) 황색포도알균의 유전적 변모 성향이 면역 요법 개발에 미치는 영향

황색포도알균은 이동성 유전 요소(mobile genetic element)를 이용하여, 흔한 상재균에서 독성이 높은 병원균으로 변모할 수 있다. 이동성 유전 요소의 역할에 대하여 다음과 같은 예를 들 수 있다. (1) 박테리오파지는 용원화(lysogeny)에 의하여 새로운 유전 요소를 전달할 수 있으며, (2) 플라스미드에 의하여 매개되는 유전자 전달을 통해서 염색체 외 유전체(extrachromosomal genome)의 확대나 교환이 나타날 수 있고, (3) 유전자 카세트의 삽입과 같은 보다 신중한 유전적 변화에 의하여 독성에 큰 영향이 나타나기도 한다. 이러한 황색포도알균의 유전적 변모는 면역 요법 개발에 큰 어려움을 주는 요인이다.

2) 면역 요법 개발에서 고려해야 할 CA-MRSA의 특징

CA-MRSA는 이러한 유전적 변모의 중요한 예인데, 기존의 HA-MRSA와 비교할 때 독성과 전파력이 강하여 기저 질환이 없는 건강한 사람에서도 감염을 유발할 수 있을 뿐만 아니라 집단 발병을 일으키기도 한다. CA-MRSA의 이러한 역학적 특성 때문에, HA-MRSA의 경우 의료기관 관련 시설에 입원한 사람 중에서 위험 인자를 갖고 있는 집단을 찾아내어 백신을 접종하면 되는 반면에, CA-MRSA의 경우 지역사회에 있는 일반인을 대상으로 백신을 접종해야 할 필요성이 있을 수도 있는데 이는 추후 결정되어야 할 사항이다. 황색포도알균의 유전적 변모 성향 때문에 면역 요법의 대상이 변화될 수도 있고, 면역 요법에 포함될 항원의 종류가 바뀔 수도 있다.

3) 황색포도알균 방어에 있어서 적응 면역의 역할

단백질체학(proteomics) 연구를 통하여 153개 정도가 항원으로 이용될 수 있음이 알려졌지만, 황색포도알균 감염의 예방이나 치료를 위하여 사용이 가능한 면역 요법은 현재까지는 존재하지 않는다. 게다가 황색포도알균 방어에 있어서 적응면역(adaptive immunity)이 어떤 역할을 할 것인가에 대하여 명확한 결론을 내리지 못한 상태이다. 황색포도알균 감염에 대한 방어는 항체에 의해서만 이루어진다고 여겨져 왔었는데, 최근 세포면역의 역할에 대한 연구 결과가 발표되었다. T 세포는 유지한 채 B 세포가 결핍된 생쥐에 백신을 접종하는 경우 방어 면역을 지닐 수 있었고, 황색포도알균을 접종한 생쥐에 CD4+ T 세포를 전달하는 경우 B 세포나 면역 혈청을 전달했을 때와는 달리 생쥐의 생존율이 향상되었다. 이어진 동물 연구에서 CD4+ T 세포에서 유래된 IL-17이 백신의 효과에 필수적인 것으로 밝혀졌다. IL-17은 시토카인, 케모카인 생산을 유도하여 호중구를 끌어들이게끔 하는데, 이러한 기능으로 말미암아 선천면역과 적응면역을 연결시켜 주는데 있어서 결정적인 기여를 할 수 있을 것으로 생각된다. 이러한 연구 결과는 면역 요법 개발에 있어서 세포면역이 기여할 수 있음을 보여준다.

4) 능동면역, 수동면역의 적용 대상

백신(active immunization)을 투여할 환자군과 방어 항체(passive immunization)를 투여할 환자군을 구분하는 것이 중요하다. 수동면역은 효과가 빨리 나타나기 때문에 감염에 대한 방어가 급히 필요한 사람들에게 필요한데, 여기에는 저체중 신생아, 면역저하 환자, 계획되지 않은 상태에서 인공삽입물을 삽입 받게 되는 환자, 화상 환자, 외상 환자, 수술 환자 등이 포함될 수 있을 것이다. 능동면역은 투석 환자, 당뇨병 환자, 계획하에 인공삽입물을 삽입 받게 될 환자, 장기 요양 시설 재원 환자 및 CA-

MRSA 감염의 위험 집단인 죄수, 군인, 운동선수, 남성 동성애자 등이 있을 수 있다.

5) 능동면역요법(백신)의 개발 현황

(1) 전세포 백신

SA75 (Vaccine Research International Plc)는 사백신으로 1상 임상시험에서 안전성과 면역원성이 있는 것으로 밝혀졌다. 황색포도알균의 항원들에 대한 면역 반응이 관찰되었는데, 특히 Cna (collagen binding protein)에 대하여 반응을 보인 환자의 비율이 우수했던 반면 Clf (clumping factor)에 대한 반응 비율은 낮았다. 황색포도알균 감염 예방에 대한 임상시험을 진행할 것이라는 발표가 있었지만 현재는 개발이 중지된 상태이다. 다양한 항원을 포함함으로 각각의 항원에 의한 면역 자극을 얻을 수 있는 장점이 있는 반면, 항원 발현 정도를 측정하기가 어렵고, 효능의 작용 기전을 알 수 없으며, 백신의 구성 성분에 의하여 면역 경로가 하향 조절될 수 있는 등의 단점이 있다.

(2) 캡슐

다당류(polysaccharide) 제5형과 8형을 녹농균의 exoprotein A에 접합시킨 StaphVax™ (Nabi Bio-pharmaceuticals)가 개발되었다. 말기신부전 환자 1,804명을 대상으로 한 3상 임상시험에서 40주까지 황색포도알균 균혈증의 발생률을 조사하였다. 백신을 접종받은 군에서 발생률이 57% 낮았다(p=0.02). 그러나 3,600명의 말기신부전 환자를 대상으로 하는 확정 3상 임상시험에서는 원하는 목표에 도달하지 못하여 결국 실패하였다. 백신 생산 과정에서의 문제와 말기신부전 환자의 저하된 면역원성 등이 실패의 원인으로 추정되었다. 이후 황색포도알균 감염의 15%를 차지하는 336형 균주의 다당류를 기존의 5형, 8형에 추가한 백신이 만들어졌는데, 1상, 2상 임상시험 결과 특이 항원이 발현되는 것이 증명되었고, 안전한 것으로 알려졌다.

(3) 캡슐과 독소를 결합시킨 백신

다당류 5형, 8형, 336형의 3가 백신에 PVL과 α-toxin이 추가되어 접합된 PentaStaph™ (Nabi Bio-pharmaceuticals)이 개발되었다. 동물 모델에서 황색포도알균에 대한 탐식이 향상되었고, 독소를 중화시키는 능력이 있는 것으로 밝혀졌다. 안전성과 면역원성을 평가하는 2상 임상시험이 수행되었다.

(4) Iron surface determinant B (IsdB)

IsdB는 헤모글로빈, 마이오글로빈의 철분 처리와 관련이 있는 단백질로서, 이 유전자가 제거된 동물에서 독성이 감소하는 것으로 알려져 있다. 원숭이(rhesus macaques)실험에서 우수한 면역원성이 관찰되었고, 생쥐 패혈증 모델에서는 대조군이 20%에 불과하였던 것에 비하여 80%의 생존율을 보였다.

1상, 2상 임상시험의 좋은 결과를 토대로 V710 (Merck) 백신의 3상 임상시험이 중앙 흉골 절제술을 시행 받은 환자들을 대상으로 이루어졌으나, 만족스러운 목표치에 도달하지 못하여 2011년 6월 임상시험이 중단되었다.

(5) 다가항원을 비용한 백신 개발

ClfA, MntC, capsular polysaccharide type 5와 type 8의 네 가지 항원(SA4Ag, Pfizer)이 포함된 백신의 3상 임상시험이 진행되던 도중에 백신의 개발이 중단되었다. ClfA는 황색포도알균의 표면단백질로서, 주요 fibrinogen−binding protein이다. Mn은 황색포도알균의 주요 영양 성분으로서 superoxide dismutase의 cofactor이며, MntC는 Mn의 transporter component이다. 이전에는 주로 단가 항원을 이용하였고, 체액성 적응면역 발현에 초점이 맞추어져 있었다. 그러나 황색포도알균 감염에 있어서 세포성 적응면역의 역할이 밝혀지고, 17형 T도움세포(Th17)의 중요성이 알려지면서 여러 가지 면역반응을 동시에 유도할 수 있는 다가 항원을 사용하는 것이 효과적일 것이라는 공감대가 형성되었다. SA4Ag 백신 임상시험의 대상이 되는 질환은 척추 수술을 시행 받는 환자이며, 임상시험의 일차적 목표는 황색포도알균 감염을 예방하는 것이다.

(6) 전임상시험 단계에 있는 능동 면역 요법

여러 종류의 MCSRAMM, PVL, Hla (α−toxin), PNAG, Eap 등의 항원을 이용한 백신이 만들어져서 동물 모델에서 실험이 진행 중이다.

6) 수동면역 요법의 개발 현황

지난 10년간 황색포도알균에 대한 단일 클론 항체 개발 및 생산에 있어서 큰 기술적 진전이 있었다. 아직 임상에 적용하기까지 수년간의 시간적 괴리가 있지만, 다수의 항체에 대한 동물실험이나 임상시험의 단계를 거치고 있다. 면역요법에 이상적인 항원은 세균의 부착을 막거나 탐식 작용을 촉진하거나 독소를 중화하는 성질을 지녀야 한다. 면역요법의 표적은 유행 중인 계통에 속하는 대부분의 균주가 지니고 있어야 하고 발현되어야 하는데, 일차적으로는 독성을 나타내는 단백질이나 독소가 대상이 될 수 있다.

(1) MSCRAMM (microbial surface components recognizing adhesive matrix molecules)

Clumping factor A (ClfA)는 fibrinogen에 부착하는 표면 단백질이며 몇몇 감염 동물 모델을 통하여 혈관 내 병변에 황색포도알균이 부착하는 것을 촉진하는 역할을 하는 것이 알려져 있다. ClfA를 접종받은 생쥐에서 황색포도알균에 의한 관절염과 치명률이 감소하는 것이 밝혀졌다. Veronate® (Inhibitex, Inc.)는 ClfA에 대하여 자연적으로 얻어진 IgG를 보유한 사람의 혈장을 이용하여 만들어진 다클론성 항체로서, 1상 및 2상 임상시험에서는 좋은 결과를 얻었지만, 극저체중 신생아를 대상으로 효능을 확정 짓는 3상 임상시험에 실패하였다. 미숙아에서의 부적절한 면역 반응과 혈장공여자로부터 만들어진 항체의 특이성이 결여된 것이 실패의 원인으로 추정되었다.

Aurexis™ (tefibazumab, Inhibitex, Inc.)은 ClfA에 대하여 높은 친화성을 보이는 humanized IgG1κ 항체로서 토끼를 대상으로 시행된 예방, 치료 모델에서 성공하였다. 반코마이신으로 치료받고 있는 60명의 황색포도알균 균혈증 환자에게 투여했을 때, 대조군에 비하여 사망이 유의하게 감소하였고 패혈증의 악화는 없었다. 현재는 기업 간 절차상의 문제로 추가적인 임상시험이 연기된 상태이다.

기타 clumping factor B (ClfB), collagen−binding protein (Cna), fibronectin−binding protein A (FnBPA) 등이 동물 실험에서 좋은 효능을 보였지만, 임상시험으로는 아직 진입하지 못하고 있다.

(2) 캡슐

캡슐에 대한 방어 항체의 역할에 대하여는 논란이 있다. AltaStaph™ (Nabi pharmaceuticals)는 황색포도알균 캡슐의 다당류 백신을 접종 받은 건강 자원자로부터 얻어진 다클론 항체로서, 206명의 극저체중 신생아를 대상으로 한 2상 임상시험에서 대조군에 비하여 균혈증 발생에 유의한 차이가 없었고 (3% vs. 3%), 지속적으로 발열이 있는 40명의 황색포도알균 균혈증 환자를 대상으로 시행된 다른 2상 임상시험에서도 사망률이 항체 투여군 24% (5/21), 일반 치료군 11% (2/18)로서 유의한 차이가 관찰되지 않았다(p=0.42).

(3) ABC tranporter

Aurograb® (NeuTec Pharma)은 ABC transporter인 GrfA를 항원으로 하여 개발된 single−chain antibody variable fragment (scFv)로서 ABC transporter에 부착한다. 2상 임상시험에서 반코마이신을 배출시키는 ABC transporter가 억제되어 반코마이신의 작용이 증가할 것으로 기대되었으나, 심부 황색포도알균 감염을 대상으로 반코마이신과 병합하여 치료하는 3상 임상시험에서 실패하였고, 2006년 더 이상 개발하지 않는 것으로 결정되었다.

(4) Lipoteichoic acid (LTA)

Pagimaximab은 LTA를 타겟으로 개발된 humanized mouse chimeric 단일 클론 항체이다. 2a상 임상시험 결과, 90 mg/kg을 투여한 경우 60 mg/kg를 투여한 경우에 비하여 500 μg/mL 이상의 혈청 항체가 보다 지속적으로 유지되었고, 후기 패혈증 발생도 적음이 밝혀졌다. 2009년 극저체중아에서의 패혈증 발생의 감소를 일차적 목표로 하는 2a상/3상 임상시험이 시작되었다.

(5) 전임상시험 단계에 있는 수동면역 요법

Hla 특이 혈청 항체는 α-toxin을 접종한 토끼의 면역 혈청으로부터 만들어진 것으로 감염 동물 모델에서 폐렴을 예방, 치료하는 데 효능이 있는 것으로 알려졌다. ETI-211은 RBC에 존재하는 complement receptor (CR1)에 대한 단일 클론 항체와 황색포도알균의 protein A에 대한 단일 클론 항체가 연결된 면역복합체로서, 인체의 자연 방어 기전을 증강시키는 독특한 작용 기전을 갖고 있으며 간이나 비장 내의 대식세포에 의하여 탐식되어 세균이 파괴된다. 동물 실험에서 MRSA 감염을 일으켰을 때 대조군에 비하여 치사율을 감소시킬 수 있는 것으로 보고되었다. SEB 특이 항체는 황색포도알균의 enterotoxin B를 타겟으로 만들어진 닭의 IgY로서 폐렴의 예방에 효과가 있는 것으로 보고되었다. Poly-*N*-acetylglucosamine (PNAG)은 바이오필름 형성을 촉진하고 독성을 향상시키는 표면 폴리머로서 PNAG 항체는 호중구의 항체 의존성 opsonophagocytic killing을 매개한다. 황색포도알균을 정맥으로 투여한 생쥐감염 모델에서, 면역 혈청을 투여한 경우 대조군에 비하여 혈액에 존재하는 균량이 반으로 감소되는 것이 확인되었다. ClfA, FnBPA에 대한 단일 클론 항체가 인공삽입물 감염 동물 모델에서 감염을 예방하는 효과가 있는 것으로 보고되었으며, 황색포도알균의 quorum sensing을 관장하는 물질인 autoinducing peptide (AIP)-4에 대한 단일 클론 항체가 황색포도알균 감염으로 인한 사망을 예방할 수 있는 것으로 알려졌다.

(6) Antibody-antibiotic conjugate

최근 antibody-antibiotic conjugate를 제작하는 기술이 발전하면서, 이 기술이 황색포도알균 치료제 개발에도 적용되었다. THIOMAB™-antibiotic conjugate인 DSTA4637S (Genentech)은 protease cleavable Val-Cit linker를 매개로 하여 engineered human IgG1 anti-*S. aureus* monoclonal Ab (MSTA3852A)을 신규 항생제인 4-dimethylamino piperidino-hydroxybenzoxazino rifamycin (dmDNA31)에 붙여준 Ab-antibiotic conjugate이다. dmDNA31은 rifamycin 계열의 항생제로서 황색포도알균에 강력한 항균력을 갖고 있다. DSTA4637S는 현재 황색포도알균 균혈증을 대상으로 Ib 임상시험 진행 중에 있다.

(7) Monoclonal Ab

황색포도알균 monoclonal Ab가 임상시험 중에 있다.

3. 요약 및 결론

단백질체학(proteomics) 연구를 통해 황색포도알균에는 150가지 정도의 항원이 있는 것으로 추정된다. 더구나 황색포도알균은 이동성 유전 요소(mobile genetic element)를 이용하여 유전적으로 다른 양상을 보이는 균주로 변모할 수 있는 능력이 있는 세균이다. 이런 특성 때문에 황색포도알균의 병인에는 매우 많은 요소들이 참여하여, 복잡한 임상역학적 양상을 만들어 낸다. 비강 내 보균 상태는 독특한 특징이며, CA-MRSA 감염의 등장 및 확산은 중요한 역학적 변화이다. 그 반면 황색포도알균 감염에 있어서 체액면역이나 세포매개면역이 어떤 역할을 하는지에 대하여 별로 알려진 것이 없다.

많은 요소들이 병인에 참여하기 때문에 하나의 항원만으로 이루어진 면역 요법은 성공하기가 어렵다. 여러 종류의 항원이 혼합된 면역 요법을 개발하는 것이 해결책이 될 수 있을 것이다. 말기신부전 환자는 면역원성이 저하되어 있어서 임상시험을 통하여 효능을 입증하기 쉽지 않은데, 임상시험을 수행함에 있어서는 대상 환자군이나 면역 요법의 목표를 적절히 설정해야 할 것이다. 대상 환자군은 극저체중 신생아나, 노인이 될 수도 있고, 황색포도알균 감염의 고위험군이 될 수도 있지만, CA-MRSA를 생각한다면 지역사회의 건강한 사람이 대상이 될 수도 있을 것이다. 면역 요법의 목표도 적절히 설정해야 하는데, 비강 내 보균 상태 예방을 목표로 할 수도 있고, 균혈증, 폐렴 등 질환의 예방이나 인공삽입물 감염의 예방을 목표로 할 수도 있으며, 균혈증이나 폐렴 등 감염질환이 발생했을 때 사망률을 감소시키는 것을 목표로 할 수도 있다. 면역 요법의 목표와 대상군에 따라서 능동면역 또는 수동면역 등의 선택을 달리해야 한다.

새로운 기술을 이용하여 신규 항원을 발견하고, 새로운 백신 개발 전략을 수립하고, 면역성이나 동물 모델에서의 효능을 적절히 평가할 수 있는 방법들을 찾는 것이 중요하다. 관련 학문이나 산업의 발전과 지속적인 관심을 바탕으로 가까운 장래에 효과적인 면역요법을 개발할 수 있을 것으로 기대된다. 임상시험 중인 SA4Ag 백신과 antibody-antibiotic conjugate, monoclonal Ab의 성공을 기대하여 본다.

참고문헌

1. Bubeck WJ, Schneewind O. Vaccine protection against Staphylococcus aureus pneumonia. J Exp Med 2008;205:287-94.
2. DeJonge M, Burchfield D, Bloom B, et al. Clinical trial of safety and efficacy of INH-A21 for the prevention of nosocomial staphylococcal bloodstream infection in premature infants. J Pediatr 2007;151:260-5.
3. Frenck RW Jr, Creech CB, Sheldon EA, et al. Safety, tolerability, and immunogenicity of 4-antigen *Staphylococcus aureus* vaccine (SA4Ag): results from a first-in-human randomised, placebo-controlled phase 1/2 study. Vaccine 2017;35:375-84.
4. Holtfreter S, Kolata J, Broker BM. Towards the immune proteome of *Staphylococcus aureus*-the anti-S. aureus antibody response. Int J Med Microbiol 2010;300:176-92.
5. Klevens RM, Morrison MA, Nadle J, et al. Invasive methicillin-resistant *Staphylococcus aureus* infections in the United States. JAMA 2017;298:1763-71.
6. Kuklin NA, Clark DJ, Secore S, et al. A novel *Staphylococcus aureus* vaccine: iron surface determinant B induces rapid antibody responses in rhesus macaques and specific increased survival in a murine S. aureus sepsis model. Infect Immun 2006;74:2215-23.
7. Lehar SM, Pillow T, Xu Min, et al. Novel antibody-antibiotic conjugate eliminates intracellular *S. aureus*. Nature 2015;527:323-8.
8. Li M, Diep BA, Villaruz AE, et al. Evolution of virulence in epidemic community-associated methicillin-resistant *Staphylococcus aureus*. Proc Natl Acad Sci 2009;106:5883-8.
9. Lin L, Ibrahim AS, Xu X, et al. Th1-Th17 cells mediate protective adaptive immunity against *Staphylococcus aureus* and *Candida albicans* infection in mice. PLoS Pathog 2009;5:e1000703.
10. Mohamed N, Jones SM, Casey LS, et al. Heteropolymers: a novel technology against blood-borne infections. Curr Opin Mol Ther 2005;7:144-50.
11. Shinefield, H, Black S, Fattom A, et al. Use of a *Staphylococcus aureus* conjugate vaccine in patients receiving hemodialysis. N Engl J Med 2002;346:491-6.
12. von Eiff C, Becker K, Machka K, et al. Nasal carriage as a source of *Staphylococcus aureus* bacteremia. N Engl J Med 2001;344:11-6.

녹농균

계명대학교 의과대학 **김현아**
울산대학교 의과대학 **최상호**

1. 배경

녹농균(*Pseudomonas aeruginosa*)은 주로 세균에 대한 방어기전이 떨어져 있는 환자에게 감염을 일으키는 기회감염(opportunistic infection) 세균이다. 폐렴, 요로감염, 중심정맥관 관련 감염, 수술부위감염, 뇌수막염 등 거의 모든 종류의 의료관련감염을 일으킨다. 특히 다양한 기전의 항생제 내성으로도 유명하다. 최근 다제내성 녹농균이 증가하여 문제가 되고 있으며 만성질환자에서의 다제내성 녹농균 감염의 좋지 않은 예후와 연관되어 백신 개발이 필요하나 아직까지 임상에서 사용 가능한 백신은 개발되지 못하였다.

1) 원인균

녹농균은 호기성 그람음성 막대균으로 편모(flagella)가 있어 운동성이 있으며 아포(spore)를 형성하지 않는다. 식물과 동물 모두에 감염을 일으킬 수 있고 물이 있는 습한 환경에서 잘 자라며 병원환경에서도 매우 흔하다. 건강한 사람에게는 드물지만, 피부, 외이도, 상부호흡기, 대장 등에 집락을 이룰 수 있다. 병원성 인자가 많아 중증 감염증을 잘 일으키며 항생제 내성도 매우 흔하다. 대표적인 병원성 인자로는 편모(flagella), 지질다당질(lipopolysaccharide, LPS), 부착소(adhesin), 균막(biofilm) 형성에 관여하는 알지네이트(alginate), 섬모(pili), 외독소 A(exotoxin A), 단백분해효소(protease), 용혈소(hemolysin), 피오사이아닌(pyocyanin), 외효소(exoenzyme) 등이 있고, 이 중 일부는 백신개발의 표적이다.

2) 임상적 특징

의료관련감염의 주요 원인균이며 특히 항암요법 후에 발생한 호중구감소증, 심한 화상, 만성 호흡기질환 환자 등이 위험군으로 알려져 있다. 서구에서는 낭성섬유종 환자에서 폐렴의 중요한 원인균으로 이들 환자를 대상으로 한 백신 개발 연구가 시도되고 있다.

지역사회 감염증 중에서는 수영 후에 발생하는 외이도염, 당뇨 환자에게 주로 발생하는 악성외이도염, 못에 찔린 후 발생하는 골수염 등의 원인균이 될 수 있다.

녹농균의 특징 중의 하나는 항생제 내성의 획득과 전파가 매우 흔하다는 것인데, 2011년 국내 29개

병원의 자료를 분석하여 발표한 KONSAR (Korean Nationwide Surveillance of Antimicrobial Resistance) 연구에 의하면 ceftazidime, imipenem, fluoroquinolone 내성률은 각각 23%, 26%, 39%였다. 중환자실의 경우는 항생제 내성률이 더 높은데, 전국병원감염감시체계(Korean Nosocomial Infection Surveillance System, KONIS)에서 보고한 2016년 7월부터 2017년 6월까지 국내 57개 병원의 중환자실에서 분리된 녹농균의 imipenem 내성률은 45.2%였다.

2. 녹농균백신

녹농균백신은 대부분 능동면역(active immunization) 개발에 초점을 두어 진행되었다. 녹농균백신 개발의 목표가 되는 병원성인자는 크게 3가지로 분류가 가능하다. 먼저 포식 작용과 연관된 목표 물질로 지질다당질 O 항원(LPS O antigen), 알지네이트, 편모 등이 있으며, type III secretion system 기능 저해와 연관된 항독소항체, PcrV 단백이 있다. 그리고 IFN-γ와 결합을 방해하는 외막단백 F (OprF)이 있다.

이 중에서 3상 연구까지 진행된 것은 지질다당질, 편모, 외막단백백신이며 알지네이트 백신은 1상 연구가 진행되었고 나머지는 전 임상 단계(preclinical stage)에 머물러 있다.

수동면역(passive immunization)과 관련해서는 지질다당질 특이항체 면역글로불린과 알지네이트, 편모, 섬모, PcrV, 외독소 A에 대한 단클론항체가 개발된 바 있으나 임상적 효용성에 대해서는 연구가 필요한 상황이다.

1) 지질다당질백신

지질다당질은 40년 이상 가장 많이 연구된 병원성 인자로 높은 수준의 포식 작용과 연관된 방어 기전을 나타내는 것으로 되어 있으나 혈청형에 따라 구조의 차이가 있어 30개 이상의 아형이 확인되었고 방어 기전과 연관된 O 항원의 경우 면역원성이 떨어져 현재까지 효과적인 백신 개발에 어려움이 있다.

7가지 O 항원으로 제조된 Pseudogen®은 녹농균백신으로 처음 개발되었고 1970년대에 소규모 임상시험들이 진행되었다. 하지만, 녹농균에 감염된 급성 백혈병 환자와 낭성섬유증 환자들을 대상으로 한 연구에서는 백신 접종군 일부에서 오히려 상태가 악화되었고 녹농균에 감염되지 않은 암 환자, 화상 환자, 중환자실 환자들을 대상으로 한 연구에서는 국소이상반응, 발열 등의 빈도가 높아 개발이 중단되었다.

PEV-01은 동물실험을 통해 높은 독력(virulence)을 보인 16개의 서로 다른 혈청형의 녹농균 표면항원(surface antigen)을 사용하여 제조한 백신으로, 사용된 항원의 주된 구성성분이 지질다당질이어서

PEV-01도 지질다당질백신으로 구분된다. 34명의 낭성섬유증 소아 환자를 대상으로 대조군 연구(controlled study)가 진행되었으나 3년간의 관찰에서 별 이득이 없었고, 화상환자들을 대상으로 한 연구에서도 마찬가지 결과를 보여 결국 개발이 중단되었다.

Aerugen®은 지질다당질 자체의 독력을 줄이기 위해 지질다당질의 지질 A (lipid A)부분을 제거하고 남은 O-polysaccharide (O-PS)를 항원으로 사용하였고, 여기에 외독소 A를 결합시킨 접합백신(conjugate vaccine)이다. 8종류(octa-valent)의 O-PS를 사용하였다. 스위스에서 30명의 낭성섬유증 환자들에게 매년 재접종하고 10년까지 추적하였는데, 접종받지 않은 환자들에 비해 녹농균 만성감염률도 적고(32% *vs.* 72%), 폐기능 유지율도 높아서 기대를 모았다. 하지만, 이후에 유럽의 낭성섬유증 환자들을 대상으로 한 첫 무작위 배정 연구에서 의미 있는 결과를 보이지 않았고, 연구는 조기 종료되었다.

2) 편모백신

편모는 운동성, 화학 주성, 침습성 숙주 부착과 연관되는 병원성 인자로 지질다당질에 비해 항체 유도를 잘하고 단지 2가지 유형의 구조로 알려져 있어 백신의 중요한 후보 물질로 연구되어 왔다. 2가 편모 백신으로 낭성섬유증 환자를 대상으로 한 대규모 3상 연구에서 녹농균 감염이 백신군에서 34.3%, 대조군에서 43.0%였고 상대위험도는 0.80 (95% Confidence Interval [CI]: 0.64-1.00)로 녹농균 감염 발생률은 낮음이 확인되었으나 최근 시행된 코크란 리뷰에서 만성 녹농균 감염의 상대위험도는 0.91 (95% CI: 0.55-1.49)이고 생존 분석이 없으며 2년간의 단기간 추적 관찰의 한계로 효과를 인정받지는 못하였다.

3) 외막단백백신

녹농균의 주요 외막단백인 외막단백 F (OprF)와 외막단백 I (OprI)는 거의 모든 녹농균에서 발견되므로 이에 대한 항체를 유도할 수 있으면 효과적일 것이라는 가정하에 여러 백신들이 개발되었다. 국내에서 개발된 슈도박신(Pseudobaccine®)도 외막단백으로 화상 환자를 대상으로 2상 연구가 진행되었고 안전성과 면역원성은 확인되었으나 효과에 대한 충분한 임상 자료가 없는 상태이다. OprF/I 외막단백 재조합 백신인 IC43이 2016년 2, 3상 연구가 종료되었고 최근 2상 연구 결과가 발표되었다. 48시간 이상 인공호흡기를 적용한 중환자실 환자를 대상으로 하였고 안전성과 면역원성은 확인되었으나 녹농균 감염에서 대조군과 차이는 없었고 3상 연구 결과 확인이 필요하다.

4) PcrV 단백백신

PcrV는 녹농균의 독력에 중요한 type III secretion system의 전사 단백질이면서 균주 사이에 구조의 차이가 별로 없으며 항생제 내성과 상관이 없어 녹농균 백신의 중요한 목표 물질로 대두되었다. 재조합

PcrV 백신으로 시행한 동물 실험에서 사망률 감소를 확인 하였고 또한 항 PcrV IgG로 시행한 수동면역 동물 실험에서도 효과가 확인되었다. KB001은 페길화 재조합 항 PcrV Fab 분절 항체(PEGylated, recombinant, anti-Pseudomonas-PcrV Fab' fragment antibody)로 1, 2상 임상 시험이 진행되었고 대조군에 비해 28일 뒤 기도 염증 반응 물질들이 감소하는 것을 확인하여 낭성섬유종 환자의 기관지 염증 반응 저하 및 녹농균 만성 감염에 도움이 될 것으로 기대하고 있다.

3. 백신 개발의 전망

1970년대부터 시작된 짧지 않은 백신 개발의 역사에도 불구하고 아직까지도 임상에서 사용 가능한 백신은 없다. 이는 경제성 등의 문제로 대규모 임상연구가 진행되고 있지 못하다는 점에 기인하는 바가 크다. 또한 최근까지의 백신 연구에서 명백해지고 있는 것은 강력한 포식작용을 기전으로 하는 항체생성만으로는 한계가 있다는 점이다. 추가적으로 T 세포 면역 반응을 증대시키거나 IFN-γ, IL-17, GM-CSF 와 연관된 면역 기전이 필수적으로 동반되어야 성공적인 백신 개발이 가능하다는 점이 대두되고 있다. 그래서 IFN-γ와 연관된 OprF, IL-17과 연관된 PopB, GM-CSF와 연관된 생백신 등이 전임상 단계에서 연구되고 있다. 기회감염균의 일종인 녹농균은 일반인들이 접종 대상이 되지 않으므로 개발 후 시장성이 크지 않다는 제한점이 있다. 하지만, 새로운 항생제 개발이 심한 답보 상태에 있고 다제내성 녹농균에 의한 감염증의 빈도가 전 세계적으로 급격히 증가하고 있는 점을 고려한다면 녹농균 백신의 필요성은 그 어느 때보다 크다.

참고문헌

1. Doring G, Meisner C, Stern M. A double-blind randomized placebo-controlled phase III study of a *Pseudomonas aeruginosa* flagella vaccine in cystic fibrosis patients. Proc Natl Acad Sci U S A 2007;104:11020-5.

2. François B, Luyt CE, Dugard A, et al. Safety and pharmacokinetics of an anti-PcrV PEGylated monoclonal antibody fragment in mechanically ventilated patients colonized with *Pseudomonas aeruginosa*: a randomized,double-blind, placebo-controlled trial. Crit Care Med 2012;40:2320-6.

3. Johansen HK, Gøtzsche PC. Vaccines for preventing infection with *Pseudomonas aeruginosa* in cystic fibrosis. Cochrane Database Syst Rev 2015;23:CD001399.

4. Kim DK, Kim JJ, Kim JH, et al. Comparison of two immunization schedules for a *Pseudomonas aeruginosa* outer membrane proteins vaccine in burn patients. Vaccine 2000;19:1274-83.

5. Lang AB, Rudeberg A, Schoni MH, et al. Vaccination of cystic fibrosis patients against *Pseudomonas aeruginosa* reduces the proportion of patients infected and delays time to infection. Pediatr Infect Dis J 2004;23:504-10.

6. Milla CE, Chmiel JF, Accurso FJ, et al. Anti-PcrV antibody in cystic fibrosis: a novel approach targeting *Pseudomonas aeruginosa* airway

infection. Pediatr Pulmonol 2014;49:650-8.

7. Pier GB, Boyer D, Preston M, et al. Human monoclonal antibodies to *Pseudomonas aeruginosa* alginate that protect against infection by both mucoid and nonmucoid strains. J Immunol 2004;173:5671-8.

8. Priebe GP, Goldberg JB. Vaccines for *Pseudomonas aeruginosa*: a long and winding road. Expert Rev Vaccines 2014;13:507-19.

9. Rello J, Krenn CG, Locker G, et al. A randomized placebo-controlled phase II study of a *Pseudomonas* vaccine in ventilated ICU patients. Crit Care 2017;4;21:22.

10. Westritschnig K, Hochreiter R, Wallner G, et al. A randomized, placebo-controlled phase I study assessing the safety and immunogenicity of a *Pseudomonas aeruginosa* hybrid outer membrane protein OprF/I vaccine (IC43) in healthy volunteers. Hum Vaccin Immunother 2014;10:170-83.

국민건강보험일산병원 **박윤선**

Chapter 49

B군 사슬알균

1. 배경 및 역학

B군 사슬알균(group B streptococcus, GBS)은 건강한 사람의 장이나 여성 생식기에 30% 정도는 상재균으로 존재하는 균주이며, 임신부에서는 18% (11–35%)가 보균 상태로 보고되고 있다. 이 균주는 신생아 감염, 주산기 임신부 및 성인에게 감염을 일으키는 것으로 알려져 있다. 임신부에서는 GBS 보균 여부가 조기진통, 유산, 조기 출산, 저체중 출생아 등과 관련이 있다. 패혈증과 수막염은 사망률이 높고 후유증이 흔하여 심각한 감염증이다. 또한, GBS 균혈증은 임신과 무관한 성인에서 50세 이상의 연령층, 당뇨병, 간경화 및 종양 등의 위험 인자를 가진 경우 호발하였고, 성인 간경변 환자에서 발생한 GBS 균혈증 환자의 사망률은 다른 기저질환 환자보다 유의하게 높았다는 보고도 있다.

신생아 감염은 주로 생후 7일 이내 발생하는 조발형(early onset disease, EOD)과 7일에서 90일 사이에 발생하는 지발형(late onset disease, LOD)으로 나뉜다. 국내 보고에서는 대다수가 균혈증(70.3%)으로 진단되었으며 페니실린 내성균은 없었고 erythromycin, clindamycin 내성은 각각 64.9%였다. 미국에서는 신생아 GBS 질환의 위험을 감소시키기 위해 모든 임신부에게 산전 스크리닝을 권고하고 집락이 확인된 경우 분만 중 항생제 예방 요법을 시행하였고, 이후 신생아에서 침습 GBS 감염증 발생률이 현저히 감소하였음을 보고하였다. 그러나 이는 주로 EOD 발생의 감소에 영향을 줬지만 LOD의 발생은 큰 차이가 없었다.

GBS는 피막 다당류 항원에 의해 각각 Ia, Ib, II, III, IV, V, VI, VII, VIII, IX 등 10개 혈청형으로 분류된다. 혈청형 Ia, Ib, II, III, V가 전체 침습성 감염의 90% 이상을 차지하며, 소아에서는 혈청형 Ia와 III가 뇌수막염 등 중증감염을 주로 일으키는데, 65세 이상 노인에서는 혈청형 V 감염이 증가하는 것으로 보고되었다. 일본에서는 혈청형 VI, VIII의 GBS 감염이 보고되기도 했다. 균주의 피막이 중요한 병독성 인자로 GBS 백신의 표적으로 개발되고 있으며 EOD 및 LOD의 예방에 대한 기대가 높아지고 있다.

2. 백신 개발 현황 및 전망

임신부에게 접종함으로써 영아의 GBS에 대한 수동면역을 향상시키기 위해 백신 개발이 진행되고 있다. GBS 백신을 접종한 엄마로부터 전달된 수동면역이 영아의 GBS 감염을 예방할 수 있을 것으로 기대해 건강한 성인과 임신부들을 대상으로 2상 임상연구가 진행 중이다(표 49-1).

표 49-1. 현재 진행중인 B형 사슬알균 백신 임상 연구

개발자	연구 제목	전임상	1상	2상	3상
Novartis	A Study to Assess the Persistence of a GBS Antibody in Women Previously Immunized With a GBS Vaccine		√		
Novartis	A Study to Assess the Persistence of Two GBS Antibodies in Women Previously Immunized With a GBS Vaccine		√		
Novartis/GSK	Safety and Immunogenicity of a Group B Streptococcus Vaccine in Healthy Women		√		
Novartis/GSK	Safety and Immunogenicity of a Trivalent Group B Streptococcus Vaccine in Healthy Pregnant Women			√	
GSK	Safety and Immunogenicity of the Liquid Formulation of Group B Streptococcus Trivalent Vaccine and of the Lyophilized Formulation of Group B Streptococcus Trivalent Vaccine			√	
National Institute of Allergy and Infectious Diseases (NIAID)	Evaluation of Two Type III GBS Polysaccharide-Tetanus Toxoid Conjugate Vaccines		√		
National Institute of Allergy and Infectious Diseases (NIAID)	Prevention of GBS Colonization Via Immunity			√	
Minervax ApS	Safety and Immunogenicity of a Group B Streptococcus Vaccine in Non-pregnant Women 18-40 Years of Age.		√		
Pfizer	A Phase 1/2, Randomized, Placebo-controlled, Observer-blinded Trial To Evaluate The Safety, Tolerability, And Immunogenicity Of A Multivalent Group B Streptococcus Vaccine In Healthy Adults 18 To 49 Years Of Age			√ (진행중)	
Novartis	Safety and Immunogenicity of a Group B Streptococcus Vaccine in Non Pregnant and Pregnant Women 18-40 Years of Age		√	√	

참고문헌

1. Centers for Disease Control and Prevention (CDC). Perinatal group B streptococcal disease after universal screening recommendations: United States, 2003-2005. MMWR Morb Mortal Wkly Rep 2007;56:701-5.

2. Centers for Disease Control and Prevention (CDC). Trends in perinatal group B streptococcal disease: United States, 2000-2006. MMWR Morb Mortal Wkly Rep 2009;58:109-12.

3. Cho HK, Nam HN, Cho HJ et al. Serotype Distribution of Invasive Group B Streptococcal Diseases in Infants at Two University Hospitals in Korea. Pediatr Infect Vaccine 2017;24:79-86.

4. Edwards MS, Nizet V. Group B streptococcal infections. Infectious Diseases of the Fetus and Newborn Infant. 7th ed. Elsevier;2011;419-69.

5. Lee MK, Bae IG, Kim EO et al. Characteristics of Group B Streptococcal Bacteremia in Non-pregnant Adults and Neonates. Korean J Infect Dis 2000;32:49-54.

6. Libster R, Edwards KM, Levent F, et al. Long-term outcomes of group B streptococcal meningitis. Pediatrics 2012;130:e8-15.

7. Park SY, Park Y, Chung JW et al. Group B streptococcal bacteremia in non-pregnant adults: results from two Korean centers. Eur J Clin Microbiol Infect Dis 2014;33:1785-90.

8. Regan JA, Klebanoff MA, Nugent RP, et al. Colonization with group B streptococci in pregnancy and adverse outcome. Am J Obstet Gynecol 1996;174:1354-60.

9. Russell NJ, Seale AC, O'Driscoll M et al. Maternal Colonization With Group B Streptococcus and Serotype Distribution Worldwide: Systematic Review and Meta-analyses. Clinical Infectious Diseases 2017;65(Suppl 2):S100-S111.

10. Wessels MR and Kasper DL. The changing spectrum of group B streptococcal disease. N Engl J Med 1993; 328:1843-4.

연세대학교 원주의과대학 **김영근**

Chapter 50 호흡기세포융합바이러스

1. 질병의 개요

호흡기세포융합바이러스(respiratory syncytial virus, RSV)는 영아에서 하부 호흡기질환을 일으키는 가장 중요한 바이러스로 매년 많은 수의 영아가 RSV 폐렴이나 세기관지염으로 입원하고 있다. 성인에서는 고령자, 조혈모세포이식, 폐이식 환자 등 면역저하자들에게 치명적인 감염을 일으킬 수 있다.

1) 원인바이러스

RSV는 Paramyxoviridae 과의 pneumovirus 속에 속한다. RSV는 음성−센스 RNA의 단일가닥(single strand of negative−sense RNA)을 가지는 중간 크기(120−300 nm)의 껍질(envelope)보유바이러스이다. 외피는 원형질막−유도 지질이며, 3종의 막 표면단백(F, G, SH)과 2종의 기질 단백(M, M2), 3종의 뉴클레오캡시드 단백(N, P, L), 2종의 비구조단백(NS1, NS2)으로 이루어져 있다. 표면의 융합(F) 및 부착(G) 당단백에 대해 중화항체가 형성되기 때문에 이 부분이 백신 개발의 중요한 표적이 된다. 항원성 또는 염기 서열의 변이는 대개 G 단백에서 나타난다. G 단백은 숙주세포 표면의 부착을 매개하는데, RSV 군 간 항원 다양성은 G 단백 염기 서열의 변이에 의해 나타난다. RSV에 감염된 세포에서 분비되는 G 단백의 80%는 N−말단 신호/고정부위가 결손된 분비형인데, 분비형 G 단백의 기능은 알려져 있지 않으나, RSV 중화항체나 선천 면역반응을 방해하는 것으로 여겨진다. RSV는 항원성에 따라 A와 B의 두 군으로 분류되며 10개의 바이러스 단백 모두가 두 군 사이에 다르고, 특히 G 단백이 가장 큰 다양성을 보인다. A군이 더 중증의 질병을 일으킨다.

2) 역학

1세 이하의 하기도 감염의 가장 흔한 원인이다. RSV감염은 2세까지 대부분, 3세까지는 모든 사람이 경험하게 된다. 3−10년마다 재감염되지만 5세 이상에서 면역저하 등 특별한 문제가 없다면 입원이 필요한 감염을 일으키지 않는다. RSV의 유행은 주로 겨울과 이른 봄에 일어나는데, 국내에서는 지역에 따라 연중 발생한 보고도 있다. 사람이 RSV의 유일한 병원소이다. RSV의 주요 전파 경로는 비말 형태의 오염된 비분비물이며, 감염된 사람과의 밀접한 접촉이나 오염된 환경표면과의 접촉으로 전파된다. 일반

주위 환경에서도 수 시간 동안 생존이 가능하여 소아 원내 호흡기질환의 중요한 원인이 된다. A군과 B군 RSV가 함께 유행하며 한 군의 유행이 우세할 수 있다.

3) 임상양상

RSV는 소아에서 가벼운 상기도 감염부터 치명적인 세기관지염과 폐렴까지 다양한 범위의 호흡기질환을 일으키며, 바이러스성 중이염의 중요 원인이다. 6주 미만의 영아는 주로 잘 먹지 못하고 무기력한 증상을 보이며, 다른 호흡기 증상이나 징후없이 무호흡만 보이는 경우도 있다. RSV로 입원한 소아의 사망률은 약 1% 정도이다. 조산아와 만성 폐질환, 선천성심장기형, 원발성 면역결핍증과 같은 기저질환이 있는 소아에서는 사망률이 몇 배 더 높으며, 국내에서도 비슷한 양상을 보였다. 32주 미만의 조산아 재입원의 주요한 원인으로도 알려져 있다.

건강한 젊은 성인이 RSV에 감염되면 경증 상기도감염으로 나타나지만, 노인에서는 콧물(67-92%), 기침(90-97%), 발열(20-60%), 천명(67-92%) 등의 증상이 나타나며, 10%에서 폐렴이 생길 수 있다. 노인에서 RSV 감염으로 입원시 사망률은 약 8%로 인플루엔자와 비슷하다. 면역저하 환자, 특히 악성 혈액질환 환자와 조혈모세포이식 환자는 중증 RSV 질환의 위험군으로 상기도 감염 후 하기도 감염으로 진행할 수 있다.

4) 진단

겨울철 1세 미만의 하기도감염에서 임상적인 특징과 역학적 소견으로 진단할 수 있으나 성인에서는 임상적인 특성만으로는 진단하기 어렵다. RSV 감염증의 실험실적 진단 기준은 세포 배양에 의한 바이러스 분리이다. 인두세척이나 기관흡입으로 얻은 검체를 Hep-2세포에 접종한 후 세포병변, 혈구흡착 검사 등을 시행하여 바이러스의 존재가 의심되면 면역형광법, ELISA, 중합효소연쇄반응(PCR) 등으로 확인한다. 면역형광법의 감수성, 특이성은 각각 90% 이상, 95% 이상이며, 중합효소연쇄반응 등의 분자생물학적 방법으로 조기 진단이 가능하다.

임상적으로 신속항원검사와 분자유전학적 검사를 이용할 수 있으며 혈청학적 진단은 도움이 되지 않는다. 신속항원검사의 감수성, 특이성은 각각 80%, 92%이며 30분 이내에 결과를 알 수 있으나 성인에서 감수성이 낮다. 분자유전 검사는 호흡기감염진단을 위하여 사용하는 다중 PCR 검사의 일부분으로 검사되는데 신속항원검사의 감수성이 낮은 성인이나 수동면역으로 인하여 항원검사의 위음성 가능성이 높을 때 사용할 수 있다.

5) 치료

주로 대증 치료가 근간이 된다. 리바비린(ribavirin)이 RSV 감염 치료에 미국식품의약국 승인을 받았지만, 효과에 대해 회의적 견해가 많고, 비용 및 이상반응 가능성 등 부정적인 요소로 인하여 일반적으로 사용을 권고하지는 않는다. 리바비린은 임신부에서는 사용 금기이며, 면역저하환자의 중증감염 등 특별한 경우에 사용한다. 조혈모세포이식환자, 폐이식 등 면역저하 상태가 심한 환자의 중증 RSV감염증에 리바비린과 면역글로불린, 스테로이드 등의 병합요법을 사용해 볼 수 있다.

2. 면역

RSV 면역글로불린 투여를 통한 수동면역이 중증 RSV 감염을 예방할 수 있기 때문에 항체가 RSV 면역에 중요한 역할을 하는 것을 알 수 있다. 그러나, 면역글로불린 결핍증 환자들에게 RSV 감염이 빈번하지 않고 중증으로 나타나지도 않으나 중증복합면역결핍병(severe combined immunodeficiency disease), 조혈모세포이식, 폐이식 등 CD8+ T세포가 감소된 환자에게는 치명적 RSV감염증으로 나타날 수 있다. 그러므로 항체는 초기 감염을 막거나 바이러스가 상기도에서 하기도로 전파되는 것을 저지하거나 지연시킬 수는 있지만 일단 감염이 일어나면 바이러스의 제거와 감염을 종식시키는 것은 세포면역이 중요한 역할을 한다.

RSV 질환을 방어하기 위한 면역학적 기준은 명확히 정의되지 않았으나 1:200 이상의 중화항체가의 역가이면 충분한 것으로 알려져 있다. 효과적인 RSV 백신은 감염의 병력이 있는 성인과 고연령 소아에서 혈청 중화항체역가를 높이고, RSV 감염의 경험이 없는 영아에서 비록 높은 혈청 중화항체 역가를 유도하지 못하더라도 중증 감염증에 대한 보호효과가 있어야 한다.

3. 수동면역

모체로부터 얻은 RSV 중화항체 역가가 높을수록 RSV 감염의 중증도가 낮아진다는 역학조사에 근거하여 재태기간 35주 이하에서 태어난 6개월 이하의 영아, 기관지폐형성이상이 있는 2세 미만 소아 등의 고위험군에서 중증 RSV 감염증을 예방하기 위하여 RSV중화 항체 투여가 권장된다. RSV 면역 글로불린(RSV-IGIV; RespiGam®)과 RSV F 당단백에 대한 단클론 중화항체(palivizumab; Synagis®)가 임상에 사용되었다. 현재 RSV 면역 글로불린은 사용되지 않고 중증 RSV 질환의 예방을 위해서 권장되고 있는 면역요법은 palivizumab뿐이다.

Palivizumab는 마우스의 골수종 숙주 세포에서 재조합 DNA 기술로 생산하는 인간화 단클론 항체이며, 그 표적은 RSV F 단백질의 A 항원 부위의 항원결정인자(epiotope)이다. 바이러스와 인간 세포를 융합하는 기능을 하는 F 단백질을 억제하여 바이러스의 세포 내 침입을 막는다. Palivizumab는 저체중 출생아와 만성 폐질환을 가진 영아에서 RSV 질병의 입원 위험도와 중증 합병증의 발생을 감소시킨다. 유행기 중 1개월에 1회 투여한다. Palivizumab은 RSV 감염증의 치료 목적으로 투여하였을 때에는 효과가 없다.

최근 RSV F 당단백의 Ø부위에 특이적인 단클론 중화항체(MEDI8897)가 새로 개발되어 1상 시험을 마쳤는데 반감기가 길어 태어나자마자 또는 유행기에 1회 투여로 약 6개월간 예방 효과를 기대할 수 있다.

4. 백신개발

RSV 백신은 위험군에서 중증의 RSV 관련 하기도감염증을 예방하기 위해 필요하다. RSV 감염의 경험이 없는 영아, 고위험군 소아, 고령자 등 대상군에 특화된 다양한 형태의 백신을 개발하고 있다. 현재 개발 중인 백신으로 종류에 따라 불활화, 약독화 생백신, 아단위(subunit), 입자 기반(particle-based), 핵산(nucleic acid), 유전자 벡터(gene-based vector) 백신 등이 있다(표 50-1).

1) 포르말린-불활화(FI-RSV) 백신

1960년대 초 FI—RSV 백신이 개발되었지만, 야생형 RSV 감염을 예방하지 못했을 뿐 아니라, 2–7개월의 백신 받은 유아 중 80%가 입원하고 2명이 사망하는 등 백신접종 유아에서 중증 RSV 감염증의 발생빈도가 더 높았다. 이를 통하여 RSV 백신이 CD8+ RSV 특이 세포살상 T 림프구와 야생형 RSV에 의해 일어나는 형태의 CD4 반응뿐 아니라 방어가 가능한 수준의 중화 항체를 유도해야 한다는 것을 알게 되었다.

2) 약독화 RSV 생백신

약독화 생백신을 비강 내 접종하여 전신 면역과 국소 면역을 모두 유도하면 하기도 감염은 물론 상기도 감염도 예방할 수 있을 것이다. 불활화 백신은 RSV감염을 오히려 증강시켰던 반면 약독화 생백신은 야생형 RSV 노출시 보다 중증의 경과로 진행하는 일은 없었다. RSV 단독 약독화백신과 파라인플루엔자바이러스를 벡터로 사용하는 약독화 백신이 개발되고 있으며 모두 영아를 대상으로 연구가 진행되고 있다.

3) 아단위백신

RSV의 막 표면 단백인 F, G, SH를 항원으로 이용하는 백신이다. 주로 prefusion F 단백을 항원으로 접근한 백신 연구가 많이 이루어졌다. 산모와 노인들을 대상으로 임상시험 중이며, AS01, alum 등 면역증강제를 이용한 연구를 진행하고 있다.

4) 입자기반(particle-based)백신

아단위 백신과 비슷하지만 bacterium−like particle (BLP), 나노입자 등 신기술을 이용하여 만들어진 입자(particle)에 RSV의 항원을 재조합하여 개발한 백신이다. RSV의 F단백을 재조합하여 개발하였다. 영유아, 노인, 산모 등 모든 군을 포함하여 임상연구가 진행 중이다.

18−35세의 여성 720명을 대상으로 한 2상 연구에서 120 ug RSV F 단백과 0.4 mg aluminum을 투여하였을 때 면역반응이 우수하였고 91일간 유지되었으며, 백신군이 위약군에 비하여 혈청학적으로 진단된 RSV 감염증을 53% 감소시켰다.

5) 유전자 기반 벡터(gene-based vector)백신

아데노바이러스(adenovirus), Modified Vaccinia Ankara (MVA) 등을 벡터로 이용하여 RSV의 F,

표 50-1. 임상시험 중인 호흡기융합바이러스 백신

분류	백신	생산자	대상군	연구단계
약독화생백신	BCG/ RSV	Pontificia Universidad Catolica de Chile	영아	1상
	RSV ⊿NS2 ⊿1313	Sanofi, LID/NIAID/NIH	영아	1상
	RSV D46 cp⊿M2-2	Sanofi, LID/NIAID/NIH	영아	1상
	RSV D46/NS2/ N/⊿M2-2-HindIII	Sanofi, LID/NIAID/NIH	영아	1상
	RSV LID ⊿M2-2 1030s	Sanofi, LID/NIAID/NIH	영아	1상
	RSV LID cp ⊿M2-2	Sanofi, LID/NIAID/NIH	영아	1상
아단위	DPX-RSV-SH 단백	Immunovaccine, VIB	노인	1상
	RSV F 단백	NIH/NIAID/VRC	산모, 영아	1상
	RSV F 단백	GlaxoSmithKline	산모	2상
입자기반	RSV BLP	Mucosis	영아, 노인	1상
	RSV F Nanoparticle	Novavax	영아	1상
	RSV F Nanoparticle	Novavax	노인	2상
	RSV F Nanoparticle	Novavax	산모	3상
유전자 기반 벡터	Adenovirus	Janssen Pharmaceutical	노인, 영아	1상
	Adenovirus	Vaxart	노인	1상
	Modified Vaccinia Ankara	Bavarian Nordic	노인	2상
	Adenovirus	GlaxoSmithKline	영아	2상

2017년 9월 5일 기준. RSV Vaccine and mAb Snapshot(http://www.path.org/vaccineresources/details.php?i=1562)에서 편집함.

G, N 등의 유전자를 숙주 세포 내에 전달하여 mRNA와 단백질 항원의 생산을 유도하고 세포 및 체액성 면역 반응 모두 유도 할 수 있는 백신이다.

6) 영유아에 대한 접근

면역체계가 발달하기 전인 생후 2-3개월에서 중증 RSV감염이 일어나므로 효과적인 백신 개발이 어렵다. 수동면역이 중증감염을 예방하는 것에 착안하여 이미 RSV에 대한 기억 B세포를 가지고 있는 산모에게 RSV 백신을 접종하여 항체 생성을 촉진하고 이 항체를 태아에게 전달함으로써 생후 5-6개월까지 예방이 가능하게 하는 임신부 백신으로서의 개발 연구가 진행되고 있다.

영유아의 1차 접종이 평생면역에 중요하므로 영유아를 대상으로 하는 백신은 아단위백신보다 약독화 생백신을 이용할 수 있으며 전체 바이러스 핵산이나 유전자 기반 벡터를 이용한 백신도 고려할 수 있다.

7) 고령자에 대한 접근

노인들에게는 이미 RSV에 대한 감염력이 있기 때문에 생백신은 효과가 떨어지므로 생백신 이외의 모든 형태의 백신을 사용할 수 있다.

참고문헌

1. 역학조사과. 급성호흡기바이러스 통합감시사업. 부산광역시보건환경연구원보. 2009:19-23.
2. Hall CB, Weinberg GA, Iwane MK, et al. The burden of respiratory syncytial virus infection in young children. N Engl J Med 2009; 360:588.
3. August A, Glenn GM, Kpamegan E et al. A Phase 2 randomized, observer-blind, placebo-controlled, dose-ranging trial of aluminum-adjuvanted respiratory syncytial virus F particle vaccine formulations in healthy women of childbearing age. Vaccine 2017;35:3749-59.
4. Chartrand C, Tremblay N, Renaud C, et al. Diagnostic Accuracy of Rapid Antigen Detection Tests for Respiratory Syncytial Virus Infection: Systematic Review and Meta-analysis. J Clin Microbiol 2015;53:3738-49.
5. Falsey AR1, Hennessey PA, Formica MA, et al. Respiratory syncytial virus infection in elderly and high-risk adults. N Engl J Med 2005;352:1749-59.
6. Glezen WP, Taber LH, Frank AL et al. Risk of primary infection and reinfection with respiratory syncytial virus. Am J Dis Child 1986;140:543-6.
7. Graham BS. Vaccine development for respiratory syncytial virus. Curr Opin Virol 2017;23:107-12.
8. Griffin MP, Khan AA, Esser MT et al. Safety, tolerability, and pharmacokinetics of MEDI8897, the respiratory syncytial virus prefusion F-targeting monoclonal antibody with an extended half-life, in healthy adults. Antimicrob Agents Chemother 2017;61: e01714-16.
9. Hall CB, Walsh EE, Long CE et al. Immunity to and frequency of reinfection with respiratory syncytial virus. J Infect Dis 1991;163:693-8.
10. Lee JH, Kim CS, Chang YS et al. Respiratory Syncytial Virus Related Readmission in Preterm Infants Less than 34 weeks' Gestation Following Discharge from a Neonatal Intensive Care Unit in Korea. J Korean Med Sci 2015;30(Suppl 1):S104-S10.
11. PATH. RSV vaccine and mAb Snapshot. Available at: http://www.path.org/vaccineresources/details.php?i=1562 Accessed 23 October 2017.
12. Puppe W, Weigl JA, Aron G, et al. Evaluation of a multiplex reverse transcriptase PCR ELISA for the detection of nine respiratory tract pathogens. J Clin Virol 2004;30:165-74.
13. Shim WS, Lee JY, Song JY et al. Respiratory syncytial virus infection cases in congenital heart disease patients. Korean J Pediatr 2010;53:380-91.
14. Wright PF, Karron RA, Belshe RB et al. The absence of enhanced disease with wild type respiratory syncytial virus infection occurring after receipt of live, attenuated, respiratory syncytial virus vaccines. Vaccine 2007:7372-8.

에볼라

한림대학교 의과대학 **이재갑**

1. 역학

에볼라바이러스는 필로바이러스과에 속한다. 현재까지 Zaire (EBOV), Sudan (SUDV), Bundibugyo (BDBV), Tai Forest (TAFV), Reston (RESTV)의 5가지 혈청형이 보고되었다. Reston은 침팬지에서만 보고되었고 나머지 4가지의 혈청형이 사람에게 감염을 일으킨다. 예전에는 에볼라출혈열(ebola hemor-rhagic fever)이라고 불렸으나 환자의 증상초기에 출혈증상을 동반한 경우가 10% 이내로 많지 않아서 에볼라바이러스병(ebola virus disease)으로 바꾸어 부르게 되었다.

에볼라바이러스병은 1976년 콩고민주공화국에서 첫 유행이 확인되었다. 에볼라 단어의 어원은 콩고민주공화국의 에볼라강에서 유래되었다. Zaire는 콩고민주공화국의 옛날 국가 이름에서 유래하였다. 2014–2015년 서아프리카 3개국(라이베리아, 시에라리온, 기니)에서 유행하기 전까지 콩고민주공화국과 우간다 등에서 12차례의 유행이 발생하였으며 2,387명의 환자가 발생하여 1,590명(67%)이 사망하였다. 2014–2016년 서아프리카 3개국에서 29,000여 명의 환자가 발생하였고 약 40% 환자가 사망하였다. 대한민국은 2014년 12월부터 다음해 4월까지 24명의 의료진을 시에라리온에 긴급구호대로 파견하였다.

2. 증상

노출 후 평균 잠복기는 6–12일이며(2–21일), 초기 증상은 갑자기 발생하는 고열과 근육통이다. 대개의 환자에서 구토와 설사가 동반되며 전신 쇠약감, 식욕저하가 발생한다. 중증 환자의 경우 다량의 설사와 식욕부진 상태로 인하여 급격히 신부전으로 진행하고 폐부종과 급성 호흡부전으로 진행할 수 있으며 이후 다장기부전으로 사망하게 된다. 중증 환자의 경우 발열로 부터 사망까지 대개 6–10일이 소요될 정도로 빠른 악화 소견을 보인다(그림 51-1).

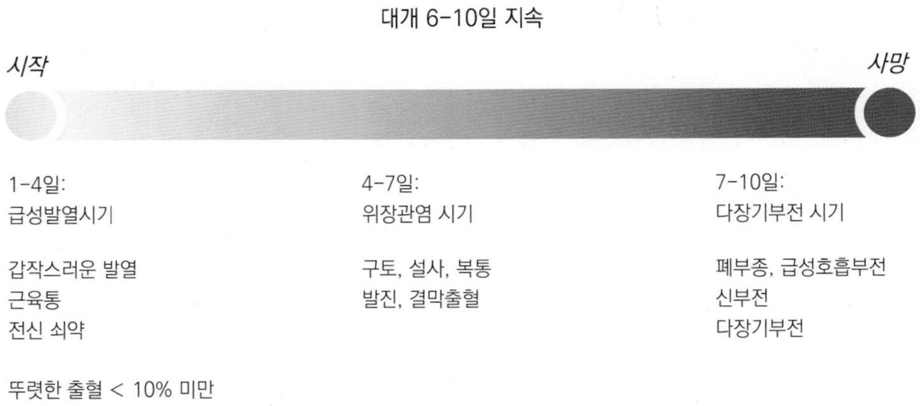

대개 6-10일 지속

시작   사망

1-4일:
급성발열시기

갑작스러운 발열
근육통
전신 쇠약

4-7일:
위장관염 시기

구토, 설사, 복통
발진, 결막출혈

7-10일:
다장기부전 시기

폐부종, 급성호흡부전
신부전
다장기부전

뚜렷한 출혈 < 10% 미만

그림 51-1. 에볼라바이러스병 환자의 임상경과

표 51-1은 2014-2015년 한국의료진이 파견되었던 시에라리온 에볼라치료센터 환자의 임상 증상이다. 54명 중 23명의 환자(43%)가 사망하였으며 사망과 관련한 위험인자는 높은 연령, 높은 혈중 에볼라바이러스농도와 설사, 높은 APACHE2 점수, aPTT의 증가, BUN, ALT, lactate의 증가 등이었다.

표 51-1. 한국의료진이 파견된 시에라리온 에볼라 치료센터 환자(2014년 12월-2015년 3월)의 임상 증상 (저자가 소유한 미공개자료)

증상	N=54	%
전신쇠약감	49	89.1%
발열	47	85.5%
근육통	36	65.5%
구토	31	56.4%
설사	31	56.4%
두통	31	56.4%
복통	21	38.2%
흉통	15	27.3%
연하곤란	13	23.6%
딸국질	12	21.8%
호흡곤란	11	20.0%
결막출혈	10	18.2%
출혈	3	5.5%

3. 진단

에볼라바이러스병은 급성기에 발열과 설사를 동반할 수 있는 말라리아, 라싸열, 마버그바이러스병, 장티푸스, 수막알균감염, 인플루엔자와의 감별이 필요하다.

진단은 혈중 에볼라바이러스의 역전사효소중합효소연쇄반응(RT-PCR)검사로 확진한다. 혈중 중합효소연쇄반응(PCR)은 증상 발현 후 72시간째부터 확인되기 때문에 증상 초기 음성인 환자에서도 72시간째 다시 확인이 필요하다.

4. 치료

주된 치료는 환자의 증상에 따른 보존적인 치료이다. 구토와 설사로 발생한 혈관내 유효 혈류량의 부족에 대하여 적절한 수액공급이 가장 중요하다. 탈수로 인하여 신부전이 발생하였을 경우 투석 등의 신대치 요법이 필요하며 폐부종과 극심한 염증반응으로 인하여 급성호흡부전 상태로 악화될 경우 인공호흡기 치료와 체외막형산소섭취(extracorporeal membrane oxygenation, ECMO)가 필요한 경우도 있다. 2차 감염의 가능성이 있을 경우에는 적절한 항생제를 사용한다. 말라리아의 동반 감염이 확인되는 경우가 있기 때문에 말라리아에 동시 감염된 경우는 말라리아 치료도 병행한다.

아직까지 허가된 치료제는 없다. 현재 치료제로 임상 연구를 진행하고 있는 항체치료제나 항바이러스제가 있다. 임상연구를 종료하지 못한 약들이 대부분이지만 일부 치료제는 서아프리카의 유행상황에서 미국이나 유럽으로 이송된 환자들을 대상으로 허가전이지만 제한적으로 사용되기도 하였다(emergency use authorization, EUA).

1) 항체 치료제
에볼라도 감염환자의 회복기 혈청에서 검출된 항체를 바탕으로 단클론항체 치료제의 개발이 활발하게 이루어지고 있다. 사람 대상의 연구가 진행된 항체 치료제는 회복기환자의 혈청과 Zmapp®이다. 회복기 환자의 혈청에 대한 연구는 II/III상 임상시험이 완료되었으나 사망률 감소에는 효과가 없는 것으로 확인되었다. Zmapp®의 경우에는 I/II상 임상시험이 서아프리카의 유행 감소로 목표 환자의 36%만 등록된 상태에서 연구가 중단되었다. 서아프리카 3개국에서 수행된 연구에서 Zmapp®사용군에서 통상적인 치료를 시행한 경우보다 15%의 사망률 감소가 확인되었다.

2) 항바이러스제
여러 기전에 따른 항바이러스제에 대한 연구가 서아프리카 유행 시기에 진행되었으나 연구 시작 후

유행이 감소하면서 대부분의 연구가 현재에는 중단되었다. 그러나 일부 진행된 임상시험에서 고무적인 결과를 보여준 항바이러스제들이 있어서 그 효과를 기대하고 있다.

인플루엔자 치료제로 일본에서 승인된 favipiravir는 RNA polymerase inhibitor로 기니에서 시행된 1상 임상시험에서 중증환자에서는 사망률 감소 효과를 확인하지 못했지만 경증 환자에서 사망률을 15% 감소시키는 것으로 확인되었으며 현재 2상이 진행되다가 유행 감소로 중단되었다. 동물연구에서는 노출 후 예방에 대한 효과도 보인다는 보고가 있다. 일본이나 대만에서 신종인플루엔자 치료 목적으로 소량 비축하고 있다. 우리나라도 100명분의 favipiravir를 비축하고 있으며 에볼라 환자 유입시 에볼라의 방역과 치료를 담당하는 방역관계자와 의료인, 고위험 노출자의 노출 후 예방목적으로 사용할 예정이다.

이외에도 brincidofovir, tekmira 등이 효과가 있을 것으로 예상되었으나 임상시험을 계획 중 또는 시행 중에 에볼라 유행이 종료되면서 임상연구를 끝마치지 못하였다.

5. 에볼라백신

에볼라백신은 유행상황에서 지역사회의 확산을 저지하는 수단으로 개발되고 있기 때문에 접종 횟수가 적고 보관이 용이하면서 면역원성이 우수한 백신의 개발이 필요하다. 에볼라백신은 2014년도 서아프리카 대유행 이후 개발되었거나 효과가 기대되는 후보 항원을 대상으로 활발히 임상시험이 진행되었다.

에볼라의 항원성을 나타내는 단백을 생성하는 유전자로 백신 연구의 주요 유전자는 GP, NP, VP 40 등이다(표 51-2). 개발되고 있는 대개의 백신이 GP를 주요 항원으로 백신을 개발하고 있으며 일부 백신은 면역원성을 강화하기 위해 GP에 NP와 VP40을 추가하여 백신 후보물질을 제작하고 있다.

현재 개발 중이거나 임상시험이 진행중인 백신을 표 51-3에 정리하였다.

DNA 백신은 다량의 항원을 빠른 시간 내에 생산할 수 있기 때문에 대규모 유행 상황을 대비하여 백신을 만들기 용이한 백신 플랫폼이다. EBOV의 GP와 NP, SUDV의 GP, MARV의 GP를 이용하여 시행된 1상 임상시험에서 안정성은 확인되었고 각각의 항원에 대하여 면역원성은 확인되었으나 기본 3회 접종스케줄 접종 완료 이후 항체가가 급격히 감소하는 경향을 보였다. 접종횟수가 많은 단점이 있으며 면역원성의 개선과 장기면역원성 확보에 대하여 보완이 필요한 상태이다.

Virus like particle은 항원표면에 GP와 VP40을 발현하도록 설계하였으며 면역원성의 개선을 위해서 NP를 포함하여 백신을 제조하였다. 전임상시험에서 백신을 맞은 원숭이에게 에볼라바이러스를 노출하였을 때 모든 원숭이가 살아남았다.

EBOV△VP30은 바이러스의 자가복제와 관련된 VP30을 제거한 전세포백신(whole virus vaccine)이

표 51-2. 에볼라의 주요 유전자 및 백신 target gene

(Ohimain EI. Recent advances in the development of vaccines for Ebola virus disease. Virus research. 2016;211:174-85.)

3' Leader	NP	VP35	VP40	GP	VP30	VP24	L	5' Trailer

Key
NP = Nucleoprotein
VP = Virus protein
GP = Glycoprotein
L = RNA dependent RNA polymerase

Gene	Functions
NP	Transcription and replication
VP35	Transcription and replication RNA synthesis, type 1 interferon antagonist, virulence factor
VP40	Virus assembly and budding Membrane associated and could possible play a role in viral entry
GP	Mediate viral entry into cell
VP30	Transcription and replication
VP24	Virus assembly and budding Membrane associated and could possible play a role in viral entry Type 1 interferon antagonist
L	Transcription and replication

표 51-3. 연구 중인 에볼라백신

(Keshwara, R et al. Toward an Effective Ebola Virus Vaccine. Annu Rev Med. 2017;68:371-86.)

벡터 또는 플랫폼	백신	항원	임상연구	결과
DNA	EBOV/MARV vaccine	GP, NP	1상	면역원성 부족
Virus like particles (VLPs)	EBOV/SUDV VLPs	GP, NP, VP40	전임상(동물실험)	전임상에서100% 예방
Whole virus	EBOV △VP30 (VP30 제외)	VP30제외한 모든 단백	전임상(동물실험)	전임상에서 100% 예방
Adenovirus	Ad26-EBOV/MVA-FILO	GP, NP	1상	우수한 면역원성
	ChAd3-EBOV	GP	2상 진행중 중단	결과 예정
Vesicular stomatitis virus	rVSV-EBOV	GP	3상, Ring trial	100% 예방
Rabies virus	rRABV-ZGP	GP	전임상(동물실험)	전임상에서100% 예방

EBOV: Zaire ebolavirus, MARV: Marburg virus, SUDV: Sudan ebolavirus, MVA-FILO: NP of Tai Forest ebolavirus

다. 동물실험에서 100% 예방효과를 보였다. 사람 대상의 연구를 준비 중이다.

아데노바이러스를 벡터로 활용한 백신들도 활발하게 임상이 진행 중이다. 침팬지의 아데노바이러스 3번 혈청형(ChAd3)을 벡터로 이용한 백신은 1상 임상시험에서 우수한 면역원성을 보였고 2014–2015년 서아프리카 유행 때 라이베리아에서 2상이 진행되었으나 유행의 종료로 인하여 연구가 중단되었다. 사람의 아데노바이러스 26번 혈청(Ad26)형과 35번 혈청형(Ad35)은 사람에서의 항체보유율이 낮은 혈청형으로 이 두 혈청형을 벡터로 이용한 백신도 연구가 진행 중이다. Ad26–EBOV/MVA–Filo는 1상 연구에서 1일째 57일째 2회 접종을 시행하였다. 78일째, 240일째 시행한 항체가가 높게 유지되어 장기면역원성의 가능성을 확인하였다.

Vesicular stomatitis virus 벡터에 EBOV GP 유전자를 삽입하여 제작한 생백신인 rVZV–EBOV는 3상이 완료된 상태로 상용화를 눈앞에 두고 있다. 3상 임상시험은 서아프리카에서 에볼라 환자에 노출된 사람들을 대상으로 연구가 진행되었다. 동일환자에게 폭로된 노출자 전체를 한 군으로 묶어서 이 군 전체를 즉시 접종군과 지연접종군으로 무작위배정(Ring trial)하여 백신의 효과를 분석하였다. 지연접종군에 대하여 즉시 접종군에서 백신의 효과가 100%로 확인되었다. 2017년 5월 콩고민주공화국에서 에볼라가 유행하였을 때 아직 허가 전이지만 노출자에 대한 예방 목적으로 사용이 승인되기도 하였다. 허가 후 정식 출시가 될 경우 국내 방역 요원과 에볼라 환자 치료진들을 위한 백신으로 비축하여 사용할 수 있을 것이다.

공수병을 일으키는 rabies virus는 vesicular stomatitis virus와 함께 Rhabdovirus과에 속하여서 유전적으로 유사한 성질을 가지고 있다. Rabies virus 백신에 사용하는 바이러스를 벡터로 하여 EBOV GP 유전자를 삽입한 백신이 연구 중이다. 이 백신은 공수병과 에볼라에 동시에 예방효과가 있다. 현재 전임상단계가 진행중이며 쥐에 대한 백신연구에서는 병독성을 보이지 않는 안전성을 확인하였으며 동물에 대한 노출 실험에서 100% 예방효과를 보였다. MARV와 SUDV에 대해서도 연구를 확대 중에 있다.

2014년에서 2015년까지 서아프리카의 에볼라 유행은 세계보건기구(WHO)뿐만 아니라 세계 여러 국가에게 신종 또는 재출현 감염병의 위험성을 다시금 각인시켰다. 특히 신종감염병에 대한 백신의 개발은 유행 종식의 가장 중요한 도구로 작용할 수 있기 때문에 세계적인 백신 개발의 노력에 동참할 수 있도록 우리나라의 백신 연구가 더욱 활성화되어야 한다.

참고문헌

1. Blaney JE, Marzi A, Willet M, et al. Antibody quality and protection from lethal Ebola virus challenge in nonhuman primates immunized with rabies virus based bivalent vaccine. PLoS Pathog 2013;9:e1003389.
2. Blaney JE, Wirblich C, Papaneri AB, et al. Inactivated or live-attenuated bivalent vaccines that confer protection against rabies and Ebola viruses. J Virol 2011;85:10605-16.
3. Dye JM, Warfield KL, Wells JB, et al. Virus-Like Particle Vaccination Protects Nonhuman Primates from Lethal Aerosol Exposure with Marburgvirus (VLP Vaccination Protects Macaques against Aerosol Challenges). Viruses 2016;8:94.
4. Group PIW, Multi-National PIIST, Davey RT, Jr., et al. A Randomized, Controlled Trial of ZMapp for Ebola Virus Infection. N Engl J Med 2016;375:1448-56.
5. Gsell PS, Camacho A, Kucharski AJ, et al. Ring vaccination with rVSV-ZEBOV under expanded access in response to an outbreak of Ebola virus disease in Guinea, 2016: an operational and vaccine safety report. Lancet Infect Dis 2017;17:1276-84.
6. Keshwara R, Johnson RF, Schnell MJ. Toward an Effective Ebola Virus Vaccine. Annu Rev Med 2017;68:371-86.
7. Kibuuka H, Berkowitz NM, Millard M, et al. Safety and immunogenicity of Ebola virus and Marburg virus glycoprotein DNA vaccines assessed separately and concomitantly in healthy Ugandan adults: a phase 1b, randomised, double-blind, placebo-controlled clinical trial. Lancet 2015;385:1545-54.
8. Marzi A, Halfmann P, Hill-Batorski L, et al. Vaccines. An Ebola whole-virus vaccine is protective in nonhuman primates. Science 2015;348:439-42.
9. Nguyen TH, Guedj J, Anglaret X, et al. Favipiravir pharmacokinetics in Ebola-Infected patients of the JIKI trial reveals concentrations lower than targeted. PLoS Negl Trop Dis 2017;11:e0005389.
10. Ohimain EI. Recent advances in the development of vaccines for Ebola virus disease. Virus research 2016;211:174-85.
11. Smither SJ, Eastaugh LS, Steward JA, Nelson M, Lenk RP, Lever MS. Post-exposure efficacy of oral T-705 (Favipiravir) against inhalational Ebola virus infection in a mouse model. Antiviral Res 2014;104:153-5.
12. Tapia MD, Sow SO, Lyke KE, et al. Use of ChAd3-EBO-Z Ebola virus vaccine in Malian and US adults, and boosting of Malian adults with MVA-BN-Filo: a phase 1, single-blind, randomised trial, a phase 1b, open-label and double-blind, dose-escalation trial, and a nested, randomised, double-blind, placebo-controlled trial. Lancet Infect Dis 2016;16:31-42.
13. van Griensven J, Edwards T, de Lamballerie X, et al. Evaluation of Convalescent Plasma for Ebola Virus Disease in Guinea. N Engl J Med 2016;374:33-42.
14. Zahn R, Gillisen G, Roos A, et al. Ad35 and ad26 vaccine vectors induce potent and cross-reactive antibody and T-cell responses to multiple filovirus species. PLoS One 2012;7:e44115.

Chapter 52

단순포진 및 거대세포바이러스

연세대학교 의과대학 **한상훈**

1. 단순포진바이러스 백신

1) 배경

단순포진바이러스(herpes simplex virus, HSV)는 구강, 입술, 생식기 등의 피부와 점막에 통증을 동반하는 수포 및 궤양을 일으키는 바이러스이다. 급성 헤르페스성 치은구내염, 급성 헤르페스성 인두편도선염, 입술 헤르페스, 생식기 헤르페스의 질환이 발생한다. 감염된 산모로부터 신생아로 전파되어 신생아 감염이 발생할 수 있고, 장기이식 수혜자 등 면역저하자에게 생명을 위협하는 질환을 일으킬 수도 있다. 단순포진바이러스로 인한 국소병변은 통증, 작열감 등의 증상과 함께 피부병변으로 인하여 일상생활에 불편함을 주는 질환이다. 하지만 자주 재발하여 많은 불편을 초래할 수 있으며 신생아 감염과 뇌염 및 면역저하자에서 발생하는 파종성 장기침범질환은 사망률이 높기 때문에 예방접종이 발생률(재발률) 또는 사망률을 감소시키기 위하여 유용할 것으로 판단된다.

(1) 바이러스 특징

Alpha Hepersviridae에 속하는 이중가닥의 DNA 바이러스로 1형(HSV-1)과 2형(HSV-2)이 있으며 각각 사람헤르페스바이러스 1형(human herpesvirus-1, HHV-1)과 2형(HHV-2)으로 분류된다. 증식이 매우 빠르며 특징적인 세포변성효과를 나타낸다. 1형과 2형 바이러스를 구성하는 아미노산들은 80% 이상의 동일성을 가지고 있고, 면역학적 교차반응을 나타낼 수 있지만, 각 형의 특징적 유전자는 고유한 증식형태와 생물학적 특성을 나타낸다.

(2) 역학 및 임상적 중요성

초감염의 약 80-85%는 무증상이지만, 잠복상태를 유지하고 있다가 재활성화되어 질환을 유발한다. 바이러스가 신경세포에 친화력을 가지고 있기 때문에 신경계를 침범한 바이러스는 신경세포절에서 재활성화되어 재발성감염을 일으킨다. 재발성감염은 외상을 포함한 피부손상과 같은 외부요인 또는 월경, 발열, 스트레스와 같은 내부요인에 의하여 발생할 수 있는데 대부분 전신증상 없이 국소병변만 발생한다. 면역저하자에서 재발성감염이 더 흔하고 정도가 심하며 만성적으로 발생할 수 있다. 가장 흔한 입술 헤르페스는 대부분 1년에 2회 이하로 발생하지만 일부는 매달 재발하며, 생식기 헤르페스는 재발률이 높은데 초감염 이후 첫 1년 동안 60%에서 재발하고 약 20%에서는 1년 동안 10회 이상 재발한다.

가족이나 집단생활군에서 구강 또는 입술 병변에 있는 바이러스가 밀접한 접촉으로 타인에게 전파되어 집단 유행을 일으킬 수 있다. 일반적으로 연령이 높을수록, 과밀한 주거환경을 가진 낮은 사회경제적 계층일수록 단순포진바이러스 감염이 많이 발생하는 것으로 알려져 있다. 단순포진바이러스 2형의 감염 및 항체양성률은 성관계의 정도와 관련성을 가지고 있다. 피부병변이 없어도 바이러스 보유자는 타액 등을 통하여 타인에게 바이러스를 전파할 수 있다.

신생아 감염, 뇌염 또는 면역저하자에게 발생하는 파종성 장기침범질환(특히 폐렴)은 사망률이 상당히 높다. 헤르페스성 뇌염은 중증 중추신경계 감염의 중요한 원인 중 하나이며 생존하더라도 심각한 신경학적 후유증이 발생하는 경우가 많다. 또한 눈의 재발성 감염은 각막에 반흔을 남겨서 심한 경우 시력소실을 일으킬 수 있다.

2) 면역반응

바이러스의 가장 바깥 표면을 구성하고 있는 지질외막에 부착되어 있는 당단백이 체액 및 세포매개 면역반응을 유발하는 핵심 항원이다. 초감염 이후 바이러스의 대부분은 신경절에 잠복상태로 존재하며, 일정한 농도의 항체가 혈액 내에 유지된다. 초감염 후의 항체량은 시간이 경과되면서 감소되지만, 무증상의 재활성화 감염이 발생하면 일정량의 항체가 지속적으로 유지된다.

3) 개발 중인 백신

(1) 실현 가능성

현재 임상적으로 사용되고 있는 단순포진바이러스 백신은 없지만 다양한 백신후보물질들을 대상으로 여러 임상시험 단계에서 연구가 활발하게 진행되고 있다. 단순포진바이러스 백신이 임상적으로 사용될 가능성이 있는 이유는 아래와 같다. 첫째, 수두바이러스 백신은 수두 및 대상 포진의 예방 목적으로 사용되고 있는데, 단순포진바이러스는 수두바이러스와 동일하게 알파 헤르페스바이러스에 속한다. 둘째, 생식기 헤르페스를 예방하거나 치료하기 위한 목적으로 2형 단순포진바이러스 백신을 근육으로 투여할 경우 생식기의 점막면역이 유도 될 수 있다. 이는 사람유두종바이러스 백신을 근육 내 투여하였을 경우 생식기 점막 면역이 매우 효율적으로 유발되었다는 점에서 이론적인 근거를 동일하게 적용할 수 있기 때문이다. 셋째, 1형 및 2형 단순포진바이러스 항체 음성인 8,000명 이상의 여성들을 대상으로 일부가 소실된 당단백질(truncated glycoprotein) D2 (gD2t) 백신을 투여한 Herpevac 임상 시험에서 1형 단순포진바이러스 질환의 예방효과가 58%였으며, 1형 단순포진바이러스의 D2t 항체 농도가 높을수록 예방효과가 증가되는 소견이 관찰되었다. 그러나, 2형 단순포진바이러스에 대한 예방효과는 없었는데 이 현상은 2형 단순포진바이러스에 대한 항체 농도가 1형보다 3배 낮았던 것과 연관된 것으로 판단된다. 따라서, 단순포진바이러스 백신으로 유도되는 중화 항체의 농도가 단순포진바이러스 질환 및 감염을 예방할 수 있는 점막면역반응의 정도와 일치할 것으로 판단된다.

(2) 목적

단순포진바이러스는 생식기에 궤양을 일으키는 궤양성 성매개질환의 원인 병원체이다. 생식기 헤르페스에 의한 궤양이 있을 경우 노출된 사람면역결핍바이러스가 궤양의 표면에 많이 존재하는 T 림프구를 통하여 감염될 위험성이 증가된다. 또한 사람면역결핍바이러스 감염인에서 발생한 생식기 궤양에 사람면역결핍바이러스가 높은 농도로 존재하여 타인에게 사람면역결핍바이러스를 전파시킬 위험성도 증가된다. 따라서 예방접종으로 단순포진바이러스에 의한 생식기 헤르페스 궤양 발생을 억제하면 사람면역결핍바이러스 감염 및 전파를 차단할 수 있다. 이러한 임상적인 중요성으로 단순포진바이러스 백신은 예방 및 치료 목적으로 개발되고 있다. 예방 백신은 성접촉이 시작되기 전의 청소년기 집단을 대상으로 2형 단순포진바이러스 노출 이전에 접종을 시행하여 생식기 헤르페스의 발생을 예방하고 생식기 궤양의 발생을 감소시켜 사람면역결핍바이러스 감염을 차단하기 위한 목적을 가지고 있다. 치료 백신은 2형 단순포진바이러스에 의한 재발성 생식기 헤르페스 환자들에게 접종을 시행하여 생식기 궤양 병변을 치료함으로써 단순포진바이러스의 전파를 막기 위한 목적으로 개발되고 있다. 2개의 치료 백신후보물질들로 시행한 1상과 2상 임상연구에서 백신이 항바이러스 효과를 나타내어 궤양의 바이러스 양과 전파율을 감소시켰다. 만일 백신의 항바이러스 효과로 생식기 궤양에 염증반응이 유발되어 T 림프구의 수가 매우 증가된다면 사람면역결핍바이러스의 전파 및 감염의 위험성이 증가되기 때문에 치료백신이 단순포진바이러스에 대한 항바이러스 효과를 통하여 생식기의 T 림프구 매개 염증반응을 감소시킬 수 있는지가 백신의 성공 여부에 매우 중요한 점이 될 것이다.

(3) 연구 결과

임상시험이 가장 많이 진행된 백신 유형은 당단백질로 구성된 아단위 백신이다. 중화효과가 가장 큰 항체로 알려진 당단백질 D (gD) 항체를 충분히 만드는 것이 아단위백신의 목표라 할 수 있다. 가장 대규모 임상시험이 시행된 아단위 백신은 gD2에 alum/MPL (monophosphoryl lipid) 면역증강제를 결합한 Herpevac 백신으로 1형 단순포진바이러스에 의한 생식기 헤르페스 발생을 감소(백신 효과 = 58%, 95% 신뢰 구간 12-80%)시켰지만, 예상과는 다르게 2형 단순포진바이러스 질환에 대한 예방효과는 없었다. 이 연구에서 gD2에 대한 중화항체 농도와 감염 예방이 관련되어 있었기 때문에 이후에 개발되는 차세대 당단백질 아단위 백신들은 중화항체의 농도를 더 증가시켜야 할 것으로 판단된다.

약독화 생백신 또는 복제 능력이 없는(replication-defective) 전바이러스(whole-virus) 백신후보물질들 중 HSV529 백신에 대한 1상 임상시험이 예방과 치료 목적으로 시행되고 있다. gD2를 합성할 수 없는 약독화 생백신은 동물실험에서 피부, 신경, 생식기 질환을 예방하였으며, 배근신경절(dorsal root ganglia)에 잠복 상태에 있는 바이러스를 제거하는 효과를 처음으로 입증하였다.

치료 목적의 백신후보물질 중 현재 임상 연구가 시행되고 있는 것은 GEN-003, HerpV, Codon optimized polynucleotide vaccine, VCL-HB01/HM01 백신 4가지이다. GEN-003은 gD2/ICP4 (infected cell protein 4) 아단위 단백질 백신으로 Matrix-M2TM 면역증강제를 포함하고 있다. gD2는 transmembrane deletion mutant (gD2ΔTMR)이며 단순포진바이러스에 대한 중화항체와 T 림프구의 세포매개면역반응을 유도하는 중요한 항원이다. GEM-003은 ICP4.2를 포함하고 있는데 이는 2형 단순포진바이러스에 대한 기억 T 림프구를 효과적으로 자극할 수 있는 항원이다. 치료 목적으로 시행된 GEM-003의 1/2상 임상시험 결과가 2017년에 보고되었다. 백신접종은 0, 3, 6주의 스케줄로 3회 투여하였다. 30 μg을 투여한 직후 생식기에서 단순포진바이러스 유출율(shedding rate)이 13.4%에서 6.4%로, 100 μg 투여 시에는 15.0%에서 10.3%로 모두 통계적으로 유의하게 감소되었다. GEM-003에 대한 심각한 이상 반응은 발생하지 않았다. HerpV 백신은 32개의 펩티드와 면역증강제(heat shock protein과 QS-21)를 결합한 아단위 펩티드 백신으로 2상 임상시험의 예비 결과에서 단순포진바이러스 생식기 유출율이 15% 감소되는 효과가 첫 투여 후 6개월까지 지속되었다. gD/UD 46 유전자와 Vaxfectin® 면역증강제를 결합한 DNA 백신(VCL-HB01/HM01)에 대한 치료 목적의 1/2상 임상시험이 진행되고 있다.

당단백질을 투여하는 새로운 방법으로 당단백질 B를 발현하는 렌티바이러스 벡터를 비강내로 투여하는 방법이 개발되고 있다. 표 52-1에 개발 중인 단순포진바이러스 백신후보물질들을 백신 유형에 따라 정리하였으며 각각의 임상 시험 단계를 표시하였다.

2. 거대세포바이러스 백신

1) 배경

사람거대세포바이러스(human cytomegalovirus, HCMV)는 선천성 감염에서 심한 결손과 이식 수혜자 등 면역저하자에서 장기침범질환 또는 이식 장기 기능소실 등 다양한 치명적인 결과들을 일으킬 수 있는 베타 헤르페스바이러스이다. 성인에서 대부분의 현증감염 질환들은 면역저하자에서 사람거대세포바이러스가 재활성화 또는 재감염되어 발생한다.

(1) 바이러스 특징

사람거대세포바이러스는 사람에게 질병을 일으키는 바이러스 중에서 가장 크고 복잡한 구조를 가지고 있고 235 kb의 매우 큰 이중 가닥 DNA 유전자로 이루어져 있으며 최소 165개 이상의 많은 단백질

표 52-1. 개발되고 있는 단순포진바이러스 백신후보물질들 및 임상시험 단계

백신 유형	백신 이름 또는 후보물질	개발사	구성 성분	임상 시험 단계
전바이러스 백신				
약독화 생백신	HSV-2 0ΔNLS		ICP0가 소실된 live, attenuated replication-competent HSV-2	전임상
	HF10		UL43, UL49.5, UL55, UL56, LAT에 돌연변이가 발생한 live, attenuated replication-competent HSV-1	전임상
	ΔgD2		gD2가 소실된 live, attenuated HSV-2	전임상
	AD472		g34.5, UL43.5, UL55-56, US10, US11, US12에 돌연변이가 발생한 HSV-2	전임상
	HSV529	Sanofi	UL5와 UL29가 소실된 replication-defective HSV-2	1상 (예방 및 치료 목적)
	CJ2-gD2		Non-replicating gD2 dominant neg HSV-2	전임상
	Prime-pull strategy		"Prime" with live attenuated HSV-2 followed by "pull" with topical intravaginal CXCL9/CXCL10 chemokine	전임상
불활화백신	Inactivated HSV-2 in MPL/alum		Formalin inactivated HSV-2	전임상
아단위백신				
아단위 단백질백신	GEN-003	Genocea	gD2ΔTMR/ICP4.2 with Matrix-M2™ adjuvant	2상(치료목적)
	HerpV	Agenus	32 35-mer peptides, complexed with HSP, QS-21 adjuvant	2상(치료목적)
	gD2/gC2/gE2		gD2/gC2/gE2	전임상
	gB1s-NISV		Intranasal non-ionic surfactant vesicles containing recombinant HSV-1 gB	전임상
아단위-유전자 기반 백신				
아단위 DNA 벡터 백신	Codon optimized polynucleotide vaccine	Admedus	gD2 codon optimized/ubiquitin-tagged	2상(치료목적)
	VCL-HB01/HM01	Vical	백gD2+/-UL46/Vaxfectin®	2상(치료목적)
아단위 바이러스 벡터 백신	HSV-1 glycoprotein B lentiviral vector		Lentiviral vector expressing gB1	전임상

약어) gB, glycoprotein B; gC, glycoprotein C; gD, glycoprotein D; gE, glycoprotein E; ICP, infected cell protein; HSP, heat-shock protein; MPL, monophosphoryl lipid A; LAT, latency-associated transcript; TMR, transmembrane deletion mutant; UL, unique long; US, unique short

들을 합성한다. 다른 헤르페스바이러스들과 같이 사람거대세포바이러스도 초감염 이후 평생 잠복상태로 체내에 존재하는데 잠복감염이 발생하는 주요 세포는 CD34 양성 조혈모 줄기세포(hematopietic stem cell)이다. 사람거대세포바이러스는 혈관내피세포, 상피세포 등 인체의 다양한 세포 안에서 복제될 수 있지만 실험실에서는 유전자가 변형된, 실험실적으로 적응된 바이러스만 사람 섬유아세포(fibro-blast)에서 배양될 수 있다. 거대세포바이러스 종간 유전자의 차이가 매우 커서 사람거대세포바이러스는 동물에 감염될 수 없다.

(2) 역학 및 임상적 중요성

반복적이며 지속적인 밀접한 접촉에 의하여 바이러스의 수평 및 수직 전파가 일어날 수 있다. 위생상태가 좋지 않은 환경에서는 어렸을 때 바이러스 전파가 흔하게 일어나기 때문에 주산기 신생아 감염 및 소아 감염이 더 많이 발생한다. 성인의 항체양성률은 선진국에서 약 70%이며 우리나라는 거의 100%이다.

건강한 사람에서는 항바이러스제 치료가 필요하지 않은 단핵구증이 발생하며 면역저하자에서는 파종성 질환이 발생할 수 있다. 선천성 감염이 발생하면 사망률이 높고 생존하여도 대부분 소아기에 지능 또는 청력장애가 발생한다. 조혈모세포이식과 고형장기이식 수혜자에서 이식 장기의 기능 부전을 초래하고 생명에 위협이 되는 심각한 기회감염들을 일으킬 수 있다. 이식 수혜자에서 사람거대세포바이러스가 증식되는 것은 공여자로부터 전파된 바이러스의 초감염보다 수혜자의 체내에 잠복감염 상태로 있던 바이러스가 이식거부반응을 억제하기 위한 다양한 면역억제제들에 의하여 재활성되어 발생하는 경우가 흔하다. 재활성화된 사람거대세포바이러스는 직접효과(direct effect)에 의하여 거대세포바이러스 증후군, 장기침범질환(간염, 신장염, 폐렴, 식도염, 위염, 장염, 뇌염, 망막염 등)을 일으키며, 간접적인 면역조절 효과(indirect immunomodulatory effect)에 의하여 이식 장기의 거부반응과 기능 소실 및 다른 병원균들에 의한 기회감염의 발생 빈도를 증가시킬 수 있다. 따라서 이식 후 일정 기간 또는 혈액 내 바이러스 농도와 위험인자들을 고려하여 사람거대세포바이러스의 복제를 억제하는 항바이러스제를 예방적 또는 선제적으로 투여하는 것이 이식 성공과 생존율 증가에 중요한 영향을 주는 것으로 잘 정립되어 있다.

2) 면역반응

사람거대세포바이러스 증식 억제에 가장 중요한 면역반응은 CD8+ T 림프구에 의한 세포매개 적응면역이다. CD8+ 세포독성 T 림프구 면역반응을 유발하는 사람거대세포바이러스의 주요 표적 항원은 pp65 (phosphoprotein 65)와 IE1 (immediate early 1) 단백질이다. 체액면역반응에 의하여 중화항체를 생성하는 항원은 사람거대세포바이러스의 지질외막에 존재하는 당단백질(glycoprotein)들이다. gM/gN (glycoprotein M과 glycoprotein N의 복합체), gH/gL (glycoprotein H와 glycoprotein L의 복합체), gB (glycoprotein B)들이 각각에 특이한 중화항체들과 결합하면 바이러스가 숙주세포 안으로 침입하는 것이 차단되어 감염력이 중화된다. gH/gL/UL128/UL130/UL131의 5개의 단백질이 결합한 오량체(pentamer)는 상피세포 및 혈관내피세포 안으로 사람거대세포바이러스가 침입하고 숙주세포와 세포 사이에 바이러스가 전파되는데 주된 역할을 하기 때문에 오량체에 대한 중화항체는 사람거대세포바이러스의 감염을 예방할 뿐만 아니라 바이러스가 체내에 퍼지는 것을 막는 중요한 면역기능을 담당하는 것으로 알려져 있다.

3) 개발 중인 백신

(1) 약독화 생백신

사람거대세포바이러스는 구조가 매우 복잡하기 때문에 아단위 백신보다 바이러스 전체 또는 거의 대부분의 항원들을 포함하고 있는 약독화 생백신이 실제 바이러스가 인체에 감염되었을 때와 유사한 면역반응들을 유발하여 예방효과를 더 효과적으로 나타낼 것으로 기대된다. 그러나 약독화 생백신의 가장 큰 단점은 안전성으로 백신접종 대상 후보자들인 면역저하자(고형장기이식 및 조혈모세포이식 수혜자)와 임산부에서 현증감염과 질환들을 유발할 수 있다. 특히 부주의로 임산부에 투여되었을 때 약독화 생백신이 태아에게 선천성 감염을 유발할 수 있을 가능성이 매우 우려되는 점이다.

사람거대세포바이러스가 체외 세포에서 배양될 수 있도록 변형된 형태로는 Towne strain과 AD169 strain 두 가지가 있다. 사람 섬유아세포에 Towne strain을 감염시키고 섬유아세포를 수차례 계대 배양하여 약독화 Towne 생백신을 만들 수 있다. Towne 약독화 생백신은 계대배양과 함께 많은 유전자가 소실되면서 숙주 세포 내에서 바이러스가 복제하고 다른 세포를 통하여 전파되는데 중요한 상피세포와 혈관내피세포에 대한 감염 능력이 소실된다. 이러한 이유로 인하여 임상시험에서 안전성이 확보되었지만 건강한 지원자들과 신이식 수혜자에서 사람거대세포바이러스 감염을 예방하지 못하였고, 신이식 수혜자에서 사람거대세포바이러스에 의한 중증 질환을 예방하는데 경미한 효과만을 나타내었다. 현재는 약독화 Towne strain 단독 백신에 대한 개발은 중단되었다. 약독화 Towne 생백신의 안전성은 유지하면서 면역원성을 증가시키기 위하여 Towne strain이 가지고 있는 유전자의 약 25%를 몇 차례만 계대 배양을 시행한 Toledo strain의 유전자로 변경한 'Towne−Toledo chimeras' 약독화 생백신이 1996년에 4가지 형태로 개발되었다. 'Towne−Toledo chimeras' 약독화 생백신들은 안전하지만 면역반응을 증가시키지 못한 것으로 보고되었다. 현재 4가지 각기 다른 형태의 'Towne−Toledo chimeras' 약독화 생백신에 대한 1상 임상시험이 진행되고 있다(표 52-2).

Towne strain와 AD169 strain은 바이러스에 대한 체액면역반응의 핵심 물질인 오량체를 합성하지 못하는 것으로 밝혀졌다. 이 연구 결과를 바탕으로 AD169 strain이 오량체를 합성할 수 있도록 유전자를 조작하여 만든 복제 능력이 없는 생백신인 V160이 개발되어 현재 1상 임상시험이 진행되고 있다.

표 52-2. 개발 중인 사람거대세포바이러스 백신후보물질들

백신 유형		백신 이름	개발사	구성 성분	임상 시험 단계
전바이러스 백신					
약독화 생백신		Towne	Wistar	Whole live virus	2상
		Towne-Toledo 1,2,3,4	Aviron/ MedImmune	Whole live Towne/Toledo chimeric virus	1상
		V160	Merck	Replication defective virus with restored pentamer	1상
아단위백신					
아단위 단백질백신		gB/MF59	Chiron/Sanofi	gB/MF59	2상
		GSK1492903A	GlaxoSmithKline	gB/ASO1	1상
		Pentamer	Humabs	Pentamer	전임상
		Pentamer	Redbiotec/Pfizer	VLP from insect cells	전임상
아단위-유전자 기반 백신					
아단위 DNA 벡터 백신		TransVax or ASP0113	Vical/Astellas	gB, pp65	2상
		CyMVectin	Vical	gB, pp65	전임상
아단위바이러스 벡터 백신		AVX601	Alphavax/Novartis	gB/pp65-IE1	1상
		MVA vector	City of Hope	Pentamer 또는 pp65/IE	전임상/1상

약어) ARP, alphavirus replicon particle; MVA, modified vaccinia ankara; VLP, virus-like particle

(2) 아단위백신

면역원성이 강한 사람거대세포바이러스 단백질과 면역증강제를 결합한 아단위 단백질 백신들은 세포매개면역반응을 유발하기 위하여 pp65와 IE1 단백질을 사용하고 체액면역반응을 유발하기 위하여 gB를 사용한다. gB/MF59 백신의 1상 임상시험에서 안전성과 높은 면역원성이 입증되었고, 사람거대세포바이러스에 대한 IgG가 음성인 여성들을 대상으로 한 2상 임상시험에서 바이러스의 초감염률을 50%까지 감소시켰지만 예방 효과가 오래 지속되지 못하였다. 신이식 전에 gB/MF59 백신을 투여한 연구에서는 이식 후 바이러스혈증이 지속되는 기간과 항바이러스제의 투여 기간이 모두 감소되었다. 다른 면역증강제인 AS01을 gB와 결합한 gB/AS01 백신(GSK1492903A)의 1상 임상시험에서도 백신의 안전성과 면역원성이 확인되었다. 하지만 gB의 단일 항원으로는 충분한 예방 효과를 유도하기 어려울 것으로 예상되며, 따라서 사람거대세포바이러스의 체액면역반응에 핵심적 역할을 하는 오량체로 구성된 아단위백신이 개발되고 있다.

(3) 유전자 기반 백신

유전자 기반 백신은 DNA/RNA 백신 또는 바이러스 벡터 백신으로 분류되며, 체내에서 특정 면역원성 단백질이 합성될 수 있도록 단백질에 대한 유전정보들을 포함하고 있는 유전자들을 DNA 또는 복제 능력이 없는 다른 바이러스에 삽입한 아단위 벡터 백신으로서 세포매개면역반응과 체액면역반응을 모두 유발할 수 있다. 사람거대세포바이러스의 증식을 억제하는데 CD8+ 세포독성 T 림프구에 의한 세포매개면역반응이 가장 중요하다는 많은 기초 연구들에 근거하여 유전자 기반 백신이 이식 수혜자들에서 사람거대세포바이러스의 증식을 예방하는데 가장 큰 장점을 가질 것으로 기대된다.

TransVax 또는 ASP0113 백신은 이식 수혜자들을 대상으로 사람거대세포바이러스 치료 목적으로 개발된 아단위 DNA 벡터 백신으로 pp65와 gB 단백질을 합성하는 유전정보들을 가지고 있는 plasmid DNAs와 면역증강제인 poloxamer로 구성되어 있다. 조혈모세포이식 수혜자를 대상으로 시행된 2상 임상시험에서 TransVax 백신은 pp65와 gB 단백질에 대한 세포매개면역반응을 효과적으로 유발하였으며, 이식 후 바이러스혈증의 발생 빈도를 감소시켰다. 그러나, TransVax 백신은 gB에 대한 중화 항체를 생성하는 체액면역반응은 거의 유발하지 못하였다. 신이식 수혜자를 대상으로 시행된 TransVax 백신 2상 임상시험은 바이러스혈증의 발생 빈도를 감소시키지 못하였다. TransVax 백신은 항체를 생성하는 체액면역반응을 유도하는 능력이 부족하고 세포매개면역반응만을 유도하기 때문에 인간거대세포바이러스를 억제하는데 특히 세포매개면역반응이 중요한 역할을 하는 이식 수혜자를 제외한 환자들에게는 임상적인 유용성이 적을 것으로 판단된다. 현재 조혈모세포이식 수혜자들을 대상으로 TransVax 3상 시험이 진행되고 있다. 또 다른 아단위 DNA 벡터 백신인 CyMVectin은 congenital CMV 백신으로 pp65와 gB를 합성하는 유전정보들을 포함하고 있는 plasmid DNAs와 면역증강제인 Vaxfectin으로 구성되어 있다.

Alphaviruses 또는 복제 능력이 없는 바이러스들을 벡터로 사용하는 유전자 기반 아단위-바이러스 벡터 백신이 개발되었다. AVX601은 복제 능력이 없는 Venezuelan equine encephalitis 바이러스 유전자를 변형하여 gB와 pp65/IE1 결합 단백질을 합성하도록 만든 아단위-바이러스 벡터 백신이다. Alphaviruse replicon particle (VRP) 벡터 백신(AlphaVax)은 gB과 pp65-IE1 결합 단백질을 발현하여 면역반응을 유발하는데, 1상 임상시험에서 CD4+와 CD8+ T 림프구에 의한 세포매개면역반응을 효과적으로 유도하였다. 그러나 TransVax와 동일하게 중화항체의 농도는 증가시키지 못하였다.

참고문헌

1. Belshe RB, Leone PA, Bernstein DI, et al. Efficacy Results of a Trial of a Herpes Simplex Vaccine. N Engl J Med 2012;366:34-43.

2. Bernstein DI, Wald A, Warren T, et al. Therapeutic Vaccine for Genital Herpes Simplex Virus-2 Infection: Findings From a Randomized Trial. J Infect Dis 2017;215:856-64.

3. Christine Johnstona, Gottliebe SL, Anna Wald. Status of vaccine research and development of vaccines for herpes simplex virus. Vaccine 2016;34:2948-52.

4. Kate Luisi, Mayuri Sharma, Dong Yu. Development of a vaccine against cytomegalovirus infection and disease. Curr Opin Virol 2017;23:23-9.

5. Kharfan-Dabaja MA, Boeckh M, Wilck MB et al. A novel therapeutic cytomegalovirus DNA vaccine in allogeneic haemopoietic stem-cell transplantation: a randomised, double-blind, placebo-controlled, phase 2 trial. Lancet Infect Dis 2012;12:290-9.

6. McVoy MA. Cytomegalovirus Vaccines. Clin Infect Dis 2013;57:S196-9.

7. Stanley Plotkin. The history of vaccination against cytomegalovirus. Med Microbiol Immunol 2015;204:247-54.

서울대학교 의과대학 **박상원**

Chapter 53 결핵

1. 배경 및 필요성

결핵은 오랜 질병의 역사에도 불구하고 우리나라를 포함하여 전 세계적으로 여전히 높은 유병률과 사망률을 보이는 감염병이다. 2016년 기준으로 1년에 1,040만 명의 신환이 발생하였고 170만 명이 결핵으로 사망하였으며, 49만 명이 다제내성결핵이었다. 세계보건기구(WHO)의 End TB Strategy와 유엔의 Sustainable Development Goals (SDGs)가 추구하고 있는 공통 목표인 2015년 대비 2030년까지 결핵 사망률 90% 감소, 연간 결핵 발생률 80% 감소를 이루기 위해서는 다각도의 접근이 필요하며, 혁신적인 진단과 치료뿐만 아니라 효과적인 백신의 개발 및 사용이 필수적이다.

현재 임상에서 사용할 수 있는 효과적인 결핵백신은 없다. 유일하게 *Mycobacterium bovis* 균주를 이용한 약독화 생백신 BCG (Bacillus Calmette Guerin)가 지난 90여 년간 전세계적으로 널리 사용되어 왔지만 유아에서 속립성 결핵과 같은 중증의 폐외결핵을 예방하는 제한적인 효과만 있고, 면역저하자나 HIV 감염인에서 전신감염을 일으킬 수 있으므로 HIV에 노출된 신생아 등 특정 상황의 소아에서는 사용할 수 없는 한계가 있다. 고무적인 것은 전임상실험에서 임상시험 단계에 걸쳐 다양한 결핵백신후보 물질이 개발되고 있어 발전 가능성이 높다는 것이다(표 53-1). 그러나 여전히 결핵의 병태생리, 면역학적 반응에 대한 이해가 부족하여 백신개발에 장애가 되고 있으며 관련 기초연구의 활성화가 필요해 보인다.

2. 결핵백신의 분류 및 개발현황

결핵백신은, ① 노출 전 예방백신, ② 노출 후 예방백신, ③ 치료백신의 세 가지 형태로 나눌 수 있다. 노출 전 예방백신은 *M. tuberculosis*에 처음 노출되기 전에 투여하는 것으로 주로 신생아가 대상이 되며, priming vaccine이라고도 부른다. 노출 후 예방백신은 BCG 접종력이 있는 잠복결핵 감염상태의 청소년과 성인이 전형적인 대상이며 boosting vaccine이라고도 한다. 재접종을 통해서 이미 생성된 면역반응의 효율성을 높이는 전략이며 이를 통해 높은 수준의 세포매개면역을 유발할 수 있는 효과적인 방법이다. 치료적 백신은 치료적 결핵약과 동시에 보조적으로 투여하는 것으로 재발의 위험성이 높거나 치료효과가 낮을 것으로 예상되는 경우가 주 대상이다.

예방백신은 아단위백신(subunit vaccine), 활성 전세포백신(viable whole-cell vaccine), 불활화 전세포백신(inactivated whole-cell vaccine)의 세 가지로 이루어진다(표 53-1). 아단위백신은 예방효과가 있는 항원을 하나 또는 여러 개를 조합하여 만들며, 백신의 효율을 증가시키기 위해 면역증강제와 같이 제조하거나 유전자재조합 바이러스벡터로 발현시킨다. 벡터바이러스로는 adenovirus, vaccinia virus, replication-deficient influenza virus가 이용되고 있다. 노출 전 예방백신은 대사가 활발한 *M. tuberculosis*와 만나서 작용을 하므로 이러한 백신을 위해서는 증식과 대사가 활발한 단계에 발현되는 항원을 이용한다. 노출 후 백신은 잠복상태에 있는 *M. tuberculosis*를 가지고 있는 사람에게 투여되므로 잠복감염 상태에서 발현되는 항원을 이용한다. 활성기와 잠복기 항원을 모두 포함하는 다단계백신이 가장 이상적이다. 생백신은 BCG의 대체백신으로 인식이 되어 신생아에 투여할 목적으로 연구되었다. 그러나 소아기에 BCG 접종을 맞은 어른에서도 안전성이 있었고, 결핵균 노출 후 예방 동물실험에서 결핵 예방 효과가 있었기에 청소년과 성인에서의 노출 후 예방백신으로도 개발되고 있다. 몇 개의 불활화전세포백신들도 성인을 대상으로 1상과 2상 임상시험을 진행하고 있다. 전세포백신(whole-cell vaccine)은 다수의 항원을 포함하고 있으므로 잠재적으로 소수의 아단위백신보다 예방효과가 높은 항원결정부위

표 53-1. 현재 개발중인 결핵백신의 분류

Vaccine	Component		Description
아단위백신(subunit vaccines)			
M72	Rv1196+Rv0125		Preventive
Hybrid 1	ESAT-6+Ag85B		Preventive
Hybrid 4	TB10.4+Ag85B		Preventive
Hybrid 56	H1+Rv2660c		Preventive
ID93	Rv2608, Rv3619, Rv3620, Rv1813		Preventive
Ad5Ag85A	Ag85A		Preventive
MVA85A	Ag85A		Preventive
Ad35	Ag85A		Preventive
Ag85B	Ag85B		Preventive
TB-FLU-04L	Ag85A		Preventive
불활화 전세포백신(inactivated whole-cell vaccines)			
DAR-901	Non-tuberculous	Mycobacterium	Preventive
Mw	*Mycobacterium*	*indicus pranii*	Therapeutic
Vaccae	*Mycobacterium*	*vaccae*	Therapeutic
RUTI	*Mycobacterium*	*tuberculosis*	Therapeutic
생백신(viable vaccines)			
VPM1002	Bacilli Calmette-Guerin (BCG)		Preventive
MTBVAC	*Mycobacterium*	*tuberculosis*	Preventive

를 가지고 있을 가능성이 높다.

활동성 결핵치료의 효과를 높이기 위한 치료적 백신이 개발 중에 있으며 치료성적이 좋지 않은 다제내성결핵에서 특히 중요한 역할을 할 수 있을 것이다. 치료백신의 원리는 결핵 항원을 이용하여 추가적인 면역자극을 주면 면역반응을 향상시켜 결핵균 사멸을 향상시킬 수 있을 것이라는 가설에 근거하고 있지만, 과도한 면역반응이 오히려 심한 부작용을 유발할 수 있으므로 조심스러운 접근이 필요하다.

참고문헌

1. Izzo AA: Tuberculosis vaccines - perspectives from the NIH/NIAID Mycobacteria vaccine testing program. Curr Opin Immunol 2017;47:78-84.
2. Kaufmann SH, Weiner J, von Reyn CF: Novel approaches to tuberculosis vaccine development. Int J Infect Dis 2017;56:263-7.
3. WHO: Global tuberculosis report 2017. Available at: http://wwwwhoint/tb/publications/global_report/en/2017. Accessed 01 Nov 2017.

Chapter

54 메르스

울산대학교 의과대학 **김성한**

1. 배경

　메르스(middle east respiratory syndrome, MERS)는 MERS coronavirus (MERS-CoV)가 유발하는 급성호흡기 감염으로 2012년 9월 처음으로 환자가 보고되었다. Coronaviridae과(family)에 속하며, 2002년도에 홍콩을 중심으로 유행한 사스(severe acute respiratory syndrome, SARS)를 유발한 SARS coronavirus (SARS-CoV)와 같은 beta-coronavirus 속(genus)으로 분류된다. 사스의 경우 약 8,000명의 환자를 발생시키고 수개월 내에 유행이 종료되고 더 이상의 환자 발생이 없었지만, 메르스의 경우 2012년 이후 환자 발생이 지속되고 있다. 중동지방의 단봉낙타가 중요한 바이러스 병원소 역할을 하고, 중동지방에서 단봉낙타의 문화적인 특수성 때문에 지속적으로 사람으로 바이러스가 넘어오는 것으로 추정한다.

2. 역학

　2018년 1월 31일까지 2,143명의 확진 환자가 27개 국가에서 보고되었고, 이 중 750명(35%)이 사망하였다. 대부분인 1,783명(83%)의 환자가 중동지방에서 보고되었고, 이 지역에서 사망률은 41%로 보고되었다. 2015년 중동 이외에 지역에서는 처음으로 대규모 환자 발생이 우리나라에서 발생하여 2개월 동안 186명의 환자가 발생하여 38명(20%)이 사망하고, 접촉자 중 16,993명이 2주간 격리되었다.

　메르스 잠복기는 2-14일이고, 증상 발생 후 1-11일 동안 감염력이 있는 것으로 추정한다. 기초재생산지수(Ro)는 0.7로 알려져 있지만, 우리나라에서 집단발병이 생길 때는 2.5-7.2 정도로 보고되었다. 감염경로는 비말전파가 주된 경로로 추정하지만, 광범위하게 환경이 오염되기 때문에 이를 통한 접촉으로 감염이 일어날 수도 있다. 또한, 에어로졸이 생성되는 시술이나 기구를 사용하는 경우 전파의 위험이 더욱 증가하므로 적절한 보호장구 착용과 시간당 6번 이상의 환기가 되는 음압격리실 사용이 필요하다.

3. 면역반응

최근 메르스 환자에서 항체 반응에 대한 연구에서 항체양전(seroconversion)과 생존의 연관성에 대한 보고가 있고, 1년 이상 중화 항체가 나타난다고 보고하였다. 또한, 단클론 또는 다클론 중화항체를 투여한 동물모델에서 메르스에 대한 방어가 가능한 것으로 보고되어 치료용 또는 예방용 중화항체 개발이 진행 중이다. 그러나, 체액면역이 결핍된 마우스 모델에서 세포매개면역만으로 바이러스를 제거할 수 있다는 실험 등 T세포 면역반응의 중요성을 강조한 연구가 많다. 특히, 메르스 환자에서 고령이 나쁜 예후인자로 알려져 있는데, 이러한 역학적 소견은 고령 환자의 B세포와 T세포에서 새로운 병원체에 대한 적절한 면역반응이 생성되지 못하는 것으로 이해할 수 있다.

4. 임상상

우리나라 유행에서 환자 나이의 중앙값은 55세(범위 16-86세)로 알려져 있고, 남자 대 여자의 비는 3:2로 남자에서 더 많은 환자가 보고되었다. 일반적으로 발열은 80%에서 동반되고, 인후통, 콧물과 같은 상기도 감염 증상은 10% 미만에서 나타났다. 폐렴은 80%에서 동반되고, 일부 환자의 경우 발열, 근육통, 관절통이 폐렴 발생 전에 나타나거나 폐렴이 동반되지 않고 나타나는 경우가 있다. 약 1/4 환자에서 인공호흡기 사용이 필요하고 10% 정도에서 ECMO (extracorporeal membrane oxygenation) 사용이 필요했다.

5. 진단

가래와 기관지 흡입물에서 PCR을 시행한다. 가래가 충분하지 않을 때는 인후 도말을 사용할 수 있지만 진단율은 떨어진다. 발병 초기에 바이러스 배출량이 적어서 음성으로 나올 수 있기 때문에 임상적으로 의심되는 경우 추적 검사를 통해서 진단을 배제해야 한다. 혈액에서는 1/3에서 PCR을 통해서 바이러스 검출이 가능하고, 바이러스혈증은 나쁜 예후와 연관성이 있다.

6. 치료

실험실에서 효과가 있다고 알려진 ribavirin, inteferon, lopinavir/ritonavir 사용이 실험적인 치료로 시도되고 있고, 회복기 혈장치료에 대한 보고도 있지만 보존적 치료가 주 치료 방법이다.

7. 백신 개발 현황

바이러스를 불활성화시킨 백신의 경우 동물실험에서 과민반응과 유사한 폐 병리를 유발하는 것으로 보고되었다. 바이러스 면역원성의 대부분은 MERS-CoV의 표면에 존재하는 spike (S) protein에 대한 것이므로 대부분의 백신 개발은 S surface glycoprotein에 기반한 항원 개발을 통해서 중화항체 유도를 목표로 한다. S protein은 S1과 S2의 2개 아형으로 이루어져 있고, S1는 경우 숙주의 수용체에 붙는 부위이고 S2는 부착 후 세포의 융합과 관련된 기능을 담당한다. 몇몇 비임상, 임상 연구에서 SARS-CoV S1 protein, 특히 수용체에 붙는 부위가 백신의 중요한 후보로 보고하였다. 이러한 수용체에 붙는 부위의 결절구조(crystal structure)와 함께 면역증강제(adjuvant)를 사용한 백신 후보 물질은 중화항체를 유발하는 것으로 보고되었다. 그러나 이러한 방법으로 개발한 백신은 변이가 발생한 바이러스를 커버하지 못하는 문제점이 있다. S protein 전체를 면역원으로 사용하는 경우 이러한 단점을 어느 정도 극복할 수 있지만, 안정된 구조를 만드는 기술적인 어려움을 극복해야 한다. 약독화바이러스도 자연 감염과 유사한 면역반응을 유도하므로 이론적으로 가능하지만, 바이러스 생산에 BSL-3이상의 시설이 필요하여 생산에 한계가 있다. Adenovirus, MVA 등 벡터를 이용한 방법도 시도되고 있지만, 특히 adenovirus의 경우 벡터 자체에 대한 면역력 때문에 제대로 면역반응이 유발되지 않는 문제를 극복해야 한다. 또한, 여러 가지 항원과 플랫폼을 같이 사용한 형태의 백신이 시도되고 있다. Full-length S DNA (prime) 투여 후 S1 subunit glycoprotein (booster)를 투여하는 백신(Vaccine Research Center, NIH, US)이 전임상 시험에서 효능이 증명되었으며, 여러 항원에 대한 DNA 백신인 S DNA 백신(GLS-5300, Inovio Pharmaceuticals, US)은 현재 가장 앞선 임상 시험단계인 임상 1상 시험이 진행되고 있다. 그 외에도 virus-like particle, nanoparticle, peptide-based, subunit vaccine 등이 개발 중이다.

참고문헌

1. Modjarrad K. MERS-CoV vaccine candidates in development: the current landscape. Vaccine 2016;34:2982-7.
2. Oh MD, et al. Middle East respiratory syndrome: what we learned from the 2015 outbreak in the Republic of Korea. Korean J Intern Med 2018;33:233-46.
3. Okba NMA, Raj VS, Haagmans BL. Middle East respiratory syndrome coronavirus vaccines: current status and novel approaches. Curr Opin Virol 2017;23:49-58.

Chapter 55

위장관 감염증

계명대학교 의과대학 **류성열**

급성 설사질환은 전 세계적으로 호흡기 감염에 이어 두 번째로 많이 발생하는 감염성 질환으로 전염력이 매우 높은 질환이다. 일반적으로 설사 질환은 주로 저개발국의 어린이들이나 노인 계층에서 큰 문제가 되는 것으로 알려져 있지만 단체급식과 관련된 대규모 식품매개질환의 발생 사례들에서 보듯 우리나라에서도 여전히 설사 질환은 큰 문제가 되고 있고 최근 저개발국으로 여행 하거나 체류하는 경우가 증가하고 있어 여전히 관심을 기울여야 하는 부분이다. 이와 같은 설사 질환의 중요성에도 불구하고 설사 질환의 주요 원인균들에 대한 백신의 개발은 설사를 일으키는 세균 및 바이러스의 종류가 다양하고 다양한 항원성이 존재함으로 인해 매우 제한적이다. 하지만 몇 가지 위장관 감염증 원인균들에 대해 최근까지 백신개발연구가 계속 되고 있어 연구가 활발히 진행되고 있는 위장관감염증백신 개발 현황을 정리해 보고자 한다.

1. 노로바이러스

1) 배경

노로바이러스는 모든 연령대에 급성 위장염을 유발하는 바이러스로 알려져 있으며, 낮은 기온에서 활동이 활발해져 겨울철 식중독의 주된 원인이다. 1–2일의 잠복기를 거쳐 설사, 구토와 함께 복통, 발열 등 급성위장관을 일으키며 5일만에 회복되나 면역력이 약한 영, 유아와 노인의 경우 심한 탈수로 사망에 이르기도 한다. 소량의 바이러스만 있어도 쉽게 감염될 수 있을 정도로 쉽게 전파되어 학교, 수련원, 요양원, 병원 등에서의 집단 장염 형태로 발병하여 사회문제가 된다. 노로바이러스는 5개의 유전자군(genogroup I–V, G.I–G.V)으로 나눌 수 있으며 사람에게서는 유전자군 I, II, IV가 발견되며 I, II가 인체감염의 대부분을 차지한다. 이 중 GII.4가 60–70% 이상을 차지하고 있다. 바이러스 유전자의 점돌연변이(point mutation) 및 재조합이 잦아서, 항원적으로 다양한 변이를 보이며, 이로 인해 단일 유전자군에 대한 백신만으로는 광범위한 예방이 어려운 점이 있다. 또 노로바이러스는 감수성이 좋은 동물모델이 없고, 배양이 안되어 관련연구를 하는데 한계가 있다.

2) 역학

노로바이러스에 속하는 바이러스는 최근 바이러스성 설사 질환의 약 10%를 차지하고 있으며 미국의 경우 바이러스성장염/설사의 약 42%, 네덜란드의 경우에는 설사질환의 90% 이상의 사례가 보고되고 있다. 노로바이러스는 오염된 식수 및 어패류의 생식을 통하여 감염되기도 하지만 특히 사람과 사람 사이에 전파가 가능한 전염성이 높은 바이러스로 알려져 있다. 미국의 경우 매년 2,000만 예의 노로바이러스 감염이 발생하며, 이 중 56,000-71,000명이 입원하고 600-800명이 사망하는 것으로 알려져 있다. 국내에서는 최근 5년간 국내 발생현황을 보면, 연평균 49.4건이 발생하고 있다. 2012-2013년 국내 노로바이러스성 집단발생의 분자역학적 분석결과를 보면 겨울철 발생이 많았고 특히 2012 sydney variant (GII-4 변이주)가 보고된 이래로 2012-2013년 동절기에 그 발생률이 매우 높았다. 하지만 봄철에도 꾸준히 발생하는 것을 알 수 있었으며 그 시기에는 GI 유전자군에 의한 보고가 많았다.

3) 개발 중인 백신

(1) GI.1/GII.4 바이러스유사입자(virus like particle, VLP) 백신

노로바이러스는 세포에서 배양되지 않아 중화항체의 역할에 대한 정보를 얻을 수가 없기 때문에 재조합 VLP를 이용한 백신개발이 진행 중에 있다. 초기에 노로바이러스 VLP 백신은 GI.1 VLP의 경구투여로 개발되어, 백신투여자의 83%에서 4배 이상의 바이러스특이항체가 상승을 보였다. 이후 비강내투여백신이 개발되었고, 위약군과 비교하여 위장염 발병 위험성을 32% 감소시켰고, 위장염을 발생하기까지 잠복기도 위약군에 비해 길었다. 그러나 증상발병기간을 감소시키지는 못하였고, 국소적 비강증상이 더 흔한 단점이 있었다. 최근 VLP 백신은 근주용법으로 개발되었으며 보다 신속하고 강력한 면역반응을 유도할 것을 기대하고 있다. GII.4의 유행으로 인해 GI.1 VLP에 GII.4 VLP를 추가하여 2가 백신으로 개발되었으며, 건강한 성인을 대상으로 한 연구에서 임상증상의 중등도를 감소시켰고, 현재 2b상 임상시험이 진행 중에 있다.

(2) 아데노바이러스 벡터백신(Adenovirus vector-based GI.1 VP1 vaccine)

아데노바이러스를 노로바이러스 유전자 전달 벡터로 사용하였으며, 동물실험에서 면역원성을 확인하였다. 최근 GI.1 경구백신에 대한 1상연구가 완료되었고 최종결과는 보고되지 않은 상태이나, 연구기간 중 중대한 이상반응 없이 혈청 노로바이러스 차단항체가 상승함을 확인하였다.

(3) P-입자 백신(P-particle based vaccine)

P-입자는 VLP처럼 노로바이러스 특이항체를 생산할 수 있으며, 진핵세포 발현시스템을 사용하는 VLP와 달리, 대장균을 통해 쉽게 생성이 가능하여 비용절감 효과를 기대할 수 있다. 동물실험에서 세

포성 및 체액성 면역반응을 모두 유도함을 확인하였다.

(4) 3가 백신(Norovirus GII.4, GI.3 VLPs and rotavirus rVP6)

본 백신의 목적은 VLPs를 통해 노로바이러스감염을 예방하고, recombinant VP6 particle을 통해 로타바이러스감염을 예방하고자 하는 데 있다. 동물 연구에서 백신투여로 인한 유의한 면역반응 생성을 확인하였으며, 면역력은 6개월간 지속되었다.

(5) 알파바이러스 레플리콘입자 다가백신(Multivalent alphavirus replicon particles, VRPs)

노로바이러스 캡시드 유전자를 삽입한 말(equine) 뇌염바이러스 플라스미드를 기본으로 하며, 이 플라스미드는 노로바이러스 VLP를 생산하는 세포 내로 캡시드 유전자를 넣기 위한 전달 시스템으로 사용된다. 최근에는 전이유전자(transgene)가 없고 노로바이러스가 삽입되지 않은 "null VRP"가 VLP와 함께 보조제로 사용되어 동물실험에서 면역반응을 유도함을 확인하였다.

2. 이질

1) 배경

이질은 개발도상국에서는 소아에서 높은 이환율과 사망률을 초래할 수 있기 때문에 보건사회학적으로 중요한 질환 중 하나이다. 이질은 M-세포를 통해 대장 상피세포를 침범하며 상피세포-상피세포 간의 전파로 상피세포를 손상시킴으로써 혈성이나 점액성 설사를 유발한다. 이질에 대한 방어면역은 이질 지질다당류의 O-항원에 의해 결정되며 각각의 혈청형에 특이적(serotype-specific)이므로 이질 백신이 효과적이기 위해서는 여러 혈청형을 포함하여야 한다. 현재까지 약 50여 개의 혈청형이 알려져 있으며 이 중 *S. dysenteriae* 1형과 *S. flexneri* 2형 등 17개의 혈청형이 역학적으로 중요함이 알려져 있어 백신 개발의 주된 표적이 되고 있다.

2) 역학

사람에게 병을 일으키는 4가지 종은 *S. dysenteriae*, *S. flexneri*, *S. sonnei*, *S. boydii*이다. *S. flexneri* 는 저개발국에 흔하고 대부분의 선진국에서는 *S. sonnei*가 가장 흔한데 우리나라도 *S. sonnei*가 가장 흔한 원인균이다. 우리나라에서는 1990년대 후반부터 주로 단체급식과 관련되어 대규모 유행들이 발생하고 있는데 2000년에는 총 2,462예가 보고되었고 2005년 317예, 2014년 110예로 감소 추세를 보이고 있다. 총 신고건수는 감소추세이나, 국외 유입사례의 비율(2001년 1%, 2005년 14%, 2008년 30%, 2012년 47%)은 증가하고 있다. 이질은 동물 보유 숙주가 없어 사람의 대변에 오염된 음식이나 물을 통해 감염된다. 감염유발량(infectious dose)이 매우 적은 편으로 사람 간의 전파가 흔하다.

3) 개발 중인 백신

(1) 약독화 생백신

대부분의 백신개발은 세균표면의 LPS와 연관된 혈청형—특이 O 다당류 항원에 대한 방어를 유도하기 위한 방향으로 진행되고 있으며, 현재 시도 중인 약독화 생백신들은 야생형 이질균주의 발병과정에 중요한 역할을 하는 것으로 알려진 유전자들의 조작을 통해 면역원성은 유지하면서 안전성을 도모하는 방식이다. 야생형 이질의 초기 돌연변이와는 달리 이 새로운 구조물은 상피세포 사이에서 확산하거나 (*virG*) 복제할 수 있는(*guaBA*) 능력을 제한하는 돌연변이 또는 Shigella enterotoxin과 관련된 sen 및 set 유전자에 대한 결실 돌연변이(deletion mutation)를 가지고 있다. 이러한 균주들을 이용하여 1, 2상 연구들이 진행되고 있다.

(2) 비경구형 단백결합백신

최근 백신의 면역원성을 높이기 위한 운반단백질을 결합한 결합 백신들이 시도되고 있다. 운반단백질로는 파상풍 톡소이드, 녹농균 exoprotein A 등이 사용되고 있는데, *S. flexneri* 2a 지질다당류/녹농균 exoprotein A 결합백신은 소아를 대상으로 한 2상 연구에서 안전성과 높은 항체양전률이 확인되었고 성인을 대상으로 한 1상 연구에서도 안전성과 면역원성을 확인하였다. 또한 약독화된 균주 대신 합성된 *S. flexneri* 2a 유사체(mimics)를 사용한 결합백신도 개발되어 전임상단계에 있다.

(3) 아단위백신(subunit vaccine)

아단위백신은 다른 백신과 달리 여러 혈청형에 대해 예방효과를 기대할 수 있으나 인체를 대상으로 한 연구는 아직 많이 진행되지 않은 상태이다. *S. flexneri* invasin complex (invaplex) 백신은 재조합 침입성 플라스미드 항원인 IpaB, IpaC, IpaD와 정제된 *S. flexneri* 2a LPS로 구성되며 비강 투여제재의 안전성 및 면역원성이 확인되었고, 정주 투여제재에 대한 연구가 진행 중이다. 또한 돌연변이된 장독소생성대장균(enterotoxigenic *E. coli*)의 독소를 이질 항원과 함께 정주 투여함으로써 더 강한 면역반응의 유도를 기대해 볼 수도 있다.

3. 장출혈성 대장균(Enterohemorrhagic *E. coli*, EHEC)

1) 배경

장출혈성대장균은 vero 세포에 독성을 나타내며 이를 유발하는 독소는 *S. dysenteriae*의 Shiga 독소와 같은 것으로 밝혀져 있으며 stx1과 stx2 두 가지 종류가 있다. Shiga 독소는 세포의 단백질 합성을 저해하여 세포를 사멸시키며, 사람의 장 및 신장의 상피세포들이 주요 표적 세포가 된다. 사구체 상피세포의 손상과 모세혈관 폐색에 의한 급성신부전을 유발할 수 있고 심각한 수인성 질병을 야기할 수 있다. 50여 종 이상의 혈청형이 혈성 설사와 용혈성요독증후군(hemolytic uremic syndrome, HUS)과 관련성이 있는 것으로 알려져 있는데 가장 흔한 혈청형은 O157:H7이며, 그 외에도 O26:H11, O103, O111:H21 등이 있다.

2) 역학

우리나라에서는 1998년 첫 환자가 보고되었고 2000년 법정감염병으로 지정된 이후 2011년 71예, 2012년 58예, 2013년 61예, 2014년 111예, 2015년 71예, 2016년 104예가 보고되었다. 연중 발생하고 있으며 특히 6–8월에 발생이 많으며 5세 미만이 40–60%를 차지한다. 주로 조리되지 않은 육류, 가공하지 않은 우유, 오염된 물, 균에 오염된 야채 섭취, 동물 또는 감염된 사람과의 직접 접촉 등을 통하여 전파되며, 대부분은 10일 이내에 회복하지만 10세 미만 소아나 노인의 경우에는 혈소판 감소, 용혈성 빈혈, 급성 신부전으로 특징되는 용혈성요독증후군과 같이 생명을 위협하는 질병까지 이어질 수도 있다.

3) 개발 중인 백신 및 백신후보물질

(1) Shiga 독소

Shiga 독소는 EHEC에 의한 위장관감염증에 결정적인 역할을 하며 Shiga 독소는 중요한 백신후보물질이다. Shiga 독소는 A, B 두 개의 아단위로 구성되며 이 중에서 B–아단위는 장 상피세포에의 부착에 관여한다. 동물실험에서 B–아단위를 이용해 항체형성을 유도한 경우 독소의 부착을 성공적으로 방해했다는 보고가 있었으나 A–B 복합체가 좀 더 나은 면역원성을 가진 것으로 알려져 A–B 톡소이드가 백신후보물질로 관심을 끌고 있으나 아직까지 사람을 대상으로 한 연구는 없다. 비활성화시킨 Stx2의 접종이 Stx에 의한 용혈성요독증후군을 예방하는 데 효과가 있었다는 동물실험결과와 Stx1–B/콜레라 독소의 비강 내 투여로 방어력이 있는 항체형성을 유도했다는 동물실험결과가 있다. 그러나 Shiga 독소의 경우 면역원성 이외에도 안전성이 극복해야 할 큰 과제이다.

(2) O항원 특이 다당결합백신

대장균의 O항원은 다당류 성분에 의해 결정되는데 혈청형 O157이 EHEC의 대부분을 차지하므로 O157 항원이 중요한 백신 후보물질이다. 가장 유망한 백신 후보는 녹농균 exoprotein A에 *E. coli* O157:H7 O-항원 특이다당류를 결합시킨 백신으로, 성인을 대상으로 진행된 1상 연구에서 안전성과 면역원성을 확인하였다. 2-5세의 소아를 대상으로 한 2상 연구에서는 1회 또는 2회 접종을 무작위로 진행하였으며, 1차 접종 후 81%의 소아에서 4배 이상의 특이항체가 상승을 보였으나, 2차 접종 후 추가적인 촉진반응(booster response)은 끌어내지 못했다. 현재 3상 연구를 계획하고 있는 상태이다.

(3) 제3형 분비계 관련 단백질백신(Type 3 secretion system-related protein vaccine)

Tir, Intimin, EspB, NleA, EspA 등과 같은 제3형 분비계(Type 3 secretory system, TTSS) 관련 단백질은 EHEC의 외막에 존재하는 단백질로, 숙주세포로 직접 분비되어 병원균이 생존하고 면역반응을 피할 수 있도록 해주는 기능을 갖고 있어 백신후보물질로 거론되고, 소와 같은 가축에서의 투여로 EHEC O157:H7의 배출을 감소시키는 효과는 확인되었으나 인체를 대상으로 한 연구는 아직까지 없는 상태이다.

4. 장독소생성대장균(Enterotoxigenic *E. coli*, ETEC)

1) 배경

장독소생성대장균(ETEC)은 수일간 지속되는 물설사를 특징으로 하며 건강한 사람의 경우 대개 저절로 회복되지만 소아에게는 심한 탈수와 영양결핍을 초래할 수 있다. ETEC의 소장세포의 부착에는 표면의 섬모가 결정적인 역할을 하는 것으로 알려져 있는데 현재까지 20여 종 이상의 섬모형이 확인되었고 각각의 섬모형은 서로 다른 면역원성을 가지므로 이를 목표로 한 백신은 여러 가지 섬모형을 모두 포함하여야 한다. 섬모의 작용으로 장세포에 부착하게 되면 ETEC는 장독소를 분비하여 설사를 유발하게 된다. 장독소로는 열민감독소(heat-labile toxin, LT)와 열저항독소(heat-stable toxin, ST) 두 가지가 알려져 있으며, ETEC는 ST 단독 혹은 ST와 LT를 동시에 생산한다. LT는 콜레라 독소와 매우 유사하여 콜레라 독소 B-아단위 백신을 접종할 경우 일정 기간 동안 ETEC에 대한 저항성을 가지게 되어 LT를 분비하는 ETEC에 의한 여행자설사의 예방에 효과를 기대할 수도 있다.

2) 역학

ETEC는 저개발국의 5세 이상의 소아에서 발생하는 설사 질환의 가장 중요한 원인균이다. 매년 2억 례 이상이 발생하고 수십만 명이 사망하는 것으로 추정된다. 저개발국으로 여행하는 사람들에게서 발생하는 여행자설사의 가장 흔한 원인균이기도 하다. 국내에서는 병원성대장균에 의한 수인성질환 중 장병원성대장균 다음으로 장독소생성대장균이 두 번째로 흔하며 매년 10-15건가량 발생하고 있다. 증상은 대개 설사 및 복부경련을 일으키게 되고 때로는 헛구역질과 두통이 나타나기도 하는데 구토와 발열은 거의 없다.

3) 개발 중인 백신

(1) 불활화백신

4가지 ETEC strain에 재조합 콜레라 독소 아단위-B (r-CTB)를 결합한 것으로, r-CTB를 보조제로 사용 시 단기 면역력 유도율이 85-90%로 상승한다. 1상 연구에서 안전성 및 면역원성을 확인하였고, 최근 진행된 연구에서는 백신에 포함되지 않은 일부 정착인자(colonization factor)에도 교차항체반응을 보이는 것으로 나타났다.

(2) 약독화 생백신

경구 약독화 백신으로 약독화를 위해 ETEC의 *aro C, ompC, ompF* 유전자에 조작을 한 것이다. 성인을 대상으로 한 2상 연구에서는 예방효과는 27%로 나타났고, 설사 등 임상경과의 약화를 보였다.

(3) 약독화 Shigella-ETEC 생백신

약독화된 Shigella 백신을 벡터로 사용하여 ETEC 섬모의 LT 톡소이드를 발현시키도록 고안된 Shigella와 ETEC 모두를 표적으로 한 백신이다. 동물실험까지 진행하였으나 아직까지 사람에서의 안전성과 효능에 대한 연구는 없다.

(4) 정제 항원 백신

섬모를 정제하여 경구로 투여하는 방법인데 몇몇 시도들이 있었으나 효능이 좋지 못했다. 섬모와 함께 면역보강제로 LT를 결합하여 피부에 붙이는 첩포 형태의 백신이 개발되어 안전성과 면역원성이 입증되었으나, 3상 연구에서는 효과가 없는 것으로 나타나서, 추가적인 항원의 추가가 필요할 것으로 보인다.

(5) 아단위 백신

여러 섬모형들이 공통적으로 가지는 아단위를 항원결정인자(epitope)로 사용함으로써 여러 섬모형들에 교차방어력을 가지게 하려는 시도인데 면역원성의 유도가 아직까지 근본적인 과제로 남아있고 사람을 대상으로 한 연구는 아직까지 없다. 이 중 ST는 18-19개의 아미노산으로 구성된 펩티드 독소로, 독소 자체의 독성효과와 낮은 면역원성으로 인해 그동안은 백신후보물질로 고려되지 않았으나, 최근 ST 의 단일 아미노산 치환으로 독소를 감소시키고 LT와 결합하여 면역원성을 높임으로서 백신 후보 물질 로 고려되고 있다.

참고문헌

1. Cortes-Penfield NW, Ramani S, Estes MK, et al. Prospects and challenges in the development of a Norovirus vaccine. Clin Ther 2017;39:1537-49.
2. Garcia-Angulo VA, Kalita A, Torres AG. Advances in the development of enterohemorrhagic *Escherichia coli* vaccines using murine models of infection. Vaccine 2013;31:3229-35.
3. Mani S, Wierzba T, Walker RI. Status of vaccine research and development for Shigella. Vaccine 2016;34:2887-94.
4. O' Ryan M, Vidal R, del Canto F, et al. Vaccines for viral and bacterial pathogens causing acute gastroenteritis: Part I: overview, vaccines for enteric viruses and *Vibrio cholerae*. Hum Vaccin Immunother 2015;11:584-600.
5. O' Ryan M, Vidal R, del Canto F, et al. Vaccines for viral and bacterial pathogens causing acute gastroenteritis: Part II: Vaccines for *Shigella*, Salmonella, enterotoxigenic *E. coli* (ETEC) enterohemorragic E. coli (EHEC) and *Campylobacter* jejuni. Hum Vaccin Immunother 2015;11:601-19.
6. Riddle MS, Kaminski RW, Di Paolo C, et al. Safety and immunogenicity of a candidate bioconjugate vaccine against *Shigella flexneri* 2a administered to healthy adults: a single-blind, randomized phase I study. Clin Vaccine Immunol 2016;23:908-7.
7. Szu SC, Ahmed A. Clinical studies of *Escherichia coli* O157:H7 conjugate vaccines in adults and young children. Microbiol Spectr 2014;2 EHEC-0016-2013.
8. Walker RI, Wierzba TF, Mani S, et al. Vaccines against *Shigella* and enterotoxigenic *Escherichia coli*: A summary of the 2016 VASE Conference. Vaccine 2017;35:6775-82.

전남대학교 의과대학 **장희창**

기타 개발 중인 백신
: vector-borne 감염증(Zika, SFTS, Chikungunya 등)

1. 지카바이러스 백신

지카바이러스(Zika virus)는 모기에 의해 매개되는 플라비바이러스의 일종이다. 이 바이러스는 1947년 우간다 지카숲에서 처음 발견되었고, 1953년 나이지리아에서 세 명의 감염자가 보고된 것을 시작으로 2006년까지 14례의 인체감염 증례가 보고되었다. 이후 2007년 마이크로네시아 얍섬에서 200명 이상, 2013년 프랑스령 폴리네시아에서 3만 명 이상의 지카바이러스 인체감염 유행이 발생했다. 2015년 브라질을 포함한 남미에서 대유행이 발생하였고 4천 명 이상의 태아에서 소두증이 보고되면서 국제적인 주목을 받았다. 국내에서는 2016년 브라질을 다녀온 43세 남자에서 첫 감염자가 발생하였고, 이후 2016년 10월까지 14명의 지카바이러스 감염자가 보고되었다.

지카바이러스 감염증 자체의 치명률은 낮지만, 임산부에게 감염이 되는 경우 소두증을 포함한 태아 기형을 유발한다는 점과 감염된 남자의 정액 내에 바이러스가 수개월까지 장기간 존재할 수 있고 성접촉으로도 전파될 수 있다는 점에서 국제적인 관심을 받았다. 지카바이러스 감염증을 예방하기 위해서는 위험지역에 여행하는 경우 모기에 물리지 않도록 모기기피제 등을 사용해야 하며, 감염자나 감염 의심자는 성관계 시 체액으로 인한 전파를 막기 위한 보호조치를 해야 한다.

지카바이러스에 대한 백신은 임상시험을 마치고 실용화된 것은 없다. 하지만 현재 개발 중인 백신들이 전임상시험에서 설치류와 영장류에서 우수한 예방효과를 보이고 있어 임상시험 결과가 기대된다. 현재 개발 중인 지카바이러스 백신의 주된 표적물질은 외막의 구성성분 중 항원으로 작용하는 E단백 및 PrM 단백질이다. 개발 중인 지카바이러스 백신은 개발방법에 따라 1) DNA백신, 2) 정제 불활화백신, 3) 약독화 생백신, 4) mRNA 백신 5) 펩티드백신 등으로 구분할 수 있다. 현재 임상시험 중인 백신을 요약하면 다음과 같다(표 56-1).

현재까지 DNA백신은 단백백신에 비해 동물에서와는 달리 인체에서는 항체생성이 효과적이지 못해서 상용화된 백신이 없었다. 지카바이러스 DNA백신은 그동안 시도된 DNA백신들과는 달리 인체에서도 효과적인 항체생성이 가능함을 보여주고 있어, DNA백신이 단백백신처럼 상용화될 수 있을지 그 결과를 주목할 필요가 있다. 또한 뎅기바이러스와 같은 다른 플라비바이러스 역시 비슷한 지역에서 모기로 매개되기 때문에, 플라비바이러스 감염 과거력 및 항체가 지카바이러스 감염 및 백신에 어떠한 영향

표 56-1. 임상시험 중인 지카바이러스 백신

기전	이름	항원	개발기관	임상시험 진행상태
DNA 백신	VRC ZIKV DNA	prM/E	NIAID	2상
	GLS-5700	prM/E	GeneOne/Inovio	2상
불활화백신	ZPIV	바이러스 전체	NIAID/BIDMC/WRAIR/ Sanofi Pasteur	1상
	ZIKAVAC	바이러스 전체	Bharat	1상
약독화 생백신	Zika/Dengue Live attenuated vaccine	prM/E	NIAID/Butantan	1상
	Zika/Measles Live attenuated vaccine	prM/E	Themis Bioscience	1상
mRNA 백신	mRNA-1325	prM/E	Moderna therapeutics	1상
펩티드	AGS-v	모기침샘단백	NIAID	1상

NIAID; National Institute of Allergy and Infectious Diseases
BIDMC; Beth Israel Deaconess Medical Center
WRAIR; Walter Reed Army Institute of Research

을 미치는지가 현재 지카바이러스 백신에 대해 남아 있는 주된 논점 중 하나이다. 다른 플라비바이러스에 대한 항체가 지카바이러스 감염에는 큰 영향이 없는지, 교차면역을 보이는지, 아니면 오히려 지카바이러스 감염을 증가시킬 수 있는지에 대한 추가적인 연구 결과를 주목할 필요가 있다.

2. 중증혈소판감소증후군(severe fever with thrombocytopenia syndrome, SFTS) 백신

중증혈소판감소증후군은 Bunyavirus 중 하나인 SFTS 바이러스에 의해 발생하는 신종전염병이다. 2009년 중국에서 임상증후군이 인지되었고, 2011년 바이러스가 분리되었다. 2012년 이후로 대한민국과 일본에서도 증례들이 발견되었다. SFTS 바이러스는 진드기에 의해 사람에게 전파되며, *Haemaphysalis longicornis*가 주된 매개체이다. 임상양상은 발열, 근육통, 구토, 설사, 혈소판감소, 백혈구감소를 동반하며, 6–30%의 사망률을 보인다. 현재까지 상용된 백신은 없기 때문에, 진드기에 물리지 않도록 하는 것이 유일한 예방책이다.

국제적으로 관심을 끈 지카바이러스 감염증과는 달리, 동아시아에서 유행하는 중증혈소판감소증후군에 대한 백신 개발은 거의 진행된 것이 없다. 최근 중국학자들에 의해 발표된 연구에서는 중국에서 유행하는 SFTS 바이러스 8종을 토끼에 접종하였을 때 62–143% 교차면역을 일으키며, 8종의 바이러스 모두 환자의 혈청에 의해 효과적으로 중화되었다. 이 중 HB29가 교차반응이 우수하여 백신후보주로 유망함을 보고하였다. 현재까지는 SFTS 바이러스 백신에 대한 연구는 시작단계에 머물러있어, 추후 연구 결과들을 주목할 필요가 있다.

3. Chikungunya백신

Chikungunya바이러스는 Aedes 모기에 의해 매개되는 arbovirus로, 1952년 탄자니아에서 처음 발견되었다. 2000년 이후 인도, 동남아시아, 아프리카, 북미와 남미에서 인체감염 유행이 보고되었다. 유럽에서는 아직까지는 여행자와 연관한 감염만 발생하였다. 국내에서는 2015년 필리핀 방문 후 귀국한 여행자에서 첫 증례가 보고되었다. Chikungunya 감염증은 모기에 의해 매개되는 다른 감염증인 뎅기열이나 지카바이러스 감염증과 비슷한 증상을 나타내기 때문에 감별진단이 필요하다. Chikungunya 감염증은 상대적으로 관절통이 흔하며, 만성화되는 경우 류마티스 질환을 유발할 수 있다.

현재까지 개발이 완료되어 사용이 허가된 Chikungunya 백신은 없다. 따라서 다른 모기매개질환과 마찬가지로, 유행지역에서 모기에 물리지 않도록 조심하는 것이 필요하며, 모기기피제를 사용하는 것이 예방에 있어 중요하다.

Chikungunya 바이러스는 유전적 다양성이 상대적으로 낮기 때문에, 백신 개발이 가능할 것으로 보는 견해가 많지만, 주목을 받고 있는 지카바이러스 백신에 비해 개발이 더디다. 1971년 Harrison 등은 16명의 자원자에게 태국에서 유행했던 15561 strain 바이러스를 formalin으로 비활성화한 백신을 2회 주사하였고, 부작용 없이 시험자 모두에서 항체가 생성됨을 확인하였지만, 개발비용 때문에 더 이상의 연구는 진행되지 못했다. 미군감염병연구소에서 같은 strain을 MRC-5세포에서 배양하여 TSI-GSD-218 약독화 생백신을 개발하여 2상 임상시험까지 진행하였으나, 8% 시험자에서 관절통이 보고되었다. 약독화가 잘 이루어지지 않았을 가능성 및 개발비용 문제 때문에 이 연구 역시 2000년에 종료되었다. 최근 Chikungunya 바이러스 확산으로 인해 다시 임상시험이 진행 중이며, 임상시험 중인 백신은 표 56-2와 같다.

표 56-2. 최근 임상시험 중인 Chikungunya 바이러스 백신

이름	strain	종류	개발기관	임상시험 진행상태
VRC-CHKVLP059-00-VP	West African CHIKV strain 37997	Chikungunya Virus-Like Particle 백신	NIAID	2상
MV-CHIK	La Réunion 06-46	약독화 생백신	Themis Bioscience	2상

NIAID; National Institute of Allergy and Infectious Diseases

참고문헌

1. Choi SJ, Park SW, Bae IG, et al. Severe Fever with Thrombocytopenia Syndrome in South Korea, 2013-2015. PLoS Negl Trop Dis 2016 ;10:e0005264.

2. Edelman R, Tacket CO, Wasserman SS, et al. Phase II safety and immunogenicity study of live chikungunya virus vaccine TSI-GSD-218. Am J Trop Med Hyg 2000;62:681-5.

3. Harrison VR, Eckels KH, Bartelloni PJ, et al. Production and evaluation of a formalin-killed Chikungunya vaccine. J Immunol 1971; 107:643-7.

4. Hwang JH, Lee CS. The first imported case infected with chikungunya virus in Korea. Infect Chemother 2015;47:55-9.

5. Jang HC, Park WB, Kim UJ, Chun JY, Choi SJ, Choe PG, Jung SI, Jee Y, Kim NJ, Choi EH, Oh MD. First Imported Case of Zika Virus Infection into Korea. J Korean Med Sci 2016;31:1173-7.

6. Jia Z, Wu X, Wang L, et al. Identification of a candidate standard strain of severe fever with thrombocytopenia syndrome virus for vaccine quality control in China using a cross-neutralization assay. Biologicals 2017;46:92-8.

7. Yoon D, Shin SH, Jang HC, et al. Epidemiology and Clinical Characteristics of Zika Virus Infections Imported into Korea from March to October 2016. J Korean Med Sci 2017;32:1440-4.

부록 예방접종 관련 주요법규

1. 감염병의 예방 및 관리에 관한 법률(약칭: 감염병예방법)

[시행 2019. 1. 1] [법률 제16101호, 2018. 12. 31, 타법개정]

보건복지부(질병정책과) 044-202-2505

제1장 총칙

제1조(목적)

이 법은 국민 건강에 위해(危害)가 되는 감염병의 발생과 유행을 방지하고, 그 예방 및 관리를 위하여 필요한 사항을 규정함으로써 국민 건강의 증진 및 유지에 이바지함을 목적으로 한다.

제2조(정의)

이 법에서 사용하는 용어의 뜻은 다음과 같다. 〈개정 2010. 1. 18., 2013. 3. 22., 2014. 3. 18., 2015. 7. 6., 2016. 12. 2., 2018. 3. 27.〉

1. "감염병"이란 제1급감염병, 제2급감염병, 제3급감염병, 제4급감염병, 기생충감염병, 세계보건기구 감시대상 감염병, 생물테러감염병, 성매개감염병, 인수(人獸)공통감염병 및 의료관련감염병을 말한다.

2. "제1급감염병"이란 생물테러감염병 또는 치명률이 높거나 집단 발생의 우려가 커서 발생 또는 유행 즉시 신고하여야 하고, 음압격리와 같은 높은 수준의 격리가 필요한 감염병으로서 다음 각 목의 감염병을 말한다. 다만, 갑작스러운 국내 유입 또는 유행이 예견되어 긴급한 예방·관리가 필요하여 보건복지부장관이 지정하는 감염병을 포함한다.

   가. 에볼라바이러스병

   나. 마버그열

   다. 라싸열

  라. 크리미안콩고출혈열

  마. 남아메리카출혈열

  바. 리프트밸리열

  사. 두창

  아. 페스트

  자. 탄저

  차. 보툴리눔독소증

  카. 야토병

  타. 신종감염병증후군

  파. 중증급성호흡기증후군(SARS)

  하. 중동호흡기증후군(MERS)

  거. 동물인플루엔자 인체감염증

  너. 신종인플루엔자

  더. 디프테리아

3. "제2급감염병"이란 전파가능성을 고려하여 발생 또는 유행 시 24시간 이내에 신고하여야 하고, 격리가 필요한 다음 각 목의 감염병을 말한다. 다만, 갑작스러운 국내 유입 또는 유행이 예견되어 긴급한 예방·관리가 필요하여 보건복지부장관이 지정하는 감염병을 포함한다.

  가. 결핵(結核)

  나. 수두(水痘)

  다. 홍역(紅疫)

  라. 콜레라

  마. 장티푸스

  바. 파라티푸스

  사. 세균성이질

  아. 장출혈성대장균감염증

  자. A형간염

  차. 백일해(百日咳)

  카. 유행성이하선염(流行性耳下腺炎)

  타. 풍진(風疹)

  파. 폴리오

  하. 수막구균 감염증

  거. b형헤모필루스인플루엔자

　　　　너. 폐렴구균 감염증

　　　　더. 한센병

　　　　러. 성홍열

　　　　머. 반코마이신내성황색포도알균(VRSA) 감염증

　　　　버. 카바페넴내성장내세균속균종(CRE) 감염증

4. "제3급감염병"이란 그 발생을 계속 감시할 필요가 있어 발생 또는 유행 시 24시간 이내에 신고
　 하여야 하는 다음 각 목의 감염병을 말한다. 다만, 갑작스러운 국내 유입 또는 유행이 예견되
　 어 긴급한 예방·관리가 필요하여 보건복지부장관이 지정하는 감염병을 포함한다.

　　　　가. 파상풍(破傷風)

　　　　나. B형간염

　　　　다. 일본뇌염

　　　　라. C형간염

　　　　마. 말라리아

　　　　바. 레지오넬라증

　　　　사. 비브리오패혈증

　　　　아. 발진티푸스

　　　　자. 발진열(發疹熱)

　　　　차. 쯔쯔가무시증

　　　　카. 렙토스피라증

　　　　타. 브루셀라증

　　　　파. 공수병(恐水病)

　　　　하. 신증후군출혈열(腎症侯群出血熱)

　　　　거. 후천성면역결핍증(AIDS)

　　　　너. 크로이츠펠트–야콥병(CJD) 및 변종크로이츠펠트–야콥병(vCJD)

　　　　더. 황열

　　　　러. 뎅기열

　　　　머. 큐열(Q熱)

　　　　버. 웨스트나일열

　　　　서. 라임병

　　　　어. 진드기매개뇌염

　　　　저. 유비저(類鼻疽)

　　　　처. 치쿤구니야열

커. 중증열성혈소판감소증후군(SFTS)

터. 지카바이러스 감염증

5. "제4급감염병"이란 제1급감염병부터 제3급감염병까지의 감염병 외에 유행 여부를 조사하기 위하여 표본감시 활동이 필요한 다음 각 목의 감염병을 말한다.

가. 인플루엔자

나. 매독(梅毒)

다. 회충증

라. 편충증

마. 요충증

바. 간흡충증

사. 폐흡충증

아. 장흡충증

자. 수족구병

차. 임질

카. 클라미디아감염증

타. 연성하감

파. 성기단순포진

하. 첨규콘딜롬

거. 반코마이신내성장알균(VRE) 감염증

너. 메티실린내성황색포도알균(MRSA) 감염증

더. 다제내성녹농균(MRPA) 감염증

러. 다제내성아시네토박터바우마니균(MRAB) 감염증

머. 장관감염증

버. 급성호흡기감염증

서. 해외유입기생충감염증

어. 엔테로바이러스감염증

저. 사람유두종바이러스 감염증

6. "기생충감염병"이란 기생충에 감염되어 발생하는 감염병 중 보건복지부장관이 고시하는 감염병을 말한다.

7. 삭제 〈2018. 3. 27.〉

8. "세계보건기구 감시대상 감염병"이란 세계보건기구가 국제공중보건의 비상사태에 대비하기 위하여 감시대상으로 정한 질환으로서 보건복지부장관이 고시하는 감염병을 말한다.

9. "생물테러감염병"이란 고의 또는 테러 등을 목적으로 이용된 병원체에 의하여 발생된 감염병 중 보건복지부장관이 고시하는 감염병을 말한다.

10. "성매개감염병"이란 성 접촉을 통하여 전파되는 감염병 중 보건복지부장관이 고시하는 감염병을 말한다.

11. "인수공통감염병"이란 동물과 사람 간에 서로 전파되는 병원체에 의하여 발생되는 감염병 중 보건복지부장관이 고시하는 감염병을 말한다.

12. "의료관련감염병"이란 환자나 임산부 등이 의료행위를 적용받는 과정에서 발생한 감염병으로서 감시활동이 필요하여 보건복지부장관이 고시하는 감염병을 말한다.

13. "감염병환자"란 감염병의 병원체가 인체에 침입하여 증상을 나타내는 사람으로서 제11조제6항의 진단 기준에 따른 의사, 치과의사 또는 한의사의 진단이나 보건복지부령으로 정하는 기관(이하 "감염병병원체 확인기관"이라 한다)의 실험실 검사를 통하여 확인된 사람을 말한다.

14. "감염병의사환자"란 감염병병원체가 인체에 침입한 것으로 의심이 되나 감염병환자로 확인되기 전 단계에 있는 사람을 말한다.

15. "병원체보유자"란 임상적인 증상은 없으나 감염병병원체를 보유하고 있는 사람을 말한다.

16. "감시"란 감염병 발생과 관련된 자료 및 매개체에 대한 자료를 체계적이고 지속적으로 수집, 분석 및 해석하고 그 결과를 제때에 필요한 사람에게 배포하여 감염병 예방 및 관리에 사용하도록 하는 일체의 과정을 말한다.

17. "역학조사"란 감염병환자, 감염병의사환자 또는 병원체보유자(이하 "감염병환자등"이라 한다)가 발생한 경우 감염병의 차단과 확산 방지 등을 위하여 감염병환자등의 발생 규모를 파악하고 감염원을 추적하는 등의 활동과 감염병 예방접종 후 이상반응 사례가 발생한 경우 그 원인을 규명하기 위하여 하는 활동을 말한다.

18. "예방접종 후 이상반응"이란 예방접종 후 그 접종으로 인하여 발생할 수 있는 모든 증상 또는 질병으로서 해당 예방접종과 시간적 관련성이 있는 것을 말한다.

19. "고위험병원체"란 생물테러의 목적으로 이용되거나 사고 등에 의하여 외부에 유출될 경우 국민 건강에 심각한 위험을 초래할 수 있는 감염병병원체로서 보건복지부령으로 정하는 것을 말한다.

20. "관리대상 해외 신종감염병"이란 기존 감염병의 변이 및 변종 또는 기존에 알려지지 아니한 새로운 병원체에 의해 발생하여 국제적으로 보건문제를 야기하고 국내 유입에 대비하여야 하는 감염병으로서 보건복지부장관이 지정하는 것을 말한다.

[시행일 : 2020.1.1.] 제2조

제3조(다른 법률과의 관계)

감염병의 예방 및 관리에 관하여는 다른 법률에 특별한 규정이 있는 경우를 제외하고는 이 법에 따른다.

제4조(국가 및 지방자치단체의 책무)

① 국가 및 지방자치단체는 감염병환자등의 인간으로서의 존엄과 가치를 존중하고 그 기본적 권리를 보호하며, 법률에 따르지 아니하고는 취업 제한 등의 불이익을 주어서는 아니 된다.

② 국가 및 지방자치단체는 감염병의 예방 및 관리를 위하여 다음 각 호의 사업을 수행하여야 한다. 〈개정 2014. 3. 18., 2015. 7. 6.〉

1. 감염병의 예방 및 방역대책

2. 감염병환자등의 진료 및 보호

3. 감염병 예방을 위한 예방접종계획의 수립 및 시행

4. 감염병에 관한 교육 및 홍보

5. 감염병에 관한 정보의 수집·분석 및 제공

6. 감염병에 관한 조사·연구

7. 감염병병원체 검사·보존·관리 및 약제내성 감시(藥劑耐性 監視)

8. 감염병 예방을 위한 전문인력의 양성

9. 감염병 관리정보 교류 등을 위한 국제협력

10. 감염병의 치료 및 예방을 위한 약품 등의 비축

11. 감염병 관리사업의 평가

12. 기후변화, 저출산·고령화 등 인구변동 요인에 따른 감염병 발생조사·연구 및 예방대책 수립

13. 한센병의 예방 및 진료 업무를 수행하는 법인 또는 단체에 대한 지원

14. 감염병 예방 및 관리를 위한 정보시스템의 구축 및 운영

15. 해외 신종감염병의 국내 유입에 대비한 계획 준비, 교육 및 훈련

16. 해외 신종감염병 발생 동향의 지속적 파악, 위험성 평가 및 관리대상 해외 신종감염병의 지정

17. 관리대상 해외 신종감염병에 대한 병원체 등 정보 수집, 특성 분석, 연구를 통한 예방과 대응체계 마련, 보고서 발간 및 지침(매뉴얼을 포함한다) 고시

③ 국가·지방자치단체(교육감을 포함한다)는 감염병의 효율적 치료 및 확산방지를 위하여 질병의 정보, 발생 및 전파 상황을 공유하고 상호 협력하여야 한다. 〈신설 2015. 7. 6.〉

④ 국가 및 지방자치단체는 「의료법」에 따른 의료기관 및 의료인단체와 감염병의 발생 감시·예방을 위하여 관련 정보를 공유하여야 한다. 〈신설 2015. 7. 6.〉

제5조(의료인 등의 책무와 권리)

① 「의료법」에 따른 의료인 및 의료기관의 장 등은 감염병 환자의 진료에 관한 정보를 제공받을 권리가 있고, 감염병 환자의 진단 및 치료 등으로 인하여 발생한 피해에 대하여 보상받을 수 있다.

② 「의료법」에 따른 의료인 및 의료기관의 장 등은 감염병 환자의 진단·관리·치료 등에 최선을 다하여야 하며, 보건복지부장관 또는 지방자치단체의 장의 행정명령에 적극 협조하여야 한다.

③ 「의료법」에 따른 의료인 및 의료기관의 장 등은 국가와 지방자치단체가 수행하는 감염병의 발생 감시와 예방·관리 및 역학조사 업무에 적극 협조하여야 한다.

[전문개정 2015. 7. 6.]

제6조(국민의 권리와 의무)

① 국민은 감염병으로 격리 및 치료 등을 받은 경우 이로 인한 피해를 보상받을 수 있다. 〈개정 2015. 7. 6.〉

② 국민은 감염병 발생 상황, 감염병 예방 및 관리 등에 관한 정보와 대응방법을 알 권리가 있고, 국가와 지방자치단체는 신속하게 정보를 공개하여야 한다. 〈개정 2015. 7. 6.〉

③ 국민은 의료기관에서 이 법에 따른 감염병에 대한 진단 및 치료를 받을 권리가 있고, 국가와 지방자치단체는 이에 소요되는 비용을 부담하여야 한다. 〈신설 2015. 7. 6.〉

④ 국민은 치료 및 격리조치 등 국가와 지방자치단체의 감염병 예방 및 관리를 위한 활동에 적극 협조하여야 한다. 〈신설 2015. 7. 6.〉

[제목개정 2015. 7. 6.]

제2장 기본계획 및 사업

제7조(감염병 예방 및 관리 계획의 수립 등)

① 보건복지부장관은 감염병의 예방 및 관리에 관한 기본계획(이하 "기본계획"이라 한다)을 5년마다 수립·시행하여야 한다. 〈개정 2010. 1. 18.〉

② 기본계획에는 다음 각 호의 사항이 포함되어야 한다. 〈개정 2015. 7. 6.〉

1. 감염병 예방·관리의 기본목표 및 추진방향

2. 주요 감염병의 예방·관리에 관한 사업계획 및 추진방법

3. 감염병 전문인력의 양성 방안

3의2. 「의료법」 제3조제2항 각 호에 따른 의료기관 종별 감염병 위기대응역량의 강화 방안

　　　4. 감염병 통계 및 정보의 관리 방안

　　　5. 감염병 관련 정보의 의료기관 간 공유 방안

　　　6. 그 밖에 감염병의 예방 및 관리에 필요한 사항

　　③ 특별시장·광역시장·도지사·특별자치도지사(이하 "시·도지사"라 한다)와 시장·군수·구청장(자
　　　치구의 구청장을 말한다. 이하 같다)은 기본계획에 따라 시행계획을 수립·시행하여야 한다.

　　④ 보건복지부장관, 시·도지사 또는 시장·군수·구청장은 기본계획이나 제3항에 따른 시행계획
　　　의 수립·시행에 필요한 자료의 제공 등을 관계 행정기관 또는 단체에 요청할 수 있다. 〈개정
　　　2010. 1. 18.〉

　　⑤ 제4항에 따라 요청받은 관계 행정기관 또는 단체는 특별한 사유가 없으면 이에 따라야 한다.

제8조(감염병관리사업지원기구의 운영)

　　① 보건복지부장관 및 시·도지사는 제7조에 따른 기본계획 및 시행계획의 시행과 국제협력 등의
　　　업무를 지원하기 위하여 민간전문가로 구성된 감염병관리사업지원기구를 둘 수 있다. 〈개정
　　　2010. 1. 18.〉

　　② 국가 및 지방자치단체는 감염병관리사업지원기구의 운영 등에 필요한 예산을 지원할 수 있다.

　　③ 제1항 및 제2항에 따른 감염병관리사업지원기구의 설치·운영 및 지원 등에 필요한 사항은 대
　　　통령령으로 정한다.

제8조의2(감염병병원)

　　① 국가는 감염병의 연구·예방, 전문가 양성 및 교육, 환자의 진료 및 치료 등을 위한 시설, 인력
　　　및 연구능력을 갖춘 감염병전문병원 또는 감염병연구병원을 설립하거나 지정하여 운영한다.

　　② 국가는 감염병환자의 진료 및 치료 등을 위하여 권역별로 보건복지부령으로 정하는 일정규모
　　　이상의 병상(음압병상 및 격리병상을 포함한다)을 갖춘 감염병전문병원을 설립하거나 지정하
　　　여 운영한다.

　　③ 국가는 예산의 범위에서 제1항 및 제2항에 따른 감염병전문병원 또는 감염병연구병원을 설립
　　　하거나 지정하여 운영하는 데 필요한 예산을 지원할 수 있다.

　　④ 제1항 및 제2항에 따른 감염병전문병원 또는 감염병연구병원을 설립하거나 지정하여 운영하
　　　는 데 필요한 절차, 방법, 지원내용 등의 사항은 대통령령으로 정한다.

　　　[본조신설 2015. 12. 29.]

제8조의3(내성균 관리대책)

　　① 보건복지부장관은 내성균 발생 예방 및 확산 방지 등을 위하여 제9조에 따른 감염병관리위원
　　　회의 심의를 거쳐 내성균 관리대책을 5년마다 수립·추진하여야 한다.

② 내성균 관리대책에는 정책목표 및 방향, 진료환경 개선 등 내성균 확산 방지를 위한 사항 및 감시체계 강화에 관한 사항, 그 밖에 내성균 관리대책에 필요하다고 인정되는 사항이 포함되어야 한다.

③ 내성균 관리대책의 수립 절차 등에 관하여 필요한 사항은 대통령령으로 정한다.

[본조신설 2016. 12. 2.]

제8조의4(업무의 협조)

① 보건복지부장관은 내성균 관리대책의 수립·시행을 위하여 관계 공무원 또는 관계 전문가의 의견을 듣거나 관계 기관 및 단체 등에 필요한 자료제출 등 협조를 요청할 수 있다.

② 보건복지부장관은 내성균 관리대책의 작성을 위하여 관계 중앙행정기관의 장에게 내성균 관리대책의 정책목표 및 방향과 관련한 자료 또는 의견의 제출 등 필요한 협조를 요청할 수 있다.

③ 제1항 및 제2항에 따른 협조 요청을 받은 자는 정당한 사유가 없으면 이에 따라야 한다.

[본조신설 2016. 12. 2.]

제8조의5(긴급상황실)

① 질병관리본부장은 감염병 정보의 수집·전파, 상황관리, 감염병이 유입되거나 유행하는 긴급한 경우의 초동조치 및 지휘 등의 업무를 수행하기 위하여 상시 긴급상황실을 설치·운영하여야 한다.

② 제1항에 따른 긴급상황실의 설치·운영에 필요한 사항은 대통령령으로 정한다.

[본조신설 2018. 3. 27.]

제9조(감염병관리위원회)

① 감염병의 예방 및 관리에 관한 주요 시책을 심의하기 위하여 보건복지부에 감염병관리위원회(이하 "위원회"라 한다)를 둔다. 〈개정 2010. 1. 18.〉

② 위원회는 다음 각 호의 사항을 심의한다. 〈개정 2014. 3. 18., 2016. 12. 2.〉

  1. 기본계획의 수립
  2. 감염병 관련 의료 제공
  3. 감염병에 관한 조사 및 연구
  4. 감염병의 예방·관리 등에 관한 지식 보급 및 감염병환자등의 인권 증진
  5. 제20조에 따른 해부명령에 관한 사항
  6. 제32조제2항에 따른 예방접종의 실시기준과 방법에 관한 사항
  7. 제34조에 따른 감염병 위기관리대책의 수립 및 시행

8. 제40조제1항 및 제2항에 따른 예방·치료 의약품 및 장비 등의 사전 비축, 장기 구매 및 생산에 관한 사항 8의2. 제40조의2에 따른 의약품 공급의 우선순위 등 분배기준, 그 밖에 필요한 사항의 결정

9. 제71조에 따른 예방접종 등으로 인한 피해에 대한 국가보상에 관한 사항

10. 내성균 관리대책에 관한 사항

11. 그 밖에 감염병의 예방 및 관리에 관한 사항으로서 위원장이 위원회의 회의에 부치는 사항

제10조(위원회의 구성)

① 위원회는 위원장 1명과 부위원장 1명을 포함하여 30명 이내의 위원으로 구성한다. 〈개정 2018. 3. 27.〉

② 위원장은 질병관리본부장이 되고, 부위원장은 위원 중에서 위원장이 지명하며, 위원은 다음 각 호의 어느 하나에 해당하는 사람 중에서 보건복지부장관이 임명하거나 위촉하는 사람으로 한다. 〈개정 2010. 1. 18., 2015. 12. 29., 2018. 3. 27.〉

1. 감염병의 예방 또는 관리 업무를 담당하는 공무원

2. 감염병 또는 감염관리를 전공한 의료인

3. 감염병과 관련된 전문지식을 소유한 사람

4. 「비영리민간단체 지원법」 제2조에 따른 비영리민간단체가 추천하는 사람

5. 그 밖에 감염병에 관한 지식과 경험이 풍부한 사람

③ 위원회의 업무를 효율적으로 수행하기 위하여 위원회의 위원과 외부 전문가로 구성되는 분야별 전문위원회를 둘 수 있다.

④ 제1항부터 제3항까지에서 규정한 사항 외에 위원회 및 전문위원회의 구성·운영 등에 관하여 필요한 사항은 대통령령으로 정한다.

제3장 신고 및 보고

제11조(의사 등의 신고)

① 의사, 치과의사 또는 한의사는 다음 각 호의 어느 하나에 해당하는 사실(제16조제6항에 따라 표본감시 대상이 되는 제4급감염병으로 인한 경우는 제외한다)이 있으면 소속 의료기관의 장에게 보고하여야 하고, 해당 환자와 그 동거인에게 보건복지부장관이 정하는 감염 방지 방법 등을 지도하여야 한다. 다만, 의료기관에 소속되지 아니한 의사, 치과의사 또는 한의사는 그 사실을 관할 보건소장에게 신고하여야 한다. 〈개정 2010. 1. 18., 2015. 12. 29., 2018. 3. 27.〉

1. 감염병환자등을 진단하거나 그 사체를 검안(檢案)한 경우

2. 예방접종 후 이상반응자를 진단하거나 그 사체를 검안한 경우

3. 감염병환자등이 제1급감염병부터 제3급감염병까지에 해당하는 감염병으로 사망한 경우

② 감염병병원체 확인기관의 소속 직원은 실험실 검사 등을 통하여 보건복지부령으로 정하는 감염병환자등을 발견한 경우 그 사실을 감염병병원체 확인기관의 장에게 보고하여야 한다. 〈개정 2015. 7. 6., 2018. 3. 27.〉

③ 제1항 및 제2항에 따라 보고를 받은 의료기관의 장 및 감염병병원체 확인기관의 장은 제1급감염병의 경우에는 즉시, 제2급감염병 및 제3급감염병의 경우에는 24시간 이내에, 제4급감염병의 경우에는 7일 이내에 보건복지부장관 또는 관할 보건소장에게 신고하여야 한다. 〈신설 2015. 7. 6., 2018. 3. 27.〉

④ 육군, 해군, 공군 또는 국방부 직할 부대에 소속된 군의관은 제1항 각 호의 어느 하나에 해당하는 사실(제16조제6항에 따라 표본감시 대상이 되는 제4급감염병으로 인한 경우는 제외한다)이 있으면 소속 부대장에게 보고하여야 하고, 보고를 받은 소속 부대장은 제1급감염병의 경우에는 즉시, 제2급감염병 및 제3급감염병의 경우에는 24시간 이내에 관할 보건소장에게 신고하여야 한다. 〈개정 2015. 7. 6., 2015. 12. 29., 2018. 3. 27.〉

⑤ 제16조제1항에 따른 감염병 표본감시기관은 제16조제6항에 따라 표본감시 대상이 되는 제4급감염병으로 인하여 제1항제1호 또는 제3호에 해당하는 사실이 있으면 보건복지부령으로 정하는 바에 따라 보건복지부장관 또는 관할 보건소장에게 신고하여야 한다. 〈개정 2010. 1. 18., 2015. 7. 6., 2015. 12. 29., 2018. 3. 27.〉

⑥ 제1항부터 제5항까지의 규정에 따른 감염병환자등의 진단 기준, 신고의 방법 및 절차 등에 관하여 필요한 사항은 보건복지부령으로 정한다. 〈개정 2010. 1. 18., 2015. 7. 6.〉

[시행일 : 2020.1.1.] 제11조

제12조(그 밖의 신고의무자)

① 다음 각 호의 어느 하나에 해당하는 사람은 제1급감염병부터 제3급감염병까지에 해당하는 감염병 중 보건복지부령으로 정하는 감염병이 발생한 경우에는 의사, 치과의사 또는 한의사의 진단이나 검안을 요구하거나 해당 주소지를 관할하는 보건소장에게 신고하여야 한다. 〈개정 2010. 1. 18., 2015. 7. 6., 2018. 3. 27.〉

1. 일반가정에서는 세대를 같이하는 세대주. 다만, 세대주가 부재 중인 경우에는 그 세대원

2. 학교, 병원, 관공서, 회사, 공연장, 예배장소, 선박·항공기·열차 등 운송수단, 각종 사무소·사업소, 음식점, 숙박업소 또는 그 밖에 여러 사람이 모이는 장소로서 보건복지부령으로 정하는 장소의 관리인, 경영자 또는 대표자

② 제1항에 따른 신고의무자가 아니더라도 감염병환자등 또는 감염병으로 인한 사망자로 의심되는 사람을 발견하면 보건소장에게 알려야 한다.

③ 제1항에 따른 신고의 방법과 기간 및 제2항에 따른 통보의 방법과 절차 등에 관하여 필요한 사항은 보건복지부령으로 정한다. 〈개정 2010. 1. 18., 2015. 7. 6.〉

[시행일 : 2020.1.1.] 제12조

제13조(보건소장 등의 보고)

① 제11조 및 제12조에 따라 신고를 받은 보건소장은 그 내용을 관할 특별자치도지사 또는 시장·군수·구청장에게 보고하여야 하며, 보고를 받은 특별자치도지사 또는 시장·군수·구청장은 이를 보건복지부장관 및 시·도지사에게 각각 보고하여야 한다. 〈개정 2010. 1. 18.〉

② 제1항에 따른 보고의 방법 및 절차 등에 관하여 필요한 사항은 보건복지부령으로 정한다. 〈개정 2010. 1. 18.〉

제14조(인수공통감염병의 통보)

① 「가축전염병예방법」 제11조제1항제2호에 따라 신고를 받은 특별자치도지사(특별자치도의 동지역에 한정된다)·시장(구를 두지 아니하는 시의 시장을 말하며, 도농복합형태의 시에 있어서는 가축 등의 소재지가 동지역인 경우에 한정된다)·구청장(도농복합형태의 시의 구에 있어서는 가축 등의 소재지가 동지역인 경우에 한정된다)·읍장 또는 면장은 같은 법에 따른 가축전염병 중 다음 각 호의 어느 하나에 해당하는 감염병의 경우에는 즉시 질병관리본부장에게 통보하여야 한다.

1. 탄저

2. 고병원성조류인플루엔자

3. 광견병

4. 그 밖에 대통령령으로 정하는 인수공통감염병

② 제1항에 따른 통보를 받은 질병관리본부장은 감염병의 예방 및 확산 방지를 위하여 이 법에 따른 적절한 조치를 취하여야 한다. 〈신설 2015. 7. 6.〉

③ 제1항에 따른 신고 또는 통보를 받은 행정기관의 장은 신고자의 요청이 있는 때에는 신고자의 신원을 외부에 공개하여서는 아니 된다. 〈개정 2015. 7. 6.〉

④ 제1항에 따른 통보의 방법 및 절차 등에 관하여 필요한 사항은 보건복지부령으로 정한다. 〈개정 2010. 1. 18., 2015. 7. 6.〉

제15조(감염병환자등의 파악 및 관리)

보건소장은 관할구역에 거주하는 감염병환자등에 관하여 제11조 및 제12조에 따른 신고를 받았을 때에는 보건복지부령으로 정하는 바에 따라 기록하고 그 명부(전자문서를 포함한다)를 관리하여야 한다. 〈개정 2010. 1. 18.〉

제4장 감염병감시 및 역학조사 등

제16조(감염병 표본감시 등)

① 보건복지부장관은 감염병 발생의 의과학적인 감시를 위하여 질병의 특성과 지역을 고려하여 「보건의료기본법」에 따른 보건의료기관이나 그 밖의 기관 또는 단체를 감염병 표본감시기관으로 지정할 수 있다. 〈개정 2010. 1. 18.〉

② 보건복지부장관, 시·도지사 또는 시장·군수·구청장은 제1항에 따라 지정받은 감염병 표본감시기관(이하 "표본감시기관"이라 한다)의 장에게 감염병의 표본감시와 관련하여 필요한 자료의 제출을 요구하거나 감염병의 예방·관리에 필요한 협조를 요청할 수 있다. 이 경우 표본감시기관은 특별한 사유가 없으면 이에 따라야 한다. 〈개정 2010. 1. 18.〉

③ 보건복지부장관, 시·도지사 또는 시장·군수·구청장은 제2항에 따라 수집한 정보 중 국민 건강에 관한 중요한 정보를 관련 기관·단체·시설 또는 국민들에게 제공하여야 한다. 〈개정 2010. 1. 18.〉

④ 보건복지부장관, 시·도지사 또는 시장·군수·구청장은 표본감시활동에 필요한 경비를 표본감시기관에 지원할 수 있다. 〈개정 2010. 1. 18.〉

⑤ 보건복지부장관은 표본감시기관이 감염병의 발생 감시 업무를 게을리하는 등 보건복지부령으로 정하는 사유에 해당하는 경우 그 지정을 취소할 수 있다. 〈개정 2015. 7. 6.〉

⑥ 제1항에 따른 표본감시의 대상이 되는 감염병은 제4급감염병으로 하고, 표본감시기관의 지정 및 지정취소의 사유 등에 관하여 필요한 사항은 보건복지부령으로 정한다. 〈신설 2015. 7. 6., 2018. 3. 27.〉

⑦ 질병관리본부장은 감염병이 발생하거나 유행할 가능성이 있어 관련 정보를 확보할 긴급한 필요가 있다고 인정하는 경우 「공공기관의 운영에 관한 법률」에 따른 공공기관 중 대통령령으로 정하는 공공기관의 장에게 정보 제공을 요구할 수 있다. 이 경우 정보 제공을 요구받은 기관의 장은 정당한 사유가 없는 한 이에 따라야 한다. 〈개정 2015. 7. 6.〉

⑧ 제7항에 따라 제공되는 정보의 내용, 절차 및 정보의 취급에 필요한 사항은 대통령령으로 정한다. 〈개정 2015. 7. 6.〉

[시행일 : 2020.1.1.] 제16조

제17조(실태조사)

① 보건복지부장관 및 시·도지사는 감염병의 관리 및 감염 실태와 내성균 실태를 파악하기 위하여 실태조사를 실시할 수 있다. 〈개정 2010. 1. 18., 2015. 7. 6., 2016. 12. 2.〉

② 제1항에 따른 실태조사에 포함되어야 할 사항과 실태조사의 방법과 절차 등에 관하여 필요한 사항은 보건복지부령으로 정한다. 〈개정 2010. 1. 18.〉

제18조(역학조사)

① 질병관리본부장, 시·도지사 또는 시장·군수·구청장은 감염병이 발생하여 유행할 우려가 있다고 인정하면 지체 없이 역학조사를 하여야 하고, 그 결과에 관한 정보를 필요한 범위 에서 해당 의료기관에 제공하여야 한다. 다만, 지역확산 방지 등을 위하여 필요한 경우 다른 의료기관에 제공하여야 한다. 〈개정 2015. 7. 6.〉

② 질병관리본부장, 시·도지사 또는 시장·군수·구청장은 역학조사를 하기 위하여 역학조사반을 각각 설치하여야 한다.

③ 누구든지 질병관리본부장, 시·도지사 또는 시장·군수·구청장이 실시하는 역학조사에서 다음 각 호의 행위를 하여서는 아니 된다. 〈개정 2015. 7. 6.〉

1. 정당한 사유 없이 역학조사를 거부·방해 또는 회피하는 행위

2. 거짓으로 진술하거나 거짓 자료를 제출하는 행위

3. 고의적으로 사실을 누락·은폐하는 행위

④ 제1항에 따른 역학조사의 내용과 시기·방법 및 제2항에 따른 역학조사반의 구성·임무 등에 관하여 필요한 사항은 대통령령으로 정한다.

제18조의2(역학조사의 요청)

① 「의료법」에 따른 의료인 또는 의료기관의 장은 감염병 또는 알 수 없는 원인으로 인한 질병이 발생하였거나 발생할 것이 우려되는 경우 보건복지부장관 또는 시·도지사에게 제18조에 따른 역학조사를 실시할 것을 요청할 수 있다.

② 제1항에 따른 요청을 받은 보건복지부장관 또는 시·도지사는 역학조사의 실시 여부 및 그 사유 등을 지체 없이 해당 의료인 또는 의료기관 개설자에게 통지하여야 한다.

③ 제1항에 따른 역학조사 실시 요청 및 제2항에 따른 통지의 방법·절차 등 필요한 사항은 보건복지부령으로 정한다.

[본조신설 2015. 7. 6.]

제18조의3(역학조사인력의 양성)

① 보건복지부장관은 제60조의2제2항 각 호에 해당하는 사람에 대하여 정기적으로 역학조사에 관한 교육·훈련을 실시할 수 있다.

② 제1항에 따른 교육·훈련 과정 및 그 밖에 필요한 사항은 보건복지부령으로 정한다.

[본조신설 2015. 7. 6.]

제18조의4(자료제출 요구 등)

① 보건복지부장관은 제18조에 따른 역학조사 등을 효율적으로 시행하기 위하여 관계 중앙행정 기관의 장, 대통령령으로 정하는 기관·단체 등에 대하여 역학조사에 필요한 자료제출을 요구할 수 있다.

② 보건복지부장관은 제18조에 따른 역학조사를 실시하는 경우 필요에 따라 관계 중앙행정기관의 장에게 인력 파견 등 필요한 지원을 요청할 수 있다.

③ 제1항에 따른 자료제출 요구 및 제2항에 따른 지원 요청 등을 받은 자는 특별한 사정이 없으면 이에 따라야 한다.

④ 제1항에 따른 자료제출 요구 및 제2항에 따른 지원 요청 등의 범위와 방법 등에 관하여 필요한 사항은 대통령령으로 정한다.

[본조신설 2015. 7. 6.]

제19조(건강진단)

성매개감염병의 예방을 위하여 종사자의 건강진단이 필요한 직업으로 보건복지부령으로 정하는 직업에 종사하는 자와 성매개감염병에 감염되어 그 전염을 매개할 상당한 우려가 있다고 시장·군수·구청장이 인정한 자는 보건복지부령으로 정하는 바에 따라 성매개감염병에 관한 건강진단을 받아야 한다. 〈개정 2010. 1. 18.〉

제20조(해부명령)

① 질병관리본부장은 국민 건강에 중대한 위협을 미칠 우려가 있는 감염병으로 사망한 것으로 의심이 되어 시체를 해부(解剖)하지 아니하고는 감염병 여부의 진단과 사망의 원인규명을 할 수 없다고 인정하면 그 시체의 해부를 명할 수 있다.

② 제1항에 따라 해부를 하려면 미리 「장사 등에 관한 법률」 제2조제16호에 따른 연고자(같은 호 각 목에 규정된 선순위자가 없는 경우에는 그 다음 순위자를 말한다. 이하 "연고자"라 한다)의 동의를 받아야 한다. 다만, 소재불명 및 연락두절 등 미리 연고자의 동의를 받기 어려운 특별한 사정이 있고 해부가 늦어질 경우 감염병 예방과 국민 건강의 보호라는 목적을 달성하

기 어렵다고 판단되는 경우에는 연고자의 동의를 받지 아니하고 해부를 명할 수 있다.

③ 질병관리본부장은 감염병 전문의, 해부학, 병리학 또는 법의학을 전공한 사람을 해부를 담당하는 의사로 지정하여 해부를 하여야 한다.

④ 제3항에 따른 해부는 사망자가 걸린 것으로 의심되는 감염병의 종류별로 보건복지부장관이 정하여 고시한 생물학적 안전 등급을 갖춘 시설에서 실시하여야 한다. 〈개정 2010. 1. 18.〉

⑤ 제3항에 따른 해부를 담당하는 의사의 지정, 감염병 종류별로 갖추어야 할 시설의 기준, 해당 시체의 관리 등에 관하여 필요한 사항은 보건복지부령으로 정한다. 〈개정 2010. 1. 18.〉

제20조의2(시신의 장사방법 등)

① 보건복지부장관은 감염병환자등이 사망한 경우(사망 후 감염병병원체를 보유하였던 것으로 확인된 사람을 포함한다) 감염병의 차단과 확산 방지 등을 위하여 필요한 범위에서 그 시신의 장사방법 등을 제한할 수 있다.

② 보건복지부장관은 제1항에 따른 제한을 하려는 경우 연고자에게 해당 조치의 필요성 및 구체적인 방법·절차 등을 미리 설명하여야 한다.

③ 보건복지부장관은 화장시설의 설치·관리자에게 제1항에 따른 조치에 협조하여 줄 것을 요청할 수 있으며, 요청을 받은 화장시설의 설치·관리자는 이에 적극 협조하여야 한다.

④ 제1항에 따른 제한의 대상·방법·절차 등 필요한 사항은 보건복지부령으로 정한다.

[본조신설 2015. 12. 29.]

제5장 고위험병원체

제21조(고위험병원체의 분리 및 이동 신고 등)

① 감염병환자, 식품, 동식물, 그 밖의 환경 등으로부터 고위험병원체를 분리하거나 이미 분리된 고위험병원체를 이동하려는 자는 지체 없이 고위험병원체의 명칭, 분리된 검체명, 분리 일시 또는 이동계획을 보건복지부장관에게 신고하여야 한다. 〈개정 2010. 1. 18.〉

② 고위험병원체를 보존·관리하는 자는 매년 고위험병원체 보존현황에 대한 기록을 작성하여 질병관리본부장에게 제출하여야 한다. 〈신설 2018. 3. 27.〉

③ 제1항에 따른 신고 및 제2항에 따른 기록 작성·제출의 방법 및 절차 등에 관하여 필요한 사항은 보건복지부령으로 정한다. 〈개정 2010. 1. 18., 2018. 3. 27.〉

[제목개정 2018. 3. 27.]

제22조(고위험병원체의 반입 허가 등)

① 감염병의 진단 및 학술 연구 등을 목적으로 고위험병원체를 국내로 반입하려는 자는 대통령령으로 정하는 요건을 갖추어 보건복지부장관의 허가를 받아야 한다. 〈개정 2010. 1. 18.〉

② 제1항에 따라 허가받은 사항을 변경하려는 자는 보건복지부장관의 허가를 받아야 한다. 다만, 대통령령으로 정하는 경미한 사항을 변경하려는 경우에는 보건복지부장관에게 신고하여야 한다. 〈개정 2010. 1. 18.〉

③ 제1항에 따라 고위험병원체의 반입 허가를 받은 자가 해당 고위험병원체를 인수하여 이동하려면 대통령령으로 정하는 바에 따라 그 인수 장소를 지정하고 제21조제1항에 따라 이동계획을 보건복지부장관에게 미리 신고하여야 한다. 〈개정 2010. 1. 18.〉

④ 제1항부터 제3항까지의 규정에 따른 허가 또는 신고의 방법과 절차 등에 관하여 필요한 사항은 보건복지부령으로 정한다. 〈개정 2010. 1. 18.〉

제23조(고위험병원체의 안전관리 등)

① 고위험병원체를 검사, 보존, 관리 및 이동하려는 자는 그 검사, 보존, 관리 및 이동에 필요한 시설(이하 "고위험병원체 취급시설"이라 한다)을 설치·운영하여야 한다.

② 고위험병원체 취급시설을 설치·운영하려는 자는 고위험병원체 취급시설의 안전관리 등급별로 보건복지부장관의 허가를 받거나 보건복지부장관에게 신고하여야 한다.

③ 제2항에 따라 허가를 받은 자는 허가받은 사항을 변경하려면 변경허가를 받아야 한다. 다만, 대통령령으로 정하는 경미한 사항을 변경하려면 변경신고를 하여야 한다.

④ 제2항에 따라 신고한 자는 신고한 사항을 변경하려면 변경신고를 하여야 한다.

⑤ 제2항에 따라 허가를 받거나 신고한 자는 고위험병원체 취급시설을 폐쇄하는 경우 그 내용을 보건복지부장관에게 신고하여야 한다.

⑥ 제2항에 따라 허가를 받거나 신고한 자는 고위험병원체 취급시설의 안전관리 등급에 따라 대통령령으로 정하는 안전관리 준수사항을 지켜야 한다.

⑦ 보건복지부장관은 고위험병원체를 검사, 보존, 관리 및 이동하는 자가 제6항에 따른 안전관리 준수사항 및 제8항에 따른 허가 및 신고 기준을 지키고 있는지 여부 등을 점검할 수 있다.

⑧ 제1항부터 제5항까지의 규정에 따른 고위험병원체 취급시설의 안전관리 등급, 설치·운영 허가 및 신고의 기준과 절차, 폐쇄 신고의 기준과 절차 등에 필요한 사항은 대통령령으로 정한다.

[전문개정 2017. 12. 12.]

제23조의2(고위험병원체 취급시설의 허가취소 등)

보건복지부장관은 제23조제2항에 따라 고위험병원체 취급시설 설치·운영의 허가를 받거나 신고를 한

자가 다음 각 호의 어느 하나에 해당하는 경우에는 그 허가를 취소하거나 고위험병원체 취급시설의 폐쇄를 명하거나 1년 이내의 기간을 정하여 그 시설의 운영을 정지하도록 명할 수 있다. 다만, 제1호에 해당하는 경우에는 허가를 취소하거나 고위험병원체 취급시설의 폐쇄를 명하여야 한다.

1. 속임수나 그 밖의 부정한 방법으로 허가를 받거나 신고한 경우
2. 제23조제3항 또는 제4항에 따른 변경허가를 받지 아니하거나 변경신고를 하지 아니하고 허가 내용 또는 신고 내용을 변경한 경우
3. 제23조제6항에 따른 안전관리 준수사항을 지키지 아니한 경우
4. 제23조제8항에 따른 허가 또는 신고의 기준에 미달한 경우
   [본조신설 2017. 12. 12.]

제6장 예방접종

제24조(필수예방접종)

① 특별자치도지사 또는 시장·군수·구청장은 다음 각 호의 질병에 대하여 관할 보건소를 통하여 필수예방접종(이하 "필수예방접종"이라 한다)을 실시하여야 한다. 〈개정 2010. 1. 18., 2013. 3. 22., 2014. 3. 18., 2016. 12. 2., 2018. 3. 27.〉

1. 디프테리아
2. 폴리오
3. 백일해
4. 홍역
5. 파상풍
6. 결핵
7. B형간염
8. 유행성이하선염
9. 풍진
10. 수두
11. 일본뇌염
12. b형헤모필루스인플루엔자
13. 폐렴구균
14. 인플루엔자
15. A형간염

16. 사람유두종바이러스 감염증

17. 그 밖에 보건복지부장관이 감염병의 예방을 위하여 필요하다고 인정하여 지정하는 감염병

② 특별자치도지사 또는 시장·군수·구청장은 제1항에 따른 필수예방접종업무를 대통령령으로 정하는 바에 따라 관할구역 안에 있는 「의료법」에 따른 의료기관에 위탁할 수 있다. 〈개정 2018. 3. 27.〉

③ 특별자치도지사 또는 시장·군수·구청장은 필수예방접종 대상 아동 부모에게 보건복지부령으로 정하는 바에 따라 필수예방접종을 사전에 알려야 한다. 이 경우 「개인정보 보호법」 제24조에 따른 고유식별정보를 처리할 수 있다. 〈신설 2012. 5. 23., 2018. 3. 27.〉

[제목개정 2018. 3. 27.]

제25조(임시예방접종)

① 특별자치도지사 또는 시장·군수·구청장은 다음 각 호의 어느 하나에 해당하면 관할 보건소를 통하여 임시예방접종(이하 "임시예방접종"이라 한다)을 하여야 한다. 〈개정 2010. 1. 18.〉

1. 보건복지부장관이 감염병 예방을 위하여 특별자치도지사 또는 시장·군수·구청장에게 예방접종을 실시할 것을 요청한 경우

2. 특별자치도지사 또는 시장·군수·구청장이 감염병 예방을 위하여 예방접종이 필요하다고 인정하는 경우

② 제1항에 따른 임시예방접종업무의 위탁에 관하여는 제24조제2항을 준용한다.

제26조(예방접종의 공고)

특별자치도지사 또는 시장·군수·구청장은 임시예방접종을 할 경우에는 예방접종의 일시 및 장소, 예방접종의 종류, 예방접종을 받을 사람의 범위를 정하여 미리 공고하여야 한다. 다만, 제32조제2항에 따른 예방접종의 실시기준 등이 변경될 경우에는 그 변경 사항을 미리 공고하여야 한다.

제26조의2(예방접종 내역의 사전확인)

① 보건소장 및 제24조제2항(제25조제2항에서 준용하는 경우를 포함한다)에 따라 예방접종업무를 위탁받은 의료기관의 장은 예방접종을 하기 전에 대통령령으로 정하는 바에 따라 예방접종을 받으려는 사람 본인 또는 법정대리인의 동의를 받아 해당 예방접종을 받으려는 사람의 예방접종 내역을 확인하여야 한다. 다만, 예방접종을 받으려는 사람 또는 법정대리인의 동의를 받지 못한 경우에는 그러하지 아니하다.

② 제1항 본문에 따라 예방접종을 확인하는 경우 제33조의2에 따른 예방접종통합관리시스템을 활용하여 그 내역을 확인할 수 있다.

[본조신설 2015. 12. 29.]

제27조(예방접종증명서)

① 보건복지부장관, 특별자치도지사 또는 시장·군수·구청장은 필수예방접종 또는 임시예방접종을 받은 사람 본인 또는 법정대리인에게 보건복지부령으로 정하는 바에 따라 예방접종증명서를 발급하여야 한다. 〈개정 2010. 1. 18., 2015. 12. 29., 2018. 3. 27.〉

② 특별자치도지사나 시장·군수·구청장이 아닌 자가 이 법에 따른 예방접종을 한 때에는 보건복지부장관, 특별자치도지사 또는 시장·군수·구청장은 보건복지부령으로 정하는 바에 따라 해당 예방접종을 한 자로 하여금 예방접종증명서를 발급하게 할 수 있다. 〈개정 2010. 1. 18., 2015. 12. 29.〉

③ 제1항 및 제2항에 따른 예방접종증명서는 전자문서를 이용하여 발급할 수 있다.

제28조(예방접종 기록의 보존 및 보고 등)

① 특별자치도지사 또는 시장·군수·구청장은 필수예방접종 및 임시예방접종을 하거나, 제2항에 따라 보고를 받은 경우에는 보건복지부령으로 정하는 바에 따라 예방접종에 관한 기록을 작성·보관하여야 하고, 그 내용을 시·도지사 및 보건복지부장관에게 각각 보고하여야 한다. 〈개정 2010. 1. 18., 2018. 3. 27.〉

② 특별자치도지사나 시장·군수·구청장이 아닌 자가 이 법에 따른 예방접종을 하면 보건복지부령으로 정하는 바에 따라 특별자치도지사 또는 시장·군수·구청장에게 보고하여야 한다. 〈개정 2010. 1. 18.〉

제29조(예방접종에 관한 역학조사)

질병관리본부장, 시·도지사 또는 시장·군수·구청장은 다음 각 호의 구분에 따라 조사를 실시하고, 예방접종 후 이상반응 사례가 발생하면 그 원인을 밝히기 위하여 제18조에 따라 역학조사를 하여야 한다.

1. 질병관리본부장: 예방접종의 효과 및 예방접종 후 이상반응에 관한 조사
2. 시·도지사 또는 시장·군수·구청장: 예방접종 후 이상반응에 관한 조사

제30조(예방접종피해조사반)

① 제71조제1항 및 제2항에 규정된 예방접종으로 인한 질병·장애·사망의 원인 규명 및 피해 보상 등을 조사하고 제72조제1항에 따른 제3자의 고의 또는 과실 유무를 조사하기 위하여 질병관리본부에 예방접종피해조사반을 둔다.

② 제1항에 따른 예방접종피해조사반의 설치 및 운영 등에 관하여 필요한 사항은 대통령령으로 정한다.

제31조(예방접종 완료 여부의 확인)

① 특별자치도지사 또는 시장·군수·구청장은 초등학교와 중학교의 장에게 「학교보건법」 제10조에 따른 예방접종 완료 여부에 대한 검사 기록을 제출하도록 요청할 수 있다.

② 특별자치도지사 또는 시장·군수·구청장은 「유아교육법」에 따른 유치원의 장과 「영유아보육법」에 따른 어린이집의 원장에게 보건복지부령으로 정하는 바에 따라 영유아의 예방접종 여부를 확인하도록 요청할 수 있다. 〈개정 2010. 1. 18., 2011. 6. 7.〉

③ 특별자치도지사 또는 시장·군수·구청장은 제1항에 따른 제출 기록 및 제2항에 따른 확인 결과를 확인하여 예방접종을 끝내지 못한 영유아, 학생 등이 있으면 그 영유아 또는 학생 등에게 예방접종을 하여야 한다.

제32조(예방접종의 실시주간 및 실시기준 등)

① 보건복지부장관은 국민의 예방접종에 대한 관심을 높여 감염병에 대한 예방접종을 활성화하기 위하여 예방접종주간을 설정할 수 있다. 〈개정 2010. 1. 18.〉

② 예방접종의 실시기준과 방법 등에 관하여 필요한 사항은 보건복지부령으로 정한다. 〈개정 2010. 1. 18.〉

제33조(예방접종약품의 계획 생산)

① 보건복지부장관은 예산의 범위에서 감염병의 예방접종에 필요한 수량의 예방접종약품을 미리 계산하여 「약사법」 제31조에 따른 의약품 제조업자(이하 "의약품 제조업자"라 한다)에게 생산하게 할 수 있으며, 예방접종약품을 연구하는 자 등을 지원할 수 있다. 〈개정 2010. 1. 18.〉

② 보건복지부장관은 보건복지부령으로 정하는 바에 따라 제1항에 따른 예방접종약품의 생산에 드는 비용의 전부 또는 일부를 해당 의약품 제조업자에게 미리 지급할 수 있다. 〈개정 2010. 1. 18.〉

제33조의2(예방접종통합관리시스템의 구축·운영 등)

① 보건복지부장관은 예방접종업무에 필요한 각종 자료 또는 정보의 효율적 처리와 기록·관리업무의 전산화를 위하여 예방접종통합관리시스템(이하 "통합관리시스템"이라 한다)을 구축·운영하여야 한다.

② 보건복지부장관은 통합관리시스템을 구축·운영하기 위하여 다음 각 호의 자료를 수집·관

리·보유할 수 있으며, 관련 기관 및 단체에 필요한 자료의 제공을 요청할 수 있다. 이 경우 자료의 제공을 요청받은 기관 및 단체는 정당한 사유가 없으면 이에 따라야 한다.

1. 예방접종 대상자의 인적사항(「개인정보 보호법」 제24조에 따른 고유식별정보 등 대통령령으로 정하는 개인정보를 포함한다)
2. 예방접종을 받은 사람의 이름, 접종명, 접종일시 등 예방접종 실시 내역
3. 예방접종 위탁 의료기관 개설 정보, 예방접종 피해보상 신청 내용 등 그 밖에 예방접종업무를 하는 데에 필요한 자료로서 대통령령으로 정하는 자료

③ 보건소장 및 제24조제2항(제25조제2항에서 준용하는 경우를 포함한다)에 따라 예방접종업무를 위탁받은 의료기관의 장은 이 법에 따른 예방접종을 하면 제2항제2호의 정보를 대통령령으로 정하는 바에 따라 통합관리시스템에 입력하여야 한다.

④ 보건복지부장관은 대통령령으로 정하는 바에 따라 통합관리시스템을 활용하여 예방접종 대상 아동 부모에게 자녀의 예방접종 내역을 제공하거나 예방접종증명서 발급을 지원할 수 있다. 이 경우 예방접종 내역 제공 또는 예방접종증명서 발급의 적정성을 확인하기 위하여 법원행정처장에게 「가족관계의 등록 등에 관한 법률」 제11조에 따른 등록전산정보자료를 요청할 수 있으며, 법원행정처장은 정당한 사유가 없으면 이에 따라야 한다.

⑤ 통합관리시스템은 예방접종업무와 관련된 다음 각 호의 정보시스템과 전자적으로 연계하여 활용할 수 있다.

1. 「초·중등교육법」 제30조의4에 따른 교육정보시스템
2. 「유아교육법」 제19조의2에 따른 유아교육정보시스템
3. 「전자정부법」 제9조에 따른 통합전자민원창구 등 그 밖에 보건복지부령으로 정하는 정보시스템

⑥ 제1항부터 제5항까지의 정보의 보호 및 관리에 관한 사항은 이 법에서 규정된 것을 제외하고는 「개인정보 보호법」의 규정에 따른다.

[본조신설 2015. 12. 29.]

제7장 감염 전파의 차단 조치

제34조(감염병 위기관리대책의 수립 · 시행)

① 보건복지부장관은 감염병의 확산 또는 해외 신종감염병의 국내 유입으로 인한 재난상황에 대처하기 위하여 위원회의 심의를 거쳐 감염병 위기관리대책(이하 "감염병 위기관리대책"이라 한다)을 수립·시행하여야 한다. 〈개정 2010. 1. 18., 2015. 7. 6.〉

② 감염병 위기관리대책에는 다음 각 호의 사항이 포함되어야 한다. 〈개정 2010. 1. 18., 2015. 7. 6.〉

　　1. 재난상황 발생 및 해외 신종감염병 유입에 대한 대응체계 및 기관별 역할

　　2. 재난 및 위기상황의 판단, 위기경보 결정 및 관리체계

　　3. 감염병위기 시 동원하여야 할 의료인 등 전문인력, 시설, 의료기관의 명부 작성

　　4. 의료용품의 비축방안 및 조달방안

　　5. 재난 및 위기상황별 국민행동요령, 동원 대상 인력, 시설, 기관에 대한 교육 및 도상연습 등 실제 상황대비 훈련

　　6. 그 밖에 재난상황 및 위기상황 극복을 위하여 필요하다고 보건복지부장관이 인정하는 사항

③ 보건복지부장관은 감염병 위기관리대책에 따른 정기적인 훈련을 실시하여야 한다. 〈신설 2015. 7. 6.〉

④ 감염병 위기관리대책의 수립 및 시행 등에 필요한 사항은 대통령령으로 정한다. 〈개정 2015. 7. 6.〉

제34조의2(감염병위기 시 정보공개)

① 보건복지부장관은 국민의 건강에 위해가 되는 감염병 확산 시 감염병 환자의 이동경로, 이동수단, 진료의료기관 및 접촉자 현황 등 국민들이 감염병 예방을 위하여 알아야 하는 정보를 신속히 공개하여야 한다. 다만, 공개된 사항 중 사실과 다르거나 의견이 있는 당사자는 보건복지부장관에게 이의신청을 할 수 있다.

② 제1항에 따른 정보공개의 범위, 절차 및 방법 등에 관하여 필요한 사항은 보건복지부령으로 정한다.

[본조신설 2015. 7. 6.]

제35조(시 · 도별 감염병 위기관리대책의 수립 등)

① 보건복지부장관은 제34조제1항에 따라 수립한 감염병 위기관리대책을 시·도지사에게 알려야 한다. 〈개정 2010. 1. 18.〉

② 시·도지사는 제1항에 따라 통보된 감염병 위기관리대책에 따라 특별시·광역시·도·특별자치도(이하 "시·도"라 한다)별 감염병 위기관리대책을 수립·시행하여야 한다.

제35조의2(재난 시 의료인에 대한 거짓 진술 등의 금지)

누구든지 감염병에 관하여 「재난 및 안전관리 기본법」 제38조제2항에 따른 주의 이상의 예보 또는 경보가 발령된 후에는 의료인에 대하여 의료기관 내원(內院)이력 및 진료이력 등 감염 여부 확인에 필요한 사실에 관하여 거짓 진술, 거짓 자료를 제출하거나 고의적으로 사실을 누락·은폐하여서는 아니 된

다. 〈개정 2017. 12. 12.〉

[본조신설 2015. 7. 6.]

제36조(감염병관리기관의 지정 등)

① 시·도지사 또는 시장·군수·구청장은 보건복지부령으로 정하는 바에 따라 「의료법」에 따른 의료기관을 감염병관리기관으로 지정할 수 있다. 〈개정 2010. 1. 18.〉

② 제1항에 따라 지정받은 의료기관(이하 "감염병관리기관"이라 한다)의 장은 감염병을 예방하고 감염병환자등을 진료하는 시설(이하 "감염병관리시설"이라 한다)을 설치하여야 한다. 이 경우 보건복지부령으로 정하는 일정규모 이상의 감염병관리기관에는 감염병의 전파를 막기 위하여 전실(前室) 및 음압시설(陰壓施設) 등을 갖춘 1인 병실을 보건복지부령으로 정하는 기준에 따라 설치하여야 한다. 〈개정 2010. 1. 18., 2015. 12. 29.〉

③ 시·도지사 또는 시장·군수·구청장은 감염병관리시설의 설치 및 운영에 드는 비용을 감염병관리기관에 지원하여야 한다.

④ 감염병관리기관이 아닌 의료기관이 감염병관리시설을 설치·운영하려면 보건복지부령으로 정하는 바에 따라 특별자치도지사 또는 시장·군수·구청장에게 신고하여야 한다. 〈개정 2010. 1. 18.〉

⑤ 시·도지사 또는 시장·군수·구청장은 감염병 발생 등 긴급상황 발생 시 감염병관리기관에 진료개시 등 필요한 사항을 지시할 수 있다. 〈신설 2015. 7. 6.〉

제37조(감염병위기 시 감염병관리기관의 설치 등)

① 보건복지부장관, 시·도지사 또는 시장·군수·구청장은 감염병환자가 대량으로 발생하거나 제36조에 따라 지정된 감염병관리기관만으로 감염병환자등을 모두 수용하기 어려운 경우에는 다음 각 호의 조치를 취할 수 있다. 〈개정 2010. 1. 18.〉

　1. 제36조에 따라 지정된 감염병관리기관이 아닌 의료기관을 일정 기간 동안 감염병관리기관으로 지정

　2. 격리소·요양소 또는 진료소의 설치·운영

② 제1항제1호에 따라 지정된 감염병관리기관의 장은 보건복지부령으로 정하는 바에 따라 감염병관리시설을 설치하여야 한다. 〈개정 2010. 1. 18.〉

③ 보건복지부장관, 시·도지사 또는 시장·군수·구청장은 제2항에 따른 시설의 설치 및 운영에 드는 비용을 감염병관리기관에 지원하여야 한다. 〈개정 2010. 1. 18.〉

④ 제1항제1호에 따라 지정된 감염병관리기관의 장은 정당한 사유없이 제2항의 명령을 거부할 수 없다.

⑤ 보건복지부장관, 시·도지사 또는 시장·군수·구청장은 감염병 발생 등 긴급상황 발생 시 감염병관리기관에 진료개시 등 필요한 사항을 지시할 수 있다. 〈신설 2015. 7. 6., 2018. 3. 27.〉

제38조(감염병환자등의 입소 거부 금지)

감염병관리기관은 정당한 사유 없이 감염병환자등의 입소(入所)를 거부할 수 없다.

제39조(감염병관리시설 등의 설치 및 관리방법)

감염병관리시설 및 제37조에 따른 격리소·요양소 또는 진료소의 설치 및 관리방법 등에 관하여 필요한 사항은 보건복지부령으로 정한다. 〈개정 2010. 1. 18.〉

제39조의2(감염병관리시설 평가)

보건복지부장관, 시·도지사 및 시장·군수·구청장은 감염병관리시설을 정기적으로 평가하고 그 결과를 시설의 감독·지원 등에 반영할 수 있다. 이 경우 평가의 방법, 절차, 시기 및 감독·지원의 내용 등은 보건복지부령으로 정한다.

[본조신설 2015. 12. 29.]

제39조의3(접촉자 격리시설 지정)

① 시·도지사는 감염병 발생 또는 유행 시 감염병환자등의 접촉자를 격리하기 위한 시설(이하 "접촉자 격리시설"이라 한다)을 지정하여야 한다. 다만, 「의료법」 제3조에 따른 의료기관은 접촉자 격리시설로 지정할 수 없다.

② 보건복지부장관 또는 시·도지사는 감염병환자등의 접촉자가 대량으로 발생하거나 제1항에 따라 지정된 접촉자 격리시설만으로 접촉자를 모두 수용하기 어려운 경우에는 제1항에 따라 접촉자 격리시설로 지정되지 아니한 시설을 일정기간 동안 접촉자 격리시설로 지정할 수 있다.

③ 제1항 및 제2항에 따른 접촉자 격리시설의 지정 및 관리 방법 등에 필요한 사항은 보건복지부령으로 정한다.

[본조신설 2018. 3. 27.]

제40조(생물테러감염병 등에 대비한 의약품 및 장비의 비축)

① 보건복지부장관은 생물테러감염병 및 그 밖의 감염병의 대유행이 우려되면 위원회의 심의를 거쳐 예방·치료 의약품 및 장비 등의 품목을 정하여 미리 비축하거나 장기 구매를 위한 계약을 미리 할 수 있다. 〈개정 2010. 1. 18.〉

② 보건복지부장관은 「약사법」 제31조에도 불구하고 생물테러감염병이나 그 밖의 감염병의 대유

행이 우려되면 예방·치료 의약품을 정하여 의약품 제조업자에게 생산하게 할 수 있다. 〈개정 2010. 1. 18.〉

③ 보건복지부장관은 제2항에 따른 예방·치료 의약품의 효과와 이상반응에 관하여 조사하고, 이상반응 사례가 발생하면 제18조에 따라 역학조사를 하여야 한다. 〈개정 2010. 1. 18.〉

제40조의2(감염병 대비 의약품 공급의 우선순위 등 분배기준)

보건복지부장관은 생물테러감염병이나 그 밖의 감염병의 대유행에 대비하여 제40조제1항 및 제2항에 따라 비축하거나 생산한 의약품 공급의 우선순위 등 분배기준, 그 밖에 필요한 사항을 위원회의 심의를 거쳐 정할 수 있다.

[본조신설 2014. 3. 18.]

제41조(감염병환자등의 관리)

① 감염병 중 특히 전파 위험이 높은 감염병으로서 제1급감염병 및 보건복지부장관이 고시한 감염병에 걸린 감염병환자등은 감염병관리기관에서 입원치료를 받아야 한다. 〈개정 2010. 1. 18., 2018. 3. 27.〉

② 보건복지부장관, 시·도지사 또는 시장·군수·구청장은 감염병관리기관의 병상(病床)이 포화상태에 이르러 감염병환자등을 수용하기 어려운 경우에는 감염병관리기관이 아닌 다른 의료기관에서 입원치료하게 할 수 있다. 〈개정 2010. 1. 18.〉

③ 보건복지부장관, 시·도지사 또는 시장·군수·구청장은 다음 각 호의 어느 하나에 해당하는 사람에게 자가(自家) 또는 감염병관리시설에서 치료하게 할 수 있다. 〈개정 2010. 1. 18.〉

1. 제1항 및 제2항에 따른 입원치료 대상자가 아닌 사람

2. 감염병환자등과 접촉하여 감염병이 감염되거나 전파될 우려가 있는 사람

④ 제1항부터 제3항까지의 규정에 따른 자가치료 및 입원치료의 방법 및 절차 등에 관하여 필요한 사항은 대통령령으로 정한다.

[시행일 : 2020.1.1.] 제41조

제41조의2(사업주의 협조의무)

① 사업주는 근로자가 이 법에 따라 입원 또는 격리되는 경우 「근로기준법」 제60조 외에 그 입원 또는 격리기간 동안 유급휴가를 줄 수 있다. 이 경우 사업주가 국가로부터 유급휴가를 위한 비용을 지원 받을 때에는 유급휴가를 주어야 한다.

② 사업주는 제1항에 따른 유급휴가를 이유로 해고나 그 밖의 불리한 처우를 하여서는 아니 되며, 유급휴가 기간에는 그 근로자를 해고하지 못한다. 다만, 사업을 계속할 수 없는 경우에는

그러하지 아니하다.

③ 국가는 제1항에 따른 유급휴가를 위한 비용을 지원할 수 있다.

④ 제3항에 따른 비용의 지원 범위 및 신청·지원 절차 등 필요한 사항은 대통령령으로 정한다.

[본조신설 2015. 12. 29.]

제42조(감염병에 관한 강제처분)

① 보건복지부장관, 시·도지사 또는 시장·군수·구청장은 해당 공무원으로 하여금 다음 각 호의 어느 하나에 해당하는 감염병환자등이 있다고 인정되는 주거시설, 선박·항공기·열차 등 운송수단 또는 그 밖의 장소에 들어가 필요한 조사나 진찰을 하게 할 수 있으며, 그 진찰 결과 감염병환자등으로 인정될 때에는 동행하여 치료받게 하거나 입원시킬 수 있다. 〈개정 2010. 1. 18., 2018. 3. 27.〉

1. 제1급감염병

2. 제2급감염병 중 결핵, 홍역, 콜레라, 장티푸스, 파라티푸스, 세균성이질, 장출혈성대장균감염증, A형간염, 수막구균 감염증, 폴리오, 성홍열 또는 보건복지부장관이 정하는 감염병

3. 삭제 〈2018. 3. 27.〉

4. 제3급감염병 중 보건복지부장관이 정하는 감염병

5. 세계보건기구 감시대상 감염병

6. 삭제 〈2018. 3. 27.〉

② 보건복지부장관, 시·도지사 또는 시장·군수·구청장은 제1항에 따른 감염병환자등의 확인을 위한 조사·진찰을 거부하는 사람(이하 이 조에서 "조사거부자"라 한다)에 대해서는 해당 공무원으로 하여금 감염병관리기관에 동행하여 필요한 조사나 진찰을 받게 하여야 한다. 〈개정 2015. 12. 29.〉

③ 제1항 및 제2항에 따라 조사·진찰을 하거나 동행하는 공무원은 그 권한을 증명하는 증표를 지니고 이를 관계인에게 보여주어야 한다. 〈신설 2015. 12. 29.〉

④ 보건복지부장관, 시·도지사 또는 시장·군수·구청장은 제2항에 따른 조사·진찰을 위하여 필요한 경우에는 관할 경찰서장에게 이에 필요한 협조를 요청할 수 있다. 이 경우 요청을 받은 관할 경찰서장은 정당한 사유가 없으면 이에 따라야 한다. 〈신설 2015. 12. 29.〉

⑤ 보건복지부장관, 시·도지사 또는 시장·군수·구청장은 조사거부자를 자가 또는 감염병관리시설에 격리할 수 있으며, 제2항에 따른 조사·진찰 결과 감염병환자등으로 인정될 때에는 감염병관리시설에서 치료받게 하거나 입원시켜야 한다. 〈신설 2015. 12. 29.〉

⑥ 보건복지부장관, 시·도지사 또는 시장·군수·구청장은 조사거부자가 감염병환자등이 아닌 것으로 인정되면 제5항에 따른 격리조치를 즉시 해제하여야 한다. 〈신설 2015. 12. 29.〉

⑦ 보건복지부장관, 시·도지사 또는 시장·군수·구청장은 제5항에 따라 조사거부자를 치료·입원시킨 경우 그 사실을 조사거부자의 보호자에게 통지하여야 한다. 〈신설 2015. 12. 29.〉

⑧ 제6항에도 불구하고 정당한 사유 없이 격리조치가 해제되지 아니하는 경우 조사거부자는 구제청구를 할 수 있으며, 그 절차 및 방법 등에 대해서는 「인신보호법」을 준용한다. 이 경우 "조사거부자"는 "피수용자"로, 격리조치를 명한 "보건복지부장관, 시·도지사 또는 시장·군수·구청장"은 "수용자"로 본다(다만, 「인신보호법」 제6조제1항제3호는 적용을 제외한다). 〈신설 2015. 12. 29.〉

⑨ 제2항 및 제5항에 따라 조사 또는 진찰을 하거나 격리 등을 하는 기관의 지정 및 기준 등 필요한 사항은 대통령령으로 정한다. 〈신설 2015. 12. 29.〉

[시행일 : 2020.1.1.] 제42조

제43조(감염병환자등의 입원 통지)

① 보건복지부장관, 시·도지사 또는 시장·군수·구청장은 감염병환자등이 제41조에 따른 입원치료가 필요한 경우에는 그 사실을 입원치료 대상자와 그 보호자에게 통지하여야 한다. 〈개정 2010. 1. 18.〉

② 제1항에 따른 통지의 방법·절차 등에 관하여 필요한 사항은 보건복지부령으로 정한다. 〈개정 2010. 1. 18.〉

제44조(수감 중인 환자의 관리)

교도소장은 수감자로서 감염병에 감염된 자에게 감염병의 전파를 차단하기 위한 조치와 적절한 의료를 제공하여야 한다.

제45조(업무 종사의 일시 제한)

① 감염병환자등은 보건복지부령으로 정하는 바에 따라 업무의 성질상 일반인과 접촉하는 일이 많은 직업에 종사할 수 없고, 누구든지 감염병환자등을 그러한 직업에 고용할 수 없다. 〈개정 2010. 1. 18.〉

② 제19조에 따른 성매개감염병에 관한 건강진단을 받아야 할 자가 건강진단을 받지 아니한 때에는 같은 조에 따른 직업에 종사할 수 없으며 해당 영업을 영위하는 자는 건강진단을 받지 아니한 자를 그 영업에 종사하게 하여서는 아니 된다.

제46조(건강진단 및 예방접종 등의 조치)

보건복지부장관, 시·도지사 또는 시장·군수·구청장은 보건복지부령으로 정하는 바에 따라 다음 각 호의 어느 하나에 해당하는 사람에게 건강진단을 받거나 감염병 예방에 필요한 예방접종을 받게 하는 등의 조치를 할 수 있다. 〈개정 2010. 1. 18., 2015. 7. 6.〉

    1. 감염병환자등의 가족 또는 그 동거인

    2. 감염병 발생지역에 거주하는 사람 또는 그 지역에 출입하는 사람으로서 감염병에 감염되었을 것으로 의심되는 사람

    3. 감염병환자등과 접촉하여 감염병에 감염되었을 것으로 의심되는 사람

제47조(감염병 유행에 대한 방역 조치)

보건복지부장관, 시·도지사 또는 시장·군수·구청장은 감염병이 유행하면 감염병 전파를 막기 위하여 다음 각 호에 해당하는 모든 조치를 하거나 그에 필요한 일부 조치를 하여야 한다. 〈개정 2015. 7. 6.〉

    1. 감염병환자등이 있는 장소나 감염병병원체에 오염되었다고 인정되는 장소에 대한 다음 각 목의 조치

        가. 일시적 폐쇄

        나. 일반 공중의 출입금지

        다. 해당 장소 내 이동제한

        라. 그 밖에 통행차단을 위하여 필요한 조치

    2. 의료기관에 대한 업무 정지

    3. 감염병병원체에 감염되었다고 의심되는 사람을 적당한 장소에 일정한 기간 입원 또는 격리시키는 것

    4. 감염병병원체에 오염되었거나 오염되었다고 의심되는 물건을 사용·접수·이동하거나 버리는 행위 또는 해당 물건의 세척을 금지하거나 태우거나 폐기처분하는 것

    5. 감염병병원체에 오염된 장소에 대한 소독이나 그 밖에 필요한 조치를 명하는 것

    6. 일정한 장소에서 세탁하는 것을 막거나 오물을 일정한 장소에서 처리하도록 명하는 것

제48조(오염장소 등의 소독 조치)

    ① 육군·해군·공군 소속 부대의 장, 국방부직할부대의 장 및 제12조제1항 각 호의 어느 하나에 해당하는 사람은 감염병환자등이 발생한 장소나 감염병병원체에 오염되었다고 의심되는 장소에 대하여 의사, 한의사 또는 관계 공무원의 지시에 따라 소독이나 그 밖에 필요한 조치를 하여야 한다.

    ② 제1항에 따른 소독 등의 조치에 관하여 필요한 사항은 보건복지부령으로 정한다. 〈개정 2010. 1. 18.〉

제8장 예방 조치

제49조(감염병의 예방 조치)

① 보건복지부장관, 시·도지사 또는 시장·군수·구청장은 감염병을 예방하기 위하여 다음 각 호에 해당하는 모든 조치를 하거나 그에 필요한 일부 조치를 하여야 한다. 〈개정 2015. 7. 6., 2015. 12. 29.〉

1. 관할 지역에 대한 교통의 전부 또는 일부를 차단하는 것

2. 흥행, 집회, 제례 또는 그 밖의 여러 사람의 집합을 제한하거나 금지하는 것

3. 건강진단, 시체 검안 또는 해부를 실시하는 것

4. 감염병 전파의 위험성이 있는 음식물의 판매·수령을 금지하거나 그 음식물의 폐기나 그 밖에 필요한 처분을 명하는 것

5. 인수공통감염병 예방을 위하여 살처분(殺處分)에 참여한 사람 또는 인수공통감염병에 드러난 사람 등에 대한 예방조치를 명하는 것

6. 감염병 전파의 매개가 되는 물건의 소지·이동을 제한·금지하거나 그 물건에 대하여 폐기, 소각 또는 그 밖에 필요한 처분을 명하는 것

7. 선박·항공기·열차 등 운송 수단, 사업장 또는 그 밖에 여러 사람이 모이는 장소에 의사를 배치하거나 감염병 예방에 필요한 시설의 설치를 명하는 것

8. 공중위생에 관계있는 시설 또는 장소에 대한 소독이나 그 밖에 필요한 조치를 명하거나 상수도·하수도·우물·쓰레기장·화장실의 신설·개조·변경·폐지 또는 사용을 금지하는 것

9. 쥐, 위생해충 또는 그 밖의 감염병 매개동물의 구제(驅除) 또는 구제시설의 설치를 명하는 것

10. 일정한 장소에서의 어로(漁撈)·수영 또는 일정한 우물의 사용을 제한하거나 금지하는 것

11. 감염병 매개의 중간 숙주가 되는 동물류의 포획 또는 생식을 금지하는 것

12. 감염병 유행기간 중 의료인·의료업자 및 그 밖에 필요한 의료관계요원을 동원하는 것

13. 감염병병원체에 오염된 건물에 대한 소독이나 그 밖에 필요한 조치를 명하는 것

14. 감염병병원체에 감염되었다고 의심되는 자를 적당한 장소에 일정한 기간 입원 또는 격리시키는 것

② 시·도지사 또는 시장·군수·구청장은 제1항제8호 및 제10호에 따라 식수를 사용하지 못하게 하려면 그 사용금지기간 동안 별도로 식수를 공급하여야 하며, 제1항제1호·제2호·제6호·제8호·제10호 및 제11호에 따른 조치를 하려면 그 사실을 주민에게 미리 알려야 한다.

제50조(그 밖의 감염병 예방 조치)

① 육군·해군·공군 소속 부대의 장, 국방부직할부대의 장 및 제12조제1항제2호에 해당하는 사

람은 감염병환자등이 발생하였거나 발생할 우려가 있으면 소독이나 그 밖에 필요한 조치를
하여야 하고, 특별자치도지사 또는 시장·군수·구청장과 협의하여 감염병 예방에 필요한 추
가 조치를 하여야 한다. 〈개정 2015. 7. 6.〉

② 교육부장관 또는 교육감은 감염병 발생 등을 이유로 「학교보건법」 제2조제2호의 학교에 대하
여 「초·중등교육법」 제64조에 따른 휴업 또는 휴교를 명령하거나 「유아교육법」 제31조에 따른
휴업 또는 휴원을 명령할 경우 보건복지부장관과 협의하여야 한다. 〈신설 2015. 7. 6.〉

제51조(소독 의무)

① 특별자치도지사 또는 시장·군수·구청장은 감염병을 예방하기 위하여 보건복지부령으로 정
하는 바에 따라 청소나 소독을 실시하거나 쥐, 위생해충 등의 구제조치(이하 "소독"이라 한다)
를 하여야 한다. 〈개정 2010. 1. 18.〉

② 공동주택, 숙박업소 등 여러 사람이 거주하거나 이용하는 시설 중 대통령령으로 정하는 시설
을 관리·운영하는 자는 보건복지부령으로 정하는 바에 따라 감염병 예방에 필요한 소독을
하여야 한다. 〈개정 2010. 1. 18.〉

③ 제2항에 따라 소독을 하여야 하는 시설의 관리·운영자는 제52조제1항에 따라 소독업의 신고
를 한 자에게 소독하게 하여야 한다. 다만, 「공동주택관리법」 제2조제1항제15호에 따른 주택
관리업자가 제52조제1항에 따른 소독장비를 갖추었을 때에는 그가 관리하는 공동주택은 직
접 소독할 수 있다. 〈개정 2015. 8. 11.〉

제52조(소독업의 신고 등)

① 소독을 업으로 하려는 자(제51조제3항 단서에 따른 주택관리업자는 제외한다)는 보건복지부
령으로 정하는 시설·장비 및 인력을 갖추어 특별자치도지사 또는 시장·군수·구청장에게 신
고하여야 한다. 신고한 사항을 변경하려는 경우에도 또한 같다. 〈개정 2010. 1. 18.〉

② 특별자치도지사 또는 시장·군수·구청장은 제1항에 따라 소독업의 신고를 한 자(이하 "소독업
자"라 한다)가 다음 각 호의 어느 하나에 해당하면 소독업 신고가 취소된 것으로 본다. 〈개정
2017. 12. 12., 2018. 12. 31.〉

1. 「부가가치세법」 제8조제7항에 따라 관할 세무서장에게 폐업 신고를 한 경우

2. 「부가가치세법」 제8조제8항에 따라 관할 세무서장이 사업자등록을 말소한 경우

3. 제53조에 따른 휴업이나 폐업 신고를 하지 아니하고 소독업에 필요한 시설 등이 없어진 상
태가 6개월 이상 계속된 경우

③ 특별자치도지사 또는 시장·군수·구청장은 제2항에 따른 소독업 신고가 취소된 것으로 보기
위하여 필요한 경우 관할 세무서장에게 소독업자의 폐업여부에 대한 정보 제공을 요청할 수

있다. 이 경우 요청을 받은 관할 세무서장은 「전자정부법」 제36조제1항에 따라 소독업자의 폐업여부에 대한 정보를 제공하여야 한다. 〈신설 2017. 12. 12.〉

제53조(소독업의 휴업 등의 신고)

소독업자가 그 영업을 30일 이상 휴업하거나 폐업 또는 재개업하려면 보건복지부령으로 정하는 바에 따라 특별자치도지사 또는 시장·군수·구청장에게 신고하여야 한다. 〈개정 2010. 1. 18.〉

제54조(소독의 실시 등)

① 소독업자는 보건복지부령으로 정하는 기준과 방법에 따라 소독하여야 한다. 〈개정 2010. 1. 18.〉

② 소독업자가 소독하였을 때에는 보건복지부령으로 정하는 바에 따라 그 소독에 관한 사항을 기록·보존하여야 한다. 〈개정 2010. 1. 18.〉

제55조(소독업자 등에 대한 교육)

① 소독업자(법인인 경우에는 그 대표자를 말한다. 이하 이 조에서 같다)는 소독에 관한 교육을 받아야 한다.

② 소독업자는 소독업무 종사자에게 소독에 관한 교육을 받게 하여야 한다.

③ 제1항 및 제2항에 따른 교육의 내용과 방법, 교육시간, 교육비 부담 등에 관하여 필요한 사항은 보건복지부령으로 정한다. 〈개정 2010. 1. 18.〉

제56조(소독업무의 대행)

특별자치도지사 또는 시장·군수·구청장은 제47조제5호, 제48조제1항, 제49조제1항제8호·제9호·제13호, 제50조 및 제51조제1항·제2항에 따라 소독을 실시하여야 할 경우에는 그 소독업무를 소독업자가 대행하게 할 수 있다. 〈개정 2015. 7. 6.〉

제57조(서류제출 및 검사 등)

① 특별자치도지사 또는 시장·군수·구청장은 소속 공무원으로 하여금 소독업자에게 소독의 실시에 관한 관계 서류의 제출을 요구하게 하거나 검사 또는 질문을 하게 할 수 있다.

② 제1항에 따라 서류제출을 요구하거나 검사 또는 질문을 하려는 소속 공무원은 그 권한을 표시하는 증표를 지니고 이를 관계인에게 보여주어야 한다.

제58조(시정명령)

특별자치도지사 또는 시장·군수·구청장은 소독업자가 다음 각 호의 어느 하나에 해당하면 1개월 이상의 기간을 정하여 그 위반 사항을 시정하도록 명하여야 한다.

  1. 제52조제1항에 따른 시설·장비 및 인력 기준을 갖추지 못한 경우

  2. 제55조제1항에 따른 교육을 받지 아니하거나 소독업무 종사자에게 같은 조 제2항에 따른 교육을 받게 하지 아니한 경우

제59조(영업정지 등)

 ① 특별자치도지사 또는 시장·군수·구청장은 소독업자가 다음 각 호의 어느 하나에 해당하면 영업소의 폐쇄를 명하거나 6개월 이내의 기간을 정하여 영업의 정지를 명할 수 있다. 다만, 제5호에 해당하는 경우에는 영업소의 폐쇄를 명하여야 한다.

  1. 제52조제1항 후단에 따른 변경 신고를 하지 아니하거나 제53조에 따른 휴업, 폐업 또는 재개업 신고를 하지 아니한 경우

  2. 제54조제1항에 따른 소독의 기준과 방법에 따르지 아니하고 소독을 실시하거나 같은 조 제2항을 위반하여 소독실시 사항을 기록·보존하지 아니한 경우

  3. 제57조에 따른 관계 서류의 제출 요구에 따르지 아니하거나 소속 공무원의 검사 및 질문을 거부·방해 또는 기피한 경우

  4. 제58조에 따른 시정명령에 따르지 아니한 경우

  5. 영업정지기간 중에 소독업을 한 경우

 ② 특별자치도지사·시장·군수·구청장은 제1항에 따른 영업소의 폐쇄명령을 받고도 계속하여 영업을 하거나 제52조제1항에 따른 신고를 하지 아니하고 소독업을 하는 경우에는 관계 공무원에게 해당 영업소를 폐쇄하기 위한 다음 각 호의 조치를 하게 할 수 있다.

  1. 해당 영업소의 간판이나 그 밖의 영업표지 등의 제거·삭제

  2. 해당 영업소가 적법한 영업소가 아님을 알리는 게시물 등의 부착

 ③ 제1항에 따른 행정처분의 기준은 그 위반행위의 종류와 위반 정도 등을 고려하여 보건복지부령으로 정한다. 〈개정 2010. 1. 18.〉

제9장 방역관, 역학조사관, 검역위원 및 예방위원 등 〈개정 2015. 7. 6.〉

제60조(방역관)

 ① 보건복지부장관 및 시·도지사는 감염병 예방 및 방역에 관한 업무를 담당하는 방역관을 소속 공무원 중에서 임명한다. 다만, 시·도지사는 감염병 예방 및 방역에 관한 업무를 처리하기 위하여 필요한 경우 시·군·구에도 방역관을 배치할 수 있다.

② 방역관은 제4조제2항제1호부터 제7호까지의 업무를 담당한다. 다만, 보건복지부 소속 방역관은 같은 항 제8호의 업무도 담당한다.

③ 방역관은 감염병의 국내 유입 또는 유행이 예견되어 긴급한 대처가 필요한 경우 제4조제2항제1호 및 제2호에 따른 업무를 수행하기 위하여 통행의 제한 및 주민의 대피, 감염병의 매개가 되는 음식물·물건 등의 폐기·소각, 의료인 등 감염병 관리인력에 대한 임무부여 및 방역물자의 배치 등 감염병 발생지역의 현장에 대한 조치권한을 가진다.

④ 감염병 발생지역을 관할하는 「경찰법」 제2조에 따른 경찰관서 및 「소방기본법」 제3조에 따른 소방관서의 장, 「지역보건법」 제10조에 따른 보건소의 장 등 관계 공무원 및 그 지역 내의 법인·단체·개인은 정당한 사유가 없으면 제3항에 따른 방역관의 조치에 협조하여야 한다.

⑤ 제1항부터 제4항까지 규정한 사항 외에 방역관의 자격·직무·조치권한의 범위 등에 관하여 필요한 사항은 대통령령으로 정한다.

[전문개정 2015. 7. 6.]

제60조의2(역학조사관)

① 감염병 역학조사에 관한 사무를 처리하기 위하여 보건복지부 소속 공무원으로 30명 이상, 시·도 소속 공무원으로 각각 2명 이상의 역학조사관을 둔다. 다만, 시·도 역학조사관 중 1명 이상은 「의료법」 제2조제1항에 따른 의료인 중 의사로 임명하여야 하며, 시·도지사는 역학조사에 관한 사무를 처리하기 위하여 필요한 경우 시·군·구에도 역학조사관을 둘 수 있다. 〈개정 2018. 3. 27.〉

② 역학조사관은 다음 각 호의 어느 하나에 해당하는 사람으로서 제18조의3에 따른 역학조사 교육·훈련 과정을 이수한 사람 중에서 임명한다.

1. 방역, 역학조사 또는 예방접종 업무를 담당하는 공무원

2. 「의료법」 제2조제1항에 따른 의료인

3. 그 밖에 「약사법」 제2조제2호에 따른 약사, 「수의사법」 제2조제1호에 따른 수의사 등 감염병·역학 관련 분야의 전문가

③ 역학조사관은 감염병의 확산이 예견되는 긴급한 상황으로서 즉시 조치를 취하지 아니하면 감염병이 확산되어 공중위생에 심각한 위해를 가할 것으로 우려되는 경우 일시적으로 제47조제1호 각 목의 조치를 할 수 있다.

④ 「경찰법」 제2조에 따른 경찰관서 및 「소방기본법」 제3조에 따른 소방관서의 장, 「지역보건법」 제10조에 따른 보건소의 장 등 관계 공무원은 정당한 사유가 없으면 제3항에 따른 역학조사관의 조치에 협조하여야 한다.

⑤ 역학조사관은 제3항에 따른 조치를 한 경우 즉시 보건복지부장관 또는 시·도지사에게 보고

하여야 한다.

⑥ 보건복지부장관 또는 시·도지사는 제2항에 따라 임명된 역학조사관에게 예산의 범위에서 직무 수행에 필요한 비용 등을 지원할 수 있다.

⑦ 제1항부터 제6항까지 규정한 사항 외에 역학조사관의 자격·직무·권한·비용지원 등에 관하여 필요한 사항은 대통령령으로 정한다.

[본조신설 2015. 7. 6.]

[시행일 : 2020.1.1.] 제60조의2

제60조의3(한시적 종사명령)

① 보건복지부장관 또는 시·도지사는 감염병의 유입 또는 유행이 우려되거나 이미 발생한 경우 기간을 정하여 「의료법」 제2조제1항의 의료인에게 제36조 및 제37조에 따라 감염병관리기관으로 지정된 의료기관 또는 제8조의2에 따라 설립되거나 지정된 감염병전문병원 또는 감염병연구병원에서 방역업무에 종사하도록 명할 수 있다.

② 보건복지부장관은 감염병이 유입되거나 유행하는 긴급한 경우 제60조의2제2항제2호 또는 제3호에 해당하는 자를 기간을 정하여 방역관으로 임명하여 방역업무를 수행하게 할 수 있다.

③ 보건복지부장관 또는 시·도지사는 감염병의 유입 또는 유행으로 역학조사인력이 부족한 경우 제60조의2제2항제2호 또는 제3호에 해당하는 자를 기간을 정하여 역학조사관으로 임명하여 역학조사에 관한 직무를 수행하게 할 수 있다.

④ 제2항 또는 제3항에 따라 보건복지부장관 또는 시·도지사가 임명한 방역관 또는 역학조사관은 「국가공무원법」 제26조의5에 따른 임기제공무원으로 임용된 것으로 본다.

⑤ 제1항에 따른 종사명령 및 제2항·제3항에 따른 임명의 기간·절차 등 필요한 사항은 대통령령으로 정한다.

[본조신설 2015. 12. 29.]

제61조(검역위원)

① 시·도지사는 감염병을 예방하기 위하여 필요하면 검역위원을 두고 검역에 관한 사무를 담당하게 하며, 특별히 필요하면 운송수단 등을 검역하게 할 수 있다.

② 검역위원은 제1항에 따른 사무나 검역을 수행하기 위하여 운송수단 등에 무상으로 승선하거나 승차할 수 있다.

③ 제1항에 따른 검역위원의 임명 및 직무 등에 관하여 필요한 사항은 보건복지부령으로 정한다.

〈개정 2010. 1. 18.〉

제62조(예방위원)

① 특별자치도지사 또는 시장·군수·구청장은 감염병이 유행하거나 유행할 우려가 있으면 특별자치도 또는 시·군·구(자치구를 말한다. 이하 같다)에 감염병 예방 사무를 담당하는 예방위원을 둘 수 있다.

② 제1항에 따른 예방위원은 무보수로 한다. 다만, 특별자치도 또는 시·군·구의 인구 2만명당 1명의 비율로 유급위원을 둘 수 있다.

③ 제1항에 따른 예방위원의 임명 및 직무 등에 관하여 필요한 사항은 보건복지부령으로 정한다. 〈개정 2010. 1. 18.〉

제63조(한국건강관리협회)

① 제2조제6호에 따른 기생충감염병에 관한 조사·연구 등 예방사업을 수행하기 위하여 한국건강관리협회(이하 "협회"라 한다)를 둔다. 〈개정 2018. 3. 27.〉

② 협회는 법인으로 한다.

③ 협회에 관하여는 이 법에서 정한 사항 외에는 「민법」 중 사단법인에 관한 규정을 준용한다.

[시행일 : 2020.1.1.] 제63조

제10장 경비

제64조(특별자치도 · 시 · 군 · 구가 부담할 경비)

다음 각 호의 경비는 특별자치도와 시·군·구가 부담한다. 〈개정 2015. 7. 6., 2015. 12. 29.〉

1. 제4조제2항제13호에 따른 한센병의 예방 및 진료 업무를 수행하는 법인 또는 단체에 대한 지원 경비의 일부

2. 제24조제1항 및 제25조제1항에 따른 예방접종에 드는 경비

3. 제24조제2항 및 제25조제2항에 따라 의료기관이 예방접종을 하는 데 드는 경비의 전부 또는 일부

4. 제36조에 따라 특별자치도지사 또는 시장·군수·구청장이 지정한 감염병관리기관의 감염병관리시설의 설치·운영에 드는 경비

5. 제37조에 따라 특별자치도지사 또는 시장·군수·구청장이 설치한 격리소·요양소 또는 진료소 및 같은 조에 따라 지정된 감염병관리기관의 감염병관리시설 설치·운영에 드는 경비

6. 제47조제1호 및 제3호에 따른 교통 차단 또는 입원으로 인하여 생업이 어려운 사람에 대한 「국민기초생활 보장법」 제2조제6호에 따른 최저보장수준 지원

7. 제47조, 제48조, 제49조제1항제8호·제9호·제13호 및 제51조제1항에 따라 특별자치도·시·군·구에서 실시하는 소독이나 그 밖의 조치에 드는 경비

8. 제49조제1항제7호 및 제12호에 따라 특별자치도지사 또는 시장·군수·구청장이 의사를 배치하거나 의료인·의료업자·의료관계요원 등을 동원하는 데 드는 수당·치료비 또는 조제료

9. 제49조제2항에 따른 식수 공급에 드는 경비

10. 제62조에 따른 예방위원의 배치에 드는 경비

11. 그 밖에 이 법에 따라 특별자치도·시·군·구가 실시하는 감염병 예방 사무에 필요한 경비

제65조(시 · 도가 부담할 경비)

다음 각 호의 경비는 시·도가 부담한다. 〈개정 2015. 12. 29., 2018. 3. 27.〉

1. 제4조제2항제13호에 따른 한센병의 예방 및 진료 업무를 수행하는 법인 또는 단체에 대한 지원 경비의 일부

2. 제36조에 따라 시·도지사가 지정한 감염병관리기관의 감염병관리시설의 설치·운영에 드는 경비

3. 제37조에 따른 시·도지사가 설치한 격리소·요양소 또는 진료소 및 같은 조에 따라 지정된 감염병관리기관의감염병관리시설 설치·운영에 드는 경비

　3의2. 제39조의3에 따라 시·도지사가 지정한 접촉자 격리시설의 설치·운영에 드는 경비

4. 제41조 및 제42조에 따라 내국인 감염병환자등의 입원치료, 조사, 진찰 등에 드는 경비

5. 제46조에 따른 건강진단, 예방접종 등에 드는 경비

6. 제49조제1항제1호에 따른 교통 차단으로 생업이 어려운 자에 대한 「국민기초생활 보장법」 제2조제6호에 따른 최저보장수준 지원

　6의2. 제49조제1항제12호에 따라 시·도지사가 의료인·의료업자·의료관계요원 등을 동원하는 데 드는 수당·치료비 또는 조제료

7. 제49조제2항에 따른 식수 공급에 드는 경비

　7의2. 제60조의3제1항 및 제3항에 따라 시·도지사가 의료인 등을 방역업무에 종사하게 하는 데 드는 수당 등 경비

8. 제61조에 따른 검역위원의 배치에 드는 경비

9. 그 밖에 이 법에 따라 시·도가 실시하는 감염병 예방 사무에 필요한 경비

제66조(시 · 도가 보조할 경비)

시·도(특별자치도는 제외한다)는 제64조에 따라 시·군·구가 부담할 경비에 관하여 대통령령으로 정하는 바에 따라 보조하여야 한다.

제67조(국고 부담 경비)

다음 각 호의 경비는 국가가 부담한다. 〈개정 2010. 1. 18., 2015. 7. 6., 2015. 12. 29., 2018. 3. 27.〉

　　1. 제4조제2항제2호에 따른 감염병환자등의 진료 및 보호에 드는 경비

　　2. 제4조제2항제4호에 따른 감염병 교육 및 홍보를 위한 경비

　　3. 제4조제2항제8호에 따른 감염병 예방을 위한 전문인력의 양성에 드는 경비

　　4. 제16조제4항에 따른 표본감시활동에 드는 경비

　　　　4의2. 제18조의3에 따른 교육·훈련에 드는 경비

　　5. 제20조에 따른 해부에 필요한 시체의 운송과 해부 후 처리에 드는 경비

　　　　5의2. 제20조의2에 따라 시신의 장사를 치르는 데 드는 경비

　　6. 제33조에 따른 예방접종약품의 생산 및 연구 등에 드는 경비

　　7. 제37조에 따라 보건복지부장관이 설치한 격리소·요양소 또는 진료소 및 같은 조에 따라 지정된 감염병관리기관의감염병관리시설 설치·운영에 드는 경비

　　　　7의2. 제39조의3에 따라 보건복지부장관이 지정한 접촉자 격리시설의 설치·운영에 드는 경비

　　8. 제40조제1항에 따라 위원회의 심의를 거친 품목의 비축 또는 장기구매를 위한 계약에 드는 경비

　　9. 제41조 및 제42조에 따라 외국인 감염병환자등의 입원치료, 조사, 진찰 등에 드는 경비

　　　　9의2. 제49조제1항제12호에 따라 국가가 의료인·의료업자·의료관계요원 등을 동원하는 데 드는 수당·치료비 또는 조제료

　　　　9의3. 제60조의3제1항부터 제3항까지에 따라 국가가 의료인 등을 방역업무에 종사하게 하는 데 드는 수당 등 경비

　　10. 제71조에 따른 예방접종 등으로 인한 피해보상을 위한 경비

제68조(국가가 보조할 경비)

국가는 다음 각 호의 경비를 보조하여야 한다.

　　1. 제4조제2항제13호에 따른 한센병의 예방 및 진료 업무를 수행하는 법인 또는 단체에 대한 지원 경비의 일부

　　2. 제65조 및 제66조에 따라 시·도가 부담할 경비의 2분의 1 이상

제69조(본인으로부터 징수할 수 있는 경비)

특별자치도지사 또는 시장·군수·구청장은 보건복지부령으로 정하는 바에 따라 제41조 및 제42조에 따른 입원치료비 외에 본인의 지병이나 본인에게 새로 발병한 질환 등으로 입원, 진찰, 검사 및 치료 등에 드는 경비를 본인이나 그 보호자로부터 징수할 수 있다. 〈개정 2010. 1. 18.〉

제70조(손실보상)

① 보건복지부장관, 시·도지사 및 시장·군수·구청장은 다음 각 호의 어느 하나에 해당하는 손실을 입은 자에게 제70조의2의 손실보상심의위원회의 심의·의결에 따라 그 손실을 보상하여야 한다. 〈개정 2015. 12. 29., 2018. 3. 27.〉

1. 제36조 및 제37조에 따른 감염병관리기관의 지정 또는 격리소 등의 설치·운영으로 발생한 손실

1의2. 제39조의3에 따른 접촉자 격리시설의 설치·운영으로 발생한 손실

2. 이 법에 따른 조치에 따라 감염병환자, 감염병의사환자 등을 진료한 의료기관의 손실

3. 이 법에 따른 의료기관의 폐쇄 또는 업무 정지 등으로 의료기관에 발생한 손실

4. 제47조제1호, 제4호 및 제5호, 제48조제1항, 제49조제1항제4호, 제6호부터 제10호까지, 제12호 및 제13호에 따른 조치로 인하여 발생한 손실

5. 감염병환자등이 발생·경유하거나 보건복지부장관, 시·도지사 또는 시장·군수·구청장이 그 사실을 공개하여 발생한 「국민건강보험법」 제42조에 따른 요양기관의 손실로서 제1호부터 제4호까지의 손실에 준하고, 제70조의2에 따른 손실보상심의위원회가 심의·의결하는 손실

② 제1항에 따른 손실보상금을 받으려는 자는 보건복지부령으로 정하는 바에 따라 손실보상 청구서에 관련 서류를 첨부하여 보건복지부장관, 시·도지사 또는 시장·군수·구청장에게 청구하여야 한다. 〈개정 2015. 12. 29.〉

③ 제1항에 따른 보상액을 산정함에 있어 손실을 입은 자가 이 법 또는 관련 법령에 따른 조치의무를 위반하여 그 손실을 발생시켰거나 확대시킨 경우에는 보상금을 지급하지 아니하거나 보상금을 감액하여 지급할 수 있다. 〈신설 2015. 12. 29.〉

④ 제1항에 따른 보상의 대상·범위와 보상액의 산정, 제3항에 따른 지급 제외 및 감액의 기준 등에 관하여 필요한 사항은 대통령령으로 정한다. 〈신설 2015. 12. 29.〉

제70조의2(손실보상심의위원회)

① 제70조에 따른 손실보상에 관한 사항을 심의·의결하기 위하여 보건복지부 및 시·도에 손실보상심의위원회(이하 "심의위원회"라 한다)를 둔다.

② 위원회는 위원장 2인을 포함한 20인 이내의 위원으로 구성하되, 보건복지부에 설치된 심의위원회의 위원장은 보건복지부차관과 민간위원이 공동으로 되며, 시·도에 설치된 심의위원회의 위원장은 부시장 또는 부지사와 민간위원이 공동으로 된다.

③ 심의위원회 위원은 관련 분야에 대한 학식과 경험이 풍부한 사람과 관계 공무원 중에서 대통령령으로 정하는 바에 따라 보건복지부장관 또는 시·도지사가 임명하거나 위촉한다.

④ 심의위원회는 제1항에 따른 심의·의결을 위하여 필요한 경우 관계자에게 출석 또는 자료의

제출 등을 요구할 수 있다.

⑤ 그 밖의 심의위원회의 구성과 운영 등에 관하여 필요한 사항은 대통령령으로 정한다.

[본조신설 2015. 12. 29.]

제70조의3(의료인 또는 의료기관 개설자에 대한 재정적 지원)

① 보건복지부장관, 시·도지사 및 시장·군수·구청장은 이 법에 따른 감염병의 발생 감시, 예방·관리 및 역학조사업무에 조력한 의료인 또는 의료기관 개설자에 대하여 예산의 범위에서 재정적 지원을 할 수 있다.

② 제1항에 따른 지원 내용, 절차, 방법 등 지원에 필요한 사항은 대통령령으로 정한다.

[본조신설 2015. 12. 29.]

제70조의4(감염병환자등에 대한 생활지원)

① 보건복지부장관, 시·도지사 및 시장·군수·구청장은 이 법에 따라 입원 또는 격리된 사람에 대하여 예산의 범위에서 치료비, 생활지원 및 그 밖의 재정적 지원을 할 수 있다.

② 시·도지사 및 시장·군수·구청장은 제1항에 따른 사람 및 제70조의3제1항에 따른 의료인이 입원 또는 격리조치, 감염병의 발생 감시, 예방·관리 및 역학조사업무에 조력 등으로 자녀에 대한 돌봄 공백이 발생한 경우 「아이돌봄 지원법」에 따른 아이돌봄서비스를 제공하는 등 필요한 조치를 하여야 한다.

③ 제1항 및 제2항에 따른 지원·제공을 위하여 필요한 사항은 대통령령으로 정한다.

[본조신설 2015. 12. 29.]

제71조(예방접종 등에 따른 피해의 국가보상)

① 국가는 제24조 및 제25조에 따라 예방접종을 받은 사람 또는 제40조제2항에 따라 생산된 예방·치료 의약품을 투여받은 사람이 그 예방접종 또는 예방·치료 의약품으로 인하여 질병에 걸리거나 장애인이 되거나 사망하였을 때에는 대통령령으로 정하는 기준과 절차에 따라 다음 각 호의 구분에 따른 보상을 하여야 한다.

1. 질병으로 진료를 받은 사람: 진료비 전액 및 정액 간병비

2. 장애인이 된 사람: 일시보상금

3. 사망한 사람: 대통령령으로 정하는 유족에 대한 일시보상금 및 장제비

② 제1항에 따라 보상받을 수 있는 질병, 장애 또는 사망은 예방접종약품의 이상이나 예방접종 행위자 및 예방·치료 의약품 투여자 등의 과실 유무에 관계없이 해당 예방접종 또는 예방·치료 의약품을 투여받은 것으로 인하여 발생한 피해로서 보건복지부장관이 인정하는 경우로

한다. 〈개정 2010. 1. 18.〉

③ 보건복지부장관은 제1항에 따른 보상청구가 있은 날부터 120일 이내에 제2항에 따른 질병, 장애 또는 사망에 해당하는지를 결정하여야 한다. 이 경우 미리 위원회의 의견을 들어야 한다. 〈개정 2010. 1. 18.〉

④ 제1항에 따른 보상의 청구, 제3항에 따른 결정의 방법과 절차 등에 관하여 필요한 사항은 대통령령으로 정한다.

제72조(손해배상청구권과의 관계 등)

① 국가는 예방접종약품의 이상이나 예방접종 행위자, 예방·치료 의약품의 투여자 등 제3자의 고의 또는 과실로 인하여 제71조에 따른 피해보상을 하였을 때에는 보상액의 범위에서 보상을 받은 사람이 제3자에 대하여 가지는 손해배상청구권을 대위한다.

② 예방접종을 받은 자, 예방·치료 의약품을 투여받은 자 또는 제71조제1항제3호에 따른 유족이 제3자로부터 손해배상을 받았을 때에는 국가는 그 배상액의 범위에서 제71조에 따른 보상금을 지급하지 아니하며, 보상금을 잘못 지급하였을 때에는 해당 금액을 국세 징수의 예에 따라 징수할 수 있다.

제73조(국가보상을 받을 권리의 양도 등 금지)

제70조 및 제71조에 따라 보상받을 권리는 양도하거나 압류할 수 없다.

제11장 보칙

제74조(비밀누설의 금지)

이 법에 따라 건강진단, 입원치료, 진단 등 감염병 관련 업무에 종사하는 자 또는 종사하였던 자는 그 업무상 알게 된 비밀을 다른 사람에게 누설하여서는 아니 된다.

제74조의2(자료의 제공 요청 및 검사)

① 보건복지부장관, 시·도지사 또는 시장·군수·구청장은 감염병관리기관의 장 등에게 감염병관리시설, 제37조에 따른 격리소·요양소 또는 진료소, 제39조의3에 따른 접촉자 격리시설의 설치 및 운영에 관한 자료의 제공을 요청할 수 있으며, 소속 공무원으로 하여금 해당 시설에 출입하여 관계 서류나 시설·장비 등을 검사하게 하거나 관계인에게 질문을 하게 할 수 있다. 〈개정 2018. 3. 27.〉

② 제1항에 따라 출입·검사를 행하는 공무원은 그 권한을 표시하는 증표를 지니고 이를 관계인에게 제시하여야 한다.

[본조신설 2015. 7. 6.]

제75조(청문)

특별자치도지사 또는 시장·군수·구청장은 제59조제1항에 따라 영업소의 폐쇄를 명하려면 청문을 하여야 한다.

제76조(위임 및 위탁)

① 이 법에 따른 보건복지부장관의 권한은 대통령령으로 정하는 바에 따라 그 일부를 질병관리본부장 또는 시·도지사에게 위임할 수 있다. 〈개정 2010. 1. 18., 2012. 5. 23.〉

② 보건복지부장관은 이 법에 따른 업무의 일부를 대통령령으로 정하는 바에 따라 관련 기관 또는 관련 단체에 위탁할 수 있다. 〈신설 2012. 5. 23.〉

[제목개정 2012. 5. 23.]

제76조의2(정보 제공 요청 등)

① 보건복지부장관 또는 질병관리본부장은 감염병 예방 및 감염 전파의 차단을 위하여 필요한 경우 관계 중앙행정기관(그 소속기관 및 책임운영기관을 포함한다)의 장, 지방자치단체의 장(「지방교육자치에 관한 법률」 제18조에 따른 교육감을 포함한다), 「공공기관의 운영에 관한 법률」 제4조에 따른 공공기관, 의료기관 및 약국, 법인·단체·개인에 대하여 감염병환자등 및 감염이 우려되는 사람에 관한 다음 각 호의 정보 제공을 요청할 수 있으며, 요청을 받은 자는 이에 따라야 한다. 〈개정 2016. 12. 2.〉

1. 성명, 「주민등록법」 제7조의2제1항에 따른 주민등록번호, 주소 및 전화번호(휴대전화번호를 포함한다) 등 인적사항

2. 「의료법」 제17조에 따른 처방전 및 같은 법 제22조에 따른 진료기록부등

3. 보건복지부장관이 정하는 기간의 출입국관리기록

4. 그 밖에 이동경로를 파악하기 위하여 대통령령으로 정하는 정보

② 보건복지부장관은 감염병 예방 및 감염 전파의 차단을 위하여 필요한 경우 감염병환자등 및 감염이 우려되는 사람의 위치정보를 「경찰법」 제2조에 따른 경찰청, 지방경찰청 및 경찰서(이하 이 조에서 "경찰관서"라 한다)의 장에게 요청할 수 있다. 이 경우 보건복지부장관의 요청을 받은 경찰관서의 장은 「위치정보의 보호 및 이용 등에 관한 법률」 제15조 및 「통신비밀보호법」 제3조에도 불구하고 「위치정보의 보호 및 이용 등에 관한 법률」 제5조제7항에 따른 개인위치

정보사업자, 「전기통신사업법」 제2조제8호에 따른 전기통신사업자에게 감염병환자등 및 감염이 우려되는 사람의 위치정보를 요청할 수 있고, 요청을 받은 위치정보사업자와 전기통신사업자는 정당한 사유가 없으면 이에 따라야 한다. 〈개정 2015. 12. 29., 2018. 4. 17.〉

③ 보건복지부장관은 제1항 및 제2항에 따라 수집한 정보를 관련 중앙행정기관의 장, 지방자치단체의 장, 국민건강보험공단 이사장, 건강보험심사평가원 원장 및 감염병 관련 업무를 수행중인 의료인, 의료기관, 그 밖의 단체 등에게 제공할 수 있다. 이 경우 감염병 예방 및 감염 전파의 차단을 위하여 해당 기관의 업무에 관련된 정보로 한정한다.

④ 제3항에 따라 정보를 제공받은 자는 이 법에 따른 감염병 관련 업무 이외의 목적으로 정보를 사용할 수 없으며, 업무 종료 시 지체 없이 파기하고 보건복지부장관에게 통보하여야 한다.

⑤ 보건복지부장관은 제1항 및 제2항에 따라 수집된 정보의 주체에게 다음 각 호의 사실을 통지하여야 한다.

  1. 감염병 예방 및 감염 전파의 차단을 위하여 필요한 정보가 수집되었다는 사실

  2. 제1호의 정보가 다른 기관에 제공되었을 경우 그 사실

  3. 제2호의 경우에도 이 법에 따른 감염병 관련 업무 이외의 목적으로 정보를 사용할 수 없으며, 업무 종료 시 지체 없이 파기된다는 사실

⑥ 제3항에 따라 정보를 제공받은 자가 이 법의 규정을 위반하여 해당 정보를 처리한 경우에는 「개인정보 보호법」에 따른다.

⑦ 제3항에 따른 정보 제공의 대상·범위 및 제5항에 따른 통지의 방법 등에 관하여 필요한 사항은 보건복지부령으로 정한다.

[본조신설 2015. 7. 6.]

제12장 벌칙

제77조(벌칙)

제22조제1항 또는 제2항을 위반하여 고위험병원체의 반입 허가를 받지 아니하고 반입한 자는 5년 이하의 징역 또는 5천만원 이하의 벌금에 처한다.

제78조(벌칙)

다음 각 호의 어느 하나에 해당하는 자는 3년 이하의 징역 또는 3천만원 이하의 벌금에 처한다. 〈개정 2017. 12. 12.〉

  1. 제23조제2항에 따른 허가를 받지 아니하거나 같은 조 제3항 본문에 따른 변경허가를 받지 아

니하고 고위험병원체 취급시설을 설치·운영한 자

2. 제74조를 위반하여 업무상 알게 된 비밀을 누설한 자

제79조(벌칙)

다음 각 호의 어느 하나에 해당하는 자는 2년 이하의 징역 또는 2천만원 이하의 벌금에 처한다. 〈개정 2015. 7. 6., 2017. 12. 12.〉

1. 제18조제3항을 위반한 자
2. 제21조 또는 제22조제3항에 따른 신고를 하지 아니하거나 거짓으로 신고한 자
   2의2. 제23조제2항에 따른 신고를 하지 아니하고 고위험병원체 취급시설을 설치·운영한 자
3. 제23조제7항에 따른 안전관리 점검을 거부·방해 또는 기피한 자
   3의2. 제23조의2에 따른 고위험병원체 취급시설의 폐쇄명령 또는 운영정지명령을 위반한 자
4. 제60조제4항을 위반한 자(다만, 공무원은 제외한다)
5. 제76조의2제4항을 위반한 자

제79조의2(벌칙)

제76조의2제2항 후단을 위반하여 경찰관서의 요청을 거부한 자는 1년 이하의 징역 또는 2천만원 이하의 벌금에 처한다.

[본조신설 2015. 12. 29.]

제79조의3(벌칙)

다음 각 호의 어느 하나에 해당하는 자는 500만원 이하의 벌금에 처한다.

1. 제1급감염병 및 제2급감염병에 대하여 제11조에 따른 보고 또는 신고 의무를 위반하거나 거짓으로 보고 또는 신고한 의사, 치과의사, 한의사, 군의관, 의료기관의 장 또는 감염병병원체 확인기관의 장
2. 제1급감염병 및 제2급감염병에 대하여 제11조에 따른 의사, 치과의사, 한의사, 군의관, 의료기관의 장 또는 감염병병원체 확인기관의 장의 보고 또는 신고를 방해한 자

   [본조신설 2018. 3. 27.]

제80조(벌칙)

다음 각 호의 어느 하나에 해당하는 자는 300만원 이하의 벌금에 처한다. 〈개정 2018. 3. 27.〉

1. 제3급감염병 및 제4급감염병에 대하여 제11조에 따른 보고 또는 신고 의무를 위반하거나 거짓으로 보고 또는 신고한 의사, 치과의사, 한의사, 군의관, 의료기관의 장, 감염병병원체 확인기

관의 장 또는 감염병 표본감시기관

2. 제3급감염병 및 제4급감염병에 대하여 제11조에 따른 의사, 치과의사, 한의사, 군의관, 의료기관의 장, 감염병병원체 확인기관의 장 또는 감염병 표본감시기관의 보고 또는 신고를 방해한 자

3. 제37조제4항을 위반하여 감염병관리시설을 설치하지 아니한 자

4. 제41조제1항을 위반하여 입원치료를 받지 아니하거나 같은 조 제2항 및 제3항을 위반하여 입원 또는 치료를 거부한 자

5. 제42조에 따른 강제처분에 따르지 아니한 자

6. 제45조를 위반하여 일반인과 접촉하는 일이 많은 직업에 종사한 자 또는 감염병환자등을 그러한 직업에 고용한 자

7. 제47조 또는 제49조제1항(같은 항 제3호 중 건강진단에 관한 사항은 제외한다)에 따른 조치에 위반한 자

8. 제52조제1항에 따른 소독업 신고를 하지 아니하거나 거짓이나 그 밖의 부정한 방법으로 신고하고 소독업을 영위한 자

9. 제54조제1항에 따른 기준과 방법에 따라 소독하지 아니한 자

　[시행일 : 2020.1.1.] 제80조

제81조(벌칙)

다음 각 호의 어느 하나에 해당하는 자는 200만원 이하의 벌금에 처한다. 〈개정 2015. 7. 6.〉

1. 삭제 〈2018. 3. 27.〉

2. 삭제 〈2018. 3. 27.〉

3. 제12조제1항에 따른 신고를 게을리한 자

4. 세대주, 관리인 등으로 하여금 제12조제1항에 따른 신고를 하지 아니하도록 한 자

5. 삭제 〈2015. 7. 6.〉

6. 제20조에 따른 해부명령을 거부한 자

7. 제27조에 따른 예방접종증명서를 거짓으로 발급한 자

8. 제29조를 위반하여 역학조사를 거부·방해 또는 기피한 자

9. 제45조제2항을 위반하여 성매개감염병에 관한 건강진단을 받지 아니한 자를 영업에 종사하게 한 자

10. 제46조 또는 제49조제1항제3호에 따른 건강진단을 거부하거나 기피한 자

제82조(양벌규정)

법인의 대표자나 법인 또는 개인의 대리인, 사용인, 그 밖의 종업원이 그 법인 또는 개인의 업무에 관하여 제77조부터 제81조까지의 어느 하나에 해당하는 위반행위를 하면 그 행위자를 벌하는 외에 그 법인 또는 개인에게도 해당 조문의 벌금형을 과(科)한다. 다만, 법인 또는 개인이 그 위반행위를 방지하기 위하여 해당 업무에 관하여 상당한 주의와 감독을 게을리하지 아니한 경우에는 그러하지 아니하다.

제83조(과태료)

① 다음 각 호의 어느 하나에 해당하는 자에게는 1천만원 이하의 과태료를 부과한다. 〈신설 2015. 7. 6., 2017. 12. 12.〉

  1. 제23조제3항 단서 또는 같은 조 제4항에 따른 변경신고를 하지 아니한 자

  2. 제23조제5항에 따른 신고를 하지 아니한 자

  3. 제35조의2를 위반하여 거짓 진술, 거짓 자료를 제출하거나 고의적으로 사실을 누락·은폐한 자

② 다음 각 호의 어느 하나에 해당하는 자에게는 100만원 이하의 과태료를 부과한다. 〈개정 2015. 7. 6.〉

  1. 제28조제2항에 따른 보고를 하지 아니하거나 거짓으로 보고한 자

  2. 제51조제2항에 따른 소독을 하지 아니한 자

  3. 제53조에 따른 휴업·폐업 또는 재개업 신고를 하지 아니한 자

  4. 제54조제2항에 따른 소독에 관한 사항을 기록·보존하지 아니하거나 거짓으로 기록한 자

③ 제1항 및 제2항에 따른 과태료는 대통령령으로 정하는 바에 따라 보건복지부장관, 관할 시·도지사 또는 시장·군수·구청장이 부과·징수한다. 〈개정 2015. 7. 6.〉

부칙 〈제9847호, 2009. 12. 29.〉

제1조(시행일)

이 법은 공포 후 1년이 경과한 날부터 시행한다.

제2조(다른 법률의 폐지)

기생충질환예방법은 폐지한다.

제3조(의사 등의 신고 등에 관한 적용례)

제11조의 개정규정은 이 법 시행 후 최초로 제11조제1항·제3항 또는 제4항의 개정규정에서 각각 정하고 있는 사실이 발생한 경우부터 적용한다.

제4조(고위험병원체의 분리 및 이동 신고에 관한 적용례)

제21조의 개정규정은 이 법 시행 후 최초로 고위험병원체를 분리하거나 이미 분리된 고위험병원체를 이동하려는 경우부터 적용한다.

제5조(고위험병원체의 반입 허가 등에 관한 적용례)

제22조의 개정규정은 이 법 시행 후 최초로 고위험병원체를 국내로 반입하려는 경우부터 적용한다.

제6조(국가 및 지방자치단체 등이 부담 또는 보조할 경비에 관한 적용례)

제64조부터 제68조까지의 개정규정은 국가 및 지방자치단체가 부담하거나 보조하여야 하는 2011년도 비용분부터 적용한다.

제7조(처분 등에 관한 일반적 경과조치)

이 법 시행 당시 종전의 「기생충질환예방법」 및 종전의 「전염병예방법」에 따라 행한 행정처분이나 그 밖의 행정기관의 행위와 행정기관에 대한 행위는 그에 해당하는 이 법에 따른 행정기관의 행위 또는 행정기관에 대한 행위로 본다.

제8조(전염병 등에 관한 경과조치)

이 법 시행 당시 종전의 「전염병예방법」에 따른 전염병은 이 법에 따른 감염병으로 본다.

제9조(기생충질환 검사 등에 따른 손실보상에 관한 경과조치)

이 법 시행 전에 종전의 「기생충질환예방법」 제4조제1항에 따른 물건의 수거로 발생한 손실에 대한 보상은 종전의 「기생충질환예방법」에 따른다.

제10조(표본감시의료기관에 관한 경과조치)

이 법 시행 당시 종전의 「전염병예방법」에 따라 지정된 표본감시의료기관은 제16조의 개정규정에 따라 지정된 표본감시기관으로 본다.

제11조(예방접종증명서에 관한 경과조치)

이 법 시행 당시 종전의 「전염병예방법」에 따른 예방접종증명서는 제27조의 개정규정에 따른 예방접종 증명서로 본다.

제12조(예방접종피해조사반에 관한 경과조치)

이 법 시행 당시 종전의 「전염병예방법」에 따른 예방접종피해조사반은 제30조의 개정규정에 따른 예방 접종피해조사반으로 본다.

제13조(전염병예방시설의 지정에 관한 경과조치)

이 법 시행 당시 종전의 「전염병예방법」에 따라 시·도지사 또는 시장·군수·구청장이 설치하거나 보건 복지가족부장관이 지정한 전염병예방시설은 제36조의 개정규정에 따라 감염병관리기관으로 지정된 것 으로 본다.

제14조(소독업의 신고 등에 관한 경과조치)

① 이 법 시행 당시 종전의 「전염병예방법」에 따른 소독업 신고는 제52조제1항의 개정규정에 따른 소독업 신고로 본다.

② 이 법 시행 당시 종전의 「전염병예방법」에 따른 소독업의 휴업·폐업 또는 재개업 신고는 제53 조의 개정규정에 따른 소독업의 휴업·폐업 또는 재개업 신고로 본다.

제15조(소독업자 등에 대한 교육에 관한 경과조치)

이 법 시행 당시 종전의 「전염병예방법」에 따라 소독업자와 소독업무 종사자가 받은 교육은 제55조의 개정규정에 따라 교육을 받은 것으로 본다.

제16조(소독업무의 대행에 관한 경과조치)

이 법 시행 당시 종전의 「전염병예방법」에 따라 소독업무를 대행하고 있는 소독업자는 제56조의 개정규 정에 따라 소독업무를 대행하는 것으로 본다.

제17조(방역관 등에 관한 경과조치)

이 법 시행 당시 종전의 「전염병예방법」에 따른 방역관, 검역위원 또는 예방위원은 제60조부터 제62조 까지의 개정규정에 따른 방역관, 검역위원 또는 예방위원으로 본다.

제18조(기생충질환예방협회에 관한 경과조치)

① 이 법 시행 당시 종전의 「기생충질환예방법」에 따라 설치된 기생충질환예방협회는 제63조의 개정규정에 따른 한국건강관리협회로 본다.

② 이 법 시행 당시 등기부나 그 밖의 공부상에 표시된 기생충질환예방협회의 명의는 제63조의 개정규정에 따른 한국건강관리협회의 명의로 본다.

제19조(예방접종 등으로 인한 피해에 대한 국가보상에 관한 경과조치)

이 법 시행 당시 종전의 「전염병예방법」에 따라 예방접종 등으로 발생한 피해에 대한 보상신청을 한 사람은 제71조의 개정규정에 따라 보상청구를 한 것으로 본다.

제20조(벌칙에 관한 경과조치)

이 법 시행 전의 행위에 대하여 벌칙을 적용할 때에는 종전의 「기생충질환예방법」 및 종전의 「전염병예방법」에 따른다.

제21조(다른 법률의 개정)

① 공공보건의료에관한법률 일부를 다음과 같이 개정한다.

제5조제3호 중 "전염병"을 "감염병"으로 한다.

② 공중위생관리법 일부를 다음과 같이 개정한다.

제4조제7항 중 "전염병환자"를 "감염병환자"로 한다.

제6조제2항제3호 중 "전염병환자"를 "감염병환자"로 한다.

③ 법률 제9819호 군행형법 전부개정법률 일부를 다음과 같이 개정한다.

제16조의 제목 "(전염병 환자의 수용)"을 "(감염병환자의 수용)"으로 하고, 같은 조 제1항 중 "전염병(「전염병예방법」 제2조제1항에 따른 전염병을 말한다. 이하 같다)"를 "감염병(「감염병의 예방 및 관리에 관한 법률」 제2조제1호에 따른 감염병을 말한다. 이하 같다)"로 하며, 같은 조 제2항 중 "「전염병예방법」"을 "「감염병의 예방 및 관리에 관한 법률」"로 한다.

제36조의 제목 및 같은 조 제1항 중 "전염병"을 각각 "감염병"으로 한다.

제113조제2항 단서 중 "전염병"을 "감염병"으로 한다.

④ 농어촌 등 보건의료를 위한 특별조치법 일부를 다음과 같이 개정한다.

제6조의2제1항 본문 및 제8조제2항제3호 중 "전염병"을 각각 "감염병"으로 한다.

⑤ 보건의료기본법 일부를 다음과 같이 개정한다.

제40조의 제목 중 "전염병"을 "감염병"으로 하고, 같은 조 중 "전염병의"를 "감염병의"로, "전염병환자"를 "감염병환자"로 한다.

⑥ 보건환경연구원법 일부를 다음과 같이 개정한다.

제5조제1항제1호를 다음과 같이 한다.

1. 「감염병의 예방 및 관리에 관한 법률」에 따른 감염병 및 「후천성면역결핍증 예방법」에 따른 후천성면역결핍증에 대한 진단, 검사, 시험, 조사 또는 연구에 관한 사항

⑦ 보호소년 등의 처우에 관한 법률 일부를 다음과 같이 개정한다.

제21조의 제목 중 "전염병"을 "감염병"으로 하고, 같은 조 제1항 및 제2항 중 "전염병"을 각각 "감염병"으로 한다.

⑧ 산업안전보건법 일부를 다음과 같이 개정한다.

제45조제1항 중 "전염병"을 "감염병"으로 한다.

⑨ 선원법 일부를 다음과 같이 개정한다.

제76조제3항 중 "전염병"을 "감염병"으로 한다.

⑩ 수의사법 일부를 다음과 같이 개정한다.

제30조제2항 중 "인수공통전염병"을 "인수공통감염병"으로 한다.

⑪ 식품위생법 일부를 다음과 같이 개정한다.

제54조제2호를 다음과 같이 한다.

2. 「감염병의 예방 및 관리에 관한 법률」 제2조제13호에 따른 감염병환자. 다만, 같은 조 제3호 아목에 따른 B형간염환자는 제외한다.

⑫ 약사법 일부를 다음과 같이 개정한다.

제2조제7호다목 중 "전염병"을 "감염병"으로 한다.

제23조제3항제3호 중 "전염병"을 각각 "감염병"으로 하고, 같은 조 제4항제4호 중 "「전염병예방법」에 따른 제1종 전염병환자"를 "「감염병의 예방 및 관리에 관한 법률」에 따른 제1군감염병환자"로 하며, 같은 항 제6호 중 "전염병"을 "감염병"으로 한다.

⑬ 위생사에 관한 법률 일부를 다음과 같이 개정한다.

제4조제1항제3호 중 "전염병예방법"을 "「감염병의 예방 및 관리에 관한 법률」"로 한다.

⑭ 위험직무 관련 순직공무원의 보상에 관한 법률 일부를 다음과 같이 개정한다.

제2조제1호자목 중 "「전염병예방법」에 의한 전염병환자"를 "「감염병의 예방 및 관리에 관한 법률」에 따른 감염병환자"로, "전염병의"를 "감염병의"로 한다.

⑮ 유선 및 도선사업법 일부를 다음과 같이 개정한다.

제12조제4항제1호 중 "전염병환자"를 "감염병환자"로 한다.

제18조제2항제1호 중 "전염병환자"를 "감염병환자"로 한다.

제29조제1항제1호 중 "전염병"을 "감염병"으로 한다.

⑯ 자연재해대책법 일부를 다음과 같이 개정한다.

제35조제1항제5호 중 "전염병예방"을 "감염병 예방"으로 한다.

⑰ 장사 등에 관한 법률 일부를 다음과 같이 개정한다.

제30조제1호 중 "전염병"을 "감염병"으로 한다.

⑱ 재난 및 안전관리기본법 일부를 다음과 같이 개정한다.

제3조제1호다목 중 "전염병"을 "감염병"으로 한다.

⑲ 재해구호법 일부를 다음과 같이 개정한다.

제4조제1항제4호 중 "전염병"을 "감염병"으로 한다.

⑳ 주세법 일부를 다음과 같이 개정한다.

제19조제4항제2호를 다음과 같이 한다.

2. 감염병환자

㉑ 지방세법 일부를 다음과 같이 개정한다.

제287조제1항제2호를 다음과 같이 한다.

2. 「감염병의 예방 및 관리에 관한 법률」에 따른 한국건강관리협회

㉒ 지방의료원의 설립 및 운영에 관한 법률 일부를 다음과 같이 개정한다.

제7조제1항제2호 중 "전염병"을 "감염병"으로 한다.

㉓ 지방자치법 일부를 다음과 같이 개정한다.

제9조제2항제2호바목 중 "전염병"을 "감염병"으로 한다.

㉔ 지역보건법 일부를 다음과 같이 개정한다.

제9조제2호 중 "전염병"을 "감염병"으로 한다.

㉕ 출입국관리법 일부를 다음과 같이 개정한다.

제11조제1항제1호 중 "전염병환자"를 "감염병환자"로 한다.

㉖ 학교보건법 일부를 다음과 같이 개정한다.

제6조제1항제9호 및 제10호를 각각 다음과 같이 한다.

9. 감염병원, 감염병격리병사, 격리소

10. 감염병요양소, 진료소

제8조 중 "전염병"을 "감염병"으로 한다.

제10조제1항 중 「전염병예방법」 제20조에 따른 예방접종증명서를 발급받아 같은 법 제11조 및 제12조"를 "감염병의 예방 및 관리에 관한 법률」 제27조에 따른 예방접종증명서를 발급받아 같은 법 제24조 및 제25조"로 한다.

제14조 중 "전염병"을 "감염병"으로 한다.

제14조의2의 제목 중 "전염병"을 "감염병"으로 하고, 같은 조 전단 중 「전염병예방법」 제11조 및 제12조"를 "감염병의 예방 및 관리에 관한 법률」 제24조 및 제25조"로, "전염병의"를

"감염병의"로 한다.

㉗ 형의 집행 및 수용자의 처우에 관한 법률 일부를 다음과 같이 개정한다.

제18조제1항 중 "전염병"을 "감염병"으로 한다.

제53조제1항제3호 중 "전염병"을 "감염병"으로 한다.

제128조제2항 단서 중 "전염병"을 "감염병"으로 한다.

㉘ 혈액관리법 일부를 다음과 같이 개정한다.

제2조제4호의2 중 "전염병환자"를 "감염병환자"로 한다.

제7조제2항 중 "전염병환자"를 "감염병환자"로 하고, 같은 조 제4항 본문 중 "전염병환자"를 "감염병환자"로 한다.

㉙ 한센인피해사건의 진상규명 및 피해자생활지원 등에 관한 법률 일부를 다음과 같이 개정한다.

제2조제2호 중 「전염병예방법」 제23조에서 정하는 전염병예방시설"을 「감염병의 예방 및 관리에 관한 법률」 제36조 및 제37조에 따른 감염병관리기관"으로 한다.

㉚ 후천성면역결핍증 예방법 일부를 다음과 같이 개정한다.

제4조를 삭제한다.

제22조(다른 법령과의 관계)

이 법 시행 당시 다른 법령에서 종전의 「기생충질환예방법」 및 종전의 「전염병예방법」 또는 그 규정을 인용한 경우에 이 법 가운데 그에 해당하는 규정이 있으면 종전의 규정을 갈음하여 이 법 또는 이 법의 해당 규정을 인용한 것으로 본다.

부칙 〈제9932호, 2010. 1. 18.〉 (정부조직법)

제1조(시행일)

이 법은 공포 후 2개월이 경과한 날부터 시행한다. 〈단서 생략〉

제2조 및 제3조 생략

제4조(다른 법률의 개정)

① 부터 〈106〉 까지 생략

〈107〉 법률 제9847호 전염병예방법 전부개정법률 일부를 다음과 같이 개정한다.

제2조제7호부터 제12호까지, 제7조제1항·제4항, 제8조제1항, 제10조제2항 각 호 외의 부분,

제11조제1항 각 호 외의 부분 본문·제4항, 제13조제1항, 제16조제1항·제2항 전단·제3항·제4항, 제17조제1항, 제20조제4항, 제21조제1항, 제22조제1항·제2항 본문 및 단서·제3항, 제23조제2항, 제24조제1항제12호, 제25조제1항제1호, 제28조제1항, 제32조제1항, 제33조제1항·제2항, 제34조제1항·제2항제5호, 제35조제1항, 제37조제1항 각 호 외의 부분·제3항, 제40조제1항부터 제3항까지, 제41조제1항·제2항·제3항 각 호 외의 부분, 제42조제1항 각 호 외의 부분·제4호, 제43조제1항, 제67조제7호, 제70조제1항, 제71조제2항·제3항 전단 및 제76조 중 "보건복지가족부장관"을 각각 "보건복지부장관"으로 한다.

제2조제5호·제6호·제13호·제19호, 제11조제4항·제5항, 제12조제1항 각 호 외의 부분·제3항, 제13조제2항, 제14조제3항, 제15조, 제16조제5항, 제17조제2항, 제19조, 제20조제5항, 제21조제2항, 제22조제4항, 제23조제1항·제3항, 제27조제1항·제2항, 제28조제1항·제2항, 제31조제2항, 제32조제2항, 제33조제2항, 제36조제1항·제2항·제4항, 제37조제2항, 제39조, 제43조제2항, 제45조제1항, 제46조 각 호 외의 부분, 제48조제2항, 제51조제1항·제2항, 제52조제1항 전단, 제53조, 제54조제1항·제2항, 제55조제3항, 제59조제3항, 제61조제3항, 제62조제3항 및 제69조 중 "보건복지가족부령"을 각각 "보건복지부령"으로 한다.

제9조제1항 및 제60조제1항·제2항 중 "보건복지가족부"를 각각 "보건복지부"로 한다.

제10조제2항 각 호 외의 부분 중 "보건복지가족부차관"을 "보건복지부차관"으로 한다.

〈108〉 부터 〈137〉 까지 생략

제5조 생략

부칙 〈제10789호, 2011. 6. 7.〉 (영유아보육법)

제1조(시행일)

이 법은 공포 후 6개월이 경과한 날부터 시행한다. 〈단서 생략〉

제2조부터 제5조까지 생략

제6조(다른 법률의 개정)

① 및 ② 생략

③ 감염병의 예방 및 관리에 관한 법률 일부를 다음과 같이 개정한다.

제31조제2항 중 "보육시설의 장"을 "어린이집의 원장"으로 한다.

④부터 ㉜까지 생략

부칙 〈제11439호, 2012. 5. 23.〉

이 법은 공포 후 6개월이 경과한 날부터 시행한다.

부칙 〈제11645호, 2013. 3. 22.〉

이 법은 공포 후 6개월이 경과한 날부터 시행한다.

부칙 〈제12444호, 2014. 3. 18.〉

이 법은 공포 후 6개월이 경과한 날부터 시행한다.

부칙 〈제13392호, 2015. 7. 6.〉

이 법은 공포 후 6개월이 경과한 날부터 시행한다. 다만, 제2조, 제4조부터 제7조까지, 제14조, 제16조부터 제18조까지, 제34조, 제46조, 제47조, 제49조, 제50조, 제67조, 제74조의2의 개정규정은 공포한 날부터 시행한다.

부칙 〈제13474호, 2015. 8. 11.〉 (공동주택관리법)

제1조(시행일)

이 법은 공포 후 1년이 경과한 날부터 시행한다.

제2조부터 제33조까지 생략

제34조(다른 법률의 개정)

① 생략

② 감염병의 예방 및 관리에 관한 법률 일부를 다음과 같이 개정한다.

제51조제3항 단서 중 "「주택법」"을 "「공동주택관리법」 제2조제1항제15호"으로 한다.

③ 부터 ⑯까지 생략

제35조 및 제36조 생략

부칙 〈제13639호, 2015. 12. 29.〉

제1조(시행일)

이 법은 공포 후 6개월이 경과한 날부터 시행한다. 다만, 제64조제6호 및 제65조제6호의 개정규정은 2016년 1월 1일부터 시행하고, 제76조의2 및 제79조의2의 개정규정은 2016년 1월 7일부터 시행한다.

제2조(감염병병원의 설립을 위한 준비행위)

보건복지부장관은 이 법 시행 전에 제8조의2에 따른 감염병병원의 설립을 위하여 원장의 임명 등 필요한 준비행위를 할 수 있다. 이 경우 보건복지부장관은 관계 중앙행정기관의 장, 지방자치단체의 장, 국립·공립 병원, 보건소, 민간의료시설, 그 밖의 공공단체 및 관계 전문가에게 필요한 협조를 요청할 수 있다.

제3조(손실보상을 위한 준비행위)

보건복지부장관, 시·도지사 또는 시장·군수·구청장은 이 법에 따른 손실보상을 위하여 필요하다고 인정되는 경우 이 법 시행 전에 다음 각 호의 행위를 할 수 있다.

1. 제70조의 개정규정에 따른 손실보상의 신청·결정 및 지급 등에 필요한 조치
2. 제70조의2의 개정규정에 따른 심의위원회의 구성·운영을 위한 준비행위 및 관계자에 대한 자료의 제출 요구

제4조(시신의 장사방법 등에 관한 적용례)

제20조의2의 개정규정은 이 법 시행 후 최초로 감염병환자등이 사망한 경우부터 적용한다.

제5조(사업주의 협조의무에 관한 적용례)

제41조의2의 개정규정은 이 법 시행 전 제2조제5호머목에 따른 중동 호흡기 증후군(MERS)으로 인하여 이 법에 따라 입원 또는 격리된 근로자에게 유급휴가를 준 사업주에 대하여도 적용한다.

제6조(손실보상에 관한 적용례)

제70조의 개정규정은 이 법 시행 전 제2조제5호머목에 따른 중동 호흡기 증후군(MERS)으로 인하여 손실을 입은 자에 대하여도 적용한다.

제7조(의료인 및 감염병환자등에 대한 재정적 지원에 관한 적용례)

제70조의3 및 제70조의4의 개정규정은 이 법 시행 전 제2조제5호머목에 따른 중동 호흡기 증후군(MERS)으로 인하여 재정적 지원이 필요하게 된 경우에도 적용한다.

제8조(중복지원에 관한 적용례)

제70조 및 제70조의3의 개정규정에 따른 손실보상 및 재정적 지원을 하는 경우 이 법 시행 당시 제2조제5호머목에 따른 중동 호흡기 증후군(MERS)으로 같은 내용의 보상 또는 지원을 받은 자에 대하여는 해당 부분을 제외하고 지원한다.

부칙 〈제14286호, 2016. 12. 2.〉 (주민등록법)

제1조(시행일)

이 법은 공포 후 1년이 경과한 날부터 시행한다. 다만, …〈생략〉… 부칙 제3조제1항 및 제3항은 2017년 5월 30일부터 시행한다.

제2조 생략

제3조(다른 법률의 개정)

① 감염병의 예방 및 관리에 관한 법률 일부를 다음과 같이 개정한다.

제76조의2제1항제1호 중 「주민등록법」 제7조제3항"을 「주민등록법」 제7조의2제1항"으로 한다.

② 및 ③ 생략

부칙 〈제14316호, 2016. 12. 2.〉

이 법은 공포 후 6개월이 경과한 날부터 시행한다.

부칙 〈제15183호, 2017. 12. 12.〉

제1조(시행일)

이 법은 공포 후 6개월이 경과한 날부터 시행한다.

제2조(고위험병원체 취급시설의 설치 · 운영 허가 · 신고에 관한 경과조치)

이 법 시행 당시 종전의 규정에 따라 질병관리본부장에게 고위험병원체 취급시설 설치·운영 허가를 받거나 신고를 한 자 및 고위험병원체를 검사, 보존, 관리 및 이동하는 자로서 「유전자변형생물체의 국가간 이동 등에 관한 법률」 제22조제1항에 따른 연구시설의 설치·운영 허가를 받거나 신고를 한 자는 제23조제2항의 개정규정에 따른 허가를 받거나 신고를 한 것으로 본다.

부칙 〈제15534호, 2018. 3. 27.〉

제1조(시행일)

이 법은 2020년 1월 1일부터 시행한다. 다만, 제8조의5, 제10조, 제37조제5항의 개정규정은 공포한 날부터 시행하고, 제21조, 제24조, 제27조제1항, 제28조제1항, 제39조의3, 제65조제3호의2, 제67조제7호의2, 제70조제1항제1호의2, 제74조의2제1항의 개정규정 및 부칙 제2조제5항은 공포 후 6개월이 경과한 날부터 시행한다.

제2조(다른 법률의 개정)

① 식품위생법 일부를 다음과 같이 개정한다.

제54조제2호 단서 중 "제3호아목"을 "제4호나목"으로 한다.

② 약사법 일부를 다음과 같이 개정한다.

제23조제4항제4호 중 "「감염병의 예방 및 관리에 관한 법률」에 따른 제1군감염병환자"를 "「감염병의 예방 및 관리에 관한 법률」 제2조제13호에 따른 감염병환자 중 콜레라·장티푸스·파라티푸스·세균성이질·장출혈성대장균감염증·A형간염환자"로 한다.

③ 결핵예방법 일부를 다음과 같이 개정한다.

제8조제2항 중 "지체 없이"를 "24시간 이내에"로 한다.

④ 후천성면역결핍증 예방법 일부를 다음과 같이 개정한다.

제5조제1항 전단, 같은 조 제2항 및 제3항 중 "즉시"를 각각 "24시간 이내에"로 한다.

⑤ 학교보건법 일부를 다음과 같이 개정한다.

제14조의2 전단 중 "정기"를 "필수"로 한다.

2. 감염병의 예방 및 관리에 관한 법률 시행령(약칭: 감염병예방법 시행령)

[시행 2018. 9. 21] [대통령령 제29180호, 2018. 9. 18, 타법개정]

보건복지부(질병정책과) 044-202-2505

제1조(목적)

이 영은 「감염병의 예방 및 관리에 관한 법률」에서 위임된 사항과 그 시행에 필요한 사항을 규정함을 목적으로 한다.

제1조의2(감염병관리사업지원기구의 설치 · 운영 등)

① 「감염병의 예방 및 관리에 관한 법률」(이하 "법"이라 한다) 제8조제1항에 따라 보건복지부에 중앙감염병사업지원기구를, 특별시 · 광역시 · 도 · 특별자치도(이하 "시 · 도"라 한다)에 보건복지부장관이 정하는 바에 따라 시 · 도감염병사업지원기구를 둔다.

② 중앙감염병사업지원기구의 구성원은 다음 각 호의 어느 하나에 해당하는 사람 중에서 보건복지부장관이 위촉한다.

1. 「의료법」 제2조제1호에 따른 의료인으로서 감염병 관련 분야에서 근무한 사람

2. 「고등교육법」에 따른 대학 또는 「공공기관의 운영에 관한 법률」에 따른 공공기관의 감염병 관련 분야에서 근무한 사람

3. 감염병 예방 및 관리에 관한 전문지식과 경험이 풍부한 사람

4. 역학조사 및 방역 분야 등에 관한 전문지식과 경험이 풍부한 사람

5. 그 밖에 보건복지부장관이 감염병관리사업의 지원에 필요하다고 인정하는 사람

③ 중앙감염병사업지원기구는 그 업무수행에 필요한 경우에는 관계 기관·단체 및 전문가 등에게 자료 또는 의견의 제출 등을 요청할 수 있다.

④ 중앙감염병사업지원기구는 매 반기별로 보건복지부장관이 정하는 바에 따라 그 활동현황 등을 보건복지부장관에게 보고하여야 한다.

⑤ 보건복지부장관은 중앙감염병사업지원기구에 예산의 범위에서 다음 각 호의 비용을 지원을 할 수 있다.

1. 자료수집, 조사, 분석 및 자문 등에 소요되는 비용

2. 국내외 협력사업의 추진에 따른 여비 및 수당 등의 경비

3. 그 밖에 보건복지부장관이 업무수행을 위하여 특히 필요하다고 인정하는 경비

⑥ 제2항부터 제5항까지에서 규정한 사항 외에 중앙감염병사업지원기구의 설치·운영 및 지원 등에 필요한 세부사항은 보건복지부장관이 정한다.

⑦ 시·도감염병사업지원기구의 구성원 위촉, 자료제출 요청, 활동현황 보고 및 비용지원 등에 관하여는 제2항부터 제6항까지의 규정을 준용한다. 이 경우 "보건복지부장관"은 "특별시장·광역시장·도지사·특별자치도지사(이하 "시·도지사"라 한다)"로, "중앙감염병사업지원기구"는 "시·도감염병사업지원기구"로 본다.

[본조신설 2016. 6. 28.]

제1조의3(감염병전문병원의 지정 등)

① 법 제8조의2제1항에 따른 감염병전문병원(이하 "중앙감염병병원"이라 한다)으로 지정받을 수 있는 의료기관(「의료법」 제3조에 따른 의료기관을 말한다. 이하 "의료기관"이라 한다)은 「의료법」 제3조의3 또는 제3조의4에 따른 종합병원 또는 상급종합병원으로서 보건복지부장관이 정하여 고시하는 의료기관으로 한다.

② 중앙감염병병원의 지정기준은 별표 1과 같다.

③ 보건복지부장관은 중앙감염병병원을 지정하는 경우에는 그 지정기준 또는 업무수행 등에 필요한 조건을 붙일 수 있다.

④ 보건복지부장관은 중앙감염병병원을 지정한 경우에는 지정서를 교부하고, 보건복지부 인터넷 홈페이지에 그 지정내용을 게시하여야 한다.

⑤ 중앙감염병병원은 매 분기별로 보건복지부장관이 정하는 바에 따라 그 업무추진 현황 등을 보건복지부장관에게 보고하여야 한다.

⑥ 보건복지부장관은 법 제8조의2제3항에 따라 중앙감염병병원에 대해서는 기획재정부장관과 협의하여 건축비용, 운영비용 및 설비비용 등을 지원할 수 있다.

⑦ 제3항부터 제6항까지에서 규정한 사항 외에 중앙감염병병원의 지정절차 및 경비지원 등에 필요한 세부사항은 보건복지부장관이 정하여 고시한다.

[본조신설 2016. 6. 28.]

제1조의4(권역별 감염병전문병원의 지정)

① 법 제8조의2제2항에 따른 권역별 감염병전문병원(이하 "권역별 감염병병원"이라 한다)으로 지정받을 수 있는 의료기관은 「의료법」 제3조의3 또는 제3조의4에 따른 종합병원 또는 상급종합병원으로서 보건복지부장관이 정하여 고시하는 의료기관으로 한다.

② 권역별 감염병병원의 지정기준은 별표 1의2와 같다.

③ 보건복지부장관은 법 제8조의2제2항에 따라 권역별 감염병병원을 지정하는 경우에는 다음 각 호의 사항을 종합적으로 고려하여야 한다.

1. 해당 권역에서의 의료자원의 분포 수준

2. 해당 권역에서의 주민의 인구와 생활권의 범위

3. 해당 권역에서의 감염병의 발생 빈도 및 관리 수준

4. 해당 권역에서의 항만 및 공항 등의 인접도

5. 그 밖에 보건복지부장관이 권역별 감염병 관리와 관련하여 특히 필요하다고 인정하는 사항

④ 보건복지부장관은 권역별 감염병병원을 지정하기 위하여 필요한 경우에는 지방자치단체의 장, 관계 공공기관 또는 관계 단체 등의 의견을 듣거나 자료의 제출을 요청할 수 있다.

⑤ 권역별 감염병병원에 대한 지정조건의 부과, 지정서의 교부, 지정사실의 공표, 업무추진 현황 보고, 경비 지원, 지정절차 등에 필요한 세부사항의 고시 등에 관하여는 제1조의3제3항부터 제7항까지의 규정을 준용한다.

[본조신설 2016. 6. 28.]

제1조의5(내성균 관리대책의 수립)

① 보건복지부장관은 법 제8조의3제1항에 따른 내성균 관리대책(이하 "내성균 관리대책"이라 한다)에 포함된 사항 중 보건복지부장관이 정하는 중요 사항을 변경하려는 경우에는 법 제9조 제1항에 따른 감염병관리위원회의 심의를 거쳐야 한다.

② 보건복지부장관은 내성균 관리대책을 수립하거나 변경한 경우에는 보건복지부의 인터넷 홈페이지에 게재하고, 관계 중앙행정기관의 장, 「국민건강보험법」에 따른 건강보험심사평가원의 원장, 그 밖에 내성균 관련 기관·법인·단체의 장에게 그 내용을 알려야 한다.

③ 제1항 및 제2항에서 규정한 사항 외에 내성균 관리대책의 수립 및 변경에 필요한 세부 사항은 보건복지부장관이 정한다.

[본조신설 2017. 5. 29.]

제1조의6(긴급상황실의 설치 · 운영)

① 법 제8조의5에 따라 설치하는 긴급상황실(이하 "긴급상황실"이라 한다)은 다음 각 호의 설치·운영 요건을 모두 갖추어야 한다.

1. 신속한 감염병 정보의 수집·전파와 감염병 위기상황의 종합관리 등을 위한 정보통신체계를 갖출 것

2. 감염병 위기상황의 효율적 대처를 위한 시설·장비 및 그 운영·관리체계를 갖출 것

3. 긴급상황실의 24시간 운영에 필요한 전담인력을 확보할 것

4. 긴급상황실의 업무를 원활하게 수행하기 위한 운영규정 및 업무매뉴얼을 마련할 것

② 긴급상황실의 설치·운영에 관한 세부사항은 질병관리본부장이 정한다.

[본조신설 2018. 6. 12.]

제2조(감염병관리위원회 위원의 임무 및 임기)

① 법 제9조제1항에 따른 감염병관리위원회(이하 "위원회"라 한다) 위원장은 위원회를 대표하고 위원회의 사무를 총괄한다. 〈개정 2016. 6. 28.〉

② 위원회 부위원장은 위원장을 보좌하며 위원장이 부득이한 사유로 직무를 수행할 수 없을 때에는 그 직무를 대행한다.

③ 위원회 위원 중 위촉위원의 임기는 2년으로 한다.

④ 위원회 위원의 자리가 빈 경우 그 보궐위원의 임기는 전임위원 임기의 남은 기간으로 한다.

제3조(회의)

① 위원회의 회의는 보건복지부장관 또는 위원 과반수가 요구하거나 위원장이 필요하다고 인정할 때에 소집한다.

② 위원회의 회의는 재적위원 과반수의 출석으로 개의(開議)하고 출석위원 과반수의 찬성으로 의결한다.

③ 위원회 위원장은 위원회에서 의결된 사항을 보건복지부장관에게 보고하여야 한다.

④ 위원회는 그 업무 수행에 필요하다고 인정할 때에는 관계 공무원 또는 관계 전문가를 위원회에 출석하게 하여 그 의견을 들을 수 있다.

제4조(간사)

위원회의 사무 처리를 위하여 위원회에 간사 1명을 두며, 간사는 보건복지부 소속 공무원 중에서 위원장이 임명한다.

제5조(수당의 지급 등)

위원회의 회의에 출석한 위원에게 예산의 범위에서 수당과 여비를 지급할 수 있다. 다만, 공무원인 위원이 그 소관 업무와 직접 관련하여 출석하는 경우에는 그러하지 아니하다.

제6조(운영세칙)

이 영에서 규정한 사항 외에 위원회의 운영에 필요한 사항은 위원회의 의결을 거쳐 위원장이 정한다.

제7조(전문위원회의 구성)

① 법 제10조제3항에 따라 위원회에 다음 각 호의 분야별 전문위원회를 둔다. 〈개정 2015. 1. 6., 2017. 5. 29.〉

1. 예방접종 전문위원회
2. 예방접종피해보상 전문위원회
3. 후천성면역결핍증 전문위원회
4. 결핵 전문위원회
5. 역학조사 전문위원회
6. 인수(人獸)공통감염 전문위원회
7. 감염병 위기관리대책 전문위원회
8. 감염병 연구기획 전문위원회
9. 항생제 내성(耐性) 전문위원회

② 전문위원회는 각각 위원장 1명을 포함한 15명 이내의 위원으로 구성한다.

③ 전문위원회 위원장은 위원회 위원 중에서 위원회의 위원장이 임명한다.

④ 전문위원회 위원은 위원회 위원 중에서 위원회 위원장이 임명하거나 관련 학회와 단체 또는 위원회 위원의 추천을 받아 위원회의 위원장이 위촉한다.

제8조(전문위원회의 회의 및 운영)

① 전문위원회의 회의는 위원회 위원장 또는 전문위원회 위원 과반수가 요구하거나 전문위원회 위원장이 필요하다고 인정할 때에 소집한다.

② 전문위원회의 회의는 재적위원 과반수의 출석으로 개의하고 출석위원 과반수의 찬성으로 의결한다.

③ 전문위원회 위원장은 전문위원회에서 심의·의결한 사항을 위원회 위원장에게 보고하여야 한다. 〈개정 2015. 1. 6.〉

④ 이 영에서 규정한 사항 외에 전문위원회의 운영에 필요한 사항은 전문위원회의 의결을 거쳐 전문위원회 위원장이 정한다.

제9조(그 밖의 인수공통감염병)

법 제14조제1항제4호에서 "대통령령으로 정하는 인수공통감염병"이란 동물인플루엔자를 말한다. 〈개정 2016. 1. 6.〉

제10조(공공기관)

법 제16조제7항 전단에서 "대통령령으로 정하는 공공기관"이란 「국민건강보험법」에 따른 건강보험심사평가원 및 국민건강보험공단을 말한다. 〈개정 2016. 1. 6.〉

제11조(제공 정보의 내용)

법 제16조제7항에 따라 요구할 수 있는 정보의 내용에는 다음 각 호의 사항이 포함될 수 있다. 〈개정 2016. 1. 6.〉

    1. 감염병환자, 감염병의사환자 또는 병원체보유자(이하 "감염병환자등"이라 한다)의 성명·주민등록번호·성별·주소·전화번호·직업·감염병명·발병일 및 진단일

    2. 감염병환자등을 진단한 의료기관의 명칭·주소지·전화번호 및 의사 이름

제12조(역학조사의 내용)

  ① 법 제18조제1항에 따른 역학조사에 포함되어야 하는 내용은 다음 각 호와 같다.

    1. 감염병환자등의 인적 사항

    2. 감염병환자등의 발병일 및 발병 장소

    3. 감염병의 감염원인 및 감염경로

    4. 감염병환자등에 관한 진료기록

    5. 그 밖에 감염병의 원인 규명과 관련된 사항

  ② 법 제29조에 따른 역학조사에 포함되어야 하는 내용은 다음 각 호와 같다.

    1. 예방접종 후 이상반응자의 인적 사항

    2. 예방접종기관, 접종일시 및 접종내용

    3. 예방접종 후 이상반응에 관한 진료기록

    4. 예방접종약에 관한 사항

    5. 그 밖에 예방접종 후 이상반응의 원인 규명과 관련된 사항

제13조(역학조사의 시기)

법 제18조제1항 및 제29조에 따른 역학조사는 다음 각 호의 구분에 따라 해당 사유가 발생하면 실시한다. 〈개정 2016. 6. 28.〉

    1. 질병관리본부장이 역학조사를 하여야 하는 경우

      가. 둘 이상의 시·도에서 역학조사가 동시에 필요한 경우

      나. 감염병 발생 및 유행 여부 또는 예방접종 후 이상반응에 관한 조사가 긴급히 필요한 경우

      다. 시·도지사의 역학조사가 불충분하였거나 불가능하다고 판단되는 경우

2. 시·도지사 또는 시장·군수·구청장(자치구의 구청장을 말한다. 이하 같다)이 역학조사를 하여
야 하는 경우

가. 관할 지역에서 감염병이 발생하여 유행할 우려가 있는 경우

나. 관할 지역 밖에서 감염병이 발생하여 유행할 우려가 있는 경우로서 그 감염병이 관할구역
과 역학적 연관성이 있다고 의심되는 경우

다. 관할 지역에서 예방접종 후 이상반응 사례가 발생하여 그 원인 규명을 위한 조사가 필요
한 경우

제14조(역학조사의 방법)

법 제18조제1항 및 제29조에 따른 역학조사의 방법은 별표 1의3과 같다. 〈개정 2016. 6. 28.〉

제15조(역학조사반의 구성)

① 법 제18조제1항 및 제29조에 따른 역학조사를 하기 위하여 질병관리본부에 중앙역학조사반
을 두고, 시·도에 시·도역학조사반을 두며, 시·군·구(자치구를 말한다. 이하 같다)에 시·군·
구역학조사반을 둔다.

② 중앙역학조사반은 30명 이상, 시·도역학조사반 및 시·군·구역학조사반은 각각 20명 이내의
반원으로 구성하고, 각 역학조사반의 반장은 법 제60조에 따른 방역관 또는 법 제60조의2에
따른 역학조사관으로 한다. 〈개정 2016. 1. 6.〉

③ 역학조사반원은 다음 각 호의 어느 하나에 해당하는 사람 중에서 질병관리본부장, 시·도지
사 및 시장·군수·구청장이 각각 임명하거나 위촉한다. 〈개정 2016. 1. 6.〉

1. 방역, 역학조사 또는 예방접종 업무를 담당하는 공무원

2. 법 제60조의2에 따른 역학조사관

3. 「농어촌 등 보건의료를 위한 특별조치법」에 따라 채용된 공중보건의사

4. 「의료법」 제2조제1항에 따른 의료인

5. 그 밖에 감염병 등과 관련된 분야의 전문가

④ 역학조사반은 감염병 분야와 예방접종 후 이상반응 분야로 구분하여 운영하되, 분야별 운영
에 필요한 사항은 질병관리본부장이 정한다.

제16조(역학조사반의 임무 등)

① 역학조사반의 임무는 다음 각 호와 같다.

1. 중앙역학조사반

가. 역학조사 계획의 수립, 시행 및 평가

　　　나. 역학조사의 실시 기준 및 방법의 개발

　　　다. 시·도역학조사반 및 시·군·구역학조사반에 대한 교육·훈련

　　　라. 감염병에 대한 역학적인 연구

　　　마. 감염병의 발생·유행 사례 및 예방접종 후 이상반응의 발생 사례 수집, 분석 및 제공

　　　바. 시·도역학조사반에 대한 기술지도 및 평가

　　2. 시·도 역학조사반

　　　가. 관할 지역 역학조사 계획의 수립, 시행 및 평가

　　　나. 관할 지역 역학조사의 세부 실시 기준 및 방법의 개발

　　　다. 중앙역학조사반에 관할 지역 역학조사 결과 보고

　　　라. 관할 지역 감염병의 발생·유행 사례 및 예방접종 후 이상반응의 발생 사례 수집, 분석 및 제공

　　　마. 시·군·구역학조사반에 대한 기술지도 및 평가

　　3. 시·군·구 역학조사반

　　　가. 관할 지역 역학조사 계획의 수립 및 시행

　　　나. 시·도역학조사반에 관할 지역 역학조사 결과 보고

　　　다. 관할 지역 감염병의 발생·유행 사례 및 예방접종 후 이상반응의 발생 사례 수집, 분석 및 제공

　② 역학조사를 하는 역학조사반원은 보건복지부령으로 정하는 역학조사반원증을 지니고 관계인에게 보여 주어야 한다.

　③ 질병관리본부장, 시·도지사 또는 시장·군수·구청장은 역학조사반원에게 예산의 범위에서 역학조사 활동에 필요한 수당과 여비를 지급할 수 있다.

제16조의2(자료제출 요구 대상 기관 · 단체)

법 제18조의4제1항에서 "대통령령으로 정하는 기관·단체"란 다음 각 호의 기관·단체를 말한다. 〈개정 2016. 6. 28.〉

　1. 의료기관

　2. 「국민건강보험법」 제13조에 따른 국민건강보험공단

　3. 「국민건강보험법」 제62조에 따른 건강보험심사평가원

　[본조신설 2016. 1. 6.]

제16조의3(지원 요청 등의 범위)

법 제18조의4제2항에 따라 보건복지부장관은 관계 중앙행정기관의 장에게 역학조사를 실시하는 데 필

요한 인력 파견 및 물자 지원, 역학조사 대상자 및 대상 기관에 대한 관리, 감염원 및 감염경로 조사를 위한 검사·정보 분석 등의 지원을 요청할 수 있다.

[본조신설 2016. 1. 6.]

제17조(고위험병원체의 반입 허가 요건)

법 제22조제1항에 따라 고위험병원체의 반입 허가를 받으려는 자는 다음 각 호의 요건을 모두 갖추어야 한다. 〈개정 2018. 6. 12.〉

    1. 법 제23조제1항에 따른 고위험병원체 취급시설(이하 "고위험병원체 취급시설"이라 한다)을 설치·운영할 것

    2. 고위험병원체의 안전한 수송 및 비상조치 계획을 수립할 것

    3. 고위험병원체 전담관리자를 둘 것

제18조(고위험병원체의 반입 허가 변경신고 사항)

법 제22조제2항 단서에서 "대통령령으로 정하는 경미한 사항"이란 다음 각 호의 사항을 말한다.

    1. 고위험병원체의 반입 허가를 받은 자의 성명(법인인 경우에는 명칭을 말한다) 및 주소

    2. 고위험병원체 전담관리자의 성명 및 소속

제19조(고위험병원체 인수 장소 지정)

법 제22조제3항에 따라 고위험병원체를 인수하여 이동하려는 자는 보건복지부장관이 정하는 장소 중에서 인수 장소를 지정하여야 한다.

제19조의2(고위험병원체 취급시설의 설치·운영 허가 및 신고)

    ① 고위험병원체 취급시설의 안전관리 등급의 분류와 허가 또는 신고의 대상이 되는 고위험병원체 취급시설은 별표 1의4와 같다.

    ② 보건복지부장관은 고위험병원체 취급시설의 안전관리 등급별로 다음 각 호의 사항에 대한 설치·운영의 허가 및 신고수리 기준을 정하여 고시하여야 한다.

    1. 고위험병원체 취급시설의 종류

    2. 고위험병원체의 검사·보존·관리 및 이동에 필요한 설비·인력 및 안전관리

    3. 고위험병원체의 검사·보존·관리 및 이동의 과정에서 인체에 대한 위해(危害)가 발생하는 것을 방지할 수 있는 시설(이하 "인체 위해방지시설"이라 한다)의 설비·인력 및 안전관리

    ③ 법 제23조제2항 및 별표 1의4에 따라 허가대상이 되는 고위험병원체 취급시설을 설치·운영하려는 자는 보건복지부령으로 정하는 허가신청서에 다음 각 호의 서류를 첨부하여 보건복지

부장관에게 제출하여야 한다.

1. 고위험병원체 취급시설의 설계도서 또는 그 사본

2. 고위험병원체 취급시설의 범위와 그 소유 또는 사용에 관한 권리를 증명하는 서류

3. 인체 위해방지시설의 기본설계도서 또는 그 사본

4. 제2항에 따른 허가기준을 갖추었음을 증명하는 서류

④ 보건복지부장관은 제3항에 따른 허가신청서를 제출받은 날부터 60일 이내에 허가 여부를 신청인에게 통지하여야 한다. 이 경우 허가를 하는 때에는 보건복지부령으로 정하는 고위험병원체 취급시설 설치·운영허가서를 발급하여야 한다.

⑤ 법 제23조제2항 및 별표 1의4에 따라 신고대상이 되는 고위험병원체 취급시설을 설치·운영하려는 자는 보건복지부령으로 정하는 신고서에 다음 각 호의 서류를 첨부하여 보건복지부장관에게 제출하여야 한다.

1. 제2항에 따른 신고수리 기준을 갖추었음을 증명하는 서류

2. 제3항제1호부터 제3호까지의 서류

⑥ 보건복지부장관은 제5항에 따른 신고서를 제출받은 날부터 60일 이내에 신고수리 여부를 신고인에게 통지하여야 한다. 이 경우 신고수리를 하는 때에는 보건복지부령으로 정하는 고위험병원체 취급시설 설치·운영 신고확인서를 발급하여야 한다.

[본조신설 2018. 6. 12.]

제19조의3(고위험병원체 취급시설 변경허가 등)

① 법 제23조제3항 본문에 따라 변경허가를 받으려는 자는 보건복지부령으로 정하는 변경허가신청서에 허가사항의 변경사유와 변경내용을 증명하는 서류를 첨부하여 보건복지부장관에게 제출하여야 한다.

② 보건복지부장관은 제1항에 따른 변경허가신청서를 제출받은 날부터 60일 이내에 변경허가 여부를 신청인에게 통지하여야 한다. 이 경우 변경허가를 하는 때에는 보건복지부령으로 정하는 변경허가서를 발급하여야 한다.

③ 법 제23조제3항 단서에서 "대통령령으로 정하는 경미한 사항"이란 다음 각 호의 어느 하나에 해당하는 사항을 말한다.

1. 고위험병원체 취급시설을 설치·운영하는 자(자연인인 경우로 한정한다)의 성명·주소 및 연락처

2. 고위험병원체 취급시설을 설치·운영하는 자(법인인 경우로 한정한다)의 명칭·주소 및 연락처와 그 대표자의 성명·연락처

3. 제19조의6제1항제1호에 따른 고위험병원체 취급시설의 설치·운영 책임자, 고위험병원체의

전담관리자 및 생물안전관리책임자의 성명·연락처

④ 법 제23조제3항 단서에 따라 변경신고를 하려는 자는 보건복지부령으로 정하는 허가사항 변
경신고서를 보건복지부장관에게 제출하여야 한다.

⑤ 보건복지부장관은 제4항에 따른 허가사항 변경신고서를 제출받은 때에는 보건복지부령으로
정하는 변경신고확인서를 발급하여야 한다.

[본조신설 2018. 6. 12.]

제19조의4(고위험병원체 취급시설 변경신고)

① 법 제23조제4항에 따라 변경신고를 하려는 자는 보건복지부령으로 정하는 변경신고서를 보
건복지부장관에게 제출하여야 한다.

② 보건복지부장관은 제1항에 따른 변경신고서를 제출받은 때에는 보건복지부령으로 정하는 변
경신고확인서를 발급하여야 한다.

[본조신설 2018. 6. 12.]

제19조의5(고위험병원체 취급시설의 폐쇄신고 등)

① 법 제23조제5항에 따라 고위험병원체 취급시설의 폐쇄신고를 하려는 자는 보건복지부령으로
정하는 폐쇄신고서에 고위험병원체의 폐기처리를 증명하는 서류를 첨부하여 보건복지부장관
에게 제출하여야 한다.

② 보건복지부장관은 제1항에 따른 폐쇄신고서를 제출받은 날부터 10일 이내에 신고수리 여부를
신고인에게 통지하여야 한다. 이 경우 신고를 수리하는 때에는 보건복지부령으로 정하는 폐쇄
신고확인서를 발급하여야 한다.

③ 법 제23조제5항에 따라 고위험병원체 취급시설을 폐쇄하는 경우 고위험병원체 취급시설의 소
독과 고위험병원체에 대한 폐기처리 등 고위험병원체 취급시설의 폐쇄방법과 절차 등은 보건
복지부장관이 정하여 고시한다.

[본조신설 2018. 6. 12.]

제19조의6(고위험병원체 취급시설 설치 · 운영의 안전관리 준수사항)

① 법 제23조제6항에서 "대통령령으로 정하는 안전관리 준수사항"이란 다음 각 호의 사항을 말
한다.

　　1. 고위험병원체 취급시설의 설치·운영 책임자, 고위험병원체의 전담관리자 및 생물안전관리
책임자를 둘 것

　　2. 고위험병원체의 검사·보존·관리 및 이동과 관련된 안전관리에 대한 사항을 심의하기 위하

여 고위험병원체 취급시설에 외부전문가, 생물안전관리책임자 등으로 구성되는 심의기구를 설치·운영할 것

3. 고위험병원체는 보존 단위용기에 고위험병원체의 이름, 관리번호 등 식별번호, 제조일 등 관련 정보를 표기하여 보안 잠금장치가 있는 별도의 보존상자 또는 보존장비에 보존할 것

4. 고위험병원체의 취급구역 및 보존구역에 대한 출입제한 및 고위험병원체의 취급을 확인할 수 있는 보안시스템을 운영할 것

5. 고위험병원체를 불활성화(폐기하지 아니하면서 영구적으로 생존하지 못하게 하는 처리를 말한다)하여 이용하려는 경우에는 제2호에 따른 심의기구의 심의를 거칠 것

6. 제19조의2제2항에 따른 허가 및 신고수리 기준을 준수할 것

② 제1항에서 규정한 사항 외에 안전관리 세부사항 및 제1항제2호에 따른 심의기구의 구성·운영 등의 사항은 보건복지부장관이 정하여 고시한다.

[본조신설 2018. 6. 12.]

제19조의7(고위험병원체 취급시설 허가 및 신고사항의 자료보완)

보건복지부장관은 제19조의2에 따른 고위험병원체 취급시설 설치·운영 허가 또는 신고, 제19조의3에 따른 고위험병원체 취급시설 설치·운영 허가사항의 변경허가 및 변경신고, 제19조의4에 따른 고위험병원체 취급시설의 변경신고 및 제19조의5에 따른 고위험병원체 취급시설의 폐쇄신고를 위하여 제출된 자료의 보완이 필요하다고 판단하는 경우 30일 이내의 기간을 정하여 필요한 자료를 제출하게 할 수 있다. 이 경우 보완에 걸리는 기간은 제19조의2제4항·제6항, 제19조의3제2항 및 제19조의5제2항에 따른 결정기간에 산입하지 아니한다.

[본조신설 2018. 6. 12.]

제20조(예방접종업무의 위탁)

① 특별자치도지사 또는 시장·군수·구청장은 법 제24조제2항 및 제25조제2항에 따라 보건소에서 시행하기 어렵거나 보건소를 이용하기 불편한 주민 등에 대한 예방접종업무를 「의료법」 제3조에 따른 종합병원, 병원, 요양병원(의사가 의료행위를 하는 곳만 해당한다) 또는 의원 중에서 특별자치도지사 또는 시장·군수·구청장이 지정하는 의료기관에 위탁할 수 있다. 이 경우 특별자치도지사 또는 시장·군수·구청장은 위탁한 기관을 공고하여야 한다.

② 특별자치도지사 또는 시장·군수·구청장은 제1항에 따라 예방접종업무를 위탁할 때에는 다음 각 호의 사항이 포함된 위탁계약서를 작성하여야 한다. 〈신설 2015. 1. 6.〉

1. 예방접종업무의 위탁범위에 관한 사항

2. 위탁계약 기간에 관한 사항

　　3. 위탁계약 조건에 관한 사항

　　4. 위탁계약 해지에 관한 사항

　③ 제1항에 따라 예방접종업무를 위탁한 경우의 예방접종 비용 산정 및 비용 상환 절차 등에 관하여 필요한 사항은 보건복지부장관이 정하여 고시한다. 〈개정 2015. 1. 6.〉

제20조의2(예방접종 내역의 사전확인)

법 제24조제1항 및 제25조제1항에 따라 예방접종을 하는 보건소장과 법 제24조제2항(법 제25조제2항에서 준용하는 경우를 포함한다)에 따라 예방접종을 위탁받은 의료기관의 장(이하 "보건소장등"이라 한다)은 법 제26조의2제1항 본문에 따라 예방접종을 받으려는 사람 또는 법정대리인에게 다음 각 호의 사항에 대하여 서면으로 동의를 받아야 한다.

　　1. 예방접종 내역을 확인한다는 사실

　　2. 예방접종 내역에 대한 확인 방법

　　　[본조신설 2016. 6. 28.]

제21조(예방접종피해조사반의 구성 등)

　① 법 제30조제2항에 따른 예방접종피해조사반(이하 "피해조사반"이라 한다)은 10명 이내의 반원으로 구성한다.

　② 피해조사반원은 질병관리본부장이 소속 공무원이나 다음 각 호의 어느 하나에 해당하는 사람 중에서 임명하거나 위촉한다.

　　1. 예방접종 및 예방접종 후 이상반응 분야의 전문가

　　2. 「의료법」 제2조제1항에 따른 의료인

　③ 피해조사반은 다음 각 호의 사항을 조사하고, 그 결과를 예방접종피해보상 전문위원회에 보고하여야 한다.

　　1. 제31조제2항에 따라 시·도지사가 제출한 기초조사 결과에 대한 평가 및 보완

　　2. 법 제72조제1항에서 규정하는 제3자의 고의 또는 과실 유무

　　3. 그 밖에 예방접종으로 인한 피해보상과 관련하여 예방접종피해보상 전문위원회가 결정하는 사항

　④ 제3항에 따라 피해조사를 하는 피해조사반원은 보건복지부령으로 정하는 예방접종피해조사반원증을 지니고 관계인에게 보여 주어야 한다.

　⑤ 질병관리본부장은 피해조사반원에게 예산의 범위에서 피해조사 활동에 필요한 수당과 여비를 지급할 수 있다.

　⑥ 피해조사반의 운영에 관한 세부사항은 예방접종피해보상 전문위원회의 의결을 거쳐 질병관리

본부장이 정한다.

제21조의2(예방접종 대상자의 개인정보 등)

① 법 제33조의2제2항제1호에 따라 보건복지부장관이 관련 기관 및 단체에 요청할 수 있는 예방접종 대상자의 인적사항에 대한 자료는 다음 각 호의 구분에 따른다. 〈개정 2018. 6. 12.〉

1. 예방접종 대상자가 국민인 경우: 다음 각 목의 자료

  가. 예방접종 대상자의 성명, 주민등록번호 및 주소

  나. 예방접종 대상자의 소속에 관한 다음의 자료

  1) 「초·중등교육법」 제2조에 따른 소속 학교에 관한 자료

  2) 「유아교육법」 제2조제2호에 따른 소속 유치원에 관한 자료

  3) 「영유아보육법」 제2조제3호에 따른 소속 어린이집에 관한 자료

  4) 「아동복지법」 제3조제10호에 따른 소속 아동복지시설에 관한 자료

  다. 그 밖에 예방접종 대상자에 대한 다음의 자료

  1) 「장애인복지법」 제32조에 따라 등록된 장애인인지 여부

  2) 「다문화가족지원법」 제2조제1호에 따른 다문화가족의 구성원인지 여부

  3) 「국민기초생활 보장법」 제2조제2호에 따른 수급자(같은 조 제10호에 따른 차상위계층을 포함한다) 또는 수급자의 자녀인지 여부

2. 예방접종 대상자가 외국인 또는 외국국적동포인 경우: 다음 각 목의 자료

  가. 「출입국관리법」 제31조에 따른 외국인등록에 관한 정보

  나. 「재외동포의 출입국과 법적 지위에 관한 법률」 제6조에 따른 외국국적동포의 국내거소 신고에 관한 정보

3. 그 밖에 예방접종 대상자의 인적사항에 관한 정보로서 예방접종업무의 수행과 관련하여 보건복지부장관이 특히 필요하다고 인정하여 고시하는 정보

② 법 제33조의2제2항제3호에 따라 보건복지부장관이 예방접종업무를 하는 데 필요한 자료로서 관련 기관 및 단체에 요청할 수 있는 자료는 다음 각 호와 같다.

1. 법 제24조제2항(법 제25조제2항에서 준용하는 경우를 포함한다)에 따라 예방접종업무를 위탁받은 의료기관의 개설정보

2. 예방접종 피해보상 신청내용에 관한 자료

3. 예방접종을 하는 데에 현저히 곤란한 질병이나 질환 또는 감염병의 관리 등에 관한 정보

[본조신설 2016. 6. 28.]

제21조의3(예방접종 정보의 입력)

보건소장등이 예방접종을 실시한 경우에는 법 제33조의2제3항에 따라 같은 조 제1항에 따른 예방접종 통합관리시스템(이하 "통합관리시스템"이라 한다)에 다음 각 호의 정보를 지체 없이 입력하여야 한다.

    1. 예방접종을 받은 사람에 대한 다음 각 목의 정보

       가. 성명

       나. 주민등록번호. 다만, 예방접종을 받은 사람이 외국인이거나 외국국적동포인 경우에는 외국인등록번호 또는 국내거소신고번호를 말한다.

    2. 예방접종의 내용에 대한 다음 각 목의 정보

       가. 예방접종 명칭

       나. 예방접종 차수

       다. 예방접종 연월일

       라. 예방접종에 사용된 백신의 이름

       마. 예진(豫診)의사 및 접종의사의 성명

       [본조신설 2016. 6. 28.]

제21조의4(예방접종 내역의 제공 등)

    ① 보건복지부장관은 법 제33조의2제4항 전단에 따라 예방접종 대상 아동 부모에게 자녀의 예방접종 내역을 제공하는 경우에는 통합관리시스템을 활용한 열람의 방법으로 제공한다. 다만, 보건복지부장관이 필요하다고 인정하는 경우에는 통합관리시스템을 활용하여 문자전송, 전자메일, 전화, 우편 또는 이에 상응하는 방법으로 제공할 수 있다.

    ② 보건복지부장관은 법 제33조의2제4항 전단에 따라 예방접종증명서를 발급하는 경우에는 보건복지부장관이 정하는 바에 따라 통합관리시스템에서 직접 발급하거나 「전자정부법」 제9조제3항에 따른 전자민원창구와 연계하여 발급할 수 있다.

    [본조신설 2016. 6. 28.]

제22조(감염병 위기관리대책 수립 절차 등)

    ① 보건복지부장관은 법 제34조제1항에 따라 감염병 위기관리대책을 수립하기 위하여 관계 행정기관, 지방자치단체 및 「공공기관의 운영에 관한 법률」 제4조에 따른 공공기관 등에 자료의 제출을 요청할 수 있다.

    ② 보건복지부장관은 법 제34조제1항에 따라 수립한 감염병 위기관리대책을 관계 중앙행정기관의 장에게 통보하여야 한다.

제23조(자가치료 및 입원치료의 방법 및 절차 등)

법 제41조제4항에 따른 자가치료 및 입원치료의 방법 및 절차 등은 별표 2와 같다.

제23조의2(유급휴가 비용 지원 등)

① 법 제41조의2제3항에 따라 사업주에게 주는 유급휴가 지원비용은 보건복지부장관이 기획재
정부장관과 협의하여 고시하는 금액에 근로자가 법에 따라 입원 또는 격리된 기간을 곱한 금
액으로 한다.

② 법 제41조의2제3항에 따라 비용을 지원받으려는 사업주는 보건복지부령으로 정하는 신청서
(전자문서로 된 신청서를 포함한다)에 다음 각 호의 서류(전자문서로 된 서류를 포함한다)를
첨부하여 보건복지부장관에게 제출하여야 한다.

1. 근로자가 입원 또는 격리된 사실과 기간을 확인할 수 있는 서류
2. 재직증명서 등 근로자가 계속 재직하고 있는 사실을 증명하는 서류
3. 보수명세서 등 근로자에게 유급휴가를 준 사실을 증명하는 서류
4. 그 밖에 보건복지부장관이 유급휴가 비용지원을 위하여 특히 필요하다고 인정하는 서류

③ 보건복지부장관은 제2항에 따른 신청서를 제출받은 경우에는 「전자정부법」 제36조제1항에 따
라 행정정보의 공동이용을 통하여 사업자등록증을 확인하여야 한다. 다만, 사업주가 확인에
동의하지 아니하는 경우에는 그 서류를 첨부하도록 하여야 한다.

④ 보건복지부장관은 제2항에 따른 신청서를 제출받은 경우에는 유급휴가 비용지원 여부와 지
원금액을 결정한 후 해당 사업주에게 서면으로 알려야 한다.

⑤ 제2항부터 제4항까지에서 규정한 사항 외에 유급휴가 비용지원의 신청절차 및 결과통보 등
에 필요한 사항은 보건복지부령으로 정한다.

[본조신설 2016. 6. 28.]

제23조의3(감염병환자등의 격리 등을 위한 감염병관리기관의 지정)

① 법 제42조제2항 및 제5항에 따라 감염병환자등에 대한 조사·진찰을 하거나 격리·치료 등을
하는 감염병관리기관으로 지정받을 수 있는 기관은 법 제36조제1항에 따라 지정받은 감염병
관리기관(이하 "감염병관리기관"이라 한다)으로서 감염병환자등을 위한 1인 병실[전실(前室)
및 음압시설(陰壓施設)을 갖춘 병실을 말한다]을 설치한 감염병관리기관으로 한다.

② 보건복지부장관, 시·도지사 또는 시장·군수·구청장은 법 제42조제9항에 따라 감염병관리기
관을 지정하는 경우에는 법 제39조의2에 따른 감염병관리시설에 대한 평가 결과를 고려하여
야 한다.

③ 보건복지부장관, 시·도지사 또는 시장·군수·구청장은 법 제42조제9항에 따라 감염병관리기

관을 지정한 경우에는 보건복지부장관이 정하는 바에 따라 지정서를 발급하여야 한다. [본조신설 2016. 6. 28.]

제24조(소독을 하여야 하는 시설)

법 제51조제2항에 따라 감염병 예방에 필요한 소독을 하여야 하는 시설은 다음 각 호와 같다. 〈개정 2011. 12. 8., 2014. 7. 7., 2015. 1. 6., 2016. 1. 19., 2016. 6. 28., 2016. 8. 11., 2017. 3. 29.〉

   1. 「공중위생관리법」에 따른 숙박업소(객실 수 20실 이상인 경우만 해당한다), 「관광진흥법」에 따른 관광숙박업소

   2. 「식품위생법 시행령」 제21조제8호(마목은 제외한다)에 따른 식품접객업 업소(이하 "식품접객업소"라 한다) 중 연면적 300제곱미터 이상의 업소

   3. 「여객자동차 운수사업법」에 따른 시내버스·농어촌버스·마을버스·시외버스·전세버스·장의자동차, 「항공안전법」에 따른 항공기 및 「공항시설법」에 따른 공항시설, 「해운법」에 따른 여객선, 「항만법」에 따른 연면적 300제곱미터 이상의 대합실, 「철도사업법」 및 「도시철도법」에 따른 여객운송 철도차량과 역사(驛舍) 및 역 시설

   4. 「유통산업발전법」에 따른 대형마트, 전문점, 백화점, 쇼핑센터, 복합쇼핑몰, 그 밖의 대규모 점포와 「전통시장 및 상점가 육성을 위한 특별법」에 따른 전통시장

   5. 「의료법」 제3조제3호에 따른 종합병원·병원·요양병원·치과병원 및 한방병원

   6. 「식품위생법」 제2조제12호에 따른 집단급식소(한 번에 100명 이상에게 계속적으로 식사를 공급하는 경우만 해당한다)

    6의2. 「식품위생법 시행령」 제21조제8호마목에 따른 위탁급식영업을 하는 식품접객업소 중 연면적 300제곱미터 이상의 업소

   7. 「건축법 시행령」 별표 1 제2호라목에 따른 기숙사

    7의2. 「화재예방, 소방시설 설치·유지 및 안전관리에 관한 법률 시행령」 별표 2 제8호가목에 따른 합숙소(50명 이상을 수용할 수 있는 경우만 해당한다)

   8. 「공연법」에 따른 공연장(객석 수 300석 이상인 경우만 해당한다)

   9. 「초·중등교육법」 제2조 및 「고등교육법」 제2조에 따른 학교

   10. 「학원의 설립·운영 및 과외교습에 관한 법률」에 따른 연면적 1천제곱미터 이상의 학원

   11. 연면적 2천제곱미터 이상의 사무실용 건축물 및 복합용도의 건축물

   12. 「영유아보육법」에 따른 어린이집 및 「유아교육법」에 따른 유치원(50명 이상을 수용하는 어린이집 및 유치원만 해당한다)

   13. 「공동주택관리법」에 따른 공동주택(300세대 이상인 경우만 해당한다)

제25조(방역관의 자격 및 직무 등)

① 법 제60조제1항에 따른 방역관은 감염병 관련 분야의 경험이 풍부한 4급 이상 공무원 중에서 임명한다. 다만, 시·군·구 소속 방역관은 감염병 관련 분야의 경험이 풍부한 5급 이상 공무원 중에서 임명할 수 있다. 〈개정 2016. 1. 6.〉

② 법 제60조제3항에 따른 조치권한 외에 방역관이 가지는 감염병 발생지역의 현장에 대한 조치권한은 다음 각 호와 같다. 〈개정 2016. 1. 6.〉

　1. 감염병병원체에 감염되었다고 의심되는 사람을 적당한 장소에 일정한 기간 입원조치 또는 격리조치

　2. 감염병병원체에 오염된 장소 또는 건물에 대한 소독이나 그 밖에 필요한 조치

　3. 일정한 장소에서 세탁하는 것을 막거나 오물을 일정한 장소에서 처리하도록 명하는 조치

　4. 인수공통감염병 예방을 위하여 살처분에 참여한 사람 또는 인수공통감염병에 드러나 사람 등에 대한 예방조치

③ 삭제 〈2016. 1. 6.〉

제26조(역학조사관의 자격 및 직무 등)

① 삭제 〈2016. 1. 6.〉

② 역학조사관은 다음 각 호의 업무를 담당한다.

　1. 역학조사 계획 수립

　2. 역학조사 수행 및 결과 분석

　3. 역학조사 실시 기준 및 방법의 개발

　4. 역학조사 기술지도

　5. 역학조사 교육훈련

　6. 감염병에 대한 역학적인 연구

③ 삭제 〈2016. 1. 6.〉

④ 보건복지부장관 및 시·도지사는 역학조사관에게 예산의 범위에서 연구비와 여비를 지급할 수 있다.

제26조의2(의료인에 대한 방역업무 종사명령)

① 보건복지부장관 또는 시·도지사는 법 제60조의3제1항에 따라 방역업무 종사명령을 하는 경우에는 방역업무 종사명령서를 발급하여야 한다. 이 경우 해당 명령서에는 방역업무 종사기관, 종사기간 및 종사업무 등이 포함되어야 한다.

② 법 제60조의3제1항에 따른 방역업무 종사기간은 30일 이내로 한다. 다만, 본인이 사전에 서면으로 동의하는 경우에는 그 기간을 달리 정할 수 있다.

③ 보건복지부장관 또는 시·도지사는 제2항에 따른 방역업무 종사기간을 연장하는 경우에는 해당 종사기간이 만료되기 전에 본인의 동의를 받아야 한다. 이 경우 그 연장기간은 30일을 초과할 수 없되, 본인이 동의하는 경우에는 그 연장기간을 달리 정할 수 있다.

④ 보건복지부장관 또는 시·도지사는 제3항에 따라 방역업무 종사기간을 연장하는 경우에는 방역업무 종사명령서를 새로 발급하여야 한다.

[본조신설 2016. 6. 28.]

제26조의3(방역관 등의 임명)

① 보건복지부장관 또는 시·도지사는 법 제60조의3제2항 또는 제3항에 따라 방역관 또는 역학조사관을 임명하는 경우에는 임명장을 발급하여야 한다. 이 경우 해당 임명장에는 직무수행기간이 포함되어야 한다.

② 방역관 또는 역학조사관의 직무수행기간, 직무수행기간 연장 및 직무수행기간 연장에 따른 임명장의 발급 등에 관하여는 제26조의2제2항부터 제4항까지의 규정을 준용한다.

[본조신설 2016. 6. 28.]

제27조(시·도의 보조 비율)

법 제66조에 따른 시·도(특별자치도는 제외한다)의 경비 보조액은 시·군·구가 부담하는 금액의 3분의 2로 한다.

제28조(손실보상의 대상 및 범위 등)

① 법 제70조제1항에 따른 손실보상의 대상 및 범위는 별표 2의2와 같다.

② 법 제70조의2제1항에 따른 손실보상심의위원회(이하 "심의위원회"라 한다)는 법 제70조제1항에 따라 손실보상액을 산정하기 위하여 필요한 경우에는 관계 분야의 전문기관이나 전문가로 하여금 손실 항목에 대한 감정, 평가 또는 조사 등을 하게 할 수 있다.

③ 심의위원회는 법 제70조제1항제1호부터 제3호까지의 손실에 대하여 보상금을 산정하는 경우에는 해당 의료기관의 연평균수입 및 영업이익 등을 고려하여야 한다.

[전문개정 2016. 6. 28.]

제28조의2(손실보상금의 지급제외 및 감액기준)

① 법 제70조제3항에 따라 법 또는 관련 법령에 따른 조치의무를 위반하여 손실보상금을 지급하지 아니하거나 손실보상금을 감액하여 지급할 수 있는 위반행위의 종류는 다음 각 호와 같다.

1. 법 제11조에 따른 보고·신고를 게을리하거나 방해한 경우 또는 거짓으로 보고·신고한 경우

2. 법 제12조에 따른 신고의무를 게을리하거나 같은 조 제1항 각 호에 따른 신고의무자의 신고를 방해한 경우

3. 법 제18조제3항에 따른 역학조사 시 금지행위를 한 경우

4. 법 제36조제2항 또는 제37조제2항에 따른 감염병관리시설을 설치하지 아니한 경우

5. 법 제60조제4항에 따른 협조의무를 위반한 경우

6. 「의료법」 제59조제1항에 따른 지도와 명령을 위반한 경우

7. 그 밖에 법령상의 조치의무로서 보건복지부장관이 특히 중요하다고 인정하여 고시하는 조치의무를 위반한 경우

② 법 제70조제3항에 따라 손실보상금을 지급하지 아니하거나 감액을 하는 경우에는 제1항 각 호의 위반행위가 그 손실의 발생 또는 확대에 직접적으로 관련되는지 여부와 중대한 원인인지의 여부를 기준으로 한다.

③ 심의위원회는 제2항에 따라 제1항 각 호의 위반행위와 손실 발생 또는 손실 확대와의 인과관계를 인정하는 경우에는 해당 위반행위의 동기, 경위, 성격 및 유형 등을 종합적으로 고려하여야 한다.

④ 제2항 및 제3항에 따른 손실보상금 지급제외 및 감액기준 등에 필요한 세부사항은 보건복지부장관이 정하여 고시한다.

[본조신설 2016. 6. 28.]

제28조의3(손실보상심의위원회의 구성 및 운영)

① 보건복지부에 두는 심의위원회의 위원은 보건복지부장관이 성별을 고려하여 다음 각 호의 사람 중에서 임명하거나 위촉한다.

1. 「의료법」에 따라 설립된 의료인 단체 및 의료기관 단체와 「약사법」에 따라 설립된 대한약사회 및 대한한약사회에서 추천하는 사람

2. 「비영리민간단체 지원법」에 따른 비영리민간단체로서 보건의료분야와 밀접한 관련이 있다고 보건복지부장관이 인정하는 단체에서 추천하는 사람

3. 「국민건강보험법」에 따른 국민건강보험공단의 이사장 또는 건강보험심사평가원의 원장이 추천하는 사람

4. 「고등교육법」에 따른 대학의 보건의료 관련 학과에서 부교수 이상 또는 이에 상당하는 직위에 재직 중이거나 재직하였던 사람

5. 감염병 예방 및 관리에 관한 전문지식과 경험이 풍부한 사람

6. 손실보상에 관한 전문지식과 경험이 풍부한 사람

7. 보건의료 정책을 담당하는 고위공무원단에 속하는 공무원

② 제1항제1호부터 제6호까지의 규정에 따른 위촉위원의 임기는 3년으로 한다. 다만, 위원의 해촉(解囑) 등으로 인하여 새로 위촉된 위원의 임기는 전임 위원 임기의 남은 기간으로 한다.

③ 보건복지부장관은 제1항에 따른 심의위원회의 위촉위원이 다음 각 호의 어느 하나에 해당하는 경우에는 해당 위촉위원을 해촉할 수 있다.

　　1. 심신장애로 인하여 직무를 수행할 수 없게 된 경우

　　2. 직무와 관련된 비위사실이 있는 경우

　　3. 직무태만, 품위손상이나 그 밖의 사유로 인하여 위원으로 적합하지 아니하다고 인정되는 경우

　　4. 위원 스스로 직무를 수행하는 것이 곤란하다고 의사를 밝히는 경우

④ 제1항에 따른 심의위원회의 위원장은 심의위원회를 대표하고, 심의위원회의 업무를 총괄한다.

⑤ 제1항에 따른 심의위원회의 회의는 재적위원 과반수의 요구가 있거나 심의위원회의 위원장이 필요하다고 인정할 때에 소집하고, 심의위원회의 위원장이 그 의장이 된다.

⑥ 제1항에 따른 심의위원회의 회의는 재적위원 과반수의 출석으로 개의(開議)하고, 출석위원 과반수의 찬성으로 의결한다.

⑦ 제1항에 따른 심의위원회는 업무를 효율적으로 수행하기 위하여 심의위원회에 관계 분야의 전문가로 구성되는 전문위원회를 둘 수 있다.

⑧ 제1항부터 제7항까지에서 규정한 사항 외에 제1항에 따른 심의위원회 및 전문위원회의 구성·운영 등에 필요한 사항은 심의위원회의 의결을 거쳐 심의위원회의 위원장이 정한다.

⑨ 법 제70조의2제1항에 따라 시·도에 두는 심의위원회의 구성·운영 등에 관하여는 제1항부터 제8항까지를 준용한다. 이 경우 "보건복지부장관"은 "시·도지사"로 본다.

[본조신설 2016. 6. 28.]

제28조의4(의료인 또는 의료기관 개설자에 대한 지원 등)

① 보건복지부장관, 시·도지사 또는 시장·군수·구청장은 법 제70조의3제1항에 따라 감염병의 발생 감시, 예방·관리 또는 역학조사업무에 조력한 의료인 또는 의료기관 개설자에 대하여 수당 및 여비 등의 비용을 지원할 수 있다.

② 제1항에 따른 지원을 받으려는 자는 감염병의 발생 감시, 예방·관리 및 역학조사업무에 조력한 사실을 증명하는 자료를 첨부하여 보건복지부장관, 시·도지사 또는 시장·군수·구청장에게 신청하여야 한다.

③ 제2항에 따른 지원 신청을 받은 보건복지부장관, 시·도지사 또는 시장·군수·구청장은 지원 여부, 지원항목 및 지원금액 등을 결정하고, 그 사실을 신청인에게 알려야 한다.

[본조신설 2016. 6. 28.]

제28조의5(감염병환자등에 대한 생활지원 등)

보건복지부장관, 시·도지사 또는 시장·군수·구청장은 법 제70조의4제1항에 따라 다음 각 호의 지원을 할 수 있다. 다만, 법 제41조의2제1항에 따라 유급휴가를 받은 경우에는 제2호에 따른 지원을 하지 아니한다.

> 1. 치료비 및 입원비: 본인이 부담하는 치료비 및 입원비. 다만, 「국민건강보험법」에 따른 요양급여의 대상에서 제외되는 비용 등 보건복지부장관이 정하는 비용은 제외한다.
> 2. 생활지원비: 보건복지부장관이 기획재정부장관과 협의하여 고시하는 금액
>
> [본조신설 2016. 6. 28.]

제29조(예방접종 등에 따른 피해의 보상 기준)

법 제71조제1항에 따라 보상하는 보상금의 지급 기준은 다음 각 호와 같다. 〈개정 2015. 1. 6., 2017. 5. 29., 2018. 9. 18.〉

> 1. 진료비: 예방접종피해로 발생한 질병의 진료비 중 「국민건강보험법」에 따라 보험자가 부담하거나 지급한 금액을 제외한 잔액 또는 「의료급여법」에 따라 의료급여기금이 부담한 금액을 제외한 잔액. 다만, 제3호에 따른 일시보상금을 지급받은 경우에는 진료비를 지급하지 아니한다.
> 2. 간병비: 입원진료의 경우에 한정하여 1일당 5만원
> 3. 장애인이 된 사람에 대한 일시보상금
>> 가. 「장애인복지법」에 따른 장애인
>>> 1) 장애 등급 1급인 사람: 사망한 사람에 대한 일시보상금의 100분의 100
>>> 2) 장애 등급 2급인 사람: 사망한 사람에 대한 일시보상금의 100분의 85
>>> 3) 장애 등급 3급인 사람: 사망한 사람에 대한 일시보상금의 100분의 70
>>> 4) 장애 등급 4급인 사람: 사망한 사람에 대한 일시보상금의 100분의 55
>>> 5) 장애 등급 5급인 사람: 사망한 사람에 대한 일시보상금의 100분의 40
>>> 6) 장애 등급 6급인 사람: 사망한 사람에 대한 일시보상금의 100분의 25
>> 나. 가목 외의 장애인으로서 「국민연금법」, 「공무원연금법」, 「공무원 재해보상법」 및 「산업재해보상보험법」 등 보건복지부장관이 정하여 고시하는 법률에서 정한 장애 등급이나 장해 등급에 해당하는 경우에는 사망한 사람에 대한 일시보상금의 100분의 20 범위에서 해당 장애 등급이나 장해 등급의 기준별로 보건복지부장관이 정하여 고시하는 금액
> 4. 사망한 사람에 대한 일시보상금: 사망 당시의 「최저임금법」에 따른 월 최저임금액에 240을 곱한 금액에 상당하는 금액
> 5. 장제비: 30만원

제30조(예방접종 등에 따른 피해의 보상대상자)

① 법 제71조제1항에 따라 보상을 받을 수 있는 사람은 다음 각 호의 구분에 따른다.

　　1. 법 제71조제1항제1호 및 제2호의 경우: 본인

　　2. 법 제71조제1항제3호의 경우: 유족 중 우선순위자

② 법 제71조제1항제3호에서 "대통령령으로 정하는 유족"이란 배우자(사실상 혼인관계에 있는 사람을 포함한다), 자녀, 부모, 손자·손녀, 조부모, 형제자매를 말한다.

③ 유족의 순위는 제2항에 열거한 순위에 따르되, 행방불명 등으로 지급이 어려운 사람은 제외하며, 우선순위의 유족이 2명 이상일 때에는 사망한 사람에 대한 일시보상금을 균등하게 배분한다.

제31조(예방접종 등에 따른 피해의 보상 절차)

① 법 제71조제1항에 따라 보상을 받으려는 사람은 보건복지부령으로 정하는 바에 따라 보상청구서에 피해에 관한 증명서류를 첨부하여 관할 특별자치도지사 또는 시장·군수·구청장에게 제출하여야 한다.

② 시장·군수·구청장은 제1항에 따라 받은 서류(이하 "피해보상청구서류"라 한다)를 시·도지사에게 제출하고, 피해보상청구서류를 받은 시·도지사와 제1항에 따라 피해보상청구서류를 받은 특별자치도지사는 지체 없이 예방접종으로 인한 피해에 관한 기초조사를 한 후 피해보상청구서류에 기초조사 결과 및 의견서를 첨부하여 보건복지부장관에게 제출하여야 한다.

③ 보건복지부장관은 예방접종피해보상 전문위원회의 의견을 들어 보상 여부를 결정한 후 그 사실을 시·도지사에게 통보하고, 시·도지사(특별자치도지사는 제외한다)는 시장·군수·구청장에게 통보하여야 한다. 이 경우 통보를 받은 특별자치도지사 또는 시장·군수·구청장은 제1항에 따라 보상을 받으려는 사람에게 결정 내용을 통보하여야 한다. 〈개정 2015. 1. 6.〉

④ 보건복지부장관은 제3항에 따라 보상을 하기로 결정한 사람에 대하여 제29조의 보상 기준에 따른 보상금을 지급한다.

⑤ 이 영에서 규정한 사항 외에 예방접종으로 인한 피해보상 심의의 절차 및 방법에 관하여 필요한 사항은 보건복지부장관이 정한다.

제32조(권한의 위임 및 업무의 위탁)

① 보건복지부장관은 법 제76조제1항에 따라 다음 각 호의 권한을 질병관리본부장에게 위임한다. 〈개정 2015. 1. 6., 2016. 1. 6., 2016. 6. 28., 2018. 6. 12.〉

　　1. 법 제8조제1항에 따라 보건복지부에 두는 감염병사업지원기구에 관한 다음 각 목의 업무

　　　가. 제1조의2제2항에 따른 구성원의 위촉에 관한 업무

나. 제1조의2제4항에 따른 보고에 관한 업무

다. 제1조의2제5항에 따른 비용지원에 관한 업무

　　1의2. 법 제8조의2제2항·제3항 및 이 영 제1조의4에 따른 권역별 감염병병원의 지정·운영 및 지원에 관한 업무

　　1의3. 법 제10조제3항에 따른 전문위원회의 운영에 관한 업무

2. 법 제11조제3항 및 제5항에 따른 감염병의 신고에 관한 업무

3. 법 제13조에 따른 특별자치도지사·시장·군수·구청장의 보고에 관한 업무

4. 법 제16조에 따른 감염병 표본감시 등에 관한 업무

5. 법 제17조에 따른 실태조사에 관한 업무

　　5의2. 법 제18조의2제1항 및 제2항에 따른 역학조사의 요청에 관한 업무

　　5의3. 법 제18조의3제1항에 따른 역학조사인력의 양성 업무

　　5의4. 법 제18조의4제1항 및 제2항에 따른 역학조사에 필요한 자료제출 업무 및 역학조사 실시를 위한 인력 파견 등의 지원요청 업무

　　5의5. 법 제20조의2에 따른 감염병환자등 시신의 장사에 관한 업무

6. 법 제21조에 따른 고위험병원체의 분리 및 이동 신고에 관한 업무

7. 법 제22조에 따른 고위험병원체의 반입 허가 등에 관한 업무

8. 법 제23조에 따른 고위험병원체 취급시설의 설치·운영 허가 또는 신고, 변경허가, 변경신고, 폐쇄신고 및 안전점검에 관한 업무

　　8의2. 법 제23조의2에 따른 고위험병원체 취급시설의 허가취소, 폐쇄명령 및 운영정지명령에 관한 업무

9. 법 제25조제1항제1호에 따른 임시예방접종의 요청에 관한 업무

10. 법 제28조에 따른 예방접종 기록의 보고에 관한 업무

11. 법 제32조에 따른 예방접종의 실시주간 및 실시기준 등에 관한 업무

12. 법 제33조에 따른 예방접종약품의 계획 생산, 지원 및 비용 지급에 관한 업무

　　12의2. 법 제33조의2제1항·제2항 및 제4항에 따른 통합관리시스템의 구축·운영, 자료의 수집·관리·보유 및 자료제공 요청, 예방접종 내역 제공과 예방접종증명서의 발급, 법원행정처장에 대한 자료 요청 업무

13. 법 제37조에 따른 감염병위기 시 감염병관리기관의 설치 등에 관한 업무

　　13의2. 법 제39조의2에 따른 감염병관리시설의 평가에 관한 업무

14. 법 제40조에 따른 생물테러감염병 등에 대비한 의약품 및 장비의 비축, 계약, 생산지시, 역학조사 등에 관한 업무

　　14의2. 법 제40조의2에 따른 감염병 대비 비축·생산한 의약품의 공급의 우선순위 등 분배

기준과 그 밖에 필요한 사항에 관한 업무

15. 법 제41조에 따른 감염병환자등의 관리에 관한 업무

16. 법 제42조에 따른 감염병에 관한 강제처분에 관한 업무

17. 법 제43조에 따른 감염병환자등의 입원 통지에 관한 업무

   17의2. 법 제46조에 따른 건강진단 및 예방접종 등의 조치에 관한 업무

   17의3. 법 제47조에 따른 감염병 유행 시 감염병 전파를 막기 위한 조치에 관한 업무

   17의4. 법 제49조에 따른 감염병을 예방하기 위한 조치에 관한 업무

18. 법 제60조 및 제60조의2에 따른 방역관 및 역학조사관에 관한 업무

   18의2. 법 제60조의3제1항부터 제3항까지에 따른 방역업무 종사명령, 방역관 및 역학조사관의 임명·관리에 관한 업무

19. 법 제70조의3제1항에 따른 재정 지원에 관한 업무

   19의2. 법 제70조의4제1항에 따른 치료비, 생활지원 및 재정지원에 관한 사무

20. 법 제71조에 따른 예방접종 등에 따른 피해의 국가보상에 관한 업무

   20의2. 법 제76조의2제2항부터 제5항까지에 따른 위치정보 요청, 수집한 정보의 제공, 정보를 제공받은 자의 파기 통보 및 통지에 관한 업무

② 보건복지부장관은 법 제76조제2항에 따라 법 제4조제2항제4호부터 제9호까지 및 제14호부터 제17호까지의 규정에 따른 업무를 다음 각 호의 어느 하나에 해당하는 자에게 위탁할 수 있다. 〈신설 2015. 1. 6., 2016. 1. 6.〉

1. 「정부출연연구기관 등의 설립·운영 및 육성에 관한 법률」에 따른 정부출연연구기관

2. 「고등교육법」 제2조에 따른 학교

3. 감염병의 예방 및 관리 업무와 관련된 「민법」 또는 다른 법률에 따라 설립된 비영리법인

4. 그 밖에 감염병의 예방 및 관리 업무에 전문성이 있다고 보건복지부장관이 인정하는 기관 또는 단체

③ 보건복지부장관은 제2항에 따라 업무를 위탁하는 경우에는 위탁받는 기관 및 위탁업무의 내용을 고시하여야 한다. 〈신설 2015. 1. 6.〉

[제목개정 2015. 1. 6.]

제32조의2(제공 요청할 수 있는 정보)

법 제76조의2제1항제4호에서 "대통령령으로 정하는 정보"란 다음 각 호의 정보를 말한다.

1. 「여신전문금융업법」 제2조제3호·제6호 및 제8호에 따른 신용카드·직불카드·선불카드 사용명세

2. 「대중교통의 육성 및 이용촉진에 관한 법률」 제10조의2제1항에 따른 교통카드 사용명세

3. 「개인정보 보호법」 제2조제7호에 따른 영상정보처리기기를 통하여 수집된 영상정보

[본조신설 2016. 1. 6.]

[종전 제32조의2는 제32조의3으로 이동 〈2016. 1. 6.〉]

제32조의3(민감정보 및 고유식별정보의 처리)

① 국가 및 지방자치단체(해당 권한이 위임·위탁된 경우는 해당 권한을 위임·위탁받은 자를 포함한다)는 다음 각 호의 사무를 수행하기 위하여 불가피한 경우 「개인정보 보호법」 제23조에 따른 건강에 관한 정보, 같은 법 시행령 제19조제1호 또는 제4호에 따른 주민등록번호 또는 외국인등록번호가 포함된 자료를 처리할 수 있다.

1. 법 제4조제2항제2호에 따른 감염병환자등의 진료 및 보호 사업에 관한 사무

2. 법 제4조제2항제8호에 따른 감염병 예방을 위한 전문인력 양성 사업에 관한 사무

3. 법 제4조제2항제9호에 따른 감염병 관리정보 교류 등을 위한 국제협력 사업에 관한 사무

② 보건복지부장관, 질병관리본부장, 시·도지사, 시장·군수·구청장(제20조에 따라 시장·군수·구청장으로부터 예방접종업무를 위탁받은 의료기관을 포함한다), 보건소장 또는 법 제16조제1항에 따라 지정받은 감염병 표본감시기관은 다음 각 호의 사무를 수행하기 위하여 불가피한 경우 제1항 각 호 외의 부분에 따른 개인정보가 포함된 자료를 처리할 수 있다. 〈개정 2016. 6. 28.〉

1. 법 제11조부터 제13조까지 및 제15조에 따른 감염병환자등의 신고·보고·파악 및 관리에 관한 사무

2. 법 제16조에 따른 감염병 표본감시 등에 관한 사무

3. 법 제17조에 따른 실태조사에 관한 사무

4. 법 제18조에 따른 역학조사에 관한 사무

5. 법 제19조에 따른 건강진단에 관한 사무

6. 법 제20조에 따른 해부명령에 관한 사무

7. 법 제21조부터 제23조까지의 규정에 따른 고위험병원체에 관한 사무

8. 법 제24조, 제25조, 제26조의2, 제27조부터 제32조까지 및 제33조의2의 규정에 따른 예방접종에 관한 사무

9. 법 제36조 및 제37조에 따른 감염병관리기관 지정, 감염병관리시설, 격리소, 요양소 및 진료소의 설치·운영에 관한 사무

10. 법 제41조부터 제43조까지, 제45조부터 제47조까지, 제49조 및 제50조에 따른 감염병환자등의 관리 및 감염병의 방역·예방 조치에 관한 사무

11. 법 제52조 및 제53조에 따른 소독업의 신고에 관한 사무

12. 법 제55조에 따른 소독업자 등에 관한 교육에 관한 사무

13. 법 제70조부터 제72조까지의 규정에 따른 손실보상 및 예방접종 등에 따른 피해의 국가보상에 관한 사무

[본조신설 2014. 8. 6.]

[제32조의2에서 이동 〈2016. 1. 6.〉]

제33조(과태료의 부과)

법 제83조제1항 및 제2항에 따른 과태료의 부과기준은 별표 3과 같다. 〈개정 2018. 6. 12.〉

[전문개정 2016. 1. 6.]

부칙 〈제22564호, 2010. 12. 29.〉

제1조(시행일)

이 영은 2010년 12월 30일부터 시행한다. 다만, 부칙 제7조제11항은 2011년 1월 1일부터 시행한다.

제2조(간병비 보상기준에 관한 적용례)

제29조제2호의 개정규정은 이 영 시행 후 최초로 지급하는 간병비부터 적용한다.

제3조(예방접종업무의 수탁기관에 관한 경과조치)

이 영 시행 당시 종전의 「전염병예방법 시행령」에 따라 예방접종업무를 위탁받은 기관은 제20조제1항의 개정규정에 따라 예방접종업무를 위탁받은 기관으로 본다.

제4조(방역관의 직명에 관한 경과조치)

이 영 시행 당시 종전의 「전염병예방법 시행령」에 따른 방역사 및 방역관은 제25조의 개정규정에 따른 방역관으로 본다.

제5조(역학조사관의 자격에 관한 경과조치)

이 영 시행 당시 종전의 「전염병예방법 시행령」에 따른 역학조사관은 제26조제1항의 개정규정에 따른 역학조사관의 자격을 갖춘 것으로 본다.

제6조(과태료에 관한 경과조치)

① 이 영 시행 전의 위반행위에 대한 과태료 부과처분은 별표 3의 개정규정 중 1차 위반행위의

과태료 부과기준에 따른다.

② 이 영 시행 전의 위반행위로 받은 과태료 부과처분은 별표 3의 개정규정에 따른 위반행위의
횟수 산정에 포함하지 아니한다.

제7조(다른 법령의 개정)

① 공중보건장학을위한특례법시행령 일부를 다음과 같이 개정한다.

제2조제3호 중 "전염병질환"을 "감염병질환"으로 한다.

② 국가공무원 복무규정 일부를 다음과 같이 개정한다.

제18조제1항제2호 중 "전염병"을 "감염병"으로 한다.

③ 국가통합교통체계효율화법 시행령 일부를 다음과 같이 개정한다.

제23조제3호 중 "전염병"을 "감염병"으로 한다.

④ 국고금관리법 시행령 일부를 다음과 같이 개정한다.

제42조제11호 중 "전염병예방"을 "감염병예방"으로 한다.

⑤ 군수품관리법 시행령 일부를 다음과 같이 개정한다.

제29조 중 "전염병예방"을 "감염병예방"으로 한다.

⑥ 군에서의 형의 집행 및 군수용자의 처우에 관한 법률 시행령 일부를 다음과 같이 개정한다.

제14조제4항 전단 중 "전염병(「전염병예방법」 제2조제1호에 따른 전염병을 말한다. 이하 같다)"
을 "감염병(「감염병의 예방 및 관리에 관한 법률」 제2조제2호에 따른 감염병을 말한다. 이하
같다)"으로 하고, 같은 조 제5항 중 "전염병"을 "감염병"으로 한다.

제50조의 제목 "(전염병에 관한 조치)"를 "(감염병에 관한 조치)"로 하고, 같은 조 제1항부터 제
4항까지 중 "전염병"을 각각 "감염병"으로 한다.

⑦ 노인장기요양보험법 시행령 일부를 다음과 같이 개정한다.

제12조제2항제1호를 다음과 같이 한다.

1. 「감염병의 예방 및 관리에 관한 법률」에 따른 감염병환자로서 감염의 위험성이 있는 경우

⑧ 모자보건법 시행령 일부를 다음과 같이 개정한다.

제13조제1항제4호 중 "「전염병예방법」 제11조제1항"을 "「감염병의 예방 및 관리에 관한 법률」
제24조제1항"으로 한다.

제16조의2제1호를 다음과 같이 하고, 같은 조 제2호 중 "전염병"을 "감염병"으로 한다.

2. 「감염병의 예방 및 관리에 관한 법률」 제2조에 따른 감염병이 있는 사람

⑨ 민방위기본법 시행령 일부를 다음과 같이 개정한다.

제12조제1항제1호바목 중 "전염병"을 "감염병"으로 한다.

⑩ 보호소년 등의 처우에 관한 법률 시행령 일부를 다음과 같이 개정한다.

제45조의 제목 "(전염병의 예방)"을 "(감염병의 예방)"으로 하고, 같은 조 제1항부터 제3항까지 중 "전염병"을 각각 "감염병"으로 한다.

제46조의 제목 "(전염병 발생 보고 등)"을 "(감염병 발생 보고 등)"으로 하고, 같은 조 제목 외 의 부분 중 "전염병"을 "감염병"으로, 「전염병예방법」 제5조를 「감염병의 예방 및 관리에 관한 법률」 제12조로 한다.

⑪ 대통령령 제22286호 병역법 시행령 일부개정령 일부를 다음과 같이 개정한다.

제129조제3항제1호를 다음과 같이 한다.

1. 「감염병의 예방 및 관리에 관한 법률」에 따른 감염병에 걸린 경우

⑫ 부가가치세법 시행령 일부를 다음과 같이 개정한다.

제29조제10호 중 "「전염병예방법」 제40조의3의 규정"을 "「감염병의 예방 및 관리에 관한 법률」 제52조"로 한다.

⑬ 수의사법 시행령 일부를 다음과 같이 개정한다.

제20조제3호 중 "인수공통전염병"을 "인수공통감염병"으로 한다.

⑭ 아동복지법 시행령 중 일부를 다음과 같이 개정한다.

제8조제2항 단서 중 "전염병질환"을 "감염병질환"으로 한다.

⑮ 여권법 시행령 일부를 다음과 같이 개정한다.

제28조제6호 중 "전염병"을 "감염병"으로 한다.

⑯ 외국인근로자의 고용 등에 관한 법률 시행령 일부를 다음과 같이 개정한다.

제23조제1항제4호 중 "「전염병예방법」 제2조제1항제1호부터 제4호까지의 규정에 따른 전염병" 을 "「감염병의 예방 및 관리에 관한 법률」 제2조제2호부터 제5호까지의 규정에 따른 감염병" 으로 한다.

⑰ 위생사에 관한 법률 시행령 일부를 다음과 같이 개정한다.

제3조제1항제5호 중 "전염병예방법"을 "감염병의 예방 및 관리에 관한 법률"로 한다.

⑱ 자연재해대책법 시행령 일부를 다음과 같이 개정한다.

제28조제1항제5호 중 "전염병"을 "감염병"으로 한다.

⑲ 장사 등에 관한 법률 시행령 일부를 다음과 같이 개정한다.

제5조제1호를 다음과 같이 한다.

1. 「감염병의 예방 및 관리에 관한 법률」 제2조에 따른 감염병으로 사망한 시체(시장등이 감염 병의 확산을 방지하기 위하여 긴급한 조치가 필요하다고 인정하는 경우만 해당한다)

⑳ 재난 및 안전관리 기본법 시행령 일부를 다음과 같이 개정한다.

제63조제1항제2호사목 중 "전염병"을 "감염병"으로 한다.

㉑ 재해구호법 시행령 일부를 다음과 같이 개정한다.

제2조제3호 중 "전염병관리"를 "감염병관리"로 한다.

제4조제3호 중 "전염병관리"를 "감염병관리"로 한다.

㉒ 지방자치법 시행령 일부를 다음과 같이 개정한다.

제72조제1항제3호 중 "급성전염병"을 "급성감염병"으로 한다.

㉓ 지방재정법 시행령 일부를 다음과 같이 개정한다.

제101조제12호 중 "전염병예방"을 "감염병예방"으로 한다.

㉔ 지역보건법시행령 일부를 다음과 같이 개정한다.

제22조제1항제1호 및 제2호 중 "전염병"을 각각 "감염병"으로 한다.

㉕ 축산물위생처리법 시행령 일부를 다음과 같이 개정한다.

제16조제2항 및 제29조제2호 중 "인수공통전염병"을 각각 "인수공통감염병"으로 한다.

㉖ 학교보건법 시행령 일부를 다음과 같이 개정한다.

제22조제1항제1호 본문을 다음과 같이 하고, 같은 호 단서 중 "전염"을 "감염"으로 하며, 같은 항 제2호 중 "전염성"을 "감염성"으로 한다.

「감염병의 예방 및 관리에 관한 법률」제2조에 따른 감염병환자, 감염병의사환자 및 감염병병원체보유자

㉗ 행정권한의 위임 및 위탁에 관한 규정 일부를 다음과 같이 개정한다.

제36조제6항제1호를 삭제한다.

㉘ 형의 집행 및 수용자의 처우에 관한 법률 시행령 일부를 다음과 같이 개정한다.

제52조의 제목 "(전염병의 정의)"를 "(감염병의 정의)"로 하고, 같은 조 제목 외의 부분 중 "전염병"을 "감염병"으로, 「전염병예방법」에 따른 전염병"을 "「감염병의 예방 및 관리에 관한 법률」에 따른 감염병"으로 한다.

제53조의 제목 "(전염병에 관한 조치)"를 "(감염병에 관한 조치)"로 하고, 같은 조 제1항부터 제3항까지 중 "전염병"을 각각 "감염병"으로 한다.

㉙ 화학·생물무기의 금지 및 특정화학물질·생물작용제 등의 제조·수출입규제 등에 관한 법률 시행령 일부를 다음과 같이 개정한다.

제6조의2제2항제2호 중 "「전염병예방법」 제5조의2제1항"을 "「감염병의 예방 및 관리에 관한 법률」 제21조제1항"으로 한다.

제9조의2제2항제2호 중 "「전염병예방법」 제5조의2제3항"을 "「감염병의 예방 및 관리에 관한 법률」 제21조제2항"으로 한다.

제8조(다른 법령과의 관계)

이 영 시행 당시 다른 법령에서 종전의 「전염병예방법 시행령」 또는 그 규정을 인용하고 있는 경우에 이

영 중 그에 해당하는 규정이 있으면 종전의 규정을 갈음하여 이 영 또는 이 영의 해당 규정을 인용한 것으로 본다.

부칙 〈제23356호, 2011. 12. 8.〉 (영유아보육법 시행령)

제1조(시행일)

이 영은 2011년 12월 8일부터 시행한다. 〈단서 생략〉

제2조(다른 법령의 개정)

① 감염병의 예방 및 관리에 관한 법률 시행령 일부를 다음과 같이 개정한다.

제24조제12호 중 "영유아 보육시설"을 각각 "어린이집"으로 한다.

②부터 〈54〉까지 생략

부칙 〈제24454호, 2013. 3. 23.〉 (보건복지부와 그 소속기관 직제)

제1조(시행일)

이 영은 공포한 날부터 시행한다. 〈단서 생략〉

제2조 및 제3조 생략

제4조(다른 법령의 개정)

① 감염병의 예방 및 관리에 관한 법률 시행령 일부를 다음과 같이 개정한다.

별표 1 제1호다목4) 단서 및 같은 표 제2호나목2) 중 "식품의약품안전청"을 각각 "식품의약품안전처"로 한다.

②부터 ㉟ 까지 생략

부칙 〈제25448호, 2014. 7. 7.〉 (도시철도법 시행령)

제1조(시행일)

이 영은 2014년 7월 8일부터 시행한다.

제2조 생략

제3조(다른 법령의 개정)

① 및 ② 생략

③ 감염병의 예방 및 관리에 관한 법률 시행령 일부를 다음과 같이 개정한다.

제24조제3호 중 "역무시설"을 "역 시설"로 한다.

④부터 ㉘ 까지 생략

제4조 생략

부칙 〈제25532호, 2014. 8. 6.〉 (민감정보 및 고유식별정보 처리 근거 마련을 위한 공공기관의 운영에 관한 법률 시행령 등 일부개정령)

이 영은 2014년 8월 7일부터 시행한다.

부칙 〈제26024호, 2015. 1. 6.〉

이 영은 공포 후 6개월이 경과한 날부터 시행한다.

부칙 〈제26865호, 2016. 1. 6.〉

이 영은 2016년 1월 7일부터 시행한다.

부칙 〈제26916호, 2016. 1. 19.〉 (화재예방, 소방시설 설치·유지 및 안전관리에 관한 법률 시행령)

제1조(시행일)

이 영은 2016년 1월 21일부터 시행한다. 〈단서 생략〉

제2조 생략

제3조(다른 법령의 개정)

① 감염병의 예방 및 관리에 관한 법률 시행령 일부를 다음과 같이 개정한다.

제24조제7호의2 중 "소방시설 설치·유지 및 안전관리에 관한 법률 시행령"을 "화재예방, 소방시설 설치·유지 및 안전관리에 관한 법률 시행령"으로 한다.

②부터 ⑦까지 생략

제4조 생략

부칙 〈제27277호, 2016. 6. 28.〉

이 영은 2016년 6월 30일부터 시행한다.

부칙 〈제27445호, 2016. 8. 11.〉 (공동주택관리법 시행령)

제1조(시행일)

이 영은 2016년 8월 12일부터 시행한다.

제2조부터 제20조까지 생략

제21조(다른 법령의 개정)

① 감염병의 예방 및 관리에 관한 법률 시행령 일부를 다음과 같이 개정한다.

제24조제13호 중 "주택법"을 "공동주택관리법"으로 한다.

②부터 ⑮까지 생략

제22조 생략

부칙 〈제27971호, 2017. 3. 29.〉(항공안전법 시행령)

제1조(시행일)

이 영은 2017년 3월 30일부터 시행한다. 〈단서 생략〉

제2조부터 제9조까지 생략

제10조(다른 법령의 개정)

① 감염병의 예방 및 관리에 관한 법률 시행령 일부를 다음과 같이 개정한다.

제24조제3호 중 "「항공법」에 따른 항공기와 공항시설"을 "「항공안전법」에 따른 항공기 및 「공항시설법」에 따른 공항시설"로 한다.

②부터 ㉒ 까지 생략

제11조 생략

부칙 〈제28070호, 2017. 5. 29.〉

제1조(시행일)

이 영은 2017년 6월 3일부터 시행한다. 다만, 제29조제3호의 개정규정은 2018년 1월 1일부터 시행한다.

제2조(예방접종 등에 따른 피해보상에 관한 적용례)

제29조제3호의 개정규정은 부칙 제1조 단서에 따른 시행일 이후 법 제24조 및 제25조에 따라 예방접종을 받거나 법 제40조제2항에 따라 생산된 예방·치료 의약품을 투여받은 사람부터 적용한다.

부칙 〈제28962호, 2018. 6. 12.〉

이 영은 2018년 6월 13일부터 시행한다. 다만, 제1조의6, 제21조의2 및 제33조의 개정규정은 공포한 날부터 시행하고, 별표 2의2의 개정규정은 2018년 9월 28일부터 시행한다.

부칙 〈제29180호, 2018. 9. 18.〉 (공무원 재해보상법 시행령)

제1조(시행일)
이 영은 2018년 9월 21일부터 시행한다.
제2조부터 제17조까지 생략

제18조(다른 법령의 개정)
① 감염병의 예방 및 관리에 관한 법률 시행령 일부를 다음과 같이 개정한다.
제29조제3호나목 중 "공무원연금법"을 "공무원연금법」, 「공무원 재해보상법」"으로 한다.
②부터 ㊸ 까지 생략

제19조 생략

부칙 〈제29950호, 2019. 7. 2.〉
(어려운 법령용어 정비를 위한 210개 법령의 일부개정에 관한 대통령령)

이 영은 공포한 날부터 시행한다. 〈단서 생략〉

부칙 〈제29961호, 2019. 7. 9.〉

제1조(시행일)
이 영은 공포한 날부터 시행한다.

제2조(예방접종 등에 따른 피해의 보상 기준에 관한 적용례)
제29조제3호가목의 개정규정은 이 영 시행 이후 제31조제3항에 따라 보건복지부장관이 보상 여부를 결정하는 경우부터 적용한다.

별표 / 서식

[별표 1] 중앙감염병병원 지정기준(제1조의3제2항 관련)

[별표 1의2] 권역별 감염병병원의 지정기준(제1조의4제2항 관련)

[별표 1의3] 역학조사의 방법(제14조 관련)

[별표 1의4] 고위험병원체 취급시설의 안전관리 등급의 분류 및 허가 또는 신고 대상(제19조의2제1항
　　　　　 관련)

[별표 2] 자가치료 및 입원치료의 방법 및 절차 등(제23조 관련)

[별표 2의2] 손실보상의 대상 및 범위(제28조제1항 관련)

[별표 3] 과태료의 부과기준(제33조 관련)

3. 감염병의 예방 및 관리에 관한 법률 시행규칙

[시행 2019. 3. 28] [보건복지부령 제593호, 2018. 9. 27, 일부개정]

제1조(목적)

이 규칙은 「감염병의 예방 및 관리에 관한 법률」 및 같은 법 시행령에서 위임된 사항과 그 시행에 필요한 사항을 규정함을 목적으로 한다.

제2조 삭제 〈2016. 1. 7.〉

제3조(제5군감염병의 종류)

「감염병의 예방 및 관리에 관한 법률」(이하 "법"이라 한다) 제2조제6호에서 "보건복지부령으로 정하는 감염병"이란 다음 각 호의 감염병을 말한다. 〈개정 2016. 1. 7.〉

1. 회충증
2. 편충증
3. 요충증
4. 간흡충증
5. 폐흡충증
6. 장흡충증

제4조(감염병의 병원체를 확인할 수 있는 기관)

법 제2조제13호에서 "보건복지부령으로 정하는 기관"이란 다음 각 호의 기관을 말한다. 〈개정 2015. 11. 18., 2016. 1. 7., 2016. 6. 30.〉

1. 질병관리본부
2. 국립검역소
3. 「보건환경연구원법」 제2조에 따른 보건환경연구원
4. 「지역보건법」 제10조에 따른 보건소
5. 「의료법」 제3조에 따른 의료기관(이하 "의료기관"이라 한다) 중 진단검사의학과 전문의가 상근(常勤)하는 기관
6. 「고등교육법」 제4조에 따라 설립된 의과대학
7. 「결핵예방법」 제21조에 따라 설립된 대한결핵협회(결핵환자의 병원체를 확인하는 경우만 해당한다)

8. 「민법」 제32조에 따라 한센병환자 등의 치료·재활을 지원할 목적으로 설립된 기관(한센병환자의 병원체를 확인하는 경우만 해당한다)

9. 인체에서 채취한 가검물에 대한 검사를 국가, 지방자치단체, 의료기관 등으로부터 위탁받아 처리하는 기관 중 진단검사의학과 전문의가 상근(常勤)하는 기관

제5조(고위험병원체의 종류)

법 제2조제19호에 따른 고위험병원체의 종류는 별표 1과 같다.

제5조의2(감염병전문병원 지정서)

① 법 제8조의2제1항에 따른 감염병전문병원 지정서는 별지 제1호서식과 같다.

② 법 제8조의2제2항에 따른 권역별 감염병전문병원 지정서는 별지 제1호의2서식과 같다.

　[본조신설 2016. 6. 30.]

제5조의3(권역별 감염병전문병원의 병상규모)

법 제8조의2제2항에서 "보건복지부령으로 정하는 일정규모 이상의 병상"이란 36병상 이상의 병상을 말한다.

[본조신설 2016. 6. 30.]

제6조(의사 등의 감염병 발생신고)

① 법 제11조제1항 각 호 외의 부분 단서, 제3항 및 제4항에 따라 같은 조 제1항제1호 및 제3호에 해당하는 사실을 신고하려는 의사, 한의사, 의료기관의 장 또는 소속 부대장은 다음 각 호의 구분에 따른 신고서(전자문서로 된 신고서를 포함한다)를 질병관리본부장 또는 감염병환자, 감염병의사환자 또는 병원체보유자(이하 "감염병환자등"이라 한다)의 소재지를 관할하는 보건소장에게 정보시스템을 이용하여 제출하여야 한다. 다만, 해당 보건소장에게는 팩스를 통하여 제출할 수 있다. 〈개정 2016. 1. 7., 2016. 6. 30.〉

1. 법 제11조제1항제1호에 따른 감염병환자등을 진단한 경우: 별지 제1호의3서식의 감염병 발생 신고서

2. 법 제11조제1항제1호에 따른 사체를 검안한 경우와 같은 항 제3호에 해당하는 사실을 신고하는 경우: 별지 제1호의4서식의 감염병환자등 사망(검안) 신고서

② 법 제11조제3항에 따라 신고를 하려는 감염병병원체확인기관의 장은 별지 제1호의5서식의 병원체 검사결과 신고서(전자문서로 된 신고서를 포함한다)를 질병관리본부장 또는 해당 감염병병원체 확인을 의뢰한 기관의 소재지를 관할하는 보건소장에게 정보시스템을 이용하여 제

출하여야 한다. 다만, 해당 보건소장에게는 팩스를 통하여 제출할 수 있다. 〈신설 2016. 1. 7., 2016. 6. 30.〉

③ 법 제11조제1항부터 제4항까지의 규정에 따라 보고 및 신고를 해야 하는 감염병은 제1군감염병부터 제5군감염병까지 및 지정감염병으로 한다. 〈개정 2016. 1. 7.〉

④ 법 제11조제5항에 따라 같은 조 제1항제1호 및 제3호에 해당하는 사실을 신고하려는 감염병 표본감시기관은 질병관리본부장이 정하는 표본감시기관용 신고서(전자문서로 된 신고서를 포함한다)를 질병관리본부장 또는 감염병환자등의 소재지를 관할하는 보건소장에게 제출하여야 한다. 〈개정 2016. 1. 7.〉

⑤ 법 제11조제6항에 따른 감염병의 진단 기준은 별표 2와 같으며, 그 밖의 세부 사항은 질병관리본부장이 정하여 고시한다. 〈개정 2015. 7. 7., 2016. 1. 7.〉

제7조(의사 등의 예방접종 후 이상반응 신고)

① 법 제11조제1항 각 호 외의 부분 단서, 제3항 및 제4항에 따라 같은 조 제1항제2호에 해당하는 사실을 신고하려는 의사, 한의사, 의료기관의 장 또는 소속 부대장은 별지 제2호서식의 예방접종 후 이상반응 발생신고서(전자문서로 된 신고서를 포함한다)를 질병관리본부장 또는 이상반응자의 소재지를 관할하는 보건소장에게 정보시스템을 이용하여 제출하여야 한다. 다만, 해당 보건소장에게는 팩스를 통하여 제출할 수 있다. 〈개정 2016. 1. 7., 2016. 6. 30.〉

② 법 제11조제1항부터 제5항까지의 규정에 따라 신고하여야 하는 예방접종 후 이상반응자의 범위는 별표 3과 같다. 〈개정 2016. 1. 7.〉

제8조(그 밖의 신고대상 감염병)

① 법 제12조제1항 각 호 외의 부분 중에서 "보건복지부령으로 정하는 감염병"이란 다음 각 호의 감염병을 말한다. 〈개정 2016. 1. 7.〉

1. 홍역
2. 결핵

② 법 제12조제1항제2호에서 "보건복지부령으로 정하는 장소"란 다음 각 호의 장소를 말한다. 〈신설 2016. 1. 7.〉

1. 「약사법」 제2조제3호에 따른 약국(이하 "약국"이라 한다)
2. 「사회복지사업법」 제2조제4호에 따른 사회복지시설
3. 「모자보건법」 제2조제11호에 따른 산후조리원
4. 「공중위생관리법」 제2조에 따른 목욕장업소, 이용업소, 미용업소

제9조(그 밖의 신고의무자의 신고)

법 제12조제1항 및 제2항에 따라 그 밖의 신고의무자는 다음 각 호의 사항을 서면, 구두(口頭), 전보, 전화 또는 컴퓨터통신의 방법으로 보건소장에게 지체 없이 신고하거나 알려야 한다. 〈개정 2016. 1. 7.〉

> 1. 신고인의 성명, 주소와 감염병환자등 또는 사망자와의 관계
> 2. 감염병환자등 또는 사망자의 성명, 주소 및 직업
> 3. 감염병환자등 또는 사망자의 주요 증상 및 발병일

제10조(보건소장 등의 보고)

법 제13조제1항에 따라 보고하려는 보건소장은 다음 각 호의 구분에 따른 시기에 별지 제1호의3서식의 감염병 발생 신고서, 별지 제1호의4서식의 감염병환자등 사망(검안) 신고서, 별지 제1호의5서식의 병원체 검사결과 신고서[전자문서로 된 신고서를 포함한다](전자문서로 된 보고서를 포함한다) 또는 별지 제2호서식의 예방접종 후 이상반응 발생보고서(전자문서로 된 보고서를 포함한다)를 특별자치도지사 또는 시장·군수·구청장(자치구의 구청장을 말한다. 이하 같다)에게 제출하여야 하고, 보고를 받은 특별자치도지사 또는 시장·군수·구청장은 해당 보고서를 질병관리본부장 및 특별시장·광역시장·도지사(이하 "시·도지사"라 한다)에게 각각 제출하여야 한다. 〈개정 2016. 1. 7., 2016. 6. 30.〉

> 1. 제1군감염병부터 제4군감염병까지의 발생, 사망, 병원체검사결과 및 예방접종 후 이상반응의 보고: 법 제11조 및 제12조에 따라 신고를 받은 후 지체 없이
> 2. 제5군감염병 및 지정감염병의 발생 보고: 매주 1회

제11조(인수공통감염병 발생 시 통보 절차)

법 제14조제1항에 따라 인수공통감염병을 통보하려는 특별자치도지사 등은 별지 제3호서식의 인수공통감염병 의사환축(擬似患畜) 발생신고서를 질병관리본부장에게 제출하여야 한다.

제12조(감염병환자등의 명부 작성 및 관리)

> ① 보건소장은 법 제15조에 따라 별지 제4호서식의 감염병환자등의 명부를 작성하고 이를 3년간 보관하여야 한다.
> ② 보건소장은 법 제15조에 따라 별지 제5호서식의 예방접종 후 이상반응자의 명부를 작성하고 이를 10년간 보관하여야 한다.

제13조(표본감시의 대상이 되는 감염병)

법 제16조제6항에 따라 표본감시의 대상이 되는 감염병은 다음 각 호와 같다. 〈개정 2016. 1. 7.〉

> 1. 제3군감염병 중 인플루엔자

2. 지정감염병

3. 제5군감염병

제14조(감염병 표본감시기관의 지정 등)

① 법 제16조제1항에 따라 질병관리본부장은 표본감시 대상 감염병별로 다음 각 호의 구분에 따른 기관·시설·단체 또는 법인 중에서 시·도지사의 추천을 받아 감염병 표본감시기관(이하 "표본감시기관"이라 한다)을 지정할 수 있다. 〈개정 2015. 11. 18., 2016. 1. 7., 2016. 6. 30.〉

1. 인플루엔자: 다음 각 목의 기관·시설·단체 또는 법인

가. 「지역보건법」 제10조에 따른 보건소 중 보건의료원

나. 제4조제3호·제5호 및 제9호에 따른 기관

다. 의료기관 중 소아과·내과·가정의학과·이비인후과 진료과목이 있는 의료기관

2. 지정감염병: 다음 각 목의 기관·시설·단체 또는 법인

가. 「지역보건법」 제10조에 따른 보건소

나. 제4조제3호·제5호 및 제9호에 따른 기관

다. 의료기관 중 의원·병원 및 종합병원

라. 지정감염병에 관한 연구 및 학술발표 등을 목적으로 결성된 학회

3. 제5군감염병: 다음 각 목의 기관·시설·단체 또는 법인

가. 「지역보건법」 제10조에 따른 보건소

나. 제4조제3호·제5호 및 제9호에 따른 기관

다. 의료기관 중 의원·병원 및 종합병원

라. 제5군감염병에 관한 연구 및 학술발표 등을 목적으로 결성된 학회

마. 제5군감염병의 예방 및 관리를 목적으로 설립된 비영리법인

② 질병관리본부장은 법 제16조제5항에 따라 표본감시기관이 다음 각 호의 어느 하나에 해당하는 경우에는 그 지정을 취소할 수 있다. 〈개정 2016. 1. 7.〉

1. 표본감시 관련 자료 제출 요구와 감염병의 예방 및 관리에 필요한 협조 요청에 불응하는 경우

2. 폐업 등으로 감염병의 발생 감시 업무를 계속하여 수행할 수 없는 경우

3. 그 밖에 감염병의 발생 감시 업무를 게을리 하는 경우

제15조(실태조사의 방법 및 절차 등)

① 법 제17조제1항에 따른 실태조사(이하 "실태조사"라 한다)에 포함되어야 할 사항은 다음 각 호의 구분에 따른다. 〈개정 2017. 6. 2., 2018. 9. 27.〉

1. 의료기관 감염관리 실태조사

　가. 「의료법」 제47조에 따라 의료기관에 두는 감염관리위원회와 감염관리실의 설치·운영 등에 관한 사항

　나. 의료기관의 감염관리 인력·장비 및 시설 등에 관한 사항

　다. 의료기관의 감염관리체계에 관한 사항

　라. 의료기관의 감염관리 교육 및 감염예방에 관한 사항

　마. 그 밖에 의료기관의 감염관리에 관하여 질병관리본부장이 특히 필요하다고 인정하는 사항

2. 감염병 실태조사

　가. 감염병환자등의 연령별·성별·지역별 분포 등에 관한 사항

　나. 감염병환자등의 임상적 증상 및 경과 등에 관한 사항

　다. 감염병환자등의 진단·검사·처방 등 진료정보에 관한 사항

　라. 감염병의 진료 및 연구와 관련된 인력·시설 및 장비 등에 관한 사항

　마. 감염병에 대한 각종 문헌 및 자료 등의 조사에 관한 사항

　바. 그 밖에 감염병의 관리를 위하여 질병관리본부장이 특히 필요하다고 인정하는 사항

3. 내성균 실태조사

　가. 항생제 사용 실태에 관한 사항

　나. 내성균의 유형 및 발생경로 등에 관한 사항

　다. 내성균의 연구와 관련된 인력·시설 및 장비 등에 관한 사항

　라. 내성균에 대한 각종 문헌 및 자료 등의 조사에 관한 사항

　마. 그 밖에 내성균의 관리를 위하여 질병관리본부장이 특히 필요하다고 인정하는 사항

② 실태조사의 방법은 다음 각 호와 같다. 〈개정 2017. 6. 2.〉

1. 감염병환자등 또는 내성균과 관련된 환자에 대한 설문조사 및 검체(檢體) 검사

2. 의료기관의 진료기록부 등에 대한 자료조사

3. 국민건강보험 및 의료급여 청구 명세 등에 대한 자료조사

4. 일반 국민에 대한 표본 설문조사 및 검체 검사

③ 질병관리본부장 또는 시·도지사는 실태조사를 전문연구기관·단체나 관계 전문가에게 의뢰하여 실시할 수 있다. 〈개정 2017. 6. 2.〉

④ 제1항부터 제3항까지에 규정한 사항 외에 실태조사에 필요한 사항은 질병관리본부장이 정한다. 〈개정 2017. 6. 2.〉

제16조(역학조사반원증)

「감염병의 예방 및 관리에 관한 법률 시행령」(이하 "영"이라 한다) 제16조제2항에 따른 역학조사반원증은 별지 제6호서식과 같다.

제16조의2(역학조사의 요청 등)

① 법 제18조의2제1항에 따라 역학조사의 실시를 요청하려는 의료인 또는 의료기관의 장은 별지 제6호의2서식을 작성하여 질병관리본부장 또는 시·도지사에게 제출하여야 한다.

② 질병관리본부장 또는 시·도지사는 제1항에 따른 요청을 접수하면, 역학조사를 실시하는 경우에는 역학조사 계획을 수립하여 요청자에게 서면으로 통보하고, 역학조사를 실시하지 아니하는 경우에는 그 사유를 명시하여 서면으로 통보하여야 한다.

[본조신설 2016. 1. 7.]

제16조의3(역학조사인력 교육과정)

법 제18조의3제1항에 따른 교육·훈련 과정의 세부기준은 별표 3의2와 같다. 〈개정 2016. 6. 30.〉

[본조신설 2016. 1. 7.]

제17조(해부시설 기준 등)

① 법 제20조제5항에 따라 감염병 종류별로 갖추어야 할 시설의 기준이란 크로이츠펠트–야콥병(CJD) 및 변종크로이츠펠트–야콥병(vCJD)의 경우 「유전자변형생물체의 국가간 이동 등에 관한 법률 시행령」 제23조제1항에 따른 안전관리등급 2등급에 해당하는 연구시설을 말한다.

② 법 제20조제5항에 따른 시체의 관리 방법은 다음 각 호와 같으며, 그 밖의 세부 사항은 질병관리본부장이 정한다.

1. 시체의 이동이나 보관 시 시체 및 시체의 일부가 외부에 노출되지 않도록 밀봉할 것

2. 해부를 통해 외부로 배출된 시체의 체액으로 인한 오염에 주의할 것

3. 시체 취급 시 일회용 마스크, 가운, 장갑 등 개인보호장구를 착용할 것

4. 크로이츠펠트–야콥병(CJD) 및 변종크로이츠펠트–야콥병(vCJD)으로 사망한 시체의 장례 시 작업장과 관계자의 안전을 확보할 것

제17조의2(시신의 장사방법 제한 대상 등)

① 법 제20조의2제1항에 따라 장사방법이 제한되는 시신은 질병관리본부장이 정하여 공고하는 감염병과 관련된 감염병환자등(감염병병원체를 보유하였던 것으로 확인된 사람을 포함한다. 이하 이 조에서 같다)의 시신으로 한다. 이 경우 질병관리본부장은 해당 감염병의 공고를 하

기 전에 관계 기관·단체 및 전문가 등의 의견 또는 자료의 제출을 요청할 수 있다.

② 제1항에 따른 감염병환자등의 시신에 대한 장사방법은 「장사 등에 관한 법률」 제2조제2호에 따른 화장의 방법으로 한다. 다만, 질병관리본부장이 해당 감염병환자등의 시신을 화장의 방법으로 장사하는 것이 현저히 곤란하다고 인정하는 경우에는 질병관리본부장이 지정하는 다른 방법으로 처리할 수 있다.

③ 법 제20조의2제2항에 따른 장사방법 제한 및 절차 등에 대한 설명은 구술로 한다. 이 경우 장사의 제한방법 및 절차 등을 설명하는 관계 공무원은 그 권한을 표시하는 증표를 제시하여야 한다.

④ 제2항 및 제3항에서 정한 사항 외에 감염병환자등의 시신에 대한 장사방법 및 장사절차 등에 필요한 사항은 질병관리본부장이 정하여 고시한다.

[본조신설 2016. 6. 30.]

제18조(고위험병원체 분리 · 이동 신고 등)

① 법 제21조제1항에 따라 고위험병원체의 분리신고를 하려는 자는 별지 제7호서식의 고위험병원체 분리신고서(전자문서로 된 신고서를 포함한다)에 별지 제7호의2서식의 고위험병원체 분리경위서를 첨부하여 질병관리본부장에게 제출하여야 한다. 〈개정 2018. 9. 27.〉

② 제1항에 따라 신고를 받은 질병관리본부장은 관리번호를 매기고 이를 신고자에게 알려야 한다.

③ 법 제21조제1항에 따라 고위험병원체의 이동신고를 하려는 자는 별지 제8호서식의 고위험병원체 이동신고서(전자문서로 된 신고서를 포함한다)에 다음 각 호의 서류를 첨부하여 질병관리본부장에게 제출하여야 한다. 〈개정 2018. 9. 27.〉

1. 이동하는 고위험병원체의 정보 및 사용계획서

2. 이동하는 고위험병원체의 운반계획서(운반경로, 운반수단 및 운반자에 관한 사항을 포함하여야 한다)

3. 이동대행계약서(대행기관이 고위험병원체의 이동을 대행하는 경우만 해당한다)

④ 법 제21조제2항에 따라 고위험병원체를 보존·관리하는 자는 별지 제8호의2서식의 고위험병원체 보존현황보고서(전자문서로 된 보고서를 포함한다)를 작성하여 매년 1월 31일까지 질병관리본부장에게 제출하여야 한다. 〈신설 2018. 9. 27.〉

[제목개정 2018. 9. 27.]

제19조(고위험병원체 반입 허가 신청 등)

① 법 제22조제1항에 따라 고위험병원체의 반입 허가를 받으려는 자는 별지 제9호서식의 고위험병원체 반입허가신청서(전자문서로 된 신청서를 포함한다)에 다음 각 호의 서류를 첨부하여

질병관리본부장에게 제출하여야 한다. 〈개정 2018. 6. 12.〉

1. 반입계약서(반입을 대행하는 경우에는 반입대행계약서를 말한다) 또는 주문서

2. 반입하려는 고위험병원체 사용계획서

3. 운반경로·운반수단 및 운반업자가 기록된 운반계약서 또는 자가 운반계획서

4. 법 제23조제1항에 따른 고위험병원체 취급시설 보유를 확인할 수 있는 증명자료

② 제1항에 따라 신청을 받은 질병관리본부장이 그 허가를 하는 경우에는 별지 제10호서식의 고위험병원체 반입허가서를 해당 신청자에게 발급하여야 한다.

③ 법 제22조제2항 본문에 따라 변경 허가를 받으려는 자는 별지 제11호서식의 고위험병원체 반입허가 변경신청서(전자문서로 된 신청서를 포함한다)에 다음 각 호의 서류를 첨부하여 질병관리본부장에게 제출하여야 한다.

1. 반입허가서 또는 조건부 반입허가서 사본

2. 변경 내용을 증명하는 서류

④ 제3항에 따라 신청을 받은 질병관리본부장이 그 변경 허가를 하는 경우에는 변경 허가 사항을 반영한 고위험병원체 반입허가서를 해당 신청자에게 재발급하여야 한다.

⑤ 법 제22조제2항 단서에 따라 변경신고를 하려는 자는 별지 제11호서식의 고위험병원체 반입허가 변경신청서에 제3항 각 호의 서류를 첨부하여 질병관리본부장에게 제출하여야 한다.

제20조(고위험병원체 인수신고)

① 법 제22조제3항에 따라 고위험병원체를 인수하여 이동하려는 자는 별지 제12호서식의 고위험병원체 인수신고서(전자문서로 된 신고서를 포함한다)에 다음 각 호의 서류를 첨부하여 질병관리본부장에게 제출하여야 한다.

1. 인수하려는 병원체별 상세 정보 및 사용 목적

2. 대행기관이 고위험병원체의 인수를 대행하는 경우 다음 각 목의 서류

　　가. 인수대행계약서

　　나. 운반경로·운반수단·운반업자 및 보관정보가 기록된 운반계약서 또는 운반계획서

② 제1항에 따라 신고를 받은 질병관리본부장은 별지 제13호서식의 고위험병원체 인수신고확인서를 신고자에게 발급하여야 한다.

제20조의2(고위험병원체 취급시설의 설치·운영 허가 및 신고 등의 서식)

① 영 제19조의2제3항 각 호 외의 부분에 따른 허가신청서는 별지 제14호서식과 같다.

② 영 제19조의2제4항 후단에 따른 고위험병원체 취급시설 설치·운영허가서는 별지 제15호서식과 같다.

③ 영 제19조의2제5항 각 호 외의 부분에 따른 신고서는 별지 제14호서식과 같다.

④ 영 제19조의2제6항 후단에 따른 고위험병원체 취급시설 설치·운영 신고확인서는 별지 제15호서식과 같다.

[본조신설 2018. 6. 12.]

제20조의3(고위험병원체 취급시설 허가사항의 변경 등의 서식)

① 영 제19조의3제1항에 따른 변경허가신청서는 별지 제15호의2서식과 같다.

② 영 제19조의3제2항 후단에 따른 변경허가서는 별지 제15호서식과 같다.

③ 영 제19조의3제4항에 따른 허가사항 변경신고서는 별지 제15호의2서식과 같다.

④ 영 제19조의3제5항에 따른 변경신고확인서는 별지 제15호서식과 같다.

[본조신설 2018. 6. 12.]

제20조의4(고위험병원체 취급시설 신고사항의 변경 등의 서식)

① 영 제19조의4제1항에 따른 변경신고서는 별지 제15호의2서식과 같다.

② 영 제19조의4제2항에 따른 변경신고확인서는 별지 제15호서식과 같다.

[본조신설 2018. 6. 12.]

제20조의5(고위험병원체 취급시설의 폐쇄신고 등의 서식)

① 영 제19조의5제1항에 따른 폐쇄신고서는 별지 제15호의3서식과 같다.

② 영 제19조의5제2항 후단에 따른 폐쇄신고확인서는 별지 제15호의4서식과 같다.

[본조신설 2018. 6. 12.]

제21조 삭제 〈2018. 6. 12.〉

제21조의2(필수예방접종의 사전 알림)

① 특별자치도지사 또는 시장·군수·구청장은 법 제24조제3항에 따라 필수예방접종을 사전에 알리는 경우 휴대전화에 의한 문자전송, 전자메일, 전화, 우편 또는 이에 상당하는 방법으로 알려야 한다. 다만, 사전 알림에 동의한 사람에만 해당한다. 〈개정 2018. 9. 27.〉

② 제1항에 따른 사전 알림에 동의하지 않거나 필요한 개인 정보가 없는 경우에는 해당 지방자치단체의 인터넷 홈페이지에 공고함으로써 필수예방접종을 사전에 알려야 한다. 〈개정 2018. 9. 27.〉

[본조신설 2012. 11. 23.]

[제목개정 2018. 9. 27.]

제22조(예방접종증명서)

법 제27조 및 제33조의2제4항에 따른 예방접종증명서는 별지 제16호서식과 같다. 〈개정 2016. 6. 30.〉

제23조(예방접종에 관한 기록의 작성 및 보고)

① 법 제28조제1항에 따라 특별자치도지사 또는 시장·군수·구청장은 필수예방접종 및 임시예방접종을 한 경우 별지 제17호서식의 예방접종 실시 기록 및 보고서(전자문서를 포함한다. 이하 이 조에서 같다)에 예방접종에 관한 기록을 작성하여야 한다. 〈개정 2014. 12. 31., 2018. 9. 27.〉

② 법 제28조제2항에 따라 특별자치도지사나 시장·군수·구청장이 아닌 자가 예방접종을 실시하면 별지 제17호서식의 예방접종 실시 기록 및 보고서에 예방접종에 관한 기록을 작성하고, 예방접종 실시 기록 및 보고서를 특별자치도지사 또는 시장·군수·구청장에게 제출하여야 한다. 〈개정 2014. 12. 31.〉

③ 특별자치도지사 또는 시장·군수·구청장은 제1항에 따라 예방접종에 관한 기록을 작성하거나 제2항에 따라 제출받은 예방접종 실시 기록 및 보고서를 시·도지사 및 질병관리본부장에게 각각 제출하여야 한다. 〈개정 2014. 12. 31.〉

④ 질병관리본부장은 필수예방접종 또는 임시예방접종을 받은 사람(미성년자의 경우에는 그 부모를 말한다)에게 제3항에 따라 제출받은 예방접종에 관한 기록을 인터넷 홈페이지를 통하여 열람하게 하거나 전자문서를 이용하여 예방접종증명서를 발급할 수 있다. 〈신설 2014. 12. 31., 2018. 9. 27.〉

⑤ 질병관리본부장은 예방접종 대상자의 중복접종 등을 예방하기 위하여 다음 각 호의 어느 하나에 해당하는 사람에게 제3항에 따라 제출받은 예방접종에 관한 기록을 열람하게 할 수 있다. 〈신설 2014. 12. 31.〉

1. 법 제24조제1항 및 제25조제1항에 따라 예방접종을 실시하는 보건소에서 예방접종을 하는 의료인

2. 법 제24조제2항 및 제25조제2항에 따라 예방접종을 실시하는 의료기관에서 예방접종을 하는 의료인

3. 「영유아보육법」 제31조의3에 따라 영유아의 예방접종 여부를 확인하여야 하는 어린이집의 원장

제24조(예방접종피해조사반원증)

영 제21조제4항에 따른 예방접종피해조사반원증은 별지 제18호서식과 같다.

제25조(예방접종 여부의 확인 요청)

법 제31조제2항에 따라 특별자치도지사 또는 시장·군수·구청장은 「유아교육법」에 따른 유치원의 장과 「영유아보육법」에 따른 어린이집의 원장으로 하여금 영유아의 예방접종 여부를 확인하기 위하여 필수예방접종을 받은 영유아의 예방접종증명서를 확인하도록 요청할 수 있다. 〈개정 2011. 12. 8., 2018. 9. 27.〉

제26조(예방접종의 실시기준과 방법)

법 제32조제2항에 따른 예방접종의 실시기준과 방법 등에 관한 사항은 「약사법」 제58조제1호에 따른 용법 및 용량 등을 따르되, 예방접종의 실시 대상·시기 및 주의사항은 영 제7조제1항제1호에 따른 예방접종 전문위원회의 심의를 거쳐 질병관리본부장이 고시한다. 〈개정 2016. 6. 30.〉

제27조(예방접종약품의 계획 생산)

① 법 제33조제1항에 따라 질병관리본부장이 의약품 제조업자로 하여금 예방접종약품을 미리 생산하게 할 수 있는 경우는 다음 각 호와 같다.

1. 예방접종약품의 원료를 외국으로부터 수입하여야 하는 경우
2. 시범접종에 사용할 목적으로 생산하게 하는 경우
3. 예방접종약품의 생산기간이 6개월 이상 걸릴 경우
4. 예방접종약품의 국내 공급이 부족하다고 판단될 경우

② 질병관리본부장은 법 제33조제2항에 따라 예방접종약품의 생산에 드는 비용을 다음 각 호의 구분에 따라 의약품 제조업자에게 미리 지급할 수 있다.

1. 제1항제1호에 따른 원료의 수입에 드는 금액의 전액
2. 제1항제2호에 따른 예방접종약품의 제조에 드는 금액의 전액
3. 제1항제3호에 따른 예방접종약품의 제조에 드는 금액의 2분의 1

제27조의2(예방접종통합관리시스템의 연계시스템)

① 법 제33조의2제5항제3호에서 "보건복지부령으로 정하는 정보시스템"이란 다음 각 호의 정보시스템을 말한다.

1. 「주민등록법」 제28조제1항에 따른 주민등록전산정보를 처리하는 정보시스템
2. 「사회보장기본법」 제37조제2항에 따른 사회보장정보시스템
3. 「지역보건법」 제5조제1항에 따른 지역보건의료정보시스템
4. 「지방재정법」 제96조의2제1항에 따른 정보시스템
5. 그 밖에 예방접종 업무의 효율적 운영을 위하여 질병관리본부장이 필요하다고 인정하는 정보시스템

[본조신설 2016. 6. 30.]

[종전 제27조의2는 제27조의3으로 이동 〈2016. 6. 30.〉]

제27조의3(감염병위기 시 정보공개 범위 및 절차 등)

① 감염병에 관하여 「재난 및 안전관리 기본법」 제38조제2항에 따른 주의 이상의 예보 또는 경보가 발령된 후에는 법 제34조의2에 따라 감염병 환자의 이동경로, 이동수단, 진료의료기관 및 접촉자 현황 등을 정보통신망에 게재하거나 보도자료를 배포하는 등의 방법으로 국민에게 공개하여야 한다.

② 제1항에 따른 정보의 당사자는 공개된 사항 중 사실과 다르거나 의견이 있는 경우 보건복지부장관에게 구두, 서면 등의 방법으로 이의신청을 할 수 있으며, 보건복지부장관은 이에 따라 공개된 정보의 정정 등 필요한 조치를 하여야 한다.

[본조신설 2016. 1. 7.]

[제27조의2에서 이동 〈2016. 6. 30.〉]

제28조(감염병관리기관의 지정)

① 법 제36조제1항에 따라 시·도지사 또는 시장·군수·구청장은 「의료법」 제3조제2항제3호에 따른 병원 및 종합병원을 감염병관리기관으로 지정할 수 있다.

② 제1항에 따라 감염병관리기관을 지정한 시·도지사 또는 시장·군수·구청장은 해당 감염병관리기관의 장에게 별지 제19호서식의 감염병관리기관 지정서를 발급하여야 한다.

제29조(감염병관리기관이 아닌 의료기관의 감염병관리시설의 설치)

① 법 제36조제4항에 따라 감염병관리기관이 아닌 의료기관이 법 제36조제2항에 따른 감염병관리시설(이하 "감염병관리시설"이라 한다)을 설치·운영하려면 별지 제20호서식의 비지정 감염병관리시설 설치신고서에 사업계획서를 첨부하여 관할하는 특별자치도지사 또는 시장·군수·구청장에게 제출하여야 한다. 이 경우 특별자치도지사 또는 시장·군수·구청장은 「전자정부법」 제36조제1항에 따른 행정정보의 공동이용을 통하여 법인 등기사항증명서(법인인 경우만 해당한다)를 확인하여야 한다. 〈개정 2014. 12. 31., 2016. 6. 30.〉

② 특별자치도지사 또는 시장·군수·구청장은 제1항에 따른 신고를 받은 경우에는 별지 제21호서식의 비지정 감염병관리시설 설치신고확인증을 신고자에게 발급하여야 한다.

제30조(감염병위기 시 감염병관리기관의 지정)

법 제37조제1항제1호에 따른 감염병관리기관의 지정에 관하여는 제28조를 준용한다. 이 경우 "시·도지사 또는 시장·군수·구청장"은 "질병관리본부장, 시·도지사 또는 시장·군수·구청장"으로 본다. 〈개정 2016. 6. 30.〉

제31조(감염병관리시설 등의 설치 기준 등)

① 법 제36조제2항 후단 및 법 제39조에 따른 감염병관리시설, 격리소·요양소 또는 진료소의 설치 기준은 다음 각 호와 같으며, 그 밖의 세부 사항은 질병관리본부장이 정한다. 〈개정 2015. 11. 18., 2016. 6. 30.〉

1. 감염병관리시설: 다음 각 목의 구분에 따른다.

   가. 300개 이상의 병상을 갖춘 감염병관리기관: 별표 4의2의 기준에 적합한 음압병실을 1개 이상 설치할 것

   나. 300개 미만의 병상을 갖춘 감염병관리기관: 외부와 격리된 진료실 또는 격리된 병실을 1개 이상 설치할 것

2. 격리소·요양소: 「의료법 시행규칙」 제34조에 따른 의료기관의 시설 기준 중 의원에 해당하는 시설을 갖추거나 임시숙박시설 및 간이진료시설을 갖출 것

3. 진료소: 「의료법 시행규칙」 제34조에 따른 의료기관의 시설 기준 중 의원에 해당하는 시설을 갖추거나 「지역보건법」 제13조에 따른 보건지소일 것

② 삭제 〈2016. 1. 7.〉

제31조의2(감염병관리시설 평가)

① 법 제39조의2에 따른 감염병관리시설에 대한 정기적 평가의 평가항목은 다음 각 호와 같다.

1. 감염병관리시설의 시설기준 적합성

2. 감염병관리시설의 근무인력 적정성

3. 감염병관리시설의 진료 및 운영실적

4. 그 밖에 감염병관리시설의 설치·운영 및 관리의 적정성을 위하여 질병관리본부장이 필요하다고 인정하는 사항

② 법 제39조의2에 따른 감염병관리시설에 대한 정기적 평가는 모든 감염병관리시설을 대상으로 서면평가의 방법에 따라 실시한다. 다만, 감염병관리기관의 장이 요청하거나 서면평가 결과 추가적 확인이 필요한 경우에는 방문평가의 방법으로 실시할 수 있다.

③ 질병관리본부장, 시·도지사 또는 시장·군수·구청장은 법 제39조의2에 따른 감염병관리시설의 평가를 위하여 필요한 경우에는 감염병관리기관의 장에게 자료의 제출을 요청할 수 있다.

④ 질병관리본부장, 시·도지사 또는 시장·군수·구청장은 제2항에 따른 평가를 실시하는 경우에는 감염병관리기관의 장에게 다음 각 호의 구분에 따라 평가실시일, 평가항목 및 세부 평

가일정에 관한 사항을 알려야 한다.

1. 평가실시일 및 평가항목: 평가실시일 90일 전
2. 세부 평가일정: 평가실시일 7일 전

⑤ 질병관리본부장, 시·도지사 또는 시장·군수·구청장은 필요하다고 인정하는 경우에는 감염병 관리시설에 대한 평가를 관계 전문기관 또는 전문단체에 의뢰하여 실시할 수 있다.

⑥ 질병관리본부장, 시·도지사 또는 시장·군수·구청장은 감염병관리시설에 대한 평가결과에 따라 시정을 요구하거나 운영비를 차등하여 지원할 수 있다.

⑦ 제2항부터 제6항까지에서 정한 사항 외에 감염병관리시설에 대한 평가방법, 평가절차 및 지도·감독 등에 필요한 세부사항은 질병관리본부장이 정하여 고시한다.

[본조신설 2016. 6. 30.]

제31조의3(접촉자 격리시설 지정 기준 등)

① 법 제39조의3제1항 및 제2항에 따른 감염병환자등의 접촉자(이하 "접촉자"라 한다)를 격리하기 위한 시설(이하 "접촉자 격리시설"이라 한다)의 지정 기준은 다음 각 호와 같다.

1. 독립된 건물로서 여러 개의 방으로 구획되어 있을 것
2. 구획된 각 방마다 샤워시설과 화장실이 모두 구비되어 있을 것
3. 음압병상을 보유한 「의료법」에 따른 의료기관에 근접하여, 접촉자의 이송이 가능한 거리에 위치할 것
4. 접촉자 격리시설의 규모는 해당 특별시·광역시·도·특별자치도의 인구, 지리적 여건, 교통 등을 고려하여 정할 것

② 시·도지사는 감염병 확산을 방지하기 위하여 접촉자와 다른 사람과의 접촉을 차단하여야 하며, 격리기간 동안 접촉자의 생활에 불편함이 없도록 필요한 조치를 하여야 한다.

[본조신설 2018. 9. 27.]

[종전 제31조의3은 제31조의4로 이동 〈2018. 9. 27.〉]

제31조의4(유급휴가 비용지원 신청서)

영 제23조의2제2항 각 호 외의 부분에 따른 신청서(전자문서로 된 신청서를 포함한다)는 별지 제21호의2서식과 같다.

[본조신설 2016. 6. 30.]

[제31조의3에서 이동 〈2018. 9. 27.〉]

제32조(감염병환자등의 입원치료 통지)

법 제43조에 따라 질병관리본부장, 시·도지사 또는 시장·군수·구청장이 입원치료가 필요하다는 사실을 입원치료 대상자와 그 보호자에게 통지할 때에는 별지 제22호서식의 입원치료 통지서를 발급하여야 한다.

제33조(업무 종사의 일시 제한)

① 법 제45조제1항에 따라 일시적으로 업무 종사의 제한을 받는 감염병환자등은 제1군감염병환자등으로 하고, 그 제한 기간은 증상 및 감염력이 소멸되는 날까지로 한다.

② 법 제45조제1항에 따라 업무 종사의 제한을 받는 업종은 다음 각 호와 같다.

  1. 「식품위생법」 제2조제12호에 따른 집단급식소

  2. 「식품위생법」 제36제1항제3호 따른 식품접객업

제34조(건강진단 등의 조치)

법 제46조에 따라 질병관리본부장, 시·도지사 또는 시장·군수·구청장이 건강진단을 받거나 감염병 예방에 필요한 예방접종을 받게 하는 등의 조치를 할 때에는 별지 제23호서식의 건강진단(예방접종) 명령서를 발급하여야 한다. 〈개정 2016. 1. 7., 2016. 6. 30.〉

제35조(소독의 기준 및 방법)

① 법 제48조제2항에 따른 소독 등 조치의 기준은 별표 5와 같다. 〈개정 2014. 12. 31.〉

② 법 제48조제2항에 따른 소독 등 조치의 방법은 별표 6과 같다.

  [제목개정 2014. 12. 31.]

제36조(방역기동반의 운영 및 소독의 기준 등)

① 법 제51조제1항에 따라 특별자치도지사 또는 시장·군수·구청장은 청소나 소독을 실시하거나 쥐, 위생해충 등의 구제조치(이하 "소독"이라 한다)를 실시하기 위하여 관할 보건소마다 방역기동반을 편성·운영할 수 있다.

② 법 제51조제1항 및 제3항 단서에 따른 소독의 기준은 별표 5와 같다. 〈개정 2014. 12. 31.〉

③ 법 제51조제1항 및 제3항 단서에 따른 소독의 방법은 별표 6과 같다.

④ 법 제51조제2항에 따라 소독을 하여야 하는 시설을 관리·운영하는 자는 별표 7의 소독횟수 기준에 따라 소독을 하여야 한다.

  [제목개정 2014. 12. 31.]

제37조(소독업의 신고)

① 법 제52조제1항 전단에 따라 소독을 업(業)으로 하려는 자가 갖추어야 하는 시설·장비 및 인력 기준은 별표 8과 같다.

② 법 제52조제1항에 따라 소독을 업으로 하려는 자는 별지 제24호서식의 소독업 신고서에 시설·장비 및 인력 명세서를 첨부하여 특별자치도지사 또는 시장·군수·구청장에게 제출하여야 한다.

③ 특별자치도지사 또는 시장·군수·구청장은 제1항에 따라 신고를 수리(受理)하였을 때에는 별지 제25호서식의 소독업 신고증을 신고자에게 발급하여야 한다.

제38조(신고사항의 변경)

① 법 제52조제1항 후단에 따라 소독업자가 신고사항을 변경하려는 경우에는 별지 제26호서식의 소독업 신고사항 변경신고서에 소독업 신고증과 변경사항을 증명할 수 있는 서류를 첨부하여 특별자치도지사 또는 시장·군수·구청장에게 제출하여야 한다.

② 제1항에 따른 변경신고를 받은 특별자치도지사 또는 시장·군수·구청장은 신고사항을 소독업 신고증 뒷면에 적어 이를 신고자에게 발급하여야 한다.

제39조(소독업의 휴업 등의 신고)

① 법 제53조에 따라 휴업·폐업 또는 재개업을 신고하려는 소독업자는 별지 제27호서식의 신고서(전자문서로 된 신고서를 포함한다)에 소독업 신고증을 첨부하여 특별자치도지사 또는 시장·군수·구청장에게 제출하여야 한다.

② 제1항에도 불구하고 「부가가치세법 시행령」 제13조제5항에 따라 관할 세무서장이 송부한 제1항의 신고서를 관할 특별자치도지사 또는 시장·군수·구청장이 접수한 경우에는 제1항에 따라 신고서를 제출한 것으로 본다. 〈신설 2013. 9. 23.〉

③ 제1항 또는 제2항에 따른 신고서를 접수한 특별자치도지사 또는 시장·군수·구청장은 신고사항을 소독업 신고증 뒷면에 적어 이를 신고자에게 발급하여야 한다. 다만, 폐업신고인 경우에는 발급하지 아니한다. 〈개정 2013. 9. 23.〉

제40조(소독의 기준 및 소독에 관한 사항의 기록 등)

① 법 제54조제1항에 따른 소독의 기준과 방법은 각각 별표 5 및 별표 6과 같다. 〈개정 2014. 12. 31.〉

② 법 제54조제1항에 따라 소독을 실시한 소독업자는 별지 제28호서식의 소독증명서를 소독을 실시한 시설의 관리·운영자에게 발급하여야 한다.

③ 소독업자는 법 제54조제2항에 따라 별지 제29호서식의 소독실시대장에 소독에 관한 사항을

기록하고, 이를 2년간 보존하여야 한다.

[제목개정 2014. 12. 31.]

제41조(소독업자 등에 대한 교육)

① 법 제55조제1항에 따라 소독업자는 소독업의 신고를 한 날부터 6개월 이내에 별표 9의 교육과정에 따른 소독에 관한 교육을 받아야 한다. 다만, 신고를 한 날이 본문에 따른 교육을 받은 날(해당 교육이 종료된 날을 말한다)부터 3년이 지나지 아니한 경우에는 그러하지 아니하다. 〈개정 2013. 9. 23.〉

② 법 제55조제2항에 따라 소독업자는 소독업무 종사자에게 소독업무에 종사한 날부터 6개월 이내에 별표 9의 교육과정에 따른 소독에 관한 교육을 받게 하여야 하고, 그 후에는 직전의 교육이 종료된 날부터 3년 이내에 1회 이상 보수교육을 받게 하여야 한다. 〈개정 2013. 9. 23., 2018. 9. 27.〉

③ 제1항과 제2항에 따른 소독업자 등에 대한 교육은 보건복지부장관이 지정하는 기관이 실시하며, 보건복지부장관이 교육기관을 지정하는 경우에는 별지 제30호서식의 교육기관 지정서를 교육기관에 발급하여야 한다.

④ 제1항과 제2항에 따른 교육에 필요한 경비는 교육을 받는 자가 부담한다.

제42조(행정처분의 기준)

법 제59조제3항에 따른 행정처분의 세부 기준은 별표 10과 같다.

제42조의2(방역업무 종사명령서 및 임명장)

① 영 제26조의2제1항 전단에 따른 방역업무 종사명령서는 별지 제30호의2서식과 같다.

② 영 제26조의3제1항 전단에 따른 방역관 또는 역학조사관에 대한 임명장은 다음 각 호의 구분에 따른다.

1. 방역관: 별지 제30호의3서식

2. 역학조사관: 별지 제30호의4서식

[본조신설 2016. 6. 30.]

제43조(검역위원의 임명 및 직무)

① 법 제61조제1항에 따라 시·도지사는 보건·위생 분야에 종사하는 소속 공무원 중에서 검역위원을 임명할 수 있다.

② 검역위원의 직무는 다음 각 호와 같다.

1. 역학조사에 관한 사항
2. 감염병병원체에 오염된 장소의 소독에 관한 사항
3. 감염병환자등의 추적, 입원치료 및 감시에 관한 사항
4. 감염병병원체에 오염되거나 오염이 의심되는 물건 및 장소에 대한 수거, 파기, 매몰 또는 폐쇄에 관한 사항
5. 검역의 공고에 관한 사항

제44조(예방위원의 임명 및 직무)

① 법 제62조제1항에 따라 특별자치도지사 또는 시장·군수·구청장은 다음 각 호의 어느 하나에 해당하는 사람 중에서 예방위원을 임명 또는 위촉할 수 있다.

1. 의사, 한의사, 수의사, 약사 또는 간호사
2. 「고등교육법」 제2조에 따른 학교에서 공중보건 분야 학과를 졸업한 사람
3. 공중보건 분야에 근무하고 있는 소속 공무원
4. 그 밖에 공중보건 분야에 관한 학식과 경험이 풍부하다고 인정하는 사람

② 예방위원의 직무는 다음 각 호와 같다.

1. 역학조사에 관한 사항
2. 감염병 발생의 정보 수집 및 판단에 관한 사항
3. 위생교육에 관한 사항
4. 감염병환자등의 관리 및 치료에 관한 기술자문에 관한 사항
5. 그 밖에 감염병 예방을 위하여 필요한 사항

제45조(본인으로부터 징수할 수 있는 경비)

법 제69조에 따라 본인이나 그 보호자로부터 징수할 수 있는 경비는 다음 각 호와 같다.

1. 진찰비, 치료비, 검사료
2. 수술비
3. 입원료
4. 그 밖에 진료에 든 경비

제46조(손실보상 청구)

① 법 제70조제2항에 따라 손실보상을 청구하려는 자는 별지 제31호서식의 손실보상청구서(전자문서로 된 청구서를 포함한다)에 손실을 증명하는 서류(전자문서로 된 서류를 포함한다)를 첨부하여 보건복지부장관, 시·도지사 또는 시장·군수·구청장에게 제출하여야 한다.

② 제1항에 따른 청구서를 받은 보건복지부장관, 시·도지사 또는 시장·군수·구청장은 제출 서류에 흠결이 있거나 사실 확인 등이 필요한 경우에는 추가 자료의 제출을 요청할 수 있다.

③ 제1항 및 제2항에서 정한 사항 외에 손실보상 청구방법 및 청구절차에 필요한 세부사항은 보건복지부장관이 정하여 고시한다.

[전문개정 2016. 6. 30.]

제47조(보상의 신청 등)

① 법 제71조제1항 및 영 제31조제1항에 따라 진료비 및 간병비를 신청하려는 사람은 별지 제32호서식의 진료비 및 간병비 신청서에 다음 각 호의 서류를 첨부하여 관할 특별자치도지사 또는 시장·군수·구청장에게 제출하여야 한다. 이 경우 특별자치도지사 또는 시장·군수·구청장은「전자정부법」제36조제1항에 따른 행정정보의 공동이용을 통하여 주민등록표 등본 또는 가족관계증명서를 확인하여야 하며, 신청인이 확인에 동의하지 않는 경우에는 이를 첨부하도록 하여야 한다. 〈개정 2016. 6. 30.〉

1. 별지 제33호서식의 진료확인서 1부

2. 신청인과 본인과의 관계를 증명하는 서류 1부(주민등록표 등본 또는 가족관계증명서로 신청인과 본인의 관계를 증명할 수 없는 경우만 해당한다)

② 법 제71조제1항 및 영 제31조제1항에 따라 일시보상금 및 장제비를 신청하려는 사람은 별지 제34호서식의 일시보상금 및 장제비 신청서에 다음 각 호의 서류를 첨부하여 관할 특별자치도지사 또는 시장·군수·구청장에게 제출하여야 한다. 이 경우 특별자치도지사 또는 시장·군수·구청장은「전자정부법」제36조제1항에 따른 행정정보의 공동이용을 통하여 주민등록표 등본 또는 가족관계증명서를 확인하여야 하며, 신청인이 확인에 동의하지 않는 경우에는 이를 첨부하도록 하여야 한다. 〈개정 2016. 6. 30.〉

1. 사망 일시보상금 및 장제비의 경우

    가. 사망진단서

    나. 부검소견서

    다. 보상금 신청인이 유족임을 증명하는 서류(주민등록표 등본 또는 가족관계증명서로 유족임을 증명할 수 없는 경우만 해당한다)

2. 장애인 일시보상금의 경우

    가. 의료기관이 발행한 진단서

    나. 보상금 신청인과 본인의 관계를 증명하는 서류(주민등록표 등본 또는 가족관계증명서로 신청인과 본인의 관계를 증명할 수 없는 경우만 해당한다)

제47조의2(감염병 차단을 위한 정보 제공 대상 등)

① 질병관리본부장은 법 제76조의2제3항에 따라 다음 각 호의 대상에게 법 제76조의2제1항 및 제2항에 따라 수집한 정보를 제공할 수 있다. 〈개정 2018. 9. 27.〉

　　1. 중앙행정기관의 장

　　2. 지방자치단체의 장

　　3. 국민건강보험공단 이사장

　　4. 건강보험심사평가원 원장

　　5. 감염병 관련 업무 수행 중인 「의료법」 제2조에 따른 의료인, 의료기관 및 약국

　　6. 「의료법」 제28조에 따른 의료인 단체 및 「약사법」 제11조에 따른 약사회

　　7. 「의료법」 제52조에 따른 의료기관 단체

② 질병관리본부장은 제1항에 따라 정보를 제공하는 경우에 다음 각 호의 정보시스템을 활용할 수 있다. 〈신설 2018. 9. 27.〉

　　1. 국민건강보험공단의 정보시스템

　　2. 건강보험심사평가원의 정보시스템

　　3. 그 밖에 감염병 예방 및 감염 전파의 차단을 위하여 질병관리본부장이 필요하다고 인정하여 지정하는 기관의 정보시스템

③ 법 제76조의2제4항에 따른 정보의 파기 결과 통보는 서면으로 하여야 한다. 〈개정 2018. 9. 27.〉

④ 법 제76조의2제5항에 따른 통지는 전자우편·서면·모사전송·전화 또는 이와 유사한 방법 중 어느 하나의 방법으로 하여야 한다. 〈개정 2018. 9. 27.〉

[본조신설 2016. 1. 7.]

제48조(규제의 재검토)

① 보건복지부장관은 다음 각 호의 사항에 대하여 다음 각 호의 기준일을 기준으로 3년마다(매 3년이 되는 해의 기준일과 같은 날 전까지를 말한다) 그 타당성을 검토하여 개선 등의 조치를 하여야 한다. 〈개정 2015. 1. 5.〉

　　1. 제35조제1항, 제36조제2항, 제40조제1항 및 별표 5에 따른 소독의 대상: 2014년 1월 1일

　　2. 제35조제2항, 제36조제3항, 제40조제1항 및 별표 6에 따른 소독의 방법: 2014년 1월 1일

　　3. 제37조제1항 및 별표 8에 따른 소독업의 시설·장비 및 인력 기준: 2014년 1월 1일

② 보건복지부장관은 제37조제1항에 따른 소독업자의 시설·장비 및 인력 기준에 대하여 2019년 1월 1일을 기준으로 2년마다(매 2년이 되는 해의 1월 1일 전까지를 말한다) 그 타당성을 검토하여 개선 등의 조치를 해야 한다. 〈개정 2018. 12. 28.〉

[본조신설 2013. 12. 31.]

부칙 〈제32호, 2010. 12. 30.〉

제1조(시행일)

이 규칙은 2010년 12월 30일부터 시행한다.

제2조(다른 법령의 개정)

① 공중위생관리법 시행규칙 일부를 다음과 같이 개정한다.

제9조제3항 중 "「전염병예방법」 제2조제1항제3호에 따른 결핵(비전염성인 경우를 제외한다)환자"를 "「감염병의 예방 및 관리에 관한 법률」 제2조제4호에 따른 결핵(비감염성인 경우는 제외한다)환자"로 한다.

② 국립소록도병원 운영규칙 일부를 다음과 같이 개정한다.

제6조의 제목 "(전염병환자 등에 대한 조치)"를 "(감염병환자 등에 대한 조치)"로 하고, 같은 조 제1항 중 "전염"을 "감염"으로 하며, 같은 조 제2항 중 "「전염병예방법」 제2조제2항의 규정에 의한 전염병"을 "「감염병의 예방 및 관리에 관한 법률」 제2조제13호에 따른 감염병"으로, "「전염병예방법」"을 "「감염병의 예방 및 관리에 관한 법률」"로 한다.

③ 노인장기요양보험법 시행규칙 일부를 다음과 같이 개정한다.

제20조제1항제1호 중 "「전염병예방법」에 따른 전염병환자로서 전염의 위험성이 있는 자"를 "「감염병의 예방 및 관리에 관한 법률」에 따른 감염병환자로서 감염의 위험성이 있는 사람"으로 한다.

④ 농어촌주민의보건복지증진을위한특별법시행규칙 일부를 다음과 같이 개정한다.

제12조제1항제1호 중 "전염병"을 "감염병"으로 한다.

⑤ 모자보건법 시행규칙 일부를 다음과 같이 개정한다.

제5조제1항제2호 중 "「전염병예방법」 제10조의2에 따른 예방접종심의위원회"를 "「감염병의 예방 및 관리에 관한 법률」 제10조제3항 및 같은 법 시행령 제7조에 따른 예방접종 전문위원회"로 한다.

⑥ 부랑인및노숙인보호시설설치·운영규칙 일부를 다음과 같이 개정한다.

제16조제3호 중 "전염병"을 "감염병"으로 한다.

⑦ 식품위생법 시행규칙 일부를 다음과 같이 개정한다.

제50조제1호 및 제2호를 각각 다음과 같이 하고, 같은 조 제4호 중 "「전염병예방법」 제8조"를 "「감염병의 예방 및 관리에 관한 법률」 제19조"로 한다.

1. 「감염병의 예방 및 관리에 관한 법률」 제2조제2호에 따른 제1군감염병

2. 「감염병의 예방 및 관리에 관한 법률」 제2조제4호나목에 따른 결핵(비감염성인 경우는 제

외한다)

제83조제1항 각 호 외의 부분 전단 중 "「전염병예방법」 제2조에 따른 전염병"을 "「감염병의 예방 및 관리에 관한 법률」 제2조에 따른 감염병"으로 한다.

⑧ 실험동물에 관한 법률 시행규칙 일부를 다음과 같이 개정한다.

제21조제1항제2호를 다음과 같이 한다.

2. 「감염병의 예방 및 관리에 관한 법률」 제2조제2호부터 제4호까지의 규정에 다른 제1군감염병, 제2군감염병 및 제3군감염병을 일으키는 병원체

⑨ 약사법 시행규칙 일부를 다음과 같이 개정한다.

제12조제1호를 다음과 같이 한다.

1. 감염병예방접종약

제84조제2항제1호를 다음과 같이 한다.

1. 「감염병의 예방 및 관리에 관한 법률」 제2조제2호부터 제12호까지의 감염병의 예방용 의약품을 광고하는 경우

⑩ 위생사에 관한 법률 시행규칙 일부를 다음과 같이 개정한다.

제3조제3호 중 "「전염병예방법」 제40조의2"를 "「감염병의 예방 및 관리에 관한 법률」 제52조"로 한다.

⑪ 의료급여법 시행규칙 일부를 다음과 같이 개정한다.

제3조제1항제6호 중 "전염병"을 "감염병"으로 한다.

⑫ 의료기관세탁물 관리규칙 일부를 다음과 같이 개정한다.

제2조제2호가목 중 "「전염병예방법」에 따른 전염병환자"를 "「감염병의 예방 및 관리에 관한 법률」에 따른 감염병환자"로, "전염성"을 "감염성"으로 하고, 같은 호 라목 중 "전염성"을 "감염성"으로 한다.

제4조제3항 중 "「전염병예방법 시행규칙」 별표 3"을 "「감염병의 예방 및 관리에 관한 법률 시행규칙」 별표 6"으로 한다.

⑬ 의료법 시행규칙 일부를 다음과 같이 개정한다.

제43조제2항제3호 중 "「전염병예방법」에 따른 전염병환자, 전염병의사환자"를 "「감염병의 예방 및 관리에 관한 법률」에 따른 감염병환자, 감염병의사환자"로 한다.

⑭ 혈액관리법 시행규칙 일부를 다음과 같이 개정한다.

제6조제6항제1호 및 제7조 중 "전염병환자"를 각각 "감염병환자"로 한다.

제7조의2제1항 중 "전염병"을 "감염병"으로 한다.

제3조(다른 법령과의 관계)

이 영 시행 당시 다른 법령에서 종전의 「전염병예방법 시행규칙」 또는 그 규정을 인용하고 있는 경우에 이 영 중 그에 해당하는 규정이 있으면 종전의 규정을 갈음하여 이 영 또는 이 영의 해당 규정을 인용한 것으로 본다.

부칙 〈제92호, 2011. 12. 8.〉 (영유아보육법 시행규칙)

제1조(시행일)

이 규칙은 2011년 12월 8일부터 시행한다. 〈단서 생략〉

제2조 및 제3조 생략

제4조(다른 법령의 개정)

① 감염병의 예방 및 관리에 관한 법률 시행규칙 일부를 다음과 같이 개정한다.

제25조 중 "보육시설의 장"을 "어린이집의 원장"으로 한다.

별표 7 제12호 중 "영유아 보육시설"을 각각 "어린이집"으로 한다.

②부터 ⑩까지 생략

부칙 〈제171호, 2012. 11. 23.〉

이 규칙은 2012년 11월 24일부터 시행한다.

부칙 〈제185호, 2013. 3. 23.〉 (보건복지부와 그 소속기관 직제 시행규칙)

제1조(시행일)

이 규칙은 공포한 날부터 시행한다.

제2조부터 제4조까지 생략

제5조(다른 법령의 개정)

① 생략

② 감염병의 예방 및 관리에 관한 법률 시행규칙 일부를 다음과 같이 개정한다.

별표 6 제5호 중 "「전염병 예방용 살균·살충제 등의 허가(신고)에 관한 규정」에 따라"를 "「약사법」 제2조제7호다목에 해당하는 의약외품으로서"로, "식품의약품안전청장"을 "식품의약품안전처장"으로 한다.

③부터 ㉒ 까지 생략

부칙 〈제209호, 2013. 9. 23.〉

제1조(시행일)

이 규칙은 2013년 9월 23일부터 시행한다.

제2조(소독업자 등에 대한 교육에 관한 적용례)

제41조제1항 단서의 개정규정은 2013년 3월 23일 이후 소독업의 신고를 한 자부터 적용한다.

제3조(제4군감염병의 종류에 관한 경과조치)

이 규칙 시행 전에 제6조에 따라 제2조제13호의 신종감염병증후군으로 신고된 감염병 중 그 증상 및 징후가 중증열성혈소판감소증후군(SFTS)에 해당하는 감염병은 같은 조 제18호의 개정규정에 따른 중증열성혈소판감소증후군(SFTS)으로 신고된 것으로 본다.

제4조(고위험병원체의 안전관리기준 등에 관한 경과조치)

이 규칙 시행 당시 별표 1 제2호머목의 개정규정에 해당하는 고위험병원체를 보존·관리하고 있는 자는 2013년 12월 22일까지 제21조제1항에 따른 안전관리기준을 충족하고, 같은 조 제2항에 따른 고위험병원체 보존현황신고서를 질병관리본부장에게 제출하여야 한다.

부칙 〈제228호, 2013. 12. 31.〉 (행정규제기본법 개정에 따른 규제 재검토기한 설정을 위한 감염병의 예방 및 관리에 관한 법률 시행규칙 등 일부개정령)

이 규칙은 2014년 1월 1일부터 시행한다.

부칙 〈제106호, 2014. 7. 8.〉 (도시철도법 시행규칙)

제1조(시행일)

이 규칙은 2014년 7월 8일부터 시행한다.

제2조(다른 법령의 개정)

① 감염병의 예방 및 관리에 관한 법률 시행규칙 일부를 다음과 같이 개정한다.

별표 7 제3호 중 "역무시설"을 "역 시설"로 한다.

②부터 ⑧까지 생략

제3조 생략

부칙 〈제260호, 2014. 9. 19.〉

이 규칙은 2014년 9월 19일부터 시행한다.

부칙 〈제281호, 2014. 12. 31.〉

이 규칙은 공포한 날부터 시행한다.

부칙 〈제283호, 2015. 1. 5.〉 (규제 재검토기한 설정 등 규제정비를 위한 감염병의 예방 및 관리에 관한 법률 시행규칙 등 일부개정령)

이 규칙은 공포일로부터 시행한다.

부칙 〈제307호, 2015. 3. 27.〉

이 규칙은 공포 후 6개월이 경과한 날부터 시행한다.

부칙 〈제331호, 2015. 7. 7.〉

제1조(시행일)
이 규칙은 2015년 7월 7일부터 시행한다.

제2조(위탁급식영업 식품접객업소의 소독횟수 기준에 관한 적용례)
이 규칙 시행 1개월 전부터 시행일까지의 기간 동안 소독을 실시한 위탁급식영업을 하는 식품접객업소에 대해서는 해당 소독을 포함하여 별표 7의 개정규정을 적용한다.

부칙 〈제365호, 2015. 11. 18.〉 (지역보건법 시행규칙)

제1조(시행일)
이 규칙은 2015년 11월 19일부터 시행한다.

제2조(다른 법령의 개정)
① 감염병의 예방 및 관리에 관한 법률 시행규칙 일부를 다음과 같이 개정한다.
제4조제4호 및 제14조제1항제1호부터 제3호까지 중 "「지역보건법」 제7조"를 각각 "「지역보건법」 제10조"로 한다.
제31조제1항제3호 중 "「지역보건법」 제10조"를 "「지역보건법」 제13조"로 한다.
②부터 ⑥까지 생략

제3조 생략

부칙 〈제391호, 2016. 1. 7.〉

이 규칙은 2016년 1월 7일부터 시행한다.

부칙 〈제416호, 2016. 6. 30.〉

이 규칙은 2016년 6월 30일부터 시행한다.

부칙 〈제499호, 2017. 6. 2.〉

이 규칙은 2017년 6월 3일부터 시행한다.

부칙 〈제576호, 2018. 6. 12.〉

이 규칙은 2018년 6월 13일부터 시행한다.

부칙 〈제593호, 2018. 9. 27.〉

제1조(시행일)

이 규칙은 2018년 9월 28일부터 시행한다. 다만, 제15조제1항제1호의 개정규정은 공포 후 6개월이 경과한 날부터 시행한다.

제2조(고위험병원체 분리신고 또는 이동신고에 관한 경과조치)

이 규칙 시행 당시 종전의 규정에 따라 고위험병원체 분리신고 또는 이동신고를 한 자에 대해서는 제18조제1항 및 제3항의 개정규정에도 불구하고 종전의 규정에 따른다.

부칙 〈제606호, 2018. 12. 28.〉 (행정규제기본법에 따른 일몰규제 정비를 위한 31개 법령의 일부개정에 관한 보건복지부령)

이 규칙은 2019년 1월 1일부터 시행한다.

별표 / 서식

[별표 1] 고위험병원체의 종류(제5조 관련)

[별표 2] 감염병의 진단 기준(제6조제4항 관련)

[별표 3] 신고하여야 하는 예방접종 후 이상반응자의 범위(제7조제2항 관련)

[별표 3의2] 역학조사관 교육·훈련 과정(제16조의3 관련)

[별표 4] 삭제 〈2018. 6. 12.〉

[별표 4의2] 음압병실 설치·운영 기준(제31조제1항제1호가목 관련)

[별표 5] 소독의 기준(제35조제1항, 제36조제2항 및 제40조제1항 관련)

[별표 6] 소독의 방법(제35조제2항, 제36조제3항 및 제40조제1항 관련)

[별표 7] 소독횟수 기준(제36조제4항 관련)

[별표 8] 소독업의 시설·장비 및 인력 기준(제37조제1항 관련)

[별표 9] 교육과정(제41조제1항 및 제2항 관련)

[별표 10] 행정처분기준(제42조 관련)

[별표 11] [별표 3]으로 이동 〈2016. 6. 30.〉

[별지 제1호서식] 감염병전문병원 지정서

[별지 제1호의2서식] 권역별 감염병전문병원 지정서

[별지 제1호의3서식] 감염병 발생 신고서

[별지 제1호의4서식] 감염병환자등 사망(검안) 신고서

[별지 제1호의5서식] 병원체 검사결과 신고서

[별지 제2호서식] 예방접종 후 이상반응 발생신고(보고)서

[별지 제3호서식] 인수공통감염병 의사환축 발생신고서

[별지 제4호서식] 감염병환자등의 명부

[별지 제5호서식] 예방접종 후 이상반응자의 명부

[별지 제6호서식] 역학조사반원증

[별지 제6호의2서식] 역학조사 요청서

[별지 제7호서식] 고위험병원체 분리신고서

[별지 제7호의2서식] 고위험병원체 분리경위서

[별지 제8호서식] 고위험병원체 이동신고서

[별지 제8호의2서식] 고위험병원체 보존현황보고서

[별지 제9호서식] 고위험병원체 반입허가신청서

[별지 제10호서식] 고위험병원체 반입허가서

[별지 제11호서식] 고위험병원체 반입허가 변경신청서 (허가, 신고)

[별지 제12호서식] 고위험병원체 인수신고서

[별지 제13호서식] 고위험병원체 인수신고확인서

[별지 제14호서식] 고위험병원체 취급시설 설치·운영(허가신청서, 신고서)

[별지 제15호서식] 고위험병원체 취급시설 설치·운영(허가서, 신고확인서, 허가사항 변경허가서, 허가사항 변경신고확인서, 신고사항 변경신고확인서)

[별지 제15호의2서식] 고위험병원체 취급시설 설치·운영(허가사항 변경허가신청서, 허가사항 변경신고서, 신고사항 변경신고서)

[별지 제15호의3서식] 고위험병원체 취급시설 폐쇄신고서

[별지 제15호의4서식] 고위험병원체 취급시설 폐쇄신고확인서

[별지 제16호서식] 예방접종증명서

[별지 제17호서식] 예방접종 실시 기록 및 보고서

[별지 제18호서식] 예방접종피해조사반원증

[별지 제19호서식] 감염병관리기관 지정서

[별지 제20호서식] 비지정 감염병관리시설 설치신고서

[별지 제21호서식] 비지정 감염병관리시설 설치신고확인증

[별지 제21호의2서식] 유급휴가 지원 신청서

[별지 제22호서식] 입원치료 통지서

[별지 제23호서식] 건강진단(예방접종) 명령서

[별지 제24호서식] 소독업 신고서

[별지 제25호서식] 소독업 신고증

[별지 제26호서식] 소독업 신고사항 변경신고서

[별지 제27호서식] 소독업의(휴업, 폐업, 재개업)신고서

[별지 제28호서식] 소독증명서

[별지 제29호서식] 소독실시대장

[별지 제30호서식] 교육기관 지정서

[별지 제30호의2서식] 방역업무 종사명령서

[별지 제30호의3서식] 임명장

[별지 제30호의4서식] 임명장

[별지 제31호서식] 손실보상청구서

[별지 제32호서식] 진료비 및 간병비 신청서

[별지 제33호서식] 진료확인서

[별지 제34호서식] (사망, 장애인) 일시보상금(및 장제비) 신청서

4. 예방접종의 실시기준 및 방법

[시행 2018. 9. 28.] [질병관리본부고시 제2018-1호, 2018. 9. 6., 일부개정.]

질병관리본부(예방접종관리과) 043-719-6827

제1조(목적)

이 고시는 「감염병의 예방 및 관리에 관한 법률」(이하 "법"이라 한다) 제32조 및 같은 법 시행규칙(이하 "시행규칙" 이라 한다) 제26조에 따라 예방접종의 실시기준과 방법을 정함으로써 국가예방접종사업을 안전하고 효과적으로 시행하는데 그 목적이 있다.

제2조(적용대상)

예방접종 적용대상 감염병은 다음 각 호와 같다.

    1. 법 제24조제1항의 제1호 내지 제16호에 규정된 디프테리아, 폴리오, 백일해, 홍역, 파상풍, 결핵, B형간염, 유행성이하선염, 풍진, 수두, 일본뇌염, b형헤모필루스인플루엔자, 폐렴구균, 인플루엔자, A형간염, 사람유두종바이러스 감염증

    2. 법 제24조제1항제17호에 따라「필수예방접종이 필요한 감염병 지정 등」제1조에 규정된 장티푸스, 신증후군출혈열

제3조(예방접종의 실시 등)

    ① 예방접종은 보건의료기관의 주관 하에 보건의료기관 내에서 실시하되, 감염병의 확산을 막기 위하여 필요한 경우에는 보건의료기관 이외의 장소에서도 실시할 수 있다.

    ② 예방접종은 예방접종에 대하여 적절한 교육과 훈련을 받은 능력을 갖춘 의료인이 접종하며 의료인은 현재 권장되고 있는 예방접종의 종류, 접종시기, 접종방법 및 접종하는 백신에 대하여 충분히 이해하고 숙지하여야 한다.

    ③ 보건의료기관과 의료인은 예방접종에 대하여 국민들에게 다음 각 호의 사항을 교육·홍보하여 안전한 예방접종에 노력하여야 한다.

        1. 의료인은 접종대상자를 진찰할 때마다 예방접종 시행여부를 확인하고, 적기에 필요한 예방접종을 할 것을 권유

        2. 보건의료기관과 의료인은 예방접종의 중요성, 접종시기, 접종으로 예방할 수 있는 감염병,

예방접종내역의 기록 및 보관의 중요성 및 필수·임시 예방접종과 기타 예방접종의 차이에 대한 교육·홍보

3. 보건의료기관과 의료인은 접종대상자 본인, 법정대리인 또는 보호자(「아동복지법」 및 「노인복지법」에 규정된 '보호자' 정의를 준용한다. 이하 같다)에게 별지 제1호서식의 예방접종 예진표(영문서식을 포함한다)를 작성토록 권유

④ 보건의료기관은 제3조제3항제3호에 따라 작성된 예방접종 예진표를 작성일로부터 5년 간 보존하여야 한다.

제4조(주의사항 등)

① 의료인은 예방접종을 실시하기 전에 다음 각 호의 사항에 유의하여야 한다.

1. 충분한 병력청취와 신체진찰을 통해 접종대상자가 접종이 가능한 상태인지를 판단

2. 제1호의 판단 결과 예방접종의 대상자가 접종의 금기사항이 있을 때에는 접종을 해서는 아니됨. 단, 금기사항이 아닌 경우를 금기사항으로 잘못 적용하여 접종을 지연시키지 않도록 주의

② 의료인은 예방접종 전후의 주의사항 및 예방접종의 이점과 접종 후 발생할 수 있는 이상반응에 대하여 접종대상자 본인, 법정대리인이나 보호자가 쉽게 이해할 수 있는 용어로 설명한다.

③ 보건의료기관은 법 제28조 및 시행규칙 제23조에 따라 다음 각 호의 예방접종에 관련된 사항을 시행규칙 별지 제17호서식의 예방접종 실시 기록 및 보고서(전자문서를 포함한다)에 기록하고 보존한다.

1. 접종대상자의 인적사항

2. 접종명, 접종차수, 백신제조번호, 접종일자, 접종방법 등 접종내역

④ 필수 및 임시예방접종을 실시한 자는 법 제28조 및 시행규칙 제23조에 따라 특별자치도지사 또는 시장·군수·구청장에게 그 내용을 제출하며, 접종 후 백신과 관련된 심각한 이상반응이 의심되는 경우에는 의료기관의 장이 법 제11조 및 시행규칙 제7조에 따라 보건소장에게 그 내용을 즉시 신고한다.

⑤ 보건의료기관은 백신 구입 시 생물학적 제제 출하증명서를 수령하고 제조 연월일, 제조회사, 제공자(공급회사 또는 국가기관), 백신제조번호, 유효기간, 구입량 및 재고량을 확인하여야 하며 접종 전까지 백신의 역가가 충분히 유지되도록 적절한 용기와 방법을 사용하여 백신을 운반·보관하여야 한다.

제5조(실시대상 및 표준접종시기)

제2조에 규정된 예방접종의 실시 대상 및 표준접종시기는 별표 1과 같다.

제6조(준용)

이 고시는 별표 1에 규정된 접종대상 이외의 자에게 예방접종을 실시하는 경우에도 준용된다.

제7조(재검토기한)

「훈령·예규 등의 발령 및 관리에 관한 규정」(대통령훈령 제248호)에 따라 이 고시 발령 후의 법령이나 현실여건의 변화 등을 검토하여 이 고시의 폐지, 개정 등의 조치를 하여야 하는 기한은 2019년 12월 31일까지로 한다.

부칙 〈제2017-6호, 2017. 9. 6.〉

이 고시는 발령한 날부터 시행한다.

부칙 〈제2018-1호, 2018. 9. 6.〉

제1조(시행일)

이 고시는 2018년 9월 28일부터 시행한다.

부칙 〈제2019-1호, 2019. 2. 14.〉

제1조(시행일)

이 고시는 발령한 날부터 시행한다.

[별지 제1호서식]

예방접종 예진표

안전한 예방접종을 위하여 아래의 질문사항을 잘 읽어보시고, 본인(법정대리인, 보호자) 확인란에 기록하여 주시기 바랍니다.

성 명		주민등록번호		–	(□남 □여)
실제 생년월일		외국인 등록번호		–	(□남 □여)
전화번호	(집)	(휴대전화)		체 중	kg

예방접종 업무를 위한 개인정보 처리 등에 대한 동의사항	본인(법정대리인, 보호자) 확인 ☑
'감염병의 예방 및 관리에 관한 법률' 제32조 및 동법 시행령 제32조의3에 따라 주민등록번호 등 개인정보 및 민감정보를 수집하고 있습니다. 추가적으로 수집되는 항목은 아래와 같습니다. ■ 개인정보 수집·이용 목적: 필수예방접종의 다음접종 및 완료 여부, 예방접종 후 이상반응 발생 여부관련 문자 ■ 개인정보 수집·이용 항목: 개인정보(민감정보, 주민등록번호 포함), 전화번호(집/휴대전화) ■ 개인정보 보유 및 이용기간: 5년	
예방접종을 하기 전에 피접종자의 예방접종 내역을 예방접종통합관리시스템으로 사전 확인하는 것에 동의합니다. * 예방접종 내역의 사전확인에 동의하지 않는 경우, 불필요한 추가접종 또는 교차접종이 발생할 수 있습니다.	□ 예 □ 아니오
필수예방접종의 다음접종 및 완료 여부에 관한 정보를 휴대전화 문자로 수신 하는 것에 동의합니다. * 문자 수신에 동의하지 않는 경우, 동의하지 않은 항목에 대한 정보를 수신하실 수 없습니다.	□ 예 □ 아니오
예방접종 후 이상반응 발생 여부와 관련된 문자를 휴대전화로 수신하는 것에 동의합니다. * 문자 수신에 동의하지 않는 경우, 동의하지 않은 항목에 대한 정보를 수신하실 수 없습니다.	□ 예 □ 아니오
접 종 대 상 자 에 대 한 확 인 사 항	본인(법정대리인, 보호자) 확인 ☑
오늘 아픈 곳이 있습니까? 아픈 증상을 적어주십시오. ( )	□ 예 □ 아니오
약이나 음식물(계란 포함) 혹은 백신접종으로 두드러기 또는 발진 등의 알레르기 증상을 보인 적이 있습니까?	□ 예 □ 아니오
과거에 예방접종 후 이상반응이 생긴 일이 있습니까? 있다면 예방접종명을 적어주십시오. (예방접종명:)	□ 예 □ 아니오
선천성 기형, 천식 및 폐질환, 심장질환, 신장질환, 간질환, 당뇨 및 내분비 질환, 혈액 질환으로 진찰 받거나 치료 받은 일이 있습니까? 있다면 병명을 적어주십시오. ( )	□ 예 □ 아니오
경련을 한적이 있거나 기타 뇌신경계 질환(길랭-바레 증후군 포함)이 있습니까?	□ 예 □ 아니오
암, 백혈병 혹은 면역계 질환이 있습니까? 있다면 병명을 적어주십시오. (병명 :)	□ 예 □ 아니오
최근 3개월 이내에 스테로이드제, 항암제, 방사선 치료를 받은 적이 있습니까?	□ 예 □ 아니오
최근 1년 동안 수혈을 받았거나 면역글로불린을 투여받은 적이 있습니까?	□ 예 □ 아니오
최근 1개월 이내에 예방접종을 한 일이 있습니까? 있다면 예방접종명을 적어 주십시오. (예방접종명 :)	□ 예 □ 아니오
(여성) 현재 임신 중이거나 또는 다음 한 달 동안 임신할 가능성이 있습니까?	□ 예 □ 아니오
의사의 진찰결과와 이상반응에 대한 설명을 듣고 예방접종을 하겠습니다. 본인(법정대리인, 보호자) 성명 : (서명) 접종대상자와의 관계 : * 피접종자가 출생신고 이전의 신생아인 경우 법정대리인의 주민등록번호(–) 년 월 일	

의 사 예 진 결 과 (의 사 기 록 란)		확인 ☑
체온 : ℃	예방접종 후 이상반응에 대해 설명하였음	□
'이상반응 관찰을 위해 접종 후 20~30분간 접종기관에 머물러야 함'을 설명하였음		□
문진결과 :		
이상의 문진 및 진찰 결과 예방접종이 가능합니다. 의사성명 : (서명)		

210㎜× 297㎜(보존용지(2종) 70g/㎡)

[Form No. 1]

Immunization Screening Questionnaire

To ensure safe vaccinations, please read the following questions carefully and mark Patient/Parent or Legal Guardian as appropriate.

Name		Resident Registration Numbers		–	(☐Male ☐Female)
Date of Birth (YYYY.MM.DD)		Foreign Registration Number		–	(☐Male ☐Female)
Telephone	(Home)	(Cell Phone)		Weight	kg

Release of Personal Vaccination Information	Patient/ Parent or Legal Guardian ☑
We collect personal information including Foreign Registration Number and Sensitive Information in accordance with the "INFECTIOUS DISEASE CONTROL AND PREVENTION ACT" Article 24, 32 and the "ENFORCEMENT DECREE OF THE INFECTIOUS DISEASE CONTROL AND PREVENTION ACT" Article 32-3. The additional personal information to be collected is as follows: ☐ Personal information collection·processing purpose: sending reminder messages regarding upcoming vaccination dates, confirmation messages for received vaccinations, and messages regarding the monitoring of adverse events following immunization. ☐ Personal information collection·processing category: personal information(including Foreign Registration Number and Sensitive Information), telephone(home, cell phone) ☐ Period of retention and use: 5 years	
I hereby consent to the release of my child's (my) vaccination records through the Immunization Registry Information System (IRIS). * Denying consent could lead to unnecessary vaccinations or cross vaccinations.	☐ Yes ☐ No
I hereby consent to receiving reminder messages for upcoming vaccinations and confirmation of received vaccinations. * Denying consent will result in no longer receiving information on upcoming or received vaccinations.	☐ Yes ☐ No
I hereby consent to receiving messages for the monitoring of adverse events following immunization. * Denying consent will result in no longer receiving information on adverse events following immunization.	☐ Yes ☐ No

Pre-Immunization Screening Checklist	Patient/ Parent or Legal Guardian ☑
Are you feeling sick today? If yes, please describe any symptoms. ( )	☐ Yes ☐ No
Have you ever experienced an allergic reaction such as urticaria or rash to certain medications, foods (especially eggs), or vaccinations?	☐ Yes ☐ No
Have you ever experienced any adverse events following vaccination in the past? If yes, please specify the vaccine. ( )	☐ Yes ☐ No
Have you ever been diagnosed with or treated for congenital anomaly, asthma, lung, heart, kidney, or liver problems, metabolic diseases (e.g. diabetes), or blood disorders? If yes, please specify.( )	☐ Yes ☐ No
Have you experienced seizures or other nervous system disorders (e.g. Guillain-Barre syndrome)?	☐ Yes ☐ No
Do you have cancer, hematologic diseases, or any other immune system problem? If yes, please describe. ( )	☐ Yes ☐ No
In the past three months, have you taken cortisone, prednisone, other steroids or anti-cancer drugs, or had radiation treatment?	☐ Yes ☐ No
In the past year, have you ever received a blood transfusion or immunoglobulin?	☐ Yes ☐ No
Have you received any vaccinations within the past month? If yes, please specify. ( )	☐ Yes ☐ No
(For women) Are you pregnant or is there a chance of becoming pregnant within the next month?	☐ Yes ☐ No
I hereby confirm that I have been informed of my examination results and of the potential adverse events following immunizations (AEFIs), and hereby agree to receiving vaccination(s). Patient or Parent/Legal Guardian: (Name) (Signature) (Relationship to patient) * National Registration Number of legal guardian (if your child's birth has not yet been registered): – Date: (yyyy) (mm) (dd)	

Results of Pre-Vaccination Screening (to be completed by a physician)		Check ☑
Body temperature : ℃	I have explained about possible risks of immunization (AEFI)	☐
I have explained that the vaccine recipient should stay at the medical institution for 20~30 minutes for observation.		☐
Results of history-taking :		
Based on the patient's history and physical examination, the vaccine recipient is able to receive vaccinations. Physician (Name): (Signature)		

210mm× 297mm(보존용지(2종) 70g/㎡)

[별표 1]

예방접종별 실시대상 및 표준접종시기

① 결핵

▶ 접종대상
- 모든 영유아를 대상으로 한다.

▶ 표준접종시기
- 생후 1개월 이내에 1회 접종을 권장한다.

▶ 백신종류
- BCG(피내용)

② B형간염

▶ 접종대상
- 모든 신생아 및 영아를 대상으로 한다.
- 과거 B형간염의 감염증거와 예방접종력이 없는 성인 중 B형간염 바이러스에 노출될 위험이 높은 환경에 있는 사람을 우선 접종권장 대상으로 한다.
  ① B형간염 바이러스 보유자의 가족
  ② 혈액제제를 자주 수혈받아야 되는 환자
  ③ 혈액투석을 받는 환자
  ④ 주사용 약물 중독자
  ⑤ 의료기관 종사자
  ⑥ 수용시설의 수용자 및 근무자
  ⑦ 성매개질환의 노출 위험이 큰 집단

▶ 표준접종시기
- 생후 0, 1, 6개월에 3회 접종할 것을 권장한다.
- 다만, 모체의 B형간염 표면항원 결과가 양성이거나 검사결과를 알지 못하는 경우 아래와 같이 접종할 것을 권장한다.

① 모체가 B형간염 표면항원 양성인 경우: B형간염 면역글로불린 및 B형간염 백신 1차 접종을 출생 직후(12시간이내) 각각 다른 부위에 실시할 것을 권장한다. 2, 3차 접종은 생후 1, 6개월에 실시한다.

② 모체의 B형간염 표면항원 검사 결과를 알지 못하는 경우 : B형간염 백신 1차 접종을 출생 직후 (12시간 이내)에 실시하고, 모체의 검사 결과가 양성으로 밝혀지면 가능한 빠른 시기 (늦어도 7일 이내)에 B형간염 면역글로불린을 백신접종과 다른 부위에 접종한다. 이 후 B형간염 2차와 3차 접종은 생후 1, 6개월에 실시한다.

③ 디프테리아·파상풍·백일해

접종대상

- 모든 영유아
- 「모자보건법」제15조의 5 및 동법 시행령 제16조에 따라 의무접종 해야 하는 산후조리업자 및 종사자(의료인, 간호조무사)

표준접종시기

- 모든 영유아

- 생후 2개월, 4개월, 6개월에 3회 기초 접종할 것을 권장한다.
- 생후 15~18개월, 만4~6세, 만11~12세에 3회 추가 접종할 것을 권장한다.

※ 기초접종 3회는 동일 제조사의 백신으로 접종하는 것을 원칙으로 한다.

※ 표준접종일정

구 분		표준접종시기	접종 간 격	백 신
기초 접종	1차	생후 2개월	최소한 생후 6주 이후	DTaP
	2차	생후 4개월	1차접종후 4~8주 경과후	DTaP
	3차	생후 6개월	2차접종후 4~8주 경과후	DTaP
추가 접종	4차	생후 15~18개월	3차접종후 최소 6개월 이상 경과후	DTaP
	5차	만4~6세	–	DTaP
	6차	만11~12세	–	Tdap 혹은 Td

- 산후조리업자 및 종사자

- 해당시설 근무 2주전까지 백일해 예방접종(Tdap)을 1회 접종한다.

④ 폴리오

> **접종대상**
- 모든 영유아를 대상으로 한다.

> **표준접종시기**
- 생후 2개월, 4개월, 6개월에 3회 기초 접종할 것을 권장한다.
  (단, 3차 접종은 생후 6~18개월까지 접종가능)
- 만4~6세에 추가 접종할 것을 권장한다.

⑤ 홍역·유행성이하선염·풍진

> **접종대상**
- 모든 영유아를 대상으로 한다.

> **표준접종시기**
- 생후 12~15개월과 만4~6세에 2회 접종할 것을 권장한다.

⑥ 일본뇌염

> **접종대상**
- 모든 영유아를 대상으로 한다.

> **표준접종시기**
- 쥐 뇌조직 유래 불활성화 백신과 베로세포 유래 불활성화 백신은 생후 12~23개월 중 7~30일 간격으로 2회 접종한 후, 12개월 뒤에 1회 더 접종하여 기초접종을 완료하고, 만6세와 만12세에 2회 추가 접종할 것을 권장한다.
- 햄스터 신장세포 유래 약독화 생백신은 생후 12~23개월에 1회 접종하고, 12개월 후 2차 접종할 것을 권장한다.

⑦ 장티푸스

❯ 접종대상

- 다음의 대상자중 위험요인 및 접종환경 등을 고려하여 제한적으로 접종할 것을 권장한다.
  - ① 장티푸스 보균자와 밀접하게 접촉하는 사람(가족 등)
  - ② 장티푸스가 유행하는 지역으로 여행하는 사람 및 체류자
  - ③ 장티푸스 균을 취급하는 실험실 요원

❯ 표준접종시기

- Vi polysaccharide 백신을 1회 접종하고 장티푸스에 걸릴 위험에 계속 노출되는 경우에는 3년마다 추가접종 할 것을 권장한다.
- 2세 미만의 영아는 권장하지 않는다.

⑧ 인플루엔자

❯ 접종대상

- 다음의 대상자에게 매년 인플루엔자 유행 시기 이전에 예방접종을 받을 것을 권장한다.

1) 인플루엔자 바이러스 감염 시 합병증 발생이 높은 대상자(고위험군)
- 65세 이상 노인
- 생후 6개월~59개월 소아
- 임신부
- 만성폐질환자, 만성심장질환자(단순 고혈압 제외)
- 만성질환으로 사회복지시설 등 집단 시설에서 치료, 요양, 수용 중인 사람
- 만성 간 질환자, 만성 신 질환자, 신경-근육 질환, 혈액-종양 질환, 당뇨환자, 면역저하자(면역억제제 복용자), 60개월~18세의 아스피린 복용자
- 50세~64세 성인
* 50~64세 성인은 인플루엔자 합병증 발생의 고위험 만성질환을 갖고 있는 경우가 많으나 예방접종률이 낮아 포함된 대상으로 65세 이상 노인과 구분

2) 고위험군에게 인플루엔자를 전파시킬 위험이 있는 대상자
- 의료기관 종사자
- 6개월 미만의 영아를 돌보는 자
- 만성질환자, 임신부, 65세 이상 노인 등과 함께 거주하는 자

3) 집단생활로 인한 인플루엔자 유행 방지를 위해 접종이 권장되는 대상자
- 생후 60개월~18세 소아 청소년

❯ 표준접종시기

- 매년 1회 접종을 원칙으로 한다.
- 단, 과거 접종력이 없거나, 첫 해에 1회만 접종받은 6개월 이상 9세미만의 소아에게는 1개월 간격으로 2회 접종하고, 이후 매년 1회 접종한다.

⑨ 신증후군출혈열

❯ 접종대상

- 다음의 대상자중 위험요인 및 접종환경들을 고려하여 제한적으로 접종할 것을 권장한다.
    ① 군인 및 농부 등 직업적으로 신증후군출혈열 바이러스에 노출될 위험이 높은 집단
    ② 신증후군출혈열(유행성 출혈열) 바이러스를 다루거나 쥐 실험을 하는 실험실 요원
    ③ 야외활동이 빈번한 사람 등 개별적 노출 위험이 크다고 판단되는 자

❯ 표준접종시기

- 1개월 간격으로 2회 접종하고, 2차 접종 후 12개월 뒤에 3차 접종할 것을 권장한다.

⑩ 수두

❯ 접종대상

- 모든 영유아를 대상으로 한다.

❯ 표준접종시기

- 생후 12~15개월에 1회 접종할 것을 권장한다.

⑪ b형헤모필루스인플루엔자

❯ 접종대상

- 모든 영유아를 대상으로 한다.

❯ 표준접종시기

- 생후 2개월, 4개월, 6개월에 3회 기초 접종할 것을 권장한다.
- 생후 12~15개월에 1회 추가 접종할 것을 권장한다.

⑫ 폐렴구균

> 🔘 접종대상

- 모든 영유아를 대상으로 한다.
- 65세 이상 노인을 대상으로 접종할 것을 권장한다.

> 🔘 표준접종시기

- 영유아의 경우 폐렴구균 단백결합 백신으로 생후 2개월, 4개월, 6개월에 3회 기초접종을 실시하고, 생후 12~15개월에 1회 추가접종 할 것을 권장한다.
- 65세 이상 노인은 폐렴구균 다당질 백신으로 1회 접종할 것을 권장한다.

⑬ A형간염

> 🔘 접종대상

- 모든 영유아를 대상으로 한다.

> 🔘 표준접종시기

- 생후 12~23개월에 1차 접종 후, 6~12개월(또는 6~18개월) 뒤에 2차 접종할 것을 권장한다.

⑭ 사람유두종바이러스 감염증

> 🔘 접종대상

- 해당 연도에 만 12세 이거나 만 12세에 달하게 되는 여아를 대상으로 한다.

> 🔘 표준접종시기

- 사람유두종바이러스 백신(2가 또는 4가)으로 만 12세에 1차 접종 후 6개월 간격으로 2차 접종할 것을 권장한다.

부록 용어집

영문 ― 한글

* 대한의사협회 의학용어집 5판을 기본으로 하였습니다.

영문명	한글명
® TM	상품명 표기
ACIP	미국 예방접종 자문위원회
adjuvant	면역증강제
adverse event	이상반응
AIDS	에이즈
allergy	알레르기
anaphylactoid reaction	유사아나필락시스반응
anaphylaxis	아나필락시스
antigen presenting cell	항원제시세포
antigenic drift	항원소변이
antigenic shift	항원대변이
Arthus―like reaction	유사아르투스반응
blocking antibody	차단항체
booster injection	추가접종
breakthrough infection	돌파감염
carrier	운반체
CDC	질병관리본부
cell culture―derived vaccine	세포배양백신
cell substrate	세포기질
cellular immunity	세포면역

chemoprophylaxis	예방화학요법
clinical trial	임상시험
cold chain	저온유지망
combination vaccine	혼합백신
contraindication	금기
corticosteroid	코르티코스테로이드
cost–effectiveness analysis	비용-효과분석
Cytotoxic T–lymphocyte	세포독성 T 림프구
deltoid muscle	어깨세모근
diabetes mellitus	당뇨병
dendritic cell	가지세포
dose	용량, 투여량, 도스
DTP	소아용 파상풍–디프테리아–백일해 혼합백신
DTR	심부건반사
edema	부종
effectiveness	효과
Effector T–lymphocyte	작동 T 림프구
efficacy	효능
egg	계란
egg–derived vaccine	계란유래백신
embryonated egg	유정란
endotoxin	내독소
epitope	항원결정인자
fatality rate	치명률
fecal incontinence	변실금
formulation	제형
geometric mean	기하평균
guideline	지침
Guillain–Barre syndrome	길랭-바레 증후군
Haemophilus influenzae	헤모필루스균
Haemophilus influenzae type b	b형 헤모필루스균

Helper T–lymphocyte	도움 T 림프구
hematemesis	토혈, 혈액구토
hemmaglutinin inhibition	혈구응집억제
herd immunity	군집면역, 무리면역
heterotypic immunity	이형면역
HIV	사람면역결핍바이러스
Hodgkin disease	호지킨씨병
HPV	인유두종바이러스
human	사람
humoral immunity	체액면역
immune interference	면역간섭
immunization	면역화, 예방접종
immunocompromised	면역저하
immunogenicity	면역원성
immunoglobulin	면역글로불린
immunosenescence	면역노화
inactivated vaccine	불활화백신
incidence	발생률, 발병률
induration	경결
influenza–like illness	인플루엔자의사질환
interchaneability of vaccines of different manufacturer	교차접종
interpandemic period	대유행간기
KFDA	식품의약품안전처
killed vaccine	사멸백신, 사백신
live attenuated vaccine	약독화 생백신
live vaccine	생백신
liver cirrhosis	간경화(증)
lymph node	림프절
lymphocyte	림프구
manufacturer	제조사, 생산회사
meningococcus	수막알균

MMR	홍역-볼거리-풍진 혼합백신
multivial	다용량
nasopharynx	비인두
national immunization program	국가예방접종사업
nausea	구역, 메스꺼움
neutralizing antibody	중화항체
non-clinical data	비임상자료
nuchal rigidity	목경직
nucleocapsid	뉴클레오캡시드
pain	통증
pandemic influenza	대유행 인플루엔자
PCV13	13가 폐렴사슬알균 단백결합백신
peptide	펩티드
pharynx	인두
plasmid	플라스미드
Pneumococcus, Streptococcus pneumoniae	폐렴사슬알균
pocket immunity	면역공백
poliomyelitis	폴리오, 소아마비, 회색질척수염
polypeptide	폴리펩티드
polysaccharide	다당류
polyvalent vaccine	다가백신
PPSV23	23가 폐렴사슬알균 다당류백신
preservative	보존제
priming	시동
protective antibody	보호항체
protective immunity	방어면역
protein conjugated	단백결합
purpura	자반
quadriceps	대퇴사두근, 넙다리네갈래근
rabies	광견병
reassortant	재조합체

redness	발적
reservoir	보유, 병원소
revaccination	재접종
safety	안전성
schedule	스케줄
seroconversion	항체양전
seroconversion rate	항체양전율
seropositivity rate	항체양성률
serum-sickness	혈청병
shock	쇼크
smallpox	두창, 천연두
soft palate	연구개
sore throat	인후염, 인후통
split vaccine	분편백신
stability	안정성
strain	(바이러스)주
stroke	뇌졸중, 뇌중풍
substance	기질
subunit vaccine	아단위백신
swelling	부기, 종창
target population	대상인구
Td	파상풍-디프테리아 혼합백신
Tdap	성인용 파상풍-디프테리아-백일해 혼합백신
thimerosal	티메로살
titer	역가
toxoid	변성독소
trivalent vaccine	3가백신
upper arm	위팔, 상완
US FDA	미국 식품의약국
vaccination	예방접종
vaccine	백신

virulence	독력, 균력, 병독성
virus like particle	유사바이러스 물질
virus strain	(바이러스)주
vomiting	구토
WHO	세계보건기구

| 한글 | – | 영문 |

한글명	영문명
(바이러스)주	strain
가지세포	dendritic cell
간경화(증)	liver cirrhosis
경결	induration
계란	egg
계란유래백신	egg–derived vaccine
광견병	rabies
교차접종	interchaneability of vaccines of different manufacturer
구역, 메스꺼움	nausea
구토	vomiting
국가예방접종사업	national immunization program
군집면역, 무리면역	herd immunity
금기	contraindication
기질	substance
기하평균	geometric mean
길랭–바레 증후군	Guillain–Barre syndrome
내독소	endotoxin
뇌졸중, 뇌중풍	stroke
뉴클레오캡시드	nucleocapsid
다가백신	polyvalent vaccine
다당류	polysaccharide
다용량	multivial
단백결합	protein conjugated
당뇨병	diabetes mellitus
대상인구	target population
대유행 인플루엔자	pandemic influenza
대유행간기	interpandemic period

대퇴사두근, 넙다리네갈래근	quadriceps
도움 T 림프구	Helper T-lymphocyte
독력, 균력, 병독성	virulence
돌파감염	breakthrough infection
두창, 천연두	smallpox
림프구	lymphocyte
림프절	lymph node
면역간섭	immune interference
면역공백	pocket immunity
면역글로불린	immunoglobulin
면역노화	immunosenescence
면역원성	immunogenicity
면역저하	immunocompromised
면역증강제	adjuvant
면역화, 예방접종	immunization
목경직	nuchal rigidity
미국 식품의약국	FDA
미국 예방접종 자문위원회	ACIP
바이러스주	virus strain
발생률, 발병률	incidence
발적	redness
방어면역	protective immunity
백신	vaccine
변성독소	toxoid
변실금	fecal incontinence
보유, 병원소	reservoir
보존제	preservative
보호항체	protective antibody
부기, 종창	swelling
부종	edema
분편백신	split vaccine

불활화백신	inactivated vaccine
비용-효과분석	cost-effectiveness analysis
비인두	nasopharynx
비임상자료	non-clinical data
사람	human
사람면역결핍바이러스	HIV
사멸백신, 사백신	killed vaccine
상완	upper arm
상품명 표기	® TM
생백신	live vaccine
성인용 파상풍-디프테리아-백일해 혼합백신	Tdap
세계보건기구	WHO
세포기질	cell substrate
세포면역	cellular immunity
세포배양백신	cell culture-derived vaccine
세포독성 T 림프구	Cytotoxic T-lymphocyte
소아용 파상풍-디프테리아-백일해 혼합백신	DTP
쇼크	shock
수막알균	meningococcus
스케줄	schedule
시동	priming
식품의약품안전처	KFDA
심부건반사	DTR
아나필락시스	anaphylaxis
아단위백신	subunit vaccine
안전성	safety
안정성	stability
알레르기	allergy
액와	axilla
약독화 생백신	live attenuated vaccine
어깨세모근	deltoid muscle

에이즈	AIDS
역가	titer
연구개	soft palate
예방접종	vaccination
예방화학요법	chemoprophylaxis
외래물질, 외부물질	extraneous agent
용량, 투여량, 도스	dose
운반체	dcarrier
위팔, 상완	upper arm
유사바이러스 물질	virus like particle
유사아나필락시스반응	anaphylactoid reaction
유사아르투스반응	Arthus-like reaction
유정란	embryonated egg
이상반응	adverse event
이형면역	heterotypic immunity
인두	pharynx
인유두종바이러스	HPV
인플루엔자의사질환	influenza-like illness
인후염, 인후통	sore throat
임상시험	clinical trial
자반	purpura
작동 T 림프구	Effector T-lymphocyte
재접종	revaccination
재조합체	reassortant
저온유지망	cold chain
제조사, 생산회사	manufacturer
제형	formulation
중화항체	neutralizing antibody
지침	guideline
질병관리본부	CDC

차단항체	blocking antibody
체액면역	humoral immunity
추가접종	booster injection
치명률	fatality rate
코르티코스테로이드	corticosteroid
토혈, 혈액구토	hematemesis
통증	pain
티메로살	thimerosal
파상풍-디프테리아 혼합백신	Td
펩티드	peptide
폐렴사슬알균	*Pneumococcus, Streptococcus pneumoniae*
폴리오, 소아마비, 회색질척수염	poliomyelitis
폴리펩티드	polypeptide
플라스미드	plasmid
항원대변이	antigenic shift
항원소변이	antigenic drift
항원결정인자	epitope
항원제시세포	antigen presenting cell
항체양성률	seropositivity rate
항체양전	seroconversion
항체양전율	seroconversion rate
헤모필루스균	*Haemophilus influenzae*
혈구응집억제	hemmaglutinin inhibition
혈청병	serum-sickness
호지킨씨병	Hodgkin disease
혼합백신	combination vaccine
홍역-볼거리-풍진 혼합백신	MMR
효과	effectiveness
효능	efficacy
13가 폐렴사슬알균 단백결합백신	PCV13

23가 폐렴사슬알균 다당류백신	PPSV23
3가백신	trivalent vaccine
b형 헤모필루스균	*Haemophilus influenzae* type b

# 찾아보기

영어

A